ECONOMIA
19ª EDIÇÃO

S187e   Samuelson, Paul A.
            Economia / Paul A. Samuelson, William D. Nordhaus ; tradução: Elsa Fontainha, Jorge Pires Gomes ; revisão técnica: Emílio Hiroshi Matsumura. – 19. ed. – Porto Alegre : AMGH, 2012.
            xxviii, 643 p. : il. ; 28 cm.

          ISBN 978-85-8055-104-4

          1. Economia. I. Nordhaus, William D. II. Título.

                                                                                 CDU 330

Catalogação na publicação: Fernanda B. Handke dos Santos – CRB 10/2107

ECONOMIA
19ª EDIÇÃO

Paul A. Samuelson
Professor Emérito (falecido)
Massachusetts Institute of Technology

William D. Nordhaus
Professor de Economia
Yale University

Tradução
Elsa Fontainha
Jorge Pires Gomes

Revisão técnica
Emílio Hiroshi Matsumura
Doutor em Economia pela PUC/RJ
Professor de Análise Microeconômica e de
Econometria do IBMEC/RJ

AMGH Editora Ltda.
2012

Obra originalmente publicada sob o título
Economics, 19th Edition.
ISBN 0073511293 / 9780073511290

Original edition copyright (c) 2010, The McGraw-Hill Companies,Inc., New York, New York 10020. All Rights Reserved.

Capa: *Paola Bulcão Manica (arte sobre capa original)*

Foto de capa: a imagem do globo é cortesia do Projeto GECON, Yale University, e foi criado por Xi Chen e William Nordhaus. A altura das barras é proporcional à produção de cada local. Para mais detalhes sobre os dados e os métodos, acesse <http://gecon.yale.edu>.

Gerente editorial CESA: *Arysinha Jacques Affonso*

Coordenadora editorial: *Viviane R. Nepomuceno*

Preparação, revisão e editoração: *Know-how Editorial*

Reservados todos os direitos de publicação, em língua portuguesa, à
AMGH Editora Ltda., uma parceria entre GRUPO A EDUCAÇÃO S.A. e McGRAW-HILL EDUCATION.
Av. Jerônimo de Ornelas, 670 – Santana
90040-340 – Porto Alegre – RS
Fone: (51) 3027-7000 Fax: (51) 3027-7070

É proibida a duplicação ou reprodução deste volume, no todo ou em parte, sob quaisquer formas ou por quaisquer meios (eletrônico, mecânico, gravação, fotocópia, distribuição na Web e outros), sem permissão expressa da Editora.

Unidade São Paulo
Av. Embaixador Macedo Soares, 10.735 – Pavilhão 5 – Cond. Espace Center
Vila Anastácio – 05095-035 – São Paulo – SP
Fone: (11) 3665-1100 Fax: (11) 3667-1333

SAC 0800 703-3444 – www.grupoa.com.br

IMPRESSO NO BRASIL
PRINTED IN BRAZIL

Os autores

PAUL A. SAMUELSON, fundador do famoso departamento de graduação em Economia do MIT, formou-se nas Universidades de Chicago e de Harvard. Conquistou a fama quando ainda era bastante jovem pelos inúmeros artigos científicos que escreveu, e em 1970 foi o primeiro americano a receber o Prêmio Nobel em Economia. Sendo um dos raros cientistas que conseguia comunicar-se com o público em geral, o professor Samuelson escreveu uma coluna econômica para a *Newsweek* durante muitos anos, e foi conselheiro econômico do presidente John F. Kennedy. Depõe frequentemente perante o Congresso e é consultor acadêmico do Federal Reserve, do Tesouro dos Estados Unidos e de várias organizações privadas sem fins lucrativos.*
O professor Samuelson, entre as pesquisas desenvolvidas no MIT e as partidas de tênis, foi professor visitante na Universidade de Nova York. Os seus seis filhos (incluindo os três filhos gêmeos) lhe deram quinze netos.

WILLIAM D. NORDHAUS é um dos eminentes economistas americanos. Nascido em Albuquerque, no Novo México, licenciou-se em Yale e recebeu o Ph.D. em Economia no MIT. É professor de Economia na Yale University e participa na direção da Cowles Foundation for Research in Economics e no National Bureau of Economic Research. A sua investigação econômica estende-se por uma ampla variedade de tópicos – incluindo o ambiente, a energia, o progresso tecnológico, o crescimento econômico e as tendências nos lucros e na produtividade. O professor Nordhaus também tem um vivo interesse pela política econômica. Integrou o Grupo de Conselheiros Econômicos (Council of Economic Advisers) do presidente Carter de 1977 a 1979, participa em muitos conselhos e comitês oficiais de aconselhamento, e colabora ocasionalmente no New York Review of Books e em outros periódicos. Leciona regularmente o curso de Princípios de Economia em Yale. O professor Nordhaus vive em New Haven, Connecticut, com a sua esposa Barbara. Quando não está escrevendo ou lecionando dedica o seu tempo à música, a viagens, ao esqui e à família.

---

* N. de E.: A publicação original desta edição aconteceu em 2010, antes do falecimento do professor Samuelson.

UMA PROCLAMAÇÃO PELO CENTRISMO

As ciências avançam. Mas também podem regredir. O mesmo se aplica à Ciência Econômica. No final da Segunda Guerra Mundial, os principais livros de introdução à Economia tinham perdido vitalidade e relevância. A natureza detesta o vácuo. A primeira edição deste livro foi em 1948, tendo Samuelson como seu autor. A obra apresentou a macroeconomia para as nossas universidades e serviu de referência para o ensino de Economia em um mundo cada vez mais globalizado.

Tanto a Economia como a Ciência Econômica evoluíram muito ao longo do tempo. As sucessivas edições deste livro, que se tornou *Economia* de Samuelson-Nordhaus, documentaram as mudanças evolutivas na economia mundial e apresentaram, com rigor, o mais recente pensamento econômico.

Para nossa surpresa, esta 19ª edição pode ser uma das mais significativas revisões. É o que chamamos de uma edição *centrista*. Proclama o valor da economia mista – uma economia que combina a dura disciplina do mercado com a supervisão governamental, com a justiça em mente.

O centrismo é de vital importância atualmente, porque a economia global encontra-se em uma crise terrível, talvez pior do que qualquer queda cíclica desde a Grande Depressão dos anos 1930. Infelizmente, muitos livros afastaram-se demais no sentido do liberalismo mais complacente. Juntaram-se ao endeusamento das finanças do mercado livre e apoiaram o desmantelamento das regulações e a abolição da supervisão. O resultado amargo dessa celebração viu-se na exuberância do mercado imobiliário e dos mercados de capitais que se conjugaram e provocaram a atual crise financeira.

O centrismo que descrevemos não é uma receita destinada a persuadir os leitores a afastarem-se de suas convicções. Nós somos analistas e não pregadores de crenças. Não é a ideologia que faz do centrismo o nosso tema. Nós filtramos fatos e teorias para determinar as consequências do liberalismo de Hayek-Friedman ou do comunismo burocrático de Marx-Lenin. Cada leitor é livre para formar a sua própria opinião sobre questões éticas e juízos de valor.

Tendo examinado o terreno, esta é a nossa leitura: a história econômica confirma que nem o capitalismo desregulado, nem planejamento central super-regulado podem organizar de maneira eficaz uma sociedade moderna.

As loucuras da esquerda e da direita, em conjunto, justificam o centrismo. O planejamento central de controle rígido, que foi amplamente defendido em meados do século passado, foi abandonado após ter produzido estagnação e consumidores insatisfeitos nos países comunistas.

Qual era exatamente o caminho para a servidão contra o qual Hayek e Friedman nos advertiram? Eles argumentavam contra a previdência social, o salário mínimo, os parques nacionais, a tributação progressiva e as regras estatais para proteger o meio ambiente ou diminuir o aquecimento global. Mas as pessoas que vivem em sociedades ricas apoiam majoritariamente esses programas. Essas economias mistas exigem tanto o primado da lei como a limitação da liberdade de concorrência.

Passamos em revista a abordagem centrista à Economia nas páginas que se seguem. Milhões de estudantes na China, Índia, América Latina e nas sociedades emergentes têm procurado a sabedoria econômica dessas páginas. A nossa tarefa é ter certeza de que o melhor e o mais avançado pensamento dos economistas é tratado aqui, de que descrevemos a lógica da moderna economia mista, mas sempre apresentando, de forma justa, as opiniões daqueles, da esquerda e da direita, que a criticam.

Mas damos mais um passo em nossa proclamação. Defendemos que deve haver um *centrismo limitado*. O nosso conhecimento é imperfeito, e os recursos da sociedade são limitados. Nós também estamos conscientes de nossa situação atual. Vemos que o capitalismo desenfreado tem gerado dolorosas desigualdades de renda e riqueza, e que as doutrinas fiscais do lado da oferta têm produzido grandes déficits públicos. Observamos que as principais inovações das finanças modernas, quando operam em um sistema desregulado, produziram bilhões de dólares de prejuízos e levaram à ruína muitas instituições financeiras respeitáveis.

Só encaminhando as nossas sociedades de volta ao centro delimitado podemos garantir que a economia mundial regressará ao pleno emprego, em que os frutos do progresso sejam compartilhados de forma mais equitativa.

Paul Samuelson
Fevereiro, 2009

PREFÁCIO

Quando concluimos esta 19ª edição do *Economia*, a economia dos Estados Unidos caiu em uma profunda recessão, configurando a crise financeira mais grave desde a Grande Depressão dos anos 1930. O governo federal já investiu centenas de bilhões de dólares para proteger a frágil rede do sistema financeiro dos Estados Unidos e, na verdade, de todo o mundo. A administração Obama trabalhou com o Congresso para aprovar o maior pacote de estímulo econômico da história norte-americana. A turbulência econômica, e o modo como os países respondem, vão moldar o futuro da economia norte-americana, o seu mercado de trabalho e o sistema financeiro mundial.

Devemos lembrar, porém, que a crise financeira de 2007-2009 ocorreu após mais de meio século de aumentos espetaculares dos padrões de vida da maior parte do mundo, em especial da população que vive nos países ricos da América do Norte, da Europa Ocidental e do Leste da Ásia. As pessoas perguntam: "Será que o século XXI irá repetir os êxitos do século anterior? Será que a abundância de poucos irá propagar-se para os países pobres? Alternativamente, será que os quatro cavaleiros do apocalipse econômico – fome, guerra, degradação ambiental e depressão – estão invadindo o Norte? Teremos a sabedoria necessária para remodelar os nossos sistemas financeiros e continuar a proporcionar os investimentos que têm alimentado o crescimento econômico até agora? E o que devemos pensar sobre as ameaças ambientais, como o aquecimento global?".

Essas são, em última análise, as questões que abordamos nesta nova edição do *Economia*.

O papel crescente dos mercados

Você poderia pensar que a prosperidade levaria à diminuição do interesse pelos assuntos econômicos, mas, paradoxalmente, o conhecimento das verdades básicas da Economia tornou-se ainda mais vital nas questões referentes às pessoas e aos países. Aqueles que se lembram da história reconhecem que as crises que ameaçaram os mercados financeiros no século XXI foram o equivalente moderno dos pânicos bancários de uma época anterior.

Em um cenário mais ampliado, o mundo tornou-se cada vez mais interligado, à medida que os computadores e as comunicações criaram um mercado global cada vez mais competitivo. Países em desenvolvimento como a China e a Índia – dois gigantes que, até recentemente, basearam-se fortemente no planejamento central – necessitam de um conhecimento sólido das instituições de uma economia de mercado se quiserem atingir os padrões de vida dos países ricos. Ao mesmo tempo, há uma preocupação crescente com os problemas ambientais internacionais e a necessidade de estabelecer acordos para preservar o nosso valioso patrimônio natural. Todas essas mudanças fascinantes fazem parte da cena moderna a que chamamos Economia.

A Economia renascida

Há mais de meio século que este livro tem servido como padrão de referência para o ensino introdutório da Economia nas salas de aula dos Estados Unidos e de todo o mundo. Cada nova edição tem apresentado o melhor do pensamento dos economistas sobre como funcionam os mercados e sobre o que os países podem fazer para melhorar os padrões de vida das pessoas. Mas a Ciência Econômica modificou-se profundamente desde a primeira edição desta obra, em 1948. Além disso, pelo fato de a Economia ser, acima de tudo, um organismo vivo e em evolução, o livro renasce em cada nova edição, dando aos autores a oportunidade estimulante de apresentar o pensamento mais recente dos economistas modernos e de mostrar como essa matéria pode contribuir para um mundo mais próspero.

A nossa tarefa é, portanto, esta: apresentar de forma clara, correta e interessante os princípios da Ciência Econômica moderna e as instituições das economias norte-americana e mundial. O nosso principal objetivo é salientar os princípios econômicos básicos que perduram muito para além das manchetes jornalísticas da atualidade.

A DÉCIMA NONA EDIÇÃO

A Economia e o mundo mudam – o mesmo acontece com este livro. A nossa filosofia é dar ênfase a seis princípios básicos que estão subjacentes às edições anteriores e a esta revisão:

1. *As verdades essenciais da Economia.* Com frequência, a Ciência Econômica parece ser uma sequência infindável de novos enigmas, questões e dilemas. Mas como os professores experientes já aprenderam, há alguns conceitos básicos que sustentam toda essa ciência. Logo que esses conceitos básicos estejam dominados, a aprendizagem se torna mais rápida e mais agradável. *Decidimos,*

por isso, concentrar-nos na parte central da Economia – nessas verdades que perduram e que serão tão importantes no século XXI como o foram no XX. Conceitos microeconômicos como a escassez, a eficiência, os ganhos com a especialização e o princípio da vantagem comparativa serão conceitos fundamentais enquanto existir a própria escassez. Em macroeconomia, enfatizamos as duas abordagens centrais: a Economia keynesiana, para compreender os ciclos econômicos e o modelo de crescimento neoclássico, para compreender as tendências de crescimento no longo prazo. Com esses enquadramentos, as abordagens tradicionais, como a função de consumo, posicionam-se lado a lado com os novos desenvolvimentos na macroeconomia financeira.

2. Inovação na Economia. A Economia tem registrado imensos progressos na compreensão do papel da inovação. Estamos acostumados à velocidade incrível da invenção nos softwares, com novos produtos aparecendo todos os meses. A internet está revolucionando as comunicações e os hábitos de estudo e está se propagando no comércio.

Além disso, salientamos a inovação na própria Ciência Econômica. Os economistas são inovadores e inventores à sua maneira. A história mostra que as ideias econômicas podem provocar ondas de choque quando aplicadas aos problemas do mundo real. Entre as inovações mais importantes que estudamos conta-se a aplicação da Economia aos nossos problemas ambientais, por meio dos planos de "comércio de emissões poluentes". Explicamos como a Economia Comportamental modificou a visão sobre a teoria do consumidor e a teoria financeira. Uma das inovações mais importantes para o nosso futuro comum é tratar de bens públicos globais, como a mudança climática, e analisar novas formas de lidar com problemas ambientais internacionais, incluindo abordagens como o Protocolo de Kyoto.

3. Pequeno é bom. Ao longo do último meio século, a Ciência Econômica ampliou muito o seu escopo. A bandeira da Economia drapeja sobre o seu território tradicional do mercado, mas também sobre o ambiente, os estudos de direito, os métodos estatísticos e históricos, a discriminação pelo gênero e pela raça e mesmo sobre a vida familiar. Mas no seu cerne, a Economia é a ciência da escolha. Isso significa que nós, como autores, tivemos de escolher para este livro os assuntos mais importantes e duradouros. Em uma seleção, como em uma refeição, o pequeno é bom porque se digere melhor.

A escolha dos assuntos para este livro exigiu muitas opções difíceis. Para selecionar esses tópicos, consultamos sempre professores e cientistas de alto nível para fixar os temas essenciais para uma cidadania informada e para uma nova geração de economistas. Elaboramos uma lista de ideias-chave e abandonamos muito material que consideramos não essencial ou datado. *A cada etapa, nos questionávamos se o material era, na nossa melhor avaliação, necessário para a compreensão da Economia do século XXI.* Somente foram incluídos os assuntos quando passavam por esse teste. O resultado desse esforço é um livro que perdeu mais de um quarto do seu peso nas duas últimas edições e eliminou três capítulos na atual edição. A agricultura, a história dos sindicatos, a Economia marxista, o tratamento avançado do equilíbrio geral, os desenvolvimentos da regulação e a falácia da quantidade fixa de trabalho foram reduzidos para dar lugar à moderna teoria financeira, aos ciclos econômicos reais e aos bens públicos globais.

4. Questões atuais de política. Para muitos estudantes, a atração da Economia é a sua relevância para as políticas públicas. A 19ª edição enfatiza a política tanto na microeconomia como na macroeconomia. Ao crescerem, as sociedades humanas começam a dominar o ambiente e os ecossistemas do mundo natural. A Economia do meio ambiente ajuda os estudantes a compreender as externalidades associadas à atividade econômica e, então, analisa as diferentes abordagens para tornar as economias humanas compatíveis com os sistemas naturais. Novos exemplos dão vida aos princípios básicos da microeconomia.

Uma segunda área de importância central é a Economia Financeira e Monetária. Revimos totalmente a nossa abordagem. A abordagem anterior enfatizava a quantidade de dinheiro como o principal canal por meio do qual o Banco Central influencia a economia. Essa abordagem já não reflete as realidades de um sistema financeiro moderno. Atualmente, o Banco Central exerce as suas políticas visando a taxa de juros de curto prazo e fornecendo liquidez aos mercados financeiros. Com a 19ª edição, incorporamos plenamente essas mudanças em três capítulos centrais.

5. Debates sobre a globalização. A última década foi testemunha de batalhas sobre o papel do comércio internacional nas nossas economias. Alguns argumentam que o *outsourcing* (subcontratação) está levando à perda de milhares de empregos a favor da Índia e da China. A imigração tem sido uma questão muito debatida, especialmente em comunidades com altas taxas de desemprego. Independentemente das causas, os Estados Unidos foram definitivamente confrontados com o dilema do rápido crescimento da produção e um crescimento muito lento do emprego na primeira década do século XXI.

Um dos principais debates dos últimos anos tem sido sobre a "globalização", que diz respeito à crescente integração econômica dos vários países. Os norte-americanos aprenderam que nenhum país é uma ilha econômica. A imigração e o comércio internacional têm efeitos profundos sobre os bens que estão disponíveis, os preços que pagamos, e os salários que ganhamos. O terrorismo pode causar danos à economia interna, enquanto a guerra causa fome, migrações e redução dos padrões de vida na África. Ninguém pode compreender plenamente o impacto do crescimento do comércio e dos fluxos de capitais sem um estudo cuidadoso da teoria da vantagem comparativa. Vamos ver como os fluxos de capital financeiro têm uma enorme influência sobre os padrões comerciais, e entender por que os países pobres como a China poupam, enquanto os países ricos como os Estados Unidos se endividam. A 19ª edição continua a aumentar o material dedicado à economia internacional e à interação entre o comércio internacional e os acontecimentos econômicos internos.

6. Clareza. Embora haja muitos aspectos novos na 19ª edição, a estrela guia de nossa caminhada para esta edição foi apresentar a Economia de modo claro e simples. Os estudantes entram nas salas de aula com uma grande variedade de antecedentes e com muitos preconceitos quanto à forma como o mundo funciona. A nossa tarefa não é alterar os seus valores. Pelo contrário, esforçamo-nos para ajudar os estudantes a compreender, primeiro, os princípios econômicos fundamentais, de modo a que fiquem mais aptos a aplicá-los – para fazerem do mundo um melhor lugar para eles, para as suas famílias e para as suas comunidades. Nada ajuda mais a compreensão do que uma exposição simples e clara. Trabalhamos em cada página para melhorar essa exposição introdutória da Ciência Econômica. Recebemos milhares de comentários e sugestões de professores e estudantes, e incorporamos os seus conselhos na 19ª edição.

Matéria opcional

A duração dos cursos de Economia varia entre uma síntese trimestral até cursos intensivos de um ano. Este livro foi cuidadosamente concebido para satisfazer todas as situações. Se o seu curso for breve, o leitor apreciará o cuidado colocado na separação do material mais avançado. Os cursos mais curtos podem saltar as seções e capítulos avançados, abarcando o cerne da análise econômica, sem perder o trilho do raciocínio econômico. Este livro é um desafio para os jovens acadêmicos mais avançados. De fato, muitos dos mais notáveis economistas atuais têm escrito que se basearam no *Economia* durante a sua caminhada até o doutoramento.

Formato

A 19ª edição apresenta um conjunto de quadros que ajudam a ilustrar os tópicos centrais. Você os encontrará indicando avisos para o economista menos experiente, exemplos da Economia em ação e material biográfico sobre os grandes economistas do passado e do presente. Mas esses tópicos centrais não existem isoladamente em seções independentes. Pelo contrário, estão integrados nos capítulos, de modo que os estudantes os possam ler e analisar. Não desconsidere estas seções no decorrer da leitura do texto. Cada uma delas pode ser:

- Um aviso para que os estudantes façam uma pausa para se assegurarem que compreenderam um ponto sutil ou difícil.
- Um exemplo interessante ou uma aplicação da análise, que representa, com frequência, uma das principais inovações da Ciência Econômica moderna.
- Uma biografia de uma personalidade importante da Ciência Econômica.

Entre as novidades desta edição incluem-se novas questões ao final dos capítulos, com destaque especial aos problemas curtos, que reforçam os principais conceitos tratados em cada capítulo.

Os termos que aparecem em **negrito** no texto marcam a primeira ocorrência e a definição das palavras mais importantes que constituem a linguagem econômica.

Mas essas inúmeras alterações não alteraram em nada a referência estilística central que tem orientado o *Economia* desde a primeira edição: usar frases simples, explicações claras e tabelas e gráficos concisos.

Para quem prefere a macroeconomia primeiro

Embora, tal como nas edições anteriores, esta nova edição tenha sido pensada para cobrir a microeconomia em primeiro lugar, muitos professores continuam a preferir iniciar pela macroeconomia. Muitos pensam que o estudante principiante considera que a macro é mais fácil de ser abordada e que mais rapidamente desenvolverá um forte interesse pela Economia quando depara primeiro com as questões da macroeconomia. Temos ensinado Economia seguindo cada uma dessas sequências alternativas e consideramos que ambas funcionam bem.

Qualquer que seja a sua escolha, este livro foi cuidadosamente concebido para ela. Os professores que tratam primeiro da microeconomia podem seguir os capítulos sequencialmente. Os que desejam tratar primeiro da macroeconomia devem saltar da Parte Um diretamente para a Parte Cinco, sabendo que a exposição e as referências cruzadas foram elaboradas tendo presente as suas necessidades.

Material de apoio ao aluno e ao professor

Os professores descobrirão a utilidade do *Instructor's Resource Manual,* atualizado para esta edição por Carlos

Liard-Muriente, da Central Connecticut State University e o Test Bank, totalmente revisto por Craig Jumper, de Rich Mountain Community College. Esses suplementos são muito úteis para os professores planejarem os seus cursos e prepararem múltiplos conjuntos de questões de teste, tanto impressos como em formato digital, e estão disponíveis em inglês. Os gráficos e as figuras, em português, desta edição estão disponíveis em PowerPoint. Os slides podem ser baixados a partir do nosso site <http://www.grupoa.com.br>.

A Economia na era dos computadores

A era eletrônica revolucionou o modo como os professores e os estudantes podem acessar informações. Em Economia, a revolução da informação nos permite um acesso rápido a estatísticas e à pesquisa econômica. Um aspecto importante da 19ª edição é a seção "Economia e internet", que proporciona ao aluno um roteiro para o estado da Ciência Econômica na rede.

Além disso, cada capítulo tem, ao final, uma seção atualizada com sugestões de leitura complementar e endereços de sites que podem ser usados para aprofundar a compreensão do aluno ou localizar dados e estudos de caso.

Agradecimentos

Este livro tem dois autores, mas muitos colaboradores. Estamos profundamente agradecidos aos colegas, revisores, estudantes e à equipe da McGraw-Hill, pela contribuição para a conclusão, a tempo, da 19ª edição do *Economia*. Entre os colegas do MIT, de Yale e de todos os outros lugares que graciosamente contribuíram com seus comentários e suas sugestões ao longo dos anos, incluem-se William C. Brainard, E. Cary Brown, John Geanakoplos, Robert J. Gordon, Lyle Gramely, Gerald Jaynes, Paul Joskow, Alfred Kahn, Richard Levin, Robert Litan, Barry Nalebuff, Merton J. Peck, Gustav Ranis, Herbert Scarf, Robert M. Solow, James Tobin, Janet Yellen e Gary Yohe.

Além disso, pudemos contar com a dedicação, sem reservas, daqueles cuja experiência no ensino de Economia básica está incorporada nesta edição. Estamos particularmente agradecidos aos revisores da 19ª edição. Entre eles, incluem-se

Esmael Adibi, *Chapman University*
Abu Dowlah, *Saint Francis College*
Adam Forest, *Washington University, Tacoma*
Harold Horowitz, *Touro College*
Jui-Chi Huang, *Harrisburg Area Community College*
Carl Jensen, *Iona College, New Rochelle*
Craig Jumper, *Rich Mountain Community College*
Carlos Liard-Muriente, *Central Connecticut State University*
Phillip Letting, *Harrisburg Area Community College*
Oweiss Ibrahim, *Georgetown University*
Walter Park, *American University*
Gordana Pesakovic, *Argosy University, Sarasota*
Harold Peterson, *Boston College*
David Ruccio, *University of Notre Dame*
Derek Trunkey, *George Washington University*
Mark Witte, *Northwestern University*
Jiawen Yang, *George Washington University*

Os estudantes do MIT, de Yale e de outros institutos e universidades atuaram como "faculdade invisível". Eles nos desafiaram e nos testaram constantemente, o que ajudou a tornar esta edição menos imperfeita do que a precedente. Embora sejam muito numerosos para serem citados, cada capítulo integra suas influências. Nancy King ajudou na logística no final da operação em New Haven. Somos particularmente gratos pela contribuição de Caroleen Verly, que leu o manuscrito e fez muitas sugestões de melhoria. Estamos gratos ao Dr. Chen Xi, que preparou os globos econômicos e reviu o manuscrito.

Este projeto não teria sido possível sem a equipe especializada da McGraw-Hill, que ajudou a criar o livro em todas as suas etapas. Gostaríamos de agradecer, em especial, por ordem cronológica do seu aparecimento em cena: Douglas Reiner, Karen Fisher, Noelle Fox, Susanne Reidell, Lori Hazzard, Matt Baldwin, e Jen Lambert. Esse grupo de profissionais especializados transformou muitos megabytes e uma montanha de papel em uma refinada obra de arte.

UMA PALAVRA PARA O ESTUDANTE SOBERANO

Você já leu nos livros de história sobre revoluções que abalaram as civilizações até as suas raízes – conflitos religiosos, guerras de libertação política, lutas contra o colonialismo e o imperialismo. Há duas décadas, as revoluções econômicas na Europa Oriental, na antiga União Soviética, na China e em outros lugares abalaram essas sociedades. Em virtude do descontentamento com os seus governos socialistas centralistas, os jovens derrubaram muros, mudaram a autoridade estabelecida e manifestaram-se a favor da democracia e de uma economia de mercado.

Os estudantes manifestaram-se e chegaram a ir para a prisão para ganhar o direito a estudar ideias radicais e a estudar pelos livros ocidentais como este, na esperança de poderem usufruir da liberdade e da prosperidade econômica das economias de mercado democráticas.

O mercado intelectual

Qual é o mercado pelo qual lutaram os estudantes nas sociedades repressivas? Nas páginas seguintes, você aprenderá sobre as promessas e perigos da globalização, sobre a fragilidade dos mercados financeiros, sobre trabalho não especializado e altamente especilizado, como o dos neurocirurgiões. Você, provavelmente, já leu no jornal sobre o produto interno bruto, o índice de preços ao consumidor, o banco central e a taxa de desemprego. Após ter concluído um estudo aprofundado deste livro, você saberá precisamente o que essas expressões significam. E o mais importante ainda, também compreenderá as forças econômicas que os influenciam e determinam.

Também há um mercado das ideias, em que as escolas rivais dos economistas apresentam as suas teorias e tentam persuadir os seus pares científicos. Nos capítulos que se seguem, você verá uma resenha justa e imparcial do pensamento dos gigantes intelectuais da nossa profissão – desde os primeiros economistas, como Adam Smith, David Ricardo e Karl Marx, até aos gigantes modernos, como John Maynard Keynes, Milton Friedman e James Tobin.

Partida!

Ao iniciar a sua viagem para a terra da economia mista, é compreensível que você esteja ansioso. Mas tenha confiança. O fato é que o invejamos, estudante em início de curso, tendo em vista que você se prepara para explorar o mundo fascinante da Economia pela primeira vez. Essa é uma rota que, infelizmente, só se pode experimentar uma vez na vida. Por isso, ao embarcar, desejamos-lhe *bon voyage*!

Paul A. Samuelson
William D. Nordhaus

PARA O ALUNO: ECONOMIA E INTERNET

A Era da Informação está revolucionando as nossas vidas. O seu impacto sobre professores e estudantes tem sido particularmente profundo, pois permite o acesso barato e rápido a grandes quantidades de informação. A internet, que é uma rede pública enorme e com número crescente de computadores interligados e informação, está mudando a forma como estudamos, fazemos compras, compartilhamos a nossa cultura, e nos comunicamos com os nossos amigos e familiares.

Em Economia, a internet nos permite o acesso rápido a estatísticas e pesquisas econômicas. Com apenas alguns cliques no mouse, podemos encontrar a taxa de desemprego mais recente, pesquisar informações sobre pobreza e renda, ou conhecer os meandros do nosso sistema bancário. Há alguns anos, poderiam ser necessárias semanas para se encontrar os dados para analisar um problema econômico. Atualmente, com um computador e um pouco de prática, essa mesma tarefa pode ser executada em poucos minutos.

Este livro não é um manual para a condução na rede. Essa habilidade pode ser adquirida em algumas aulas ou a partir de tutoriais. Em vez disso, queremos proporcionar um roteiro que mostre a localização das principais fontes de dados econômicos e de pesquisa. Com este mapa e alguns conhecimentos rudimentares de navegação na intrernet, você poderá explorar os vários sites e encontrar um conjunto rico de dados, informações, estudos e fóruns de discussão. Além disso, ao final de cada capítulo, há uma lista de websites úteis que podem ser utilizados para acompanhar os principais temas enfocados no capítulo.

Observe que alguns desses sites podem ser de livre acesso, alguns podem exigir um registo, ou estar disponíveis por intermédio da sua faculdade ou da universidade, e outros podem exigir o pagamento de uma taxa. As práticas de preço mudam rapidamente, portanto, embora tenhamos tentado incluir preferencialmente sites de acesso livre, não excluímos sites de alta qualidade que podem exigir um pagamento.

Os dados e as instituições

A internet é uma fonte indispensável de dados e outras informações úteis. Como a maioria dos dados econômicos é oferecida pelos governos, o primeiro lugar a consultar deve ser os sites de departamentos governamentais e de organizações internacionais. O ponto de partida para as estatísticas do governo dos Estados Unidos <http://www.fedstats.gov> oferece um portal único para as estatísticas federais com links para mais de 70 departamentos federais que produzem informação estatística. As fontes são organizadas por assunto ou por departamento, e os conteúdos são totalmente pesquisáveis. Outro bom site como ponto de partida para o sistema federal de estatística é o Economic Statistics Briefing Room, em <http://www.whitehouse.gov/fsbr/esbr.html>. Além disso, o Department of Commerce (Ministério do Comércio) opera um enorme banco de dados em <http://www.stat-usa.gov>, mas o uso de partes desse banco de dados exige uma subscrição (que pode estar disponível na sua faculdade ou universidade).

A melhor fonte individual de dados estatísticos para os Estados Unidos é o *Statistical Abstract of the United States*, publicado anualmente. Ele está disponível online em <http://www.census.gov/compendia/statab>. Se você quiser ter uma visão geral sobre a economia dos Estados Unidos, poderá ler o Relatório Econômico do Presidente em <http://www.gpoaccess.gov/eop/index.html>.

A maioria dos principais dados econômicos é produzida por agências especializadas. Uma fonte para dados gerais é o Department of Commerce, que abrange o Bureau of Economic Analysis (BEA) <http://www.bea.gov> e o Census Bureau <http://www.census.gov>. O site do BEA inclui todos os dados e artigos publicados no *Survey of Current Business*, incluindo a renda e as contas do produto nacionais, o comércio internacional e os fluxos de investimento, a produção da indústria, o crescimento econômico, a renda pessoal e séries sobre o trabalho, e dados regionais.

O site do Census Bureau vai muito além de uma mera contagem da população. Também inclui o censo econômico, bem como informações sobre habitação, rendimento e pobreza, finanças públicas, agricultura, comércio exterior, construção, indústrias manufatureiras, transporte e comércio varejista e atacadista. Além de disponibilizar as publicações do Census Bureau, o site permite aos usuários criar resumos, sob medida, das fontes mais populares de microdados, incluindo a Survey of Income and Program Participation (Pesquisa sobre Rendimento e Participação em Programa), Consumer Expenditure Survey (Pesquisa sobre Orçamentos Familiares), Current Population Survey (Pesquisa sobre População Atual), American Housing Survey (Pesquisa sobre Habitação Americana), e, claro, o censo mais recente.

O Bureau of Labor Statistics <http://www.bls.gov> fornece um acesso fácil aos dados geralmente solicitados sobre trabalho, incluindo o emprego e o desemprego, os preços e condições de vida, remuneração, produtividade e tecnologia. Também estão disponíveis dados sobre a força de trabalho pelo Current Population Survey e as estatísticas sobre salários do Current Population Statistics Survey.

Uma fonte útil de dados financeiros é o site do Federal Reserve Board, em <http://www.federalreserve.gov>. Esse site fornece dados históricos econômicos e financeiros dos Estados Unidos, incluindo taxas de juros diárias, indicadores monetários e de negócios, taxas de câmbio, dados do balanço de pagamentos e índices de preços. Além disso, o Office of Management and Budget, em <http://www.gpo.gov/index.html>, disponibiliza o orçamento federal e os respectivos documentos.

As estatísticas internacionais são, muitas vezes, difíceis de encontrar. O Banco Mundial, em <http://www.worldbank.org>, tem a informação sobre os seus programas e publicações no seu site, assim como o Fundo Monetário Internacional, ou FMI, em <http://www.imf.org>. O site das Nações Unidas <http://www.unsystem.org> é lento e confuso, mas tem links para a maioria das instituições internacionais e as respectivas bases de dados. Uma boa fonte de informações sobre países de alta renda é a Organização para Cooperação e Desenvolvimento Econômico, ou OCDE, em <http://www.oecd.org>. O site da OCDE contém um conjunto de dados sobre economia, educação, saúde, ciência e tecnologia, agricultura, energia, gestão pública, e outros tópicos.

Pesquisas e jornalismo econômicos

A internet está se transformando rapidamente na biblioteca do mundo. Jornais, revistas e publicações acadêmicas colocam cada vez mais os seus textos em formato eletrônico. A maioria deles apresenta o que já está disponível nas publicações em papel. Algumas fontes interessantes podem ser encontrados no *Economist*, em <http://www.economist.com>, e no *Financial Times*, em <http://www.ft.com>. O *Wall Street Journal*, em <http://www.wsj.com>, é atualmente caro, não sendo um recurso rentável. Em <http://www.policy.com> são discutidas questões políticas atuais. A revista online *Slate*, em <http://www.slate.com>, ocasionalmente contém excelentes ensaios sobre Economia.

Para publicações acadêmicas, muitas revistas estão disponibilizando o seu conteúdo online. A WebEc, em <http://www.helsinki.fi/WebEc/>, contém uma lista de sites de muitas revistas científicas de Economia. Os arquivos de muitas revistas científicas estão disponíveis em <http://www.jstor.org>.

Existem, atualmente, alguns sites que oferecem muitos recursos reunidos em um único local. Um ponto de partida é *Resources for Economists on the Internet*, promovido pela American Economic Association e editado por Bill Goffe, em <http://www.rfe.org>. Veja também em *WWW Resources in Economists*, que possui links para diversos ramos de Economia em <http://netec.wustl.edu/WebEc/WebEc.html>. Para documentos de trabalho (*working papers*), o site do National Bureau of Economic Research (NBER) em <http://www.nber.org> contém pesquisa econômica atual. O site do NBER também contém recursos gerais, incluindo links para fontes de dados e os dados oficiais dos ciclos econômicos dos Estados Unidos.

Um excelente site que arquiva e serve como um depósito de documentos de trabalho está localizado em <http://econwpa.wustl.edu/wpawelcome.html>. Esse site é especialmente útil para encontrar material de apoio para trabalhos de pesquisa.

Será que alguém lhe disse que a Economia é a ciência tristonha? Você pode rir das piadas sobre economistas (principalmente à custa dos economistas) visitando <http://netec.mcc.ac.uk/JokEc.html>.

Um alerta

É um fato lamentável que, em decorrência da rápida evolução tecnológica, essa lista em breve estará desatualizada. Novos sites com informação valiosa e dados estão surgindo todos os dias... e outros estão desaparecendo quase na mesma velocidade.

Antes de partir para o maravilhoso mundo da web, gostaríamos de lhe passar um pouco da sabedoria dos especialistas. Lembre-se do velho ditado: "Você só tem aquilo pelo que paga".

Aviso: Tenha cuidado ao decidir se as suas fontes e dados são de confiança. A internet e outros meios eletrônicos são fáceis de usar e igualmente fáceis de abusar.

A web é o que há de mais próximo de um almoço grátis em Economia. Mas você deve selecionar as iguarias cuidadosamente para garantir que tenham sabor e sejam digeríveis.

SUMÁRIO RESUMIDO

PARTE UM CONCEITOS BÁSICOS

Capítulo 1	Conceitos centrais de Economia..........	2
Apêndice 1	Como ler gráficos	15
Capítulo 2	Economia mista moderna....................	21
Capítulo 3	Elementos básicos da oferta e da demanda.....................	39

PARTE DOIS MICROECONOMIA: OFERTA, DEMANDA E MERCADOS DE BENS

Capítulo 4	Oferta e demanda: elasticidade e aplicações..........................	56
Capítulo 5	Demanda e comportamento do consumidor	73
Apêndice 5	Análise geométrica do equilíbrio do consumidor........................	89
Capítulo 6	Produção e organização empresarial ..	95
Capítulo 7	Análise de custos.....................	112
Apêndice 7	Teoria da produção, teoria dos custos e decisões da empresa........................	128
Capítulo 8	Análise de mercados perfeitamente competitivos..........................	132
Capítulo 9	Concorrência imperfeita e monopólio...	149
Capítulo 10	Concorrência entre poucos	165
Capítulo 11	Economia da incerteza.....................	186

PARTE TRÊS MERCADO DOS FATORES: TRABALHO, TERRA E CAPITAL

Capítulo 12	Como os mercados determinam as rendas	202
Capítulo 13	Mercado de trabalho	218
Capítulo 14	Terra, recursos naturais e o ambiente	236
Capítulo 15	Capital, juros e lucros	251

PARTE QUATRO APLICAÇÕES DOS PRINCÍPIOS ECONÔMICOS

Capítulo 16	Impostos e despesa pública...................	268
Capítulo 17	Eficiência *versus* igualdade: o grande conflito	286
Capítulo 18	Comércio internacional	301

PARTE CINCO MACROECONOMIA: CRESCIMENTO ECONÔMICO E CICLOS ECONÔMICOS

Capítulo 19	Panorama da macroeconomia	326
Apêndice 19	Dados macroeconômicos para os Estados Unidos	342
Capítulo 20	Medindo a atividade econômica...........	343
Capítulo 21	Consumo e investimento	362
Capítulo 22	Ciclos econômicos e a demanda agregada................	378
Capítulo 23	Moeda e o sistema financeiro	400
Capítulo 24	Política monetária e economia.............	420

PARTE SEIS CRESCIMENTO, DESENVOLVIMENTO E A ECONOMIA GLOBAL

Capítulo 25	Crescimento econômico	442
Capítulo 26	Desafio do desenvolvimento econômico	460
Capítulo 27	Taxas de câmbio e o sistema financeiro internacional.......................	480
Capítulo 28	Macroeconomia aberta	498

PARTE SETE DESEMPREGO, INFLAÇÃO E POLÍTICA ECONÔMICA

Capítulo 29	Desemprego e os fundamentos da oferta agregada.................	520
Capítulo 30	Inflação................	538
Capítulo 31	Fronteiras da macroeconomia	557

Glossário	579
Índice	599

SUMÁRIO

PARTE UM — CONCEITOS BÁSICOS

Capítulo 1
Conceitos centrais de Economia 2

A. Por que estudar Economia? 2
    Por quem os sinos dobram 2
  Escassez e eficiência: os temas gêmeos da economia 2
    Definições de Economia 2
    Escassez e eficiência 3
    Microeconomia e macroeconomia 3
  Lógica da Economia 4
  A frieza da razão a serviço de corações apaixonados 5

B. Três problemas da organização econômica 6
  Economias de mercado, dirigidas e mistas 6

C. Possibilidades tecnológicas da sociedade 7
  Insumos e produtos 7
  Fronteira das possibilidades de produção 8
    Aplicando a *FPP* às escolhas de uma sociedade ... 9
    Custos de oportunidade 11
    Eficiência 11

Resumo 13
Conceitos para revisão 13
Leituras adicionais e sites 14
Questões para discussão 14

Apêndice 1
Como ler gráficos 15
  Fronteira das possibilidades de produção 15
    Gráfico das possibilidades de produção 15
    Uma curva suave 16
    Inclinações e linhas 16
    Inclinação de uma curva 17
    Inclinação como valor marginal 18
    Deslocamentos e movimentos ao longo de curvas 18
    Gráficos especiais 19

Resumo do apêndice 20
Conceitos para revisão 20
Questões para discussão 20

Capítulo 2
Economia mista moderna 21

A. Mecanismo do mercado 21
    Não o caos, mas a ordem econômica 22
    Como os mercados resolvem os três problemas econômicos ... 23
    Dupla de reis 23
    Quadro dos preços e dos mercados 24
    A mão invisível 24

B. Comércio, moeda e capital 26
  Comércio, especialização e divisão do trabalho 26
  Moeda: lubrificante da troca 28
  Capital 28
    Capital e propriedade privada 29

C. A mão visível do estado 30
  Eficiência 30
    Concorrência imperfeita 30
    Externalidades 31
    Bens públicos 31
  Equidade 33
  Crescimento econômico e estabilidade 34
  Ascensão do estado do bem-estar social 35
    Regresso dos conservadores 35
    Economia mista atual 36

Resumo 36
Conceitos para revisão 37
Leituras adicionais e sites 37
Questões para discussão 38

Capítulo 3
Elementos básicos da oferta e da demanda 39

A. Função da demanda 40
  Curva de demanda 40
    Demanda de mercado 41
    Forças subjacentes à curva de demanda 42
    Deslocamentos na demanda 43

B. Função oferta 44
  Curva de oferta 44
    Forças subjacentes à curva de oferta 44
    Deslocamentos da oferta 45

C. Equilíbrio da oferta e da demanda 47
  Equilíbrio com as curvas de oferta e da demanda .. 47
    Efeito de um deslocamento na oferta ou na demanda 48
    Interpretação das variações no preço e na quantidade 50
    Oferta, demanda e imigração 51
  Racionamento por meio dos preços 52

Resumo 52
Conceitos para revisão 53
Leituras adicionais e sites 53
Questões para discussão 54

PARTE DOIS — MICROECONOMIA: OFERTA, DEMANDA E MERCADOS DE BENS

Capítulo 4
Oferta e demanda: elasticidade e aplicações 56

A. Elasticidade-preço da demanda e da oferta 56
  Elasticidade-preço da demanda 56
    Cálculo de elasticidades 57
    Elasticidade-preço em gráficos 58

Atalho para calcular elasticidades..................... 59
Álgebra das elasticidades................................ 59
Elasticidade não é o mesmo que inclinação 60
Elasticidade e receita **61**
Paradoxo da colheita extraordinária................ 61
Elasticidade-preço da oferta **62**
B. Aplicações a grandes questões econômicas 63
Economia agrícola **64**
Declínio relativo da agricultura
no longo prazo 64
**Impacto de um imposto sobre o preço
e a quantidade**.. **65**
Patamares mínimos e tetos máximos **67**
Controvérsia do salário mínimo 67
Controle de preços da energia........................ 69
Racionamento por fila, por senhas
ou pelo bolso?... 69
Resumo.. 70
Conceitos para revisão.. 71
Leituras adicionais e sites 71
Questões para discussão.. 71

Capítulo 5
Demanda e comportamento do consumidor **73**
Escolha e teoria da utilidade................................ **73**
Utilidade marginal e a lei da utilidade
marginal decrescente.................................... 73
Exemplo numérico 74
Dedução de curvas da demanda **76**
Princípio da igualdade marginal 76
Razão pela qual as curvas de demanda
têm inclinação negativa 76
Lazer e a alocação ótima do tempo 76
Desenvolvimentos analíticos na teoria
da utilidade 78
**Abordagem alternativa:
efeito substituição e efeito renda** **78**
Efeito substituição... 78
Efeito renda.. 79
Da demanda individual à demandade mercado..... **79**
Deslocamentos da demanda 80
Substitutos e complementares 80
Estimativas empíricas das elasticidades-preço
e renda 81
Economia do vício **82**
Paradoxo do valor **84**
Excedente do consumidor **84**
Aplicações do excedente do consumidor.......... 85
Resumo.. 86
Conceitos para revisão.. 87
Leituras adicionais e sites 87
Questões para discussão.. 87

Apêndice 5
Análise geométrica do equilíbrio do consumidor 89
Curva de indiferença **89**
Lei da substituição 89
Mapa de indiferença.. 89
Reta orçamentária ou restrição orçamentária **90**
Tangência como ponto de equilíbrio **91**

Variações na renda e no preço **92**
Variação da renda 92
Variação de um único preço 92
Obtenção da curva da demanda **92**
Resumo do apêndice.. 93
Conceitos para revisão.. 94
Questões para discussão.. 94

Capítulo 6
Produção e organização empresarial...................... **95**
A. Teoria da produção e produtos marginais 95
Conceitos básicos **95**
Função de produção.. 95
Produto total, médio e marginal...................... 96
Lei dos rendimentos decrescentes.................... 96
Retornos de escala... **98**
Curto e longo prazos **99**
Mudança tecnológica **100**
Produtividade e a função de produção agregada ... **103**
Produtividade... 103
Crescimento da produtividade a partir
de economias de escala e de escopo 103
Estimativas empíricas da função de produção
agregada 104
B. Organização empresarial 105
Natureza da empresa **105**
Empresas grandes, pequenas e microempresas **106**
Empresa de propriedade individual 106
Empresa em sociedade 106
Sociedade anônima (corporação) 107
Propriedade, controle e política de
remuneração.. 108
Resumo.. 109
Conceitos para revisão.. 110
Leituras adicionais e sites 110
Questões para discussão.. 111

Capítulo 7
Análise de custos... **112**
A. Análise econômica dos custos 112
Custo total: fixo e variável **112**
Custo fixo 112
Custo variável 113
Definição de custo marginal **113**
Custo médio **114**
Custo médio ou unitário 114
Custos fixo médio e variável médio 114
Relação entre custo médio e custo marginal 116
Ligação entre produção e custos.......................... **117**
Retornos decrescentes e curvas de custo
em "U".. 118
Escolha dos fatores de produção pela empresa **119**
Produtos marginais e a regra
do custo mínimo 119
B. Custos econômicos e contabilidade das empresas 120
**Demonstração de resultados, ou demonstração
de lucros ou prejuízos** **120**
Balanço **121**
Convenções contábeis 122
Manipulações financeiras.............................. 123

C. Custos de oportunidade 124
    Custo de oportunidade e mercados 125
Resumo 126
Conceitos para revisão 126
Leituras adicionais e sites 126
Questões para discussão 127

Apêndice 7
Teoria da produção, teoria dos custos
e decisões da empresa 128
    Função de produção numérica 128
    Lei do produto marginal decrescente 128
    **Combinação de fatores ao custo mínimo
    para um dado produto** 129
        Curvas de isoquanta 129
        Retas de isocusto 129
        Curvas de isoquanta e retas de isocusto:
        tangência de custo mínimo 130
        Condições de custo mínimo 131
Resumo do apêndice 131
Conceitos para revisão 131
Questões para discussão 131

Capítulo 8
**Análise de mercados perfeitamente
competitivos** **132**
A. Comportamento de oferta da empresa competitiva 132
    Comportamento de uma empresa competitiva **132**
        Maximização do lucro 132
        Concorrência perfeita 133
        Oferta competitiva em que o custo marginal
        é igual ao preço 133
        Custo total e condição de encerramento
        de atividades 135
B. Comportamento de oferta em setores competitivos 136
    **Soma das curvas de oferta de todas as empresas
    para obter a oferta de mercado** **136**
    Equilíbrio de curto e de longo prazos **136**
        Longo prazo em um setor competitivo 138
C. Casos especiais de mercados competitivos 139
    Regras gerais **139**
        Custo constante 139
        Custos crescentes e rendimentos decrescentes .. 140
        Oferta fixa e renda econômica 140
        Curva de oferta com inflexão negativa 141
        Deslocamentos da oferta 141
D. Eficiência e equidade dos mercados competitivos 141
    Avaliação do mecanismo de mercado **141**
        Conceito de eficiência 141
        Eficiência do equilíbrio competitivo 142
        Equilíbrio com muitos consumidores
        e muitos mercados 143
        Custo marginal como padrão da eficiência ... 144
    Ressalvas **144**
        Falhas de mercado 144
        Dois elogios ao mercado, mas não três 145
Resumo 146
Conceitos para revisão 147
Leituras adicionais e sites 147
Questões para discussão 147

Capítulo 9
Concorrência imperfeita e monopólio **149**
A. Padrões de concorrência imperfeita 149
        Definição de concorrência imperfeita 149
    Variedades de concorrentes imperfeitos **150**
        Monopólio 151
        Oligopólio 151
        Concorrência monopolística 151
    Fontes das imperfeições de mercado **152**
        Custos e imperfeição de mercado 153
        Barreiras à entrada 154
B. Comportamento de monopólio 156
    Conceito de receita marginal **156**
        Preço, quantidade e receita total 156
        Receita marginal e preço 157
        Elasticidade e receita marginal 158
    Condições de maximização do lucro **158**
        Equilíbrio do monopólio em gráficos 160
        Concorrência perfeita como caso extremo
        da concorrência imperfeita 161
    **Princípio marginalista: águas passadas
    não movem moinhos** **161**
        Aversão à perda e o princípio marginalista ... 161
Resumo 163
Conceitos para revisão 163
Leituras adicionais e sites 163
Questões para discussão 164

Capítulo 10
Concorrência entre poucos **165**
A. Comportamento dos concorrentes imperfeitos 165
        Medidas do poder de mercado 165
    Natureza da concorrência imperfeita **167**
    Teorias da concorrência imperfeita **167**
        Cartel ou conluio entre empresas 167
        Concorrência monopolística 169
        Concorrência entre poucos 170
    Discriminação de preço **171**
B. Teoria dos jogos 172
        Pensando na fixação de preços 173
    Conceitos básicos **173**
        Estratégias alternativas 173
        Jogos, jogos por todos os lados... 175
C. Políticas públicas para combater o poder de mercado... 176
    Custos econômicos da concorrência imperfeita **176**
        Custo de preços elevados
        e produção reduzida 176
        Custos estáticos da concorrência imperfeita .. 176
        Políticas públicas sobre concorrência
        imperfeita 177
    Regulamentação da atividade econômica ... **177**
        Por que regulamentar um setor? 177
        Limitação do poder de mercado 178
        Solução para falhas de informação 178
    Lei e a ciência econômica **179**
        Estatutos de enquadramento 179
    **Questões básicas da lei de defesa da
    concorrência: conduta e estrutura** **180**
        Conduta ilegal 180
        Estrutura: a grandeza é maldade? 181
        Leis de defesa da concorrência e eficiência 182

Resumo	182
Conceitos para revisão	183
Leituras adicionais e sites	184
Questões para discussão	184

Capítulo 11
Economia da incerteza 186

A. Economia do risco e da incerteza	186
Especulação: transporte de ativos ou bens por meio do espaço e do tempo	**187**
Arbitragem e padrões geográficos de preço	187
Especulação e comportamento dos preços ao longo do tempo	187
Proteção contra riscos por meio de *hedge*	188
Impactos econômicos da especulação	188
Risco e incerteza	**189**
B. Economia dos seguros	190
Mercados de capitais e partilha de riscos	191
Falhas de mercado na informação	**191**
Risco moral e seleção adversa	191
Seguro social	**192**
C. Assistência à saúde: o problema que não desaparece	193
Economia da saúde	**193**
Aspectos econômicos especiais da assistência à saúde	193
Assistência à saúde como um programa de seguro social	194
Racionamento da assistência à saúde	194
D. Inovação e informação	195
Inovação radical de Schumpeter	195
Economia da informação	196
Direitos de propriedade intelectual	197
Dilema da internet	197
Resumo	198
Conceitos para revisão	199
Leituras adicionais e sites	199
Questões para discussão	199

PARTE TRÊS MERCADO DOS FATORES: TRABALHO, TERRA E CAPITAL

Capítulo 12
Como os mercados determinam as rendas 202

A. Renda e riqueza	202
Renda	**203**
Rendas dos fatores *versus* rendas pessoais	203
Papel do governo	203
Riqueza	**204**
B. Preços dos fatores pela produtividade marginal	204
Natureza da demanda de insumos	**205**
Demandas de insumos são demandas derivadas	205
Demandas dos fatores são interdependentes	206
Teoria da distribuição e receita do produto marginal	**207**
Receita do produto marginal	207
Demanda de fatores de produção	**208**
Demanda de fatores por empresas que maximizam o lucro	208
Receita de produto marginal e demanda de insumos de fatores	209
Oferta de fatores de produção	**209**
Determinação dos preços dos insumos pela oferta e demanda	**210**
Distribuição da renda nacional	**213**
Teoria da produtividade marginal com muitos fatores produtivos	214
Uma mão invisível para as rendas?	**214**
Resumo	215
Conceitos para revisão	216
Leituras adicionais e sites	216
Questões para discussão	216

Capítulo 13
Mercado de trabalho 218

A. Fundamentos da determinação do salário	218
Nível geral de salários	**218**
Demanda por trabalhadores	**219**
Diferenças na produtividade marginal	219
Comparações internacionais	219
Oferta de trabalho	**221**
Determinantes da oferta	221
Evidências empíricas	222
Diferenças salariais	**223**
Diferenças nos empregos: diferenciais de compensação salarial	223
Diferenças nas pessoas: qualidade do trabalho	224
Diferenças entre as pessoas: as "rendas" das pessoas raras	224
Mercados segmentados e grupos não concorrentes	225
B. Questões e políticas do mercado de trabalho	226
Economia dos sindicatos	**226**
O governo e a negociação coletiva	227
Como os sindicatos aumentam os salários	**227**
Indeterminação teórica da negociação coletiva	228
Efeitos sobre os salários e o emprego	**228**
Sindicalização aumentou os salários?	228
Sindicatos e desemprego clássico	228
Discriminação	**229**
Análise econômica da discriminação	**230**
Definição de discriminação	230
Discriminação pela exclusão	230
Preferência na discriminação	231
Discriminação estatística	231
Discriminação econômica contra as mulheres	**231**
Evidências empíricas	**232**
Redução da discriminação no mercado de trabalho	**232**
Progresso desigual	232
Resumo	233
Conceitos para revisão	233
Leituras adicionais e sites	234
Questões para discussão	234

Capítulo 14
Terra, recursos naturais e o ambiente 236

A. Economia dos recursos naturais	236
Categorias de recursos	**237**

Terra e rendas	**238**
Renda como rendimento de fatores fixos	238
Impostos sobre a terra	238
B. Economia do ambiente	240
Externalidades	**240**
Bens públicos *versus* privados	240
Ineficiência de mercado com externalidades	**241**
Análise da ineficiência	241
Avaliação dos danos	242
Análise gráfica da poluição	242
Políticas para correção de externalidades	**243**
Programas governamentais	243
Abordagens privadas	245
Mudança climática: desacelerar ou não	**246**
Discussão e poluição, ou razão e cálculo?	247
Resumo	248
Conceitos para revisão	248
Leituras adicionais e sites	249
Questões para discussão	249

Capítulo 15
Capital, juros e lucros **251**

A. Conceitos básicos dos juros e do capital	251
O que é capital?	251
Preços e aluguéis dos bens de capital	251
Capital *versus* ativos financeiros	251
Taxa de retorno dos investimentos	252
Taxas de retorno e de juros	**252**
Taxa de retorno do capital	252
Ativos financeiros e taxas de juros	253
Valor presente dos ativos	**253**
Valor presente de perpetuidades	253
Fórmula geral do valor presente	254
Agir para maximizar o valor presente	255
O mundo misterioso das taxas de juros	**255**
Taxas de juros reais *versus* taxas de juros nominais	256
B. Teoria do capital, dos lucros e do juros	259
Teoria básica do capital	**259**
Produção indireta	259
Rendimentos decrescentes e a demanda por capital	259
Determinação dos juros e a rentabilidade do capital	260
Análise gráfica da rentabilidade do capital	260
Lucros como um retorno do capital	**262**
Estatísticas dos lucros declarados	262
Determinantes dos lucros	262
Evidência empírica sobre remuneração da mão de obra e do capital	264
Resumo	264
Conceitos para revisão	265
Leituras adicionais e sites	265
Questões para discussão	265

PARTE QUATRO APLICAÇÕES DOS PRINCÍPIOS ECONÔMICOS

Capítulo 16
Impostos e despesa pública **268**

A. Controle governamental da Economia	268
Instrumentos da política governamental	**268**
Tendências no tamanho do governo	269
Crescimento de controles e de regulamentos públicos	270
Funções do governo	**271**
Melhoria da eficiência econômica	271
Reduzir a desigualdade econômica	272
Estabilizar a economia por meio de políticas macroeconômicas	272
Conduzir a política econômica internacional	272
Teoria da escolha pública	**273**
B. Despesas públicas	273
Federalismo fiscal	**274**
Despesas federais	274
Despesas estaduais e municipais	275
Impactos culturais e tecnológicos	**276**
C. Aspectos econômicos da tributação	276
Princípios de tributação	**276**
Princípios do benefício *versus* da capacidade para pagar	276
Equidade horizontal e vertical	276
Acordos pragmáticos na tributação	277
Tributação federal	**278**
Imposto sobre a renda da pessoa física	278
Impostos para a previdência social	280
Impostos sobre as empresas	280
Impostos sobre o consumo	280
Impostos estaduais e locais	**281**
Impostos sobre a propriedade	281
Outros impostos	281
Eficiência e justiça no sistema tributário	**281**
Objetivo da tributação eficiente	281
Eficiência *versus* justiça	282
Nota final	**283**
Resumo	283
Conceitos para revisão	284
Leituras adicionais e sites	284
Questões para discussão	284

Capítulo 17
Eficiência *versus* igualdade: o grande conflito **286**

A. Fontes da desigualdade	286
Distribuição da renda e da riqueza	**287**
Como medir a desigualdade entre classes de renda	287
Distribuição da riqueza	288
Desigualdade entre países	288
Pobreza nos Estados Unidos	**289**
Quem são os pobres?	290
Quem são os ricos?	290
Tendências da desigualdade	291
B. Políticas de combate à pobreza	292
Surgimento do estado do bem-estar social	292
Custos da redistribuição	**293**
Custos da redistribuição em gráficos	294
Qual o tamanho dos furos?	294
Soma dos furos	295
Políticas de combate à pobreza: programas e críticas	**295**

Programas de apoio à renda 296
Problemas dos incentivos aos pobres 296
A batalha pela reforma do estado do bem-estar social **296**
Duas visões da pobreza 296
Programas atuais de suplemento de renda nos Estados Unidos 297
Crédito de imposto pela renda do trabalho...... 297
Reforma da previdência social de 1996 nos Estados Unidos 297
Política econômica para o século XXI **298**
Resumo... 298
Conceitos para revisão 299
Leituras adicionais e sites..................................... 299
Questões para discussão....................................... 299

Capítulo 18
Comércio internacional **301**
A. Natureza do comércio internacional................... 301
Comércio internacional *versus* interno............ 301
Tendências do comércio internacional............ 302
Justificação para o comércio internacional de bens e serviços **302**
Diversidade dos recursos naturais.................. 302
Diferenças de gostos 302
Diferenças nos custos 303
B. Vantagem comparativa entre países..................... 303
Princípio da vantagem comparativa **303**
Senso incomum 303
Análise da vantagem comparativa segundo Ricardo... 303
Ganhos econômicos do comércio.................. 305
Subcontratação (*outsourcing*) como outro tipo de comércio 305
Análise gráfica da vantagem comparativa **306**
Os Estados Unidos sem comércio.................. 306
Abertura ao comércio.................................... 306
Extensões para muitos bens e países..................... **309**
Muitos bens 309
Muitos países 309
Comércio triangular e multilateral................. 309
Qualificações e conclusões **309**
C. Protecionismo.. 311
Análise pela oferta e demanda do comércio e das tarifas **311**
Livre comércio *versus* nenhum comércio 311
Barreiras comerciais 311
Custos econômicos das tarifas....................... 314
Economia do protecionismo **316**
Objetivos não econômicos 316
Bases infundadas para as tarifas..................... 316
Argumentos potencialmente válidos para o protecionismo.. 318
Outras barreiras ao comércio......................... 320
Negociações comérciais multilaterais..................... **320**
Negociando o livre comércio 321
Avaliação.. 321
Resumo... 322
Conceitos para revisão 323
Leituras adicionais e sites..................................... 323
Questões para discussão....................................... 323

PARTE CINCO MACROECONOMIA: CRESCIMENTO ECONÔMICO E CICLOS ECONÔMICOS

Capítulo 19
Panorama da macroeconomia................................ **326**
A. Conceitos fundamentais da macroeconomia........ 327
O nascimento da macroeconomia........................ **327**
Objetivos e instrumentos da macroeconomia **329**
Medindo o sucesso econômico 329
Ferramentas da política macroeconômica....... 333
Conexões internacionais..................................... **334**
B. Oferta e demanda agregadas 334
Dentro da macroeconomia: oferta e demanda agregadas **335**
Definições de oferta e demanda agregadas 335
Curvas da oferta e da demanda agregadas...... 336
História macroeconômica: 1900-2008 .... **337**
O papel da política macroeconômica 338
Resumo... 339
Conceitos para revisão 340
Leituras adicionais e sites..................................... 340
Questões para discussão....................................... 341

Apêndice 19
Dados macroeconômicos para os Estados Unidos............. 342

Capítulo 20
Medindo a atividade econômica **343**
Produto interno bruto: a medida do desempenho de uma economia **343**
Duas medidas do produto nacional: fluxo de bens e fluxo de rendas 344
Contas nacionais derivadas das contas das empresas 345
O problema da "dupla contagem"................... 345
Detalhes das contas nacionais **346**
PIB real *versus* nominal: "deflação" do PIB com um índice de preços 347
Consumo 349
Investimento e formação de capital................ 349
Compras do governo 351
Exportações líquidas..................................... 351
Produto interno bruto, produto interno líquido e produto nacional bruto................. 352
PIB e PIL: uma olhada nos números 352
Do PIB à renda disponível............................. 354
Poupança e investimento 355
Além das contas nacionais **355**
Índices de preços e inflação.................................. **356**
Índices de preços 357
Avaliação da contabilidade **359**
Resumo... 359
Conceitos para revisão 360
Leituras adicionais e sites..................................... 360
Questões para discussão....................................... 360

Capítulo 21
Consumo e investimento **362**
A. Consumo e poupança 362

Padrões de despesa	362
Consumo, renda e poupança	**364**
Função consumo	365
Função poupança	366
Propensão marginal a consumir	366
Propensão marginal a poupar	366
Breve revisão de definições	367
Comportamento do consumo nacional	**368**
Determinantes do consumo	368
Função consumo nacional	370
Medidas alternativas da poupança	371
B. Investimento	372
Determinantes do investimento	**372**
Receitas	372
Custos	372
Expectativas	373
Curva da demanda de investimento	**373**
Deslocamentos da curva de demanda do investimento	374
Sobre a teoria da demanda agregada	**375**
Resumo	376
Conceitos para revisão	376
Leituras adicionais e sites	376
Questões para discussão	377

Capítulo 22
Ciclos econômicos e a demanda agregada 378

A. O que são os ciclos econômicos?	378
Aspectos do ciclo econômico	**379**
Teorias dos ciclos econômicos	**380**
Crises financeiras e ciclos econômicos	381
B. Demanda agregada e ciclos econômicos	382
Teoria da demanda agregada	**382**
Curva da demanda agregada com inclinação negativa	**383**
Deslocamentos da demanda agregada	384
Ciclos econômicos e demanda agregada	385
O ciclo econômico é evitável?	385
C. Modelo do multiplicador	386
Determinação da produção pela despesa total	**386**
Recorde o significado de equilíbrio	387
Mecanismo de ajuste	387
Análise aritmética	388
Multiplicador	**389**
Modelo do multiplicador comparado com o modelo *AS-AD*	389
D. Política fiscal no modelo do multiplicador	390
Como as políticas fiscais do governo afetam a produção	**391**
Impacto da tributação sobre a demanda agregada	392
Exemplo numérico	392
Multiplicadores de política fiscal	**393**
Impacto dos impostos	395
Modelo do multiplicador e o ciclo econômico	396
Modelo do multiplicador em perspectiva	396
Resumo	397
Conceitos para revisão	398
Leituras adicionais e sites	398
Questões para discussão	399

Capítulo 23
Moeda e o sistema financeiro 400

Panorama do mecanismo de transmissão monetária	400
A. Sistema financeiro moderno	401
Papel do sistema financeiro	401
Funções do sistema financeiro	401
Fluxo de fundos	402
Um menu de ativos financeiros	**402**
Revisão das taxas de juros	404
B. Caso especial da moeda	404
Evolução da moeda	**405**
História da moeda	405
Componentes da oferta de moeda	406
Demanda de moeda	**406**
Funções da moeda	406
Custos da posse de moeda	407
Duas fontes da demanda de moeda	407
C. Bancos e a oferta de moeda	409
Como os bancos se desenvolveram a partir dos estabelecimentos de ourives	409
Banco de reservas parciais	410
Equilíbrio final do sistema	410
Sistema bancário moderno	411
D. Mercado de ações	411
Risco e retorno de ativos diferentes	411
Bolhas e colapsos	412
Mercados eficientes e o passeio aleatório	413
Estratégias financeiras pessoais	**415**
Resumo	416
Conceitos para revisão	417
Leituras adicionais e sites	418
Questões para discussão	418

Capítulo 24
Política monetária e economia 420

A. O Banco central e o Federal Reserve System dos Estados Unidos	420
Elementos essenciais do banco central	**420**
História	420
Estrutura	421
Objetivos dos bancos centrais	421
Funções do banco central	422
Independência dos bancos centrais	422
Como o banco central determina as taxas de juros de curto prazo	**422**
Panorama das operações do Fed	422
Balanço dos bancos do Federal Reserve	423
Procedimentos operacionais	423
Como o Fed influencia as reservas bancárias	**424**
Operações de mercado aberto	424
Operação de redesconto: um recurso para as operações de mercado aberto	425
Papel das reservas legais	426
Determinação da taxa de *fed funds*	426
B. Mecanismo de transmissão monetária	428
Apresentação sucinta	428
Efeito das mudanças na política monetária sobre a produção	428
Desafio de uma armadilha de liquidez	430
Política monetária no esquema *AS-AD*	431

Política monetária no longo prazo 432
C. Aplicações da economia monetária.................................. 432
    Monetarismo e a teoria quantitativa da moeda e dos preços 432
        Raízes do monetarismo 432
        Equação da troca e a velocidade da moeda 433
        Teoria quantitativa dos preços 433
        Monetarismo moderno............................... 434
        Plataforma monetarista: crescimento constante da moeda 434
        Experiência monetarista............................. 435
        Declínio do monetarismo........................... 435
    Política monetária em uma economia aberta 435
        Conexões internacionais 436
    Transmissão monetária na economia aberta 437
    Da demanda agregada à oferta agregada 437
Resumo.. 437
Conceitos para revisão 438
Leituras adicionais e sites... 439
Questões para discussão 439

PARTE SEIS   CRESCIMENTO, DESENVOLVIMENTO E A ECONOMIA GLOBAL

Capítulo 25
Crescimento econômico **442**
        Significado de longo prazo do crescimento...... 442
A. Teorias do crescimento econômico 443
    Quatro forças propulsoras do crescimento 443
        Recursos humanos 444
        Recursos naturais 444
        Capital... 444
        Progresso tecnológico e inovação 445
    Teorias do crescimento econômico 446
        Dinâmica clássica de Smith e Malthus............ 446
        Crescimento econômico com acumulação de capital: o modelo neoclássico de crescimento 447
        Análise geométrica do modelo neoclássico 449
        Papel central do progresso tecnológico 450
        Progresso tecnológico como um produto econômico 450
B. Padrões do crescimento nos Estados Unidos 451
        Fatos do crescimento econômico 451
        Relação entre as sete tendências e as teorias do crescimento econômico...................... 453
        Fontes do crescimento econômico 454
    Tendências recentes da produtividade 455
        Inflexão da produtividade........................... 456
Resumo.. 457
Conceitos para revisão 458
Leituras adicionais e sites... 458
Questões para discussão 458

Capítulo 26
Desafio do desenvolvimento econômico **460**
A. Crescimento da população e desenvolvimento 460
    Malthus e a ciência lúgubre................................ 460
        Limites ao crescimento e o neo-malthusianismo 462

B. Crescimento econômico nos países pobres 462
    Características de um país em desenvolvimento 462
        Desenvolvimento humano 464
    Os quatro elementos do desenvolvimento 464
        Recursos humanos 465
        Recursos naturais 465
        Capital... 466
        Progresso tecnológico e inovações 467
        Dos ciclos viciosos aos círculos virtuosos 468
    Estratégias do desenvolvimento econômico 469
        Hipótese do atraso 470
        Industrialização *versus* agricultura 470
        Governo *versus* mercado 470
        Crescimento e orientação para o exterior 470
        Avaliação sumária 471
C. Modelos alternativos para o desenvolvimento 471
    Buquê de "ismos" 471
        Dilema central: mercado *versus* comando 471
    Modelos asiáticos 472
        O surgimento da China 472
    Socialismo 473
    Modelo falhado: economias planejadas centralmente 473
        Profecias catastróficas 474
        Dos manuais para a tática: economia de comando de estilo soviético................ 474
        De Marx para o mercado 476
        Nota final cautelosa 476
Resumo.. 476
Conceitos para revisão 477
Leituras adicionais e sites... 478
Questões para discussão 478

Capítulo 27
Taxas de câmbio e o sistema financeiro internacional **480**
    Tendências do comércio exterior 481
A. Balanço de pagamentos internacional......................... 482
    Contas do balanço de pagamentos 482
        Débitos e créditos 482
        Detalhes do balanço de pagamentos 482
B. Determinação das taxas de câmbio 484
    Taxas de câmbio 484
        Mercado de câmbio 485
        Efeitos de variações no comércio.................. 487
        Taxas de câmbio e o balanço de pagamentos ... 487
        Paridade do poder de compra e taxas de câmbio.. 488
C. Sistema monetário internacional 489
    Taxas de câmbio fixas: o padrão-ouro clássico 490
        Mecanismo de ajuste de Hume 490
        Atualização de Hume à macroeconomia moderna.. 492
    Instituições monetárias internacionais após a Segunda Guerra Mundial...................... 492
        Fundo Monetário Internacional 492
        Banco Mundial 492
        Sistema de Bretton Woods.......................... 492
        Intervenção 493
    Taxas de câmbio flexíveis 494

Sistema híbrido atual	494
Ideias conclusivas	495
Resumo	495
Conceitos para revisão	496
Leituras adicionais e sites	496
Questões para discussão	496

Capítulo 28
Macroeconomia aberta **498**

A. Comércio exterior e atividade econômica	498
Exportações líquidas e produção na economia aberta	**498**
Determinantes do comércio e das exportações líquidas	**499**
Impacto de curto prazo do comércio sobre o PIB	**499**
Propensão marginal a importar e a reta da despesa	502
Multiplicador em economia aberta	502
Comércio e finanças nos Estados Unidos com taxas de câmbio flexíveis	**503**
Mecanismo de transmissão monetária em economia aberta	**505**
B. Interdependência na economia global	506
Crescimento econômico em economia aberta	**506**
Poupança e investimento em uma economia aberta	**507**
Determinação da poupança e do investimento em pleno emprego	507
Promoção do crescimento em economia aberta	**510**
C. Questões econômicas internacionais	512
Competitividade e produtividade	**512**
"A desindustrialização dos Estados Unidos"	512
Tendências na produtividade	512
União monetária europeia	**513**
Rumo a uma moeda comum: o euro	513
Custos e benefícios da União Monetária	514
Avaliação final	**514**
Resumo	515
Conceitos para revisão	516
Leituras adicionais e sites	517
Questões para discussão	517

PARTE SETE DESEMPREGO, INFLAÇÃO E POLÍTICA ECONÔMICA

Capítulo 29
Desemprego e os fundamentos da oferta agregada **520**

A. Fundamentos da oferta agregada	520
Determinantes da oferta agregada	**521**
Produto potencial	521
Custos dos insumos	522
Oferta agregada no curto e no longo prazos	**523**
Salários e preços rígidos e a curva AS com inclinação positiva	524
B. Desemprego	525
Medida do desemprego	**525**
Impacto do desemprego	**526**
Impacto econômico	526
Impacto social	526
Lei de Okun	**527**

Interpretação econômica do desemprego	**527**
Desemprego de equilíbrio	528
Desemprego de desequilíbrio	528
Fundamentos microeconômicos da inflexibilidade dos salários	530
Questões do mercado de trabalho	**531**
Quem são os desempregados?	531
Duração do desemprego	532
Fontes da falta de empregos	532
Desemprego por idade	533
Resumo	535
Conceitos para revisão	536
Leituras adicionais e sites	536
Questões para discussão	536

Capítulo 30
Inflação **538**

A. Natureza e impactos da inflação	538
O que é a inflação?	**538**
História da inflação	538
Três graus de inflação	539
Inflação antecipada *versus* não antecipada	542
Impactos econômicos da inflação	**543**
Impactos sobre a distribuição da renda e da riqueza	543
Impactos sobre a eficiência econômica	543
Impactos macroeconômicos	544
Qual é a taxa ótima de inflação?	544
B. Moderna teoria da inflação	545
Preços no esquema *AS-AD*	**545**
Inflação esperada	545
Inflação de demanda	545
Inflação pelos custos e "estagflação"	546
Expectativas e inflação	547
Níveis de preços *versus* inflação	547
Curva de Phillips	**548**
Curva de Phillips de curto prazo	548
Taxa de desemprego não aceleradora de inflação	549
Do curto para o longo prazo	549
Curva de Phillips vertical de longo prazo	550
Estimativas quantitativas	551
Dúvidas em relação à TDNAI	552
Revisão	552
C. Dilemas da política anti-inflacionária	552
Qual a duração do longo prazo?	552
Quanto custa a redução da inflação?	552
Credibilidade e inflação	553
Políticas para reduzir o desemprego	554
Resumo	555
Conceitos para revisão	555
Leituras adicionais e sites	556
Questões para discussão	556

Capítulo 31
Fronteiras da macroeconomia **557**

A. As consequências econômicas da dívida pública	557
História fiscal	**558**
Política fiscal do Estado	**558**

Orçamentos efetivos, estruturais e cíclicos........ 559
Economia da dívida e dos déficits......................... **560**
Impactos de curto prazo dos déficits do governo .. **560**
    Curto prazo *versus* longo prazo 560
    Política fiscal e o modelo do multiplicador 560
Dívida pública e crescimento econômico **560**
    Tendências históricas.. 560
    Dívida externa *versus* dívida interna 561
    Perdas de eficiência com a tributação 562
    Deslocamento de capital 562
    Dívida e crescimento 563

B. **Avanços na macroeconomia moderna** 564
   A macroeconomia clássica e a Lei de Say **565**
    Lei dos mercados de Say....................................... 565
   Macroeconomia dos clássicos modernos **565**
    Expectativas racionais 566
    Ciclos econômicos reais....................................... 566
    Visão ricardiana da política fiscal 566
    Salários de eficiência 567
    Economia do lado da oferta................................ 567
   Implicações de política **568**
    Ineficácia da política.. 568
    Conveniência de regras fixas............................... 568
    Uma nova síntese?.. 568

C. **Estabilização da economia** 568
   Interação das políticas fiscal e monetária............... **569**
    Gestão da demanda 569
    Combinação fiscal-monetária.............................. 570
   Regras *versus* discrição **571**
    Restrições orçamentais sobre
    o poder legislativo?.. 572
    Regras monetárias para o Fed? 572

D. **Crescimento econômico e bem-estar humano** 573
   Espírito empresarial **574**
    Fomento do progresso tecnológico 574

Resumo.. 575
Conceitos para revisão 577
Leituras adicionais e sites 577
Questões para discussão.. 577

Glossário **579**
Índice **599**

PARTE UM

Conceitos Básicos

CAPÍTULO

1 Conceitos centrais da Economia

A Era da Cavalaria chegou ao fim; sucedeu-lhe a dos sofistas, dos economistas e dos contadores.
Edmund Burke

A. POR QUE ESTUDAR ECONOMIA?

Ao iniciar esta leitura, você deve estar querendo saber: por que estudar Economia? Enumeremos as razões.

Muitos estudam Economia para que isso os ajude a obter um bom emprego.

Há quem pense que deve compreender mais profundamente o que existe por trás dos relatórios sobre inflação e desemprego.

Ou há pessoas que querem compreender quais políticas poderiam amenizar o aquecimento global ou o que significa dizer que um iPod é "made in China".

Por quem os sinos dobram

Todas essas razões, e muitas outras, fazem sentido. Contudo, como teremos de reconhecer, existe uma razão fundamental para aprender as lições básicas de Economia: durante toda a sua vida – desde o berço até à sepultura – você enfrentará as verdades cruéis da Economia.

Como eleitor, tomará decisões sobre questões que não poderão ser compreendidas até que tenha dominado os rudimentos desta matéria. Sem o estudo de Economia, não estará completamente informado sobre o comércio internacional, a política fiscal, ou as causas das recessões e do desemprego.

Escolher a profissão da sua vida é a decisão econômica mais importante que tomará. O seu futuro dependerá não só de suas capacidades, mas também da forma como as forças econômicas nacionais e regionais afetam os seus salários. O seu conhecimento de Economia poderá ajudá-lo também a tomar decisões acertadas sobre a compra de um imóvel, o pagamento da educação de seus filhos e a poupança de uma quantia para a aposentadoria. É claro que o estudo de Economia não fará de você um gênio. Mas, sem a Economia, os dados da sorte serão lançados contra você.

Esperamos que venha a descobrir que, além de útil, a Economia é mesmo uma matéria fascinante. Gerações de estudantes, quase sempre com surpresa, têm descoberto quão estimulante é conhecer o que está além da superfície e compreender as leis fundamentais de Economia.

ESCASSEZ E EFICIÊNCIA: OS TEMAS GÊMEOS DA ECONOMIA

Definições de Economia

Iniciemos com uma definição de Economia, ou ciência econômica. Ao longo do último meio século, o estudo de economia se expandiu, incluindo um vasto leque de temas. Eis alguns dos principais assuntos que são tratados neste livro:[1]

- A Economia explora o comportamento dos mercados financeiros, incluindo taxas de juro e de câmbio e preços de ações.
- O assunto examina as razões pelas quais algumas pessoas, ou países, têm rendas elevadas, enquanto outros são pobres; avança com a análise de formas para a redução da pobreza sem prejudicar a economia.
- Estuda os ciclos econômicos – as flutuações no crédito, desemprego e inflação – bem como as políticas para suavizar seus efeitos.

---

[1] Nos itens apresentados há vários termos específicos. Em caso de dúvida, consulte o Glossário ao final do livro que contém os principais termos técnicos econômicos usados no texto. Os termos que aparecem em **negrito** são os definidos no Glossário.

- A Economia estuda o comércio e as finanças internacionais, bem como os impactos da globalização, e analisa, em especial, os temas espinhosos relacionados com a abertura das fronteiras ao comércio livre.
- Questiona como as políticas governamentais podem ser usadas para atingir objetivos importantes, tais como um rápido crescimento econômico, o uso eficiente de recursos, o pleno emprego, a estabilidade dos preços e uma distribuição de renda justa.

É uma longa lista, mas poderíamos aumentá-la ainda mais. Contudo, podemos identificar um tema comum a todas essas definições:

A **Economia** é o estudo da forma como as sociedades utilizam recursos escassos para produzir bens e serviços que possuem valor para distribuí-los entre indivíduos diferentes.

Escassez e eficiência

Se pensarmos nas definições, descobriremos duas ideias-chave que permeiam toda a ciência econômica: os bens são escassos e a sociedade deve usar os seus recursos de forma eficiente. *De fato, as preocupações sobre economia não desaparecem por conta da existência de escassez e do desejo de eficiência.*

Imagine um mundo sem escassez. Se pudessem ser produzidas quantidades infinitas de qualquer bem, ou se os desejos humanos fossem completamente satisfeitos, quais seriam as consequências? As pessoas não se preocupariam em ampliar os seus orçamentos limitados, porque teriam tudo o que quisessem. As empresas não precisariam se preocupar com o custo da mão de obra ou com assistência médica; os governos não precisariam se preocupar com tributos, despesas ou poluição, porque ninguém se importaria. Além disso, dado que cada um poderia ter tanto quanto desejasse, ninguém se preocuparia com a distribuição de renda entre as diferentes pessoas ou classes.

Em tal paraíso de abundância, todos os bens seriam gratuitos, tal como a areia do deserto ou a água do mar na praia. Todos os preços seriam zero e os mercados, desnecessários. De fato, a economia deixaria de ser um assunto útil.

Mas nenhuma sociedade atingiu a utopia das possibilidades ilimitadas. O nosso mundo é um mundo de **escassez**, repleto de **bens econômicos**. Em uma situação de escassez, os bens são limitados relativamente aos desejos. Um observador objetivo terá de concordar que, mesmo após dois séculos de rápido crescimento econômico, a produção nos Estados Unidos não é suficientemente grande para satisfazer os desejos de todos. Se o leitor somar todos os desejos, descobrirá rapidamente que não existem bens e serviços suficientes para satisfazer mesmo uma pequena parcela dos desejos de consumo de todos. A produção nacional dos Estados Unidos teria de aumentar muito antes que o americano médio pudesse viver no nível médio de um médico ou de um jogador de beisebol da primeira liga. Fora dos Estados Unidos, em especial na África, centenas de milhões de pessoas passam fome e privação material.

Dada a existência de desejos ilimitados, é importante que uma economia faça o melhor uso dos seus recursos limitados. E isso nos leva à noção fundamental de eficiência. **Eficiência** corresponde à utilização mais eficaz dos recursos de uma sociedade na satisfação dos desejos e das necessidades da população. Em contrapartida, considere uma economia com monopólios sem controle ou com poluição prejudicial à saúde, ou com corrupção governamental. Uma economia assim produzirá menos do que seria possível sem a existência desses problemas, ou produzirá um conjunto distorcido de bens, o que deixará os consumidores em uma situação pior do que a que existiria se tal não ocorresse – em qualquer caso ocorre uma alocação ineficiente de recursos.

A **eficiência econômica** exige que uma economia produza a mais elevada combinação de quantidade e qualidade de bens e serviços dados a sua tecnologia e seus recursos escassos. Uma economia produz de maneira eficiente quando o bem-estar econômico de nenhum indivíduo pode ser melhorado sem que o de outro indivíduo fique pior.

A essência da ciência econômica é compreender a realidade da escassez e, então, conceber como organizar a sociedade de modo a corresponder ao uso mais eficiente dos recursos. É nisso que reside a contribuição específica da ciência econômica.

Microeconomia e macroeconomia

A Economia, hoje, está dividida em duas grandes subáreas: a microeconomia e a macroeconomia. Adam Smith é considerado o fundador da **microeconomia**, o ramo da economia que trata do comportamento de entidades individuais como os mercados, as empresas e as famílias. Na obra *A Riqueza das Nações* (1776), Smith analisou como o preço de cada bem era estabelecido, estudou a determinação dos preços da terra, da mão de obra e do capital e investigou os pontos fortes e fracos do funcionamento do mercado. Mais importante ainda, identificou as propriedades notáveis de eficiência dos mercados e explicou como o interesse próprio dos indivíduos atuando em mercados competitivos pode gerar um benefício econômico geral. A microeconomia vai além das preocupações iniciais ao incluir o estudo do monopólio, o papel do comércio internacional, das finanças e muitos outros assuntos vitais.

O outro ramo importante da nossa matéria é a **macroeconomia**, relacionada ao desempenho global da economia. A macroeconomia nem sequer existia na sua formulação moderna antes de 1936, quando John Maynard Keynes publicou a sua obra revolucionária *Teoria Geral do Emprego, do Juro e da Moeda*. Nessa época, a Inglaterra e os Estados Unidos ainda se debatiam com a Grande Depressão dos anos 1930, com o desemprego afetando mais de um quarto da população ativa norte-americana. Na sua nova teoria, Keynes desenvolveu uma análise das causas dos ciclos econômicos, com períodos alternados de desemprego e inflação elevada. A macroeconomia examina uma grande variedade de assuntos, tais como a determinação do investimento e do consumo totais, como os bancos centrais fazem a gestão da moeda e das taxas de juro, o que causa as crises financeiras internacionais e por que razão alguns países se desenvolvem rapidamente, enquanto outros ficam estagnados. Embora a macroeconomia tenha progredido muito desde as suas primeiras conclusões, as questões abordadas por Keynes ainda continuam a delimitar o estudo atual da macroeconomia.

LÓGICA DA ECONOMIA

A vida econômica é uma enorme e complexa colmeia de atividades, com as pessoas comprando, vendendo, negociando, investindo e persuadindo. O objetivo final da ciência econômica, e deste livro, é compreender essa complexidade. Como procedem os economistas na sua função?

Os economistas usam a *abordagem científica* para compreender a vida econômica. Isso envolve a observação dos acontecimentos econômicos e a elaboração de estatísticas e de registros históricos. Para fenômenos complexos, como os impactos dos déficits fiscais, ou as causas da inflação, a pesquisa histórica tem sido uma fonte importante de conhecimento.

A economia se baseia frequentemente em análises e teorias. As abordagens teóricas permitem aos economistas realizar amplas generalizações, como as relativas às vantagens do comércio internacional e da especialização, e às desvantagens dos impostos e das quotas de importação.

Além disso, os economistas desenvolveram uma técnica especializada, conhecida por *econometria*, que aplica as ferramentas estatísticas aos problemas econômicos. Com o uso da econometria, os economistas podem lidar com grandes quantidades de dados e extrair relações simples.

Os economistas principiantes devem também ser alertados para as falácias comuns do raciocínio econômico. Pelo fato de as relações econômicas serem complexas, envolvendo muitas variáveis diferentes, é fácil ficar confuso no que diz respeito à razão exata que está na origem dos acontecimentos, ou sobre o impacto das políticas na economia. A seguir, são apresentadas algumas falácias mais comuns encontradas no raciocínio econômico.

- *A **falácia do post hoc**.* A primeira falácia está relacionada à inferência da causalidade. *A falácia do post hoc acontece quando, pelo fato de um evento ocorrer antes de outro, admitirmos que o primeiro evento é a causa do segundo.*[2] Um exemplo dessa síndrome ocorreu na Grande Depressão dos anos 1930, nos Estados Unidos. Algumas pessoas haviam observado que períodos de expansão econômica eram precedidos ou acompanhados de aumento dos preços. A partir daí, concluíram que o remédio apropriado para a depressão era o aumento dos preços e dos salários. Essa ideia originou várias leis e regulações para impulsionar os salários e os preços de um modo ineficiente. Tais medidas promoveram a recuperação econômica? É quase certo que não. De fato, elas provavelmente retardaram a recuperação, a qual não ocorreu até que a despesa global começasse a aumentar à medida que o governo aumentava as despesas militares na preparação para a Segunda Guerra Mundial.

- *Falha em manter tudo o mais constante.* Uma segunda armadilha é a falha em manter tudo o mais constante quando se pensa em uma questão. Por exemplo, poderemos querer saber se o aumento dos impostos fará aumentar ou diminuir as receitas fiscais. Alguns têm defendido o argumento sedutor de que podemos comer o nosso bolo fiscal e continuar a dispor dele. Argumentam que o corte nas alíquotas dos impostos fará, ao mesmo tempo, aumentar as receitas tributárias e reduzir o déficit fiscal. Apontam o corte nos impostos de Kennedy-Johnson, em 1964, que diminuiu drasticamente as alíquotas dos impostos e foi seguido de um acréscimo das receitas tributárias em 1965. Portanto, eles argumentam que reduzir as alíquotas dos impostos leva ao aumento das receitas.

  Por que esse raciocínio é falacioso? O argumento admite que os demais fatores eram constantes – em particular, é ignorado o crescimento global da economia de 1964 a 1965. Como a renda das pessoas aumentou nesse período, as receitas fiscais totais aumentaram, embora as alíquotas dos impostos tenham diminuído. Estudos econométricos detalhados indicam que as receitas fiscais teriam sido *ainda maiores* em 1965 se as alíquotas tivessem sido mantidas ao nível de 1964. Desse modo, aquela análise falhou ao não manter outros fatores constantes quando efetuou os cálculos.

  Lembre-se de manter tudo o mais constante quando estiver analisando o impacto de uma variável sobre o sistema econômico.

- *A **falácia da composição**.* Às vezes, admitimos que o que é verdade para uma parte de um sistema também é verdade para o conjunto. Em economia, contudo, verificamos com frequência que o todo é diferente da soma das partes. *Quando se admite que aquilo*

---

[2] *Post hoc* é uma abreviatura da expressão *post hoc, ergo propter hoc*. Traduzido do latim, a expressão completa significa "posto isso, portanto, necessariamente em decorrência disso". Ver Glossário.

que é verdade para uma parte é também verdade para o todo, você cai na falácia da composição.

Seguem-se algumas afirmações verdadeiras que poderão surpreender quem ignora a falácia da composição: (1) Se um agricultor tiver uma colheita incomum, a sua renda aumentará; se todos os agricultores tiverem uma colheita recorde, a renda agrícola diminuirá. (2) Se uma única pessoa receber muito mais dinheiro, essa pessoa ficará muito melhor; se todos receberem muito mais dinheiro, a sociedade irá provavelmente ficar pior. (3) Se for fixado um elevado imposto de importação sobre um produto como calçado, ou aço, os produtores desse setor irão certamente lucrar; se forem fixados impostos de importação elevados em todos os produtos, o bem-estar econômico do país será prejudicado.

Estes exemplos não têm qualquer truque ou magia. Em vez disso, resultam de sistemas de indivíduos interagindo. Frequentemente, o comportamento do agregado apresenta-se muito diferente do comportamento individual.

Mencionamos essas falácias apenas de uma forma breve nesta introdução. À medida que apresentarmos os instrumentos de economia, daremos exemplos de como o descuido com a lógica econômica pode conduzir a erros, às vezes, graves. Ao final deste livro, você poderá rever a razão pela qual cada um desses exemplos paradoxais é verdadeiro.

Economia positiva *versus* Economia normativa

Ao analisar questões econômicas, devemos distinguir cuidadosamente as questões de fato das questões de juízo de valor. A economia positiva descreve os fatos de uma economia, enquanto a economia normativa envolve juízos de valor.

A **economia positiva** trata de questões do seguinte tipo: Por que razão os médicos ganham mais do que os porteiros? O Acordo de Comércio Livre na América do Norte (NAFTA) aumentou ou diminuiu a renda da maioria dos norte-americanos? Taxas de juros mais elevadas desaquecem a economia e reduzem a inflação? Embora sejam difíceis de responder, todas essas questões podem ser resolvidas com recurso à análise e a evidência empírica. Isso as coloca no âmbito da economia positiva.

A **economia normativa** envolve preceitos éticos e normas de equidade. Para garantir que a inflação dos preços não acelere demais, o desemprego deveria aumentar? Os Estados Unidos deveriam negociar acordos adicionais para reduzir as tarifas sobre as importações? A distribuição de renda nos Estados Unidos se tornou muito desigual? Não existem respostas certas ou erradas para essas questões, porque, em vez de fatos, elas envolvem princípios éticos e valores. Embora a análise econômica possa *fundamentar* esses debates, ao analisar as prováveis consequências de políticas alternativas, as respostas podem ser resolvidas apenas com debates e decisões acerca dos valores fundamentais da sociedade.

A FRIEZA DA RAZÃO A SERVIÇO DE CORAÇÕES APAIXONADOS

Ao longo do último século, a economia se transformou de uma planta frágil em uma árvore frondosa. Com os seus ramos em expansão, encontramos explicações para os benefícios do comércio internacional, conselhos para a redução do desemprego e da inflação, fórmulas para investimento de fundos de pensões e propostas para o leilão de créditos de carbono de forma a ajudar a retardar o aquecimento global. Pelo mundo, os economistas promovem a coleta de dados e o aperfeiçoamento do nosso conhecimento sobre as tendências econômicas.

Você poderá perguntar: Qual é a finalidade desse exército de economistas que medem, analisam e calculam? *O objetivo último da ciência econômica é melhorar as condições de vida da sociedade no seu dia a dia.* Aumentar o produto interno bruto não é um mero jogo de números. Rendas mais elevadas significam uma boa alimentação, moradias confortáveis e saneamento básico. Significam água potável e vacinas contra as doenças que sempre afetaram a humanidade.

Rendas mais elevadas permitem mais do que alimento e moradia. Os países ricos têm recursos para construir escolas, de modo a que os jovens possam aprender a ler e a desenvolver a competência necessária para operar com tecnologias e computadores modernos. À medida que a renda aumenta, os países podem financiar pesquisas científicas para determinar as técnicas agrícolas adequadas ao clima e solos específicos, ou para desenvolver vacinas contra doenças. Com os recursos gerados pelo crescimento econômico, as pessoas têm tempo livre para atividades culturais – como cinema ou música –, e a sociedade dispõe de tempo de lazer para ler, ouvir e tocar música. Embora não exista um padrão único de desenvolvimento econômico, e as culturas sejam diferentes por todo o mundo, a libertação da fome, da doença e da submissão aos elementos da natureza é uma aspiração humana universal.

Mas séculos de história da humanidade também mostram que os corações apaixonados por si só não matam a fome ou curam a doença. Um mercado livre e eficiente não gera necessariamente uma distribuição de renda que seja socialmente aceitável. A escolha do melhor caminho para o progresso econômico ou para uma distribuição equitativa do produto de uma sociedade exige cabeças frias que objetivamente ponderem os custos e os benefícios das diferentes abordagens, que tentem, tanto quanto é humanamente possível, manter a análise livre da ilusão do autoengano. Por vezes, o progresso econômico exige demolir uma fábrica obsoleta. Por vezes, como quando países de planejamento centralizado adotaram os princípios do mercado, as coisas pioram antes de melhorarem. As escolhas são especialmente difíceis no campo da assistência médica, em que os recursos limitados envolvem literalmente a vida e a morte.

Você já deve ter ouvido a expressão: "De cada um, de acordo com a sua capacidade; a cada um, de acordo com a sua necessidade". Os governos têm aprendido que nenhuma sociedade pode funcionar por muito tempo com base nesse princípio utópico. Para manter uma economia saudável, os governos têm de preservar os incentivos para que as pessoas trabalhem e poupem.

As sociedades podem apoiar durante algum tempo quem fica desempregado, mas quando o subsídio ao desemprego é demasiado e por muito tempo, as pessoas podem passar a depender do Estado e deixar de procurar emprego. Acreditam-se que o governo lhes deve a sua subsistência, isso pode enfraquecer seu espírito empreendedor. Mesmo que os programas governamentais persigam objetivos nobres, isso não os isenta de uma apuração cuidadosa e de uma gestão eficiente.

A sociedade procura combinar a disciplina do mercado com a generosidade dos programas sociais. Ao usar a frieza da razão para informar aos corações apaixonados, a ciência econômica pode desempenhar o seu papel na busca do equilíbrio adequado para a sociedade eficiente, próspera e justa.

B. TRÊS PROBLEMAS DA ORGANIZAÇÃO ECONÔMICA

Qualquer sociedade humana – seja um país industrial avançado, uma economia de planejamento centralizado ou uma sociedade tribal isolada – tem de se defrontar e resolver três problemas econômicos fundamentais. Toda sociedade deve possuir um modo de determinar *que* bens serão produzidos, *como* são produzidos esses bens e *para quem* são produzidos.

De fato, estas três questões da organização econômica – *o quê, como* e *para quem* – são tão importantes atualmente quanto o foram no início da civilização humana. Analisemos as questões da organização econômica:

- *Que* bens serão produzidos e em quais quantidades? Uma sociedade deve determinar quanto deve produzir de cada um dos inúmeros bens e serviços possíveis e quando deverão ser produzidos. Hoje, deveremos produzir pizzas ou camisas? Poucas camisas de alta qualidade ou muitas camisas baratas? Utilizaremos os recursos escassos para produzir muitos bens de consumo (como pizzas)? Ou iremos produzir menos bens de consumo e mais bens de capital (como fornos para pizzas), que permitirão ampliar a produção e o consumo no futuro?

- *Como* os bens são produzidos? Uma sociedade deve determinar quem irá produzir, com quais recursos e com qual tecnologia de produção. Quem cultiva a terra e quem ensina? A eletricidade será obtida a partir de fontes de energia renovável ou fóssil? As fábricas serão dirigidas por pessoas ou por robôs?

- *Para quem* os bens são produzidos? Quem irá usufruir do fruto da atividade econômica? A distribuição da renda e da riqueza é justa e equitativa? Como é repartido o produto nacional entre as diferentes famílias? Existem muitos pobres e poucos ricos? As rendas elevadas devem pertencer aos professores, aos atletas, aos trabalhadores da indústria automotiva ou aos investidores em ações? A sociedade deve proporcionar aos pobres um mínimo de consumo, ou, se quiserem comer, as pessoas devem trabalhar?

ECONOMIAS DE MERCADO, DIRIGIDAS E MISTAS

Quais são as diferentes formas de uma sociedade responder às questões de *o quê, como* e *para quem*? As diferentes sociedades estão organizadas em *sistemas econômicos alternativos* e a economia estuda os vários mecanismos que uma sociedade pode usar para aplicar seus recursos escassos.

Em geral, distinguimos duas formas fundamentais de organizar uma economia. Em um extremo, o governo toma a maioria das decisões econômicas, sendo aqueles que estão no topo da hierarquia os que dão diretivas econômicas aos que estão nos escalões inferiores. No outro extremo, as decisões são tomadas nos mercados, em que os indivíduos ou as empresas acertam a troca de bens e serviços, normalmente por meio de pagamentos em dinheiro. Examinemos brevemente cada uma dessas duas formas de organização.

Nos Estados Unidos e, de forma crescente, no mundo, a maioria das questões econômicas é resolvida pelo mecanismo de mercado. Por isso, o seu sistema econômico é designado de "economia de mercado". Uma **economia de mercado** é aquela em que os indivíduos e as empresas privadas tomam as decisões mais importantes sobre a produção e o consumo. Um sistema de preços, de mercados, de lucros e prejuízos, de incentivos e prêmios determina *o quê, como* e *para quem*. As empresas produzem as mercadorias que geram os maiores lucros (*o quê*), com as técnicas de produção que são as menos dispendiosas (o *como*). O consumo é determinado pelas decisões individuais sobre como aplicar as rendas provenientes de salários e de propriedades geradas pelo trabalho e pela posse de patrimônios (o *para quem*). O caso extremo de economia de mercado, em que o governo se exime de tomar decisões econômicas, é chamado economia de *laissez-faire*.

Em contrapartida, uma **economia dirigida** é aquela em que o governo toma todas as decisões importantes acerca da produção e da distribuição. Em uma economia dirigida, tal como esteve em vigor na União Soviética durante a maior parte do século XX, o Estado possui a maior parte dos meios de produção (terra e capital); também possui e dirige a atividade das empresas na maioria dos ramos de atividade; é o empregador da maioria dos trabalhadores e quem comanda a sua atividade; e decide como a produção da sociedade deve ser dividida entre os diversos bens e serviços. Em resumo, em uma economia dirigida, o governo dá a resposta às principais questões econômicas por meio da posse dos recursos e do seu poder de impor as decisões.

Nenhuma sociedade contemporânea se enquadra completamente em uma dessas categorias extremas. Em vez disso, todas as sociedades são **economias mistas**, com elementos de mercado e de direção centralizada.

A vida econômica é organizada ou por meio de comando hierarquizado ou de mercados voluntários descentralizados. A maioria das decisões nos Estados Unidos e em outras economias com renda elevada é tomada pelos mercados. Mas o Estado desempenha um papel importante na supervisão do funcionamento do mercado; o governo publica leis que regulam a atividade econômica, promove o funcionamento de serviços de educação, policiamento e controle da poluição. A maioria das sociedades tem em vigor um sistema de economia mista.

C. POSSIBILIDADES TECNOLÓGICAS DA SOCIEDADE

Cada arma que é fabricada, cada navio de guerra que é lançado ao mar, cada míssil que é disparado, significa, em última instância, um roubo a quem tem fome e não tem o que comer.

Presidente Dwight D. Eisenhower

Qualquer economia tem um estoque limitado de recursos – trabalho, conhecimento tecnológico, fábricas, ferramentas, terra, energia. Ao decidir *o quê* e *como* os itens devem ser produzidos a economia está decidindo a forma de aplicar os seus recursos em milhares de diferentes bens e serviços possíveis. Em que parcela de terra o trigo será semeado? Ou que parcela será utilizada para a construção de habitações? Quantas fábricas produzirão computadores? Quantas produzirão pizzas? Quantas crianças serão formadas como atletas profissionais, ou economistas profissionais, ou programadores?

Confrontada com o fato inegável de os bens serem escassos em relação ao desejado, uma economia deve decidir como lidar com recursos limitados. Será necessário escolher entre diferentes conjuntos de bens potenciais (*o quê*), selecionar entre as diferentes tecnologias de produção (*o como*) e decidir ao final quem deve consumir os bens (*o para quem*).

INSUMOS E PRODUTOS

Para responder a essas três questões, toda sociedade deve fazer escolhas acerca dos fatores de produção e dos produtos. Os **fatores de produção** ou **insumos** são matérias-primas ou serviços utilizados para produzir bens e serviços. Uma economia usa a sua tecnologia disponível para combinar insumos e gerar os produtos. Os **produtos** são os vários bens ou serviços úteis que resultam do processo de produção e que ou são consumidos, ou são utilizados em um produto posterior. Considere a "produção" de uma pizza. Dizemos que os ovos, a farinha, o sal, o calor, o forno e a mão de obra qualificada do pizzaiolo são os insumos. A pizza apetitosa é o produto. Na educação, os fatores de produção são o tempo de aula ministrada e os estudantes, os laboratórios e as salas de aula, os livros etc., enquanto os produtos são cidadãos informados, produtivos e bem remunerados.

Os insumos podem ser classificados em três grandes categorias: terra, trabalho e capital.

- A *terra* – ou, mais genericamente, os recursos naturais – representa a dádiva da natureza para as nossas sociedades. Consiste na terra utilizada na agricultura ou para a implantação de moradias, fábricas e estradas; nos recursos energéticos para combustível dos nossos automóveis e para iluminar as nossas casas; e nos recursos não energéticos, tais como minérios de cobre e de ferro ou areia. Em um mundo congestionado, temos de ampliar o âmbito dos recursos naturais para incluir os nossos recursos ambientais, tais como o ar limpo e a água potável.

- O *trabalho* consiste no tempo despendido na produção – a trabalhar nas fábricas de automóveis, a desenvolver programas de computador, a ensinar nas escolas ou a assar pizzas. Milhares de serviços e tarefas, em todos os níveis de competência, são realizados pela mão de obra. É, ao mesmo tempo, o fator de produção mais comum e o mais importante para uma economia industrial avançada.

- O *capital* é formado pelos bens duráveis de uma economia, desenvolvidos com a finalidade de produzirem, depois, outros bens. Os bens de capital incluem máquinas, estradas, computadores, softwares, caminhões, altos-fornos, automóveis, máquinas de lavar e edifícios. A acumulação de bens especializados de capital é essencial para a tarefa do desenvolvimento econômico, como veremos a seguir.

Voltando a apresentar os três problemas econômicos nestes termos, a sociedade deve decidir: (1) *que* produtos e em que quantidade; (2) *como* ou com que insumos gerar os produtos desejados; e (3) *para quem* devem ser criados e distribuídos os produtos.

FRONTEIRA DE POSSIBILIDADES DE PRODUÇÃO

Aprendemos cedo na vida que não podemos ter tudo. Ouvimos: "Você pode tomar um sorvete de chocolate ou de baunilha. Os dois, não!". Da mesma forma, as possibilidades de consumo dos países são limitadas pelos recursos e pela tecnologia de que dispõem.

A necessidade de escolha entre alternativas limitadas torna-se ainda mais dramática em tempo de guerra. No debate sobre se os Estados Unidos deviam invadir o Iraque em 2003, as pessoas queriam saber quanto a guerra custaria. Na ocasião o governo afirmou que custaria apenas US$ 50 bilhões, enquanto alguns economistas disseram que ela custaria cerca de US$ 2.000 bilhões. Isso não é apenas uma montanha de dinheiro. Essa quantia representa recursos desviados de outras compras. À medida que os valores começaram a subir, as pessoas naturalmente perguntavam: por que estamos policiando Bagdá em vez de Nova York, ou a reparar o sistema elétrico no Oriente Médio em vez do Centro dos Estados Unidos? As pessoas compreendem, tal como o fez o ex-general e presidente Eisenhower, que, quando o produto é usado em atividades militares, há menos disponibilidade para consumo e investimentos civis.

Podemos imaginar esta escolha considerando uma economia que produz apenas dois bens econômicos: armas e manteiga. As armas representam, é claro, a despesa militar, e a manteiga corresponde à despesa civil. Suponha que a nossa economia aplica toda a sua energia produzindo o bem civil – a manteiga. Há uma quantidade máxima de manteiga que pode ser produzida por ano. A quantidade máxima de manteiga depende da quantidade e da qualidade dos recursos da economia e da eficiência produtiva com que esses recursos são utilizados. Suponha que a quantidade máxima de manteiga que pode ser produzida com a tecnologia e os recursos existentes é de 5 milhões de quilos.

Em outro extremo, imagine todos os recursos aplicados na produção de armas. Novamente, em virtude das limitações dos recursos, a economia pode produzir somente uma quantidade limitada de armas. Para esse exemplo, suponha que a economia possa produzir 15 mil armas de certo tipo caso não seja produzida qualquer quantidade de manteiga.

Essas são as duas possibilidades extremas. Entre elas existem muitas outras. Se estivermos dispostos a abrir mão de alguns quilos de manteiga, poderemos ter mais armas. Se estivermos dispostos a abrir mão de ainda mais manteiga, poderemos ter ainda mais armas.

Possibilidades de produção alternativas		
Possibilidades	Manteiga (milhões de quilos)	Armas (milhares)
A	0	15
B	1	14
C	2	12
D	3	9
E	4	5
F	5	0

TABELA 1-1 Recursos escassos limitados obrigam a um *trade-off* de manteiga e de armas.

Insumos limitados e tecnologia obrigam que a produção de armas e manteiga seja limitada. À medida que nos deslocamos de A para B... até F, estamos transferindo mão de obra, máquinas e terra da indústria de armamento para a indústria da manteiga e, assim, podemos aumentar a produção desta.

A Tabela 1-1 apresenta uma relação das possibilidades. A combinação *F* indica o extremo em que é produzido o máximo de manteiga e nenhuma arma, enquanto a combinação *A* representa o extremo oposto, em que todos os recursos vão para armas. No meio – em *E*, *D*, *C* e *B* – quantidades crescentes de manteiga são sacrificadas em troca de mais armas.

Como um país pode transformar manteiga em armas? A manteiga é transformada em armas não fisicamente, mas pela alquimia do desvio dos recursos econômicos de uma linha de produção para outra.

Podemos representar as possibilidades de produção da nossa economia de forma mais expressiva no gráfico representado na Figura 1-1. Esse gráfico quantifica a manteiga ao longo do eixo horizontal e as armas no eixo vertical. Se você estiver inseguro quanto aos diferentes tipos de gráficos e em relação a passar de uma tabela para um gráfico, consulte o apêndice referente a este capítulo. Marcamos o ponto *F*, a partir dos dados da Tabela 1-1, contando para a direita, no eixo horizontal, 5 unidades de manteiga, e, subindo, no eixo vertical, 0 unidade de armas; de forma similar, obtém-se *E*, avançando-se para a direita 4 unidades de manteiga e subindo 5 unidades de armas; e, finalmente, obtém-se *A*, avançando, para a direita, 0 unidade de manteiga e, para cima, 15 unidades de armas.

Completando todas as posições intermédias com outros pontos preenchidos, representativos de todas as diferentes combinações de armas e manteiga, teríamos a curva contínua, indicada como a *fronteira de possibilidades de produção* (ou *FPP*), na Figura 1-2.

A **fronteira de possibilidades de produção** (ou *FPP*) representa as quantidades máximas de produtos que podem ser produzidas de maneira eficiente por uma

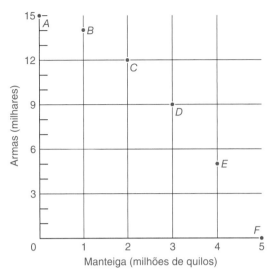

FIGURA 1-1 As possibilidades de produção em gráfico.
Esta figura apresenta as combinações alternativas do par de produtos a partir da Tabela 1-1.

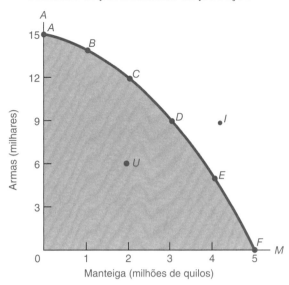

FIGURA 1-2 Uma curva contínua une os pontos marcados das possibilidades de produção do exemplo.

Esta fronteira mostra a curva ao longo da qual a sociedade pode substituir armas por manteiga. Pressupõe um dado patamar de tecnologia e uma dada quantidade de fatores de produção. Os pontos exteriores à fronteira (tais como o ponto *I*) são não factíveis ou inatingíveis. Qualquer ponto do interior da curva, como o *U*, indica que a economia não atingiu a eficiência produtiva, que ocorre quando, por exemplo, o desemprego é elevado durante recessões.

economia, dados o seu conhecimento tecnológico e a quantidade de insumos disponíveis.

Aplicando a FPP às escolhas de uma sociedade

A *FPP* é o menu de escolhas de uma economia. A Figura 1-2 mostra a escolha entre armas e manteiga, mas esse conceito pode se aplicar a um leque ampliado de escolhas econômicas. Assim, quanto mais recursos o governo usar para gastar em rodovias, menos haverá para produzir bens privados, como moradias; quanto mais decidirmos consumir em alimentação, menos poderemos consumir em vestuário; quanto mais uma economia consumir no presente, menor será sua produção de bens de capital, que se transformará em mais bens de consumo no futuro.

Os gráficos das Figuras 1-3 a 1-5 apresentam algumas aplicações importantes da *FPP*. A Figura 1-3 mostra o efeito do crescimento econômico nas possibilidades de produção de um país. Um crescimento dos insumos, ou o progresso tecnológico, permite a um país produzir mais de todos os bens e serviços, deslocando, assim, a *FPP* para fora. A figura também ilustra que os países pobres têm de aplicar a maior parte dos seus recursos na produção de alimentos, enquanto os países ricos podem usufruir de mais bens de luxo, à medida que o potencial produtivo aumenta.

A Figura 1-4 ilustra a escolha entre bens privados (comprados a um preço) e bens públicos (pagos por meio de impostos). Os países pobres podem arcar com poucos bens públicos, tais como saúde pública e educação. Mas, com o crescimento econômico, os bens públicos, assim como a qualidade do meio ambiente, passam a ocupar uma parcela crescente da produção.

A Figura 1-5 representa a escolha de uma economia entre (*a*) bens de consumo corrente e (*b*) bens de capital (máquinas, fábricas etc.). Sacrificando o consumo corrente e produzindo mais bens de capital, a economia de um país pode crescer mais rapidamente, tornando possível um maior consumo de *ambos* os bens (de consumo e de capital) no futuro.

Não se deixe enganar pelo tempo

O grande poeta norte-americano Carl Sandburg escreveu: "O tempo é a moeda de sua vida. É a única moeda que você tem, e só você pode determinar como será gasta. Tenha cuidado para não deixar com que outras pessoas a gastem por você". Isso salienta que uma das decisões mais importantes com que as pessoas se confrontam é como usar o seu tempo.

Podemos ilustrar essa escolha usando a fronteira de possibilidades de produção. Por exemplo, você, como estudante, pode dispor de 10 horas para estudar para as próximas provas de economia e história. Se estudar unicamente história, você irá obter uma boa nota nessa prova, mas obterá uma nota ruim em economia, e vice-versa. Considerando as notas das duas provas

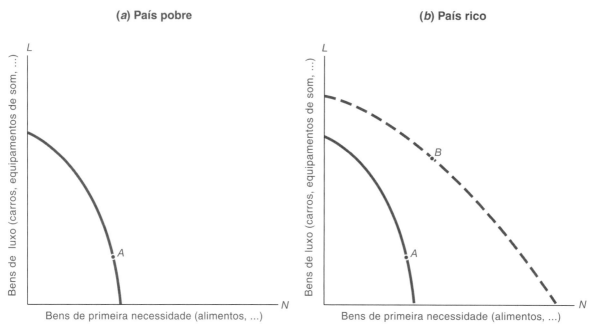

FIGURA 1-3 O crescimento econômico desloca a *FPP* para fora.

(*a*) Antes do desenvolvimento, o país é pobre. Esse país precisa aplicar a maior parte de seus recursos na alimentação e possui pouca infraestrutura. (*b*) O crescimento dos insumos e o progresso tecnológico fazem deslocar para fora a *FPP*. Com o crescimento econômico, o país se move de *A* para *B*, expandindo pouco o consumo alimentar, se comparado com o crescimento de seu consumo de bens de luxo. Se desejar, o país poderá aumentar o seu consumo de ambos os bens.

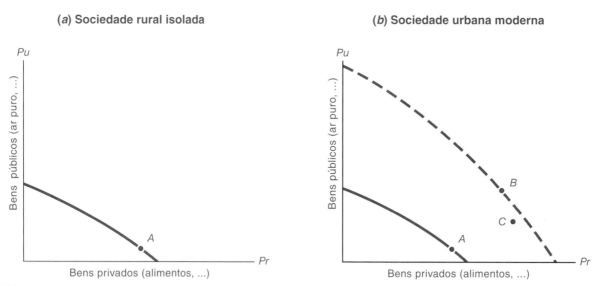

FIGURA 1-4 As economias têm de escolher entre bens públicos e bens privados.

(*a*) Uma comunidade rural isolada vive no nível de subsistência, sobrando poucos recursos para bens públicos, como manter pavimentação de estradas ou saúde pública. (*b*) Uma economia urbana moderna é mais abastada e aplica uma maior parcela de sua renda mais elevada em bens públicos ou serviços do governo (estradas, proteção ambiental e educação).

como o "produto" do seu estudo, elabore a *FPP* das notas, dados os seus recursos limitados de tempo. Como alternativa, se os dois produtos são "notas" e "divertimento", como você desenharia essa *FPP*? Onde se colocaria nessa fronteira? E onde se situariam os seus amigos preguiçosos?

Recentemente, nos Estados Unidos, foram coletados dados sobre como os americanos usam seu tempo. Mantenha um diário do uso de seu tempo em dois ou três dias. Depois visite <http://www.bls.gov/tus/home.htm> e compare a forma como usa o seu tempo com os resultados de outras pessoas.

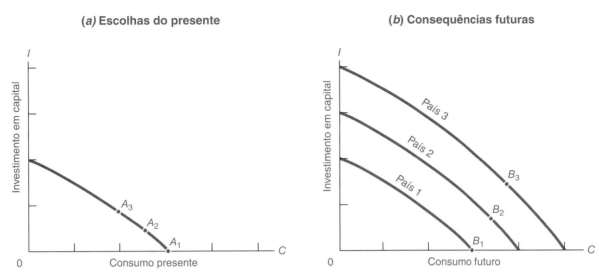

FIGURA 1-5 O investimento para consumo no futuro exige o sacrifício do consumo no presente.

Um país pode produzir tanto bens de consumo (pizzas e espetáculos) como bens de capital (fornos para pizzas e salas de espetáculos). (*a*) Três países partem da mesma situação. Têm a mesma *FPP*, indicada no gráfico da esquerda, mas têm diferentes taxas de investimento. O País 1 não investe para o futuro (apenas substituindo máquinas) e permanece em A_1. O País 2 reduz moderadamente o consumo e investe em A_2. O País 3 sacrifica muito o consumo atual e investe fortemente. (*b*) Nos anos seguintes, os países que investem mais fortemente tomam a dianteira. Assim, o País 3, poupador, deslocou muito para fora a sua *FPP*, enquanto a *FPP* do País 1 permaneceu estática. Os países que investem mais podem ter no futuro, *simultaneamente*, investimento e consumo mais elevados.

Custos de oportunidade

Quando escreveu sobre os caminhos não percorridos, Robert Frost apontou para um dos mais profundos conceitos de economia, o *custo de oportunidade*. Tendo em vista que os nossos recursos são limitados, temos de decidir como aplicar o tempo e a renda que possuímos. Quando você decide se estudará economia, comprará um automóvel ou irá para a universidade, está abrindo mão de alguma coisa – haverá uma oportunidade perdida. A melhor alternativa de que se prescinde representa o custo de oportunidade de uma decisão.

O conceito de custo de oportunidade pode ser ilustrado utilizando a *FPP*. Observe a fronteira na Figura 1-2, que mostra o *trade-off* entre produzir armas ou manteiga. Suponha que o país decide aumentar as suas compras de armas de 9 mil, em *D*, para 12 mil, em *C*. Qual é o custo de oportunidade dessa decisão? Você pode calculá-lo em termos monetários. Mas, em economia, precisamos sempre "ir além" do dinheiro para analisar os impactos *reais* das decisões alternativas. Na sua essência, o custo de oportunidade de passar de *D* para *C* é a manteiga de que se abre mão para produzir as armas adicionais. Nesse exemplo, o custo de oportunidade de 3 mil armas adicionais é de 1 milhão de quilos de manteiga.

Ou considere o exemplo da vida real do custo de abertura de uma mina de ouro, perto do Parque Natural de Yellowstone. O empresário argumentava que a mina tinha apenas um custo diminuto, tendo em vista que as receitas de Yellowstone dificilmente seriam afetadas. Mas um economista responderia que as receitas monetárias são uma medida muito restrita do custo. Devemos questionar se as qualidades preciosas e únicas de Yellowstone seriam prejudicadas com o funcionamento da mina, e com as consequências em termos de ruído, poluição da água e do ar, bem como a degradação do meio ambiente para os visitantes. Ainda que o custo monetário fosse pequeno, o custo de oportunidade da perda da vida selvagem seria, de fato, muito grande.

Em um mundo de escassez, a escolha de uma coisa significa abrir mão de outra. O **custo de oportunidade** de uma decisão é o valor do bem ou do serviço de que se abre mão.

Eficiência

Os economistas dedicam muito de seu estudo na exploração da eficiência de diferentes tipos de estruturas de mercado, incentivos e impostos. Recorde que a eficiência significa que os recursos da economia estão sendo usados da forma mais eficaz possível para satisfazer os desejos das pessoas. Um aspecto importante de toda a eficiência econômica é a eficiência produtiva, que é facilmente retratada em termos de *FPP*. Eficiência significa que a economia está *na* fronteira, em vez de *no interior* da fronteira de possibilidades de produção.

A **eficiência produtiva** ocorre quando uma economia não pode produzir mais de um bem sem que produza menos de outro bem. Isso significa que a economia está em sua fronteira de possibilidades de produção.

Vejamos por que razão a eficiência produtiva exige que se esteja sobre a *FPP*. Vamos partir da situação indicada pelo ponto *D* na Figura 1-2. Suponha que o mercado exige mais um milhão de quilos de manteiga. Se ignorássemos a restrição representada pela *FPP*, poderíamos pensar que seria possível produzir mais manteiga sem reduzir a produção de armas, movendo-nos, por exemplo, para o ponto *I*, para a direita do ponto *D*. Mas o ponto *I* está além da fronteira, na região "não factível". A partir de *D*, não podemos ter mais manteiga sem abrir mão de algumas armas. Assim, o ponto *D* corresponde à eficiência produtiva, enquanto o ponto *I* é não factível.

Um ponto adicional acerca da eficiência produtiva pode ser ilustrado com o uso da *FPP*: estar sobre a *FPP* significa que produzir mais de um bem exige inevitavelmente o sacrifício de outros bens. Quando produzimos mais armas, estamos substituindo manteiga por armas. A *substituição* é a lei da vida em uma economia de pleno emprego, e a fronteira de possibilidades de produção descreve o menu de escolhas da sociedade.

Os desperdícios dos ciclos econômicos e a degradação ambiental. As economias são castigadas com o uso ineficiente dos recursos, por várias razões. Quando há recursos não utilizados, a economia não está seguramente na sua fronteira de possibilidades de produção, mas, em vez disso, em algum ponto no seu *interior*. Na Figura 1-2, o ponto *U* representa um ponto no interior da *FPP*; em *U*, a sociedade produz somente 2 unidades de manteiga e 6 unidades de armas. Alguns recursos estão subutilizados e, se forem aproveitados, poderemos obter uma maior produção de todos os bens. A economia pode deslocar-se de *U* para *D*, produzindo mais manteiga e mais armas e, assim, melhorar a eficiência da economia. Podemos ter as nossas armas e comer mais manteiga também.

Historicamente, ocorre uma fonte de ineficiência durante os ciclos econômicos. De 1929 a 1933, durante a Grande Depressão, o produto total dos Estados Unidos reduziu em 25%. A economia não sofreu um deslocamento para dentro da *FPP* por involução tecnológica. Em vez disso, o pânico, as falências de bancos e de empresas e a redução da despesa deslocaram a economia para o *interior* da sua *FPP*. Uma década mais tarde, as despesas militares para a Segunda Guerra Mundial expandiram a demanda e o produto cresceu rapidamente, empurrando de novo a economia para a *FPP*.

Situações similares ocorrem periodicamente durante as recessões. A mais recente desaceleração econômica ocorreu em 2007-2008, quando problemas no mercado imobiliário e do crédito se espalharam por toda a economia. A produtividade da economia não regrediu subitamente nesses anos. Em vez disso, foi a redução da despesa global que empurrou temporariamente a economia para o interior da *FPP* nesse período.

Um tipo diferente de ineficiência ocorre quando os mercados não estão refletindo a verdadeira escassez, como no caso da degradação ambiental. Suponha que uma empresa de um setor não controlado decida despejar produtos químicos em um rio, matando peixes e destruindo a possibilidade de atividades de lazer. A empresa não está fazendo isso necessariamente porque tem más intenções. O que acontece é que os preços no mercado não refletem verdadeiramente as prioridades sociais – o preço de poluir um ambiente não controlado é nulo, não representando o verdadeiro custo de oportunidade em termos de peixes e lazer que se perdem.

A degradação ambiental também pode empurrar a economia para dentro da sua *FPP*. A situação é ilustrada na Figura 1-4(*b*). Como as empresas não se defrontam com preços corretos, a economia se desloca do ponto *B* para o ponto *C*. Os bens privados são aumentados, mas os bens públicos (como o ar e a água puros) diminuem. O controle eficiente do meio ambiente pode mover-nos de novo para nordeste, para a fronteira eficiente tracejada.

Ao concluirmos este capítulo, regressemos brevemente ao nosso tema inicial: Por que estudar Economia? Talvez a melhor resposta à questão seja uma famosa dada por Keynes, ao final de *A Teoria Geral do Emprego, do Juro e da Moeda*:

> As ideias dos economistas e dos filósofos políticos, tanto quando estão certas como quando estão erradas, são mais poderosas do que em geral se julga. De fato, o mundo é governado por pouco mais do que isso. Os homens práticos, que pensam que estão completamente livres de quaisquer influências intelectuais, são geralmente os escravos de algum falecido economista. Autoritários até à loucura, ouvindo vozes no ar, destilam a sua insanidade com base em algum escritor acadêmico de há alguns anos. Estou certo que o poder dos interesses ocultos é demasiadamente empolado, em comparação à gradual vitória das ideias. Não imediatamente, de certo, mas após um certo intervalo. Porque, no campo da economia e da filosofia política, poucos são influenciados por novas teorias após terem atingido os 25 a 30 anos de idade, de modo que não é provável que as ideias que os funcionários públicos, os políticos, ou até mesmo os agitadores, aplicam em relação aos acontecimentos atuais sejam as mais recentes. Mas, mais cedo ou mais tarde, para o bem ou para o mal, perigosas são as ideias, e não os interesses ocultos.

Em última instância, a razão pela qual estudamos Economia é compreender como as ideias poderosas da ciência econômica se aplicam às questões centrais das sociedades humanas.

RESUMO

A. Por que estudar Economia?

1. O que é a Economia? Economia é o estudo da forma como as sociedades decidem a utilização de recursos produtivos escassos e que têm usos alternativos, para produzir bens de variados tipos e distribuí-los entre os diferentes grupos. Estudamos Economia para compreender não só o mundo em que vivemos, mas também muitos mundos em potencial que os proponentes de mudanças estão constantemente nos fazendo.

2. Os bens são escassos porque os indivíduos desejam muito mais do que a economia pode produzir. Os bens econômicos são escassos, não são gratuitos, e a sociedade tem de escolher os bens limitados que podem ser produzidos com os recursos disponíveis.

3. A microeconomia trata do comportamento de entidades individuais, como mercados, empresas e famílias. A macroeconomia observa o desempenho da economia como um todo. Em todas as questões econômicas, mantenha-se atento às falácias da composição e do *post hoc* e lembre-se de manter tudo o mais constante.

B. Três problemas da organização econômica

4. Qualquer sociedade deve responder a três questões fundamentais: *o quê, como* e *para quem*? *Que* tipo de bens e serviços, entre o vasto leque de possibilidades, e qual quantidade deverá produzir? *Como* deverão os recursos ser utilizados na produção desses bens? E *para quem* devem os bens ser produzidos (isto é, qual deverá ser a distribuição da renda e do consumo entre os diferentes indivíduos e classes)?

5. As sociedades respondem a estas questões de formas diferentes. As formas atuais mais importantes da organização econômica são a *dirigida* e a de *mercado*. A economia dirigida funciona sob o controle centralizado do governo; uma economia de mercado funciona por meio de um sistema não formalizado de preços e lucros, no qual a maioria das decisões é tomada por indivíduos ou empresas privadas. Todas as sociedades têm combinações diferentes de controle do Estado e de mercado; todas as sociedades são economias *mistas*.

C. Possibilidades tecnológicas da sociedade

6. Dados os recursos e a tecnologia, as escolhas de produção entre dois bens, por exemplo, manteiga e armas, podem ser resumidas na *fronteira de possibilidades de produção (FPP)*. A *FPP* mostra como a produção de um bem (como armas) é equilibrada com a produção de outro bem (como manteiga). Em um mundo de escassez, a escolha de uma coisa significa abrir mão de qualquer outra. O valor do bem ou serviço perdido é o custo de oportunidade.

7. A eficiência produtiva ocorre quando a produção de um bem não pode ser aumentada sem a redução na produção de outro bem. Isso é ilustrado pela *FPP*. Quando uma economia está sobre a sua *FPP* apenas poderá produzir mais de um bem se reduzir a produção de outro bem.

8. A fronteira de possibilidades de produção ilustra muitos processos econômicos básicos: como o crescimento econômico faz expandir a fronteira, como um país escolhe relativamente menos alimentos e outros bens de primeira necessidade, à medida que se desenvolve, como um país escolhe entre bens privados e bens públicos e como as sociedades escolhem entre bens de consumo e bens de capital que aumentam o consumo futuro.

9. As sociedades estão, por vezes, no interior da sua fronteira de possibilidades de produção por causa de recessões econômicas ou de falhas microeconômicas de mercado. Quando as condições de crédito são restringidas, ou a despesa diminui de repente, uma sociedade se move para dentro da sua *FPP* em recessões; isso ocorre em decorrência de questões de rigidez macroeconômicas, não por causa de involução tecnológica. A sociedade também pode estar dentro de sua *FPP* se os mercados falham, porque os preços não refletem as prioridades sociais, como com a degradação ambiental da poluição do ar e da água.

CONCEITOS PARA REVISÃO

Conceitos fundamentais

– escassez e eficiência
– bens ilimitados *versus* bens econômicos
– macroeconomia e microeconomia
– economia normativa *versus* economia positiva
– falácia da composição, falácia do *post hoc*

– "manter tudo o mais constante"

Problemas-chave da organização econômica

– *o quê, como* e *para quem*
– sistemas econômicos alternativos: economia dirigida *versus* de mercado
– *laissez-faire*

– economias mistas

Escolha entre as possibilidades de produção

– insumos e produtos
– fronteira de possibilidades de produção (*FPP*)
– eficiência e ineficiência produtiva
– custo de oportunidade

LEITURAS ADICIONAIS E SITES

Leituras adicionais

Robert Heilbroner, *The Worldly Philosophers*, 7. ed., (Touchstone Books, 1999) proporciona uma biografia vívida dos grandes economistas, juntamente com as respectivas ideias e impactos. Uma referência sobre a história da análise econômica é a obra de Joseph Schumpeter, *History of Economic Analysis* (McGraw-Hill, New York, 1954).

Sites

Um dos mais importantes livros de toda a ciência econômica é *A Riqueza das Nações* (muitos editores, 1776) de Adam Smith. Todo o estudante de economia deve ler algumas páginas para saborear a beleza da sua escrita. *A Riqueza das Nações* pode ser encontrado em: <http://www.bibliomania.com/NonFiction/Smith/Wealth/index.html>.

Entre em um dos sites de referência em economia, como o de *Resources for Economists on the Internet* <http://www.rfe.org>. Navegue em algumas das seções para se familiarizar com o site. Você poderá ver o que se passa na sua faculdade ou ler as notícias do dia de um jornal ou de uma revista, ou ainda encontrar alguns dados econômicos.

Dois sites para excelentes análises das questões de políticas econômicas são o da Brookings Institution <http://www.brook.edu> e o do American Enterprise Institute <http://www.aei.org>. Eles publicam livros e resumos de política online.

QUESTÕES PARA DISCUSSÃO

1. O grande economista inglês Alfred Marshall (1842-1924) criou muitos dos instrumentos da economia moderna, mas a sua grande preocupação era a aplicação desses instrumentos aos problemas da sociedade. No seu primeiro texto, Marshall escreveu:

   > Será a minha ambição mais acalentada aumentar o número de indivíduos que a Universidade de Cambridge envia para o mundo exterior com a frieza da razão, mas com o coração apaixonado, desejosos de dar o melhor do seu esforço para aplacar o sofrimento social que os cerca; decididos a não descansar até que os meios materiais necessários a uma vida requintada e nobre estejam ao alcance de todos. [*Memorials of Alfred Marshall*, A. C. Pigou, ed. (London: Macmillan and Co., 1925), p. 174.]

   Explique como a frieza da razão poderá possibilitar a análise econômica positiva essencial para concretizar os preceitos normativos do coração apaixonado. Você concorda com a visão de Marshall sobre o papel do professor? Você aceita o desafio dele?

2. No final de sua obra, George Stigler, um eminente economista conservador de Chicago, escreveu o seguinte:

   > Nenhuma sociedade completamente igualitária conseguiu jamais construir ou manter um sistema econômico progressivo e eficiente. A experiência universal tem demonstrado que é necessário um sistema de prêmios diferenciados para estimular os trabalhadores. [*The Theory of Price*, 3. ed. Macmillan, New York, 1966, p. 19.]

   Essas afirmações são de economia positiva ou normativa? Discuta o ponto de vista de Stigler à luz da citação de Alfred Marsall, da Questão 1. Existe algum conflito?

3. Defina cada um dos seguintes termos e dê exemplos: *FPP*, escassez, eficiência produtiva, insumos e produtos.

4. Leia a seção especial sobre o uso do tempo (p. 9). Depois faça o exercício do último parágrafo. Construa uma tabela que compare o uso do seu tempo com o do norte-americano médio. Para uma análise gráfica, veja a Questão 5 do Apêndice deste capítulo.

5. Suponha que a Ecolândia produz cortes de cabelo e camisas, tendo o trabalho como insumo. A Ecolândia tem disponíveis mil horas de trabalho. Um corte de cabelo exige meia hora de mão de obra, enquanto uma camisa exige 5 horas. Construa a fronteira de possibilidades de produção da Ecolândia.

6. Suponha que as descobertas científicas duplicaram a produtividade dos recursos da sociedade para a produção de manteiga, sem alterar a produtividade da fabricação de armas. Desenhe novamente a fronteira de possibilidades de produção da sociedade na Figura 1-2 para ilustrar o novo *trade-off* entre os dois produtos.

7. Muitos cientistas pensam que estamos esgotando rapidamente os nossos recursos naturais. Suponha que há apenas dois insumos (mão de obra e recursos naturais) que produzem dois bens (show de música e gasolina) sem qualquer desenvolvimento tecnológico da sociedade ao longo do tempo. Mostre o que aconteceria à *FPP* com o esgotamento dos recursos naturais ao longo do tempo. Como as invenções e o desenvolvimento tecnológico poderiam modificar a sua resposta? Com base neste exemplo, explique por que se diz que "o crescimento econômico é uma corrida entre o esgotamento e a invenção".

8. Suponha que um estudante tem 10 horas para estudar para as próximas provas de economia e história. Desenhe uma *FPP* das notas, dados os recursos limitados de tempo do estudante. Se ele estudar de modo ineficiente, ouvindo música com o som alto e papear com os amigos, onde se situará o seu "produto" em notas, com relação à *FPP*? O que acontecerá à *FPP* das notas se o aluno aumentar o insumo estudo de 10 para 15 horas?

9. Considere a *FPP* para ar puro e viagens de automóvel.

   a. Explique por que razão a falta de controle da poluição do ar pelos automóveis levaria um país para o interior da sua *FPP*. Ilustre a sua análise com um desenho dentro da *FPP*, para esses dois produtos.

   b. Em seguida, explique como colocar um preço sobre as emissões nocivas dos automóveis aumentaria ambos os bens e deslocaria o país para sua *FPP*. Ilustre, mostrando como, ao corrigir a "falha de mercado", o resultado final seria modificado.

Apêndice 1

COMO LER GRÁFICOS

Uma imagem vale por mil palavras.

Provérbio chinês

Para dominar a ciência econômica você deve, antes, aprender a trabalhar com gráficos. Os gráficos são tão indispensáveis para o economista como um martelo é para um carpinteiro. Portanto, se não está familiarizado com o uso de gráficos, você deverá investir algum tempo para aprender a interpretá-los – será um tempo bem empregado.

O que é um *gráfico*? É um diagrama que mostra como dois ou mais conjuntos de dados ou variáveis se relacionam entre si. Os gráficos são essenciais em economia porque nos permitem analisar conceitos econômicos e examinar tendências históricas.

Você encontrará muitos tipos diferentes de gráficos neste livro. Alguns mostram como as variáveis mudam ao longo do tempo; outros mostram a relação entre diferentes variáveis. Cada gráfico deste livro o ajudará a compreender uma relação ou tendência econômica importante.

FRONTEIRA DE POSSIBILIDADES DE PRODUÇÃO

O primeiro gráfico que você encontrou neste texto foi o da fronteira de possibilidades de produção. Como mostrado anteriormente, a fronteira de possibilidades de produção (ou *FPP*) representa a quantidade máxima de um par de bens ou serviços que pode ser produzida a partir dos recursos disponíveis de uma economia, supondo-se que todos os recursos sejam totalmente empregados.

Analisemos uma aplicação importante, a da escolha entre alimentos e máquinas. Os dados essenciais para a *FPP* encontram-se na Tabela 1A-1, que é muito semelhante ao exemplo da Tabela 1-1. Recorde que cada uma das possibilidades corresponde a um nível de produção de alimentos e um nível de produção de máquinas. Quando a produção de alimentos aumenta, a produção de máquinas diminui. Assim, se a economia produzisse 10 unidades de alimentos, poderia produzir, no máximo, 140 máquinas, mas quando a produção de alimentos é de 20 unidades, apenas podem ser produzidas 120 máquinas.

Gráfico das possibilidades de produção

Os dados apresentados na Tabela 1A-1 podem ser apresentados também sob a forma de gráfico. Para construir o gráfico, representamos cada um dos pares de

Possibilidades de produção alternativas		
Possibilidades	**Alimentos**	**Máquinas**
A	0	150
B	10	140
C	20	120
D	30	90
E	40	50
F	50	0

TABELA 1A-1 As combinações possíveis de produções de alimentos e máquinas.

A tabela mostra seis pares potenciais de produtos que podem ser obtidos com os recursos existentes em um país. O país pode escolher uma das seis combinações possíveis.

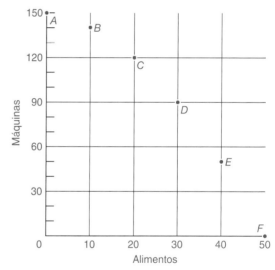

FIGURA 1A-1 Seis pares possíveis de níveis de produção de alimentos-máquinas.

Esta figura apresenta os dados da Tabela 1A-1 em forma de gráfico. Os dados são exatamente os mesmos, mas a apresentação em gráfico mostra os dados de forma mais expressiva.

dados da tabela por um único ponto em um plano bidimensional. A Figura 1A-1 mostra, em um gráfico, a relação entre a produção de alimentos e a de máquinas apresentada na Tabela 1A-1. Cada par de números é representado por um único ponto no gráfico. Assim, a linha da Tabela 1A-1 designada por "*A*" é representada pelo ponto *A* na Figura 1A-1 e, de modo idêntico, para os pontos *B*, *C*, e assim por diante.

Na Figura 1A-1 a linha vertical à esquerda e a linha horizontal embaixo correspondem às duas variáveis – alimentos e máquinas. Uma **variável** é um item de

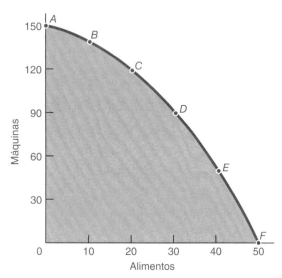

FIGURA 1A-2 Uma fronteira de possibilidades de produção. Uma curva suave está traçada entre os pares de pontos marcados, gerando a fronteira de possibilidades de produção.

interesse que pode ser definido e quantificado e que assume diferentes valores em momentos ou lugares diferentes. Preços, quantidades, horas de trabalho, hectares de terra, níveis de renda etc., são variáveis importantes estudadas em economia.

A linha horizontal no gráfico é referida como *eixo horizontal* ou, por vezes, como *eixo X*. Na Figura 1A-1, a produção de alimentos é medida no eixo horizontal. A linha vertical é conhecida como o *eixo vertical* ou *eixo Y*. Na Figura 1A-1, esse eixo mede o número de máquinas produzidas. O ponto A no eixo vertical corresponde a 150 máquinas. O ponto no canto inferior esquerdo, onde os dois eixos se encontram, é chamado *origem*. Na Figura 1A-1, essa posição representa uma produção nula de alimentos e de máquinas.

Uma curva suave

Nas relações econômicas, as variáveis podem mudar em pequenas quantidades ou podem ter grandes variações, como mostra a Figura 1A-1. Assim, normalmente representamos as relações econômicas como curvas contínuas. A Figura 1A-2 mostra a *FPP* como uma curva suave, na qual os pontos de *A* a *F* foram ligados.

Ao comparar a Tabela 1A-1 com a Figura 1A-2 podemos verificar por que os gráficos são usados com tanta frequência em economia. A linha contínua *FPP* reflete o conjunto de escolhas para a economia. É um recurso visual para mostrar que tipo de bens se encontram disponíveis e em que quantidade. Olhando o gráfico é possível visualizar a relação entre a produção de alimentos e a de máquinas.

Inclinações e linhas

A Figura 1A-2 representa a relação entre a produção máxima de alimentos e de máquinas. Uma forma importante de descrever a relação entre duas variáveis é por meio da inclinação de uma reta.

A **inclinação** de uma reta representa a mudança de uma variável que ocorre quando outra variável se altera. É a mudança da variável *Y*, no eixo vertical, por uma mudança na unidade da variável *X*, no eixo horizontal. Por exemplo, na Figura 1A-2, digamos que a produção de alimentos subiu de 25 para 26 unidades. A inclinação da curva na Figura 1A-2 indica qual a variação exata que ocorrerá na produção de máquinas. *A inclinação é uma medida numérica exata da relação entre a mudança de Y e a mudança de X.*

Usaremos a Figura 1A-3 para mostrar a forma de medir a inclinação de uma linha reta, por exemplo, a inclinação da linha entre os pontos *B* e *D*. Pense no movimento de *B* para *D* como se ocorresse em duas etapas. Primeiro, um movimento horizontal de *B* para *C* indicando o acréscimo de uma unidade no valor de *X* (sem qualquer variação em *Y*). Depois um segundo movimento vertical de compensação, para cima ou para baixo, representado por *s* na Figura 1A-3. O movimento de 1 unidade na horizontal é apenas por conveniência. A fórmula é válida para movimentos de qualquer dimensão. O movimento em duas etapas leva de um ponto para outro ponto na linha reta.

Como o movimento *BC* corresponde a uma unidade de aumento em *X*, a extensão de *CD* (representada por *s* na Figura 1A-3) indica a variação de *Y* por unidade de variação em *X*. Em um gráfico, essa variação é chamada *inclinação* da reta *ABDE*.

Frequentemente, a inclinação é definida como a razão entre a variação de *Y* e a variação de *X*. A variação de *Y* é a distância vertical; na Figura 1A-3 é a distância de *C* para *D*. A variação de *X* é a distância horizontal, ou seja, a distância de *B* para *C*. Assim, a inclinação da reta que passa por *BD* é *CD/BC*. Para quem estudou cálculo, a Questão 7 no fim deste apêndice relaciona inclinações com derivadas.

Os pontos-chave sobre inclinações são os seguintes:

1. A inclinação pode ser expressa como um número. Mede a variação de *Y* pela variação unitária de *X*.

2. Se o gráfico é uma reta, a inclinação é constante em qualquer ponto.

3. A inclinação de uma reta indica se a relação entre *X* e *Y* é direta ou inversa. A *relação direta* ocorre quando as variáveis se movem no mesmo sentido. Ou seja, quando aumentam ou diminuem juntas; verifica-se uma *relação inversa* quando as variáveis se movem em sentidos opostos, ou seja, uma aumenta quando a outra diminui.

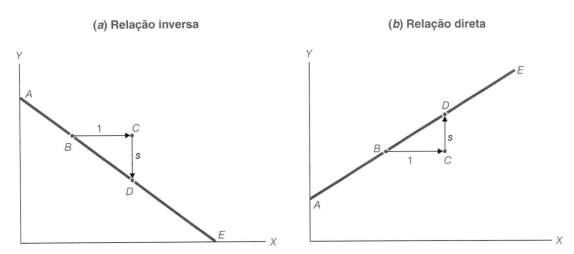

FIGURA 1A-3 Cálculo da inclinação de linhas retas.

É fácil calcular a inclinação de linhas retas como a razão entre a variação de Y e a variação de X. Assim, tanto em (a) como em (b), o valor numérico da inclinação é variação de Y/variação de $X = CD/BC = s/1 = s$. Observe que em (a), CD é negativo, o que indica uma inclinação negativa, ou seja, uma relação inversa entre X e Y.

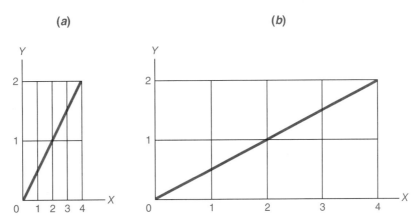

FIGURA 1A-4 Declividade não é o mesmo que inclinação.

Observe que embora (a) pareça mais vertical que (b), ambas representam a mesma relação. Ambas têm uma inclinação de 1/2, mas o eixo do X foi alongado em (b).

Portanto, uma inclinação negativa indica que a relação X-Y é inversa, como na Figura 1A-3(a). Por quê? Porque um aumento de X obriga a um decréscimo de Y.

Às vezes, as pessoas confundem inclinação com o aspecto da verticalidade. Esta conclusão é frequentemente válida – mas nem sempre. A obliquidade depende da escala do gráfico. As Figuras 1A-4(a) e (b) representam, ambas, exatamente a mesma relação. Mas, em (b), a escala horizontal foi alongada em relação a (a). Se você calcular cuidadosamente, poderá ver que as inclinações são exatamente as mesmas (e iguais a 1/2).

Inclinação de uma curva

Uma curva é uma relação não linear em que a inclinação varia. Às vezes, desejamos conhecer a inclinação em *um dado ponto*, por exemplo, o ponto B na Figura 1A-5. Vemos que a inclinação no ponto B é positiva, mas não é claro o modo de calcular exatamente essa inclinação.

Para encontrar a inclinação de uma curva suave em um ponto, calcula-se a inclinação da reta que apenas toca, mas não cruza, a curva no ponto em questão. Essa reta é chamada a *tangente* da curva. De outra forma, a inclinação de uma curva em um ponto é dada pela inclinação de uma reta que é tangente à curva no ponto considerado. Uma vez desenhada a tangente, calculamos a inclinação da tangente com o conhecido método do ângulo reto já discutido anteriormente.

Para encontrar a inclinação no ponto B da Figura 1A-5, simplesmente traçamos uma linha reta FBJ tangente à curva no ponto B. Em seguida, calculamos a inclinação da tangente como NJ/MN. Da mesma forma, a tangente GH dá a inclinação da curva no ponto D.

Outro exemplo é apresentado na Figura 1A-6. Este mostra uma curva microeconômica típica, na forma de "U" invertido, e com um máximo no ponto C. Podemos usar o nosso método de inclinações como tangentes

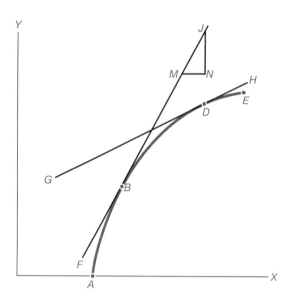

FIGURA 1A-5 A tangente como a inclinação de uma linha curva.

Ao desenharmos uma tangente, podemos calcular a inclinação de uma curva em um dado ponto. Assim, a linha *FBMJ* é tangente à curva contínua *ABDE* no ponto *B*. A inclinação em *B* é calculada como a inclinação da tangente, ou seja, como *NJ/MN*.

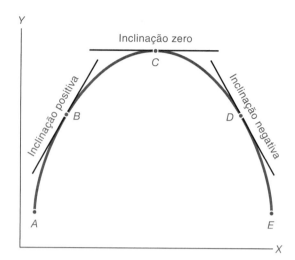

FIGURA 1A-6 Diferentes inclinações de linhas curvas.

Em economia, muitas curvas primeiro sobem, depois atingem um máximo, e depois descem. Na região ascendente de *A* para *C*, a inclinação é positiva (veja o ponto *B*). Na região descendente, de *C* para *E*, a inclinação é negativa (veja o ponto *D*). No máximo da curva, o ponto *C*, a inclinação é zero. (E em uma curva em forma de "U"? Qual é a inclinação no seu ponto mínimo?)

para ver que a inclinação da curva é sempre positiva na zona ascendente e negativa na zona descendente. No pico, ou máximo, da curva a inclinação é exatamente igual a zero. Uma inclinação nula significa que um movimento ínfimo na variável *X* perto do máximo não tem qualquer efeito no valor da variável *Y*.[1]

Inclinação como valor marginal

O termo marginal, que significa sempre "adicional" ou "extra", é um dos conceitos mais importantes da Economia. Por exemplo, falamos sobre "custo marginal", que significa o custo adicional em que uma empresa incorre quando produz uma unidade adicional de produto. Da mesma forma, em finanças públicas discutimos a "taxa marginal de imposto", que corresponde aos impostos adicionais que são pagos quando uma pessoa ganha uma unidade monetária adicional de renda.

Podemos calcular o valor marginal em uma relação a partir da inclinação. A Figura 1A-3 mostra os valores marginais de duas linhas retas. Primeiro, veja a Figura 1A-3(*b*). A variável *Y* pode representar impostos e a variável *X* representar renda. Então, a inclinação *s* representa a taxa marginal de imposto. Para cada unidade de *X*, os impostos vão aumentar *s* unidades. Para muitos contribuintes, a taxa marginal de imposto seria entre 0,20 e 0,40.

A seguir, analise a Figura 1A-3(*a*). Aqui, o valor marginal é negativo. Isso pode representar o que acontece quando um determinado pesqueiro está sujeito a pesca intensiva, em que a variável *X* é o número de navios e a variável *Y* é a captura total de peixe. Em decorrência da pesca excessiva, a pesca marginal por barco é, de fato negativa, porque o peixe disponível está se esgotando.

Podemos também aplicar esse conceito às curvas. Qual é o valor marginal no ponto *B* na Figura 1A-5? Você pode calcular que cada *MN* unidades de *X* produzem *NJ* unidades de *Y*. O valor marginal em *B* também é a inclinação, que é *NJ/MN*. Observe que o valor marginal é decrescente com o aumento da *X* porque a curva é côncava ou em forma de "U" invertido.

Pergunta: Qual é o valor marginal da função na Figura 1A-6 no ponto *C*? Certifique-se de que pode explicar por que o valor marginal é zero.

Deslocamentos e movimentos ao longo de curvas

Em economia, é importante distinguir o deslocamento das curvas do movimento ao longo das curvas. Podemos verificar essa distinção na Figura 1A-7. A fronteira de possibilidades de produção interior reproduz a *FPP* da Figura 1A-2. No ponto *D* a sociedade decide

---

[1] Para aqueles que gostam de álgebra, a inclinação pode ser fixada da seguinte forma. A expressão de uma reta (ou relação linear) é $Y = a + bX$. Para essa reta, a inclinação é b, que mede a variação de *Y* pela variação unitária de *X*.

Uma curva, ou relação não linear, envolve outros termos que não são constantes e o termo *X*. Um exemplo de uma relação não linear é a equação quadrática $Y = (X - 2)^2$. Você pode verificar que a inclinação desta equação é negativa para $X < 2$ e positiva para $X > 2$. Qual é a inclinação para $X = 2$?

Para os que conhecem cálculo: uma inclinação zero ocorre onde a derivada de uma linha curva é igual a zero. Por exemplo, desenhe e use o cálculo para encontrar o ponto de inclinação zero de uma curva definida pela função $Y = (X - 2)^2$.

produzir 30 unidades de alimentos e 90 unidades de máquinas. Se a sociedade decide consumir mais alimentos com uma determinada *FPP*, então pode-se *movimentar ao longo* da *FPP* para o ponto *E*. Esse movimento ao longo da curva representa a escolha de mais alimentos e de menos máquinas.

Suponha que a *FPP* interior represente as possibilidades de produção da sociedade no ano de 1990. Se voltarmos ao mesmo país no ano 2000, veremos que a *FPP* se *deslocou* da curva interior de 1990 para a curva exterior de 2000. Esse deslocamento teria ocorrido em virtude do progresso tecnológico ou do aumento da disponibilidade de mão de obra ou de capital. Neste último ano, a sociedade pode decidir situar-se no ponto *G*, com mais alimentos e máquinas do que em *D* ou em *E*.

A ideia deste exemplo é que no primeiro caso (movimento de *D* para *E*) observamos um movimento ao longo da curva, enquanto no segundo caso (de *D* para *G*) observamos um deslocamento da curva.

Gráficos especiais

A *FPP* é um dos gráficos mais importantes de economia, representando a relação entre duas variáveis econômicas (tais como alimentos e máquinas, ou armas e manteiga). Você encontrará outros tipos de gráficos nas próximas páginas.

Séries temporais. Alguns gráficos mostram como uma determinada variável evolui ao longo do tempo. Veja, por exemplo, os gráficos ao final deste livro. O gráfico da esquerda mostra uma série cronológica, desde a Revolução Americana, de uma variável macroeconômica significativa, a razão entre a dívida pública federal e o produto interno bruto – a *razão dívida/PIB*. Os gráficos das séries cronológicas têm o tempo no eixo horizontal e as variáveis em análise (neste caso, a razão dívida/PIB) no eixo vertical. Este gráfico mostra que a razão dívida/PIB aumentou acentuadamente em todas as grandes guerras.

Diagramas de dispersão. Às vezes, são desenhados pontos de dados individuais, como na Figura 1A-1. Frequentemente, representa-se a combinação de variáveis para vários anos. Um exemplo importante de um diagrama de dispersão em macroeconomia é a *função consumo*, representada na Figura 1A-8. Esse diagrama de dispersão mostra a renda disponível total dos Estados Unidos no eixo horizontal e o consumo total (despesas das famílias em bens, como alimentação, vestuário e moradia) no eixo vertical. Repare que o consumo tem uma ligação estreita com a renda, uma chave importante para compreender as variações na renda e na produção nacionais.

Diagramas com mais de uma curva. Muitas vezes, é útil colocar duas curvas no mesmo gráfico, obtendo-se, assim, um "gráfico com múltiplas curvas". O exemplo mais importante é o *gráfico da oferta e da demanda*, apresentado no Capítulo 3 (ver p. 48). Esses gráficos podem mostrar simultaneamente duas relações diferentes como, por

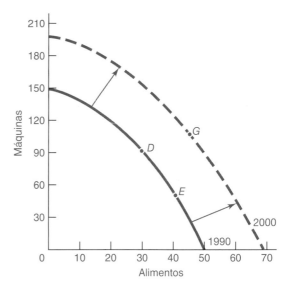

FIGURA 1A-7 Deslocamento de curvas *versus* movimento ao longo de curvas.

Quando se usam gráficos, é essencial distinguir o *movimento ao longo* da curva (como passar de *D*, em que o investimento é alto, para *E*, em que o investimento é baixo) do *deslocamento* de uma curva (por exemplo, de *D*, de um ano anterior, para *G*, em um ano posterior).

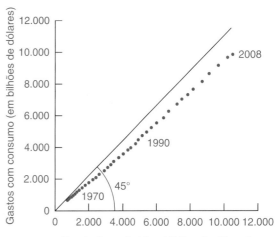

FIGURA 1A-8 O diagrama de dispersão da função consumo mostra uma importante lei da macroeconomia.

Os pontos mostram um diagrama de dispersão da renda e do consumo. Repare na relação estreita entre os dois. Essa é a base da *função consumo* da macroeconomia.

exemplo, o modo como as compras dos consumidores reagem ao preço (demanda) e como a produção das empresas reage ao preço (oferta). Ao representar as duas relações em conjunto, determinamos o preço e a quantidade que serão verificados em um mercado.

Terminamos nossa introdução à análise dos gráficos. Assim que dominar esses princípios básicos, os gráficos neste livro, e em outras áreas, lhe parecerão simultaneamente interessantes e divertidos.

RESUMO DO APÊNDICE

1. Os gráficos são uma ferramenta essencial da ciência econômica moderna. Eles fornecem uma representação apropriada dos dados ou da relação entre as variáveis.
2. Os pontos importantes que se deve entender em um gráfico são: o que está representado em cada um dos dois eixos (horizontal e vertical) e quais são as unidades em cada eixo. Assim como que tipo de relação é representada na curva ou curvas traçadas no gráfico.
3. Em uma curva, a relação entre duas variáveis é dada por sua inclinação. A inclinação é definida com o aumento de Y por um acréscimo unitário de X. Se a inclinação é positiva (sobe para a direita), as duas variáveis estão diretamente relacionadas; aumentam ou diminuem juntas. Se a curva tem uma inclinação negativa (desce para a direita), então as duas variáveis estão inversamente relacionadas.
4. Às vezes, também nos deparamos com tipos especiais de gráficos: séries temporais, que mostram como uma determinada variável evolui ao longo do tempo; diagramas de dispersão, que mostram as observações de um par de variáveis; e gráficos com múltiplas curvas, que mostram duas ou mais relações em um único gráfico.

CONCEITOS PARA REVISÃO

Elementos dos gráficos
- eixo horizontal ou X
- eixo vertical ou Y
- inclinação (negativa, positiva, nula)
- tangente como a inclinação de uma linha curva

Exemplos de gráficos
- gráficos de séries temporais
- diagramas de dispersão
- gráficos com múltiplas curvas

QUESTÕES PARA DISCUSSÃO

1. Considere o seguinte problema: Dormindo 8 horas por dia, restam-lhe 16 horas por dia para dividir entre lazer e estudo. Considere que o tempo de lazer é a variável X e as horas de estudo são a variável Y. Represente em uma folha de papel quadriculado a reta da relação entre todas as combinações de X e Y. Tenha cuidado na designação dos eixos e na marcação da origem.

2. Na Questão 1, qual é a inclinação da linha que mostra a relação entre as horas de lazer e as de estudo? É uma reta?

3. Suponhamos que você necessite exatamente de 6 horas de lazer por dia. No gráfico, marque o ponto que corresponde a 6 horas de lazer. Agora, considere um *movimento ao longo da curva*: admita que decidiu que precisa apenas de 4 horas de descanso por dia. Assinale o novo ponto.

4. A seguir, mostre um *deslocamento da curva*: você conclui que precisa dormir menos tempo, e passa a ter 18 horas por dia para se dedicar ao estudo e ao lazer. Trace a nova curva (deslocada).

5. Como sugerido na seção especial sobre o uso do tempo, faça um registro diário do uso de seu tempo durante três dias, com registros a cada meia hora; registre o estudo, as horas de sono, o trabalho, o lazer e outros usos. Depois, desenhe a curva das possibilidades de produção de tempo, como a da Figura 1A-2, entre lazer e todas as outras atividades. Localize cada um dos três dias na *FPP* de tempo. Depois, coloque a média de todos os cidadãos no mesmo gráfico. Como você se compara com a pessoa média?

6. Visite o site do Bureau of Economic Analysis <http://.www.bea.gov>. Clique em "Gross Domestic Product" (Produto Interno Bruto). Na página seguinte, clique em "Interactive NIPA data". Clique, a seguir, em "Frequently Requested NIPA Tables". Clique em "Table 1.2 (Real Gross Domestic Product)" (Produto interno bruto real), que é a produção total da economia. Aparecerão provavelmente dados trimestrais.

   a. Construa um gráfico que mostre as séries temporais para o PIB real para os últimos seis trimestres. A tendência geral é de subida ou de descida? Em macroeconomia aprenderemos que a inclinação é negativa nas recessões.

   b. Construa um diagrama de dispersão mostrando "Importações" no eixo vertical e "Produto interno bruto" no eixo horizontal. Descreva a relação entre os números. Em macroeconomia isso será a propensão marginal a importar.

7. *Para quem tenha estudado cálculo*: A inclinação de uma linha curva é a sua derivada. Considere as seguintes equações de duas curvas de demanda inversas (em que o preço é uma função do produto). Para cada curva, admita que a função se verifica apenas para $P \geq 0$ e $X \geq 0$.

   a. $P = 100 - 5X$
   b. $P = 100 - 20X + 1X^2$

   Para cada uma das curvas da demanda determine a sua inclinação quando $X = 0$ e $X = 1$. Para curvas de demanda linear, como a de (*a*), qual é a condição sob a qual a lei da demanda com inclinação negativa se verifica? A curva (*b*) é côncava (como um "U" invertido) ou convexa (como um "U" sem inversão)?

8. O valor marginal de uma curva é a sua inclinação, que é o mesmo que a primeira derivada de uma função. Calcule algebricamente o efeito marginal do produto sobre o preço para as curvas da demanda inversa (*a*) e (*b*) na questão 7. Obtenha os valores marginais numéricos para $X = 10$ para ambas as curvas da demanda.

Economia mista moderna

CAPÍTULO 2

Todo indivíduo se esforça para empregar o seu capital de modo que o produto deste tenha o máximo valor. Em geral, não tem intenção de promover o interesse público nem sabe o quanto está agindo nesse sentido. Quer apenas a própria segurança, o próprio ganho. É levado por uma mão invisível a promover um fim que não fazia parte das suas intenções. Ao perseguir do seu próprio interesse, frequentemente, promove o interesse da sociedade de uma forma mais eficaz do que quando, de fato, tem a intenção de fazê-lo.

Adam Smith
A Riqueza das Nações (1776)

Pense sobre alguns dos bens e serviços que consumiu nos últimos dias. Talvez tenha viajado de avião ou comprado gasolina. Você deve, certamente, ter preparado algum alimento comprado em um supermercado ou feito uma refeição em algum restaurante. Pode ter comprado um livro (como este) ou medicamentos.

Considere agora algumas das muitas etapas que antecederam as suas compras. A viagem de avião vai ilustrar a ideia muito bem. Você pode ter comprado a passagem pela internet. Essa simples compra envolve muitos bens tangíveis, como o seu computador, a propriedade intelectual (em software e *design*), e sofisticadas linhas de transmissão de fibra óptica, bem como complexos sistemas de reservas e de modelos de preços das companhias aéreas. As companhias aéreas fazem tudo isso para obter lucros (embora os lucros sejam muito modestos nesse setor).

Ao mesmo tempo, o governo desempenha um papel importante no transporte aéreo. Regula a segurança aérea, possui muitos aeroportos, administra o sistema de controle de tráfego aéreo, produz o bem público, que são os dados e as previsões meteorológicas, e proporciona informações sobre atrasos de voo. Essa lista poderia continuar com as contribuições do setor público e privado na fabricação de aeronaves, nos acordos internacionais sobre concorrência entre companhias aéreas, na política de energia sobre combustíveis e outras áreas.

A mesma ideia se aplica – em diferentes graus, dependendo do setor – às suas compras de roupas, de gasolina, de medicamentos ou de qualquer outro item. A economia de qualquer país no mundo é uma **economia mista**, uma combinação de empresas privadas que funcionam por meio do mercado e de regulação, tributação e programas públicos. O que é exatamente uma economia de mercado e o que a torna um mecanismo tão poderoso de crescimento? O que é o "capital" no "capitalismo"? Que controles governamentais são necessários para fazer os mercados funcionarem de forma eficaz? Chegou o momento de compreender os princípios que estão subjacentes à economia de mercado e rever o papel do Estado na vida econômica.

A. MECANISMO DO MERCADO

A maior parte da atividade econômica na maioria dos países com renda elevada tem lugar em mercados privados – por meio de mecanismo de mercado –, de modo que iniciamos por aí o nosso estudo. Quem é o responsável por tomar as decisões em uma economia de mercado? Você pode se surpreender ao saber que *nenhum indivíduo, organização ou o Estado isoladamente é responsável pela resolução dos problemas econômicos em uma economia de mercado.* Pelo contrário, milhões de empresas e consumidores se envolvem em negociações voluntárias, com a intenção de melhorar as suas situações econômicas, sendo as suas ações coordenadas invisivelmente por um sistema de preços e mercados.

Para ver como isto é extraordinário, considere a cidade de Nova York. Sem um constante fluxo de bens para dentro e para fora da cidade, os nova-iorquinos ficariam à beira da fome em uma semana. Mas, na realidade, os nova-iorquinos estão economicamente muito bem. A razão é porque os bens viajam durante dias e semanas das zonas limítrofes, dos 50 estados dos Estados Unidos e dos lugares mais distantes do mundo, tendo Nova York como destino.

Como é possível que 10 milhões de pessoas possam dormir sossegadamente à noite, sem viver no terror contínuo do colapso dos processos econômicos complexos que os sustentam? A resposta surpreendente é que, sem a repressão ou a direção centralizada de ninguém, essas atividades econômicas são coordenadas por meio do mercado.

Qualquer um nos Estados Unidos conhece quanto o Estado faz para controlar a atividade econômica: regulamenta os medicamentos, combate os incêndios, cobra impostos, envia exércitos pelo mundo e assim por diante. Mas raramente pensamos no quanto da nossa vida econômica diária ocorre sem a intervenção do Estado. Milhares de mercadorias são produzidas por milhões de pessoas todos os dias, voluntariamente, sem uma direção central ou um plano diretor.

Não o caos, mas a ordem econômica

O mercado aparenta ser uma confusão de vendedores e compradores. Parece quase um milagre que os alimentos sejam produzidos nas quantidades adequadas, sejam transportados para o local certo e cheguem de forma apetitosa à mesa de refeições. Mas a observação mais detalhada da economia de Nova York, ou de outras economias, dá-nos uma prova convincente de que um sistema de mercado não é nem o caos nem o milagre. É um sistema que funciona com a sua lógica própria.

Uma economia de mercado é um mecanismo elaborado para coordenar pessoas, atividades e empresas por meio de um sistema de preços e mercados. É um sistema de comunicação para colocar em contato o conhecimento e as ações de bilhões de indivíduos diferentes. Sem uma central de inteligência, ou computadores, que resolve os problemas de produção e distribuição envolvendo bilhões de variáveis e relações desconhecidas, problemas que estão muito além da capacidade do mais rápido supercomputador da atualidade. Ninguém projetou o mercado e, no entanto, ele funciona notavelmente bem. Em uma economia de mercado, nenhum indivíduo ou organização é isoladamente responsável pela produção, consumo, distribuição ou determinação do preço.

De que modo os mercados determinam os preços, os salários e os produtos? Originalmente, o mercado era, de fato, um lugar onde os compradores e os vendedores podiam se envolver em uma negociação direta. O *mercado* – repleto de potes de manteiga, pirâmides de queijo, camadas de peixe fresco e pilhas de legumes – costumava ser um quadro habitual em muitas aldeias e cidades, para onde os agricultores traziam os seus produtos para venda. Nos Estados Unidos ainda há mercados importantes onde muitos se reúnem para negociar. Por exemplo, no *Chicago Board of Trade* são negociados trigo e milho, na *New York Mercantile Exchange* são negociados petróleo e platina e no *Diamond District* de Nova York são negociados diamantes.

Os mercados são locais onde os compradores e os vendedores interagem, trocam bens e serviços, ou ativos e estabelecem os preços. Existem mercados para quase tudo. Você pode comprar peças de arte de mestres antigos em casas de leilão, em Nova York, ou créditos de carbono no *Chicago Board of Trade*. Um mercado pode ser centralizado como o mercado de títulos. Pode ser descentralizado como é para a maioria dos trabalhadores. Ou pode existir apenas eletronicamente como é, cada vez mais, o caso do comércio eletrônico na internet. Alguns dos mercados mais importantes são para os ativos financeiros, como ações, títulos de dívida, câmbio de moeda estrangeira e hipotecas.

Um **mercado** é um mecanismo por meio do qual compradores e vendedores interagem para estabelecer preços, trocar bens e serviços e ativos.

O papel central dos mercados é estabelecer o **preço** dos bens. Um preço é o valor do bem em termos monetários (o papel da moeda será analisado mais tarde neste capítulo). Em um nível mais profundo, os preços representam os termos em que os diferentes itens podem ser trocados. O preço de mercado de uma bicicleta pode ser de US$ 500, enquanto o de um par de sapatos é de US$ 50. Na essência, o mercado está dizendo que os sapatos e as bicicletas se transacionam em uma base de 10 para 1.

Além disso, os preços servem como *sinais* para os produtores e para os consumidores. Se os consumidores querem mais de qualquer bem, o preço aumentará, transmitindo um sinal aos produtores de que é necessária uma oferta maior. Quando uma doença terrível reduz a produção de carne de vaca, a oferta de carne de vaca diminui e o preço dos hambúrgueres aumenta. O preço mais elevado incentiva os criadores a aumentar a sua produção de gado bovino e, ao mesmo tempo, incentiva os consumidores a substituir os hambúrgueres e carne de vaca por outros alimentos.

O que é verdade para os mercados de bens de consumo é também verdade para os mercados de insumos, tais como a terra ou a mão de obra. Se forem necessários mais programadores de computador para dirigir negócios na internet, o preço dos programadores (o seu salário/hora) tenderá a aumentar. O aumento dos salários relativos atrairá trabalhadores para a profissão em crescimento.

Os preços coordenam as decisões dos produtores e dos consumidores em um mercado. Preços mais elevados tendem a reduzir as compras dos consumidores e a estimular a produção. Preços mais baixos estimulam o consumo e desestimulam a produção. Os preços são o instrumento de ajuste do mecanismo de mercado.

Equilíbrio de mercado. A todo momento, há pessoas comprando e outras vendendo; há empresas criando novos produtos, enquanto os governos estão sancionando leis para regular os já existentes; há empresas estrangeiras abrindo fábricas nos Estados Unidos, enquanto as empresas norte-americanas estão vendendo seus produtos no exterior. E, contudo, em meio a todo este reboliço, os mercados estão constantemente resolvendo *o quê, como* e *para quem*. À medida que equilibram todas as forças que operam na economia, os mercados encontram um **equilíbrio de mercado entre a oferta e a demanda**.

Um *equilíbrio de mercado representa um equilíbrio entre todos os diferentes compradores e vendedores*. Dependendo do preço, todos, famílias e empresas, pretendem comprar ou vender diferentes quantidades. O mercado estabelece o preço de equilíbrio que satisfaz simultaneamente os desejos dos vendedores e dos compradores. Um preço muito elevado significaria um excesso de bens em decorrência de superprodução; um preço muito baixo iria gerar grandes filas de espera nas lojas e a falta de bens. Os preços pelos quais os compradores desejam adquirir exatamente a quantidade que os vendedores desejam vender proporcionam um equilíbrio entre a oferta e a demanda.

Como os mercados resolvem os três problemas econômicos

Acabamos de descrever como os preços ajudam a equilibrar o consumo e a produção (ou a oferta e a demanda) em um mercado individual. O que acontece quando juntamos todos os mercados – da carne de vaca, dos automóveis, da terra, da mão de obra, do capital e de tudo o mais? Esses mercados funcionam simultaneamente para determinar um equilíbrio geral dos preços e da produção.

Ao pôr em acordo os vendedores e os compradores (oferta e demanda) em cada um dos mercados, uma economia de mercado resolve simultaneamente os três problemas de *o quê, como* e *para quem*. Eis o perfil do equilíbrio de mercado:

1. *Que* bens e serviços produzidos se refere a como os consumidores decidem alocar seu orçamento em suas decisões de compra diárias. Há um século, uma fração importante dos gastos em transporte ia para os cavalos e as ferraduras; hoje, gasta-se muito em automóveis e pneus.

   As empresas, por sua vez, são motivadas pelo desejo de maximizar os lucros. Os lucros são as receitas líquidas, ou a diferença entre as receitas das vendas e os custos totais. As empresas abandonam as áreas em que estão perdendo dinheiro; pelo mesmo impulso, são atraídas pelos lucros elevados da produção de bens que tenham uma grande demanda. Algumas das principais atividades são a produção e a venda de medicamentos – para a depressão, ansiedade e para todos os tipos de doenças que acometem o ser humano. As empresas estão investindo, atraídas pelos lucros elevados, todos os anos, bilhões de dólares em pesquisas para apresentar medicamentos ainda mais novos e melhores.

2. *Como* as coisas são produzidas é determinado pela concorrência entre os diferentes produtores. A melhor forma dos produtores alcançarem o preço de concorrência e maximizarem os lucros é manter os custos no mínimo, com a adoção dos métodos de produção mais eficientes. Às vezes, a mudança é pequena e consiste em pouco mais do que calibrar o maquinário ou ajustar a combinação de insumos para ganhar uma vantagem nos custos. Outras vezes, ocorrem mudanças drásticas na tecnologia, como quando as máquinas a vapor substituíram os cavalos, porque o vapor era mais barato por unidade de trabalho útil, ou quando os aviões substituíram as ferrovias como o meio mais eficiente para viajar longas distâncias. Estamos vivenciando uma profunda mudança para uma tecnologia radicalmente diferente, com os computadores revolucionando muitas tarefas nos postos de trabalho, da caixa registradora às mesas de desenho.

3. *Para quem* as coisas são produzidas – quem irá consumir e em qual quantidade – depende, em grande parte, da oferta e da demanda nos mercados de insumos. Os mercados de insumos (ou seja, mercados de fatores de produção) determinam os salários, as rendas da terra, as taxas de juro e os lucros. Esses preços são designados *preços dos insumos*. A mesma pessoa pode receber um salário de um emprego, dividendos de ações, juros de títulos e renda de um imóvel. Somando todas as rendas de todos os insumos, podemos calcular a renda de mercado dessa pessoa. A repartição da renda entre a população é, portanto, determinada pelas quantidades dos serviços dos insumos (hora-homem, imóveis etc.) e pelos preços dos insumos (níveis salariais, rendas imobiliárias etc.)

Dupla de reis

Quem são os dirigentes em uma economia de mercado? São empresas gigantes como a Microsoft ou a Toyota? Ou talvez sejam o Congresso e o Presidente? Ou os gurus da propaganda da Avenida Madison? Todas essas pessoas e instituições nos afetam, mas, em última instância, as principais forças que influenciam os contornos da economia são a dupla de reis *preferências* e *tecnologia*.

Um determinante fundamental são as preferências da população. Essas preferências inatas ou adquiridas – expressas pela alocação do orçamento decorrentes das demandas do consumidor – orientam os usos dos recursos da sociedade. As preferências marcam o ponto na fronteira de possibilidades de produção (*FPP*).

Os recursos e a tecnologia disponíveis para a sociedade são outro determinante fundamental. A economia não pode ir além da sua *FPP*. Pode-se voar para Hong Kong, mas não há voos para Marte. Portanto, os recursos de uma economia delimitam as opções de alocação dos gastos do orçamento dos consumidores. A demanda dos consumidores tem de ser compatível com a oferta empresarial de bens e serviços para determinar o que finalmente será produzido.

Você verá que é útil se lembrar dos dois reis quando nos perguntarmos por que razão algumas tecnologias não têm sucesso no mercado. Desde o Stanley Steamer – um carro que funcionava a vapor – até à cigarrilha sem fumaça Premiere, que não tinha fumaça, mas também não tinha sabor, a história está cheia de produtos que não encontraram mercados. Como os produtos inúteis saem do mercado? Existe uma agência governamental que se pronuncia sobre o valor dos novos produtos? Uma agência desse tipo não é necessária. Em vez disso, os produtos são extintos porque não existe demanda do consumidor por eles ao preço em vigor no mercado. Esses produtos dão prejuízo em vez de lucro. Isto nos faz recordar que os lucros constituem a recompensa e a penalidade para as empresas, e orientam o mecanismo de mercado.

Tal como um agricultor que usa a cenoura e o chicote para conduzir um burro, o sistema de mercado origina lucros e prejuízos para induzir as empresas a produzir de maneira eficiente os bens desejados.

Quadro dos preços e dos mercados

Podemos observar o fluxo circular da vida econômica na Figura 2-1. O diagrama nos dá uma visão global de como os consumidores e os produtores interagem para determinar os preços e as quantidades tanto dos insumos como dos produtos. Repare nos dois tipos diferentes de mercados no fluxo circular. Na parte de cima estão os mercados dos produtos, ou o fluxo de produção, como pizza ou sapatos; embaixo, estão os mercados dos insumos ou fatores de produção, como a terra e o trabalho. Além disso, veja como as decisões são tomadas por duas entidades diferentes: os consumidores e as empresas.

Os consumidores compram bens e vendem insumos; as empresas vendem bens e adquirem insumos. Os consumidores usam sua renda da venda de trabalho e de outros fatores de produção para adquirir bens das empresas; as empresas baseiam os preços dos seus bens nos custos do trabalho e do patrimônio. Os preços de bens no mercado são estabelecidos de modo a equilibrar a demanda dos consumidores com a oferta das empresas; os preços dos insumos no mercado são estabelecidos de modo a equilibrar a oferta das empresas com a demanda dos consumidores.

Tudo isso parece complicado. Mas é simplesmente a imagem global da intricada teia de oferta e demanda interdependentes, interligadas por meio de um mecanismo do mercado, para resolver os problemas econômicos de *o quê*, *como* e *para quem*.

A mão invisível

Foi Adam Smith quem primeiro descobriu como uma economia de mercado organiza as forças complexas da oferta e da demanda. Em uma das passagens mais famosas de toda a ciência econômica, extraída da obra *A Riqueza das Nações*, apresentada na abertura deste capítulo, Smith dividiu a harmonia entre lucro privado e interesse público. Volte a ler essas palavras paradoxais. Em especial, a partir do ponto sutil acerca da **mão invisível** – de que o interesse privado pode levar ao ganho público *quando há um mecanismo de mercado funcionando bem*.

O texto de Smith foi escrito em 1776. Esse ano foi marcado também pela Declaração de Independência dos Estados Unidos. Não é coincidência que ambas as ideias tenham aparecido simultaneamente. Ao mesmo tempo em que os norte-americanos proclamavam a libertação da tirania, Adam Smith pregava uma doutrina revolucionária emancipando o comércio e a indústria dos grilhões da aristocracia feudal. Smith sustentava que a interferência estatal na concorrência do mercado seria certamente prejudicial.

A perspectiva de Smith acerca do funcionamento do mecanismo do mercado tem inspirado os economistas modernos – tanto os admiradores como os críticos do capitalismo. A teoria econômica provou que, sob determinadas condições, uma economia perfeitamente competitiva é eficiente (recorde que uma economia está produzindo de maneira eficiente quando não pode aumentar o bem-estar econômico de alguém sem piorar o de outra pessoa).

Após dois séculos de experiência e pesquisas, porém, reconhecemos o alcance limitado dessa doutrina. Sabemos que há "falhas de mercado", que os mercados nem sempre conduzem ao resultado mais eficiente. Um conjunto de falhas de mercado tem a ver com os monopólios e outras formas de concorrência imperfeita. Uma segunda falha da "mão invisível" ocorre quando há externalidades para fora do mercado – externalidades positivas como as descobertas científicas e externalidades negativas como a poluição.

Uma última ressalva surge quando a distribuição de renda é política ou eticamente inaceitável. Quando ocorre qualquer um desses elementos, a doutrina da mão invisível de Adam Smith deixa de funcionar e o governo tentará corrigir tal falha.

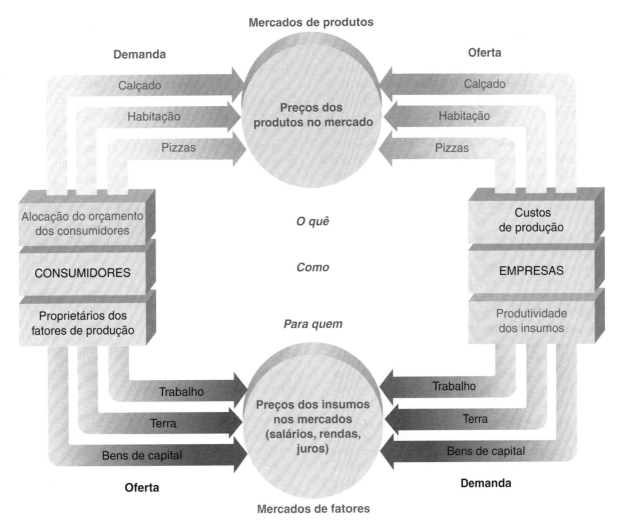

FIGURA 2-1 O sistema de mercado se baseia na oferta e na demanda para resolver o trio de problemas econômicos.

Vemos aqui o fluxo circular de uma economia de mercado. A alocação do orçamento dos consumidores (famílias, governo e exterior) interagem com a oferta das empresas fornecedoras nos mercados de produtos no alto da figura, ajudando a determinar *o quê* é produzido. A demanda por fatores de produção pelas empresas encontra a oferta de trabalho e de outros fatores de produção nos mercados dos fatores, embaixo, determinando os salários, as rendas e os juros; as rendas influenciam, portanto a definição de *para quem* serão os bens atribuídos. A concorrência das empresas para comprar os fatores de produção e vender produtos ao mais baixo preço determina *como* os bens são produzidos.

Em resumo:

Adam Smith descobriu uma propriedade notável de uma economia de mercado competitivo. Em concorrência perfeita, e não existindo falhas de mercado, os mercados irão conseguir obter dos recursos disponíveis tantos bens e serviços úteis quanto possível. Mas quando se tornam preponderantes os monopólios, a poluição ou falhas de mercado similares, as notáveis propriedades de eficiência da mão invisível podem ser destruídas.

Adam Smith:
O pai fundador da ciência econômica

"Qual é o propósito de todo o trabalho árduo deste mundo? Qual a finalidade da avareza e da ambição, da busca por riqueza, por poder e por notoriedade?" Assim escreveu o escocês Adam Smith (1723-1790) que teve para o mundo social da economia a visão que Isaac Newton teve para o universo físico. Smith respondeu às suas próprias questões em *A Riqueza das Nações* (1776), onde explicou a ordem natural autorregulada em que o óleo do interesse pessoal lubrifica a máquina econômica de uma forma quase milagrosa. Smith acreditava que a trabalho árduo tinha o efeito de aumentar o quinhão dos homens e mulheres comuns. "O consumo é o único fim e propósito de toda a produção".

Smith foi o primeiro apóstolo do crescimento econômico. Nos primórdios da Revolução Industrial, ele apontou os enormes avanços da produtividade, derivados da especialização e da divisão do trabalho. Em um famoso exemplo, descreveu a fabricação de alfinetes em que "um homem retira o arame, outro o estica e um outro corta", e assim por diante. Esse funcionamento permitia a 10 pessoas produzir 48 mil alfinetes por dia, enquanto se "todos trabalhassem separadamente, nenhum conseguiria produzir 20, talvez nem mesmo um alfinete por dia". Smith anteviu o resultado dessa divisão do trabalho como uma "riqueza universal que se expande para as classes mais baixas da população". Imagine o que ele pensaria se regressasse hoje para ver o que dois séculos de crescimento econômico produziram!

Smith escreveu centenas de páginas criticando inúmeros casos de insensatez e interferência governamental. Considere um mestre de uma corporação do século XVII que tentasse melhorar a sua tecelagem. A associação de tecelões da cidade decidiu que: "Se um tecelão pretende fabricar uma peça de acordo com a sua própria invenção, deve obter autorização dos juízes da cidade para utilizar o número e comprimento de linhas que deseja, após a questão ter sido considerada por quatro dos mais velhos comerciantes e quatro dos mais velhos tecelões da associação". Smith argumentou que tais restrições – quer impostas pelo governo ou por monopólios, quer sobre a produção ou sobre o comércio internacional – limitam o funcionamento adequado do sistema de mercado e, em última instância, prejudicam tanto os trabalhadores como os consumidores.

Nada disso pode sugerir que Smith era um apologista do poder estabelecido. Ele desconfiava de todos os detentores de poder, tanto dos monopólios privados como das monarquias públicas. Ele estava do lado das pessoas comuns. Mas, como muitos dos grandes economistas, tinha aprendido, com base em seus estudos, que o caminho para o desperdício está pavimentado de boas intenções.

A sua visão da "mão invisível" autorreguladora é, acima de tudo, a contribuição perene de Adam Smith para a economia moderna.

B. COMÉRCIO, MOEDA E CAPITAL

Quais são os aspectos que caracterizam uma economia moderna? Três importantes aspectos são considerados nesta seção:

1. Uma economia avançada é caracterizada por uma rede intrincada de comércio, que depende da especialização e de uma divisão do trabalho complexa.
2. As economias modernas fazem um uso extensivo da moeda, que serve de padrão para medir valores econômicos e é o meio de pagamento.
3. As tecnologias industriais modernas se baseiam no uso de grandes quantias de capital. O capital impulsiona o trabalho humano, tornando-o um fator de produção muito mais eficiente, permitindo uma produtividade muitas vezes superior à do passado.

COMÉRCIO, ESPECIALIZAÇÃO E DIVISÃO DO TRABALHO

Comparadas com as do século XVIII, as economias contemporâneas dependem, em parte, da especialização dos indivíduos e das empresas, interligados por meio de uma extensa rede comercial. As economias modernas têm usufruído de um crescimento econômico rápido, à medida que a especialização crescente permitiu que os trabalhadores se tornassem altamente produtivos em determinadas profissões e trocassem sua produção pelos bens de que necessitavam.

A *especialização* ocorre quando as pessoas, ou os países, concentram os seus esforços em um determinado conjunto de tarefas – isso permite a cada indivíduo e a cada país usar com vantagem as capacidades e recursos específicos de que dispõe. Um dos fatos da vida econômica é que, em vez de todos fazerem tudo de forma medíocre, é melhor estabelecer uma *divisão do trabalho*, dividir a produção em várias pequenas etapas ou tarefas especializadas. A divisão do trabalho permite às pessoas altas jogar basquetebol, aos que têm vocação para os números ensinar matemática, e às pessoas persuasivas vender automóveis. Às vezes, são necessários muitos anos para alguém receber o treino para carreiras específicas – no caso de um neurocirurgião, a obtenção de um diploma requer 14 anos de pós-graduação.

O capital e a terra também são altamente especializados. No caso da terra, algumas faixas dela formam as preciosas praias arenosas situadas entre cidades populosas e mares quentes; outras são vinhedos valiosos na França e na Califórnia; outras terras, ainda, margeiam portos de águas profundas e são usadas como centros de comércio mundial.

O capital é também altamente especializado. O programa de computador que acompanhou o trabalho de digitação deste livro levou mais de uma década a ser desenvolvido, mas não tem utilidade para gerir uma refinaria de petróleo ou para resolver problemas matemáticos complexos. Um dos exemplos mais impressionantes da especialização é o *chip* de computador que controla automóvel, aumenta a sua eficiência e pode servir como "caixa preta" para registar dados de acidentes.

A enorme eficiência da especialização viabiliza a complexa rede comercial entre pessoas e países atualmente. São poucos os que produzem um único produto acabado. Não fazemos mais do que uma pequena parcela do que consumimos. Podemos ensinar uma pequena parte do currículo universitário, ou separar o material genético das moscas de fruta. Em troca dessa mão de obra especializada, recebemos uma renda adequada para comprar produtos de todo o mundo.

A ideia de *ganhos do comércio* constitui um dos principais conceitos de economia. Os diferentes tipos de pessoas ou países tendem a se especializar em certas áreas; depois se envolvem na troca voluntária do que produzem pelo que necessitam. O Japão se tornou muito produtivo ao especializar-se na fabricação de bens como automóveis e eletrônica de grande consumo; exportando uma grande parte da sua produção para pagar as importações de matérias-primas. Em contrapartida, os países que tentaram a estratégia de se tornar autossuficientes – tentando produzir a maior parte do que consomem – descobriram que esse era o caminho para a estagnação. O comércio pode enriquecer todos os países e aumentar os níveis de vida de *todos*.

Em resumo:

A especialização e o comércio são a chave para atingir elevados níveis de vida. Com a especialização, as pessoas podem se tornar altamente produtivas em um campo muito restrito de especialização. As pessoas podem, depois, negociar os seus bens especializados pelos produtos dos outros, aumentando consideravelmente o leque e a qualidade do consumo e potencializando o aumento do nível de vida de todos.

Globalização

Hoje, dificilmente você consegue abrir um jornal que não aborde as tendências mais recentes da "globalização". O que significa exatamente este termo? Como a economia pode contribuir para a compreensão dessas questões?

Globalização é um termo que é usado para indicar *um aumento na integração econômica entre as nações*. A crescente integração é observada no crescimento expressivo do fluxo de bens, serviços e fundos cruzando as fronteiras nacionais.

Um dos principais componentes da globalização é o contínuo aumento da parcela do produto nacional correspondente a importações e exportações. Com a queda contínua dos custos dos transportes e das comunicações, juntamente com a redução das tarifas e de outras barreiras comerciais, a participação do comércio exterior no produto nacional dos Estados Unidos mais do que dobrou no último meio século. Os produtores domésticos agora competem com produtores de todo o mundo nas decisões de preço e de *design*.

Em um nível mais profundo, no entanto, a globalização reflete uma extensão da especialização e da divisão do trabalho no mundo inteiro. Há dois séculos, a maioria das pessoas vivia em áreas rurais e produzia praticamente tudo o que consumia: alimento, alojamento, vestuário, combustível etc. Gradualmente, as pessoas especializaram-se e passaram a comprar grande parte do que consumiam de outras, na sua comunidade ou no país. Atualmente, muitos bens são produzidos em muitos países e exportados para o mundo todo.

Um exemplo interessante da economia globalizada é a produção do iPod. Quem produz o iPod? Poderia pensar-se que o produto foi feito pela Apple, mas, na parte posterior do iPod, pode-se ver escrito "Made in China". Onde está a verdade? O iPod é, na verdade, um pequeno computador portátil para tocar música. Tem pelo menos 451 peças, que são produzidas em todo o mundo. A Apple elaborou o software e gerencia o processo de produção, ganhando cerca de US$ 80 em cada um, ao preço de venda de US$ 299. A parte da China consiste, principalmente, na montagem, sob um subcontrato de Taiwan, com um custo do trabalho de cerca de US$ 5. Assim, enquanto as estatísticas do comércio registram que um iPod vendido nos Estados Unidos gera US$ 150 de déficit comercial com a China, apenas uma pequena fração dos US$ 150 foi, de fato, auferida pela China.

Hal Varian, economista-chefe da Google, resumiu os resultados desse estudo muito bem:

> Em última análise, não existe uma resposta simples para quem faz o iPod ou onde é feito. O iPod, como muitos outros produtos, é feito em vários países por dezenas de empresas, com cada etapa da produção contribuindo com uma parcela diferente para o valor final. O valor real do iPod não está em suas peças ou mesmo na junção delas. A maior parte do valor do iPod está na concepção e no *design*. É por isso que a Apple recebe US$ 80 para cada iPod que vende, o que é, de longe, a maior parcela de valor adicionado em toda a cadeia de valor. As pessoas inteligentes da Apple descobriram como conjugar 451 peças, em grande parte genéricas, em um produto valioso. Elas podem não produzir o iPod, mas o criaram. Em última análise, é isso que realmente importa.[1]

Os dados indicam que esse processo de "dividir o valor adicionado às fatias" é típico das atividades industriais nos Estados Unidos e em outros países de alta renda.

A globalização ocorre tanto nos mercados financeiros, como nos mercados de bens. A integração financeira pode ser observada no ritmo crescente de empréstimos entre países, bem como na convergência das taxas de juros entre eles. As principais causas da integração dos mercados financeiros têm sido o desmantelamento das restrições aos fluxos de capital entre países, as reduções de custos e as inovações nos mercados financeiros, em especial o uso de novos tipos de instrumentos financeiros.

A integração financeira entre países levou, sem dúvida, a ganhos do comércio, pois países com usos produtivos para o capital podem receber empréstimos de países com excesso de poupança. Nas últimas duas décadas, o Japão e a China têm sido os países que mais emprestam no mundo. Surpreendentemente, os Estados Unidos têm sido, no mundo, o país que mais recebe empréstimos – em parte, em virtude da pequena taxa de poupança interna e em virtude do dinamismo

---

[1] Ver a lista de sites da internet na seção "Leituras adicionais", ao final deste capítulo

das suas indústrias, como as de informação e de tecnologias biomédicas.

A integração global de mercados de bens e financeiros tem produzido ganhos significativos do comércio sob a forma de preços mais baixos, inovação acelerada e crescimento econômico mais rápido. Mas estes ganhos têm sido acompanhados por dolorosos efeitos colaterais.

Uma consequência da integração econômica é o desemprego e a perda de lucros que ocorrem quando produtores estrangeiros com custos inferiores substituem a produção doméstica. Por exemplo, de 1980 a 2007, o emprego nos Estados Unidos em têxteis e vestuário caiu de 2 milhões para 0,6 milhão trabalhadores. Os trabalhadores desempregados do setor têxtil encontram pouco consolo no fato de os consumidores estarem se beneficiando de preços decrescentes das roupas chinesas. Os que perdem com o crescente comércio internacional são defensores incansáveis do "protecionismo" na forma de tarifas alfandegárias e de quotas sobre o comércio internacional.

Uma segunda consequência ocorre quando a integração financeira desencadeia crises financeiras internacionais. A crise mais recente começou em meados de 2007, quando uma retração nos preços dos imóveis nos Estados Unidos se refletiu nos mercados de ações e títulos em todo o mundo. É possível que se pergunte por que o mercado de ações na Índia diminuiu 20 a 30% em virtude de problemas no mercado imobiliário nos Estados Unidos. O contágio resultante de tais perturbações é o resultado de os mercados se encontrarem estreitamente ligados. A exuberância irracional dos mercados financeiros na década de 2000 levou a taxas de risco extremamente baixas, elevando os preços dos ativos por todo o mundo. Quando os investidores se tornaram pessimistas em 2007 e 2008, as taxas de risco aumentaram por toda a parte do mundo, inclusive nos ativos indianos.

A globalização levanta muitas questões novas para os decisores políticos. Será que os ganhos do comércio compensam os custos internos em termos de ruptura e desagregação social? Os países devem tentar se proteger das crises financeiras globais, isolando os seus mercados financeiros? Será que a integração conduz a uma maior desigualdade de renda? Como os bancos centrais devem responder às instabilidades financeiras que se espalham pelo mundo? Estas questões estão na mente dos decisores políticos que tentam lidar com a globalização.

MOEDA: LUBRIFICANTE DA TROCA

Se a especialização permite que as pessoas se concentrem em tarefas específicas, a moeda permite trocar os seus produtos especializados pelo vasto conjunto de bens e serviços produzidos pelos outros.

A **moeda** é o meio de pagamento, em espécie ou cheques, usada para pagar os bens. A moeda é um lubrificante que facilita a troca e, quando todos confiam nele e o aceitam para pagamento de bens e de dívidas, o comércio é facilitado. Imagine como seria complicada a vida econômica se você tivesse de trocar produto por produto todas as vezes que quisesse uma pizza ou ir a um show. Quais serviços você poderia oferecer em troca de uma pizza calabresa? O que poderia trocar com a sua faculdade para pagar as mensalidades? A moeda atua, bilhões de vezes por dia, como um promotor de acordos entre compradores e vendedores, efetuando sem grande esforço na convergência mútua de interesses individuais.

Os governos controlam a oferta de moeda, por meio de seus bancos centrais. Mas, como outros lubrificantes, a moeda pode aquecer demais e prejudicar o mecanismo econômico. Ele pode crescer descontroladamente e causar uma hiperinflação, em que os preços aumentam muito rapidamente. Quando isso acontece, as pessoas se focam em gastar seu dinheiro rapidamente, antes que perca o valor, em vez de investi-lo para o futuro. Foi o que aconteceu em vários países da América Latina na década de 1980 e em muitas economias ex-socialistas na década de 1990, quando tiveram taxas de inflação que excederam 1.000% ou mesmo 10.000% ao ano. Imagine ter recebido o seu salário e, ao fim de uma semana, ter perdido 20% do seu valor!

A moeda é o meio de troca. A gestão apropriada do sistema financeiro é uma das questões mais importantes da política macroeconômica dos governos em todos os países.

CAPITAL

Os dois principais parceiros do processo produtivo são o trabalho e o capital. Sabemos o que é o trabalho, porque somos todos trabalhadores que alugamos o nosso tempo em troca de salários. O outro parceiro é o **capital**, um fator de produção produzido e durável que, por sua vez, é ele mesmo um produto da economia. O capital é composto por um vasto e especializado conjunto de máquinas, prédios, computadores, softwares etc.

A maioria de nós não está consciente de como nossas atividades diárias se baseiam no capital, incluindo as casas onde moramos, as rodovias por onde circulamos e os fios que trazem a eletricidade até nossas casas. O total líquido do estoque de capital na economia dos Estados Unidos em 2008, incluindo o que pertence ao Estado, às empresas e a particulares, correspondia a mais de US$ 150 milhões por pessoa.

Diferentemente da terra e do trabalho, o capital tem de ser produzido antes de ser usado. Por exemplo, algumas empresas fabricam máquinas têxteis que são, depois, usadas para fabricar camisas; outras fabricam tratores agrícolas que são, depois, utilizados na cultura do milho.

O uso de capital envolve métodos de produção indiretos e que consomem tempo. Há muito tempo, as pessoas aprenderam que as técnicas indiretas e sucessivas de produção são, com frequência, mais eficientes do que os métodos diretos de produção. Por exemplo, o método mais direto de pescar consistiria em entrar na água e apanhar o peixe com as mãos, mas isto renderia mais frustração do que peixe. Usando uma vara de pesca (que é equipamento de capital), o tempo da pescaria torna-se mais produtivo em termos de peixe capturado por dia. Usando ainda mais capital, sob a forma de redes e de barcos de pesca, a pesca torna-se suficientemente produtiva para alimentar muitas pessoas e proporcionar uma vida aceitável a quem utiliza as redes e o equipamento especializado.

Crescimento em decorrência do sacrifício de consumo atual. Se as pessoas estão dispostas a poupar – a abster-se do consumo atual e a aguardar pelo consumo no futuro – a sociedade pode dedicar recursos a novos bens de capital. Um maior estoque de capital ajuda a economia a crescer mais rapidamente, expandindo a *FPP*. Observe novamente a Figura 1-5 para verificar como o sacrifício do consumo atual, em favor do investimento, aumenta as possibilidades futuras de produção. Taxas de poupança e de investimento elevadas ajudam a explicar como Taiwan, China e outros países asiáticos cresceram tão rapidamente ao longo das três últimas décadas. Em contrapartida, muitos países pobres são apanhados em um círculo vicioso chamado "armadilha da pobreza". Esses países têm uma pequena renda e poucas saídas produtivas para a sua poupança, poupam e investem pouco, crescem lentamente e, em consequência, caem ainda mais no ranking econômico das nações.

Em resumo:

A atividade econômica pressupõe a renúncia ao consumo atual para aumentar o capital. Todas as vezes que investimos – na construção de uma fábrica ou de uma estrada, com o aumento da duração ou da qualidade da educação, ou com o aumento do acervo dos conhecimentos tecnológicos úteis – estamos incrementando a produtividade futura da nossa economia e aumentando o consumo futuro.

Capital e propriedade privada

Em uma economia de mercado, o capital é de propriedade privada, e a renda do capital vai para os indivíduos. Cada parcela de terra tem um certificado, ou título de propriedade; quase todas as máquinas ou edifícios pertencem a um indivíduo ou a uma instituição. O *direito de propriedade* concede aos seus detentores a capacidade para usar, trocar, pintar, escavar, semear ou explorar os seus bens de capital. Esses bens de capital também têm valores de mercado, e as pessoas podem comprar ou vender os bens de capital pelos preços que eles alcançarem.

A possibilidade de os indivíduos possuírem e lucrarem com o capital é o que dá nome ao capitalismo.

Todavia, embora a nossa sociedade seja baseada na propriedade privada, o direito de propriedade tem limites. A sociedade determina quanto da "sua" propriedade você poderá transmitir aos seus herdeiros e quanto irá para o Estado por meio de imposto sobre herança. A sociedade determina quanto a sua fábrica pode poluir e onde você pode estacionar seu carro. Mesmo sua casa não é o seu castelo: você tem de obedecer às leis de zoneamento e, se necessário, terá de mudar-se para que seja construída uma estrada.

É interessante que o recurso econômico mais valioso, o trabalho, não possa ser transformado em uma mercadoria que seja comprada e vendida como propriedade privada. Desde a abolição da escravatura, é ilegal tratar a capacidade de trabalho das pessoas como um mero bem de capital. Ninguém é livre para vender a si próprio; você deve arrendar-se em troca de um salário.

Direitos de propriedade do capital e da poluição

Os economistas salientam frequentemente a importância dos direitos de propriedade em uma economia de mercado eficiente. Os direitos de propriedade definem de que modo os indivíduos, ou as empresas, podem ter, comprar, vender e usar os bens de capital e outro patrimônio. Esses direitos são garantidos pelo conjunto de leis sob o qual uma sociedade opera. Uma estrutura legal eficiente e aceitável para uma economia de mercado inclui a definição clara do direito de propriedade, a regulação dos contratos e um sistema de resolução de conflitos.

Os países pobres descobriram que é difícil ter uma economia de mercado eficiente quando não há leis que façam respeitar os contratos e que garantam que uma empresa possa dispor dos seus lucros. E quando o sistema legal entra em ruptura, como no Iraque devastado pela guerra após 2003, as pessoas começam a temer por suas vidas. Ficam com pouco tempo e disposição para fazer investimentos de longo prazo. A produção cai e o nível de vida se deteriora. De fato, muitos dos piores momentos de fome na África foram causados pela guerra civil e pelo colapso do ordenamento legal, não por catástrofes climáticas.

O meio ambiente é outro exemplo de como direitos de propriedade mal definidos prejudicam a economia. A água e o ar são geralmente recursos de livre acesso, ou seja, ninguém os possui ou controla. Como diz o ditado "o que pertence a todos não pertence a ninguém". Como resultado, as pessoas não medem as consequências de suas ações. Alguém pode jogar lixo em um rio ou poluir o ar porque os custos da água ou do ar poluídos não recaem sobre os outros. Em contrapartida, as pessoas muito provavelmente não despejariam lixo no

> seu próprio quintal ou queimariam carvão em sua sala de estar porque elas mesmas teriam de arcar com os custos e as consequências de tais ações.
>
> Nos últimos anos, os economistas têm proposto a extensão do direito de propriedade a bens ambientais por meio de venda ou de leilão de licenças para poluir (nas quais se incluem créditos de carbono), permitindo a sua transação no mercado. Os primeiros dados sugerem que essa extensão do direito de propriedade tem proporcionado incentivos muito mais fortes para a redução da poluição de maneira eficiente.

Destacamos algumas das principais caraterísticas de uma economia moderna: a especialização e a divisão do trabalho entre as pessoas e os países cria altos níveis de eficiência; a produção em grande escala viabiliza o comércio; a moeda permite que o comércio seja realizado de maneira eficiente; e um sofisticado sistema financeiro permite que as poupanças de alguns fluam continuamente para os bens de capital de outros.

C. A MÃO VISÍVEL DO ESTADO

Em uma economia de mercado ideal, todos os bens e serviços são voluntariamente trocados por dinheiro aos preços de mercado competitivo que refletem as avaliações dos consumidores e os custos sociais. Tal sistema extrai o máximo dos recursos disponíveis de uma sociedade para a satisfação do consumidor. Contudo, na realidade, nenhuma economia corresponde ao mundo ideal de funcionamento contínuo da mão invisível. Em vez disso, as imperfeições econômicas levam a males, tais como a poluição, o desemprego, pânicos financeiros e extremos de riqueza e pobreza.

Nenhum governo, em nenhuma parte do mundo, por mais conservador que seja, mantém-se totalmente afastado da economia. Os governos assumem muitas tarefas em resposta às falhas do mecanismo de mercado. As forças armadas, a polícia e o serviço meteorológico são áreas típicas da atividade do Estado. Empreendimentos socialmente úteis, como a exploração espacial e a pesquisa científica, beneficiam-se do financiamento governamental. Os governos podem regular algumas atividades (como a financeira, a produção/venda de medicamentos) e subsidiar outras (como a educação e a pesquisa biomédica). Os governos tributam os seus cidadãos e redistribuem uma parcela das receitas aos pobres e carentes.

Como os governos desempenham as suas funções? Os governos atuam exigindo que as pessoas paguem impostos, obedeçam às leis e consumam certos bens e serviços coletivos. Em virtude de seu poder coercivo, o governo pode exercer funções que não seriam possíveis em uma troca voluntária. A ação coerciva do governo reforça a liberdade e o consumo daqueles a quem beneficia, ao mesmo tempo em que reduz as rendas e as oportunidades dos que são tributados ou fiscalizados.

Em uma economia de mercado, os governos têm três funções econômicas principais:

1. O governo aumenta a *eficiência* ao promover a concorrência, combater externalidades, como a poluição, e ao fornecer bens públicos.
2. O governo promove a *igualdade*, ao usar os impostos e programas de gastos públicos para redistribuir a renda a grupos específicos.
3. O governo estimula *a estabilidade macroeconômica e o crescimento* – reduzindo o desemprego e a inflação, enquanto estimula o crescimento econômico – por meio das políticas monetária e fiscal.

Examinaremos, resumidamente, cada uma das funções.

EFICIÊNCIA

Adam Smith reconhecia que as virtudes do mecanismo de mercado somente são completamente realizadas quando os pesos e contrapesos da concorrência perfeita estão presentes. O que significa **concorrência perfeita**? Essa expressão refere-se a um mercado em que nenhuma empresa ou consumidor é suficientemente forte para afetar o preço de mercado. Por exemplo, o mercado do trigo é perfeitamente competitivo, porque a maior fazenda produtora de trigo, que produz somente uma minúscula parcela de todo o trigo do mundo, não pode ter uma influência apreciável sobre o preço do produto.

A doutrina da mão invisível se aplica a economias em que todos os mercados são perfeitamente competitivos. Mercados perfeitamente competitivos levarão a uma alocação de recursos eficiente, de modo que a economia se encontra em sua fronteira de possibilidades de produção. Quando todos os ramos de atividade se encontram sujeitos aos pesos e contrapesos da concorrência perfeita, como veremos mais adiante neste livro, os mercados produzirão o conjunto mais desejado pelos consumidores usando as técnicas mais eficientes e a quantidade mínima de insumos.

Todavia, existem muitas formas de os mercados se afastarem da concorrência perfeita eficiente. As três mais importantes envolvem a concorrência imperfeita, como os monopólios; externalidades, como a poluição; e bens públicos, como a defesa nacional e os faróis. Em cada um dos casos, a falha de mercado leva a uma produção e um consumo não eficientes e o governo pode desempenhar um papel útil na cura da doença.

Concorrência imperfeita

Um dos desvios graves de um mercado eficiente deriva de elementos de *concorrência imperfeita ou de poder de monopólio*.

Enquanto na concorrência perfeita nenhuma empresa, ou consumidor, pode influenciar os preços, a **concorrência imperfeita** ocorre quando um comprador, ou um vendedor, pode influenciar o preço de um bem. Por exemplo, se uma rede de TV ou um sindicato são suficientemente fortes para influenciar o preço do serviço de TV ou dos salários, respetivamente, ocorre certo grau de concorrência imperfeita. Quando surge a concorrência imperfeita, a sociedade pode se deslocar para o interior da *FPP*. Isso pode ocorrer, por exemplo, se um único vendedor (um monopolista) elevar o preço para ganhar lucros extras. A produção desse bem seria reduzida abaixo do nível de eficiência máxima e a eficiência da economia seria, por isso, prejudicada. Em uma situação dessas, a propriedade da mão invisível dos mercados seria violada.

Qual é o efeito da concorrência imperfeita? A concorrência imperfeita leva a preços que sobem acima dos custos e a compras dos consumidores que ficam abaixo dos níveis de eficiência. Um preço muito elevado e uma produção muito baixa são uma característica das ineficiências associadas à concorrência imperfeita.

Na realidade, quase todos os setores de atividade possuem algum grau de concorrência imperfeita. No setor do transporte aéreo, por exemplo, pode não haver concorrência em algumas linhas, mas em outras existem muitos rivais. O caso extremo de concorrência imperfeita é o *monopolista* – um único fornecedor que, sozinho, determina o preço de um bem ou de um serviço específico. Por exemplo, a Microsoft tem sido uma monopolista na produção do sistema operacional Windows.

Ao longo do último século, os governos têm tomado medidas para refrear as formas extremas de concorrência imperfeita. Os governos, por vezes, regulam os preços e os lucros dos monopólios, como nos serviços locais de distribuição de água, telefone e eletricidade. Além disso, as leis governamentais de defesa da concorrência proíbem ações como a fixação de preços ou o acordo para a divisão de mercados. A mais importante restrição à concorrência imperfeita é a abertura de mercados a concorrentes, sejam nacionais ou estrangeiros. Poucos monopolistas podem suportar durante muito tempo o ataque de concorrentes, a menos que o governo os proteja por meio de tarifas ou de regulações.

Externalidades

Um segundo tipo de ineficiência surge quando existem externalidades que envolvem a imposição involuntária de custos ou de benefícios. As transações de mercado pressupõem uma troca voluntária, em que as pessoas trocam bens ou serviços por dinheiro. Quando uma empresa compra um frango para produzir sobrecoxas congeladas, compra o frango do respectivo dono no mercado das aves e o vendedor recebe o valor total da ave. Quando alguém paga um corte de cabelo, o cabeleireiro recebe o valor total do tempo, da arte e da renda do espaço.

Mas muitas interações ocorrem fora dos mercados. Apesar de os aeroportos produzirem muito ruído, geralmente não compensam os moradores das redondezas pela perturbação do silêncio. Por outro lado, algumas empresas que despendem muito em pesquisa e desenvolvimento produzem efeitos positivos de transbordamento para o resto da sociedade. Por exemplo, os pesquisadores da AT&T inventaram o transistor e iniciaram a revolução eletrônica, mas os lucros da AT&T foram apenas uma pequena fração dos ganhos sociais totais. Em cada um dos casos, uma atividade ajudou ou prejudicou pessoas fora das transações do mercado; isto é, houve uma transação econômica sem um correspondente pagamento econômico.

Externalidades (ou efeitos de transbordamento) ocorrem quando empresas ou pessoas impõem custos ou benefícios a outras que estão fora do mercado.

As externalidades negativas recebem atualmente muita atenção no mundo. Com o aumento da densidade demográfica na nossa sociedade e com o aumento da produção de energia, de produtos químicos e de outros materiais, as externalidades negativas, ou os efeitos negativos de transbordamento, passaram de pequenos incômodos a ameaças globais. É aqui que entra o governo. As *regulações* governamentais estão destinadas a controlar as externalidades como a poluição do ar e da água, os estragos resultantes de minas de exploração mineral a céu aberto, os resíduos perigosos, os medicamentos e os alimentos não seguros e os materiais radioativos.

Em certo sentido, os governos são como os pais, sempre a dizer "não": Não é permitido expor a condições perigosas os trabalhadores não protegidos. Não é permitido expelir fumaça tóxica pela chaminé da fábrica. Não é permitido vender medicamentos que alteram a consciência. Não é permitido dirigir sem o cinto de segurança. E assim sucessivamente. Encontrar o correto equilíbrio entre os mercados livres e a regulação do governo é uma tarefa difícil que exige uma análise cuidadosa dos custos e benefícios de cada situação. Porém, poucos argumentariam em favor do retorno à selva econômica não regulada em que as empresas descarregavam poluentes, como o plutônio, sem critérios.

Bens públicos

Embora as externalidades negativas como a poluição, ou o aquecimento global, tenham destaque nas notícias, as externalidades positivas têm, de fato, um grande significado econômico. Considere a eliminação gradual da varíola, doença que matou milhões e desfigurou um número ainda maior de pessoas. Nenhuma empresa privada se lançaria na pesquisa, na vacinação e no trabalho de campo nos locais mais longínquos, que seriam necessários para combater a doença. O incentivo à produção privada seria inadequado, dado que os benefícios seriam de tal modo dispersos por todo o mundo, que as empresas não poderiam colher os lucros. Os benefícios da eliminação das doenças contagiosas não podem ser comprados e vendidos nos mercados. Casos semelhantes de externalidades positivas são a construção de uma rede de rodovias, o funcionamento de um serviço nacional de meteorologia e apoio da ciência básica.

O exemplo extremo de uma externalidade positiva é um bem público. **Bens públicos** são bens que podem ser usufruídos por qualquer pessoa e de cujo consumo ninguém pode ser excluído. O exemplo clássico de um bem público é a defesa nacional. Suponha que um país decida aumentar a despesa para defender as suas fronteiras ou para enviar soldados para manter a paz em países em conflito. Todos têm de pagar a despesa e sofrerão as consequências, quer queiram quer não.

Contudo, uma vez que o governo decide comprar o bem público, o mecanismo de mercado entra em funcionamento. Ao proporcionar bens públicos, como a defesa nacional ou os faróis, o Estado se comporta exatamente como qualquer outro grande comprador. Ao atribuir sua escolha orçamentária aos itens, faz com que os recursos fluam para eles. Assim, uma vez definido o orçamento público, o mecanismo de mercado toma o lugar e canaliza recursos para as empresas de modo que os faróis e os tanques sejam produzidos.

Os faróis como bens públicos

Os faróis são um exemplo do conceito de bens públicos. Salvam vidas e cargas. Mas os faroleiros não podem sair e ir cobrar pelos seus serviços aos navios; nem, se o pudessem, isso serviria como um objetivo social eficiente para que aplicassem um encargo econômico aos barcos que usam os seus serviços. O sinal pode ser fornecido, de maneira mais eficiente, livre de custos, pois o custo é o mesmo para avisar 100 ou um único navio da proximidade das rochas.

Mas espere um momento. Uma história recente determinou que, inicialmente, os faróis na Inglaterra e no País de Gales eram de fato operados *lucrativamente* por empreendedores *privados*. Eram financiadas por "impostos do farol" autorizados pelo Estado e cobrados aos navios que ancoravam nos portos vizinhos. Talvez pudéssemos concluir que os faróis não são de fato bens públicos.

Para compreender a questão devemos nos ater ao fundamental. Os dois atributos-chave de um bem público são que (1) o custo de estender o serviço a um indivíduo adicional seja zero ("não rivalidade") e (2) a impossibilidade de excluir indivíduos de seu uso ("não exclusividade"). Ambas as características são aplicáveis aos faróis.

Mas um bem "público" não é necessariamente fornecido pelo Estado. Com frequência, não é fornecido por ninguém. Além disso, por ser fornecido por empreendedores privados, não significa que seja fornecido de maneira eficiente ou que o mecanismo de mercado possa pagar o farol. O exemplo inglês mostra a situação interessante em que, se o fornecimento de um bem público pode ser associado a outro bem ou serviço (neste caso a tonelagem do navio), e se o governo dá a operadores privados o direito de coletar o que são, na essência, impostos, então pode ser encontrado um mecanismo alternativo de *financiamento* do bem público. Tal abordagem funcionaria mal se as comissões não pudessem ser facilmente associadas à tonelagem do navio (como nos canais internacionais). E não funcionaria de todo se o governo se recusasse a privatizar o direito de cobrar as taxas do farol sobre os navios.

Os Estados Unidos apresentam uma experiência bem diferente. Sempre, nos Estados Unidos, acreditava-se que o apoio à navegação deveria ser fornecido pelo Estado. De fato, uma das primeiras leis do primeiro Congresso, e a primeira lei norte-americana de obras públicas, estabelecia que "o necessário apoio, manutenção, e reparações de todos os faróis, postes (e) boias... deverá ser custeado pelo Tesouro dos Estados Unidos".

Mas, como muitos bens púbicos, os faróis eram subfinanciados, e é interessante verificar o que acontecia na ausência de apoio à navegação. Um caso fascinante ocorre na costa leste da Flórida, que é um canal traiçoeiro com uma linha de 200 milhas de corais submersos a pouca profundidade, situada na zona mais ativa de furacões do Oceano Atlântico. Esse canal foi uma zona onde ocorreram frequentemente tempestades, naufrágios e pirataria.

Não havia faróis na Flórida até 1825 e nenhum setor privado de faróis foi alguma vez implantado nessa zona. O mercado, contudo, respondeu vigorosamente aos perigos. O que emergiu do setor privado foi uma indústria bem-sucedida de navios de salvamento. Eram barcos que estacionavam perto dos corais perigosos esperando que um barco "possivelmente em perigo" parasse. Os salvadores apareciam, então, oferecendo o seu apoio na salvação de vidas e carga, guiando o barco até ao porto apropriado e reclamando então uma parte substancial do valor da carga. A salvação foi a atividade principal no sul da Flórida em meados do século XIX e fez de Key West a cidade mais rica dos Estados Unidos naquela época.

Ainda que tivessem provavelmente um valor acrescentado positivo, os navios de salvamento não tinham nenhum dos atributos de bem público dos faróis. De fato, como muitas cargas estavam cobertas pelo seguro, existia um significativo "risco moral" envolvido na navegação. Pela conivência entre si, salvadores e capitães enriqueciam frequentemente à custa dos proprietários

> dos navios e das companhias de seguros. Foi só quando o Serviço de Faróis dos Estados Unidos, financiado pelas receitas do Estado, começou a construir faróis ao longo do canal da Flórida que o número de naufrágios começou a diminuir – e os salvadores ficaram gradualmente sem atividade.
>
> Os faróis já não são atualmente uma questão central de política e são principalmente de interesse para os turistas. Têm sido largamente substituídos pelo sistema de posicionamento global (GPS, *Global Positioning System*), baseado em satélites, que é também um bem público proporcionado gratuitamente pelo Estado. Mas a história dos faróis nos recorda os problemas que podem surgir quando os bens públicos são fornecidos de forma deficiente.

Impostos. O Estado deve encontrar as receitas para pagar os seus bens públicos e os seus programas de redistribuição de renda. Tais receitas vêm dos impostos que incidem sobre a renda dos indivíduos e das empresas, sobre os salários, sobre as vendas de bens de consumo e sobre outros itens. Todos os níveis do Estado – municipal, estadual ou governo federal – cobram impostos para pagar as suas despesas.

Os impostos soam como outro "preço" – nesse caso, o preço que pagamos pelos bens públicos. Mas os impostos diferem dos preços em um aspecto essencial: os impostos não são voluntários. Todos estão sujeitos às leis dos impostos; somos todos obrigados a pagar a nossa parcela do custo dos bens públicos. Claro que por meio de nosso processo democrático, como cidadãos, escolhemos tanto os bens públicos como os impostos para custeá-los. Contudo, a relação estreita que vemos entre a despesa e o consumo nos bens privados não se verifica entre os impostos e os bens públicos. Só compro um hambúrguer se tiver vontade, mas, mesmo que não me preocupe com a defesa ou as escolas públicas, tenho de pagar a minha parcela dos impostos usados para financiar essas atividades.

EQUIDADE

A nossa análise das falhas do mercado, tais como o monopólio ou as externalidades, centrou-se na deficiência do papel dos mercados na alocação dos recursos – imperfeições que podem ser corrigidas por meio de uma intervenção cuidada. Mas, por um momento, admita que a economia funcionasse com uma eficiência máxima – sempre na fronteira de possibilidades de produção e nunca no seu interior, com uma escolha sempre correta dos montantes de bens públicos e privados etc. Mesmo que o sistema de mercado funcionasse perfeitamente poderia ainda assim levar a um resultado imperfeito.

Os mercados não produzem necessariamente uma justa repartição da renda. Uma economia de mercado pode gerar desigualdades na renda e no consumo que são inaceitáveis para o eleitorado.

Por que o mecanismo do mercado poderá produzir uma solução inaceitável para a questão do *para quem?* A razão é porque as rendas são determinadas por uma grande variedade de determinantes, incluindo o esforço pessoal, a educação, a herança, o preço dos insumos e a sorte. A distribuição de renda resultante pode não corresponder a um resultado justo. Além do mais, recorde que os bens vão atrás das escolhas das maiores parcelas de gastos e não do grau de necessidade. O gato de um homem rico pode beber o leite de que um rapaz pobre necessita para se manter saudável. Isso acontece porque o mercado está falhando? De modo algum, porque o mecanismo de mercado está fazendo o seu trabalho – colocar os bens nas mãos dos que têm o maior poder de compra. Mesmo o sistema de mercado mais eficiente pode gerar grandes desigualdades.

Frequentemente, a distribuição de renda em um sistema de mercado é o resultado de acasos de nascimento. Todos os anos, a revista *Forbes* publica a lista dos 400 norte-americanos mais ricos, e é impressionante quantos receberam a sua riqueza por herança ou a usaram como uma alavanca para atingir uma riqueza ainda maior. Teremos todos de pensar que isso é o ideal, que está certo, sem qualquer dúvida? Alguém deve se tornar um multimilionário apenas porque herdou 1 milhão de hectares, ou os títulos de propriedade de poços de petróleo da família? Esta é a forma como o bolo vai se repartindo sob o capitalismo de *laissez-faire*.

Durante a maior parte da história norte-americana, o crescimento econômico foi uma maré cheia que pôs todos os barcos a boiar, aumentando a renda dos pobres, assim como a dos ricos. Mas nas três últimas décadas, as mudanças na estrutura familiar e o declínio dos salários dos menos qualificados e instruídos inverteram esta tendência. Com o retorno a uma maior ênfase no mercado, surgiram mais indivíduos sem-teto, um maior número de crianças vivendo na pobreza e a degradação de muitas das principais cidades dos Estados Unidos.

As desigualdades de renda podem ser política ou eticamente inaceitáveis. Um país não precisa aceitar o resultado dos mercados competitivos como um dado predeterminado e imutável; as pessoas podem examinar a distribuição de renda e decidir que é injusto. Se uma sociedade democrática não gosta da distribuição do poder de compra sob um sistema de mercado de *laissez-faire*, pode tomar medidas para alterar a distribuição de renda.

Digamos que a sociedade decida reduzir a desigualdade da renda. Que instrumentos o governo usaria para implementar essa decisão? Primeiro, poderia estabelecer *impostos progressivos*, tributando as rendas maiores com uma alíquota de imposto superior à das rendas menores. Poderia fixar impostos elevados sobre a riqueza ou sobre as grandes heranças para quebrar a cadeia de privilégios. O imposto sobre a renda e a herança são exemplos de tributação progressiva com finalidade redistributiva.

Segundo, como as alíquotas reduzidas de imposto não podem ajudar aqueles que não têm qualquer renda, os governos podem fazer *transferências de renda*, que são pagamentos em dinheiro aos cidadãos. Essas transferências incluem apoio aos idosos, aos deficientes e a quem tem dependentes, bem como seguro-desemprego. Esse sistema de transferências proporciona uma "rede de segurança" para reduzir as privações dos mais carentes. E, finalmente, os governos, por vezes, subsidiam o consumo de grupos de baixa renda, oferecendo auxílio alimentação, auxílio doença e auxílio moradia – ainda que nos Estados Unidos essas despesas correspondam a uma parcela relativamente pequena da despesa total.

As alíquotas de impostos e as transferências sempre foram controversas. Poucas pessoas pensam nos bens públicos que o dinheiro dos seus impostos financiam quando estão preenchendo o formulário de declaração de imposto de renda, ou observando as grandes deduções nos seus salários. Mas as pessoas também sentem que a sociedade deve oferecer o atendimento às necessidades básicas de todos – de alimentação, escolaridade e saúde.

Como a Economia pode contribuir para debates sobre a igualdade? A Economia, enquanto ciência, não pode responder a questões normativas como: quanto das nossas rendas deve ser tributado, quanta renda deve ser transferida para as famílias pobres, ou qual a dimensão adequada do setor público.

Essas questões políticas são decididas nas urnas de voto das nossas sociedades democráticas ao elegermos candidatos com propostas políticas voltadas para um ou outro direcionamento socioeconômico.

A economia pode, contudo, analisar os custos e os benefícios dos diferentes sistemas redistributivos. Os economistas dedicam muito tempo analisando o impacto dos diferentes sistemas tributários (como os baseados na renda ou no consumo). Também estudam se a entrega de dinheiro às pessoas pobres, em vez de alimentos e serviços, é, de fato, a forma mais eficiente para a redução da pobreza.

E a ciência econômica nos lembra de que o que o mercado dá, o mercado tira. Em um mundo em rápidas mudanças estruturais, devemos sempre nos lembrar: "Se estou bem ou mal, devo isso à oferta e à demanda".

CRESCIMENTO ECONÔMICO E ESTABILIDADE

Desde as suas origens, o capitalismo tem sido atingido por surtos periódicos de inflação (aumento de preços) e recessão (desemprego elevado). Por exemplo, desde a Segunda Guerra Mundial, houve dez recessões nos Estados Unidos, tendo algumas delas deixado milhões de pessoas sem trabalho. Essas flutuações são conhecidas como *ciclos econômicos*.

Graças à contribuição intelectual de John Maynard Keynes e de seus seguidores, sabemos como controlar os piores excessos do ciclo econômico. Com a utilização cuidadosa das políticas fiscal e monetária, os governos podem influenciar o produto, o emprego e a inflação. As *políticas fiscais* do governo envolvem o poder de cobrar impostos e o poder de gastá-los. A *política monetária* envolve a determinação da oferta de moeda e das taxas de juros; estas afetam o investimento em bens de capital e outras despesas sensíveis à taxa de juro. Por meio dessas duas ferramentas essenciais de política macroeconômica, os governos podem influenciar o nível da despesa total, a taxa de crescimento e o nível da produção, os níveis de emprego e desemprego, o nível de preços e a taxa de inflação de uma economia.

Os governos nos países industrializados avançados têm aplicado, com sucesso, as lições da revolução keynesiana ao longo do último meio século. Estimuladas por políticas monetárias e fiscais ativas, as economias de mercado registraram um período de crescimento econômico sem precedentes, nas três décadas após a Segunda Guerra Mundial.

Nos anos 1980, os governos passaram a se preocupar mais com a elaboração de políticas macroeconômicas destinadas a promover objetivos de longo prazo, como o crescimento econômico e a produtividade. O *crescimento econômico* corresponde ao crescimento do produto total de um país, enquanto a *produtividade* representa a produção por unidade de insumo, ou a eficácia com que os insumos são utilizados. Por exemplo, as alíquotas dos impostos foram reduzidas na maioria dos países industrializados para incentivar a poupança e a produção. Muitos economistas enfatizam a importância da poupança governamental por meio de déficits fiscais menores, como forma de aumentar a poupança e o investimento nacionais.

As políticas macroeconômicas de estabilização e de crescimento econômico incluem as políticas fiscais (de impostos e gastos públicos) e as políticas monetárias (que influenciam as taxas de juro e as condições de crédito). Desde o desenvolvimento da macroeconomia na década de 1930, os governos têm tido êxito no controle dos excessos mais graves de inflação e de desemprego.

A Tabela 2-1 resume o papel econômico desempenhado atualmente pelo governo. Apresenta as importantes funções governamentais de promover a eficiência, procurar uma justa repartição da renda e perseguir os objetivos macroeconômicos de crescimento econômico e estabilidade. Em todas as sociedades industrializadas avançadas encontramos uma variante de **economia mista**, na qual o mercado determina os preços e as quantidades na maioria dos setores específicos,

Falha da economia de mercado	Intervenção do governo	Exemplos atuais de intervenção governamental
Ineficiência:		
Monopólio	Incentivo à concorrência	Leis de defesa da concorrência, desregulação.
Externalidades	Intervenção nos mercados	Leis contra a poluição, leis antifumo.
Bens públicos	Apoio a atividades benéficas	Promover a educação pública, construir estradas.
Desigualdade:		
Desigualdades inaceitáveis de renda e riqueza	Redistribuição da renda	Impostos progressivos sobre a renda e a riqueza/programas de apoio às populações de baixa renda (por exemplo, auxílio alimentação).
Problemas macroeconômicos:		
Ciclos econômicos (inflação e desemprego elevados)	Estabilização por meio de políticas macroeconômicas	Políticas monetárias (por exemplo, alterações na oferta de moeda e nas taxas de juros).
		Políticas fiscais (por exemplo, programas de impostos e despesa pública).
Crescimento econômico lento	Estímulo ao crescimento	Melhorar a eficiência do sistema tributário.
		Aumentar a taxa de poupança nacional ao reduzir o déficit ou aumentar o superávit fiscal.

TABELA 2-1   O governo pode remediar as deficiências de mercado.

enquanto o governo dirige a economia no seu conjunto com políticas fiscais, de despesa pública e de regulação monetária.

ASCENSÃO DO ESTADO DO BEM-ESTAR SOCIAL

Esse livro centra-se na economia mista de mercado dos países industrializados modernos e, será útil traçar sua história resumidamente. Antes do surgimento da economia de mercado, remontando aos tempos medievais, as aristocracias e as corporações das cidades dirigiam grande parte da atividade econômica na Europa e na Ásia. No entanto, há cerca de dois séculos, os governos começaram a exercer cada vez menos influência sobre os preços e os métodos de produção. O feudalismo gradualmente cedeu o lugar aos mercados, ou ao que chamamos de "mecanismo de mercado".

Na maior parte da Europa e da América do Norte, o século XIX se tornou a idade do *laissez-faire*. Essa doutrina, que se traduz em "deixem-nos em paz", afirma que o governo deve interferir o mínimo possível nos assuntos econômicos e deixar as decisões econômicas para a tomada de decisão privada pelos compradores e vendedores. Muitos governos adotaram essa filosofia econômica a partir de meados do século XIX.

Contudo, há um século, os muitos excessos do capitalismo, incluindo monopólios, cartéis, corrupção, produtos perigosos e pobreza, levou a maioria dos países industrializados a abandonar o desenfreado *laissez-faire*. Assim, o papel do governo se expandiu progressivamente, regulando atividades, cobrando impostos sobre a renda e proporcionando uma previdência social para os idosos, desempregados e pobres.

Neste novo sistema, chamado **estado do bem-estar social**, os mercados dirigem em detalhes as atividades do dia a dia da vida econômica, enquanto o governo regula as condições sociais e proporciona pensões, assistência médica e outras necessidades às famílias pobres.

Regresso dos conservadores

Muitos críticos do estado do bem-estar social alegavam que as intervenções governamentais estavam fazendo a balança inclinar a favor do *socialismo*, em que o Estado detém, opera e regula grande parte da economia. Em 1942, o economista de Harvard, Joseph Schumpeter, argumentou que os Estados Unidos eram "um capitalismo vivendo em um balão de oxigênio" na sua marcha para o socialismo. O sucesso do capitalismo produziria alienação e dúvida quanto a si próprio, minando a sua eficiência e inovação.

Críticos e defensores da liberdade, como Friedrich Hayek e Milton Friedman, defenderam o retorno aos mercados livres e a um governo com funções mínimas. Esse grupo argumentou que o Estado é demasiado intrusivo; que os governos criam monopólios; que as falhas de governo existem como as falhas de mercado; que impostos elevados distorcem a alocação de recursos; que a previdência social ameaça drenar os cofres públicos; que a regulação ambiental enfraquece o espírito empreendedor e que as tentativas do governo para estabilizar a economia apenas reduzem o crescimento e aumentam a inflação. Em suma, para alguns, o governo é o problema e não a solução.

No início da década de 1980, a maré virou à medida que governos conservadores em muitos países começaram a reduzir os impostos e o controle do Estado sobre a economia. Muitas indústrias estatais foram privatizadas, as alíquotas de imposto sobre a renda foram reduzidas e a generosidade de muitos programas assistencialistas foi reduzida.

O retorno mais drástico no sentido do mercado ocorreu na Rússia e nos países socialistas da Europa Oriental. Após décadas exaltando as vantagens de uma economia dirigida pelo governo, começando por volta de 1990, esses países passaram a se desfazer do planejamento central e fizeram a difícil transição para uma economia de mercado descentralizada. A China, ainda que dirigida pela burocracia do Partido Comunista, nas últimas três décadas, tem desfrutado de crescimento econômico, ao permitir que empresas privadas e estrangeiras operem no interior de suas fronteiras. Muitos regimes ex-socialistas na Índia, na África e na América Latina adotaram o capitalismo e reduziram o papel do governo em suas economias.

Economia mista atual

Ao medir os méritos relativos do Estado e do mercado, o debate público, às vezes, simplifica demais as escolhas difíceis que a sociedade enfrenta. Os mercados fizeram milagres em alguns países. Mas os mercados necessitam de estrutura legal e política bem desenhadas, juntamente com o capital de infraestrutura social que promova o comércio e assegure um sistema financeiro estável. Sem essas estruturas estatais os mercados, com frequência, produzem capitalismo corrupto, grande desigualdade, pobreza persistente e declínio do padrão de vida.

Nos assuntos econômicos, o sucesso tem muitos pais, mas o fracasso é sempre órfão. O sucesso das economias de mercado pode nos levar a esquecer da importante contribuição das ações coletivas. Os programas governamentais ajudaram a reduzir a pobreza e a desnutrição, e reduziram o flagelo de doenças terríveis como a tuberculose e a poliomielite. Mesmo que as maiores economias do mundo tenham entrado em uma profunda recessão no período 2008-2009, as políticas macroeconômicas ajudaram a frear o pânico do mercado financeiro e a reduzir a duração e gravidade dos ciclos econômicos. A ciência, apoiada pelo Estado, dividiu o átomo, descobriu a molécula de DNA e explorou o espaço.

O debate acerca dos sucessos e falhas dos governos demonstra que fixar a fronteira entre o mercado e o Estado é um problema difícil. Os instrumentos da ciência econômica são indispensáveis para ajudar as sociedades a encontrar o meio-termo entre um mecanismo de mercado eficiente e a regulação com a redistribuição decidida politicamente. A boa economia mista é a economia mista com limites. Mas aqueles que reduziriam a atividade do governo à polícia e a alguns faróis vivem em um mundo de fantasia. Uma sociedade eficiente e humana exige as duas metades do sistema misto – mercado e governo. Programar o funcionamento de uma economia moderna sem ambos é o mesmo que tentar bater palmas com uma só mão.

RESUMO

A. Mecanismo do mercado

1. Em uma economia como a dos Estados Unidos, a maioria das decisões econômicas é tomada nos mercados, que são mecanismos por meio dos quais os compradores e os vendedores se encontram para transacionar e determinar os preços e as quantidades dos bens e serviços. Adam Smith afirmou que a *mão invisível* dos mercados levaria ao resultado econômico ótimo à medida que os indivíduos perseguiam o seu próprio interesse. E, ainda que estejam longe de serem perfeitos, os mercados têm provado ser notavelmente eficientes na resolução dos problemas referentes a *o quê*, *como* e *para quem*.

2. O mecanismo de mercado funciona do seguinte modo para determinar *o quê* e *como*: poder de compra das pessoas afetam os preços dos bens; esses preços servem de guia para as diferentes quantidades a serem produzidas de cada bem. Quando as pessoas procuram mais de um bem, o preço sobe e as empresas podem lucrar com a expansão da produção desse bem. Em concorrência perfeita, uma empresa tem de encontrar o método mais barato de produção, usando o trabalho, a terra e outros insumos, de maneira eficiente; caso contrário, terá prejuízos e será eliminada do mercado.

3. Ao mesmo tempo em que os problemas referentes a *o quê* e *como* são resolvidos pelos preços, o mesmo acontece ao problema referente a *para quem*. A distribuição de renda é determinada pela propriedade dos fatores de produção (terra, trabalho e capital) e pelos preços dos insumos. As pessoas que possuem terras férteis ou a habilidade para jogar futebol ganharão muito poder de compra para comprar bens de consumo. Os que não têm patrimônio, ou que possuem qualificações, cor ou sexo, que não são valorizados pelo mercado obterão rendas mais baixas.

B. Comércio, moeda e capital

4. À medida que se desenvolvem, as economias se tornam mais especializadas. A divisão do trabalho permite que uma tarefa seja dividida em inúmeras tarefas menores que podem ser dominadas e executadas mais rapidamente por um único trabalhador. A especialização deriva da tendência crescente para o emprego de métodos indiretos de produção que requerem qualificações muito especializadas. À medida que se tornam cada vez mais especializados, os indivíduos e os países tendem a se concentrar em mercadorias específicas e a trocar o seu excedente de produção por bens produzidos por outros. Todos se beneficiam com as transações de comércio voluntárias baseadas na especialização.

5. O lubrificante do comércio especializado de bens e serviços especializados é a moeda. A moeda – incluindo fundamentalmente papel-moeda e depósitos à vista – é o meio de troca universalmente aceito. É usada para pagar tudo, de doces a carros. Ao aceitar a moeda, os indivíduos e os países podem se especializar na produção de alguns bens e podem trocá-los, a seguir, por outros; sem moeda, desperdiçaríamos muito tempo negociando e trocando produto por produto.

6. Os bens de capital – os insumos produzidos, como máquinas, edifícios e produtos em processo de fabricação – permitem métodos indiretos de produção que ampliam muito a produção de um país. Esses métodos indiretos consomem tempo e recursos para serem postos em funcionamento e exigem, portanto, um sacrifício temporário do consumo atual, de forma a aumentar o consumo no futuro. As regras que definem a forma como o capital e outros ativos podem ser adquiridos, vendidos e usados constitui o sistema de direitos de propriedade. Em nenhum sistema econômico os direitos de propriedade privada são ilimitados.

C. A mão visível do governo

7. Embora o mecanismo do mercado seja uma forma admirável de produzir e alocar bens, por vezes as falhas do mercado levam a um resultado econômico deficiente. Os governos podem intervir para corrigir essas falhas. O seu papel em uma economia moderna é assegurar a eficiência, corrigir uma distribuição injusta da renda e promover o crescimento e a estabilidade econômicos.

8. Os mercados falham na alocação eficiente de recursos quando existem concorrência imperfeita ou externalidades. A concorrência imperfeita, como o monopólio, dá origem a preços elevados e níveis de produção baixos. Para combater essas situações, o governo regula as atividades ou estabelece medidas de defesa da concorrência ao comportamento das empresas. As externalidades ocorrem quando as atividades impõem custos ou disseminam benefícios que não são pagos no mercado. Os governos podem decidir intervir e regular essas externalidades (como o faz com a poluição do ar) ou fornecer bens públicos (como no caso da saúde pública).

9. Os mercados não proporcionam necessariamente uma distribuição justa da renda; podem dar origem a níveis inaceitáveis de desigualdade da renda e do consumo. Em resposta, os governos podem alterar os padrões de renda (o *para quem*) resultantes dos salários, das rendas, dos juros e dos dividendos de mercado. Os governos atuais usam os impostos para aumentar as receitas destinadas a transferências ou programas de apoio à renda, o que constitui uma segurança financeira para os necessitados.

10. Desde o desenvolvimento da macroeconomia nos anos 1930 que os governos têm assumido um terceiro papel: usam a política fiscal (de impostos e de despesa pública) e a política monetária (influenciando as taxas de juros e as condições de crédito) para promover o crescimento econômico e a produtividade em longo prazo, bem como para atenuar a inflação e o desemprego excessivos dos ciclos econômicos.

11. Estabelecer a fronteira correta entre mercado e governo é um problema permanente para as sociedades. A economia é indispensável na procura do meio-termo virtuoso entre um mercado eficiente e a regulação com a redistribuição, publicamente fixadas. Uma sociedade eficiente e humana exige ambas as partes do sistema misto – mercado e governo.

CONCEITOS PARA REVISÃO

O mecanismo de mercado
– mercado, mecanismo de mercado
– mercados de bens e de insumos
– preços como sinais
– equilíbrio de mercado
– concorrência perfeita e imperfeita
– doutrina da mão invisível de Adam Smith

Aspectos de uma economia moderna
– especialização e divisão do trabalho
– moeda (dinheiro)
– insumos (terra, trabalho, capital)
– capital, propriedade privada e direitos de propriedade

Papel econômico do governo
– eficiência, equidade, estabilidade
– deficiências: monopólio e externalidades
– desigualdade de renda nos mercados
– políticas macroeconômicas
– políticas fiscais e monetárias
– estabilização e crescimento

LEITURAS ADICIONAIS E SITES

Leituras adicionais

Uma análise útil da globalização se encontra em "Symposium on Globalization in Perspective", *Journal of Economic Perspectives*, outubro, 1998.

Para exemplos de textos dos economistas da liberalidade, ver Milton Friedman, *Capitalism and Freedom* (University of Chicago Press, 1963), e Friedrich Hayek, *The Road to Serfdom* (University of Chicago Press, 1994).

Uma forte defesa das intervenções do governo se encontra em uma história dos anos 1990 por Joseph E. Stiglitz, Prêmio Nobel, em *The Roaring Nineties*: A New History of the World's Most Prosperous Decade (Norton, New York, 2003). As colunas de Paul Krugman no *The New York Times* são um guia para as questões econômicas atuais, na perspectiva de um dos mais proeminentes economistas norte-americanos; o seu livro mais recente *The Great Unraveling*: Losing Our Way in the New Century (Norton, New York, 2003) reúne os seus artigos do início dos anos 2000.

Um exemplo fascinante de como uma pequena economia opera sem dinheiro se encontra em R.A. Radford, "The Economic Organization of a P.O.W. Camp", *Economica*, vol. 12, novembro 1945, p. 189-201.

Sites

Você poderá conhecer análises recentes da economia, juntamente com a discussão de importantes questões de política econômica no *Economic Report of the President* em: <http://www.access.gpo.gov/eop/>. Visite <http://www.whitehouse.gov> para obter informações sobre o orçamento federal dos Estados Unidos e como ponto de entrada para o útil Economic Statistics Briefing Room.

O estudo sobre o iPod é de Jason Dedrick, Kenneth L. Kraemer, e Greg Linden, "Who Profits from Innovation in Global Value Chains? A Study of the iPod and Notebook Pc's", disponível em: <http://pcic.merage.uci.edu/papers/2008/WhoProfits.pdf>. A revisão de Hal Varian está em Hal R. Varian, "An iPod Has Global Value: Ask the (Many) Countries That Make It", *The New York Times*, 28 de junho de 2007, disponível para pesquisa na internet.

QUESTÕES PARA DISCUSSÃO

1. O que determina a composição do produto nacional? Em alguns casos, dizemos que existe a "soberania do consumidor" o que significa que o consumidor decide como gastar a sua renda com base em suas preferências e nos preços de mercado. Em outros casos, as decisões são tomadas pelas escolhas políticas dos legisladores. Considere os seguintes exemplos: transporte, educação, polícia, eficiência energética dos equipamentos, cobertura dos planos de saúde, propaganda na TV. Para cada um deles, descreva se a alocação é feita pela soberania do consumidor ou por decisão política. Você alteraria o método de alocação de algum destes bens?

2. Quando um bem é limitado, deve-se encontrar um meio para racionar o bem escasso. Alguns exemplos de racionamento são os leilões, senhas de atendimento, e sistemas em que o primeiro que chega é o primeiro a ser servido. Quais são os pontos fortes e fracos de cada um? Explique cuidadosamente em que sentido o mecanismo do mercado faz o "racionamento" de bens e serviços escassos.

3. Este capítulo analisa muitas "falhas de mercado", áreas em que a mão invisível dirige deficientemente a economia, e descreve o papel do governo. É possível que haja, da mesma forma, "falhas de governo", tentativas do governo para remediar as falhas de mercado que tenham efeitos piores do que as falhas de mercado originais? Pense em alguns exemplos de falhas de governo. Dê alguns exemplos em que as falhas de governo sejam tão graves que seja preferível viver com as falhas de mercado do que tentar corrigi-las.

4. Considere os seguintes casos de intervenção governamental: regulações para limitar a poluição do ar; programas de renda dos pobres; tabelamento de preços de uma companhia telefônica monopolista. Para cada um dos casos (a) explique a falha de mercado, (b) descreva a intervenção do governo para tratar do problema, e (c) explique de que modo a "falha de governo" (veja a definição na Questão 3) pode ocorrer em virtude da intervenção.

5. O fluxo circular de bens e de fatores de produção ilustrado na Figura 2-1 tem um correspondente fluxo monetário de renda e de despesa. Desenhe um gráfico de fluxo circular para os fluxos monetários da economia e compare-o com o fluxo circular de bens e insumos. Qual é o papel da moeda no fluxo circular monetário?

6. Considere três períodos da história norte-americana: (a) o início do século XIX, quando Jones vivia em uma fazenda isolada do resto do mundo; (b) o final da década de 1940, quando Smith vivia em um país onde o comércio e as trocas domésticas dominavam e o comércio internacional havia decaído pelos danos da Segunda Guerra Mundial, e (c) 2009, quando Hall vive em um mundo globalizado que promove o comércio com todos os países. Suponha que você vive em cada uma dessas situações. Descreva as oportunidades de especialização e divisão do trabalho de Jones, Smith e Hall. Explique como o mundo globalizado em (c) permite, simultaneamente, uma maior produtividade de Hall e uma muito maior variedade de bens de consumo. Dê exemplos específicos em cada caso.

7. "Lincoln libertou os escravos. Com uma simples assinatura destruiu muito do capital que o Sul havia acumulado ao longo dos anos". Comente.

8. A tabela a seguir, apresenta algumas das mais importantes despesas federais dos Estados Unidos. Explique como cada uma se relaciona com o papel econômico do governo.

As principais categorias de despesa do governo federal	
Área orçamentária	Despesa federal, 2009 (US$, bilhões)
Saúde Pública	713
Defesa Nacional	675
Previdência Social	649
Subsídios à renda	401
Recursos naturais e ambiente	36
Negócios no exterior	38

Fonte: Office of Management and Budget, *Budget of the United States Government*, Ano Fiscal de 2009.

9. Por que a sentença "A fixação de impostos só deve ser feita pelos deputados" faz sentido para os bens públicos, mas não para os bens privados? Explique os mecanismos pelos quais as pessoas podem "protestar" contra (a) impostos que consideram excessivos para pagar a defesa nacional, (b) pedágios que consideram excessivos para pagar uma estrada, e (c) preços considerados excessivos para um voo entre Nova York e Miami.

CAPÍTULO 3

Elementos básicos da oferta e da demanda

O que é um cínico?
Um homem que conhece o preço de tudo e o valor de coisa alguma.
Oscar Wilde

Os dois primeiros capítulos apresentaram os problemas básicos que qualquer economia deve resolver: *O que* deve ser produzido? *Como* os bens devem ser produzidos? E *para quem* os bens devem ser produzidos?

Vimos também que a moderna economia mista se baseia principalmente em um sistema de mercados e preços para resolver os três problemas centrais. Recorde que os tijolos fundamentais da construção de uma economia são a monarquia dupla das preferências e da tecnologia. A "soberania do consumidor", operando por meio do poder de compra, determina o que é produzido e para onde vão os bens, mas as tecnologias influenciam os custos, os preços, e quais os bens que estão disponíveis. A nossa tarefa neste capítulo é descrever em detalhe como esse processo funciona em uma economia de mercado.

Os mercados são como o tempo – às vezes tempestuoso, às vezes calmo, mas sempre mudando. Contudo, um estudo cuidadoso dos mercados revelará certas forças subjacentes aos movimentos aparentemente vagos. Para prever os preços e as quantidades em cada mercado, é necessário dominar a análise da oferta e da demanda.

Considere o exemplo dos preços da gasolina, ilustrado na Figura 3-1. (Esse gráfico representa o "preço real da gasolina", ou seja, o preço corrigido das variações no índice geral de preços.) A demanda de gasolina e de outros derivados de petróleo aumentou muito após a Segunda Guerra Mundial, à medida que os preços reais da gasolina caíam e as pessoas se deslocavam cada vez mais para os subúrbios. Depois, na década de 1970, as restrições na oferta, as guerras entre produtores e as revoluções políticas reduziram a produção, com os consequentes picos de preços observados logo após 1973 e 1979. No entanto, nos anos seguintes, uma combinação de maior eficiência energética, carros menores, o crescimento da economia da informação e a crescente demanda mundial de petróleo após 2002 geraram novas turbulências nos mercados do petróleo. Como a Figura 3-1 mostra, o preço real da gasolina (a preços de 2008) desceu de cerca de US$ 3,50 por galão* em 1980 para aproximadamente US$ 1,50 dólares por galão nos anos 1990, e depois aumentou para US$ 4 por galão no verão de 2008.

O que está subjacente a estas variações tão acentuadas? A Economia tem uma ferramenta muito poderosa para explicar essas variações no ambiente econômico. É a chamada *teoria da oferta e da demanda*. Essa teoria demonstra como as preferências dos consumidores determinam a demanda de bens pelos consumidores, enquanto os custos das empresas são a base da oferta de bens. Os aumentos do preço da gasolina ocorreram ou porque cresceu a demanda de gasolina ou porque a oferta de petróleo diminuiu. O mesmo acontece em qualquer mercado, desde ações de empresas da internet a diamantes e a imóveis: variações na oferta e na demanda conduzem a variações da produção e dos preços. Se você compreender como funciona a oferta e a demanda, dará um grande passo no sentido da compreensão de uma economia de mercado.

Apresentamos as noções de oferta e demanda e o modo como elas atuam em mercados competitivos de *cada bem*. Começamos com as curvas de demanda e em seguida analisamos as curvas de oferta. Usando esses instrumentos básicos, veremos como o preço de mercado é determinado no ponto onde essas duas curvas se interceptam – onde as forças da demanda e da oferta se encontram equilibradas. É o movimento dos preços – o mecanismo dos preços – que leva ao equilíbrio da oferta e da demanda. Finalizamos com alguns exemplos de como a análise da oferta e da demanda pode ser aplicada.

---

* N. de R.T.: 1 galão equivale a aproximadamente 3,8 litros.

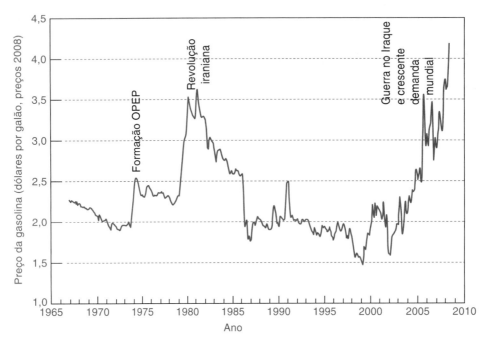

FIGURA 3-1 Os preços da gasolina variam com mudanças da demanda e da oferta.

Os preços da gasolina têm flutuado muito ao longo do último meio século. Reduções da oferta na década de 1970 produziram duas grandes "crises do petróleo" que provocaram perturbações sociais e exigências de uma maior regulação. Reduções na demanda pelas novas tecnologias poupadoras de energia levaram a uma redução contínua dos preços após 1980. O rápido crescimento da demanda mundial de petróleo relativamente à oferta originou a tendência do aumento acentuado dos preços na década de 2000. As ferramentas da oferta e da demanda são essenciais para compreender essas tendências.

Fonte: U.S. Department of Energy and Labor. O preço da gasolina foi convertido para preços de 2008 usando o índice de preços ao consumidor.

A. FUNÇÃO DEMANDA

Tanto o bom-senso como uma cuidadosa observação científica demonstram que a quantidade de um bem que as pessoas demandam depende do seu preço. Quanto maior o preço de um item, mantendo-se tudo o mais constante,[1] menos unidades os consumidores pretenderão comprar. Quanto menor for o seu preço de mercado, maior será o número de unidades adquiridas.

Existe uma relação precisa entre o preço do mercado de um bem e a quantidade demandada desse bem, mantendo-se tudo o mais constante. Essa relação entre o preço e a quantidade comprada é designada a **função demanda** ou a **curva de demanda**.

Vejamos um exemplo simples. A Tabela 3-1 apresenta uma hipotética função demanda de cereais matinais. Para cada preço, podemos determinar a quantidade de flocos que os consumidores compram. Por exemplo, a US$ 5 por caixa, os consumidores comprarão 9 milhões de caixas por ano.

A um preço inferior, comprarão mais cereais matinais. Assim, com um preço de US$ 4, a quantidade comprada é de 10 milhões de caixas. Com um preço (P) ainda mais baixo, igual a US$ 3, a quantidade demandada (Q) é ainda maior, de 12 milhões. E assim sucessivamente. Podemos determinar a quantidade demandada para cada preço referido na Tabela 3-1.

CURVA DE DEMANDA

A representação gráfica da função demanda é a *curva de demanda*. Apresentamos a curva de demanda na Figura 3-2, cujo eixo horizontal representa a quantidade demandada de cereais matinais e o eixo vertical representa o preço dos flocos. Observe que a quantidade e o preço estão inversamente relacionados; ou seja, Q aumenta quando P diminui. A curva tem uma inclinação negativa, indo de noroeste para sudeste. Essa importante propriedade é designada a *lei da demanda negativamente inclinada*. Ela é baseada tanto no bom-senso como na teoria econômica e já foi empiricamente testada e verificada em relação a praticamente todas as mercadorias, como, por exemplo, os cereais matinais, a gasolina, o ensino universitário e as drogas ilícitas.

Lei da demanda negativamente inclinada: quando o preço de um bem sobe (mantendo-se o tudo o mais constante), os compradores tendem a consumir menos

---

[1] Mais adiante, neste capítulo, analisaremos os outros determinantes que influenciam a demanda, incluindo a renda e as preferências. A expressão "manter o resto constante" significa simplesmente que estamos variando o preço sem que se altere qualquer um desses outros determinantes da demanda.

Função demanda de cereais matinais		
	(1) Preço (US$, por caixa) P	(2) Quantidade demandada (milhões de caixas por ano) Q
A	5	9
B	4	10
C	3	12
D	2	15
E	1	20

TABELA 3-1 A função demanda relaciona a quantidade demandada com o preço.

Para cada preço do mercado, os consumidores pretenderão comprar certa quantidade de cereais. Se o preço descer, a quantidade demandada dos cereais subirá.

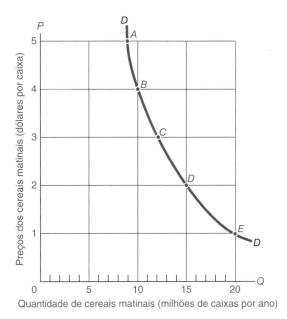

FIGURA 3-2 Uma curva de demanda com inclinação negativa relaciona a quantidade demandada com o preço.

Na curva de demanda de cereais matinais, o preço (P) é medido no eixo vertical, enquanto a quantidade demandada (Q) é medida no eixo horizontal. Cada par de números (P, Q) da Tabela 3-1 é representado por um ponto, sendo depois traçada uma curva contínua que passa pelos pontos para nos dar a curva de demanda, DD. A inclinação negativa da curva de demanda ilustra a lei da demanda negativamente inclinada.

desse bem. De forma similar, quando o preço baixa, mantendo-se o tudo o mais constante, aumenta a quantidade demandada.

A quantidade demandada tende a diminuir com o aumento dos preços por duas razões:

1. A primeira é o **efeito substituição**, que ocorre porque um bem se torna relativamente mais caro quando o seu preço sobe. Quando o preço do bem A sobe, em geral, iremos substituí-lo pelos bens B, C, D, ... Por exemplo, quando o preço da carne de vaca aumenta, compra-se mais frango.
2. Um preço mais elevado, em geral, reduz a quantidade demandada por meio do **efeito renda**. Este entra em ação porque, quando o preço sobe, ficamos de certa forma mais pobres do que anteriormente. Se o preço da gasolina duplica, ficamos de fato com menos renda real, então, iremos diminuir o consumo de gasolina e de outros bens.

Demanda de mercado

A nossa análise da demanda tem se referido, até agora, à curva de demanda. Mas é a demanda de quem? A minha? A sua? A de todos? O elemento fundamental da construção da demanda são as preferências de cada um. Contudo, neste capítulo, iremos nos referir sempre à *demanda de mercado*, que representa a soma de todas as demandas individuais. A demanda de mercado é aquela que se observa no mundo real.

A curva de demanda de mercado é calculada pela soma das quantidades demandadas de todos os indivíduos, a cada preço.

A curva de demanda de mercado obedece à lei da demanda negativamente inclinada? Sem dúvida. Se o preço cai, por exemplo, os preços mais baixos atraem novos consumidores por meio do efeito substituição. Além disso, uma redução do preço induzirá os consumidores a fazer compras adicionais, por meio de ambos os efeitos de renda e substituição. Inversamente, um aumento do preço de um bem levará alguns consumidores a comprar menos.

O crescimento explosivo do uso de computadores

Podemos ilustrar a lei da demanda negativamente inclinada com o caso dos computadores pessoais (PCs). O preço dos primeiros PCs era elevado e a sua capacidade de computação relativamente modesta. Eles eram encontrados em poucas empresas e ainda menos nas residências. É difícil acreditar que há apenas 20 anos os estudantes escreviam a maior parte dos seus textos com caneta e faziam a maior parte dos cálculos à mão ou com calculadoras simples!

Mas o preço da capacidade de computação caiu acentuadamente nas quatro últimas décadas. À medida que os preços caíam, novos compradores ficavam em condições de comprar os seus primeiros computadores. Os PCs passaram a ser largamente utilizados no trabalho, na escola e para diversão. Nos anos 2000, com o aumento do valor dos computadores graças ao desenvolvimento da internet, incluindo páginas de vídeo e pessoais, mais pessoas ainda entraram na onda

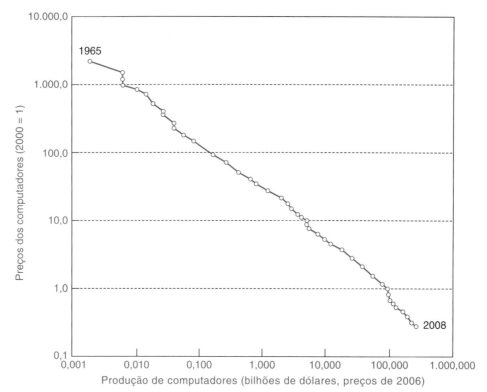

FIGURA 3-3 A queda dos preços dos computadores alimentou o crescimento explosivo da capacidade de computação.

Os preços dos computadores e de dispositivos periféricos são medidos em termos do custo de compra de um conjunto de características (tais como memória ou velocidade de cálculo). O preço real da capacidade de computação diminuiu 8 mil vezes desde 1965. A queda dos preços, juntamente com rendas mais elevadas e uma grande variedade de usos, levou a um crescimento de 140 mil vezes da quantidade de computadores (ou, na realidade, de capacidade computacional) produzidos.

Fonte: Estimativas da produção e de preços reais do Department of Commerce dos Estados Unidos. Observe que os dados foram apresentados em escalas logarítmicas.

---

dos computadores. Em 2007, as vendas de PCs totalizaram cerca de 250 milhões de unidades em todo o mundo.

A Figura 3-3 mostra os preços e as quantidades dos computadores e de equipamento periférico nos Estados Unidos segundo as estatísticas oficiais. Os preços refletem o custo de compra de computadores com qualidade constante – isto é, têm em conta a rápida variação da qualidade da média dos computadores comprados. É possível verificar como a queda dos preços, juntamente com a melhoria dos programas, o aumento crescente da utilidade da internet e do e-mail, entre outros aspectos determinantes, levou a um crescimento explosivo da produção de computadores.

Forças subjacentes à curva de demanda

O que determina a demanda de mercado dos cereais matinais, de automóveis ou de computadores? Um variado conjunto de determinantes influencia a quantidade demandada a um dado preço: níveis médios de renda, tamanho da população, preços e a disponibilidade de outros bens relacionados, preferências individuais e da sociedade e influências especiais.

- A *renda média* dos consumidores é um determinante-chave da demanda. Com o aumento de sua renda, os indivíduos tendem a comprar mais de quase tudo, mesmo que os preços não se alterem. As compras de automóveis tendem a aumentar fortemente com níveis mais elevados de renda.

- O *tamanho do mercado* – medido, digamos, pela população – afeta nitidamente a curva de demanda de mercado. Os 40 milhões de habitantes da Califórnia tendem a comprar 40 vezes mais maçãs e automóveis do que o milhão de habitantes de Rhode Island.

- Os preços e a disponibilidade de *bens relacionados* influenciam a demanda de um bem. Existe uma relação especialmente importante entre bens substituíveis – os que tendem a desempenhar a mesma função, tais como cereais matinais e aveia, canetas e lápis, automóveis pequenos e automóveis grandes, ou petróleo e gás natural. A demanda do bem A tende a diminuir, se o preço do bem substituto B baixar. (Por exemplo, com a queda do preço dos computadores, o que aconteceu com a demanda de máquinas de escrever?)

- Além desses elementos objetivos, existe um conjunto de elementos subjetivos designados *gostos* ou *preferências*. Os gostos representam uma variedade de influências culturais e históricas. Podem refletir necessidades psíquicas e fisiológicas genuínas (de bebidas, amor ou lazer), incluir desejos induzidos artificialmente (de cigarros, drogas ou carros desportivos vistosos) e também uma forte dose de tradição ou de religião (comer carne de vaca é comum nos Estados Unidos, mas tabu na Índia, enquanto água-viva temperada com curry é uma especialidade japonesa, mas provocaria náuseas a muitos norte-americanos).

- Por fim, há *influências especiais* que afetam a demanda de bens específicos. A demanda de guarda-chuvas é elevada na chuvosa Seattle, mas reduzida na ensolarada Phoenix; a demanda de aparelhos de ar condicionado aumenta com tempo quente; a demanda de automóveis será reduzida em Nova York, onde o transporte público é abundante e o estacionamento um pesadelo.

Os determinantes da demanda estão resumidos na Tabela 3-2, que utiliza automóveis como exemplo.

Deslocamentos na demanda

Com a evolução da vida econômica, a demanda altera-se incessantemente. As curvas de demanda se mantêm fixas apenas nos manuais.

Por que a curva de demanda se desloca? Porque se alteram as outras influências que não a do preço do bem. Vejamos um exemplo de como uma alteração em uma variável que não o preço desloca a curva de demanda. Sabemos que a renda média dos norte-americanos aumentou fortemente durante a longa expansão econômica dos anos 1990. Como existe um poderoso efeito renda na demanda de automóveis, isso significa que a quantidade demandada de automóveis aumentará, para cada preço. Por exemplo, se as rendas médias aumentarem 10%, a quantidade demandada para um preço de US$ 10 mil deverá aumentar de 10 para 12 milhões de unidades. Isso seria um deslocamento da curva de demanda, pois o aumento da quantidade demandada reflete outros fatores que não o próprio preço do bem.

O efeito líquido das modificações nas causas subjacentes é o que designamos um *aumento na demanda*. Um aumento na demanda de automóveis é ilustrado na Figura 3-4 como um deslocamento para a direita da curva de demanda. Note que o deslocamento significa que, para cada preço, serão comprados mais automóveis.

Você pode fazer um teste respondendo às seguintes questões: um inverno ameno deslocará a curva de demanda de roupas de frio para a esquerda ou para a direita? Por quê? O que acontecerá com a demanda de ingressos de beisebol se os jovens perderem interesse no beisebol e passarem a ver mais basquete? Que influência uma redução acentuada do preço dos computadores pessoais terá na demanda de máquinas de escrever? O que acontecerá com a demanda de ensino universitário se os salários dos funcionários administrativos diminuírem e os salários dos trabalhadores com formação universitária aumentarem rapidamente?

Fatores que afetam a curva de demanda	Exemplo para os automóveis
1. Renda média	Com o aumento da renda, as pessoas aumentam as suas compras de automóveis.
2. População	O crescimento da população aumenta as compras de automóveis.
3. Preços de bens relacionados	Preços de gasolina mais baixos aumentam a demanda de automóveis.
4. Preferências	Ter um carro novo tornou-se um símbolo de *status*.
5. Influências especiais	Disponibilidade de formas alternativas de transporte, a segurança dos automóveis, expectativas em relação aos aumentos futuros de preço etc.

TABELA 3-2 A curva de demanda é influenciada por muitos fatores.

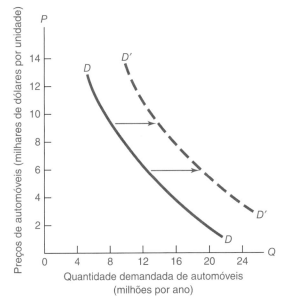

FIGURA 3-4 Aumento na demanda de automóveis.

Com a modificação dos elementos que lhe estão subjacentes, a demanda de automóveis é afetada. Aqui, vemos o efeito do crescimento da renda média, do aumento da população e de menores preços da gasolina na demanda de automóveis. Chamamos esse deslocamento da curva de demanda de aumento na demanda.

Quando há alterações em outros fatores, que não sejam o preço do próprio bem, os quais afetam a quantidade demandada, designamos essas alterações por deslocamentos na demanda. A demanda aumenta (ou diminui) quando a quantidade demandada para cada preço também aumenta (ou diminui).

Movimentos ao longo da curva *versus* deslocamentos da curva

Um dos pontos mais importantes que você deve compreender em Economia é a diferença entre movimentos ao longo de uma curva e deslocamentos de uma curva. Nesse caso, não confunda uma *variação na demanda* (que representa um *deslocamento* da curva de demanda) com uma *variação da quantidade demandada* (que significa um *movimento ao longo de*, ou para um ponto diferente na mesma curva de demanda, após uma variação do preço).

Uma variação na demanda ocorre quando se altera um dos elementos subjacentes à curva de demanda. Considere o caso das pizzas. Suponha que a renda aumenta e as pessoas querem gastar parte de sua renda adicional em pizzas, dado certo preço destas. Em outras palavras, rendas maiores provocarão o aumento da demanda e o deslocamento para fora e para a direita da curva de demanda das pizzas. Isto é um deslocamento na demanda de pizzas.

Suponha agora que uma nova tecnologia reduz os custos de pizza e os preços. Isso leva a uma variação da quantidade demandada que ocorre porque os consumidores tendem a comprar mais pizzas quando o preço das pizzas diminui, mantendo-se tudo o mais constante. Nesse caso, o aumento das compras resulta não do aumento na demanda, mas da redução do preço da pizza. Essa variação representa um *movimento ao longo* da curva de demanda, não um *deslocamento* da curva de demanda.

B. FUNÇÃO OFERTA

Passemos da demanda para a oferta. O lado da oferta de um mercado envolve geralmente as condições em que as empresas produzem e vendem os seus bens. A oferta de tomate nos diz a quantidade de tomate que será vendida para cada preço do tomate. Mais precisamente, a função oferta relaciona a quantidade ofertada de um bem com o seu preço de mercado, mantendo-se tudo o mais constante. Quando se considera a oferta, tudo o mais que se mantém constante inclui os custos de produção, os preços dos bens relacionados e as políticas governamentais.

A **função oferta** (ou **curva de oferta**) de um bem mostra a relação entre o seu preço de mercado e a quantidade desse bem que os produtores estão dispostos a produzir e a vender, mantendo-se tudo o mais constante.

CURVA DE OFERTA

A Tabela 3-3 apresenta uma hipotética função de oferta de cereais matinais e a Figura 3-5 representa os dados desta tabela na forma de curva de oferta. Estes dados mostram que ao preço de US$ 1 por caixa de cereais matinais nenhum cereal matinal será produzido. Com um preço tão baixo, os fabricantes de cereais matinais podem querer fabricar outros tipos de cereais, como aveia, que lhes darão maiores lucros. Com o aumento do preço dos cereais matinais, estes serão cada vez mais produzidos. Com preços ainda mais elevados, os produtores de cereais considerarão bastante lucrativo contratar mais trabalhadores e adquirir mais máquinas automatizadas e até mesmo mais fábricas para cereais matinais. Todos esses fatores aumentarão a produção de cereais matinais a preços de mercado cada vez mais altos.

A Figura 3-5 apresenta o caso típico de uma curva de oferta com inclinação positiva de um bem específico. Uma razão importante para a inclinação positiva é a "lei dos rendimentos decrescentes" (um conceito que aprenderemos mais adiante). O vinho ilustrará essa lei importante. Se a sociedade quiser mais vinho, então, será necessário alocar uma parcela maior de mão de obra para as terras limitadas, que são adequadas para o cultivo de videiras. Cada trabalhador adicional acrescentará cada vez menos produto extra. Portanto, o preço necessário para levar a uma produção adicional terá de ser mais alto. Ao aumentar o preço do vinho, a sociedade pode persuadir os produtores de vinho a produzir e a vender mais vinho; a curva de oferta do vinho tem, portanto, uma inclinação positiva. Um raciocínio semelhante se aplica também a muitos outros bens.

Forças subjacentes à curva de oferta

Ao examinar as forças que determinam a curva de oferta, o ponto principal é compreender que os produtores oferecem produtos pelo lucro e não por prazer ou caridade. Um dos principais elementos subjacentes à curva de oferta é o *custo de produção*. Quando os custos de produção de um bem são baixos em relação ao preço de mercado, é lucrativo para os produtores oferecerem uma quantidade grande. Quando os custos de produção são elevados em relação ao preço, as empresas produzem pouco, voltam-se para a produção de outros produtos ou poderão simplesmente abandonar a atividade.

Os custos de produção são fundamentalmente determinados pelos *preços dos fatores de produção* e pelos *avanços tecnológicos*. Os preços dos fatores como o trabalho, a energia ou as máquinas têm obviamente um papel muito importante no custo de produção de um determinado nível de produção. Por exemplo, quando os preços do petróleo subiram muito em 2007, esse aumento fez subir o custo da energia para os fabricantes, aumentou os custos de produção e reduziu a oferta.

Função oferta dos cereais matinais		
	(1) Preço (US$, por caixa) P	(2) Quantidade fornecida (milhões de caixas por ano) Q
A	5	18
B	4	16
C	3	12
D	2	7
E	1	0

TABELA 3-3 A função oferta relaciona a quantidade ofertada com o preço.

A tabela apresenta, para cada preço, a quantidade de cereais matinais que fabricantes querem produzir e vender. Observe a relação positiva entre o preço e a quantidade ofertada.

Em contrapartida, com a queda dos preços dos computadores ao longo das três últimas décadas, as empresas substituíram cada vez mais outras tecnologias por computadores, como, por exemplo, na elaboração da folha de pagamento e na contabilidade; isso fez aumentar a oferta.

Outro determinante significativo dos custos de produção são os *avanços tecnológicos* que consistem nas alterações que diminuem a quantidade de insumos necessária para produzir a mesma quantidade de produto. Esse progresso inclui tudo, desde descobertas científicas até uma melhor aplicação da tecnologia existente, ou simplesmente a reorganização do fluxo de trabalho. Por exemplo, os fabricantes tornaram-se muito mais eficientes nos últimos anos; a montagem de um automóvel requer muito menos horas atualmente do que exigia há 10 anos. Este avanço permite aos fabricantes produzir mais automóveis pelo mesmo custo. Para dar outro exemplo, se o comércio na internet permitir às empresas comparar mais facilmente os preços dos fatores produtivos necessários, isso também reduzirá os custos de produção.

Mas os custos de produção não são o único ingrediente da curva de oferta. A oferta também é influenciada pelos *preços dos bens relacionados*, em especial dos bens que são produtos alternativos do processo de produção. Se o preço de um bem substituto subir, a oferta do outro substituto diminuirá. Um exemplo interessante ocorreu na agricultura dos Estados Unidos. O governo tem aumentado a subvenção ao etanol para viaturas com o objetivo de reduzir a importação de petróleo. Atualmente, o etanol é produzido nos Estados Unidos principalmente a partir de milho. O aumento da demanda de milho (um deslocamento em sua curva de demanda) aumentou seu preço. Como resultado, os agricultores plantaram milho em vez de soja. Como consequência, a oferta de soja diminuiu e seus preços subiram. Tudo isso ocorreu em virtude de um subsídio para reduzir as importações de petróleo.

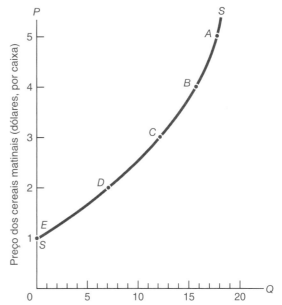

FIGURA 3-5 A curva de oferta relaciona a quantidade ofertada com o preço.

A curva de oferta representa os pares de preço e quantidade da Tabela 3-3. É traçada uma curva contínua por esses pontos de que resulta a curva de oferta *SS* com inclinação positiva.

A *política governamental* também exerce um impacto importante na curva de oferta. Acabamos de analisar o caso dos subsídios ao etanol e da produção de milho. As considerações ambientais e de saúde determinam quais tecnologias podem ser usadas, enquanto os impostos e política salarial podem influenciar significativamente os preços dos fatores de produção. As políticas de comércio adotadas pelos governos têm um impacto muito grande sobre a oferta. Por exemplo, quando um acordo comercial abre o mercado dos Estados Unidos aos calçados mexicanos, a oferta total desses produtos nos Estados Unidos aumenta.

Finalmente, há *influências especiais* que afetam a curva de oferta. As condições meteorológicas exercem uma influência importante sobre a agricultura ou sobre a indústria de produtos para esqui. A indústria de computadores tem sido marcada por um intenso espírito de inovação, o que levou a um fluxo contínuo de novos produtos. A estrutura de mercado afeta a oferta, e as expectativas sobre os preços futuros têm, muitas vezes, um impacto importante sobre as decisões de oferta.

A Tabela 3-4 sublinha os determinantes importantes da oferta, utilizando os automóveis como exemplo.

Deslocamentos da oferta

As empresas estão constantemente alterando o *mix* de bens e serviços que oferecem. O que está por trás dessas modificações do comportamento da oferta?

Fatores que afetam a curva de oferta	Exemplo dos automóveis
1. Tecnologia	A informatização da indústria baixa os custos de produção e aumenta a oferta.
2. Preços dos fatores de produção	Uma redução dos salários dos trabalhadores da indústria automobilística reduz os custos de produção e aumenta a oferta.
3. Preços de bens relacionados	Se os preços dos caminhões caírem, a oferta de automóveis aumentará.
4. Políticas governamentais	A eliminação de quotas e impostos aduaneiros sobre a importação de automóveis aumentará a oferta total de automóveis.
5. Influências especiais	As compras e os leilões pela internet permitem aos consumidores comparar os preços dos diferentes vendedores mais facilmente, o que expulsará do mercado os vendedores com preços mais elevados.

TABELA 3-4 A oferta é afetada pelos custos de produção e outros fatores.

Quando mudanças em outros fatores, que não o preço do próprio bem, afetam a quantidade ofertada, chamamos essas alterações de deslocamentos na oferta. A oferta aumenta (ou diminui) quando a quantidade ofertada aumenta (ou diminui) para cada preço de mercado.

Quando os preços dos automóveis variam, os produtores alteram a sua produção e a quantidade ofertada, mas a oferta e a curva de oferta não se deslocam. Pelo contrário, quando outros fatores que afetam a oferta variam, a oferta se modifica e a curva de oferta se desloca.

Podemos ilustrar um deslocamento na oferta para o mercado de automóveis. A oferta poderia aumentar se a informatização do *design* e da produção, com redução de custos, diminuísse o trabalho necessário para fabricar automóveis, se os trabalhadores aceitassem um corte dos salários, se os custos de produção no Japão diminuíssem ou se o governo abolisse algumas exigências ambientais do setor. Qualquer um desses elementos poderia aumentar a oferta de automóveis nos Estados Unidos, para cada nível de preço. A Figura 3-6 ilustra um aumento na oferta de automóveis.

Para testar o seu conhecimento sobre deslocamentos da oferta, pense sobre o seguinte: o que aconteceria com a curva de oferta mundial de petróleo se uma revolução na Arábia Saudita levasse a uma redução da produção de petróleo? O que aconteceria com a curva de oferta de vestuário nos Estados Unidos se fossem eliminados os impostos alfandegários sobre as importações da China? O que aconteceria com a curva de oferta de computadores se a Intel introduzisse um novo *chip* que aumentasse de forma muito significativa a velocidade de computação?

Ao responder às questões anteriores, tenha sempre em mente a diferença entre movimento ao longo de uma curva e deslocamento da curva. Agora, essa distinção se aplica às curvas de oferta, enquanto anteriormente a aplicamos às curvas de demanda. Observe, de novo, a curva do preço da gasolina na Figura 3-1. Quando o preço do petróleo aumentou em decorrência de perturbações políticas nos anos de 1970, isso levou a

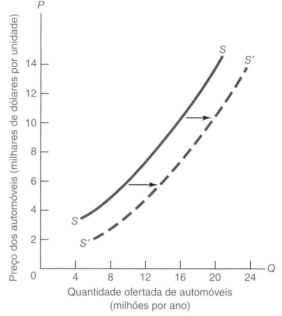

FIGURA 3-6 Oferta acrescida de automóveis.

Com a diminuição dos custos de produção, a oferta de automóveis aumenta. Para cada preço, os produtores oferecerão mais automóveis e a curva de oferta se deslocará, portanto, para a direita. (O que aconteceria à curva de oferta se o Congresso aprovasse uma quota de importação restritiva à importação de automóveis?)

um *deslocamento* para o interior da curva de oferta. Quando as vendas de gasolina diminuíram em resposta ao preço mais elevado, isso correspondeu a um *movimento ao longo* da curva de demanda.

A história dos preços e quantidades dos computadores mostrada na Figura 3-3 se parece mais com um deslocamento da oferta ou um deslocamento da demanda? (A Questão 8, ao final deste capítulo, também explora esse tema.)

Como você descreveria um aumento da produção de frangos que fosse induzido por um aumento de seu preço? E no caso do aumento da produção de frango ser devido a uma queda do preço das rações para frango?

	Conjugação da demanda e da oferta de cereais matinais				
	(1) Preço possível (US$, por caixa)	(2) Quantidade demandada (milhões de caixas por ano)	(3) Quantidade ofertada (milhões de caixas por ano)	(4) Situação do mercado	(5) Pressão sobre o preço
A	5	9	18	Excedente	↓ Descendente
B	4	10	16	Excedente	↓ Descendente
C	**3**	**12**	**12**	**Equilíbrio**	**Neutra**
D	2	15	7	Escassez	↑ Ascendente
E	1	20	0	Escassez	↑ Ascendente

TABELA 3-5 O preço de equilíbrio ocorre quando a quantidade demandada iguala a quantidade ofertada.

A tabela apresenta as quantidades ofertadas e demandadas para diferentes preços. Somente ao preço de equilíbrio de US$ 3 por caixa, a quantidade ofertada é igual à quantidade demandada. A um preço muito baixo, há escassez de oferta e o preço tende a subir. Um preço muito elevado origina um excedente de oferta, o que fará o preço baixar.

C. EQUILÍBRIO DA OFERTA E DA DEMANDA

Até agora, consideramos a demanda e a oferta em separado, conhecemos as quantidades que são voluntariamente compradas e vendidas para cada preço e vimos que os consumidores demandam quantidades diferentes de cereais matinais, de automóveis e computadores em função dos preços desses bens. De forma similar, os produtores estão dispostos a fornecer diferentes quantidades desses produtos e de outros, dependendo dos seus preços. Mas como poderemos juntar ambos os lados do mercado?

A resposta é que a oferta e a demanda interagem para produzir um equilíbrio de preço e de quantidade, ou um equilíbrio de mercado. O *equilíbrio de mercado* se verifica com o preço e a quantidade a que as forças da oferta e da demanda se equiparam. Com o preço de equilíbrio, a quantidade que os consumidores querem comprar é exatamente igual à quantidade que os vendedores querem vender. A razão pela qual o chamamos de equilíbrio é que, quando as forças da oferta e da demanda estão equilibradas, não há razão para o preço subir ou cair, desde que tudo o mais se mantenha constante.

Analisemos o exemplo dos cereais matinais da Tabela 3-5 para observar como a oferta e a demanda determinam o equilíbrio do mercado; os valores dessa tabela são obtidos a partir das Tabelas 3-1 e 3-3. Para encontrar o preço e a quantidade de mercado, procuramos um preço no qual as quantidades desejadas para compra e as desejadas para venda são iguais. Se tentarmos um preço de US$ 5 por caixa, esse preço se manterá por muito tempo? É evidente que não. Como a linha A da Tabela 3-5 mostra, a US$ 5 os produtores desejariam vender 18 milhões de caixas por ano, enquanto os compradores iriam querer comprar apenas 9 milhões. A quantidade ofertada a US$ 5 excede a quantidade demandada, e as caixas de cereais matinais se amontoarão nos supermercados. Como há poucos consumidores para cereais matinais, o preço do produto tenderá a cair, como indicado na coluna (5) da Tabela 3-5.

Tentemos, por exemplo, US$ 2. Com esse preço o mercado ficaria em equilíbrio? Com uma rápida olhada, pode-se observar na linha *D* que a US$ 2 o consumo excede a produção. Com esse preço, os cereais matinais começam a desaparecer das prateleiras. Indo às lojas para encontrar os flocos desejados, as pessoas forçarão o aumento dos preços dos flocos, como mostra a coluna (5) da Tabela 3-5.

Poderíamos tentar outros preços, mas podemos ver facilmente que o preço de equilíbrio é US$ 3, ou seja, a linha *C* na Tabela 3-5. A US$ 3 a demanda desejada dos consumidores é exatamente igual à oferta desejada dos produtores, sendo cada uma igual a 12 unidades. Somente a US$ 3 tanto os consumidores como os produtores estão tomando decisões compatíveis.

Um **equilíbrio de mercado** ocorre com o preço no qual a quantidade demandada é igual à quantidade ofertada. Nesse equilíbrio, não há tendência para o preço subir ou descer. Diz-se também que o preço de equilíbrio é o **preço de ajuste de mercado**. Isso significa que todas as ordens de compra e de venda foram satisfeitas, as carteiras de encomendas foram zeradas e os consumidores e os fornecedores estão satisfeitos.

EQUILÍBRIO COM AS CURVAS DE OFERTA E DA DEMANDA

Apresentamos frequentemente o equilíbrio de mercado por meio de um gráfico de oferta e demanda como o da Figura 3-7; este gráfico conjuga a curva de oferta da Figura 3-5 com a curva de demanda da Figura 3-2. É possível a conjugação dos dois gráficos, porque estão elaborados exatamente com as mesmas unidades em cada eixo.

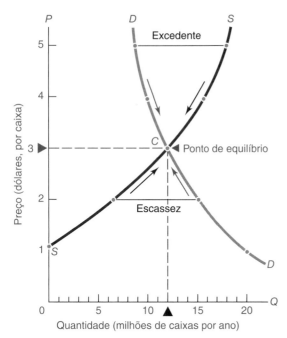

FIGURA 3-7 O equilíbrio de mercado ocorre na interseção das curvas de oferta e da demanda.

O preço e a quantidade de equilíbrio do mercado estão na interseção das curvas de oferta e da demanda. A um preço de US$ 3, no ponto C, as empresas estão dispostas a fornecer o que os consumidores estão dispostos a comprar. Quando o preço estiver muito baixo (por exemplo, a US$ 2), a quantidade demandada excederá a quantidade ofertada, ocorrendo escassez, e o preço será forçado para cima até o equilíbrio. O que acontece com um preço de US$ 4?

Encontramos o equilíbrio de mercado procurando o preço em que a quantidade demandada é igual à quantidade ofertada. *O preço de equilíbrio ocorre no ponto C, na interseção das curvas de oferta e da demanda.*

Como sabemos que a interseção das curvas de oferta e demanda é o equilíbrio de mercado? Vamos repetir a nossa experiência anterior. Comecemos com o preço inicial elevado de US$ 5 por caixa, indicado no topo do eixo dos preços na Figura 3-7. A esse preço, os produtores querem vender mais do que os consumidores pretendem comprar. O resultado é um *excedente*, ou excesso da quantidade ofertada sobre a quantidade demandada, indicado na figura pela linha escura designada "Excedente". As setas ao longo das curvas indicam a direção que o preço tende a seguir quando o mercado está com excesso de oferta.

Com um preço baixo de US$ 2 por caixa, verifica-se *escassez* no mercado, ou seja, excesso da quantidade demandada em relação à quantidade ofertada, representada pela linha escura designada "Escassez". Em situações de escassez, a concorrência entre os consumidores por bens em quantidade limitada causará a subida do preço, como está indicado na figura pelas setas que apontam para cima.

Vemos agora que o equilíbrio da oferta e da demanda ocorre no ponto C, onde as curvas de oferta e de demanda se interceptam. No ponto C, onde o preço é de US$ 3 por caixa e a quantidade é de 12 unidades, as quantidades demandadas e ofertadas são iguais; não há escassez nem excedentes; não existe tendência para o preço subir ou descer. No ponto C, e apenas nele, as forças da oferta e da demanda estão equilibradas e o preço é estabelecido a um nível sustentável.

O preço e a quantidade de equilíbrio ocorrem onde a quantidade ofertada é igual à quantidade demandada. Em um mercado competitivo, esse equilíbrio se encontra na interseção das curvas de oferta e de demanda. No preço de equilíbrio não existem nem escassez nem excedente.

Efeito de um deslocamento na oferta ou na demanda

A análise do esquema da oferta e da demanda pode nos ajudar muito mais do que a indicação do preço e da quantidade de equilíbrio. Também pode ser utilizada para prever o impacto das mudanças nas condições econômicas sobre os preços e as quantidades. Modifiquemos o nosso exemplo para o sustento da vida: o pão. Suponha que condições meteorológicas desfavoráveis fazem aumentar o preço do trigo, o principal ingrediente do pão. Isso faz deslocar a curva de oferta do pão para a esquerda. Como ilustrado na Figura 3-8(a), a curva de oferta de pão se deslocou de SS para $S'S'$. Em contrapartida, a curva de demanda não se deslocou porque a demanda de sanduíches das pessoas não é influenciada pelas condições climáticas.

O que acontece no mercado do pão? Ao preço antigo, uma má colheita leva os padeiros maximizadores de lucro a produzir menos pão, o que faz a quantidade demandada exceder a quantidade ofertada. Portanto, o preço do pão sobe, impulsionando a produção e, dessa forma, aumentando a quantidade ofertada, simultaneamente, desincentivando o consumo e baixando a quantidade demandada. O preço continua a subir até que, em um novo preço de equilíbrio, as quantidades demandadas e ofertadas são novamente iguais.

Como mostra a Figura 3-8(a), o novo equilíbrio se encontra em E', a interseção da nova curva de oferta $S'S'$ e da curva de demanda original. Assim, uma má colheita (ou qualquer deslocamento para a esquerda da curva de oferta) faz subir os preços e, pela lei da demanda negativamente inclinada, reduz a quantidade demandada.

Suponha que novas tecnologias de panificação reduzem os custos e, portanto, aumentam a oferta. Isso significa que a curva de oferta se desloca para a direita e para baixo. Desenhe a nova curva $S'''S'''$ e o novo equilíbrio E'''. Por que razão o preço de equilíbrio é menor? Por que razão a quantidade de equilíbrio é maior?

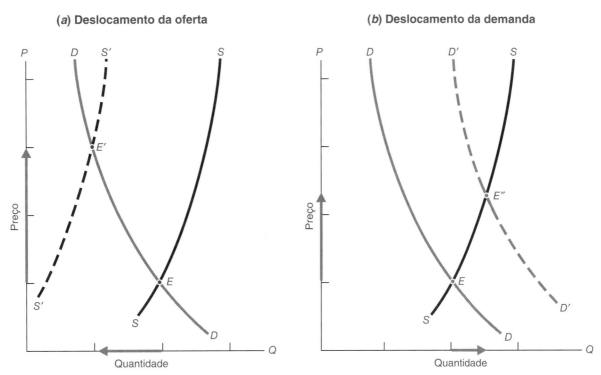

FIGURA 3-8 Deslocamentos da oferta ou da demanda alteram o preço e a quantidade de equilíbrio.

(a) Ao preço original, se a oferta se deslocar para a esquerda ocorrerá escassez. O preço tenderá a subir até que as quantidades que se desejam comprar e vender sejam iguais, em um novo equilíbrio E'. (b) Um deslocamento da curva de demanda leva a um excedente da demanda. O preço tenderá a subir à medida que o preço e a quantidade de equilíbrio subam para E''.

	Deslocamentos da demanda e da oferta	Efeito sobre o preço e a quantidade
Se a demanda aumenta...	A curva de demanda se desloca para a direita, e...	Preço ↑ Quantidade ↑
Se a demanda cai...	A curva de demanda se desloca para a esquerda, e...	Preço ↓ Quantidade ↓
Se a oferta aumenta...	A curva de oferta se desloca para a direita. e...	Preço ↓ Quantidade ↑
Se a oferta cai...	A curva de oferta se desloca para a esquerda, e...	Preço ↑ Quantidade ↓

TABELA 3-6 O efeito no preço e na quantidade de diferentes deslocamentos da demanda e da oferta.

Podemos igualmente utilizar o nosso esquema da oferta-e-demanda para examinar como as variações na demanda afetam o equilíbrio de mercado. Suponha que existe um aumento acentuado da renda das famílias, de modo que todos queiram comer mais pão. Isso é representado na Figura 3-8(b) como um "deslocamento da demanda" em que, para cada nível de preço, os consumidores demandam uma maior quantidade de pão. A curva de demanda se desloca, portanto, para $D'D'$, à direita de DD.

Ao preço antigo, o deslocamento da demanda origina uma escassez de pão. Inicia-se uma disputa por pão. Os preços sobem até que a oferta e a demanda voltem de novo a igualar-se a um preço mais elevado. Graficamente, o aumento da demanda fez mudar o equilíbrio de mercado de E para E'' na Figura 3-8(b).

Nos dois exemplos de deslocamento – um deslocamento na oferta e um deslocamento na demanda –, alterou-se uma variável subjacente à curva de oferta ou de demanda. No caso da oferta, pode ter havido uma mudança tecnológica ou nos preços dos insumos. No deslocamento da demanda ocorreu a variação de uma das influências que afetam a demanda dos consumidores – renda, população, preços dos bens relacionados ou preferências – fazendo, portanto, deslocar a curva de demanda (ver Tabela 3-6).

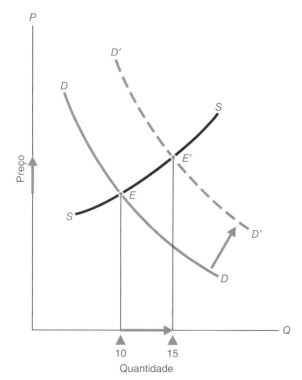 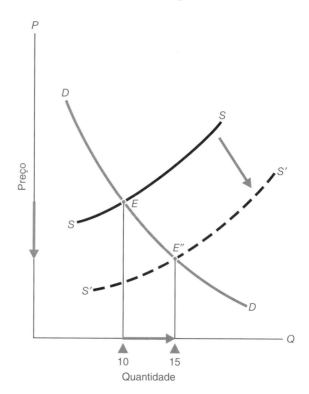

FIGURA 3-9 Deslocamento e movimento ao longo das curvas.

No equilíbrio inicial em E, a quantidade é 10 unidades. Em (a), um aumento na demanda (ou seja, um deslocamento da curva de demanda) produz um novo equilíbrio de 15 unidades em E'. Em (b), um deslocamento da oferta resulta em um movimento ao longo da curva de demanda de E para E''.

Quando os elementos subjacentes à demanda ou à oferta se alteram, isso leva a deslocamentos na demanda, ou na oferta, e a variações no preço e na quantidade de equilíbrio do mercado.

Interpretação das variações no preço e na quantidade

Uma importante questão que se coloca é como interpretar as variações de preço e quantidade. Às vezes, ouvimos que "a demanda de gasolina não obedece à lei da demanda negativamente inclinada. De 2003 a 2006 os preços subiram acentuadamente [como mostrado na Figura 3-1], e, no entanto, o consumo de gasolina nos Estados Unidos subiu ao invés de diminuir. O que vocês economistas têm a dizer sobre isso?"

Não podemos dar uma explicação definitiva, sem um olhar cuidadoso sobre as forças que afetam a oferta e a demanda. Mas a explicação mais provável para o paradoxo é que o aumento dos preços da gasolina nesse período foi devido a deslocamentos na demanda, em vez de movimentos ao longo da curva de demanda. Sabemos, por exemplo, que as economias chinesa e indiana cresceram rapidamente e as suas importações de petróleo somaram-se à demanda mundial. Além disso, o número de automóveis nos Estados Unidos cresceu acentuadamente, e a eficiência de combustível da frota diminuiu, aumentando a demanda de gasolina.

Os economistas lidam constantemente com esse tipo de questão. Quando os preços e as quantidades variam em um mercado, a situação reflete uma variação no lado da oferta ou no lado da demanda? Por vezes, em situações simples, a análise simultânea do preço e da quantidade dá uma pista sobre se foi a curva de oferta que se deslocou ou se foi a curva de demanda. Por exemplo, um aumento do preço do pão acompanhado de uma *diminuição* na quantidade sugere que a curva de oferta se deslocou para a esquerda (uma diminuição da oferta). Um aumento do preço acompanhado de um *acréscimo* na quantidade indica que a curva de demanda de pão provavelmente se deslocou para a direita (um acréscimo na demanda).

A Figura 3-9 ilustra esse ponto. Em ambos os lados, (a) e (b), a quantidade aumenta. Mas em (a) o preço sobe, e, em (b), o preço desce. A Figura 3-9(a) apresenta o caso de um aumento na demanda, ou deslocamento da curva de demanda. Como resultado, a quantidade demandada de equilíbrio aumenta de 10 para 15 unidades. O caso de um movimento ao longo da curva de demanda é apresentado na Figura 3-9(b).

Nesse caso, um deslocamento da oferta faz deslocar o equilíbrio de mercado do ponto E para o ponto E''. Como resultado, a quantidade demandada muda de 10 para 15 unidades. Mas a demanda não se altera nesse segundo caso; é antes a quantidade demandada que aumenta, com os consumidores se movendo ao longo da sua curva de demanda de E para E'' em resposta a uma variação de preço.

Volte ao nosso exemplo da variação do consumo de gasolina de 2003 a 2006. Explique a razão pela qual tais acontecimentos são mais bem explicados pelas mudanças da Figura 3-9(a). Explique por que a lei da demanda negativamente inclinada ainda continua presente no mercado da gasolina!

A ambiguidade do conceito de equilíbrio

A noção de equilíbrio é um dos conceitos mais ambíguos de economia. Estamos familiarizados com o equilíbrio na nossa vida diária ao vermos, por exemplo, uma laranja no fundo de uma bacia ou um pêndulo em repouso. Em economia, equilíbrio significa que as diferentes forças que agem em um mercado estão equiparadas, de forma que o preço e a quantidade resultantes conciliam os desejos dos compradores e dos fornecedores. Um preço demasiado baixo significa que as forças não estão balanceadas, que as forças que atraem a demanda são maiores do que as forças que atraem a oferta, pelo que existe excesso de demanda, ou escassez. Também sabemos que um mercado competitivo é um mecanismo para produzir equilíbrio. Se o preço é muito baixo, os compradores tenderão a forçar os preços a subir até o nível de equilíbrio.

Todavia, a noção de equilíbrio é traiçoeira se vista pelo prisma de um grande sábio: "Não me falem sobre equilíbrio de oferta e demanda. A oferta de petróleo é sempre igual à demanda de petróleo. Simplesmente, nunca se consegue distingui-las". Do ponto de vista contábil, o sábio tem razão.

É claro que as vendas de petróleo registradas pelos produtores devem ser exatamente iguais às compras de petróleo registradas pelos consumidores. Mas essa matemática não pode negar as leis da oferta e da demanda. E o mais importante é que se não entendermos a natureza do equilíbrio econômico, não podemos esperar compreender como as diferentes forças influenciam o mercado.

Em economia, estamos interessados em saber a quantidade de vendas que ajustarão o mercado, isto é, a quantidade de equilíbrio. Também queremos saber o preço a que os consumidores estão dispostos a comprar o que os produtores estão dispostos a vender. Somente com esse preço tanto os compradores como os vendedores ficarão satisfeitos com as respectivas decisões. Apenas com esse preço e quantidade não haverá tendência para que o preço e a quantidade se alterem.

Somente analisando o equilíbrio da oferta e da demanda podemos esperar compreender paradoxos como o fato de que a imigração pode não reduzir os salários nas cidades onde ocorre, os impostos prediais não aumentar os aluguéis e más colheitas levar a aumentos (sim, aumentam!) das rendas dos agricultores.

Oferta, demanda e imigração

Um exemplo fascinante e importante de oferta e demanda, repleto de complexidades, é o papel da imigração na determinação de salários. Se você perguntar às pessoas, é provável que digam que os imigrantes na Califórnia, ou na Flórida, irão, com certeza, baixar os salários nessas regiões. É apenas oferta e demanda. Elas podem apontar para a Figura 3-10(a) que mostra uma análise de oferta e demanda da imigração. De acordo com essa análise, a imigração para uma região faz deslocar a curva de oferta de mão de obra para a direita e faz diminuir os salários.

Estudos aprofundados colocam reservas a este raciocínio simplificado. Uma recente pesquisa conclui:

> [O] efeito da imigração sobre a renda dos trabalhadores locais é reduzido. Não há provas de reduções economicamente significativas no emprego local. A maior parte das análises empíricas... conclui que um aumento de 10% na parcela de imigrantes na população reduz os salários dos trabalhadores locais no máximo em cerca de 1%.[2]

Como poderemos explicar o pequeno impacto da imigração sobre os salários? Os economistas do trabalho sublinham a elevada mobilidade geográfica da população norte-americana. Isso significa que os novos imigrantes se espalham rapidamente por todo o país. Depois de entrar, os imigrantes podem deslocar-se para cidades onde possam obter empregos – os trabalhadores tendem a ir para as cidades em que a demanda de trabalho já está aumentando em virtude do fortalecimento da economia local.

Essa ideia é ilustrada na Figura 3-10(b), onde um deslocamento na oferta de mão de obra para $S'S'$ está associado a uma curva de demanda maior, $D'D'$. O novo salário de equilíbrio em E'' é igual ao salário original em E. Outra condição é que os residentes nativos podem sair quando os imigrantes estão chegando, de modo que a oferta total de mão de obra não se altera. Isso faria com que a curva de oferta de mão de obra se mantivesse na sua posição original e o salário não se alterasse.

A imigração é um bom exemplo de demonstração do poder das ferramentas simples da oferta e da demanda.

---

[2] Rachel M. Friedberg and Jennifer Hunt, "The Impact of Immigrants on Host Country Wages, Employment, and Growth", *Journal of Economic Perspectives*, Spring, 1995, p. 23-44.

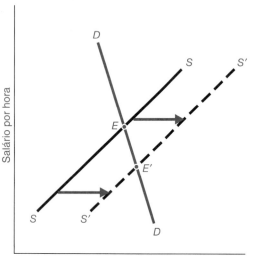 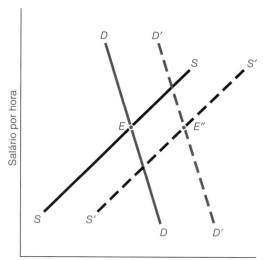

FIGURA 3-10 Impacto da imigração nos salários.

Em (*a*), novos imigrantes causam o deslocamento da curva de oferta de *SS* para *S'S'*, baixando os salários de equilíbrio. Mas frequentemente os imigrantes vão para cidades com mercados de trabalho em crescimento. Então, como é mostrado em (*b*), a variação do salário pode ser pequena se o aumento da oferta na mão de obra ocorre ao mesmo tempo do aumento da demanda.

RACIONAMENTO POR MEIO DOS PREÇOS

Vejamos agora o que o mecanismo de mercado realiza. Ao determinar os preços e as quantidades de equilíbrio, o mercado atribui, ou raciona, os bens escassos da sociedade aos usos possíveis. Quem faz o racionamento? Uma comissão de planejamento? O Congresso? O Presidente? Não. O mercado, por meio da interação da oferta e da demanda, faz o racionamento. É o *racionamento por meio da carteira*.

Que bens serão produzidos? A isso respondem os sinais dos preços de mercado. Preços elevados do milho estimulam a sua produção, enquanto a redução dos preços dos computadores estimula uma demanda crescente de computadores. Os que têm o maior poder de compra são os que têm a maior influência sobre a escolha dos bens que serão produzidos.

Para *quem* os bens são produzidos? O poder de compra dita a distribuição da renda e do consumo. Os que têm maior renda acabam por ter casas maiores, automóveis vistosos e férias mais prolongadas. Quando há dinheiro disponível, as necessidades mais prementes são satisfeitas por meio da curva de demanda.

Até mesmo a questão do *como* é decidida pela oferta e pela demanda. Quando os preços do milho são elevados, os agricultores compram tratores caros e mais fertilizantes e investem em sistemas de irrigação. Quando os preços do petróleo são elevados, as empresas petrolíferas o extraem em plataformas marítimas de águas profundas e utilizam novas técnicas sísmicas para encontrar petróleo.

Com esta introdução à oferta e à demanda, começamos a ver como os desejos em relação a bens, expressos por meio das demandas, interagem com os custos dos bens, refletidos nas ofertas. A continuação do estudo aprofundará o nosso conhecimento desses conceitos e mostrará como esses instrumentos podem ser aplicados a outras áreas importantes. Mas até mesmo essa pesquisa preliminar serve como instrumento indispensável para a interpretação do mundo econômico em que vivemos.

RESUMO

1. A análise da oferta e da demanda mostra como um mecanismo de mercado resolve os três problemas de *o que, como* e *para quem*. Um mercado mistura as demandas e ofertas. A demanda vem dos consumidores que estão distribuindo seu poder de compra entre os bens e serviços disponíveis, enquanto as empresas fornecem os bens e serviços com o objetivo de maximizar os seus lucros.

A. Função demanda

2. Uma função demanda mostra a relação entre a quantidade demandada e o preço de um bem, mantendo tudo o mais constante. Essa função, representada graficamente por uma curva de demanda, mantém constantes outras coisas, como as rendas das famílias, as preferências e os preços de outros bens. Quase todas as mercadorias obedecem à *lei*

da demanda negativamente inclinada, segundo a qual a quantidade demandada diminui quando o preço do bem aumenta. Essa lei é representada por uma curva com uma inclinação negativa.

3. Há muitas influências subjacentes à função demanda de mercado: as rendas médias das famílias, a população, os preços dos bens relacionados, as preferências e influências especiais. Quando essas influências se modificam, a curva de demanda se desloca.

B. Função oferta

4. A função oferta (ou curva de oferta) mostra a relação entre a quantidade de um bem que os produtores desejam vender – mantendo tudo o mais constante – e o preço desse bem. A quantidade ofertada responde ao preço geralmente de forma positiva, de modo que a curva de oferta tem inclinação positiva.

5. Outros elementos, além do preço do próprio bem, afetam a sua oferta. A influência mais importante é o custo de produção do bem, determinado pelo estado da tecnologia e pelos preços dos insumos. Outros elementos da oferta incluem os preços dos bens relacionados, as políticas do governo e influências especiais.

C. Equilíbrio da oferta e da demanda

6. O equilíbrio da oferta e da demanda em um mercado competitivo ocorre quando as forças da oferta e da demanda estão equiparadas. O preço de equilíbrio é o preço com o qual a quantidade demandada é precisamente igual à quantidade ofertada. Graficamente, encontramos o equilíbrio na interseção das curvas de oferta e de demanda. Com um preço acima do equilíbrio, os produtores pretendem fornecer mais do que os consumidores querem comprar, do que resulta um excesso de bens que exerce uma pressão no sentido da redução do preço. De forma similar, um preço muito baixo origina uma escassez e os compradores tenderão a forçar os preços a subir, até o equilíbrio.

7. Deslocamentos nas curvas de oferta e de demanda alteram o preço e a quantidade de equilíbrio. Um aumento na demanda, que desloca a curva de demanda para a direita, fará aumentar tanto o preço como a quantidade de equilíbrio. Um aumento na oferta, que desloca a curva de oferta para a direita, fará cair o preço e aumentar a quantidade demandada.

8. Para usar corretamente a análise da oferta e demanda, temos de (*a*) distinguir uma variação na demanda, ou na oferta (o que produz um deslocamento da curva), de uma variação na quantidade demandada, ou ofertada (o que representa um movimento ao longo da curva); (*b*) manter o resto constante, o que exige a distinção entre o impacto da variação do preço de uma mercadoria e o impacto de modificações de outros elementos; e (*c*) procurar sempre o equilíbrio da oferta-e-demanda que se verifica quando as forças que atuam sobre o preço e a quantidade estão equiparadas.

9. Os preços determinados em concorrência racionam a oferta limitada de bens pelos que os demandam.

CONCEITOS PARA REVISÃO

– análise da oferta e demanda
– função ou curva de demanda, *DD*
– lei da demanda negativamente inclinada
– influências que afetam a curva de demanda
– função ou curva de oferta, *SS*

– influências que afetam a curva de oferta
– preço e quantidade de equilíbrio
– deslocamento das curvas de oferta e de demanda
– mantendo tudo o mais constante
– racionamento por meio dos preços

LEITURAS ADICIONAIS E SITES

Leituras adicionais

A análise da oferta e da demanda é a ferramenta mais importante e útil de microeconomia. Ela foi desenvolvida pelo grande economista inglês Alfred Marshall, na obra *Principles of Economics*, 9. ed. (New York, Macmillan, 1890, 1961). Para melhorar o seu conhecimento, você pode ler manuais de microeconomia intermediária. Duas boas referências são Hal R. Varian, *Intermediate Microeconomics*: A Modern Approach, 6. ed. (Norton, New York, 2002), e Edwin Mansfield and Gary Yohe, *Microeconomics*: Theory and Applications, 10. ed. (Norton, New York, 2002).

Uma pesquisa recente das questões econômicas da imigração se encontra em George Borjas, *Heaven's Door*: Immigration Policy and the American Economy, (Princeton University Press, Princeton, N.J., 1999).

Sites

Os sites estão proliferando rapidamente e é difícil estar a par de todos os sites úteis. Um bom local para começar é sempre <http://www.rfe.org/>. Um ponto de partida para múltiplos sites sobre economia é <http://www.rfe.org/OtherInt/MultSubindex.html>; e o mecanismo de busca Google tem o seu próprio site econômico em <http://www.directory.google.com/Top/Science/Social_Sciences/Economics>. Outro ponto de partida para recursos da internet em economia pode ser encontrado em <http://www.oswego.edu/~economic/econweb.htm>.

Você pode examinar um estudo recente sobre o impacto da imigração na sociedade norte-americana em *The New Americans* (1997) da National Academy of Sciences em <http://www.nap.edu>. Esse site proporciona livre acesso a mais de mil estudos de Economia e de outras ciências sociais e naturais.

QUESTÕES PARA DISCUSSÃO

1. **a.** Defina cuidadosamente o que significa a função ou curva de demanda. Enuncie e exemplifique com dois casos de sua própria experiência a lei da demanda negativamente inclinada.

   b. Defina o conceito de função ou curva de oferta. Demonstre que um aumento na oferta significa um deslocamento para a direita e para baixo da curva de oferta. Compare com o deslocamento para a direita e para cima da curva de demanda, decorrente de um incremento na demanda.

2. O que poderia aumentar a demanda de hambúrgueres? O que faria aumentar a oferta? Qual seria a consequência do lançamento de pizzas congeladas a baixo preço no equilíbrio de mercado dos hambúrgueres? E nos salários dos jovens que trabalham no McDonald's?

3. Explique a razão por que em mercados competitivos o preço de equilíbrio se estabelece na interseção da oferta e da demanda. Explique o que ocorre se o preço de mercado começa por ser muito alto ou muito baixo.

4. Explique por que as seguintes afirmações são *falsas*:
   a. Uma geada nas regiões produtoras de café do Brasil fará baixar o preço do café.
   b. A "proteção" dos fabricantes têxteis norte-americanos em relação às importações de roupas da China fará baixar o preço das roupas nos Estados Unidos.
   c. O rápido aumento das mensalidades nas universidades fará baixar a demanda do ensino superior.
   d. A guerra contra as drogas fará baixar o preço da maconha produzida internamente.

5. Nas quatro leis da oferta e da demanda, a seguir, preencha os espaços em branco. Demonstre cada lei com um gráfico de oferta e demanda.
   a. Um aumento na demanda, em geral, aumentará o preço e aumentará a quantidade demandada.
   b. Uma redução na demanda, em geral, _____ o preço e _____ a quantidade demandada.
   c. Um aumento na oferta, em geral, baixará o preço e aumentará a quantidade demandada.
   d. Uma redução na oferta, em geral, _____ o preço e _____ a quantidade demandada.

6. Para cada uma das seguintes afirmações, explique se a quantidade demandada varia em decorrência de um deslocamento da demanda ou de uma variação do preço, e desenhe um gráfico para ilustrar a sua resposta.
   a. Como resultado do aumento da despesa militar, o preço das botas da tropa aumenta.
   b. O preço do peixe cai após o Papa permitir que os católicos comam carne às sextas-feiras.
   c. O aumento do imposto sobre a gasolina reduz o consumo.
   d. No século XIV, após a devastação da Europa pela Peste Negra, os salários aumentaram.

7. Examine o gráfico do preço da gasolina na Figura 3-1. A seguir, usando um gráfico de oferta e demanda, ilustre o impacto de cada um dos seguintes casos sobre o preço e a quantidade demandada:
   a. Melhorias no transporte baixaram o custo de importação de petróleo pelos Estados Unidos nos anos 1960.
   b. Após a guerra de 1973, os países produtores reduziram fortemente a produção de petróleo.
   c. Após 1980, os automóveis pequenos fazem mais quilômetros por litro de combustível.
   d. O inverno de 1995-1996, com recorde de frio, aumentou inesperadamente a demanda de combustível para aquecimento.
   e. O rápido crescimento econômico a partir de 2000 levou a um aumento brusco dos preços do petróleo.

8. Examine a Figura 3-3. A relação preço-quantidade parece mais uma curva de oferta ou de demanda. Admitindo que a curva de demanda se manteve inalterada nesse período, trace as curvas de oferta para 1965 e 2008, que teriam gerado os pares (P, Q) para esses anos. Explique que forças poderiam ter levado ao deslocamento da curva de oferta.

9. A partir dos seguintes dados, desenhe as curvas de oferta e de demanda e determine o preço e a quantidade de equilíbrio:

Oferta e demanda de pizzas		
Preço (US$, por pizza)	Quantidade demandada (pizzas por semestre)	Quantidade ofertada (pizzas por semestre)
10	0	40
8	10	30
6	20	20
4	30	10
2	40	0
0	125	0

O que aconteceria se a demanda de pizzas triplicasse para cada preço? O que aconteceria se o preço fosse inicialmente estabelecido a US$ 4 por pizza?

PARTE DOIS

Microeconomia:
oferta, demanda
e mercados de bens

CAPÍTULO 4
Oferta e demanda: elasticidade e aplicações

Você não consegue ensinar um papagaio a ser um economista apenas ensinando-o a dizer "oferta" e "demanda".

Anônimo

Do nosso estudo introdutório, passamos agora para um estudo detalhado da microeconomia – do comportamento de empresas, consumidores e mercados setoriais. Em cada um dos mercados verifica-se a maior parte dos aspectos mais relevantes da história econômica e as controvérsias da política econômica. No âmbito da microeconomia estudaremos as razões da grande disparidade de rendas entre neurocirurgiões e operários têxteis. A microeconomia é essencial para entendermos por que os preços dos computadores diminuíram tão rapidamente e por que o seu uso se expandiu exponencialmente. Não esperemos compreender os debates acirrados sobre saúde ou salário mínimo sem aplicarmos as ferramentas da oferta e da demanda a esses setores. Mesmo temas como as drogas ilícitas ou o crime e punição são analisados com vantagem quando se considera como a demanda de substâncias que viciam é diferente da de outros bens.

Mas a compreensão da oferta e da demanda exige mais do que a simples repetição das palavras. Um domínio completo da análise microeconômica significa compreender a dedução de curvas da demanda e da oferta, conhecer os diferentes conceitos de custos e entender a diferença entre concorrência perfeita e monopólio. Todos esses e outros tópicos-chave serão objeto da nossa viagem pelo mundo fascinante da microeconomia.

A. ELASTICIDADE-PREÇO DA DEMANDA E DA OFERTA

Frequentemente, a oferta e a demanda podem nos dizer se certas forças aumentam ou diminuem as quantidades. Mas, para que essas ferramentas sejam verdadeiramente úteis, necessitamos conhecer o quanto a oferta e a demanda variam em resposta às variações de preço.

Algumas compras, como as de viagens de férias, são luxos que são muito sensíveis às variações de preço. Outras, como a alimentação e a eletricidade, são necessidades básicas pelas quais as quantidades dos consumidores respondem muito pouco às variações de preço. A relação quantitativa entre preço e quantidade demandada é analisada usando o conceito essencial de *elasticidade*. Começamos com uma definição cuidadosa desse termo e depois usaremos esse novo conceito para analisar os impactos microeconômicos dos impostos e de outros tipos de intervenção governamental.

ELASTICIDADE-PREÇO DA DEMANDA

Vejamos primeiro a resposta da demanda do consumidor às variações de preço:

A **elasticidade-preço da demanda** (por vezes designada simplesmente **elasticidade-preço**) mede a variação da quantidade demandada de um bem quando o seu preço varia. A definição precisa de elasticidade é a variação percentual da quantidade demandada dividida pela variação percentual do preço.

As elasticidades-preço dos bens, ou sensibilidade às alterações de preço, variam muito. Quando a elasticidade-preço de um bem é elevada, dizemos que o bem tem uma demanda "elástica", ou seja, a quantidade de sua demanda responde fortemente às variações de preço. Quando a elasticidade-preço de um bem é fraca, ela é "inelástica", pois a quantidade de sua demanda responde pouco às variações de preço.

Os bens que têm substitutos imediatos tendem a ter demandas mais elásticas do que os que não têm. Se todos os preços de alimentos e de sapatos aumentassem amanhã 20%, dificilmente se poderia esperar que as pessoas deixassem de comer ou que passassem a andar descalças, porque os alimentos e os sapatos são inelásticos em relação ao preço. Por outro lado, se a doença da vaca louca faz aumentar o preço da carne, as pessoas podem se voltar para a carne de vaca de outras origens, ou para carne de porco ou de frango, para satisfazer as suas necessidades de carne. Portanto, a carne de vaca apresenta uma elevada elasticidade-preço.

O tempo que os indivíduos levam para responder às variações de preço também é importante. Um bom exemplo é o da gasolina. Suponha que você está em viagem pelo país quando o preço da gasolina aumenta repentinamente. Você iria vender o seu carro e interromperia as férias? Claro que não. Por isso, no curto prazo, a demanda de gasolina pode ser muito inelástica.

No longo prazo, contudo, você pode ajustar o seu comportamento ao aumento de preço da gasolina comprando um carro menor e mais econômico, andando de bicicleta, tomando o metrô, mudando para mais perto do emprego ou utilizando o carro com outras pessoas. A capacidade para ajustar os padrões de consumo implica que as elasticidades da demanda sejam, em geral, maiores no longo prazo do que no curto prazo.

As elasticidades-preço da demanda para cada um dos bens são determinadas pelas características econômicas da demanda. As elasticidades-preço tendem a ser maiores quando os bens são de luxo, quando há substitutos e quando os consumidores têm mais tempo para ajustar o seu comportamento. Em contrapartida, as elasticidades são menores para os bens de primeira necessidade, para bens com poucos substitutos e no curto prazo.

Cálculo de elasticidades

A definição precisa de elasticidade-preço é a variação percentual da quantidade demandada dividida pela variação percentual do preço. Usamos o símbolo E_D para representar a elasticidade-preço e, por conveniência, ignoramos o sinal de menos, uma vez que as elasticidades são sempre positivas.

Podemos calcular numericamente o coeficiente da elasticidade-preço de acordo com a fórmula a seguir:

Elasticidade-preço da demanda = E_D

$$= \frac{\text{Variação percentual na quantidade demandada}}{\text{Variação percentual no preço}}$$

Sejamos mais precisos quanto às diferentes categorias de elasticidade-preço:

- Quando uma variação de 1% no preço corresponde a uma variação superior a 1% na quantidade demandada, o bem tem uma **demanda elástica em relação ao preço**. Por exemplo, se o aumento de 1% do preço resulta em uma redução de 5% na quantidade demandada, o bem tem uma demanda com elasticidade-preço muito elevada.

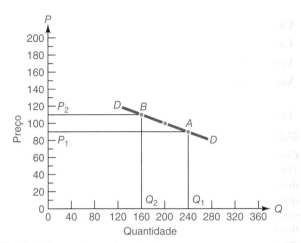

FIGURA 4-1 A demanda elástica apresenta uma resposta forte da quantidade à variação do preço.

O equilíbrio de mercado está originalmente no ponto A. Em resposta ao aumento de 20% do preço, a quantidade demandada diminui 40% para o ponto B. A elasticidade-preço é $E_D = 40/20 = 2$. A demanda é, portanto, elástica no intervalo de A para B.

- Quando uma variação de 1% no preço corresponde a uma variação inferior a 1% na quantidade demandada, o bem tem uma **demanda inelástica em relação ao preço**. Isso ocorre, por exemplo, quando de um aumento de 1% no preço resulta apenas 0,2% de redução da demanda.

- Um caso especial importante é o da **demanda com elasticidade unitária**, que ocorre quando a percentagem de variação da quantidade é exatamente a mesma da percentagem de variação do preço. Nesse caso, um aumento de 1% do preço resulta em uma redução de 1% da demanda. Veremos mais tarde que essa condição implica que a despesa total na mercadoria (que é igual a $P \times Q$) se mantém igual, mesmo quando o preço varia.

Exemplificamos o cálculo de elasticidades com o caso mostrado na Figura 4-1 e na Tabela 4-1. Começando no ponto A, a quantidade demandada era de 240 unidades, a um preço de 90. Um aumento de preço para 110 levou os consumidores a reduzir as suas compras para 160 unidades, o que é indicado como ponto B.

A Tabela 4-1 mostra como calculamos a elasticidade-preço. O aumento do preço é de 20%, resultante na redução da quantidade em 40%. A elasticidade-preço da demanda é evidentemente de $E_D = 40/20 = 2$. A elasticidade-preço é maior do que 1, portanto esse bem apresenta uma demanda elástica em relação ao preço na região de A a B.

Na prática, o cálculo de elasticidades é complicado, sendo necessário salientar três pontos importantes para os quais você deve ter especial cuidado.

1. Recorde que retiramos os sinais negativos dos valores, tratando, assim, todas as variações percentuais

> **Caso A:** Preço = 90 e quantidade = 240
> **Caso B:** Preço = 110 e quantidade = 160
> **Variação percentual do preço** = $\Delta P/P = 20/100 = 20\%$
> **Variação percentual da quantidade** = $\Delta Q/Q = -80/200 = -40\%$
> **Elasticidade-preço** = $E_D = 40/20 = 2$

TABELA 4-1 Exemplo de um bem com demanda elástica.

Considere a situação em que o preço aumenta de 90 para 110. De acordo com a curva da demanda, a quantidade demandada cai de 240 para 160. A elasticidade-preço é o quociente entre a variação percentual da quantidade e a variação percentual do preço. Eliminamos o sinal negativo dos valores de modo que todas as elasticidades são positivas.

como *positivas*. Isso significa que todas as elasticidades são números positivos, ainda que os preços e as quantidades demandadas variem em direções opostas, em virtude da inclinação negativa das curvas da demanda.

2. Note que a definição de elasticidade usa a *variação percentual* do preço e da demanda da variação absoluta. Isso significa que uma alteração das unidades de medida não afeta a elasticidade. Desse modo, quer os preços sejam em centavos ou em euros, a elasticidade-preço se mantém igual.

3. Repare que se usa a *média* para o cálculo das variações percentuais do preço e da quantidade. A fórmula para uma variação percentual é $\Delta P/P$. O valor de ΔP, na Tabela 4-1, é claramente 20 = 110 – 90. Mas não é imediatamente claro qual o valor que devemos usar para P no denominador. É o valor inicial de 90, o valor final de 110, ou algum valor intermediário?

Para variações percentuais muito pequenas, tais como de 100 para 99, é quase indiferente se usarmos 99 ou 100 no denominador. Mas, para grandes variações, a diferença é significativa. Para evitar a ambiguidade, tomamos sempre o preço médio como preço base do cálculo das variações percentuais. Na Tabela 4-1, usamos a média dos dois preços $[P = (90 + 110)/2 = 100]$ como a base, ou denominador, da fórmula da elasticidade. Da mesma forma, usamos a quantidade média $[Q = (160 + 240)/2 = 200]$ como a base para a medida da variação percentual da quantidade. A fórmula exata para o cálculo da elasticidade é, portanto:

$$E_D = \frac{\Delta Q}{(Q_1 + Q_2)/2} \div \frac{\Delta P}{(P_1 + P_2)/2}$$

em que P_1 e Q_1 representam o preço e a quantidade originais e P_2 e Q_2 representam os novos preço e quantidade.

Elasticidade-preço em gráficos

Também é possível determinar elasticidades-preço graficamente. A Figura 4-2 ilustra os três casos de elasticidade. Em cada caso, o preço é reduzido para metade e os consumidores variam a sua quantidade demandada de A para B.

Na Figura 4-2(*a*), a redução para metade do preço fez triplicar a quantidade demandada. Como no exemplo na Figura 4-1, esse caso mostra uma demanda elástica em relação ao preço. Na Figura 4-2(*c*), a redução para metade do preço levou a um aumento de apenas 50% na quantidade demandada, assim, esse é o caso de uma demanda inelástica. O caso limite de uma demanda com elasticidade unitária é mostrado na Figura 4-2(*b*); neste exemplo, a duplicação da quantidade demandada é exatamente igual à redução para metade do preço.

A Figura 4-3 apresenta os casos extremos importantes em que as demandas são infinitas ou nulas, ou totalmente elásticas ou totalmente inelásticas. Demandas totalmente inelásticas, ou com elasticidade zero, são aquelas em que a quantidade demandada não tem qualquer resposta às variações de preço; uma demanda desse tipo tem uma curva de demanda vertical. Pelo

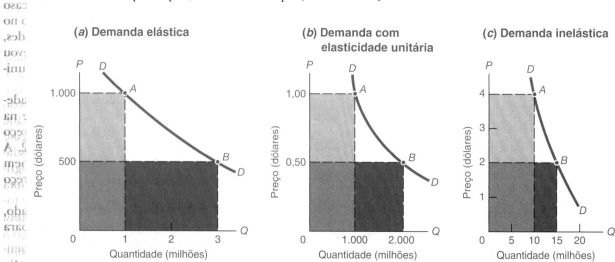

FIGURA 4-2 A elasticidade-preço da demanda se divide em três categorias.

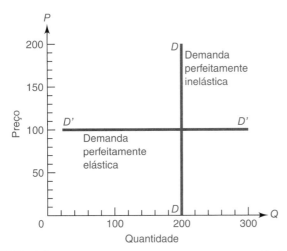

FIGURA 4-3 Demandas perfeitamente elásticas e inelásticas.

Os casos extremos de demanda são as curvas de demanda verticais, que representam demandas perfeitamente inelásticas ($E_D = 0$), e as curvas de demanda horizontais, que representam demandas perfeitamente elásticas ($E_D = \infty$).

contrário, quando a demanda é infinitamente elástica, uma ligeira variação no preço levará a uma variação infinitamente grande da quantidade demandada, tal como na curva de demanda horizontal da Figura 4-3.

Atalho para calcular elasticidades

Há uma regra simples para o cálculo da elasticidade-preço de uma curva da demanda:

> A elasticidade de uma linha reta em um ponto é dada pela razão entre o comprimento do segmento de reta abaixo do ponto e o comprimento do segmento de reta acima do ponto.

O procedimento é mostrado na Figura 4-4. No topo da linha, uma variação percentual muito pequena do preço induz uma variação percentual muito grande da quantidade e, portanto, a elasticidade é extremamente grande. A elasticidade-preço é relativamente grande quando estamos no topo da curva linear *DD*. Usamos a regra para calcular a elasticidade do ponto *B* na Figura 4-4. Calcule a razão entre o segmento *BZ* e o segmento *AB*. Olhando para os eixos, vemos que a razão é 3. Portanto, a elasticidade-preço no ponto *B* é 3.

Um cálculo similar no ponto *R* mostra que a demanda nesse ponto é inelástica, com uma elasticidade de 1/3.

Finalmente, calcule a elasticidade no ponto *M*. Aqui, a razão entre os dois segmentos de reta é um, de modo que a demanda tem elasticidade unitária no ponto médio *M*.

Também podemos usar a regra para calcular a elasticidade de uma curva da demanda não linear, como se mostra na Figura 4-5. Para esse caso, comece por desenhar uma linha que seja tangente no ponto e, em seguida, calcule a razão entre os segmentos da linha tangente. Isso permite o cálculo correto da elasticidade

Elasticidade de uma linha reta

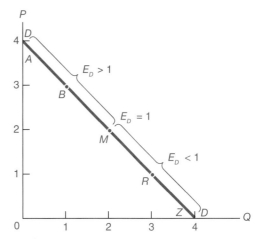

FIGURA 4-4 Uma regra simples para cálculo da elasticidade da demanda.

Podemos calcular a elasticidade como a razão entre o segmento inferior e o segmento superior no ponto de demanda. Por exemplo, no ponto *B*, o segmento inferior é 3 vezes mais comprido do que o segmento superior, pelo que a elasticidade é 3.

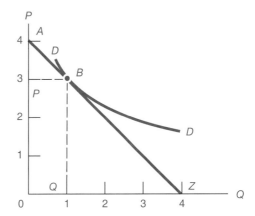

FIGURA 4-5 Cálculo da elasticidade da demanda de uma demanda curva.

Para calcular a elasticidade da demanda de uma demanda não linear, primeiro desenhe uma tangente no ponto. Depois, calcule a razão entre o comprimento do segmento de reta abaixo do ponto e o comprimento do segmento de reta acima do ponto. Desse modo, no ponto *B*, a elasticidade calculada é 3.

da linha curva. Use como exemplo o ponto *B* da Figura 4-5. Já traçamos uma linha reta tangente. Um exame cuidadoso mostrará que a razão entre o segmento inferior e o segmento superior é 3. Portanto, a demanda curva tem uma elasticidade de 3 no ponto *B*.

Álgebra das elasticidades

Para os que gostam de matemática, podemos mostrar a álgebra das elasticidades para as curvas de demanda

				Cálculo numérico da elasticidade			
Q	ΔQ	P	ΔP	$\dfrac{Q_1+Q_2}{2}$	$\dfrac{P_1+P_2}{2}$	$E_D = \dfrac{\Delta Q}{(Q_1+Q_2)/2}$	$\div \dfrac{\Delta P}{(P_1+P_2)/2}$
0		6					
	10		2	5	5	$\dfrac{10}{5} \div \dfrac{2}{5} = 5$	(Elástica)
10		4					
	10		2	15	3	$\dfrac{10}{15} \div \dfrac{2}{3} = 1$	(Elasticidade unitária)
20		2					
	10		2	25	1	$\dfrac{10}{25} \div \dfrac{2}{1} = 0{,}2$	(Inelástica)
30		0					

TABELA 4-2 Cálculo da elasticidade-preço ao longo de uma curva de demanda linear.

ΔP representa a variação no preço, ou seja, $\Delta P = P_2 - P_1$, enquanto $\Delta Q = Q_2 - Q_1$. Para calcular o valor de elasticidade, a variação percentual do preço é igual à variação do preço ΔP dividida pelo preço médio $[(P_2 + P_1)/2]$; a variação percentual do produto é calculada como ΔQ dividida pela quantidade média $[(Q_2 + Q_1)/2]$. Considerando todos os valores como positivos, o quociente resultante é o valor da elasticidade-preço da demanda, E_D. Note que, para uma linha reta, a elasticidade é elevada no topo, reduzida embaixo e exatamente igual a 1 no centro.

lineares. Começamos com uma curva de demanda que é escrita como $Q = a - bP$. A elasticidade da demanda no ponto (P_0, Q_0) é definida como $E_D = (\%\Delta Q)/(\%\Delta P) = (\Delta Q/Q_0)/(\Delta P/P_0) = (\Delta Q/\Delta P)(P_0/Q_0)$. Isso implica que a elasticidade no ponto (P_0, Q_0) é

$$E_D = b\,(P_0/Q_0).$$

Note que a elasticidade depende da inclinação da curva da demanda, mas também depende do par específico de preço e quantidade. A Questão 11, no fim deste capítulo, dá exemplos que lhe permitirão aplicar essa fórmula.

Elasticidade não é o mesmo que inclinação

Devemos sempre evitar confundir a elasticidade de uma curva com a sua inclinação. Essa distinção é facilmente perceptível quando examinamos as curvas de demanda lineares que se encontram frequentemente nos exemplos ilustrativos.

Qual é a elasticidade-preço de uma curva de demanda linear? Surpreendentemente, ao longo de uma curva de demanda linear, a elasticidade-preço varia de zero a infinito! A Tabela 4-2 apresenta um conjunto detalhado de cálculos de elasticidade, usando a mesma técnica da Tabela 4-1. Essa tabela mostra que as curvas de demanda linear começam com uma elevada elasticidade-preço, em que o preço é elevado e a quantidade é pequena, e acabam com uma elasticidade pequena, em que o preço é pequeno e a quantidade é elevada.

Isso ilustra um ponto importante. Quando se vê uma curva da demanda em um gráfico, não é verdade que uma inclinação pronunciada de uma curva signifique uma demanda inelástica ou que uma inclinação suave signifique uma demanda elástica. Inclinação não é o mesmo que elasticidade, porque a inclinação da curva da demanda depende das *variações* de P e de Q, enquanto a elasticidade depende das *variações percentuais* de P e de Q. As únicas exceções são os casos extremos de demandas completamente elásticas e completamente inelásticas.

Ilustramos também a ideia na Figura 4-4. Essa curva da demanda linear tem demanda elástica na região do topo e demanda inelástica na região inferior.

Finalmente, veja a Figura 4-2(*b*). Essa curva da demanda não é claramente uma linha reta com uma inclinação constante, e, no entanto, tem uma elasticidade de demanda constante de $E_D = 1$, porque a variação percentual do preço é, em qualquer ponto, igual à variação percentual da quantidade.

As elasticidades não podem ser deduzidas apenas das inclinações. A regra geral para elasticidades é que a elasticidade pode ser calculada como a razão entre o comprimento do segmento de reta, ou tangente, abaixo do ponto da demanda, e o comprimento do segmento acima do ponto.

ELASTICIDADE E RECEITA

Muitas empresas querem saber se, aumentando os preços, sua receita aumentará ou diminuirá. Essa é uma questão de importância estratégica para atividades como as de companhias aéreas, restaurantes e editoras, as quais têm de decidir se vale a pena aumentar os preços e se um preço maior faz a demanda diminuir. Vejamos a relação entre a elasticidade-preço e a receita total.

A **receita total** é, por definição, igual ao preço vezes a quantidade (ou $P \times Q$). Se os consumidores compram 5 unidades a US$ 3 cada, a receita total é US$ 15. Se conhecemos a elasticidade-preço da demanda, sabemos o que acontece à receita total quando o preço se altera:

1. Quando a demanda é inelástica em relação ao preço, uma redução do preço reduz a receita total.
2. Quando a demanda é elástica em relação ao preço, uma redução do preço aumenta a receita total.
3. No caso de demanda com elasticidade unitária, uma redução do preço não tem qualquer efeito na receita total.

Atualmente, o conceito de elasticidade-preço é largamente utilizado pelas empresas que querem dividir os clientes em grupos com diferentes elasticidades. Essa técnica tem sido muito desenvolvida pelas companhias aéreas (veja o destaque a seguir). Outro exemplo são as empresas de programação que têm uma grande variedade de preços para os seus produtos, em uma tentativa de explorar diferentes elasticidades. Por exemplo, se alguém pretende desesperadamente comprar um novo sistema operacional, sua elasticidade é baixa e o vendedor lucrará em cobrar-lhe um preço relativamente elevado. Pelo contrário, se não tiver muita pressa em fazer uma melhoria do sistema, pode demandar à sua volta o melhor preço e a sua elasticidade é elevada. Nesse caso, o vendedor deverá encontrar uma forma de realizar a venda cobrando um preço relativamente baixo.

Voe pelos céus financeiros da "Elasticidade Linhas Aéreas"

O conhecimento das elasticidades de demanda vale bilhões de dólares por ano às companhias aéreas dos Estados Unidos. O ideal para as companhias é cobrar um preço relativamente elevado dos passageiros que viajam a negócios e um preço suficientemente baixo dos passageiros que viajam a turismo para ocupar todos os lugares vazios. É uma estratégia para aumentar as receitas e maximizar o lucro.

Mas se cobrarem um preço elevado dos passageiros que viajam a negócios, que têm uma elasticidade baixa, e um preço mais em conta dos passageiros de turismo, que têm elasticidade alta, as companhias aéreas terão um grande problema – manter as duas classes de passageiros separadas. Como podem evitar que os passageiros a negócio, com elasticidade baixa, comprem os bilhetes mais baratos dirigidos aos passageiros de turismo e não deixar que estes passageiros ocupem os lugares que os passageiros a negócio estão dispostos a comprar?

As companhias aéreas resolveram o problema aplicando a "discriminação de preço" entre os seus diferentes clientes, de uma forma que explora as diferentes elasticidades-preço. A **discriminação de preço** é a prática de cobrar preços diferentes para o mesmo serviço a diferentes clientes. As companhias aéreas oferecem bilhetes com desconto a passageiros que planejem com antecedência e que tendem a permanecer por mais tempo. Uma forma de separar os dois grupos é oferecer descontos a pessoas que não viajam nos fins de semana – uma regra que desestimula os passageiros a trabalho que desejam estar em casa no fim de semana. Em geral, também não há descontos em cima da hora, pois muitas viagens de negócios são visitas inesperadas para resolver alguma crise não prevista – outro caso de demanda inelástica ao preço. As companhias aéreas têm desenvolvido softwares extremamente sofisticados para gerir a disponibilidade de lugares, de modo a garantir que os seus clientes com elasticidade reduzida não possam se beneficiar de bilhetes com desconto.

Paradoxo da colheita extraordinária

Podemos usar as elasticidades para ilustrar um dos mais famosos paradoxos de toda a economia: o da colheita extraordinária. Imagine que em um dado ano a natureza seja boa para a agricultura. Um inverno frio matou as pragas; a primavera chegou cedo para a plantação; não houve geadas devastadoras; a chuva veio na intensidade certa; e um outono ensolarado permitiu que uma colheita recorde chegasse ao mercado. No final do ano, a família Silva se reúne alegremente para calcular a sua renda para os próximos 12 meses. Os Silva terão uma surpresa enorme: *o bom tempo e a colheita recorde tinham reduzido a sua renda e a dos outros agricultores.*

Como isso pode ser possível? A resposta está na elasticidade da demanda de alimentos. A demanda de produtos alimentares básicos como o trigo e o milho tende a ser inelástica. Para esses bens de primeira necessidade, o consumo varia pouco em relação ao preço. Mas isso não significa que os agricultores têm uma receita total menor quando a colheita é boa do que quando é ruim. O aumento da oferta resultante da colheita extraordinária tende a baixar o preço. Mas o menor preço não faz aumentar muito a quantidade demandada. Isso implica que, com uma elasticidade-preço baixa dos

Valor da elasticidade da demanda	Descrição	Definição	Impacto nas receitas
$E_D > 1$	Demanda elástica	Variação percentual da quantidade demandada é *maior* do que a variação percentual do preço.	As receitas *aumentam* quando o preço diminui.
$E_D = 1$	Demanda com elasticidade unitária	Variação percentual da quantidade demandada é *igual* à variação percentual do preço.	As receitas permanecem *inalteradas* quando o preço diminui.
$E_D < 1$	Demanda inelástica	Variação percentual da quantidade demandada é *menor* do que a variação percentual do preço.	As receitas *diminuem* quando o preço diminui.

TABELA 4-3   Elasticidades: resumo dos conceitos fundamentais.

alimentos, uma colheita elevada (Q grande) tende a estar associada a uma receita fraca ($P \times Q$ pequena).

Podemos ter essas ideias ilustradas observando novamente a Figura 4-2. Começamos mostrando como medir a receita no próprio gráfico. A receita total é igual ao preço vezes a quantidade, $P \times Q$. Depois, a área de um retângulo é sempre igual à base vezes a altura. Portanto, a receita total em qualquer ponto de uma curva da demanda pode ser encontrada a partir da área do retângulo formada por P e Q nesse ponto.

Em seguida, podemos testar a relação entre elasticidade e receita para o caso da elasticidade unitária na Figura 4-2(b). Note que a região sombreada da receita ($P \times Q$) é a do US$ 1 bilhão em ambos os pontos A e B. As áreas sombreadas, as quais representam a receita total, são as mesmas, em virtude da compensação das variações na base Q e na altura P. Isso é o que poderíamos esperar no caso limite da demanda com elasticidade unitária.

Podemos ver também que a Figura 4-2(a) corresponde a uma demanda elástica. Nessa figura, o retângulo da receita se expande de US$ 1 bilhão para US$ 1,5 bilhão quando o preço é reduzido à metade. Como a receita total aumenta quando o preço diminui, a demanda é elástica.

Na Figura 4-2(c), o retângulo da receita é reduzido de US$ 40 milhões para US$ 30 milhões quando o preço cai para metade, uma vez que a demanda é inelástica.

Qual gráfico ilustra o caso da agricultura em que uma grande colheita significa menores receitas totais para os agricultores? É claramente o da Figura 4-2(c). E qual representa o caso das viagens de turismo em que um preço menor significa maiores receitas? É seguramente o da Figura 4-2(a).

A Tabela 4-3 apresenta os pontos principais a reter sobre elasticidades-preço.

Impostos sobre o cigarro e fumantes

Qual o impacto do imposto sobre o cigarro no consumo? Algumas pessoas dirão: "Os cigarros são tão viciantes que as pessoas pagarão o que puderem pelo seu hábito diário". Implicitamente, quando dizemos que a quantidade demandada não responde ao preço, estamos dizendo que a elasticidade-preço é zero. O que dizem os dados acerca da elasticidade-preço do consumo de cigarro?

Podemos usar um exemplo histórico para ilustrar o assunto. O estado de Nova Jersey duplicou o imposto sobre o cigarro de 40 centavos para 80 centavos por maço, elevando o seu preço médio de US$ 2,40 para US$ 2,80. Os economistas estimaram que o efeito do aumento do preço em Nova Jersey foi apenas um decréscimo do consumo de 52 para 47,5 milhões de maços.

Usando a fórmula da elasticidade, pode-se calcular que a elasticidade-preço no curto prazo é 0,59. (Verifique se você consegue atingir esse valor.) Estudos estatísticos mais detalhados chegam a estimativas similares. Os dados indicam que a elasticidade-preço do cigarro é, sem dúvida, diferente de zero.

ELASTICIDADE-PREÇO DA OFERTA

Claro que o consumo não é a única coisa que varia quando os preços aumentam ou diminuem. As empresas também reagem aos preços nas suas decisões sobre quanto produzir. Os economistas definem a elasticidade-preço da oferta como o grau de resposta da quantidade ofertada de um bem ao seu preço de mercado.

Mais precisamente, a **elasticidade-preço da oferta** é a variação percentual da quantidade ofertada dividida pela variação percentual do preço do bem.

Tal como nas elasticidades da demanda, há casos extremos de alta e baixa elasticidade da oferta. Suponha que a quantidade ofertada é perfeitamente fixa, como no caso do peixe fresco levado ao mercado para ser vendido independentemente do preço que venha a ser estabelecido. Esse é o caso limite de elasticidade zero, ou oferta perfeitamente inelástica, cuja curva de oferta é vertical.

No outro extremo, suponha que uma ínfima redução no preço torne a oferta nula, e que um ligeiro aumento de preço provoque um aumento infinitamente grande da oferta. Assim, o quociente entre a variação percentual da quantidade ofertada e a variação percentual do preço é muito grande e origina uma curva de oferta horizontal. Esse é o caso extremo de oferta infinitamente elástica.

Entre esses extremos, dizemos que a oferta é elástica ou inelástica conforme o aumento percentual da quantidade seja maior ou menor do que a variação percentual do preço. No caso da elasticidade unitária, em que a elasticidade-preço da oferta é igual a 1, o aumento percentual da quantidade ofertada é exatamente igual ao aumento percentual do preço.

Você pode verificar rapidamente que estas definições de elasticidade-preço da oferta são exatamente as mesmas da elasticidade-preço da demanda. A única diferença é que, para a oferta, a resposta da quantidade em relação ao preço é positiva, enquanto para a demanda a resposta é negativa.

A definição exata da elasticidade-preço da oferta, E_S, é a seguinte:

$$E_S = \frac{\text{Variação percentual da quantidade ofertada}}{\text{Variação percentual do preço}}$$

A Figura 4-6 apresenta três casos importantes de elasticidade da oferta: (*a*) a curva da oferta vertical correspondente a uma oferta perfeitamente inelástica, (*c*) a curva da oferta horizontal, representando uma oferta perfeitamente elástica e (*b*) um caso intermediário de reta, passando pela origem, que ilustra o caso de elasticidade unitária.[1]

Quais os determinantes principais da elasticidade da oferta? O principal fator que influencia a elasticidade da oferta é a facilidade com que a produção do setor pode ser expandida. Se todos os fatores de produção podem ser facilmente encontrados nos preços atuais de mercado, como no caso da indústria têxtil, então a produção pode ser fortemente aumentada com um pequeno aumento do preço. Isso significaria que a elasticidade da oferta é bastante grande. Por outro lado, se a capacidade de produção é fortemente limitada, como no caso da mineração de ouro, então até mesmo aumentos acentuados do preço do ouro produzem apenas uma pequena resposta na produção; isso seria uma oferta inelástica.

Outro fator importante nas elasticidades da oferta é o período de tempo considerado. Uma dada variação do preço tende a ter um maior efeito na quantidade ofertada, à medida que o tempo para resposta dos produtores aumenta. Em períodos de tempo muito curtos após o aumento de preço, as empresas podem ser incapazes de aumentar os seus fatores de produção como trabalho, matérias-primas e capital, de modo que a

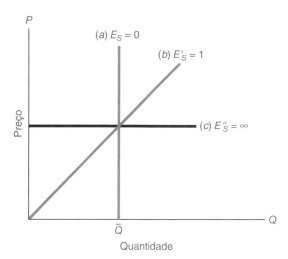

FIGURA 4-6 A elasticidade da oferta depende da resposta dos produtores ao preço.

Quando a oferta é fixa, a elasticidade da oferta é zero, como na curva (*a*). A curva (*c*) apresenta uma resposta infinitamente grande da quantidade às variações de preço. O caso intermediário (*b*) se verifica quando as variações percentuais da quantidade e do preço são iguais.

oferta pode ser bastante inelástica em relação ao preço. Contudo, com o passar do tempo, elas podem contratar mais trabalhadores, construir novas fábricas e expandir a capacidade, e as elasticidades da oferta tenderão a se elevar.

Podemos usar a Figura 4-6 para ilustrar como a oferta pode se modificar ao longo do tempo no caso do pescado. A curva (*a*) pode corresponder à oferta de peixe no dia que chega ao mercado, em que é leiloado e arrematado por qualquer que seja o preço resultante. A curva (*b*) pode corresponder ao prazo intermediário de cerca de um ano, com uma dada capacidade da frota pesqueira e antes que novos trabalhadores sejam atraídos para o setor. No longo prazo, com a construção de novos barcos de pesca, a contratação de novos pescadores e a construção de novas instalações de criação de peixe em cativeiro, a oferta de peixe pode se tornar muito elástica em relação ao preço, como no caso (*c*).

B. APLICAÇÕES A GRANDES QUESTÕES ECONÔMICAS

Tendo feito o nosso trabalho de base com o estudo das elasticidades, mostramos agora como essas ferramentas podem nos auxiliar a compreender muitas das tendências econômicas básicas e questões políticas. Iniciamos com uma das principais transformações após a Revolução Industrial – o declínio da agricultura. A seguir,

---

[1] Você pode determinar a elasticidade de uma curva de oferta que não seja uma reta deste modo: (a) desenhe a reta tangente à curva em um ponto, e, a seguir, (b) meça a elasticidade dessa reta tangencial.

FIGURA 4-7 Os preços dos produtos agrícolas básicos têm caído acentuadamente.

Uma das principais forças que influenciam a economia dos Estados Unidos tem sido o declínio dos preços relativos dos produtos agrícolas básicos – trigo, milho, soja e similares. Ao longo das últimas décadas, os preços agrícolas, ao nível geral de preços, caíram relativamente 2% ao ano. A escassez de cereais desde 2005 diminuiu, mas não inverteu a trajetória declinante de longo prazo dos preços relativos dos alimentos. Contudo, a recente subida dos preços de alimentos tem contribuído para a inflação em muitos países, e mesmo para os distúrbios causados em virtude dos alimentos, em países pobres.

Fonte: Bureau of Labor Statistics.

examinaremos o efeito dos impostos sobre um setor, usando o exemplo do imposto sobre a gasolina. Analisamos, também, as consequências de vários tipos de intervenção governamental nos mercados.

ECONOMIA AGRÍCOLA

A nossa primeira aplicação da análise da oferta e demanda é na agricultura. A primeira parte desta seção apresenta alguns dos fundamentos econômicos do setor agrícola. A seguir, usaremos a teoria da oferta e da demanda para estudar os efeitos da intervenção do governo nos mercados agrícolas.

Declínio relativo da agricultura no longo prazo

A agricultura já foi o nosso maior setor de atividade. Há cem anos, metade da população norte-americana vivia e trabalhava em fazendas, mas esse número, atualmente, desceu para menos de 3% da população ativa. Ao mesmo tempo, os preços dos produtos agrícolas diminuíram relativamente às rendas e aos outros preços na economia. A Figura 4-7 mostra o contínuo declínio dos preços agrícolas ao longo da última metade de século. Enquanto a renda média das famílias mais do que duplicou, as rendas da agricultura têm estagnado. Os senadores dos estados agrícolas protestam contra o declínio da atividade agrícola familiar.

Um único gráfico pode explicar a causa da tendência decrescente dos preços agrícolas melhor do que milhares de livros e artigos. A Figura 4-8 mostra um equilíbrio inicial com preços elevados no ponto *E*. Observe o que aconteceu à agricultura com o passar dos anos. A demanda de alimentos aumentou lentamente, uma vez que a maioria deles é consumida por necessidade; em consequência, o deslocamento da demanda é modesto em comparação com o crescimento da renda média da economia.

E quanto à oferta? Embora muitos pensem erroneamente que a agricultura é um setor atrasado, estudos estatísticos mostram que a produtividade (o produto por unidade de insumo) cresceu mais rapidamente na agricultura do que na maioria dos outros setores. Incluem-se nos progressos importantes a mecanização por meio de tratores e colheitadeiras, fertilização e a irrigação, rações selecionadas e desenvolvimento de sementes geneticamente modificadas. Todas essas inovações aumentaram imensamente a produtividade dos insumos agrícolas. O crescimento rápido da produtividade fez aumentar muito a oferta, como é mostrado pelo deslocamento da curva da oferta de *SS* para *S'S'* na Figura 4-8.

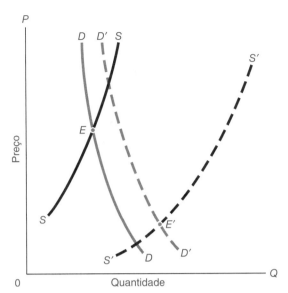

FIGURA 4-8 As dificuldades da agricultura resultam da expansão da oferta e da rigidez da elasticidade-preço da demanda.

O equilíbrio em *E* representa as condições no setor agrícola décadas atrás. A demanda de produtos agrícolas tende a crescer mais lentamente do que o impressionante aumento da oferta gerado pelo progresso tecnológico. Desse modo, os preços agrícolas competitivos tendem a diminuir. Além disso, em virtude de a elasticidade-preço da demanda ser inelástica, as rendas agrícolas diminuem com o aumento da oferta.

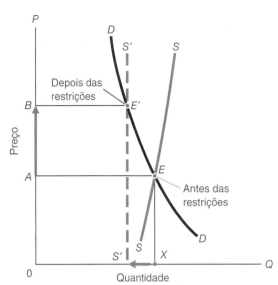

FIGURA 4-9 Os programas de restrição da produção agrícola aumentam tanto o preço como a renda agrícola.

Antes da restrição da produção, o mercado competitivo produz um equilíbrio com um preço baixo em *E*. Quando o governo restringe a produção, a curva da oferta é deslocada para a esquerda para *S'S'*, deslocando o equilíbrio para *E'* e aumentando o preço para *B*. Note que o novo retângulo de renda 0*BE'S'* é maior do que o retângulo de receita original 0*AEX* – a receita maior é o resultado de uma demanda inelástica.

O que teve de acontecer no novo equilíbrio competitivo? Aumentos fortes da oferta ultrapassaram os aumentos modestos na demanda, o que levou à tendência decrescente dos preços agrícolas relativamente aos outros preços na economia. E isto foi precisamente o que aconteceu nas últimas décadas, como se vê na Figura 4-7.

Restrições à produção agrícola. Em resposta à queda das rendas, os agricultores têm pressionado frequentemente o governo federal para obter auxílio econômico. Ao longo dos anos, o governo dos Estados Unidos tem tomado muitas medidas para auxiliar os agricultores tanto internamente quanto no exterior. Aumentaram os preços com políticas de preços mínimos; restringiram as importações por meio de tarifas e quotas; e, por vezes, simplesmente enviaram cheques aos agricultores que concordaram em *não* produzir nas suas terras.

Como a *redução da produção pode ajudar* efetivamente os agricultores? Podemos usar o paradoxo da colheita extraordinária para explicar este resultado. Suponha que o governo exige a todos os agricultores que reduzam a produção. Como mostra a Figura 4-9, isso tem o efeito de deslocar a curva da oferta para cima e para a esquerda. Dado que a demanda de alimentos é inelástica, as restrições de produção agrícola não só elevam o preço das colheitas como também tendem a aumentar as rendas totais dos agricultores. Tais como as colheitas extraordinárias prejudicam os agricultores, as restrições à produção aumentam as rendas agrícolas. Claro que os consumidores são prejudicados pelas restrições à produção agrícola e pelos preços mais elevados – da mesma forma que o seriam se uma intempérie ou uma seca originasse uma escassez de alimentos.

As restrições à produção são um exemplo típico de interferências do governo em um mercado específico. Com frequência, essas restrições aumentam a receita de um grupo em prejuízo dos consumidores. Essas políticas, em geral, são ineficazes: o ganho dos agricultores é menor do que o prejuízo dos consumidores.

IMPACTO DE UM IMPOSTO SOBRE O PREÇO E A QUANTIDADE

Os governos tributam uma grande variedade de bens – cigarros, bebidas alcoólicas, bens importados, serviço telefônico etc. Estamos, frequentemente, interessados em determinar quem, de fato, arca com um imposto, e é aqui que a oferta e a demanda são essenciais.

Considere o exemplo dos impostos sobre a gasolina. Em 2008, o imposto sobre a gasolina nos Estados Unidos era, em média, cerca de 50 centavos por galão. Muitos economistas e ecologistas defendem impostos sobre a gasolina muito maiores para os Estados Unidos. Eles argumentam que impostos mais elevados reduziriam o consumo, e, em consequência, reduziriam o aquecimento global, bem como a dependência de fontes estrangeiras instáveis de petróleo. Alguns advogam esse aumento em US$ 1 ou US$ 2 por galão. Qual seria o impato de tal variação?

Concretamente, suponhamos que o governo decida desestimular o consumo de petróleo fixando um imposto de US$ 2 por galão. Os legisladores prudentes deveriam, claro, ser relutantes em aumentar tão fortemente os impostos sobre os combustíveis sem um sólido conhecimento das consequências de tal medida. Deveriam procurar conhecer a incidência do imposto. *Por **incidência** entendemos o impacto econômico final de um imposto sobre as rendas reais dos produtores e consumidores.* Pelo fato de as empresas petrolíferas pagarem os impostos isso não significa que estes reduzam de fato os seus lucros. Usando a oferta e a demanda, podemos analisar a exata incidência do imposto.

É possível que o peso do imposto seja transferido, a seguir, para os consumidores, o que ocorrerá se o preço da gasolina no varejo repassar, na totalidade, os US$ 2 do imposto. Ou talvez que os consumidores reduzam tanto as compras de gasolina que o peso do imposto seja devolvido completamente às companhias petrolíferas. Somente poderá ser determinado onde, de fato, se dá o impacto entre esses dois extremos, com a análise da oferta e da demanda.

A Figura 4-10 fornece a resposta. Nela, é mostrado o equilíbrio original E, na interseção das curvas originais SS e DD, quando o preço de gasolina é de US$ 2 por galão e o consumo total de 100 bilhões de galões por ano. Representamos o imposto de US$ 2 no mercado de varejo da gasolina como um deslocamento para cima da curva da oferta, mantendo-se inalterada a curva da demanda. A curva da demanda não se desloca porque a quantidade demandada para cada preço no varejo não se altera após o aumento do imposto sobre a gasolina. Repare que a curva da demanda da gasolina é relativamente inelástica.

Em contrapartida, a curva da oferta, sem dúvida, desloca-se para cima em US$ 2. A razão é que os produtores estarão dispostos a vender determinada quantidade (por exemplo, 100 bilhões de galões) somente se receberem o mesmo preço *líquido* anterior. Ou seja, para qualquer quantidade ofertada, o preço de mercado tem de aumentar exatamente no valor do imposto. Se os produtores estivessem originalmente dispostos a vender 80 bilhões de galões a US$ 1,80 por galão, continuariam dispostos a vender a mesma quantidade ao preço de varejo de US$ 3,80 (que, após a dedução do imposto, rende aos produtores os mesmos US$ 1,80 por galão).

Qual será o novo preço de equilíbrio? A resposta se encontra na interseção das novas curvas da oferta e da demanda, em E', onde $S'S'$ e DD se cruzam. Em virtude do deslocamento da oferta, o preço no varejo é mais elevado. Também a quantidade ofertada e demandada é menor. Se observarmos o gráfico atentamente, desco-

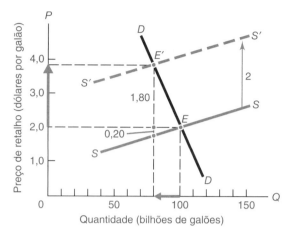

FIGURA 4-10 O imposto sobre a gasolina recai tanto sobre o consumidor como sobre o produtor.

Qual é a incidência de um imposto? Um imposto de US$ 2 sobre a gasolina desloca a curva da oferta US$ 2 para cima em todos os pontos, resultando em uma nova curva da oferta, $S'S'$, paralela à curva da oferta original SS. Essa nova curva da oferta intersepta DD no novo ponto de equilíbrio E', onde o preço do consumidor subiu US$ 1,80 e o preço dos produtores desceu US$ 0,20. As setas mostram as variações em P e Q. Repare que os consumidores arcam com a maior parte do encargo do imposto.

brimos que o novo preço de equilíbrio subiu de US$ 2 para US$ 3,80. O novo produto de equilíbrio, ao qual a oferta e a demanda se igualam, caiu de 100 para cerca de 80 bilhões de galões.

Ao final, quem paga pelo imposto? Qual é a sua incidência? É claro que a indústria petrolífera paga uma pequena parcela, porque recebe somente US$ 1,80 (US$ 3,80 menos o imposto de US$ 2) ao invés de US$ 2. Mas o consumidor arca com a maior parte do peso, com o preço do varejo subindo US$ 1,80, uma vez que a oferta é relativamente elástica enquanto a demanda é relativamente inelástica em relação ao preço.

Subsídios. Se os impostos são usados para desestimular o consumo de um bem, os subsídios são usados para incentivar a produção. Um exemplo esclarecedor de subsídio ocorre na agricultura. Você pode examinar o impacto de um subsídio no mercado deslocando a curva da oferta para *baixo*. As regras gerais para os subsídios são exatamente análogas às dos impostos.

Regras gerais da incidência dos impostos. A gasolina é apenas um exemplo de como analisar a incidência dos impostos. Usando esse modelo podemos compreender como os impostos sobre o cigarro afetam tanto os preços quanto o consumo; como os impostos sobre as importações afetam o comércio externo; e como os impostos sobre o patrimônio, as contribuições para a previdência social e os impostos sobre os lucros das empresas afetam os preços da terra, os salários e as taxas de juro.

A questão central na determinação da incidência de um imposto são as elasticidades relativas da oferta e da demanda. Se a demanda é inelástica relativamente à oferta, como no caso da gasolina, a maior parte do custo recai sobre os consumidores. Pelo contrário, se a oferta é inelástica relativamente à demanda, como no caso da terra, então a maior parte do imposto recai sobre a oferta. A regra geral para a determinação da incidência de um imposto é a seguinte:

A incidência de um imposto significa o impacto desse imposto sobre as rendas dos produtores e dos consumidores. Em geral, a incidência depende das elasticidades relativas da demanda e da oferta. (1) Um imposto irá repercutir *para frente*, nos consumidores, se a *demanda for inelástica* relativamente à oferta; (2) um imposto irá repercutir para *trás*, nos produtores, se a oferta é relativamente mais inelástica do que a demanda.

PATAMARES MÍNIMOS E TETOS MÁXIMOS

Em vez de tributar ou subsidiar um produto, por vezes o governo fixa preços mínimos ou máximos. A história está repleta de exemplos. Desde os tempos bíblicos os governos têm limitado as taxas de juros cobradas por quem empresta dinheiro (as designadas leis da usura). Em tempos de guerra, os governos impõem, com frequência, controles sobre os salários e os preços para evitar a espiral inflacionária. Durante a crise energética dos anos 1970, houve controles sobre os preços da gasolina. Algumas grandes cidades, incluindo Nova York, têm controles sobre aluguéis de apartamentos.[2] Atualmente, há limites cada vez mais rigorosos sobre os preços que os médicos e os hospitais podem cobrar ao abrigo de programas de saúde federais, como o Medicare.* Por vezes, há patamares mínimos de preço, como no caso do salário mínimo.

Esses tipos de interferência nas leis da oferta e da demanda são substancialmente diferentes daqueles em que o governo estabelece um imposto e depois deixa o mercado agir por meio da oferta e da demanda. Embora existam sempre pressões políticas para manter os preços baixos e os salários elevados, a experiência nos ensinou que os controles de preços e de salários nos vários setores tendem a criar importantes distorções econômicas. Não obstante, tal como Adam Smith muito bem sabia quando protestou contra as políticas mercantilistas de antigamente, a maioria dos sistemas econômicos sofrem a praga de ineficiências resultantes de interferências bem-intencionadas, mas desconhecedoras dos mecanismos da oferta e da demanda. Estabelecer preços máximos ou mínimos em um mercado tende a produzir efeitos econômicos surpreendentes e, por vezes, perversos. Vejamos a razão.

---

[2] Para uma análise do controle sobre aluguéis veja a Questão 9, ao final deste capítulo.
* N. de R.T.: Medicare é o programa federal norte-americano de seguro-saúde para pessoas acima de 65 anos e casos especiais.

Dois exemplos importantes de interferência governamental são o salário mínimo e os controles de preço da gasolina. Ambos ilustrarão os efeitos colaterais inesperados que podem surgir quando os governos interferem na determinação, pelo mercado, do preço e da quantidade.

Controvérsia do salário mínimo

O salário mínimo estabelece o piso que os empregadores são obrigados a pagar aos trabalhadores. Nos Estados Unidos, o salário mínimo em nível federal começou em 1938, quando o governo exigiu que os trabalhadores fossem pagos em, pelo menos, 25 centavos por hora. Em 1947, o salário mínimo era cerca de 65% do salário médio pago na indústria de transformação (ver Figura 4-11). Uma lei mais recente aumentou o salário mínimo para US$ 7,25 por hora, em 2009.

Este é um assunto que divide mesmo os mais eminentes economistas. Por exemplo, o prêmio Nobel, Gary Becker, disse secamente: "Aumentem o salário mínimo e verão que mandam pessoas para o desemprego". Outro grupo de premiados com o Nobel rebateu: "Acreditamos que o salário mínimo em nível federal pode ser aumentado em um montante moderado sem que prejudique significativamente as oportunidades de emprego".

Como podem os não especialistas tratar a questão se os especialistas estão tão divididos? Como poderemos avaliar essas declarações aparentemente contraditórias? Para começar, devemos reconhecer que as declarações sobre a conveniência do aumento do salário mínimo contêm juízos de valor pessoais. Tais declarações podem estar fundamentadas na melhor economia positiva e, ainda assim, fazem recomendações diferentes sobre importantes questões políticas.

Uma análise fria indica que o debate sobre o salário mínimo se centra mais em questões de interpretação do que em desacordos fundamentais sobre resultados empíricos. Comece por observar a Figura 4-12, que representa o mercado de trabalhadores não qualificados. A figura mostra como um salário mínimo estabelece um patamar mínimo para a maioria dos empregos. Quando o salário mínimo sobe acima do equilíbrio de mercado em *M*, o número total de empregos move-se para cima na curva da demanda para *E*, fazendo o desemprego diminuir. O hiato entre a mão de obra disponível e a mão de obra demandada é indicado em *U*. Essa lacuna representa a dimensão do desemprego.

Usando a oferta e a demanda, vemos que haverá provavelmente um aumento do desemprego e uma diminuição do emprego de trabalhadores pouco qualificados. Mas qual a dimensão dessas grandezas? E qual será o impacto na renda salarial dos trabalhadores de baixa renda? Sobre essas questões podemos observar os dados empíricos.

A maioria dos estudos indica que um aumento de 10% do salário mínimo reduziria o emprego dos jovens entre 1 e 3%. O impacto sobre o emprego dos adultos é

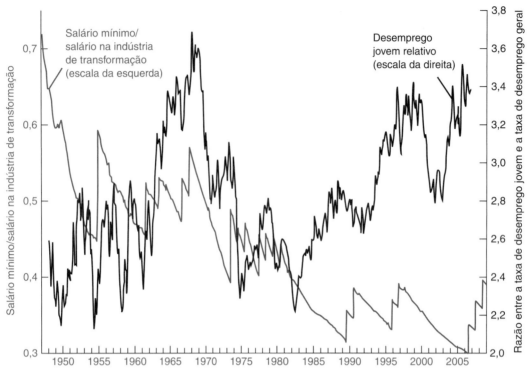

FIGURA 4-11 O salário mínimo e o desemprego jovem, 1947-2009.

A linha contínua representa o nível do salário mínimo relativamente ao ganho médio por hora na indústria de transformação. Repare como o salário mínimo caiu lentamente em relação aos outros salários ao longo do último meio século. Além disso, a linha tracejada mostra a razão entre o desemprego jovem e o desemprego global. Você vê alguma relação entre as duas linhas? O que isso lhe diz acerca da controvérsia sobre o salário mínimo?

Fonte: Dados do U.S. Department of Labor. Dados sobre o salário mínimo podem ser encontrados no site do Department of Labor em: <http://www.dol.gov/esa/minwage/q-a.htm>.

FIGURA 4-12 Efeitos do salário mínimo.

Estabelecer um salário mínimo, em S_{min}, bastante acima do salário de equilíbrio estabelecido livremente pelo mercado, $S_{mercado}$, resulta no emprego em E. O emprego reduz-se, como mostram as setas, de M para E. Além disso, o desemprego é U, que é a diferença entre a mão de obra disponível em LF e o emprego em E. Se a curva da demanda é inelástica, o aumento do salário mínimo aumentará a renda dos trabalhadores de baixo salário. Para visualizar isso, sombreie o retângulo dos salários totais antes e depois do aumento do salário mínimo.

ainda menor. Alguns estudos recentes apontam para efeitos sobre o emprego de adultos muito próximos de zero, e um conjunto de estudos sugere que o emprego poderia mesmo aumentar. Portanto, uma leitura atenta das citações dos eminentes economistas indica que alguns economistas consideram que pequeno é "insignificante", enquanto outros salientam a ocorrência da perda de, pelo menos, alguns empregos. O nosso exemplo na Figura 4-12 mostra um caso em que a redução do *emprego* (apresentado como a diferença entre M e E) é muito pequena, enquanto o aumento do *desemprego* causado pelo salário mínimo (indicado pela linha U) é relativamente grande.

A Figura 4-11 mostra a história do salário mínimo e o desemprego jovem no último meio século. Com o declínio do poder do movimento operário, a razão entre o salário mínimo e o salário da indústria de transformação baixou de 2/3 em 1947 para cerca de 1/3 em 2008. Houve uma ligeira tendência de aumento da taxa do desemprego relativa dos jovens nesse período. É útil examinar o padrão das variações para se detectar um impacto do salário mínimo no desemprego dos jovens.

Outro elemento no debate se refere ao impacto do salário mínimo nas rendas. Praticamente todos os estudos concluem que a demanda de trabalhadores de salário baixo é inelástica em relação ao preço. Os resultados que citamos indicam que a elasticidade-preço se situa entre 0,1 e 0,3. Dadas as referidas elasticidades, um aumento de 10% do salário mínimo fará com que aumentem as rendas dos grupos afetados em 7 a 9%. A Figura 4-12 mostra como as *rendas* dos trabalhadores de salário baixo aumentam, apesar da redução do seu *emprego total*. Isso pode ser visto comparando-se os retângulos da renda abaixo dos pontos de equilíbrio *E* e *M*. (Ver a Questão 8*e* ao final deste capítulo.)

O impacto na renda é ainda outra razão pela qual há desacordo acerca do salário mínimo. Os que estão especialmente preocupados com o bem-estar dos grupos com baixa renda podem pensar que pequenas deficiências são um pequeno preço a se pagar por rendas mais elevadas. Outros – que se preocupam mais com os custos acumulados das interferências no mercado ou com o impacto de custos acrescidos sobre os preços, lucros e a competitividade internacional – podem sustentar que as deficiências são um preço muito elevado. Outros ainda podem pensar que o salário mínimo é uma forma ineficiente de transferir poder de compra para grupos de baixa renda; estes prefeririam usar transferências de renda diretas ou subsídios ao salário pelo governo em vez de inflacionar o sistema de salários. Qual é para você a importância dessas três preocupações? Dependendo das prioridades de cada um, pode-se chegar a conclusões bastante diferentes sobre a justificativa para o aumento do salário mínimo.

Controle de preços da energia

Outro exemplo de interferência governamental ocorre quando o governo decreta um teto máximo para os preços. Isso ocorreu nos Estados Unidos nos anos 1970, mas os resultados foram modestos. Voltamos à nossa análise do mercado da gasolina para ver como os controles de preço funcionam.

Vamos caracterizar a situação. Suponha que um forte aumento dos preços do petróleo ocorre inesperadamente. Isso tem acontecido em virtude da redução da oferta pelo cartel e da expansão da demanda, mas também pode ocorrer em decorrência de perturbações políticas no Oriente Médio, por causa de guerras ou revoluções. A Figura 3-1 mostrou os resultados da interação da oferta e da demanda nos mercados do petróleo.

Os políticos, vendo a alta repentina de preços, elevam a voz a denunciar a situação. Reclamam que os consumidores estão sendo "explorados" por companhias de petróleo muito lucrativas. Temem que a subida dos preços inicie uma espiral inflacionária do custo de vida. Preocupam-se com o impacto da alta de preços sobre os pobres e os idosos. Exigem do governo que "faça alguma coisa". Diante do aumento de preços, o governo dos Estados Unidos pode ser tentado a dar ou-

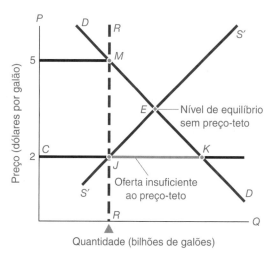

FIGURA 4-13 Controles de preços originam escassez.

Sem uma limitação legal do preço, este subiria até *E*. Com o preço-teto de US$ 2, a oferta e a demanda não estão equilibradas, o que origina escassez. É necessário algum método de racionamento, formal ou informal, para distribuir a oferta reduzida e baixar a demanda efetiva até a oferta em *RR*. Se as senhas de racionamento *CJ* se tornassem comercializáveis, isso implicaria uma nova curva de oferta *RR*. Ao preço-teto de US$ 2, as senhas seriam vendidas a US$ 3 e o preço total (senhas mais dinheiro) seria de US$ 5.

vidos a esses argumentos e a fixar um teto para os preços do petróleo, como o fez de 1973 a 1981.

Quais são os efeitos desses tetos? Suponha que o preço inicial da gasolina é de US$ 2 por galão. Então, em decorrência de um grande corte no fornecimento de petróleo, o preço de mercado de gasolina aumenta acentuadamente. Considere agora o mercado de gasolina após o choque da oferta. Na Figura 4-13, o equilíbrio após o choque se dá no ponto *E*. Se fosse permitido o funcionamento do mercado livre, o mercado ficaria equilibrado a um preço de talvez US$ 3,50. Os consumidores se queixariam, mas estariam dispostos a pagar um preço maior em vez de ficarem sem combustível.

Racionamento pela fila, por senhas ou pelo bolso?

O governo entra em cena e decreta que o preço máximo da gasolina é o nível anterior de US$ 2 por galão. Podemos representar esse preço máximo legal como a reta de preço-teto *CJK* na Figura 4-13.

Ao preço-teto legal, as quantidades ofertadas e demandadas não são iguais. O mercado não pode se equilibrar porque a lei proíbe os produtores de cobrarem um preço mais alto. Os consumidores querem mais gasolina do que os produtores estão dispostos a fornecer ao preço controlado. Isso é mostrado pelo hiato entre *J* e *K*. Segue-se um período de frustação e escassez – um jogo das cadeiras em que alguém fica sem gasolina quando o posto de gasolina fica sem combustível.

A oferta inadequada de gasolina tem de ser racionada de algum modo. A princípio pode funcionar com o "é servido quem chegar primeiro". As pessoas esperam em fila – é o racionamento pela fila. Como o tempo das pessoas tem valor, o tamanho da fila serve como uma espécie de preço que limita a demanda. Vemos o racionamento pela fila atualmente em mercados como o de assistência médica, em que o preço da assistência médica é subsidiado. Esse sistema desperdiça recursos porque é gasto muito tempo valioso com a espera em fila, como forma de evitar que os preços cheguem ao equilíbrio.

Às vezes, especialmente durante as grandes guerras, como a Segunda Guerra Mundial, os governos aplicam um sistema mais eficiente de racionamento que não pelo preço, baseado na atribuição formal de senhas de atendimento. As pessoas recebem, por exemplo, uma porção de gasolina que é distribuída com base no número de automóveis. Com as senhas de atendimento, cada cliente precisa ter uma senha, além de dinheiro, para comprar os bens – existem de fato, dois tipos de dinheiro. Quando é adotado o racionamento, a escassez desaparece, porque a demanda é limitada pela atribuição de senhas.

De que forma se altera a imagem da oferta-e-demanda com as senhas de atendimento? Na Figura 4-13, suponha que o governo distribui senhas correspondentes à quantidade CJ. Então, a oferta e a nova demanda se equilibram no preço máximo de US\$ 2.

Por vezes, as senhas de atendimento são negociáveis. A Figura 4-13 mostra a oferta de senhas de RR. Com essa curva de oferta, o preço de equilíbrio da gasolina é de US\$ 5 por galão, e o preço das senhas é dado por JM, ou US\$ 3 por galão. Nesse ponto, a gasolina é de novo um bem de mercado, onde se paga US\$ 2 por ela e US\$ 3 por uma senha. O preço de fato aumentou, mas de forma indireta. Além disso, as pessoas com senhas tiveram uma nova forma de renda. Note que, por causa do controle de preços, a quantidade ofertada ainda está no nível anterior, mas o preço total, incluindo as senhas (US\$ 5), é de fato mais alto que o preço de equilíbrio original, sem racionamento (US\$ 3,50 dólares).

Tudo isso parece e é complicado. A história tem mostrado que a evasão legal e ilegal aos controles de preços cresce ao longo do tempo. As ineficiências acabam por eliminar quaisquer impactos favoráveis que os controles pudessem ter sobre os consumidores. Em especial, quando há grande possibilidade de substituição (ou seja, quando as elasticidades da oferta ou da demanda são elevadas), os controles de preços são caros, difíceis de gerir e ineficazes. Consequentemente, os controles de preços são raramente utilizados em economias de mercado.

Aqui há uma lição importante e profunda: os bens são sempre escassos. A sociedade não pode nunca satisfazer os desejos de todos. Em tempos normais, o preço raciona por si só as ofertas escassas. Quando os governos decidem intervir na oferta e na demanda, os preços deixam de desempenhar o papel de racionamento. Desperdício, ineficiência e agravamento da situação são as companheiras quase certas dessas interferências.

RESUMO

A. Elasticidade-preço da demanda e da oferta

1. A elasticidade-preço da demanda mede a resposta quantitativa da demanda a uma variação do preço. A elasticidade-preço da demanda (E_D) é definida como o quociente entre a variação percentual da quantidade demandada e a variação percentual do preço. Isto é:

    Elasticidade-preço da demanda = E_D

    $$= \frac{\text{Variação percentual na quantidade demandada}}{\text{Variação percentual no preço}}$$

    Neste cálculo, os sinais são positivos, sendo P e Q as médias dos valores novo e antigo.

2. Dividimos as elasticidades-preço em três categorias. (*a*) A demanda é elástica quando a variação percentual na quantidade demandada é superior à variação percentual do preço; isto é, $E_D > 1$. (*b*) A demanda é inelástica quando a variação percentual da quantidade demandada é menor do que a variação percentual do preço; aqui, $E_D < 1$. (*c*) Quando a variação percentual da quantidade demandada é exatamente igual à variação percentual do preço, temos o caso limite da elasticidade da demanda unitária, em que $E_D = 1$.

3. A elasticidade-preço é um mero número resultante de percentagens; não deve ser confundido com a inclinação.

4. A elasticidade da demanda nos indica o impacto de uma variação do preço sobre a receita total. Se a demanda é elástica, uma redução do preço faz aumentar a receita total. Se a demanda é inelástica, uma redução do preço faz diminuir a receita total. No caso da elasticidade unitária, a variação do preço não tem qualquer efeito na receita.

5. A elasticidade-preço da demanda tende a ser baixa nos bens de primeira necessidade, como os alimentos e a habitação, e alta nos bens de luxo, como automóveis ou viagens de avião. Outros determinantes que influenciam a elasticidade-preço são o número de substitutos imediatos e o período de tempo que os consumidores têm para se ajustarem à variação dos preços.

6. A elasticidade-preço da oferta mede a variação percentual do produto ofertado pelos produtores quando o preço de mercado varia em uma dada percentagem.

B. Aplicações a grandes questões econômicas

7. A agricultura é uma das áreas em que a aplicação da análise de oferta e demanda se revela mais proveitosa. Os progressos na tecnologia agrícola significam o aumento acentuado da oferta, enquanto a demanda de alimentos cresce proporcionalmente menos do que a renda. Desse modo, os preços dos alimentos, no mercado livre, tendem a diminuir. Não é surpresa que os governos tenham adotado

uma variedade de programas, como a restrição das produções, para garantir as rendas dos agricultores.

8. Um imposto sobre um bem faz deslocar o equilíbrio da oferta e demanda. A incidência do imposto (ou impacto sobre as rendas) irá sobrecarregar mais intensamente os consumidores do que os produtores, em função do grau de inelasticidade da demanda em relação à oferta.

9. Às vezes, os governos interferem no funcionamento dos mercados competitivos, fixando limites máximos ou mínimos aos preços. Em tais situações, a quantidade ofertada não precisa ser igual à quantidade demandada; os limites máximos levam a um excesso de demanda enquanto os limites mínimos a um excesso da oferta. Às vezes, a interferência pode aumentar as rendas de um grupo particular, como no caso dos agricultores ou dos trabalhadores pouco qualificados. Frequentemente, como resultado, ocorrem distorções e ineficiências.

CONCEITOS PARA REVISÃO

Conceitos de elasticidade
– elasticidade-preço da demanda, da oferta
– demanda elástica, inelástica e com elasticidade unitária
– E_D = variação % de Q/variação % de P

– determinantes da elasticidade
– receita total = $P \times Q$
– relação entre elasticidade e variação da receita

Aplicações da oferta e da demanda
– incidência de um imposto
– distorções resultantes de controles de preço
– racionamento por preço *versus* racionamento pela fila

LEITURAS ADICIONAIS E SITES

Leituras adicionais

Se tiver algum conceito específico que queira rever, como elasticidade, você pode consultar em uma enciclopédia de economia como John Black, *Oxford Dictionary of Economics*, 2. ed. (Oxford, New York, 2002), ou David W. Pearce, ed., *The MIT Dictionary of Modern Economics* (MIT Press, Cambridge, Mass., 1992). A enciclopédia mais abrangente que cobre muitos tópicos avançados, em sete volumes, é Steven N. Durlauf and Lawrence E. Blume, eds., *The New Palgrave Dictionary of Economics* (Macmillan, London, 2008), disponível na maioria das bibliotecas.

O salário mínimo gerou um debate acirrado entre os especialistas em economia. Um livro recente de dois economistas do trabalho apresenta prova de que o salário mínimo tem pouco efeito sobre o emprego: David Card and Alan Krueger, *Myth and Measurement*: The New Economics of the Minimum Wage (Princeton University Press, Princeton, N.J., 1997).

Sites

Não há atualmente dicionários online confiáveis para termos de economia. Há poucos sites bons na web para compreender os conceitos econômicos fundamentais como oferta e demanda, ou elasticidades. A enciclopédia concisa de economia é disponível na internet em <http://www.econlib.org/library/CEE.html>; é, em geral, confiável, mas cobre apenas um pequeno número de tópicos. Em alguns casos, o site de acesso livre da *Encyclopaedia Britannica* em <http://www.britannica.com> oferece uma base ou materiais históricos. Quando tudo o mais falhar, você poderá acessar a Wikipédia em <http://en.wikipedia.org/wiki/Main_Page>, mas com o aviso de que, frequentemente, não é confiável. (Por exemplo, a definição em 2008 de "elasticidade-preço da demanda" era quase incompreensível.)

Questões cotidianas como o salário mínimo são, com frequência, discutidas em textos econômicos no site da rede do *Economic Policy Institute*, uma associação de debate de ideias centrada em questões econômicas dos trabalhadores, em <http://www.epinet.org>.

QUESTÕES PARA DISCUSSÃO

1. "Uma boa colheita, em geral, faz baixar a renda dos agricultores". Ilustre esta afirmação utilizando um gráfico de oferta e demanda.

2. Para cada par de bens, indique qual você considera mais elástico em relação ao preço e justifique: perfume e sal; penicilina e sorvetes; automóveis e pneus de automóveis; sorvetes e sorvetes de chocolate.

3. "O preço diminui 1%, causando o aumento de 2% da quantidade demandada. A demanda é, portanto, elástica, com $E_D > 1$." Se você substituir 2 por meio na primeira frase, quais deverão ser as outras duas alterações na citação?

4. Suponha um mercado competitivo de apartamentos. Qual deveria ser o efeito na produção e preço de equilíbrio após as seguintes alterações (mantendo-se tudo o mais constante)? Em cada caso, ilustre a sua resposta com o uso da oferta e da demanda.

    a. Um aumento na renda dos consumidores.
    b. Um imposto de US$ 10 mensais sobre as rendas dos apartamentos.
    c. Um decreto do governo estabelecendo que não podem ser alugados apartamentos por mais de US$ 200 por mês.

d. Uma nova técnica que permite a construção de apartamentos pela metade do custo.

   e. Um aumento de 20% nos salários dos trabalhadores da construção.

5. Considere uma proposta de aumento do salário mínimo em 10%. Após rever os argumentos referidos no capítulo, estime o impacto sobre o desemprego e sobre as rendas dos trabalhadores afetados. Usando os valores que obteve, escreva um pequeno artigo explicando de que modo se pronunciaria se tivesse de dar o *seu* parecer sobre o salário mínimo.

6. Um crítico conservador dos programas do governo escreveu que "os governos sabem como fazer uma coisa muito bem. Sabem como criar escassez e excedentes". Explique esta citação, utilizando exemplos como o do salário mínimo ou dos limites máximos da taxa de juro. Mostre graficamente que, se a demanda de trabalhadores não qualificados é elástica em relação ao preço, um salário mínimo diminuirá as rendas totais (o salário vezes a quantidade demandada de mão de obra) dos trabalhadores não qualificados.

7. Considere o que aconteceria se fosse decretada uma tarifa de US$ 2 mil sobre os automóveis importados. Mostre o impacto dessa tarifa na oferta e na demanda e sobre o preço e a quantidade de equilíbrio dos automóveis dos Estados Unidos. Explique por que os fabricantes norte-americanos de automóveis e os seus trabalhadores apoiam frequentemente as restrições à importação de automóveis?

8. Problemas de elasticidade:

   a. Estima-se que a demanda de petróleo tenha uma elasticidade-preço de curto prazo de 0,05. Se o preço inicial do petróleo fosse de US$ 100 por barril, qual seria o efeito no preço do petróleo e na quantidade de um embargo que reduzisse em 5% a oferta mundial de petróleo? (Para este exercício, considere que a curva da oferta de petróleo é completamente inelástica).

   b. Para mostrar que as elasticidades são independentes das unidades, reporte-se à Tabela 3-1. Calcule as elasticidades para cada par de demanda. Altere as unidades de preço de euros para centavos; altere a unidade das quantidades de milhões de caixas para toneladas, utilizando a taxa de conversão de 10 mil caixas por tonelada. Calcule novamente as elasticidades nas duas primeiras linhas. Explique por que obtém a mesma resposta.

   c. João e Gil subiram o morro até um posto de gasolina que não exibe os preços. João diz: "Coloque US$ 10 de gasolina". Gil diz: "Coloque 10 galões de gasolina". Quais são as elasticidades-preço da demanda de gasolina de João e de Gil? Explique.

   d. Você pode explicar a razão pela qual os suinocultores, durante uma depressão, podem aprovar um programa governamental para abate e enterro de porcos?

   e. Observe o impacto do salário mínimo mostrado na Figura 4-12. Desenhe os retângulos da renda total com e sem salário mínimo. Qual é o maior? Relacione o impacto do salário mínimo com a elasticidade-preço da demanda de trabalhadores não qualificados.

9. Ninguém gosta de pagar aluguel. Porém, a escassez de terrenos e de casas nas cidades leva frequentemente a que os aluguéis aumentem exageradamente. Em resposta aos aumentos dos aluguéis, os governos, às vezes, impõem *controles dos aluguéis*. Estes, em geral, limitam os aumentos dos aluguéis a um pequeno aumento anual e podem deixar os valores controlados muito abaixo dos valores do mercado sem restrições.

   a. Desenhe novamente a Figura 4-13 para ilustrar o impacto do controle dos aluguéis de apartamentos.

   b. Qual será o efeito do controle dos aluguéis na taxa de ocupação dos apartamentos?

   c. Que outras opções, que não por meio dos aluguéis, podem aparecer como substitutos de aumento dos valores?

   d. Explique as palavras de um crítico europeu do controle dos aluguéis: "Exceto um bombardeio, nada é mais eficaz do que o controle de aluguéis para a destruição de uma cidade". (*Sugestão*: o que aconteceria à manutenção de edifícios?)

10. Reveja o exemplo do imposto sobre o cigarro em Nova Jersey (p. 62). Usando papel quadriculado ou um computador, desenhe as curvas da demanda e da oferta que correspondem aos preços e quantidades antes e depois do imposto. (A Figura 4-10 mostra o exemplo para um imposto sobre a gasolina.) Para esse exemplo considere que a curva da oferta é perfeitamente elástica. [*Nota adicional*: uma curva da demanda com elasticidade-preço constante tem a forma de $Y = AP^{-e}$, em que Y é a quantidade demandada, P é o preço, A é uma constante, sendo e (em valor absoluto) a elasticidade-preço. Encontre os valores de A e e que darão a curva da demanda correta para os preços e quantidades do exemplo de Nova Jersey.]

11. Reveja a álgebra das elasticidades da demanda na p. 59. A seguir, suponha que a curva da demanda tem a seguinte forma: $Q = 100 - 2P$.

    a. Calcule as elasticidades com $P = 1,25$ e 49.

    b. Explique por que a elasticidade é diferente de inclinação, usando a fórmula.

Demanda e comportamento do consumidor

CAPÍTULO 5

Oh, a razão não a necessidade: os nossos mais indigentes pedintes são supérfluos nas coisas mais ínfimas.

W. Shakespeare
Rei Lear

Todos os dias tomamos um número infindável de decisões sobre como aplicar o nosso dinheiro e o nosso tempo, sendo ambos escassos. Vamos comprar uma pizza ou um hambúrguer? Comprar um carro novo ou consertar o velho? Gastar a nossa renda hoje ou poupá-la para consumo futuro? Vamos tomar o café da manhã ou dormir até tarde? Ao pesar demandas e desejos alternativos, estamos tomando as decisões que definem as nossas vidas.

São os resultados dessas escolhas individuais que estão subjacentes às curvas da demanda e às elasticidades-preço que encontramos nos capítulos anteriores. Este capítulo explora os princípios básicos da escolha e do comportamento do consumidor. Veremos como os padrões da demanda de mercado podem ser explicados pelo processo da busca individual do conjunto preferido de bens de consumo. Aprenderemos também a quantificar os benefícios que cada um de nós tira por participar de uma economia de mercado.

ESCOLHA E TEORIA DA UTILIDADE

Ao explicar o comportamento do consumidor, a economia se baseia na premissa fundamental de que as pessoas escolhem os bens e serviços que mais valorizam. Para descrever a forma como os consumidores escolhem entre as diferentes possibilidades de consumo, os economistas desenvolveram, há um século, a noção de *utilidade*. A partir da noção de utilidade, foram capazes de deduzir a curva da demanda e explicar suas propriedades.

O que entendemos por "utilidade"? Em uma palavra, **utilidade** significa satisfação. Mais precisamente, refere-se a como os consumidores hierarquizam os diferentes bens e serviços. Se, para o Silva, a cesta de bens *A* tem maior utilidade do que a cesta *B*, essa ordenação indica que Silva prefere *A* a *B*. Frequentemente, é conveniente pensar na utilidade como o prazer subjetivo ou o proveito que uma pessoa obtém com o consumo de um bem ou de um serviço. Mas devemos evitar totalmente a ideia de que a utilidade é uma função psicológica ou um sentimento que possa ser observado ou medido. A utilidade é, antes, uma construção científica que os economistas usam para compreender como os consumidores racionais tomam decisões. Deduzimos a função demanda de cada consumidor a partir da pressuposição de que as pessoas tomam as decisões que lhes proporcionam a maior satisfação ou utilidade.

Na teoria da demanda, pressupomos que as pessoas maximizam a sua utilidade, o que significa que escolhem o conjunto de bens de consumo que mais lhes agrada.

Utilidade marginal e a lei da utilidade marginal decrescente

Como se aplica a utilidade à teoria da demanda? Considere que o consumo da primeira unidade de sorvete lhe dá certo grau de satisfação ou utilidade. Agora, imagine que você consome uma segunda unidade. A sua utilidade total aumenta porque a segunda unidade lhe dá alguma utilidade adicional. E o que aconteceria com uma terceira e uma quarta unidades do mesmo bem? Se tomasse muitos sorvetes, você acabaria por ficar doente em vez de aumentar a sua satisfação ou utilidade!

Isso nos conduz ao conceito econômico fundamental de utilidade marginal. Quando tomar uma segunda unidade de sorvete você irá obter alguma satisfação ou utilidade adicional. O incremento da sua utilidade se designa **utilidade marginal**.

A expressão "marginal" é um termo-chave em economia e significa sempre "adicional" ou "extra". Utilidade marginal indica a utilidade adicional que se consegue com o consumo de uma unidade adicional de um bem.

Uma das ideias fundamentais subjacente à teoria da demanda é a **lei da utilidade marginal decrescente**. Essa lei afirma que à medida que uma pessoa consome cada vez mais de um bem, a utilidade adicional, ou marginal, diminui.

Para compreender essa lei, recorde, primeiro, que a utilidade tende a aumentar quando se consome mais de um bem. Contudo, ao consumir cada vez mais, a utilidade total crescerá a uma taxa cada vez menor. Isso é o mesmo que dizer que a sua utilidade marginal (a utilidade adicional acrescentada pela última unidade consumida do bem) diminui com o aumento do consumo de um bem.

Segundo a lei da utilidade decrescente, à medida que a quantidade consumida de um bem aumenta, a utilidade marginal desse bem tende a diminuir.

Exemplo numérico

Podemos ilustrar numericamente a utilidade como na Tabela 5-1. A tabela mostra, na coluna (2), que a utilidade total (U) obtida aumenta com o crescimento do consumo (Q), mas aumenta a uma taxa decrescente. A coluna (3) quantifica a utilidade marginal como a utilidade adicional obtida quando é consumida 1 unidade adicional do bem. Assim, se o indivíduo consome 2 unidades, a utilidade marginal será de 7 – 4 = 3 unidades de utilidade (chamam-se "unidades de utilidade" a essas unidades).

A seguir, examine a coluna (3). O fato de a utilidade marginal reduzir quando o nível de consumo é mais elevado é ilustrativo da lei da utilidade marginal decrescente.

A Figura 5-1 apresenta graficamente os dados da utilidade total e da utilidade marginal da Tabela 5-1. Na parte (a), os blocos sombreados se somam para indicar a utilidade total em cada nível de consumo. Além disso, a curva contínua mostra o nível contínuo de utilidade para unidades fracionárias de consumo e a utilidade aumentando, mas a uma taxa decrescente. A Figura 5-1(b) representa as utilidades marginais. Cada um dos blocos sombreados da utilidade marginal é do mesmo tamanho do bloco correspondente da utilidade total em (a). A linha reta em (b) é a curva contínua da utilidade marginal.

A lei da utilidade marginal decrescente implica que a curva da utilidade marginal (UMg) na Figura 5-1(b) tem de ter uma inclinação descendente. Isto é exatamente equivalente a dizer que a curva da utilidade total na Figura 5-1(a) deve ser côncava como uma cúpula.

(1) Quantidade consumida de um bem Q	(2) Utilidade total U	(3) Utilidade marginal UMg
0	0	
		4
1	4	
		3
2	7	
		2
3	9	
		1
4	10	
		0
5	10	

TABELA 5-1 A utilidade aumenta com o consumo.

Quando consumimos mais de um bem ou serviço, como pizzas ou concertos de música, a utilidade total aumenta. O incremento da utilidade de uma unidade para a seguinte é a "utilidade marginal" – a utilidade adicional acrescentada pela última unidade adicional consumida. Pela lei da utilidade marginal decrescente, a utilidade marginal diminui com níveis crescentes de consumo.

Relação entre utilidade total e utilidade marginal. Usando a Figura 5-1, podemos ver facilmente que a utilidade total do consumo de certa quantidade é igual à soma das utilidades marginais até esse ponto. Por exemplo, considere que são consumidas 3 unidades. A coluna (2) da Tabela 5-1 mostra que a utilidade total são 9 unidades. Na coluna (3), vemos que a soma das utilidades marginais das três primeiras unidades é também 4 + 3 + 2 = 9 unidades.

Ao examinar a Figura 5-1(b), vemos que a área total sob a curva da utilidade marginal em um certo nível de consumo – quer medido pelos blocos, quer pela área sob a curva contínua UMg – tem de ser igual à altura da curva da utilidade total representada para o mesmo número de unidades na Figura 5-1(a).

Quer utilizemos tabelas, quer gráficos no exame desta relação, vemos que a utilidade total é a soma de todas as utilidades marginais que foram adicionadas desde o início.

História da teoria da utilidade

A moderna teoria da utilidade deriva do *utilitarismo*, que é uma das mais importantes correntes do pensamento ocidental nos dois últimos séculos. A noção de utilidade apareceu pouco depois de 1700 com o desenvolvimento das ideias básicas das probabilidades matemáticas.

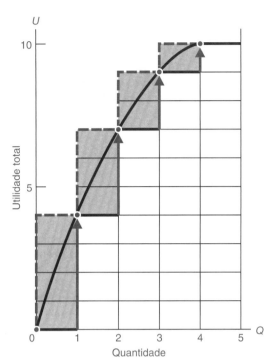
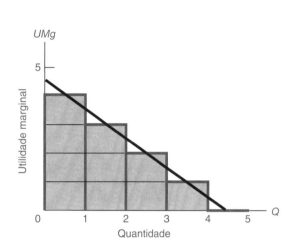

FIGURA 5-1 A lei da utilidade marginal decrescente.

A utilidade total em (*a*) aumenta com o consumo, mas aumenta a uma taxa decrescente, apresentando uma utilidade marginal decrescente. Essa observação levou os primeiros economistas a formular a lei da demanda negativamente inclinada.

Os blocos sombreados mostram a utilidade adicional acrescentada por cada nova unidade. O fato de a utilidade total aumentar a uma taxa decrescente é mostrado em (*b*) pelos patamares decrescentes da utilidade marginal. Se tornarmos as unidades cada vez menores, os patamares da utilidade total tornam-se contínuos e a utilidade total transforma-se na curva contínua representada em (*a*). Além disso, a utilidade marginal contínua, representada em (*b*) pela reta com inclinação negativa, torna-se indistinguível da inclinação da curva contínua de (*a*).

Assim, Daniel Bernoulli, um membro de uma brilhante família suíça de matemáticos, observou, em 1738, que as pessoas agem como se o dinheiro que se dispõem a ganhar em uma aposta equitativa valesse menos do que o mesmo dinheiro que aceitam perder. Isso significa que são avessas ao risco e que níveis de riqueza incrementais lhes proporcionam um acréscimo cada vez menor de utilidade efetiva.

A apresentação inicial da noção de utilidade nas ciências sociais foi a do filósofo inglês Jeremy Bentham (1748-1831). Após ter estudado a teoria do direito e sob a influência das doutrinas de Adam Smith, Bentham virou-se para o estudo dos princípios necessários à elaboração da legislação social. Propôs que a sociedade devia ser organizada segundo o "princípio da utilidade", que definiu como "a propriedade de qualquer objeto... para produzir prazer, bem ou alegria, ou para evitar... a dor, o mal ou a tristeza". Toda a legislação, de acordo com Bentham, deveria subordinar-se aos princípios do utilitarismo, para promover "a felicidade máxima do maior número de indivíduos". Nas suas outras propostas legislativas constavam ideias bastante modernas sobre o crime e a punição, nas quais sugeria que o aumento da "dor" dos criminosos por meio de uma pena pesada levaria à diminuição da criminalidade.

As ideias de Bentham sobre a utilidade, atualmente, parecerão familiares a muitos. Mas há 300 anos foram revolucionárias porque sublinhavam que as políticas sociais e econômicas deviam ser concebidas para atingir certos resultados práticos, enquanto a legitimidade, nesse tempo, baseava-se geralmente na tradição, no direito divino dos reis ou em doutrinas religiosas. Atualmente, muitos pensadores políticos defendem as suas propostas legislativas com noções utilitaristas acerca do que tornará melhor a situação para o maior número de indivíduos.

O passo seguinte no desenvolvimento da teoria da utilidade ocorreu quando os economistas neoclássicos – como Wiliam Stanley Jevons (1835-1882), ampliaram o conceito de utilidade de Bentham para explicar o comportamento do consumidor. Jevons pensava que a teoria econômica era um "cálculo do prazer e da

> dor" e desenvolveu a teoria de que os indivíduos racionais baseariam as suas decisões de consumo na utilidade adicional ou marginal de cada bem.
>
> As ideias de Jevons e de seus colaboradores conduziram diretamente às teorias modernas da utilidade ordinal e das curvas de indiferença desenvolvidas por Vilfredo Pareto, John Hicks, RGD Allen, Paul Samuelson e outros em que as ideias de Bentham da utilidade cardinal mensurável já não são necessárias.

DEDUÇÃO DE CURVAS DA DEMANDA

Princípio da igualdade marginal

Explicada a teoria da utilidade, aplicaremos essa teoria na explicação da demanda do consumidor e para compreender a natureza das curvas de demanda.

Admitimos que cada consumidor maximiza a utilidade, o que significa que o consumidor escolhe, entre os disponíveis, o conjunto preferido de bens. Também admitimos que os consumidores têm uma determinada renda e se confrontam com os preços dos bens.

Qual será a regra simples para escolher o conjunto preferido de bens nessa situação? Certamente, não esperamos que o último ovo proporcione a mesma utilidade marginal do último par de sapatos, porque os sapatos custam muito mais por unidade do que os ovos. Uma regra satisfatória seria: se o bem A custa o dobro do bem B, então, compre o bem A apenas quando a sua utilidade marginal seja pelo menos o dobro da utilidade marginal do bem B.

Isso nos leva ao *princípio da igualdade marginal*, segundo o qual cada um deveria organizar o seu consumo de modo que o último centavo gasto em cada bem lhe proporcione a mesma utilidade marginal.

Princípio da igualdade marginal: a condição fundamental da satisfação ou utilidade máxima é o princípio da igualdade da utilidade marginal por unidade monetária. Segundo esse princípio, um consumidor atingirá a satisfação, ou utilidade, máxima quando a utilidade marginal da última unidade monetária gasta com um bem é exatamente igual à utilidade marginal da última unidade monetária despendida em qualquer outro bem.

Por que essa condição se mantém? Se algum bem me proporcionasse uma maior utilidade marginal por unidade monetária, eu aumentaria a minha utilidade retirando dinheiro de outros bens e gastando mais nesse bem – até que a lei da utilidade marginal decrescente fizesse descer a sua utilidade marginal por unidade monetária até a igualdade com a dos outros bens. Se algum bem proporciona uma utilidade marginal por unidade monetária menor do que o nível geral, eu compraria menos desse bem até que a utilidade marginal da última unidade monetária nele despendida tivesse subido para o nível geral. A utilidade marginal por unidade monetária comum a todos os bens do equilíbrio do consumidor é designada a *utilidade marginal da renda*. Esse conceito quantifica a utilidade adicional que seria obtida se o consumidor pudesse usufruir do consumo de uma unidade monetária suplementar.

Essa condição fundamental do equilíbrio do consumidor pode ser expressa em termos de utilidades marginais (UMg) e preços (P) dos diferentes bens da seguinte forma:

$$\frac{UMg_{bem1}}{P_1} = \frac{UMg_{bem2}}{P_2} = \frac{UMg_{bem3}}{P_3} = \ldots$$

$$= UMg \text{ por unidade monetária de renda}$$

Razão pela qual as curvas de demanda têm inclinação negativa

Usando essa regra fundamental do comportamento do consumidor, podemos ver facilmente por que razão as curvas de demanda têm uma inclinação negativa. Para simplificar, mantenha a utilidade marginal geral por unidade monetária de renda constante. Aumente, em seguida, o preço do bem 1; não havendo qualquer variação da quantidade consumida, o primeiro *quociente* (ou seja, UMg_{bem1}/P_1) será inferior à UMg por unidade monetária de todos os outros bens. O consumidor terá, portanto, de reajustar o consumo do bem 1. Fará isso por meio (a) da redução do consumo do bem 1, (b) aumentando assim a UMg do bem 1, até que (c) no novo e menor nível de consumo do bem 1, a nova utilidade marginal por unidade monetária despendida no bem 1 seja outra vez igual a UMg por unidade monetária despendida nos outros bens.

O aumento do preço de um bem reduz o consumo desejado pelo consumidor em relação a esse bem; isso mostra por que razão as curvas de demanda têm uma inclinação negativa.

Lazer e a alocação ótima do tempo

Em um brinde a um amigo, um espanhol deseja-lhe "saúde, riqueza e tempo para usufruir". Esta expressão popular capta a ideia de que devemos aplicar a nossa disponibilidade de tempo da mesma forma como aplicamos a nossa disponibilidade de dinheiro. O tempo é um grande igualizador, porque mesmo o mais rico não tem mais de 24 horas por dia para "gastar". Vejamos como a nossa análise anterior sobre o modo de alocar recursos monetários escassos se aplica ao tempo.

Considere o lazer, muitas vezes definido como "o tempo que cada um pode gastar da forma que lhe agrada". O lazer revela as nossas singularidades. O filósofo do século XVII, Francis Bacon, sustentava que o mais puro prazer humano era a jardinagem. O estadista britânico, Winston Churchill, escreveu sobre as suas férias: "Tenho passado um mês delicioso construindo uma casa de campo ditando um livro: 200 tijolos e 2 mil palavras por dia".

Podemos aplicar a teoria da utilidade à alocação do tempo tal como ao dinheiro. Suponha que, depois de cumprir todos os seus compromissos, restam-lhe 3 horas livres por dia que você pode dedicar a praticar jardinagem, a colocar tijolos ou a escrever sobre história. Qual será a melhor forma de aplicar o seu tempo? Ignoremos a possibilidade de que o tempo despendido em alguma dessas atividades poder ser um investimento que lhe aumente a capacidade de renda no futuro. Em vez disso, admita que são todas formas puras de consumo ou de obtenção de utilidade. Os princípios da escolha do consumidor sugerem que fará o melhor uso do seu tempo quando igualar as utilidades marginais do último minuto gasto em cada atividade.

Para ver outro exemplo, suponha que deseje maximizar o seu conhecimento que tem sobre as disciplinas que estuda, mas que dispõe apenas de uma limitada quantidade de tempo. Você deveria dedicar o mesmo tempo ao estudo de cada disciplina? Certamente que não. Você acabará por concluir que o mesmo tempo de estudo para economia, história e química não lhe proporcionará, no último minuto, o mesmo acervo de conhecimento. Se o último minuto proporciona, em química, um conhecimento marginal superior ao de história, então você poderá aumentar o seu conhecimento total transferindo minutos adicionais de história para química, e assim sucessivamente, até que o último minuto renda o mesmo conhecimento adicional em cada assunto.

A mesma regra da utilidade máxima por hora pode ser aplicada na vida a muitas áreas diferentes, incluindo participar em atividades de caridade, de melhoria do meio ambiente ou de perda de peso. Não é uma mera lei da economia. É uma lei da escolha racional.

Os consumidores são feiticeiros? Uma visão da economia comportamental

De toda essa discussão pode parecer que os consumidores são feiticeiros matemáticos que, por hábito, fazem cálculos da utilidade marginal em último lugar e resolvem complicados sistemas de equações no seu dia a dia.

Essa visão irrealista não é de fato o que pressupomos em Economia. Sabemos que a maior parte das decisões são tomadas de forma rotineira e intuitiva. Podemos ter cereais e iogurte no café da manhã todos os dias porque não são muito caros, são fáceis de encontrar no comércio e saciam a nossa fome pela manhã.

Em vez disso, o que admitimos na teoria da demanda do consumidor é que os consumidores são razoavelmente coerentes nos seus gostos e ações. Esperamos que as pessoas não andem às voltas e que não se tornem miseráveis que cometem erros constantemente. Se a maioria dos indivíduos age a maior parte do tempo de forma coerente, evitando mudanças erráticas do seu comportamento como compradores, e escolhendo, em geral, o conjunto de bens que mais lhes agrada, a nossa teoria da demanda proporcionará uma explicação dos fatos razoavelmente boa.

Como sempre, contudo, temos de estar prevenidos para situações em que surgem comportamentos irracionais ou incoerentes. Sabemos que as pessoas cometem erros. As pessoas, por vezes, compram bugigangas sem utilidade ou são ludibriados por ofertas de venda enganosas. Uma nova área de pesquisa é a *economia comportamental*, que reconhece que as pessoas têm tempo e memória limitados, que a informação é incompleta, e que padrões de comportamento que parecem irracionais são persistentes. Essa abordagem admite a possibilidade de que informação imperfeita, desequilíbrios psicológicos e tomadas de decisão onerosas podem levar a más decisões.

A economia comportamental explica por que razão as famílias poupam tão pouco para a aposentadoria, por que ocorrem as bolhas especulativas no mercado de ações, e como funcionam os mercados de carros usados quando a informação das pessoas é reduzida. Um exemplo recente significativo que ilustra os princípios comportamentais ocorreu quando milhões de pessoas aceitaram hipotecas de risco (conhecidas como empréstimos hipotecários "*subprime*"*) para comprar casas nos anos 2000. Essas pessoas não leram ou nem podiam entender as letras pequenas dos contratos e, como resultado, muitas entraram em inadimplência e perderam suas casas, desencadeando uma grave crise financeira e uma recessão econômica. Acontece que os consumidores pobres não foram as únicas pessoas que não sabiam ler as letras pequenas, pois a elas se juntaram bancos, gestores de fundos *hedge*, agências de classificação de risco e milhares de investidores que compraram ativos que não entendiam.

A economia comportamental se juntou à corrente principal em 2001 e 2002, quando o prêmio Nobel foi atribuído à pesquisa econômica nessa área. George Akerlof (Universidade da Califórnia em Berkeley) foi citado pelo desenvolvimento de um melhor conhecimento do papel da informação assimétrica e do mercado de "gato por lebre". Daniel Kahneman (Universidade Princeton) e Vernon L. Smith (Universidade de George Mason) receberam o prêmio pela "análise da avaliação e tomada de decisão humanas... e o teste empírico das previsões da teoria econômica pelos economistas experimentais".

---

* N. de R.T.: Uma hipoteca "*subprime*" é um empréstimo hipotecário concedido a alguém sem histórico de crédito ou com histórico de inadimplência, ou ainda com dificuldade de comprovação de renda.

Desenvolvimentos analíticos na teoria da utilidade

Fazemos uma pausa para apresentar uma formulação de alguns dos temas avançados que estão subjacentes ao conceito de utilidade e sua aplicação à teoria da demanda. Os economistas rejeitam atualmente a noção de uma utilidade cardinal (ou mensurável) que as pessoas sentem ou experimentam quando consomem bens ou serviços. A utilidade não corre como os números do mostrador de uma bomba de gasolina.

Em vez disso, o que conta para a moderna teoria da demanda é o princípio da **utilidade ordinal**. Segundo essa abordagem, os consumidores precisam apenas ordenar suas preferências sobre conjunto de bens. A utilidade ordinal pergunta: "Prefiro um sanduíche de presunto ou um milk-shake de chocolate?" Uma afirmação do tipo "A opção A é preferível à opção B" – que não exige que saibamos o quanto A é preferível a B – é designada *ordinal*, ou não quantificável. As variáveis ordinais são as que podemos ordenar hierarquicamente, mas para as quais não existe uma medida da diferença quantitativa entre elas. Podemos classificar os quadros em uma exposição em termos de beleza, sem ter de fixar uma medida quantitativa da beleza. Usando apenas uma ordenação de preferências desse tipo, podemos estabelecer solidamente as propriedades gerais das curvas de demanda de mercado descritas neste capítulo e no seu apêndice.

O leitor atento desejará saber se o princípio da igualdade marginal que descreve o comportamento de equilíbrio do consumidor exige a utilidade cardinal. De fato não exige; apenas se exigem medidas ordinais. Medida de utilidade ordinal é uma que podemos usar mantendo sempre a mesma relação de maior do que ou menor do que (como medir com uma cinta de borracha). Vejamos a condição marginal para o equilíbrio do consumidor. Se a escala da utilidade é esticada (digamos que multiplicada por 2 ou por 3,1415), pode-se ver que todos os numeradores da condição variam exatamente pelo mesmo montante, de modo que o equilíbrio do consumidor continua a ser verificado.

Para certas situações especiais, o conceito de utilidade *cardinal* ou quantitativa é útil. Um exemplo de medida cardinal ocorre quando dizemos que a velocidade de um avião é seis vezes a de um carro. O comportamento dos indivíduos sob condições de incerteza é atualmente analisado empregando-se um conceito cardinal de utilidade. Este tópico será analisado posteriormente quando analisarmos a economia do risco, da incerteza e dos jogos, no Capítulo 11.

O nosso tratamento da utilidade pelo princípio da igualdade marginal admitiu que os bens podem ser divididos em unidades infinitamente pequenas. Porém, por vezes, a indivisibilidade das unidades impõe-se sendo insuperável. Assim, um veículo Honda não pode ser dividido em partes arbitrariamente pequenas, da mesma forma como o suco de fruta. Suponha que compre um Honda, mas não dois. Então a utilidade adicional do primeiro automóvel é comparativamente maior do que a utilidade adicional do mesmo dinheiro gasto em qualquer outra coisa, de modo a induzi-lo a adquirir aquela primeira unidade. A utilidade adicional proporcionada pelo segundo Honda é comparativamente menor para induzir a não o comprar. Quando a indivisibilidade conta, a nossa regra da igualdade para haver equilíbrio pode ser redefinida como uma regra de desigualdade.

ABORDAGEM ALTERNATIVA: EFEITO SUBSTITUIÇÃO E EFEITO RENDA

O conceito de utilidade marginal tem ajudado a explicar a lei fundamental da demanda com inclinação negativa. Mas, nas últimas décadas, os economistas desenvolveram uma abordagem alternativa à análise da demanda – que não faz referência à utilidade marginal. Esta abordagem alternativa usa "curvas de indiferença", que são explicadas no apêndice deste capítulo, para, de uma forma rigorosa e coerente, enunciar os principais postulados acerca do comportamento do consumidor. Essa abordagem ajuda, igualmente, a explicar os determinantes que tendem a aumentar ou a diminuir a resposta da quantidade demandada ao preço – a elasticidade-preço da demanda.

A análise da indiferença investiga o efeito de substituição e o efeito renda de uma variação no preço. Ao analisá-los, podemos ver por que razão a quantidade demandada de um bem se reduz quando o seu preço aumenta.

Efeito substituição

O determinante mais óbvio para a explicação das curvas de demanda com inclinação negativa é o efeito substituição. Se o preço do café aumenta e os outros preços não, então, o café torna-se relativamente mais caro. Quando o café se torna uma bebida mais cara, será comprado menos café e mais chá, ou outra bebida. De forma semelhante, como o envio de e-mail é mais barato e mais rápido do que o envio de cartas no correio normal, as pessoas estão optando cada vez mais pelo correio eletrônico para a correspondência. Em geral, segundo o **efeito substituição**, quando o preço de um bem aumenta, os consumidores tendem a substituí-lo por outros bens menos caros, a fim de satisfazer os seus desejos com menos despesa.

Os consumidores comportam-se, assim, de forma idêntica à das empresas quando substituem um fator produtivo que aumentou de preço por outros mais baratos. Por esse processo de substituição, as empresas podem produzir uma dada quantidade de produto com o menor custo total. De forma semelhante, quando substituem bens mais caros por bens menos caros, os consumidores compram uma dada quantidade de satisfação a um custo menor.

Efeito renda

Um segundo impacto de uma variação de preço ocorre por meio de seu efeito sobre a renda real. O termo *renda real* significa a efetiva quantidade de bens que a renda nominal pode comprar. Quando um preço aumenta e a renda nominal é fixa, a renda real diminui, porque o consumidor não consegue adquirir a mesma quantidade de bens que antes adquiria. Isso origina o **efeito renda**, que é variação da quantidade demandada que ocorre pois uma variação do preço reduz as rendas reais do consumidor. Muitos bens respondem positivamente ao aumento da renda, de modo que o efeito renda irá normalmente reforçar o efeito substituição, ao gerar uma curva da demanda com inclinação negativa.

Podemos obter uma medida quantitativa do efeito renda usando um novo conceito, o de **elasticidade-renda**. Esse termo corresponde ao quociente entre a variação percentual da quantidade demandada e a variação percentual da renda, mantendo o resto constante – por exemplo, os preços.

$$\text{Elasticidade-renda} = \frac{\text{Variação \% da quantidade demandada}}{\text{Variação percentual da renda}}$$

As elasticidades-renda elevadas, como as relativas a viagens de avião e iates, indicam que a demanda por esses bens aumenta rapidamente à medida que a renda cresce. Elasticidades-renda pequenas, como as de batatas e móveis usados, indicam uma resposta fraca da demanda a aumentos da renda.

Cálculo da elasticidade-renda

Suponha que você participe no planejamento da cidade de Santa Fé, Novo México, e está preocupado com o crescimento da demanda por água para consumo das famílias naquela região árida. Você faz um levantamento e obtém os seguintes dados para 2000: a população é de 62 mil habitantes; a taxa de crescimento da população prevista para a década seguinte é de 20%; o consumo de água *per capita* anual em 2000 foi de mil galões; prevê-se que a renda *per capita* cresça 25% na próxima década; e a elasticidade-renda do uso da água *per capita* é de 0,50. O seu cálculo das necessidades de água para 2010 (com preços constantes) seria, então, de:

Consumo de água em 2010
= população em 2000 × o fator de crescimento da população
   × uso da água *per capita*
   × [1 + (crescimento da renda × elasticidade-renda)]
= 62.000 × 1,2 × 1.000 × (1 + 0,25 × 0,50)
= 83.700.000

A partir desses dados, pode projetar um crescimento de 35% do uso total de água pelas famílias de 2000 para 2010.

Os efeitos renda e substituição se combinam para determinar as principais características das curvas da demanda dos diferentes bens. Em determinadas circunstâncias, a curva da demanda resultante tem uma grande elasticidade-preço, como quando o consumidor já gastou muito no bem e há bens substitutos imediatamente disponíveis. Nesse caso, tanto o efeito renda como o efeito substituição são fortes e a quantidade demandada reage fortemente ao aumento do preço.

Mas considere um bem, como o sal, que exige apenas uma pequena parcela do orçamento do consumidor. O sal não é facilmente substituível por outros bens e é necessário em pequenas quantidades para complementar outros bens mais importantes. Para o sal, ambos os efeitos – substituição e renda – são pequenos e a demanda tende a ser inelástica em relação ao preço.

DA DEMANDA INDIVIDUAL À DEMANDA DE MERCADO

Após termos analisado os princípios subjacentes a uma única demanda individual, como a de café ou a de correio eletrônico, examinaremos como a demanda total de mercado é obtida a partir das demandas individuais. *A curva da demanda de um bem para a totalidade do mercado é obtida pela soma das quantidades demandadas por todos os consumidores.* Cada consumidor tem uma curva de demanda ao longo da qual a quantidade demandada pode ser relacionada com o preço; tem geralmente uma inclinação para baixo e para a direita. Se todos os consumidores fossem exatamente iguais nas suas demandas, e se houvesse 1 milhão de consumidores, poderíamos pensar na curva de demanda do mercado como a ampliação em um milhão de vezes da curva da demanda de cada consumidor.

De fato, é claro, as pessoas diferem nos seus gostos. Algumas têm renda elevada, outras têm renda baixa. Alguns gostam muito de café e outros preferem beber chá. Para obter a curva de mercado total, calculamos a soma total do que todos os diferentes consumidores consomem para cada preço. Depois representamos esse montante total como um ponto da curva de demanda do mercado. Como alternativa, podemos construir uma tabela da demanda de mercado com a soma das quantidades demandadas por todos os indivíduos para cada preço de mercado.

Por convenção, designamos as curvas da demanda e da oferta *individuais* com minúsculas (*dd* e *ss*), enquanto usamos maiúsculas (*DD* e *SS*) para as curvas da demanda e da oferta *de mercado*.

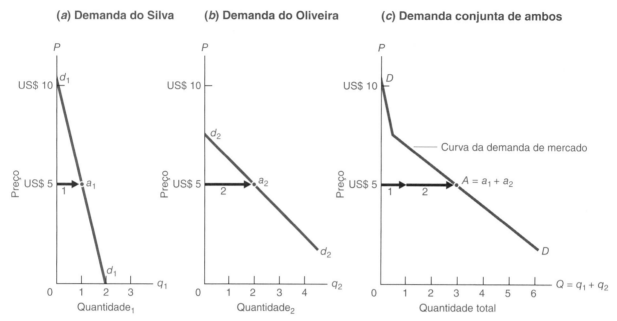

FIGURA 5-2 A demanda de mercado derivada das demandas individuais.
Somamos todas as curvas de demanda individuais para obter a curva da demanda do mercado. Para cada preço, por exemplo, a US$ 5, somamos as quantidades demandadas por cada pessoa para obter a quantidade demandada do mercado. A figura mostra como, ao preço de US$ 5, somamos horizontalmente 1 unidade demandada por Silva às 2 unidades demandadas por Oliveira para obter a demanda do mercado de 3 unidades.

A curva da demanda de mercado é a soma das demandas individuais para cada preço. A Figura 5-2 mostra como obter a curva da demanda de mercado DD adicionando horizontalmente as curvas individuais dd.

Deslocamentos da demanda

Sabemos que as variações do preço do café afetam sua quantidade demandada. Sabemos isso a partir de estudos dos orçamentos, da experiência histórica e pela análise do nosso próprio comportamento. Analisamos sumariamente, no Capítulo 3, alguns determinantes importantes da demanda que não o preço. Iremos rever agora a análise anterior à luz da nossa análise do comportamento do consumidor.

Um aumento da demanda tende a incrementar a quantidade que estamos dispostos a comprar da maioria dos produtos. Os bens de primeira necessidade tendem a ter, em relação à variação da renda, uma resposta inferior à da maioria dos bens, enquanto os bens de luxo tendem a ser mais sensíveis à renda. E existem alguns bens anômalos, conhecidos como bens inferiores, cujas compras podem encolher com o aumento da renda, porque as pessoas têm possibilidade de substituí-los por outros bens de que gostam mais. Ossos para a sopa, viagens de automóvel intermunicipais e televisões em preto e branco são exemplos de bens inferiores para muitos norte-americanos atualmente.

O que significa tudo isso em termos de curva da demanda? A curva da demanda mostra como a quantidade demandada de um bem responde à variação do seu próprio preço. Mas a demanda é também afetada pelos preços de outros bens, pelas rendas dos consumidores e por influências especiais. A curva da demanda foi desenhada na pressuposição de que esses outros fatores se mantinham constantes. Mas, e se esses fatores variam? Então, a totalidade da curva da demanda se deslocará para a direita ou para a esquerda.

A Figura 5-3 ilustra as variações nos fatores que afetam a demanda. Dadas as rendas dos indivíduos e os preços dos outros bens, podemos desenhar a curva da demanda do café como DD. Admita que o preço e a quantidade se encontram no ponto A e suponha que a renda aumenta, enquanto o preço do café e dos outros produtos permanece inalterado. Dado que o café é um produto normal, com uma elasticidade-renda positiva, as pessoas aumentarão as suas compras de café. Desse modo, a curva de demanda do café se deslocará para a direita, por exemplo, para $D'D'$, com A' indicando a nova quantidade demandada de café. Se a renda diminuísse, então, deveríamos esperar uma redução da demanda e da quantidade comprada. Ilustramos esse deslocamento para baixo por meio de $D''D''$ e de A''.

Substitutos e complementares

Todos sabem que, aumentando o preço da carne de vaca, sua quantidade demandada irá diminuir. Vimos que afetará também as quantidades demandadas de outras mercadorias. Por exemplo, um preço maior da

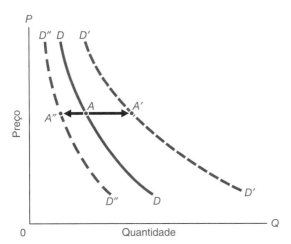

FIGURA 5-3 Deslocamentos da curva da demanda com variações da renda ou dos preços de outros bens.

Com o aumento da renda, os consumidores em geral querem mais de um bem, assim aumentando ou fazendo deslocar para fora a demanda (explique a razão por que uma renda maior desloca DD para $D'D'$). De forma similar, um aumento do preço de um bem substituto aumenta, ou desloca para fora, a curva da demanda (ou seja, de DD para $D'D'$). Explique por que razão um decréscimo da renda, em geral, deslocaria a demanda para $D''D''$. Por que razão uma redução dos preços de frango deslocaria a demanda de hambúrgueres para $D''D''$?

---

carne de vaca aumentará a demanda de substitutos, como o frango. Um preço mais elevado da carne de vaca pode fazer baixar a demanda de bens como pão de hambúrguer e molho de tomate, que entram na composição dos hambúrgueres de carne de vaca. Terá provavelmente um pequeno efeito na demanda de manuais de economia.

Dizemos, portanto, que a carne de vaca e a de frango são bens substitutos. Os bens A e B são **substitutos** se um aumento no preço de A implicar o aumento da demanda do bem substituto B. Hambúrgueres e molhos, ou automóveis e gasolina, por outro lado, são **bens complementares**, porque um aumento no preço do bem A causa a diminuição na demanda do seu bem complementar B. Entre os dois, estão os **bens independentes**, como carne de vaca e manuais de estudo, para os quais a variação do preço de um bem não tem qualquer efeito na demanda do outro. Tente classificar os pares peru e molho vinagrete, petróleo e carvão, universidade e manuais, sapatos e cadarços, sal e cadarços.

Admita que a Figura 5-3 representa a demanda de carne de vaca. Uma redução do preço do frango pode levar a que os consumidores comprem menos carne de vaca; a curva da demanda da carne de vaca se deslocaria, portanto, para a esquerda, para $D''D''$. Mas, e se o preço dos molhos baixar? A alteração resultante em DD, caso ocorresse, seria no sentido de um aumento das compras de carne de vaca, um deslocamento para a direita da curva da demanda. Qual a razão desta resposta diferente? O fato de que a carne de frango é um produto substituto da carne de vaca, enquanto os molhos são um bem complementar à carne de vaca.

Revisão de conceitos básicos:

- O **efeito substituição** ocorre quando um preço maior de um bem leva à sua substituição por outros bens.
- O **efeito renda** é a variação na quantidade demandada de um bem em virtude do fato de a variação do seu preço ter o efeito de modificar a renda real do consumidor.
- **Elasticidade-renda** é o quociente entre a variação percentual na quantidade demandada de um bem e a variação percentual da renda.
- Dois bens são considerados **substitutos** se o aumento do preço de um leva ao aumento da demanda do outro.
- Dois bens são considerados **complementares** se o aumento do preço de um leva à diminuição da demanda do outro.
- Dois bens são considerados **independentes** se a variação do preço de um não tem efeito na demanda do outro.

Estimativas empíricas das elasticidades-preço e renda

Para muitas aplicações econômicas, é essencial ter estimativas das elasticidades-preço. Por exemplo, um fabricante de automóveis desejará conhecer o impacto de preços maiores nas vendas dos automóveis que resultarão da instalação de equipamento caro para controle de poluição; uma universidade necessita saber o impacto sobre o número de matrículas de novos alunos quando aumentam as taxas escolares; e um editor calculará o impacto de preços mais elevados dos manuais em suas vendas. Todas essas aplicações requerem uma estimativa da elasticidade-preço.

Decisões similares dependem das elasticidades-renda. Um governo que esteja a planejar a sua rede rodoviária ou ferroviária estimará o impacto do aumento de renda na quantidade de carros nas ruas; o governo federal tem de calcular o efeito de maiores rendas no consumo de energia ao elaborar políticas contra a poluição do ar ou o aquecimento global; na determinação dos investimentos necessários para a instalação de capacidade de produção, as empresas de eletricidade necessitam das elasticidades-renda para estimar o consumo de eletricidade.

Os economistas têm desenvolvido técnicas estatísticas úteis para estimar as elasticidades-preço e renda. As estimativas quantitativas são obtidas a partir de dados do mercado sobre quantidades demandadas, preços, rendas e outras variáveis. As Tabelas 5-2 e 5-3 mostram uma seleção de estimativas de elasticidade.

Bem/Serviço	Elasticidade-preço
Tomate	4,60
Ervilhas	2,80
Loteria	1,90
Táxis	1,24
Mobiliário	1,00
Filmes	0,87
Sapatos	0,70
Consultoria jurídica	0,61
Seguro-saúde	0,31
Viagens de automóvel	0,20
Eletricidade	0,13

TABELA 5-2 Estimativas selecionadas de elasticidades-preço da demanda.

As estimativas de elasticidades-preço da demanda apresentam um grande intervalo de variação. As elasticidades, geralmente, são elevadas para os produtos que têm substitutos imediatamente disponíveis, como tomate e ervilhas. Verificam-se elasticidades-preço reduzidas nos bens como a eletricidade, que são essenciais na vida diária e que não possuem substitutos próximos.

Fonte: Heinz Kohler, *Microeconomics*: Theory and Applications (Heath, Lexington, Mass., 1992.)

Bem/Serviço	Elasticidade-renda
Automóveis	2,46
Casa própria	1,49
Mobília	1,48
Livros	1,44
Refeições em restaurante	1,40
Vestuário	1,02
Serviços médicos	0,75
Cigarros	0,64
Ovos	0,37
Margarina	−0,20
Carne de porco	−0,20
Farinha	−0,36

TABELA 5-3 Elasticidades-renda de produtos selecionados.

As elasticidades-renda são elevadas nos bens de luxo, cujo consumo cresce rapidamente com o aumento da renda. Encontram-se elasticidades-renda negativas em "produtos inferiores", cuja demanda diminui com o aumento da renda. A demanda de muitos bens essenciais, como o vestuário, aumenta proporcionalmente à renda.

Fonte: Heinz Kohler, *Microeconomics*: Theory and Applications (Heath, Lexington, Mass., 1992.)

ECONOMIA DO VÍCIO

Em uma economia de mercado livre, em geral, o governo permite que as pessoas decidam o que comprar com o seu dinheiro. Se uns preferem comprar carros caros, enquanto outros preferem moradias caras, admitimos que sabem o que é melhor para eles e que, no interesse da liberdade individual, os governos devem respeitar suas preferências.

Em alguns casos raros, e com grande hesitação, os governos decidem ultrapassar as decisões privadas dos adultos. São os casos dos *bens meritórios*, cujo consumo se pensa que é intrinsecamente benéfico, e o oposto são os *bens não meritórios*, cujo consumo se julga prejudicial. Para esses bens é reconhecido que algumas atividades de consumo têm efeitos tão graves que pode ser desejável passar por cima das decisões privadas. Atualmente, a maioria dos países proporciona educação pública e assistência médica de emergência gratuitas; por outro lado, a sociedade também penaliza ou proíbe o consumo de substâncias perniciosas como cigarros, bebidas alcoólicas e heroína.

Nas áreas mais controversas da política social estão os bens não-meritórios relacionados com o vício. Um vício é um padrão de uso compulsivo e incontrolado de uma substância. O fumante inveterado ou o viciado em heroína podem lamentar amargamente o hábito adquirido, mas é muito difícil de largá-los após terem se instalado. É muito mais provável que um consumidor regular de cigarro ou de heroína deseje essas substâncias do que um não consumidor. Além disso, as demandas de substâncias viciantes são bastante inelásticas em relação ao preço.

Os mercados de substâncias viciantes são grandes negócios. As despesas de consumo de produtos de tabaco foram de US$ 95 bilhões em 2007, enquanto a despesa total em bebidas alcoólicas foi de US$ 155 bilhões. Os números das drogas ilegais implicam conjecturas, mas estimativas recentes colocam a despesa total em drogas em torno de US$ 75 bilhões por ano.

O consumo dessas substâncias levanta importantes questões políticas, dado que as substâncias viciantes podem prejudicar os consumidores e, com frequência, impõem custos e danos à sociedade. Nos malefícios aos consumidores, incluem-se cerca de 450 mil mortes precoces anualmente, juntamente com uma grande variedade de problemas médicos, atribuídas ao tabaco; 10 mil mortes por ano nas estradas, atribuídas ao álcool; e faltas à escola, ao emprego e desarranjo familiar, acompanhadas de níveis elevados de Aids, decorrentes do consumo intravenoso de heroína. Os males infligidos à sociedade incluem o crime predatório em que se envolvem os viciados em drogas caras; o custo de providenciar cuidados médicos aos consumidores de droga e cigarro; a rápida difusão de doenças contagiosas, especialmente a Aids e a pneumonia; além da tendência dos atuais consumidores para recrutar novos consumidores.

Uma abordagem política, muitas vezes seguida nos Estados Unidos, é proibir a venda e o uso de substâncias viciantes e fazer cumprir a proibição com sanções criminais. Economicamente, a proibição pode ser interpretada como um deslocamento pronunciado para cima da curva da oferta. Após o deslocamento para cima, o preço da substância viciante é muito maior. Durante o período da chamada Lei Seca nos Estados Unidos (1920-1933), os preços das bebidas alcoólicas eram 3 vezes maiores do que antes. As estimativas apontam para que a cocaína se venda correntemente pelo menos por 20 vezes mais que o preço de mercado livre de restrições.

Qual é o efeito das restrições à oferta no consumo de substâncias viciantes? E de que modo a proibição afeta os males causados sobre o consumidor e sobre a sociedade? Para responder a essas questões, precisamos considerar a natureza da demanda de substâncias viciantes. Os dados indicam que os consumidores eventuais de drogas ilegais têm substitutos baratos como o álcool e o cigarro, e, por isso, terão uma demanda com elasticidade-preço relativamente elevada. Pelo contrário, os consumidores altamente viciados estão frequentemente agarrados a substâncias específicas e têm demandas inelásticas em relação ao preço.

Podemos apresentar o mercado de substâncias viciantes na Figura 5-4. A curva da demanda DD é extremamente inelástica em relação ao preço para os usuários viciados. Considere, agora, uma política para desestimular o consumo de droga. Uma abordagem, usada com o cigarro, é estabelecer um imposto mais elevado. Como vimos no capítulo anterior, isso pode ser analisado como uma deslocação para cima da curva da oferta. Uma política de proibição como a que é usada para substâncias ilegais tem o mesmo efeito de deslocar a curva da oferta de SS para $S'S'$.

Dado que a demanda é inelástica em relação ao preço, a quantidade demandada diminuirá muito pouco. A um preço superior, a despesa total em drogas aumenta acentuadamente. O dinheiro necessário para drogas ilegais pode ser tanto que os consumidores se envolvem no roubo violento. O resultado, na perspectiva de dois economistas que estudaram o assunto, é que "o mercado de drogas ilegais promove o crime, destrói o núcleo das cidades, espalha a Aids, corrompe os agentes policiais e os políticos, gera ou amplia a pobreza e mina o tecido moral da sociedade".

Um caso diferente ocorre para os consumidores altamente sensíveis ao preço, como são os consumidores eventuais. Por exemplo, um jovem pode experimentar uma substância viciante se o custo for acessível, enquanto um preço elevado (acompanhado de uma reduzida disponibilidade) iria reduzir o número de pessoas que se iniciariam no vício. Nesse caso, as restrições à oferta muito provavelmente levarão a uma diminuição acentuada do consumo e a uma redução da despesa com as substâncias viciantes. (Ver a Questão 10, ao final deste capítulo, para uma discussão adicional.)

Uma das maiores dificuldades na regulação das substâncias viciantes decorre dos padrões de substitui-

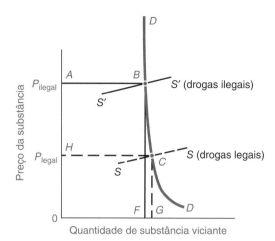

FIGURA 5-4 Mercado de substâncias viciantes.

A demanda de substâncias viciantes é inelástica em relação ao preço para os fumantes antigos ou altamente viciados em heroína ou cocaína. Se a proibição, ou um imposto maior, fizer deslocar a oferta de SS para $S'S'$, o resultado será que a despesa total com drogas aumentará de $0HCG$ para $0ABF$. Para drogas com elasticidade-preço fortemente inelástica, isso implica que a despesa com drogas aumentará quando a oferta é restringida. O que acontecerá com a atividade criminal após a proibição se uma parcela substancial da renda dos viciados for obtida por roubo? Você compreende por que alguns advogam o abrandamento da proibição ou mesmo a legalização de drogas viciantes?

ção entre elas. Muitas drogas parecem ser substitutas efetivas em vez de complementares. Por isso, previnem os especialistas, aumentar o preço de uma substância pode desviar os consumidores para outras substâncias perigosas. Por exemplo, os estados norte-americanos que têm penas para o consumo de maconha tendem a ter um maior consumo de álcool e cigarro pelos jovens.

É evidente que a política social em relação às substâncias viciantes levanta questões extremamente complexas. Mas a teoria econômica da demanda permite um grande esclarecimento sobre os impactos das abordagens alternativas. Primeiro, sugere que o aumento dos preços de substâncias prejudiciais viciantes pode reduzir o número de consumidores eventuais que possam ser atraídos para o mercado. Segundo, chama-nos a atenção para o fato de muitas das consequências negativas das drogas ilegais resultarem da proibição das substâncias viciantes, em vez do consumo em si. Muitos observadores que analisaram profundamente o assunto concluem com a observação paradoxal de que os custos globais das substâncias viciantes – para os consumidores, para as outras pessoas e para as zonas devastadas das cidades em que o tráfico de droga está implantado – seriam menores se a proibição pelo Estado fosse abrandada e os recursos, atualmente dedicados às restrições à oferta, fossem, em vez disso, dedicados a tratamento e aconselhamento.

PARADOXO DO VALOR

Há mais de dois séculos, em *A Riqueza das Nações*, Adam Smith apresentou o paradoxo do valor:

> Nada é mais útil do que a água, mas é escasso o que se pode comprar com ela. Um diamante, pelo contrário, tem um escasso valor de uso, se tiver algum, mas, em troca dele, podemos obter, frequentemente, uma grande quantidade de outros bens.

Em outras palavras, qual a razão por que a água, que é essencial à vida, tem um valor pequeno, enquanto os diamantes, que são geralmente usados para consumo de ostentação, têm um preço tão elevado?

Embora esse paradoxo tenha preocupado Adam Smith há 200 anos, podemos imaginar o seguinte diálogo entre um estudante calouro e um Adam Smith da atualidade:

Estudante: Como podemos resolver o paradoxo do valor?

Smith moderno: A resposta mais simples é que as curvas da oferta e da demanda da água se cruzam em um preço muito baixo, enquanto a oferta e a demanda dos diamantes dão um preço de equilíbrio muito elevado.

Estudante: Mas sempre me ensinou que investigasse o que está subjacente às curvas. Por que razão a oferta e a demanda da água se intersectam a um preço tão baixo, e para os diamantes a um preço elevado?

Smith moderno: A resposta é o fato de que os diamantes são muito escassos e o custo de obter mais é muito grande, enquanto a água é relativamente abundante e o seu custo é reduzido em muitas regiões do mundo.

Estudante: Mas onde aparece aqui a utilidade?

Smith moderno: Você tem razão, essa resposta ainda não concilia a informação sobre o custo com o fato, igualmente válido, de que a água do mundo é imensamente mais vital do que a oferta mundial de diamantes. Assim, temos de juntar uma segunda verdade: a utilidade total do consumo da água não determina o seu preço ou a sua demanda. Em vez disso, o preço da água é determinado pela sua utilidade *marginal*, pela utilidade do *último* copo de água. Pelo fato de que existe tanta água, o último copo de água é vendido muito barato. Ainda que as primeiras gotas valham a própria vida, as últimas são necessárias apenas para regar a relva ou para lavar o automóvel.

Estudante: Agora já percebi. A teoria do valor econômico é fácil de entender se tivermos em mente que em economia é a cauda que faz agitar o cão. É a cauda da utilidade marginal que agita o cão dos preços.

Smith moderno: Exatamente! Um bem imensamente valioso, como a água, é vendido por quase nenhum dinheiro, porque a sua última gota quase não tem valor.

Podemos sintetizar esse diálogo do seguinte modo: Quanto mais abundante for um bem, menor é o desejo relativo da sua última unidade. Está claro, portanto, por que razão a água tem um preço reduzido e por que razão um bem absolutamente essencial, como o ar, pode se tornar um bem ilimitado. Em ambos os casos, é a abundância que empurra as utilidades marginais para níveis muito baixos e que, assim, reduzem os preços desses bens essenciais.

EXCEDENTE DO CONSUMIDOR

O paradoxo do valor sublinha o fato do valor monetário registrado de um bem (medido pelo preço × a quantidade) poder ser um indicador enganador do valor econômico total desse bem. O valor econômico quantificado do ar que respiramos é nulo e, no entanto, a contribuição do ar para o bem-estar é incomensurável.

A diferença entre a utilidade total de um bem e o seu valor de mercado total é designado por **excedente do consumidor**. O excedente é verificado por "recebermos mais do que pagamos" em resultado da lei da utilidade marginal decrescente.

Temos excedente do consumidor basicamente porque pagamos a mesma quantia por cada unidade de uma mercadoria que adquirimos, desde a primeira até a última. Pagamos o mesmo preço por cada ovo ou copo de água. Pagamos, assim, em *cada* unidade, o valor da *última* unidade. Mas, pela nossa lei fundamental da utilidade marginal decrescente, as primeiras unidades valem mais para nós do que a última. Desse modo, beneficiamo-nos de um excedente de utilidade em cada uma dessas primeiras unidades.

A Figura 5-5 ilustra o conceito de excedente do consumidor em um caso em que o dinheiro proporciona um bom parâmetro de medida para a utilidade. É o caso de um indivíduo que consome água a US$ 1 por garrafão de cinco litros. Isso é representado pela linha horizontal US$ 1, na Figura 5-5. O consumidor considera quantos garrafões deve comprar a esse preço. O primeiro garrafão é altamente valioso, satisfazendo a sede inicial, e estaria disposto a pagar US$ 9 por ele. Mas esse primeiro garrafão custa apenas o preço de mercado de US$ 1, pelo que o consumidor teve um ganho de US$ 8.

Considere o segundo garrafão. Este vale US$ 8 para ele, mas de novo custa apenas US$ 1, de forma que o excedente é US$ 7. E assim, sucessivamente, até o nono garrafão, que vale apenas 50 centavos para ele, que não o compra. O equilíbrio do consumidor ocorre no ponto *E*, em que compra 8 garrafões de água ao preço de US$ 1 cada um.

Mas fazemos aqui uma importante descoberta: ainda que ele tenha pago apenas US$ 8, o valor total da água é US$ 44. Obtemos esse valor somando cada uma das colunas da utilidade marginal (= US$ 9 + US$ 8 + ... + US$ 2). O consumidor ganhou, assim, um excedente de US$ 36 além da quantia que pagou.

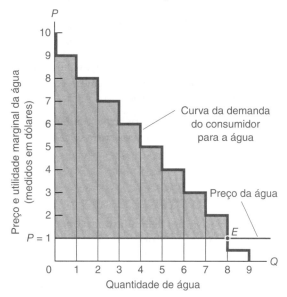

FIGURA 5-5 Em decorrência da utilidade marginal decrescente, a satisfação do consumidor é superior à quantia que paga.

A demanda da água com inclinação negativa reflete a utilidade marginal decrescente da água. Repare no excesso ou excedente de satisfação que ocorre nas primeiras unidades. Adicionando todos os excedentes sombreados (US$ 8 de excedente na unidade 1 + US$ 7 de excedente na unidade 2 + ⋯ + US$ 1 de excedente na unidade 8), obtemos o excedente total do consumidor de US$ 36 nas compras de água.

No caso simplificado, a área situada entre a curva da demanda e a reta do preço é o excedente total do consumidor.

A Figura 5-5 ilustra o caso da compra de água por um único consumidor. Podemos também aplicar o conceito de excedente do consumidor a um mercado no seu conjunto. A curva de demanda do mercado, na Figura 5-6, é a soma horizontal das curvas de demanda individuais. A lógica do excedente do consumidor individual transporta-se para o mercado em seu conjunto. A área da curva da demanda de mercado acima da linha de preço, indicada como *NER* na Figura 5-6, representa o excedente do consumidor total.

Pelo fato de pagarem por todas as unidades o preço da última unidade consumida, os consumidores usufruem de um excedente de utilidade acima do custo. O excedente do consumidor quantifica o valor suplementar que os consumidores obtêm acima do que pagam pelo bem.

Aplicações do excedente do consumidor

O conceito de excedente do consumidor é útil na avaliação de muitas decisões do governo. Por exemplo, como ele deve decidir sobre o valor da construção de uma nova rodovia ou sobre a preservação de um parque natural? Suponha que havia uma proposta de nova

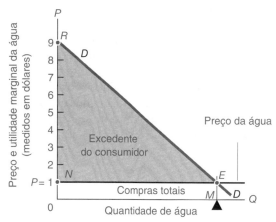

FIGURA 5-6 O excedente do consumidor total é a área abaixo da curva da demanda e acima da reta do preço.

A curva da demanda quantifica o montante que os consumidores pagariam por cada unidade consumida. Assim, a área total abaixo da curva da demanda (0*REM*) mostra a utilidade total associada ao consumo de água. Se subtrairmos o custo de mercado da água para os consumidores (igual a 0*NEM*), obtemos o excedente do consumidor do consumo da água como sendo o triângulo *NER*. Esse esquema é útil para medir os ganhos dos bens públicos e as perdas originadas por monopólios e tarifas alfandegárias.

rodovia. Se não tiver qualquer pedágio, não renderá qualquer receita. O valor para os usuários encontra-se no tempo poupado ou na segurança das viagens, que pode ser medido pelo excedente do consumidor individual. Para evitar questões difíceis de comparação de utilidades individuais, admitamos que haverá 10 mil usuários, todos iguais em relação a todos os aspectos.

Suponha que o excedente do consumidor para cada usuário da rodovia é de US$ 350. A rodovia aumentará o bem-estar econômico se o seu custo total for inferior a US$ 3,5 milhões (10.000 × US$ 350). Os economistas usam o excedente do consumidor quando efetuam uma *análise custo-benefício* que tenta determinar os custos e os benefícios de uma medida do governo. Em geral, um economista recomendaria que fosse construída uma estrada sem pedágio se o seu excedente do consumidor total fosse superior aos seus custos. Análises similares têm sido aplicadas em questões ambientais, tais como preservar áreas selvagens para lazer e a exigência da instalação de novos equipamentos para combate à poluição.

O conceito de excedente de consumidor assinala também o enorme privilégio usufruído pelos cidadãos das sociedades modernas. Cada um de nós usufrui de um vasto conjunto de bens altamente valiosos que podem ser adquiridos a preços reduzidos. Essa é uma ideia que deve incitar à modéstia. Se você conhece alguém que se gabe da sua produtividade econômica, ou da grandeza dos seus salários reais, sugira-lhe um momento de reflexão. Se tal pessoa fosse transportada com as suas capacidades especializadas para uma ilha deserta, de quanto lhe valeria a sua renda nominal? De fato, sem infraestrutura, sem a cooperação dos outros e sem o conhecimento tecnológico que cada geração herda do passado, quanto poderia cada um de nós produzir? É demasiado óbvio que todos beneficiamo-nos de um mundo econômico que não ajudamos a construir. Tal como disse o grande sociólogo inglês L. T. Hobhouse:

O empresário que pensa que "fez" a si próprio e ao seu negócio encontrou à sua disposição todo um sistema social com trabalhadores especializados, maquinário, um mercado, paz e ordem – uma vasta estrutura e uma atmosfera favorável, criação conjunta de milhões de homens e de sucessivas gerações. Ponham de parte a totalidade do fator social e não passaremos de... selvagens a viver de raízes, frutos e vermes.

Após termos examinado os aspectos básicos da demanda, prosseguiremos para os custos e a oferta.

RESUMO

1. As demandas de mercado ou as curvas de mercado são explicadas como o resultado do processo de escolha pelos indivíduos do conjunto de bens e serviços de consumo que mais preferem.

2. Os economistas explicam a demanda do consumidor por meio do conceito de utilidade, que representa a satisfação relativa que um consumidor obtém do consumo de diferentes bens. A satisfação adicional obtida do consumo de uma unidade adicional de um bem se designa por *utilidade marginal*, em que "marginal" significa a utilidade suplementar ou adicional. Segundo a lei da utilidade marginal decrescente, quando a quantidade consumida de um bem aumenta, a utilidade marginal da última unidade consumida tende a diminuir.

3. Os economistas admitem que os consumidores aplicam as suas rendas limitadas de forma a obter a máxima satisfação ou utilidade. Para maximizar a utilidade, um consumidor deve respeitar o *princípio da igualdade marginal*, ou seja, igualar a utilidade marginal da última unidade monetária gasta com cada um dos bens consumidos.

    Com base em uma renda monetária limitada, o consumidor só atingirá a máxima satisfação quando a utilidade marginal por unidade monetária for igual para as maçãs, o toucinho, o café e para todo o resto. Mas tenha cuidado, pois a utilidade marginal de um frasco de 50 ml de perfume de US$ 50 não é igual à utilidade marginal de um copo de refrigerante de 50 centavos. Em vez disso, o que é igual para todos os bens na alocação ótima do consumidor é a divisão das suas utilidades marginais pelo preço unitário. Isto é, as suas utilidades marginais da última unidade monetária, UMg/P, são iguais.

4. A igualdade da utilidade ou benefício marginal por unidade de recurso é uma regra fundamental da escolha. Considere um recurso escasso como o tempo. Se pretender maximizar o valor ou utilidade desse recurso, certifique-se de que o benefício marginal por unidade de recurso é igual em todos os usos.

5. A curva da demanda do mercado para o total dos consumidores deduz-se somando horizontalmente as curvas de demanda individuais de cada consumidor. Uma curva de demanda pode se deslocar por muitas razões. Por exemplo, um aumento na renda normalmente deslocará DD para a direita, aumentando assim a demanda; um aumento do preço de um bem substituto (por exemplo, carne de vaca por frango) originará também um deslocamento para cima na demanda; um aumento do preço de um bem complementar (por exemplo, hambúrgueres e molhos para carne) levará, por sua vez, a curva DD a deslocar-se para baixo e para a esquerda. Outros fatores ainda, como a modificação dos gostos, a variação da população e a alteração das expectativas, podem afetar a demanda.

6. Podemos melhorar a nossa compreensão dos fatores que causam a inclinação negativa da demanda, separando o efeito de um aumento do preço em efeito substituição e efeito renda. (a) O efeito substituição ocorre quando um preço mais elevado leva à substituição por outros bens para realizar a satisfação; (b) o efeito renda significa que um aumento do preço reduz a renda real e, desse modo, reduz o consumo desejado da maioria dos bens. Para a maioria dos bens, os efeitos substituição e renda de um aumento do preço reforçam-se mutuamente e conduzem à lei da demanda com inclinação negativa. Medimos o grau de resposta da demanda à renda pela elasticidade-renda, que consiste no quociente entre a variação percentual da quantidade demandada e a variação percentual da renda.

7. Lembre-se que é a cauda da utilidade marginal que faz abanar o cão do mercado dos preços e das quantidades. Essa ideia é enfatizada pelo conceito de *excedente do consumidor*. Pagamos o mesmo preço tanto pelo primeiro como pelo último litro de leite consumido. Mas, em virtude da lei da utilidade marginal decrescente, as utilidades marginais das primeiras unidades são maiores do que as da última unidade. Isso significa que estaríamos dispostos a pagar mais do que o preço de mercado por cada uma das primeiras unidades. O excesso do valor total sobre o valor de mercado é designado excedente do consumidor. O excedente do consumidor reflete o benefício que obtemos por podermos comprar todas as unidades ao mesmo preço baixo. Em casos simplificados, podemos calcular o excedente do consumidor como a área entre a curva da demanda e a reta do preço. É um conceito relevante para muitas decisões públicas – tais como a decisão sobre se uma comunidade deve suportar os enormes custos de uma estrada, ou de uma ponte, ou manter intocável uma reserva natural.

CONCEITOS PARA REVISÃO

- utilidade, utilidade marginal
- utilitarismo
- lei da utilidade marginal decrescente
- deslocamentos da demanda pela renda e por outras razões
- utilidade ordinal
- princípio da igualdade marginal $UMg_1/P_1 = UMg_2/P_2 = \cdots UMg$ por unidade monetária de renda
- demanda do mercado *versus* demanda individual
- elasticidade-renda
- bens substitutos, complementares e independentes
- efeito substituição e efeito renda
- bens meritórios, bens não meritórios
- paradoxo do valor
- excedente do consumidor

LEITURAS ADICIONAIS E SITES

Leituras adicionais

Uma análise aprofundada da teoria do consumidor pode ser encontrada em manuais de nível intermediário; ver a seção "Leituras adicionais" no Capítulo 3 para algumas boas fontes. O utilitarismo foi apresentado por Jeremy Bentham na obra *An Introduction to the Principles of Morals* (1789).

Um interessante estudo sobre psicologia e economia encontra-se em Matthew Rabin, "*Psychology and Economics*", *Journal of Economic Literature*, Março 1998, enquanto estudantes preocupados com o assunto devem ler Colin Camerer, George Loewenstein e Matthew Rabin, eds., *Advances in Behavioral Economics* (Princeton University Press, Princeton, NJ, 2003).

Os consumidores necessitam, com frequência, de ajuda no julgamento da utilidade de certos produtos. Leia no *Consumer Report* artigos que procuram classificar os produtos. Por vezes, classificam os produtos como "a melhor escolha", o que pode significar a maior utilidade por unidade monetária de despesa.

Jeffrey A. Miron e Jeffrey Zwiebel, "The Economic Case against Drug Prohibition", *Journal of Economic Perspectives* (Winter, 1995), p. 175-192, é uma excelente resenha não técnica sobre economia da proibição de drogas.

Sites

Dados sobre a despesa de consumo pessoal total para os Estados Unidos são fornecidos no site do Bureau of Economic Analysis, <www.bea.doc.gov>. Dados sobre os orçamentos familiares encontram-se em Bureau of Labor Statistics, *Consumer Expenditures*, disponível em: <www.bls.gov>.

Guias práticos para consumidores são fornecidos no site do governo <www.consumer.gov>. A organização Public Citizens exerce pressão em Washington "por medicamentos e aparelhos médicos seguros, fontes de energia seguras e limpas, um ambiente mais limpo, comércio justo e uma administração mais aberta e democrática". O seu site em <www.citizen.org> contém artigos sobre muitas questões do consumidor, trabalho e ambiente.

Você pode ler os discursos dos consagrados pelo Prêmio Nobel Akerlof, Kahneman e Smith, com suas visões sobre economia comportamental em <nobelprize.org.nobel_prizes/economics/laureates/>.

QUESTÕES PARA DISCUSSÃO

1. Explique o significado de utilidade. Qual é a diferença entre utilidade total e utilidade marginal? Explique a lei da utilidade marginal decrescente e dê um exemplo numérico.

2. Todas as semanas, Luís compra dois hambúrgueres, a US$ 2 cada um, oito refrigerantes a US$ 0,50 cada, e oito fatias de pizza a US$ 1 cada, e não compra nenhum cachorro-quente, a US$ 1,50 cada. O que você pode deduzir acerca da utilidade marginal de cada um dos quatro bens para Luís?

3. Dos seguintes, quais os pares de bens que classificaria como bens complementares, substitutos e independentes: bife, molho de tomate, carne de novilho, cigarros, chiclete, carne de porco, rádio, televisão, viagens de avião, viagens de automóvel, táxis e livros de bolso? Ilustre o deslocamento da curva da demanda de um bem que resulta do aumento do preço do outro bem. Qual seria o efeito da variação da renda na curva de demanda das viagens de avião? E na curva de demanda das viagens de automóvel?

4. Por que razão é errado afirmar que "a utilidade é maximizada quando as utilidades marginais de todos os bens são exatamente iguais"? Corrija a afirmação e explique.

5. Eis uma forma de pensar sobre o excedente do consumidor aplicado aos filmes:
   a. Quantos filmes viu no ano passado?
   b. Quanto gastou no total para ver filmes no ano passado?
   c. Qual seria o máximo que estaria disposto a pagar para ver os filmes que viu no último ano?
   d. Calcule (c) menos (b). Esse será o seu excedente do consumidor para filmes.

6. Considere a tabela a seguir, que mostra a utilidade dos vários números de dias de prática de esqui por ano:

Número de dias de esqui	Utilidade total (US$)
0	0
1	70
2	110
3	146
4	176
5	196
6	196

Construa uma tabela com a utilidade marginal para cada dia de esqui. Admitindo que há 1 milhão de indivíduos com as preferências indicadas na tabela, desenhe a curva da demanda do mercado de dias de esqui. Se os bilhetes dos teleféricos custassem US$ 40 por dia, quais seriam o preço e a quantidade de equilíbrio dos dias de esqui?

7. Para cada um dos bens da Tabela 5-2, calcule o impacto da duplicação do preço sobre a quantidade demandada. De forma semelhante, para os bens na Tabela 5-3, qual seria o impacto de um aumento de 50% da renda dos consumidores?

8. À medida que adiciona as curvas de demanda idênticas de um cada vez maior número de pessoas (em uma forma semelhante ao efetuado na Figura 5-2), a curva da demanda de mercado se torna cada vez mais horizontal, mantendo a escala. Esse fato significa que a elasticidade da demanda está se tornando cada vez maior? Dê uma resposta detalhada.

9. Uma aplicação interessante da oferta e da demanda de substâncias viciantes compara técnicas alternativas de restrição da oferta. Para esse problema, admita que a demanda de substâncias viciantes é inelástica.

   a. Uma abordagem (aplicada atualmente à heroína e à cocaína e às bebidas alcoólicas durante a proibição nos Estados Unidos) é reduzir a oferta na fronteira de um país. Demonstre de que forma isso aumenta o preço e a renda total dos traficantes de droga.

   b. Uma abordagem alternativa (aplicada atualmente para o cigarro e para o álcool) é tributar fortemente os bens. Usando o esquema dos impostos desenvolvido no Capítulo 4, mostre como, desse modo, reduz-se a renda dos traficantes de droga.

   c. Comente a diferença entre as duas abordagens.

10. A demanda pode ser elástica ao preço para os consumidores eventuais de drogas, os que não estão viciados ou para quem produtos substitutos estejam prontamente disponíveis. Nesse caso, as restrições ou aumentos de preços terão um impacto significativo no consumo. Desenhe um gráfico de oferta e demanda como na Figura 5-4, em que a curva da demanda é elástica ao preço. Mostre o efeito de um imposto pesado na quantidade demandada e que, dado que a demanda é elástica ao preço, havendo restrições, a despesa total com drogas cairá. Explique por que razão essa análise sustentaria o argumento daqueles que limitariam drasticamente a disponibilidade de substâncias viciantes.

11. Suponha que você fosse muito rico e muito gordo. O seu médico teria aconselhado a limitar a ingestão de alimentos em até 2 mil calorias por dia. Qual o seu equilíbrio de consumidor no consumo de alimentos?

12. *Problema numérico sobre o excedente do consumidor*: Admita que a demanda para a travessia de uma ponte toma a forma de $Y = 1.000.000 - 50.000P$, em que Y é o número de travessias da ponte e P é o pedágio (em dólares).

   a. Calcule o excedente do consumidor se o pedágio for US$ 0, US$ 1 e US$ 20.

   b. Admita que o custo da ponte é de US$ 1,8 milhão e calcule o pedágio que permite ao dono da ponte cobrir seu custo. Qual é o excedente do consumidor para o nível de pedágio nesse caso?

   c. Admita que o custo da ponte é de US$ 8 milhões. Que justificativa poderá ser dada para que a ponte seja construída, mesmo que não haja pedágio que cubra o custo?

Apêndice 5
ANÁLISE GEOMÉTRICA DO EQUILÍBRIO DO CONSUMIDOR

Uma abordagem alternativa e mais avançada para a dedução de curvas de demanda usa a abordagem designada por curvas de indiferença. Este apêndice apresenta as principais conclusões do comportamento do consumidor com este novo instrumento.

CURVA DE INDIFERENÇA

Comece por admitir que é um consumidor que compra diferentes combinações de dois bens, por exemplo, alimentos e vestuário, a um dado conjunto de preços. Entre as duas combinações dos dois bens, admita que prefere uma à outra, ou fica indiferente entre ambas. Por exemplo, quando lhe pedem para escolher entre a combinação A, de 1 unidade de alimentos e 6 unidades de vestuário, e a combinação B, de 2 unidades de alimentos e 3 de vestuário, pode (1) preferir A a B, (2) preferir B a A, ou (3) ficar indiferente entre A e B.

Suponha agora que, para você, A e B são igualmente boas – que lhe é indiferente ter qualquer uma. Consideremos algumas outras combinações dos bens que lhe sejam indiferentes, conforme indicado na tabela da Figura 5A-1.

A Figura 5A-1 mostra essas combinações, graficamente. Medimos as unidades de vestuário em um eixo e as unidades de alimentos no outro. Cada uma das nossas quatro combinações de bens, A, B, C e D, é representada pelo seu ponto. Mas essas quatro não são, de modo algum, as únicas que lhe são indiferentes. Outra combinação, por exemplo, 1,5 unidades de alimentos e 4 de vestuário, pode ser considerada equivalente a A, B, C ou D e há muitas outras que não foram indicadas. A linha contínua que liga os quatro pontos da Figura 5A-1 é uma **curva de indiferença**. Os pontos da curva representam conjuntos de consumo que são indiferentes para o consumidor. Todos são desejados de igual modo.

Lei da substituição

As curvas de indiferença são convexas em relação à origem. Assim, quando nos deslocamos ao longo da curva para baixo e para a direita – um movimento que implica o aumento da quantidade de alimentos e a redução de vestuário – a curva se torna quase horizontal. A curva é desenhada desse modo para ilustrar a propriedade que parece ser mais frequente na vida real e que podemos designar como lei da substituição:

> Quanto mais escasso é um bem, maior é o seu valor relativo de substituição; a sua utilidade marginal aumenta relativamente à utilidade marginal do bem que se tornou abundante.

Assim, indo de A para B, na Figura 5A-1, você iria trocar 3 de suas 6 unidades de vestuário por 1 unidade suplementar de alimentos. Mas, de B para C, sacrificaria apenas 1 unidade das restantes de vestuário para obter uma terceira unidade de alimentos – uma troca de 1 por 1. Para a quarta unidade de alimentos sacrificaria apenas meia unidade de seu consumo, já reduzido, de vestuário.

Se unirmos os pontos A e B da Figura 5A-1, verá que a inclinação da reta resultante (ignorando o seu sinal negativo) tem um valor de 3. Unindo B e C, a inclinação é 1; ligando C e D, a inclinação é 1/2. Esses valores – 3, 1, 1/2 – são as *taxas de troca* (por vezes designadas *taxas marginais de substituição*) entre os dois bens. Quanto menor for o movimento ao longo da curva, mais taxa de troca se aproxima da inclinação efetiva da curva de indiferença.

A inclinação da curva de indiferença é a medida das utilidades marginais relativas dos bens, ou dos termos de substituição em que – para variações muito pequenas – o consumidor estaria disposto a trocar um pouco menos de um bem por um pouco mais do outro.

Uma curva de indiferença que é convexa como a da Figura 5A-1 está de acordo com a lei da substituição. À medida que a quantidade consumida de alimentos aumenta – e a quantidade de vestuário diminui, os alimentos têm de tornar-se relativamente mais baratos, de modo a induzir o consumidor a comprar um pouco mais de alimentos em troca de um pequeno sacrifício de vestuário. O traçado exato e a inclinação de uma curva de indiferença variam, obviamente, de consumidor para consumidor, mas a forma típica é a mostrada nas Figuras 5A-1 e 5A-2.

Mapa de indiferença

A tabela na Figura 5A-1 é uma dentre uma infinidade de possíveis tabelas. Poderíamos ter partido de uma situação de consumo de maior preferência e listar algumas das diferentes combinações que proporcionam ao consumidor esse maior nível de satisfação. Tal tabela poderia ter começado com 2 unidades de alimentos e 7 unidades de vestuário; outra com 3 de alimentos e 8 de vestuário. Cada tabela poderia ser representada graficamente, correspondendo a cada uma delas uma curva de indiferença.

A Figura 5A-2 mostra quatro dessas curvas; a curva da Figura 5A-1 é a curva U_3. Esse gráfico é análogo a um mapa de curvas de nível. Uma pessoa que caminhasse ao longo da pista indicada por uma determinada altitude em um desses mapas não estaria subindo

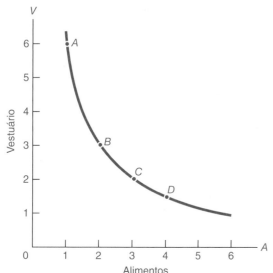

FIGURA 5A-1 Curva de indiferença para um par de bens.

Prescindir mais de um bem é compensado por se obter mais do outro. O consumidor gosta tanto da situação A quanto da B, C ou D. As combinações de alimentos e vestuário que proporcionam a mesma satisfação estão representadas como uma curva de indiferença contínua. Esta é convexa, vista da origem, de acordo com a lei da substituição, segundo a qual, quanto mais tiver de um bem, menor será a sua taxa marginal de substituição, ou inclinação da curva de indiferença.

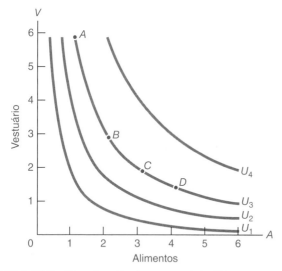

FIGURA 5A-2 Uma família de curvas de indiferença.

As curvas designadas por U_1, U_2, U_3 e U_4 representam curvas de indiferença. Qual a curva de indiferença preferida pelo consumidor?

nem descendo; de forma semelhante, o consumidor que se desloca de uma posição para outra ao longo de uma única curva de indiferença não aumenta nem diminui a sua satisfação pela alteração no consumo. Estão representadas na Figura 5A-2 apenas algumas das possíveis curvas de indiferença.

Repare que, se aumentarmos ambos os bens e, desse modo, nos deslocarmos na direção nordeste deste mapa, estamos atravessando sucessivas curvas de indiferença; assim, estamos atingindo níveis cada vez maiores de satisfação (no pressuposto de que o consumidor atinge uma maior satisfação quando recebe maiores quantidades de ambos os bens). A curva U_3 representa um nível de satisfação superior a U_2; U_4 um nível de satisfação superior a U_3 etc.

RETA ORÇAMENTÁRIA OU RESTRIÇÃO ORÇAMENTÁRIA

Fixemo-nos, agora, em um único mapa de indiferença de um consumidor e vamos atribuir a esse consumidor uma determinada renda fixa. Ele tem, digamos, US$ 6 para gastar por dia e é confrontado com preços fixos para cada unidade de alimentos e vestuário – US$ 1,50 para alimentos e US$ 1 para vestuário. É claro que ele poderia gastar o seu dinheiro em qualquer uma das várias combinações alternativas de alimentos e vestuário. Em um extremo, ele poderia comprar 4 unidades de alimentos e nenhuma de vestuário; no outro, 6 unidades de vestuário e nenhuma de alimentos. A tabela da Figura 5A-3 ilustra algumas das formas possíveis em que ele poderia aplicar os seus US$ 6.

A Figura 5A-3 apresenta cinco dessas possibilidades. Repare que todos os pontos se situam em uma linha reta designada *NM*. Além disso, qualquer outro ponto atingível, como 10/3 unidades de alimentos e 1 unidade de vestuário se situa em *NM*. A reta orçamentária *NM* representa todas as possíveis combinações dos dois

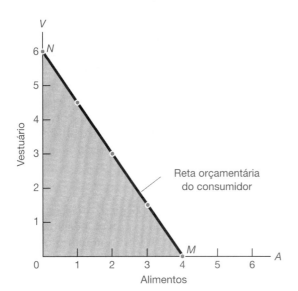

	Alimentos	Vestuário
M	4	0
	3	1½
	2	3
	1	4½
N	0	6

Possibilidades alternativas de consumo

FIGURA 5A-3 A renda restringe a despesa do consumidor.

O limite orçamentário às despesas pode ser observado em uma tabela numérica. O custo total de cada orçamento (com equação dada por US$ 1,50A + US$ 1V) soma exatamente US$ 6 de renda. Podemos representar a restrição orçamentária como uma reta cuja inclinação, em valores absolutos, é igual à relação P_A/P_V. NM é a reta orçamentária do consumidor. Quando a renda é de US$ 6, sendo o preço dos alimentos US$ 1,50 e o do vestuário US$ 1, o consumidor pode escolher qualquer ponto nesta reta orçamentária. (Por que razão a inclinação desta reta é US$ 1,50/US$ 1 = 3/2?)

bens que utilizam totalmente a renda do consumidor.[1] A inclinação de NM (desprezando o seu sinal) é 3/2 que é a relação entre o preço dos alimentos e o preço do vestuário. A inclinação significa que, dados aqueles preços, todas as vezes que o nosso consumidor prescindir de 3 unidades de vestuário (dessa forma, deslizando, no gráfico, 3 unidades para baixo), poderá ganhar 2 unidades de alimentos (ou seja, mover-se, horizontalmente, para a direita, 2 unidades).

Designamos NM como a **reta orçamentária** ou **restrição orçamentária** do consumidor.

TANGÊNCIA COMO PONTO DE EQUILÍBRIO

Estamos prontos para conjugar as duas partes. Os eixos da Figura 5A-3 são os mesmos das Figuras 5A-1 e 5A-2. Podemos sobrepor a reta orçamentária NM ao mapa de indiferença do consumidor, como indicado na Figura 5A-4. O consumidor pode se deslocar livremente

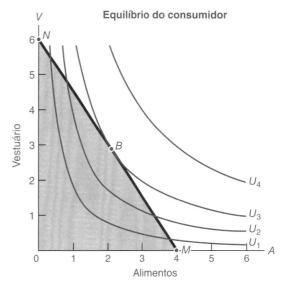

FIGURA 5A-4 A combinação de consumo mais provável e preferida pelo consumidor situa-se em B.

Combinamos a reta orçamentária e as curvas de indiferença em um só gráfico. O consumidor atinge a curva de indiferença mais elevada possível, com uma renda fixa, no ponto B, que é o da tangência da reta orçamentária com a curva de indiferença mais elevada. No ponto de tangência B, a taxa marginal de substituição é igual a relação dos preços, P_A/P_V. Isso significa que as utilidades marginais de todos os bens são proporcionais aos seus preços, tendo sido igualada a utilidade marginal da última unidade monetária gasta em cada um dos bens.

---

[1] Isso ocorre assim porque, se designarmos as quantidades compradas de alimentos e de vestuário respectivamente por A e V, a despesa total em alimentos tem de ser US$ 1,50A, e a despesa total em vestuário US$ 1V. Se a renda e a despesa diárias forem iguais a US$ 6, será necessário verificar-se a seguinte equação: US$ 6 = US$ 1,50A + US$ 1V. Essa é uma equação linear, ou seja, a reta orçamentária NM. Repare:
A inclinação aritmética de NM = US$ 1,50 ÷ US$ 1 = preço dos alimentos ÷ preço do vestuário.

ao longo de NM. Não são permitidas posições para a direita e acima de NM porque exigem uma renda superior a US$ 6; as posições para a esquerda e para baixo são irrelevantes, porque se pressupõe que o consumidor gaste a totalidade dos US$ 6.

Para onde o consumidor irá deslocar-se? Obviamente, para o ponto que proporcione a máxima satisfação – ou seja, para a curva de indiferença mais elevada possível –, que, neste caso, tem de ser no ponto B. Em B, a reta orçamentária limita-se a tocar, sem cruzar, a curva de indiferença U_3. Neste ponto de tangência, onde a reta orçamentária apenas toca, sem cruzar, a curva de indiferença, encontra-se a máxima utilidade que o consumidor pode atingir.

Geometricamente, o consumidor está em equilíbrio no ponto em que a inclinação da reta orçamentária (que é igual ao quociente entre os preços de alimentos e de vestuário) é exatamente igual à inclinação da curva de indiferença (que é igual à razão entre as utilidades marginais dos dois bens).

O equilíbrio do consumidor é atingido no ponto em que a reta orçamentária é tangente à curva de indiferença mais elevada. Nesse ponto, a taxa marginal de substituição do consumidor é exatamente igual à inclinação da reta orçamentária.

Dito de outro modo, a taxa marginal de substituição, ou a inclinação da curva de indiferença, é o quociente entre a utilidade marginal dos alimentos e a utilidade marginal do vestuário. Desse modo, a nossa condição de tangência é apenas outra forma de dizer que o quociente entre os preços tem de ser igual ao quociente entre as utilidades marginais; em equilíbrio, o consumidor obtém uma utilidade marginal com o consumo do último centavo de alimentos igual ao do último centavo gasto em vestuário. Portanto, podemos deduzir a seguinte condição de equilíbrio:

$$\frac{P_A}{P_V} = \text{taxa marginal de substituição} = \frac{UMg_A}{UMg_V}$$

Essa é exatamente a mesma condição que deduzimos pela teoria da utilidade na parte principal deste capítulo.

VARIAÇÕES NA RENDA E NO PREÇO

Duas aplicações importantes das curvas de indiferença são, com frequência, a apreciação dos efeitos de (a) uma variação da renda e (b) de uma variação no preço de um dos dois bens.

Variação da renda

Considere, primeiro, que a renda diária do consumidor foi reduzida pela metade, enquanto os preços dos dois bens não se alteravam. Podemos construir outra tabela, semelhante à da Figura 5A-3, mostrando as novas possibilidades de consumo. Marcando esses pontos em um gráfico como o da Figura 5A-5, concluiríamos que a nova reta orçamentária ocuparia a posição $N'M'$ na Figura 5A-5. A reta deslocou-se paralelamente para dentro.[2] O consumidor tem, agora, a possibilidade de se movimentar apenas ao longo desta nova (e inferior) reta orçamentária; para maximizar a satisfação, ele deslocará para a curva de indiferença mais elevada, ou para o ponto B'. A condição de tangência para o equilíbrio do consumidor se aplica aqui tal como anteriormente.

Variação de um único preço

Retornemos o consumidor à renda diária anterior de US$ 6, mas admitindo que o preço dos alimentos aumente de US$ 1,5 para US$ 3, enquanto o preço do vestuário permanece inalterado. Temos de analisar novamente a modificação da reta orçamentária. Desta vez, descobrimos que, centrada em N, ela gira por NM'', tal como ilustrado na Figura 5A-6.[3]

O significado de tal deslocamento é claro. Dado que o preço do vestuário não se alterou, o ponto N continua a ser possível como anteriormente. Mas como o preço dos alimentos subiu, o ponto M (que representa 4 unidades de alimento) já não é atingível. Com os alimentos custando US$ 3 por unidade e com um rendimento diário de US$ 6, agora, apenas podem ser adquiridas 2 unidades de alimentos. Desse modo, a nova reta orçamentária continua a passar por N, mas tem de rodar centrada em N e passar por M'', que está à esquerda de M.

O equilíbrio agora está em B'' com um novo ponto de tangência. Um preço mais elevado de alimentos reduziu efetivamente o consumo de alimentos, mas o consumo de vestuário pode se mover nas duas direções. Para fixar o seu conhecimento, elabore os casos de um aumento de renda e de uma diminuição do preço do vestuário ou dos alimentos.

OBTENÇÃO DA CURVA DA DEMANDA

Estamos em condições de obter a curva da demanda. Observe com atenção a Figura 5A-6. Repare que, quando aumentamos o preço dos alimentos de US$ 1,5 para US$ 3 por unidade, mantivemos o resto constante. Os gostos, representados pelas curvas de indiferença, não se alteraram, e a renda, bem como o preço do vestuário, manteve-se constante. Estamos, portanto, na posição ideal para traçar a curva da demanda dos alimentos. A um preço de US$ 1,50, o consumidor compra 2 unidades de alimentos, indicadas como o ponto de equilíbrio B. Quando o preço sobe para US$ 3 por unidade, é comprada 1 unidade de alimentos e o ponto de

---

[2] A equação da nova reta orçamentária $N'M'$ é, agora, US$ 3 = US$ 1,50A + US$ 1V.

[3] A equação orçamentária de NM'' é, agora, US$ 6 = US$ 3A + US$ 1V.

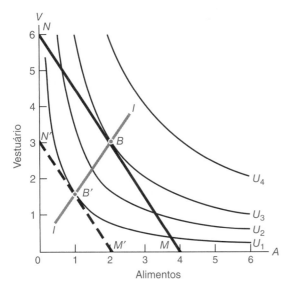

FIGURA 5A-5 Efeito da variação da renda sobre o equilíbrio.

Uma variação da renda desloca paralelamente a reta orçamentária. Assim, ao reduzir-se a renda pela metade, ou para US$ 3, desloca-se NM para $N'M'$, deslocando-se o equilíbrio para B'. (Mostre como o aumento da renda para US$ 8 irá afetar o equilíbrio e calcule onde se situaria o novo ponto de tangência.)

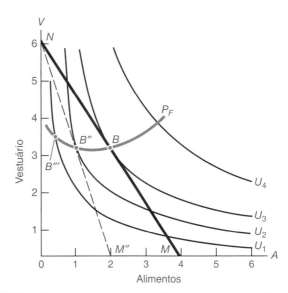

FIGURA 5A-6 Efeito da variação do preço sobre o equilíbrio.

Um aumento do preço dos alimentos faz com que a reta orçamentária gire centrada em N rodando de NM para NM''. O novo ponto de equilíbrio de tangência está em B'', onde, sem dúvida, há menos alimentos consumidos, mas o consumo de vestuário pode ser maior ou menor.

equilíbrio é B''. Se traçar a reta orçamentária correspondente ao preço de US$ 6 por unidade de alimentos, o equilíbrio ocorrerá no ponto B''', e a compra de alimentos será de 0,45 unidades.

Agora, confronte o preço dos alimentos com as compras de alimentos, de novo, mantendo o resto constante. Você obterá, a partir das curvas de indiferença, uma adequada curva da demanda com inclinação negativa. Repare que fizemos isto sem necessidade de alguma vez mencionar a palavra "utilidade" – baseando a dedução unicamente nas curvas de indiferença que são mensuráveis.

RESUMO DO APÊNDICE

1. Uma curva de indiferença representa as combinações de consumo desejadas com igual intensidade. A curva de indiferença é geralmente convexa (ou na forma de tigela) de acordo com a lei das utilidades marginais relativas decrescentes.

2. Quando um consumidor tem uma renda nominal fixa que é totalmente despendida, e se confronta com os preços de mercado de dois bens, está limitado a movimentar-se ao longo de uma linha reta chamada reta orçamentária ou restrição orçamentária. A inclinação da reta depende da relação entre os dois preços de mercado; o seu afastamento em relação à origem depende da dimensão de sua renda.

3. O consumidor se movimentará ao longo dessa reta orçamentária até atingir a curva de indiferença mais elevada possível. Nesse ponto, a reta orçamentária toca, mas não cruza, uma curva de indiferença. Assim, o equilíbrio está no ponto de tangência, onde a inclinação da reta orçamentária (a relação entre os preços) é exatamente igual à inclinação da curva de indiferença (a taxa marginal de substituição ou o quociente entre as utilidades marginais dos dois bens). Isso é uma prova adicional de que, em equilíbrio, as utilidades marginais são proporcionais aos preços.

4. Uma redução da renda fará deslocar paralelamente a reta orçamentária para o interior, causando normalmente uma redução das compras de ambos os bens. A variação do preço de um único bem, mantendo o resto constante, fará com que a reta orçamentária sofra uma rotação modificando a sua inclinação. Após uma variação de preço ou de renda, o consumidor atingirá de novo um ponto de tangência de máxima satisfação. Em todos os pontos de tangência, a utilidade marginal por unidade monetária é igual para qualquer bem. Ao ligar o novo ponto de equilíbrio ao anterior, traçamos a habitual curva da demanda com inclinação negativa.

CONCEITOS PARA REVISÃO

- curvas de indiferença
- inclinação ou relação de substituição
- reta orçamentária ou restrição orçamentária
- convexidade das curvas de indiferença e lei das utilidades marginais relativas decrescentes
- condição ótima de tangência: P_A/P_V = taxa marginal de substituição = UMg_A/UMg_V

QUESTÕES PARA DISCUSSÃO

1. Desenhe as curvas de indiferença (a) entre bens complementares, como sapatos do pé esquerdo e sapatos do pé direito, e (b) entre substitutos perfeitos, como duas garrafas de refrigerante colocadas lado a lado em uma loja.

2. Considere espaguete e iates. Desenhe um conjunto de curvas de indiferença e retas orçamentárias como as da Figura 5A-5, que mostra o espaguete como um bem inferior e os iates, como bem de luxo, com uma elasticidade-renda maior que 1.

CAPÍTULO 6

Produção e organização empresarial

O negócio da América são os negócios.
Calvin Coolidge

Alguém tem de fazer o pão nosso de cada dia antes de o podermos comer. Da mesma forma, a habilidade da economia para produzir automóveis, gerar eletricidade, escrever programas de computador e fornecer uma diversidade de bens e serviços que compõem o nosso produto interno bruto depende da nossa capacidade produtiva. A capacidade produtiva é determinada pela dimensão e qualidade da população ativa, pela quantidade e qualidade do estoque de capital, pelo conhecimento tecnológico do país juntamente com a capacidade para usá-lo e pela natureza das instituições públicas e privadas. Por que os padrões de vida são elevados na América do Norte? E por que são baixos na África? Para responder, veremos quão bem a máquina da produção está funcionando.

O nosso objetivo é compreender como as forças de mercado determinam a oferta de bens e serviços. Ao longo dos próximos três capítulos, apresentaremos os conceitos essenciais de produção, custo e oferta e mostraremos a ligação entre eles. Primeiro vamos explorar os fundamentos da teoria da produção, mostrando como as empresas transformam fatores de produção em produções desejadas. A teoria da produção também nos ajuda a compreender por que a produtividade e os níveis de vida têm aumentado ao longo do tempo e como as empresas gerenciam as suas atividades internas.

A. TEORIA DA PRODUÇÃO E PRODUTOS MARGINAIS

CONCEITOS BÁSICOS

Uma economia moderna tem um conjunto de atividades produtivas extremamente variado. Uma fazenda usa adubos, sementes, terra e trabalho e os transformam em trigo ou milho. As fábricas modernas empregam fatores produtivos, tais como energia, matérias-primas, equipamentos computadorizados e trabalho para produzir tratores, DVDs ou tubos de creme dental. Uma companhia aérea usa aviões, combustível, trabalho e sistemas computadorizados de reservas para proporcionar aos passageiros a possibilidade de viajar rapidamente em sua rede de rotas.

Função de produção

Falamos neste livro de fatores de produção, como terra, trabalho e de produtos, como o trigo e creme dental. Mas se tiver uma quantidade fixa de insumos, que quantidade de produto poderá ser obtida? Em qualquer momento, dados o conhecimento tecnológico, a terra, o maquinário etc., apenas pode ser obtida certa quantidade de tratores ou creme dental a partir de uma determinada quantidade de trabalho. A relação entre a quantidade necessária de insumos e a quantidade de produto que pode ser obtida é designada por *função de produção*.

A **função de produção** determina a quantidade máxima de produto que pode ser obtida com uma dada quantidade de fatores de produção. É definida para um dado estado da tecnologia e do conhecimento tecnológico.

Um importante exemplo é a função de produção para gerar eletricidade. Imaginemos um livro com especificações técnicas para diferentes tipos de centrais. Uma página é dedicada a turbinas a gás, mostrando os seus insumos (custo do capital inicial, consumo de combustível e a quantidade de trabalho necessária para pôr a turbina em atuação) e o seu produto (quantidade de eletricidade). A página seguinte apresenta os fatores produtivos e as produções de usinas a carvão.

Em outras páginas há descrições de centrais nucleares, estações de energia solar etc. Juntas, elas constituem a função de produção da energia elétrica.

Observe que a nossa definição pressupõe que as empresas objetivem sempre produzir de maneira eficiente. Em outras palavras, tentam sempre obter o nível máximo de produto a partir de um dado conjunto de fatores produtivos.

Considere a modesta tarefa de abrir valas. Das janelas de nossos escritórios nos Estados Unidos, vemos um trator grande e caro sendo manobrado por uma pessoa que está sendo supervisionada por outra. Essa equipe pode facilmente abrir uma vala com 1 metro de profundidade e 5 metros de comprimento em 2 horas. Quando visitamos a África, vemos 50 trabalhadores armados apenas com picaretas e a abertura da mesma vala pode levar um dia inteiro. Essas duas técnicas – uma intensiva em capital e outra intensiva em trabalho – são parte da função de produção de abertura de valas.

Há, literalmente, milhões de funções de produção diferentes – uma para cada bem e serviço. A maioria não está registrada em lugar algum, está apenas nas mentes das pessoas. Em áreas da economia, em que a tecnologia está evoluindo rapidamente, como a programação de computadores e a biotecnologia, as funções de produção podem se tornar obsoletas pouco depois de terem sido usadas. E algumas, como as plantas de um laboratório médico ou de uma casa na montanha, são especificamente desenhadas para uma localização ou finalidade precisas e não teriam utilidade em qualquer outro lugar. Todavia, o conceito de função de produção é uma forma útil de descrever as capacidades produtivas de uma empresa.

Produto total, médio e marginal

A partir da função de produção de uma empresa, podemos calcular três conceitos de produção importantes: produto total, médio e marginal. Começamos calculando o produto físico total, ou **produto total**, que designa a quantidade total produzida, em unidades físicas, tais como toneladas de trigo ou pares de calçados. A Figura 6-1(a) e a coluna (2) da Tabela 6-1 ilustram o conceito de produto total. Neste exemplo, é mostrado como o produto total responde a um aumento do trabalho utilizado. O produto total começa em zero, não se utilizando qualquer trabalho e depois aumenta com a utilização de unidades de trabalho adicionais, atingindo um máximo de 3,9 mil unidades quando são utilizadas 5 unidades de trabalho.

Uma vez conhecido o produto total é fácil deduzir um conceito igualmente importante, o de produto marginal. Recorde que o termo "marginal" significa "adicional".

O **produto marginal** de um insumo é o produto adicional gerado por 1 unidade adicional desse insumo, mantendo os demais insumos constantes.

Por exemplo, suponha que mantemos a terra, o maquinário e todos os outros insumos constantes. Então o produto marginal do trabalho é o produto suplementar obtido pelo acréscimo de 1 unidade de trabalho. A terceira coluna da Tabela 6-1 calcula o produto marginal. O produto marginal da mão de obra começa em 2 mil para a primeira unidade de trabalho e depois reduz-se para apenas 100 unidades com a quinta unidade. Cálculos do produto marginal como este são essenciais para compreender como são determinados os salários e os preços de outros insumos.

O último conceito é o de **produto médio**, que é igual ao produto total dividido pela totalidade de unidades do fator de produção. A quarta coluna da Tabela 6-1 mostra o produto médio do trabalho como 2 mil unidades por trabalhador com 1 trabalhador, 1,5 mil unidades por trabalhador com 2 trabalhadores e assim sucessivamente. Neste exemplo, o produto médio diminui sempre, à medida que o trabalho aumenta.

A Figura 6-1 reproduz o produto total e o marginal da Tabela 6-1. Estude esta figura e certifique-se de que compreende que os blocos dos produtos marginais em (b) estão relacionados com as variações da curva do produto total em (a).

Lei dos rendimentos decrescentes

Com o uso de funções de produção podemos compreender uma das leis mais famosas de toda a ciência econômica, a lei dos rendimentos decrescentes:

Segundo a **lei dos rendimentos decrescentes**, uma empresa obtém cada vez menos produto adicional, à medida que acrescenta unidades adicionais de um fator, mantendo fixos os outros fatores de produção. Ou seja, mantendo constantes todos os demais fatores produtivos, o produto marginal de cada unidade de fator de produção se reduzirá com o aumento da quantidade utilizada desse fator.

A lei dos rendimentos decrescentes expressa uma relação muito elementar. Quanto mais de um insumo, como o trabalho, é acrescentado a uma quantidade fixa de terra, de maquinário e de outros insumos, menor é a quantidade dos outros insumos de que o trabalho dispõe. A terra fica cada vez mais ocupada por trabalhadores, o maquinário fica sobrecarregado e o produto marginal do trabalho diminui.

A Tabela 6-1 ilustra a lei dos rendimentos decrescentes. Dada uma quantidade fixa de terra e de outros fatores produtivos, vemos que não existe qualquer produção de milho quando o trabalho é zero. Quando juntamos a nossa primeira unidade de trabalho à mesma quantidade fixa de terra, observamos que são produzidas 2 mil toneladas de cereal.

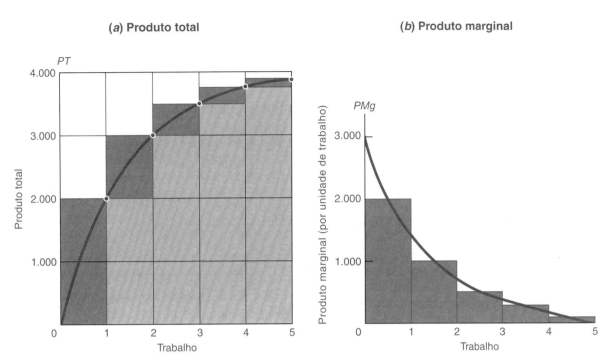

FIGURA 6-1 O produto marginal deduz-se do produto total.

O gráfico (*a*) mostra a subida da curva do produto total à medida que são acrescentadas mais unidades de trabalho, mantendo o resto constante. Contudo, o produto total aumenta com acréscimos cada vez menores, à medida que unidades adicionais de trabalho entram em ação (compare os acréscimos do primeiro e do quinto trabalhador). Ao ligar os pontos por uma linha contínua, obtemos a curva do produto total.

O gráfico (*b*) mostra os degraus descendentes do produto marginal. Certifique-se de que compreende por que cada retângulo escuro em (*b*) é igual ao equivalente retângulo escuro em (*a*). A área total em (*b*) abaixo da curva do produto marginal (ou a soma dos retângulos escuros) é igual ao produto total representado em (*a*).

Na nossa etapa seguinte, com 2 unidades de trabalho, mantendo fixa a terra, o produto vai para 3 mil toneladas. Assim, a segunda unidade de trabalho acrescenta apenas mil toneladas de produto adicional. A terceira unidade de trabalho tem ainda um menor produto marginal que a segunda, e a quarta adiciona ainda menos. A Tabela 6-1 ilustra, assim, a lei dos rendimentos decrescentes.

A Figura 6-1 também ilustra a lei dos rendimentos decrescentes do trabalho. Vemos aqui que a curva do produto marginal em (*b*) diminui com o aumento do trabalho, que é precisamente o significado de rendimentos decrescentes. Na Figura 6-1(*a*), os rendimentos decrescentes aparecem como uma curva côncava, ou em forma de cúpula, do produto total.

O que é verdade para o trabalho também o é para qualquer outro fator de produção. Podemos trocar o trabalho por terra, mantendo agora o trabalho constante e variando a terra. Podemos calcular o produto marginal de cada insumo (trabalho, terra, maquinário, água, adubos etc.), correspondendo o produto marginal a cada uma das produções (trigo, milho, aço, soja etc.). Descobriríamos que os outros insumos tenderiam também a demonstrar a lei dos rendimentos decrescentes.

(1) Unidades de trabalho	(2) Produto total	(3) Produto marginal	(4) Produto médio
0	0		
		2.000	
1	2.000		2.000
		1.000	
2	3.000		1.500
		500	
3	3.500		1.167
		300	
4	3.800		950
		100	
5	3.900		780

TABELA 6-1 Produto total, marginal e médio.

A tabela mostra o produto total que pode ser produzido com diferentes quantidades de trabalho quando os outros insumos (capital, terra etc.) e o estado do conhecimento tecnológico se mantêm inalterados. A partir do produto total, podemos deduzir os importantes conceitos de produto marginal e de produto médio.

> **Rendimentos decrescentes em experiências agrícolas**
>
> A lei dos rendimentos decrescentes é observada com frequência na agricultura. À medida que o agricultor João contrata mais trabalho – os campos serão mais intensamente semeados e os canais de irrigação mais desimpedidos. A certo ponto, contudo, o trabalho adicional torna-se cada vez menos produtivo. A terceira lavra do campo ou a quarta lubrificação do maquinário adiciona pouco ao produto. O produto acaba aumentando muito pouco com o excesso de trabalhadores na fazenda. Lavradores demais estragam a colheita.
>
> As experiências na agricultura são um dos mais importantes tipos de pesquisa tecnológica. Essas técnicas têm sido usadas há mais de um século para testar diferentes sementes, fertilizantes e outras combinações de fatores de produção em um esforço bem-sucedido para aumentar a produtividade agrícola. A Figura 6-2 mostra os resultados de uma experiência em que diferentes doses do fertilizante foram aplicadas em dois lotes diferentes, mantendo constante a área de terreno, adubo, trabalho e outros insumos. As experiências reais são complicadas por "erros aleatórios", neste caso, devidos principalmente a diferenças dos solos. Você verificará que os rendimentos decrescentes surgem rapidamente a cerca de 50 quilos de fertilizante por hectare. De fato, para além de um nível de 150 quilos por hectare, o produto marginal de fertilizante fósforo adicional é negativo.

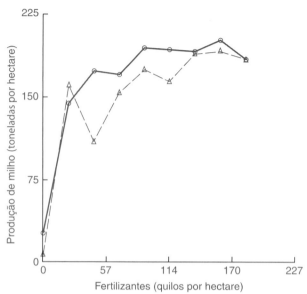

FIGURA 6-2 Rendimentos decrescentes na produção de milho.

Pesquisadores agrícolas experimentam diferentes doses de adubo em dois lotes distintos para estimar a função de produção de milho no oeste do Iowa. Na realização da experiência, tiveram o cuidado de manter tudo o mais constante, como os insumos, adubos, água e trabalho. Em virtude de variações de solo e microclima, mesmo o mais cuidadoso cientista não pode evitar alguma influência aleatória, que originou o ziguezague das linhas. Se você ligar com uma linha contínua os pontos, verá que a relação apresenta rendimentos decrescentes para cada dose e que o produto marginal se torna negativo para uma aplicação de fertilizante, em torno de 150 quilos por hectare.

Fonte: Earl O. Heady, John T. Pesek e William G. Brown, *Crop Response Surfaces and Economic Optima in Fertilizer Use* (Agricultural Experiment Station, Iowa State College, Ames, Iowa, 1955), Tabela A-15.

Os rendimentos decrescentes são um aspecto-chave para explicar por que muitos países na Ásia são tão pobres. Os níveis de vida nos populosos Ruanda e Bangladesh são baixos, pelo fato de haver muitos trabalhadores por hectare de terra, e não porque os agricultores sejam ignorantes ou não respondam aos incentivos econômicos.

Também podemos usar o exemplo do estudo para ilustrar a lei dos rendimentos decrescentes. Você pode constatar que a primeira hora de estudo de Economia em um certo dia foi produtiva – aprendeu novas leis e fatos, ideias e história. Na segunda hora sua atenção dispersou-se um pouco e a aprendizagem foi menor. A terceira hora pode mostrar que os rendimentos decrescentes se instalaram intensamente e, no dia seguinte, a terceira hora estava completamente em branco em sua memória. A lei dos rendimentos decrescentes sugere a razão por que se deve repartir as horas dedicadas ao estudo, em vez de as concentrar na véspera dos exames?

A lei dos rendimentos decrescentes é uma regularidade empírica amplamente observada, e não uma verdade universal, como a lei da gravidade. Foi verificada em numerosos estudos empíricos, mas foram também encontradas algumas exceções. Além do mais, os rendimentos decrescentes podem não se verificar em todos os níveis de produção. As primeiras unidades de mão de obra podem de fato apresentar produtos marginais crescentes, dado que é necessária alguma mão de obra apenas para ir até ao campo e pegar a enxada. Apesar dessas ressalvas, a lei dos rendimentos decrescentes prevalece na maior parte das situações.

RETORNOS DE ESCALA

Os rendimentos decrescentes e os produtos marginais se referem à resposta da produção a um aumento de um *único* fator de produção quando todos os outros fatores se mantêm constantes. Vimos que aumentando a mão de obra, mantendo-se a terra constante, o aumento da produção de alimentos teria um incremento cada vez menor.

Mas, às vezes, estamos interessados no efeito do aumento de *todos* os fatores. Por exemplo, o que aconteceria à produção de trigo se a terra, o trabalho, a água e os outros insumos fossem aumentados na mesma proporção?

Ou o que aconteceria à produção de tratores se as quantidades de trabalho, computadores, robôs, aço e as instalações industriais fossem duplicadas? Essas questões se referem a *retornos de escala*, ou aos efeitos na quantidade produzida do aumento da escala dos fatores produtivos. Devem ser distinguidos três casos importantes:

- **Retornos constantes de escala** referem-se ao caso em que uma variação de todos os fatores leva a uma variação proporcional da produção. Por exemplo, se a mão de obra, a terra, o capital e outros fatores duplicam, então, sob retornos constantes de escala, a produção deverá também duplicar. Muitos setores baseados em mão de obra (como o de corte de cabelo nos Estados Unidos, ou tecelagem artesanal em um país em desenvolvimento) apresentam retornos constantes de escala.

- **Retornos crescentes de escala** (também chamados **economias de escala**) ocorrem quando um aumento de todos os fatores produtivos leva a um aumento mais do que proporcional do nível de produção. Por exemplo, o planejamento técnico de uma fábrica química de pequena dimensão geralmente conclui que o aumento dos insumos trabalho, capital e matérias-primas em 10% faz aumentar o produto total em mais de 10%. Estudos de engenharia têm determinado que muitas atividades industriais se beneficiam de pequenos retornos crescentes de escala para fábricas até atingirem a grande dimensão das fábricas modernas.

- **Rendimentos decrescentes de escala** ocorrem quando um aumento proporcional de todos os fatores de produção leva a um aumento menos do que proporcional na produção total. Em muitos processos, com o aumento da escala, chega-se a um ponto a partir do qual passam a existir ineficiências. Isso pode acontecer porque os custos de gestão ou de controle se tornam muito grandes. Essa situação ocorreu na produção de eletricidade em que as empresas descobriram que, quando as centrais elétricas se tornam grandes demais, o risco de falha da central aumenta significativamente. Muitas atividades produtivas que envolvem recursos naturais, tais como a produção de vinho ou o abastecimento de água potável a uma cidade, revelam retornos decrescentes de escala.

A produção apresenta retornos crescentes, decrescentes ou constantes de escala quando um aumento proporcional de todos os fatores produtivos leva a um aumento mais do que proporcional, menos do que proporcional ou igualmente proporcional do produto, respectivamente.

Uma das descobertas mais comuns da engenharia é a de que as modernas técnicas de produção em massa exigem que as fábricas tenham certa dimensão mínima. No Capítulo 2 foi mostrado que, à medida que a produção aumentava, as empresas podiam subdividir a produção em etapas menores, beneficiando-se da especialização e da divisão do trabalho. Além disso, a produção em larga escala permite o uso intensivo de equipamento especializado, automação, desenho e produção com apoio de computador para a execução rápida de tarefas simples e repetitivas.

As tecnologias da informação apresentam com frequência grandes economias de escala. Um bom exemplo é o sistema operacional Vista Windows, da Microsoft. O desenvolvimento desse programa exigiu reconhecidamente US$ 10 bilhões em pesquisa, desenvolvimento, versões beta e promoção. Todavia, o custo de instalar o Vista em um novo computador é quase nulo porque, ao instalar, são necessários apenas alguns segundos de uso do computador. Veremos que economias de escala elevadas conduzem frequentemente a empresas com um poder de mercado significativo, o que apresenta problemas importantes de política pública.

A Tabela 6-2 resume os importantes conceitos desta seção.

Conceito de produção	Definição
Rendimentos decrescentes	Produto marginal do produto de um fator produtivo é decrescente, mantendo todos os outros fatores constantes.
Retornos à escala	O aumento do produto de um aumento proporcional de todos os fatores é:
Decrescente	... menos que proporcional
Constante	... proporcional
Crescente	... mais que proporcional

TABELA 6-2 Conceitos de produção importantes.
Esta tabela mostra, de forma sucinta, os conceitos de produção importantes.

CURTO E LONGO PRAZOS

A produção exige não apenas trabalho e terra, mas também tempo. Os oleodutos não podem ser construídos de um dia para o outro, e uma vez construídos, duram décadas. Os agricultores não podem alterar o cultivo no meio do plantio. Muitas vezes, é necessário uma década a planejar, construir, testar e licenciar uma grande usina elétrica. Além disso, uma vez instalado na forma concreta de uma montadora gigante de automóveis, o capital não pode ser economicamente desmontado e transferido para outro local ou destinado a outra finalidade.

Para ter em conta o papel do tempo na produção e nos custos, distinguimos dois períodos de tempo. Definimos o **curto prazo** como um período no qual as empresas podem ajustar a produção com a alteração dos fatores variáveis, tais como matérias-primas e trabalho, mas em que não podem alterar os fatores fixos, como o capital. O **longo prazo** é um período suficientemente longo para que todos os fatores, incluindo o capital, possam ser ajustados.

Para compreender esses conceitos de uma forma mais clara, considere o modo como a produção de aço pode responder a variações na demanda. Digamos que a Nippon Steel opere seus fornos a 70% da capacidade, quando ocorre um aumento inesperado da demanda de aço em virtude da necessidade de reconstrução decorrente de um terremoto no Japão ou na Califórnia. Para se ajustar à maior demanda de aço, a empresa pode aumentar a produção com o acréscimo das horas de trabalho, contratando mais trabalhadores e fazendo funcionar mais intensivamente as suas fábricas e equipamentos. Os insumos que são aumentados no curto prazo são designados insumos *variáveis*.

Suponha que o aumento da demanda de aço persista por vários anos. A Nippon Steel examinaria as suas necessidades de capital e decidiria que aumentaria a capacidade de produção. Mais genericamente, deveria examinar todos os seus insumos *fixos*, aqueles que não podem ser alterados no curto prazo em virtude das condições físicas ou de contratos firmados. O período de tempo em que todos os fatores produtivos, fixos e variáveis, podem ser ajustados é designado de longo prazo. No longo prazo, a Nippon pode introduzir novos processos de produção mais eficientes, instalar um ramal de ferrovia, um sistema computadorizado de controle ou construir uma fábrica no México. Quando todos os fatores podem ser ajustados, a quantidade total de aço e o nível de eficiência serão maiores.

A produção eficiente exige tempo, tal como exige fatores produtivos convencionais, como o trabalho. Distinguimos, portanto dois períodos de tempo diferentes na análise da produção e dos custos. O curto prazo é o período de tempo em que apenas alguns fatores produtivos – os fatores variáveis – podem ser ajustados. No curto prazo, os fatores fixos, tais como edifícios e equipamentos, não podem ser completamente modificados ou ajustados. O longo prazo é o período em que todos os fatores produtivos utilizados pela empresa, incluindo o capital, podem ser alterados.

Isto cheira tão bem!

Os processos de produção de uma moderna economia de mercado são extremamente complexos. Podemos ilustrar isso com um simples hambúrguer.

À medida que os americanos passam mais tempo no local de trabalho e menos na cozinha, a sua demanda de refeições prontas aumentou significativamente. Os jantares anunciados na TV substituíram as cenouras e ervilhas compradas nas lojas e os hambúrgueres comprados no McDonald's chegam aos bilhões. A opção por alimentos industrializados tem o aspecto indesejável de fazer com que alimentos – após serem lavados, separados, cortados, congelados, descongelados e reaquecidos – percam, com frequência, a maior parte de seu sabor. Você quer um hambúrguer que cheire um hambúrguer e não a cartão de crédito cozido.

É aqui que entra a "produção de sabores e cheiros". Empresas como a International Flavors and Fragances (IFF) sintetizam o aroma de batatas fritas, cereais para o café da manhã, sorvetes, bolos e quase todos os outros tipos de alimentos preparados, bem como a fragrância de muitos perfumes finos, sabonetes e xampus. Se você ler os rótulos dos alimentos, descobrirá que esses alimentos contêm "ingredientes naturais" ou "ingredientes artificiais" – componentes como acetato de amil (aroma de banana) ou benzaldeído (aroma de amêndoa).

Mas esses produtos químicos incomuns podem fazer coisas espantosas. Um pesquisador de alimentos comentou a seguinte experiência nos laboratórios da IFF:

[Após mergulhar um filtro de papel para teste de aromas em cada um dos frascos de laboratório] fechei os olhos. A seguir, inalei profundamente, e um alimento após outro saía magicamente dos frascos de vidro. Cheirei morangos frescos, azeitonas pretas, cebolas salteadas e lagostim. [A] criação mais notável apanhou-me de surpresa. Após fechar os meus olhos, de repente, cheirei um hambúrguer grelhado. O cheiro era misterioso, quase miraculoso. Cheirava como se alguém na sala estivesse grelhando hambúrgueres de carne. Mas, quando abri os olhos, era apenas uma tira fina de papel branco.[1]

Esta história nos lembra de que a "produção" em uma economia moderna é muito mais do que plantar batatas e fundir aço. Às vezes, envolve desmembrar itens, como frango ou batatas, nos seus menores constituintes e, depois, reconstruí-los juntamente com novos sabores sintéticos vindos de todo o mundo. Esses processos complexos de produção podem ser encontrados em todos os setores, desde os medicamentos que melhoram o nosso humor ou ajudam a circulação sanguínea até instrumentos financeiros que separam, empacotam e vendem um plano de pagamento de financiamento. E, na maioria das vezes, nem sequer chegamos a saber que substâncias exóticas estão dentro do papel (reciclado) que embrulha um hambúrguer de 2 dólares.

MUDANÇA TECNOLÓGICA

A história econômica registra que a produção total nos Estados Unidos cresceu mais de dez vezes ao longo do último século. Parte desse aumento derivou do aumento dos fatores produtivos, como trabalho e

---

[1] Eric Schlosser, *Fast Food Nation* (Perennial Press, Nova York, 2002), p. 129.

equipamento. Mas uma grande parte do aumento do produto derivou do progresso tecnológico que aumenta a produtividade e os padrões de vida.

Alguns exemplos de progresso tecnológico são impressionantes: enormes aviões a jato que aumentaram a relação passageiros/milha por unidade de fator de produção em quase 50%; as fibras ópticas que baixaram os custos e melhoraram a confiabilidade das telecomunicações e as melhorias das tecnologias de informática, que aumentaram a capacidade de processamento mais de mil vezes em três décadas. Outras formas de progresso tecnológico são mais sutis, como quando uma empresa ajusta o seu processo de produção para reduzir o desperdício e aumentar a produção.

Distinguimos *inovação de processo*, quando um novo conhecimento técnico melhora as técnicas de produção dos produtos existentes, e de *inovação de produto*, quando são introduzidos no mercado produtos novos ou melhorados. Por exemplo, uma inovação de processo permite às empresas produzirem mais com os mesmos fatores de produção, ou produzir o mesmo com uma menor quantidade de fatores produtivos. Em outras palavras, uma inovação de processo é equivalente a um deslocamento da função de produção.

A Figura 6-3 ilustra como o progresso tecnológico, na forma de inovação de processo, deslocaria a curva da produção total. A curva inferior representa a produção admissível, ou função de produção, em uma determinada indústria no ano de 1995. Suponha que a produtividade, ou produção por unidade de fator produtivo, nesta indústria está aumentando 4% ao ano. Se retornássemos à mesma indústria uma década depois, veríamos certamente que o progresso no conhecimento técnico e tecnológico teriam levado a uma melhoria de 48% na produção por unidade de fator produtivo, $[(1 + 0{,}04)^{10} = 1{,}48]$.

Considere, agora, a inovação de produto que envolve novos produtos ou produtos melhorados. É muito mais difícil quantificar a importância das inovações de produto, mas essas inovações podem ser ainda mais importantes para o aumento do nível de vida do que as inovações de processo. Muitos dos bens e serviços atuais nem sequer existiam há 50 anos. Na produção deste livro, os autores usaram programas de computador, microprocessadores, sites e bases de dados que não estavam disponíveis há uma década. A medicina, as comunicações e o espetáculo são outras áreas em que as inovações de produto têm sido notáveis. Todas as áreas da internet, desde o comércio até o e-mail, não constavam sequer na literatura de ficção científica há 30 anos. Por distração, e para confirmar este ponto, tente encontrar um bem ou processo de produção que não tenha sido modificado desde o tempo em que os seus avós tinham a sua idade!

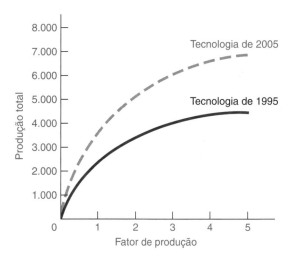

FIGURA 6-3 A mudança tecnológica desloca a função de produção para cima.

A linha contínua representa a produção máxima possível, para cada nível de fatores produtivos, dado o estado de conhecimento tecnológico em 1995. Como resultado de desenvolvimentos na tecnologia informática e de métodos de gestão, o progresso tecnológico desloca a função de produção para cima, permitindo, em 2005, uma produção muito maior, para cada nível de fatores produtivos.

A Figura 6-3 mostra um caso feliz de avanço tecnológico. Será possível o caso oposto, a involução tecnológica? A resposta é não para uma economia de mercado que funciona bem. As tecnologias inferiores não são lucrativas e tendem a ser eliminadas em uma economia de mercado, enquanto as tecnologias mais lucrativas são introduzidas porque aumentam os lucros das empresas inovadoras. Por exemplo, suponha que alguém inventasse uma ratoeira cara que nunca capturasse ratos. Nenhuma empresa orientada para o lucro produziria esse aparelho; se alguma empresa mal gerida decidisse produzi-la, os consumidores racionais que vivem em zonas infestadas de ratos se recusariam a comprá-la. Os mercados que funcionam bem inovam ao introduzir ratoeiras melhores que as anteriores, e não o contrário.

Todavia, quando existem falhas de mercado, a involução tecnológica pode ocorrer. Uma empresa com atividade não regulada pode introduzir um processo com desperdício social, por exemplo, a emissão de efluentes tóxicos para um rio, porque o funcionamento desse processo é mais lucrativo. *Mas a vantagem econômica de tecnologias inferiores verifica-se somente porque os custos sociais de poluição não estão incluídos nos cálculos dos custos de produção pela empresa.* Se os custos de poluição estivessem incluídos nas decisões da empresa por meio, por exemplo, de impostos sobre a poluição, os processos retrógrados deixariam de ser lucrativos. Em mercados competitivos os produtos inferiores caminham como o homem de Neandertal para a extinção.

Redes

Muitos produtos têm pouco uso por si próprios e geram valor apenas quando são usados em combinação com outros. Esses produtos possuem um nível elevado de complementaridade. Um caso importante é uma rede (*network*), em que várias pessoas estão ligadas entre si através de um meio específico. Nos vários tipos de redes, incluem-se quer os definidos por ligações físicas, como os sistemas de telecomunicações, redes de transmissão de eletricidade, redes de computadores, oleodutos e rodovias e as redes indiretas que ocorrem quando as pessoas usam sistemas compatíveis (como o Windows) ou falam o mesmo idioma (como o português).

Para compreender a natureza das redes, considere até onde poderia se deslocar com o seu automóvel sem uma rede de postos de gasolina e de quanto valeriam o seu celular ou o e-mail se ninguém mais tivesse celulares ou computadores.

Os mercados de rede são especiais porque os consumidores obtêm benefício não apenas do uso pessoal de um bem, mas também pelo número de outros consumidores que adotam o mesmo bem. Isto é conhecido como uma *externalidade de adoção*. Quando eu tenho um telefone, todos os outros que têm telefone podem se comunicar comigo. Portanto, a minha adesão a essa rede produz efeitos externos positivos para os outros indivíduos. A externalidade da rede é a razão pela qual muitas faculdades proporcionam e-mail universal para todos os seus estudantes e professores – o valor do *e-mail* é muito maior quando todos participam. A Figura 6-4 ilustra de que modo a adesão de um indivíduo a uma rede tem um benefício externo para os outros.

Os economistas descobriram muitos aspectos importantes dos mercados de rede. Primeiro, os mercados de rede são "instáveis", significando que o equilíbrio tende para um ou apenas alguns produtos. Como os consumidores não gostam de comprar produtos que sejam incompatíveis com as tecnologias dominantes, o equilíbrio tende a gravitar para um único produto que afasta todos os seus rivais. Um dos exemplos mais conhecidos são os sistemas operacionais para computadores, em que o Windows, da Microsoft, se tornou o sistema dominante, em parte porque os consumidores queriam ter a certeza de que os seus computadores podiam operar com todos os programas disponíveis. O importante caso de defesa da concorrência envolvendo a Microsoft é analisado no Capítulo 10.

Um segundo aspecto interessante é que, nos mercados de rede, "a história conta". Um exemplo famoso é o teclado QWERTY, usado em computadores. Você pode querer saber por que essa configuração particular de teclas, com a sua colocação desajeitada de letras, tornou-se padrão. O desenho do teclado QWERTY no século XIX foi baseado na ideia de manter afastadas as teclas muito usadas (como "e" e "o"), de forma a evitar que as datilógrafas se enganassem. Na época em que a tecnologia evoluiu para a digitação, dezenas de milhões de pessoas já tinham aprendido a escrever em milhões de máquinas de escrever. A substituição do teclado QWERTY por um desenho mais eficiente teria sido não só dispendioso como difícil de coordenar. E, assim, a colocação das letras permanece inalterada nos teclados de hoje.

Este exemplo mostra como uma tecnologia implantada em rede pode ser extremamente estável. Um exemplo similar que preocupa muitos ambientalistas é a cultura de "desperdício" nos Estados Unidos, em que será difícil desmontar a rede atual de automóveis, rodovias, postos de gasolina e a localização das residências, em favor de alternativas favoráveis ao meio ambiente, como, por exemplo, transportes públicos aperfeiçoados.

Terceiro, como envolvem uma complexa conjugação de economias de escala, expectativas, dinâmicas e padronização, as redes conduzem a um conjunto fascinante de estratégias de negócios. A natureza instável das redes significa que tendem a ser mercados em que "o ganhador leva tudo", com intensa rivalidade nas etapas iniciais e com poucos concorrentes logo que uma tecnologia vencedora tenha emergido. Além disso, os mercados de rede são inertes, de modo que, quando um produto tem uma liderança substancial, é muito difícil para os outros produtos atingi-lo. Essas caraterísticas significam que as empresas querem com frequência ganhar um avanço inicial sobre os seus rivais.

Suponha que você está produzindo um produto de rede. Para criar um avanço inicial, deve persuadir os usuários que é o líder, enaltecendo suas vendas; fixar "preços de penetração" ao oferecer preços muito baixos para os que adotaram primeiro; anexar ao seu produto a outro produto popular ou levantar dúvidas sobre a qualidade dos seus concorrentes ou sobre o poder para se manterem no negócio. Acima de tudo, você teria de investir fortemente em publicidade para deslocar para fora da curva da demanda do produto. Se for o feliz vencedor, se beneficiar das economias de escala na rede e usufruir de lucros de monopólio. Mas não considere a sua posição dominante como garantida. Logo que a sua liderança seja questionada, o ciclo virtuoso do domínio de mercado poderá facilmente transformar-se no ciclo vicioso do declínio de mercado.

As redes levantam importantes questões de política pública. O governo deve fixar normas para assegurar a concorrência? Deve regular as atividades em rede? Como a política de defesa da concorrência do governo deve tratar monopolistas como a Microsoft, que foram os felizes vencedores da corrida na rede, mas que usam táticas anticoncorrenciais? Essas questões estão na mente de muitos dos que fazem política pública atualmente.[2]

---

[2] Ver seção "Leituras adicionais" ao final deste capítulo.

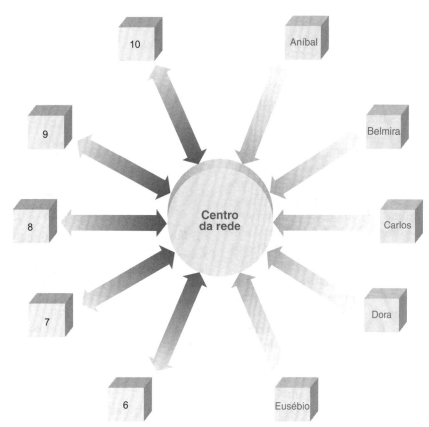

FIGURA 6-4 Valor da rede cresce com o aumento da adesão.

Admita que cada membro obtém um valor de US$ 1 a cada membro adicional de uma rede de telefones ou de correio eletrônico. Se Eusébio decidir aderir, obterá um valor de US$ 4 por ficar ligado ao Aníbal, à Belmira, ao Carlos e à Dora. Mas existe uma "externalidade de adoção", pois cada uma das quatro pessoas já em rede obtém US$ 1 de valor adicional quando o Eusébio adere, portanto um total de US$ 4 de valor adicional pela externalidade.

Esses efeitos tornam difícil dar início a uma rede. Para comprovar isso, repare no baixo valor da adesão à rede da segunda ou da terceira pessoa. Mas quando há muitas pessoas na rede, cada novo membro ganha um grande valor ao aderir, porque passa a estar em rede com muitas pessoas. Como exercício, calcule o valor da adesão para a segunda ou para a décima pessoa que adere à rede.

PRODUTIVIDADE E A FUNÇÃO DE PRODUÇÃO AGREGADA

Produtividade

Uma das medidas mais importantes do desempenho econômico é a produtividade. O conceito de **produtividade** consiste na razão entre o produto total e a média ponderada dos fatores de produção. Há duas variantes importantes que são a **produtividade do trabalho**, que é a quantidade de produção por unidade de trabalho e a **produtividade total dos fatores** que é a produção por unidade da totalidade dos fatores em geral, capital e trabalho.

Crescimento da produtividade a partir de economias de escala e de escopo

Um conceito central em Economia é a **produtividade**, um termo que indica a razão entre a produção e os fatores produtivos. Os economistas, em geral, calculam duas medidas de produtividade. A produtividade total dos fatores é o produto dividido por um índice de todos os fatores (trabalho, capital, materiais etc.), enquanto a produtividade mede o produto por unidade de trabalho (como horas trabalhadas). Quando o produto está crescendo mais rapidamente do que os fatores produtivos, isso representa o **crescimento da produtividade**.

A produtividade cresce em virtude dos avanços tecnológicos, como as inovações de processamento e de produto já descritas aqui. Além disso, a produtividade cresce por causa das economias de escala e de escopo.

As economias de escala e a produção em massa têm sido elementos importantes do crescimento da produtividade desde a Revolução Industrial. A maioria dos processos de produção tem uma dimensão muitas vezes superior à que havia no século XIX. Um navio grande, em meados do século XIX, podia transportar 2 mil toneladas de bens, enquanto os maiores superpetroleiros de hoje transportam mais de 1 milhão de toneladas de petróleo.

Se há retornos crescentes de escala, uma escala maior dos fatores produtivos e da produção levará a uma produtividade maior. Suponha que, sem mudança tecnológica, os fatores produtivos típicos de uma empresa aumentassem 10% e que, em virtude de economias de escala, a produção aumentasse 11%. As economias de escala seriam responsáveis por um crescimento de 1% da produtividade total dos fatores.

Um tipo diferente de eficiência surge quando existem **economias de escopo**, que ocorrem quando alguns produtos diferentes podem ser produzidos juntos de forma mais eficiente do que separadamente. Um exemplo saliente ocorre nos programas de computador. Os programas de software muitas vezes incorporam recursos adicionais à medida que evoluem. Por exemplo, quando os consumidores compram software para fazer a declaração do imposto de renda, o CD-ROM normalmente contém vários outros módulos, incluindo um link para uma página da rede, documentos do governo e um manual de preparação do imposto. Isso revela economias de escopo, pois os diferentes módulos podem ser produzidos, embalados e utilizados com um custo menor em conjunto do que separadamente. As economias de escopo são como a especialização e a divisão do trabalho, que aumentam a produtividade à medida que as economias se expandem e diversificam.

Embora os retornos crescentes de escala e de escopo sejam potencialmente grandes em muitos setores, a partir de certo ponto passam a se verificar retornos decrescentes de escala e de escopo. À medida que as empresas crescem, os problemas de gestão e de coordenação tornam-se cada vez mais difíceis. Na incansável demanda por maiores lucros, uma empresa pode estar se expandindo para mercados geográficos ou linhas de produtos para além do que pode, de fato, gerir. Uma empresa pode ter apenas um presidente executivo, um administrador financeiro e um conselho de administração. Com menos tempo para estudar cada mercado e para tomar cada decisão, a alta administração pode se afastar da função atual e começar a cometer erros. Tal como os impérios que definharam até desaparecerem, tais empresas veem-se expostas à invasão de rivais menores e mais ágeis.

Estimativas empíricas da função de produção agregada

Após termos examinado os princípios da teoria da produção, podemos aplicar essas teorias para analisar como tem sido o desempenho do conjunto da economia dos Estados Unidos nos últimos anos. Para isso, precisamos analisar as **funções de produção agregadas** que relacionam a produção total com a quantidade de fatores produtivos (como trabalho, capital e terra). Quais as conclusões dos estudos econômicos? Eis alguns dos resultados mais importantes:

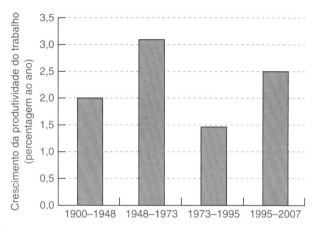

FIGURA 6-5 Crescimento da produtividade do trabalho.
Vemos aqui o crescimento médio da produtividade total por hora trabalhada durante diferentes períodos. No último meio século, após a Segunda Guerra Mundial, houve um rápido crescimento, depois uma desaceleração durante as décadas conturbadas de 1970 e 1980, e um crescimento rápido durante o período de rápida penetração das tecnologias da informação a partir de 1995.
Fonte: Bureau of Labor Statistics e especialistas do setor privado.

- A produtividade total dos fatores tem aumentado ao longo do último século, em decorrência do progresso tecnológico e de níveis mais elevados de formação e qualificação dos trabalhadores.

- A taxa média de crescimento da produtividade total foi ligeiramente inferior a 1,5% ao ano desde 1900.

- Ao longo do século XX, a produtividade do trabalho (produto por hora de trabalho) cresceu a uma taxa média ligeiramente superior a 2% ao ano. Desde o início dos anos de 1970 até meados dos anos 1990, contudo, todas as medidas mostram uma nítida queda do crescimento da produtividade, tendo os salários reais e os níveis de vida consequentemente estagnados nesse período. Desde meados dos anos 1990, muito impulsionado pelas tecnologias de computação, tem havido um nítido aumento do crescimento da produtividade a taxas acima do padrão histórico. A Figura 6-5 mostra as tendências históricas.

- O estoque de capital tem crescido mais rapidamente do que o número de homem-hora. Como resultado, o trabalho tem uma crescente quantidade de bens de capital com que operar; dessa forma, a produtividade do trabalho e os salários tenderam a crescer ainda mais rapidamente do que 1,5% ao ano, atribuível apenas ao crescimento da produtividade total dos fatores.

Finalizamos com uma palavra sobre as dificuldades em medir com precisão o crescimento da produtividade. Estudos empíricos recentes sugerem que temos subestimado seriamente o crescimento da produtividade em algumas áreas. Estudos sobre assistência médica, bens de capital, equipamentos eletrônicos, computadores e softwares indicam que o nosso critério de medida da produtividade pode estar distorcido. Uma das deficiências mais importantes é a falha na contabilização do valor econômico de produtos novos ou melhorados. Por exemplo, quando os CDs substituíram os discos de vinil, as nossas medidas da produtividade não incluíram a melhoria na durabilidade e na qualidade do som. Da mesma forma, as nossas contas não podem medir com precisão a contribuição da internet para o bem-estar econômico do consumidor.

B. ORGANIZAÇÃO EMPRESARIAL

NATUREZA DA EMPRESA

Até agora tratamos as funções de produção como se fossem máquinas que pudessem ser operadas por qualquer um: colocava-se um porco de um lado e do outro saíam as salsichas. Na realidade, quase toda a produção é realizada por organizações especializadas – as pequenas, médias e grandes empresas que dominam o panorama das economias modernas. Por que a produção, em geral, ocorre em empresas no lugar de nossas casas?

As empresas existem por muitas razões, mas a mais importante é o fato de que as *empresas são organizações especializadas dedicadas à gestão do processo de produção.* Entre as suas importantes funções, contam-se o aproveitamento das economias da produção em massa, o levantamento de fundos e a organização dos fatores de produção.

Em primeiro lugar, a produção está organizada em empresas por causa das *economias da especialização.* A produção eficiente exige mão de obra e maquinário especializados, produção coordenada e a divisão da produção em inúmeras pequenas tarefas. Considere um serviço como a educação universitária. Essa atividade requer pessoal especializado para ensinar Economia, Matemática, Espanhol, para produzir as refeições e fazer a limpeza, para manter registros, recolher as mensalidades e pagar as faturas. Dificilmente poderíamos esperar que um aluno pudesse organizar todas essas atividades por si. Se não houvesse necessidade de especialização e divisão do trabalho, cada um de nós poderia produzir, por si, ensino universitário, operações médicas, fornecimento de eletricidade e CDs no quintal de casa. Não podemos, obviamente, executar essas tarefas; a eficiência, em geral, requer a produção empresarial em larga escala.

Uma segunda função das empresas é *angariar recursos* para a produção em larga escala. O desenvolvimento de um novo avião comercial custa bilhões de dólares, assim como as despesas de pesquisa e desenvolvimento de um novo microprocessador de computador. De onde vêm esses recursos? No século XIX, as empresas eram financiadas por indivíduos ricos que aceitavam o risco. Atualmente, em uma economia de empresa privada, a maior parte dos fundos para a produção devem vir dos lucros das empresas ou obtidos por empréstimos nos mercados financeiros. De fato, a produção eficiente pela empresa privada seria impensável se as empresas não pudessem angariar anualmente bilhões de dólares para novos projetos.

Uma terceira razão para a existência de empresas é a *gestão e coordenação do processo de produção.* Uma vez conseguidos todos os fatores de produção, deve haver alguém que controle suas atividades diárias para assegurar que o trabalho seja realizado de forma eficaz e correta. O gerente é a pessoa que organiza a produção, introduz novas ideias, novos produtos ou processos, toma as decisões empresariais e é tido como o responsável pelo sucesso ou insucesso. A produção não pode, em última análise, organizar a si própria. Alguém deve supervisionar a construção de uma nova fábrica, negociar com os sindicatos de trabalhadores e comprar matérias-primas e outros suprimentos.

Tomemos o caso de um time de futebol. Qual é a probabilidade de 11 pessoas se organizarem e montarem a defesa, o meio de campo e o ataque, tudo na ordem correta e usando a melhor estratégia? Se fosse adquirir a concessão de uma equipe de futebol, você teria de arrendar um estádio, contratar jogadores, contratar a publicidade, contratar arrumadores, negociar com os sindicatos e vender bilhetes. Este é o papel das empresas, gerir o processo de produção, comprar ou arrendar terra, capital, trabalho e matérias-primas.

As empresas são organizações especializadas, dedicadas à gestão do processo de produção. A produção está organizada em empresas porque a eficiência exige geralmente produção em larga escala, levantamento de recursos financeiros significativos, gestão e coordenação cuidadosas das atividades contínuas.

Produção na empresa ou no mercado?

Se os mercados são um mecanismo tão poderoso de eficiência, por que uma parcela tão grande de produção tem lugar em grandes organizações? Uma questão relacionada com esta é a seguinte: Por que algumas empresas avançam com uma estrutura de produção integrada, enquanto outras compram fora uma grande parcela dos produtos que vendem? Por exemplo, antes de 1982, a AT&T estava integrada vertical e horizontalmente, fazendo a sua própria pesquisa e desenvolvimento, projetando e produzindo o seu próprio equipamento, instalando e alugando telefones e fornecendo o serviço telefônico. Em contrapartida, a maioria dos computadores pessoais é "produzida" por montadores que compram drives, circuitos, monitores e teclados de produtores externos, e, depois, montam e vendem.

Essas questões centrais de organização industrial foram levantadas pela primeira vez por Ronald Coase, em um estudo inovador pelo qual recebeu o prêmio Nobel em 1991.[3] Essa interessante área analisa as vantagens comparativas da organização da produção por meio do controle hierarquizado das empresas quando comparado com as relações contratuais do mercado.

Por que a organização deve ser eficiente por meio de empresas? Talvez a razão mais importante seja a dificuldade em elaborar "contratos complexos" que cubram todas as contingências. Por exemplo, suponha que a Soneca S.A. acredita que descobriu um medicamento milagroso para curar a preguiça. A Soneca fez a pesquisa em seus próprios laboratórios ou encomendou no exterior, de outra empresa, a WilyLabs S.A.? O problema de comprar de terceiros é que há todo um conjunto de contingências imprevisíveis que podem afetar a lucratividade do medicamento. O que aconteceria se fosse verificado que o medicamento seria útil em outras condições? E se o regime de patentes, os impostos e as leis do comércio internacional se alterarem? E se houver uma ação judicial movida por desrespeito de outra patente?

Pelo fato de os contratos não abarcarem a totalidade das possíveis ocorrências, a empresa corre o risco do problema de *hold-up*. Suponha que a WilyLabs descobre que o medicamento contra a preguiça funciona apenas quando tomado com outro medicamento que a WilyLabs já possui. A WilyLabs dirige-se à Soneca e diz: "Lamentamos, mas para ter os dois medicamentos, vocês terão de pagar US$ 100 milhões". Isso é o problema de *hold-up* (com uma pitada de vingança). O receio de ser apanhada em situações que envolvem investimentos específicos e o caráter não absoluto dos contratos levarão a Soneca a fazer a pesquisa internamente, a fim de poder controlar os resultados da pesquisa.

Em muitos setores, a tendência recente tem sido passar de empresas altamente integradas para a compra ou contratação de produção externa (*outsourcing*). Essa tem sido a tendência na indústria de computadores desde o tempo em que a IBM estava quase tão integrada como a AT&T. A contratação de produção externa pode funcionar bem em situações em que, como na indústria dos computadores pessoais, os componentes estão padronizados. Outro exemplo é o da Nike, que compra grande parte da sua produção, porque o processo de produção é padronizado e o valor real da Nike, está no seu *design* e na marca registada. Além disso, novas formas contratuais, como contratos a longo prazo baseados em normas de conduta, tentam minimizar os problemas de *hold-up*.

Quem estuda organizações salienta a importância vital das grandes empresas na promoção da inovação e do crescimento da produtividade. No século XX, as ferrovias não trouxeram apenas o trigo das fazendas para o mercado, como também introduziram os fusos horários. De fato, a noção efetiva de estar "na hora" se tornou, pela primeira vez, fundamental, pois estar fora da hora originava acidentes de trem. Como a história triste das economias de planejamento centralizado demonstra tão claramente, sem o gênio organizacional da empresa privada moderna, toda a terra, trabalho e capital estariam trabalhando para nada.

EMPRESAS GRANDES, PEQUENAS E MICROEMPRESAS

A produção em uma economia de mercado tem lugar em uma grande variedade de organizações empresariais – desde a menor empresa individual até as gigantescas sociedades anônimas que dominam a vida econômica em uma economia capitalista. Há, atualmente, cerca de 30 milhões de diferentes empresas nos Estados Unidos. A maioria é composta por empresas muito pequenas de uma só pessoa – o empresário individual. Outras são sociedades em nome coletivo de dois ou até mesmo de duzentos sócios. As maiores empresas tendem a ser sociedades anônimas (corporações).

As pequenas empresas são numericamente dominantes. Mas em vendas e ativos, em poder econômico e político, no montante dos salários pagos e no emprego, as poucas centenas de grandes sociedades anônimas dominam a economia.

A Figura 6-6 mostra o número e a receita total das três principais formas de organização econômica nos Estados Unidos.

Empresa de propriedade individual

Em um dos extremos está o empresário individual, o pequeno negócio clássico das lojas familiares. Uma pequena loja pode ter um movimento diário de umas poucas centenas de dólares, rendendo, quando muito, um salário mínimo pelo esforço dos seus proprietários.

Essas empresas são grandes pelo número, mas pequenas no total das vendas. Para a maioria das pequenas empresas é exigido um esforço pessoal enorme. Os funcionários, por conta própria, trabalham frequentemente 50 ou 60 horas por semana, não têm férias e, contudo, o tempo de vida médio de uma pequena empresa é de apenas um ano. De qualquer modo, uma parcela significativa de pessoas sempre desejará trabalhar no que é seu. O empreendimento próprio poderá ser o negócio de sucesso que será vendido por milhões de dólares.

Empresa em sociedade

Muitas vezes, um negócio exige a combinação de talentos, por exemplo, de advogados ou médicos especializados em diferentes áreas. Duas ou mais pessoas podem

---
[3] Ver seção "Leituras adicionais", ao final deste capítulo, para exemplos de caso e textos relacionados.

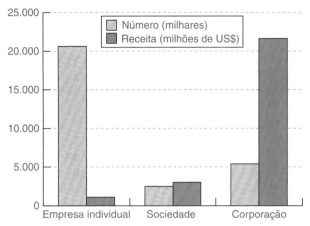

FIGURA 6-6 Número e tamanho de diferentes formas empresariais, 2004.

As sociedades anônimas são em menor número, porém dominam a economia.

Fonte: Internal Revenue Service.

juntar-se e formar uma sociedade. Todos concordam em fornecer uma parcela do trabalho e do capital, partilhando uma parcela dos lucros e dos prejuízos.

Essas sociedades constituem apenas uma pequena parcela do total da atividade econômica, como mostra a Figura 6-6. Até recentemente, as sociedades não eram atrativas, porque impunham a *responsabilidade ilimitada*. Sob responsabilidade ilimitada os sócios são responsáveis, sem qualquer limite, por todas as dívidas contraídas pela sociedade. Se possuir 1% da sociedade e o empreendimento fracassar, você terá de pagar 1% das dívidas. Mas, se os seus sócios não puderem pagar, você terá de pagar todas as dívidas nem que tenha de dispor de seu "querido" patrimônio pessoal. Alguns dos estados norte-americanos permitem sociedades em nome coletivo com responsabilidade limitada para certas profissões, como direito e arquitetura.

Exceto em alguns poucos setores que envolvem o imobiliário e atividades profissionais, as sociedades têm uma gestão pesada e são menos importantes do que forma anônima de organização na maioria das atividades.

Sociedade anônima (corporação)

O grosso da atividade econômica em uma economia de mercado avançada tem lugar em sociedades anônimas privadas. Há centenas de anos, a autorização das sociedades anônimas era concedida por meio de atos especiais do monarca ou do parlamento. A British East India Company (Companhia Britânica das Índias Orientais) era uma sociedade anônima privilegiada e praticamente governou a Índia durante mais de um século. No século XIX, as ferrovias tinham de gastar tanto dinheiro para obter a autorização do parlamento como na preparação do leito ferroviário. Ao longo do último século foram publicadas leis que permitem quase a qualquer um o privilégio de criar uma sociedade anônima para praticamente todas as finalidades.

Atualmente, uma **sociedade anônima** é uma forma de organização empresarial autorizada em todos os 50 estados norte-americanos e no exterior, sendo propriedade de um certo número de acionistas individuais. A sociedade anônima tem uma identidade legal autônoma e é, de fato, uma "pessoa" jurídica que pode, em benefício próprio, comprar, vender, tomar empréstimos, produzir bens e serviços, bem como firmar contratos. Além disso, os sócios se beneficiam do direito de *responsabilidade limitada*, pelo qual o investimento e a exposição financeira na sociedade para cada proprietário estão estritamente limitados a um valor específico.

Os aspectos essenciais de uma sociedade anônima moderna são os seguintes:

- A propriedade de uma sociedade anônima é determinada por quem possui as ações do respectivo estoque de capital. Quem possuir 10% das ações de uma sociedade anônima tem 10% da propriedade. As sociedades anônimas detidas pelo público estão cotadas nas bolsas de valores mobiliários, como a Bolsa de Nova York. São nesses mercados que as ações das maiores sociedades anônimas são transacionadas e que grande parte do capital de risco do país é angariado e investido.

- Em princípio, os acionistas controlam as sociedades que lhes pertencem. Recebem dividendos na proporção da parcela de suas ações, elegem os administradores e votam assuntos importantes. Mas não pense que os acionistas têm um papel significativo na gestão das sociedades anônimas gigantes. Na prática, os milhões de acionistas das sociedades anônimas gigantes não exercem praticamente qualquer controle, em virtude de estarem muito dispersos para comandar os administradores.

- Os administradores e diretores têm o poder legal de tomar decisões em nome da sociedade anônima. Decidem o que será produzido e como será produzido. Negociam com os sindicatos de trabalhadores e decidem a venda da empresa se outra empresa quiser adquiri-la. Quando o jornal anuncia que uma empresa demitiu 20 mil trabalhadores, essa decisão foi tomada pelos administradores. Os acionistas são os donos, mas os administradores são quem dirige.

Vantagens e desvantagens das sociedades anônimas. As sociedades anônimas são a forma de organização dominante em uma economia de mercado, porque são uma forma extremamente eficiente de desenvolver um negócio. A sociedade anônima é uma pessoa jurídica que pode conduzir um negócio, pode ter uma existência perpétua, independentemente do número de vezes que as suas ações mudem de mãos. As sociedades anônimas são hierarquizadas com um presidente-executivo que detém tão grande poder que, às vezes, são apelidadas de organizações autocráticas. Os administradores podem tomar decisões rapidamente, e, às vezes, de modo rude, o que contrasta com a forma como são tomadas as decisões pelos parlamentos.

Além disso, os acionistas das sociedades anônimas gozam do direito de responsabilidade limitada que os isenta de arcar com as dívidas ou os prejuízos da sociedade para além de sua participação inicial. Quem comprar US$ 1 mil em ações não pode perder mais do que esse seu investimento inicial.

As sociedades anônimas enfrentam uma desvantagem importante em relação a cobrança de um imposto adicional sobre os lucros. Em um negócio que não tenha forma de sociedade anônima, qualquer renda líquida de despesas é tributada como renda pessoal normal. Na sociedade anônima a renda é duplamente tributada – primeiro, como lucro da sociedade e, depois, como renda pessoal sobre os dividendos.

Os economistas têm criticado o imposto sobre a renda das sociedades de dupla tributação e têm, às vezes, proposto a integração do imposto sobre as sociedades com o sistema de imposto individual. Sob a integração de impostos, a renda das sociedades é atribuída a indivíduos e, depois, tributado como renda individual.

Às vezes, as sociedades anônimas desenvolvem ações que provocam a ira do público e a tomada de medidas do governo. No final do século XIX, as sociedades anônimas envolveram-se em fraudes, acordos de preços e corrupção, o que levou à publicação de legislação de defesa da concorrência e de prevenção de fraude. Nos últimos anos, surgiram escândalos com sociedades anônimas, quando se descobriu que algumas empresas promoveram uma enorme fraude contábil e muitos administradores fizeram seu pé-de-meia com enormes prêmios e opções de compra de ações. Na vida privada, tal como na pública, o poder, por vezes, corrompe.

A produção eficiente exige, muitas vezes, empresas de grande porte, que precisam de bilhões de dólares de capital investido. As sociedades anônimas, com responsabilidade limitada e uma estrutura de gestão adequada, podem atrair uma grande participação de capitais privados, produzir uma grande variedade de produtos afins e diluir o risco do investidor.

Propriedade, controle e política de remuneração

O funcionamento de grandes empresas levanta importantes questões sobre a decisão política. Essas empresas controlam uma grande parcela da economia de mercado, e, contudo, não são controladas pelo público. De fato, os estudiosos reconhecem que elas não são realmente controladas por seus proprietários. Agora, vamos rever, aqui, algumas das questões.

O primeiro passo para a compreensão das grandes empresas é entender que grande parte delas são "de propriedade de um grande número de pessoas". As ações das sociedades anônimas podem ser compradas por qualquer um, o que torna a propriedade dispersa por muitos investidores. Considere uma empresa como a IBM, que valia cerca de US$ 170 bilhões em 2008. Dezenas de milhões de pessoas têm interesse financeiro na IBM por meio de seus fundos de pensões. Contudo, ninguém individualmente tinha sequer 0,1% do total. Tal dispersão da propriedade é típica de grandes sociedades anônimas.

Como o capital das grandes empresas é amplamente disperso, *a propriedade está geralmente separada do controle*. Os acionistas individuais não influenciam facilmente a atividade das grandes empresas. E ainda que os donos do capital elejam o conselho de administração – um grupo de pessoas da casa e de peritos externos –, são os administradores que tomam as principais decisões a respeito da estratégia empresarial e do funcionamento cotidiano.

Em algumas situações, não há conflito de interesses entre os administradores e os acionistas. Todos se beneficiam de lucros mais elevados. Mas um importante conflito de interesses potencial entre administradores e acionistas tem chamado a atenção do público. A alta administração é capaz de forçar os seus conselhos de administração a fixar salários elevados, opções de compra de ações, ajudas de custo, bônus, apartamentos de graça, obras de arte dispendiosas e aposentadorias elevadas à custa dos acionistas. Ninguém sugere que os administradores devam receber o salário mínimo, mas, nos últimos anos, a remuneração dos administradores nas sociedades anônimas dos Estados Unidos têm aumentado muito rapidamente. Alguns altos executivos em empresas com um fraco desempenho – até mesmo de empresas que foram à falência, como a WorldCom ou a Enron – receberam remunerações e gratificações que totalizam US$ 100 milhões ou mais.

A Figura 6-7 mostra um gráfico apelativo: a relação entre a remuneração média dos principais administradores nas maiores empresas e a do trabalhador médio. Essa discrepância aumentou de uma média histórica de cerca de 40 para mais de mil nos últimos anos. O aumento da remuneração dos administradores tem sido parte da razão para o crescimento da desigualdade de renda nos Estados Unidos. Qual é a razão para esse aumento? Os economistas questionam: por que os administradores dos Estados Unidos são frequentemente remunerados 10 ou 20 vezes mais que os administradores de empresas similares de outros países?

A pesquisa nessa área tem indicado várias razões para a drástica mudança. Os defensores apontam para a grande importância dos administradores na eficiência do capitalismo, mas isso desconsidera o papel da produtividade marginal em mercados competitivos. Os defensores também argumentam que as opções de ações, que têm sido a principal fonte do aumento da remuneração dos administradores, são dispositivos eficientes, porque associam a remuneração ao desempenho por meio dos preços das ações.

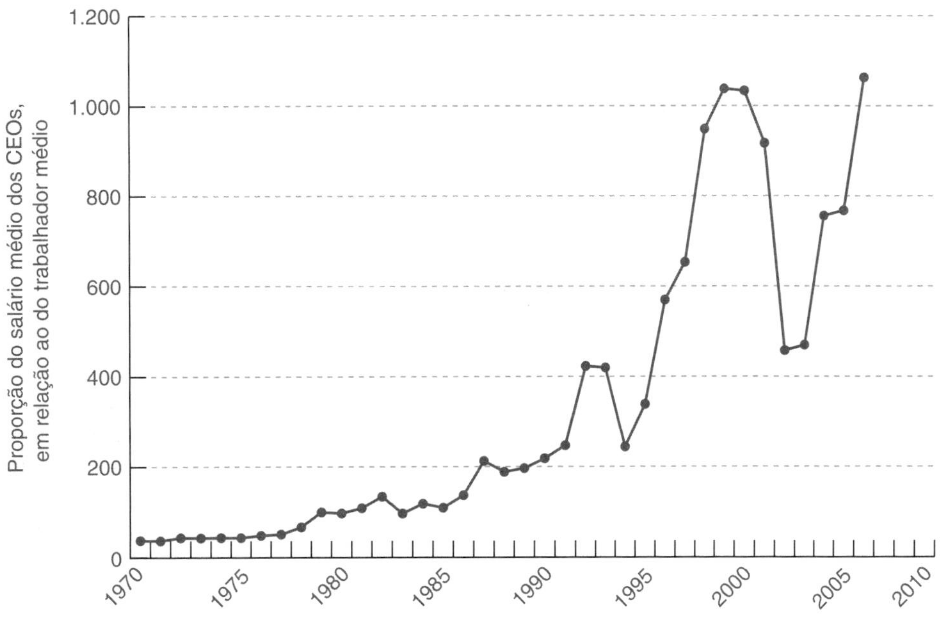

FIGURA 6-7 A explosão na remuneração de administradores.

A figura mostra a razão entre a remuneração média dos 100 presidentes-executivos (CEOs) de topo das empresas dos Estados Unidos e a remuneração do trabalhador médio. A razão aumentou de cerca de 40, em 1970, para mais de mil, em meados da década de 2000. Muitos fatores estão subjacentes a esse crescimento explosivo, mas o mais importante é, provavelmente, a habilidade dos presidentes-executivos para dirigir o processo de remuneração.

Fonte: Thomas Piketty e Emmanuel Saez, dados de seu site em <http://elsea.berkeley.edu/~saez/>.

Os críticos respondem que a razão mais importante para a tendência é o divórcio entre a propriedade e o controle. Esse é o sintoma de uma doença conhecida como *problema do agente principal (principal-agent*, em inglês), em que os incentivos dos agentes (os administradores) não estão devidamente alinhados com os interesses do principal (os proprietários). Além disso, os administradores tendem a ocultar dos acionistas os procedimentos de remuneração, e assim os proprietários nunca podem realmente decidir sobre a remuneração da gestão. Além disso, as opções de ações podem dar incentivos à administração para distorcer os demonstrativos financeiros, tanto como para gerar lucros elevados.

A crescente onda de remuneração dos administradores executivos levanta questões importantes sobre políticas públicas. Quais são os meios eficazes para assegurar que a remuneração é eficiente? A maioria dos economistas é relutante em relação à ideia de que o governo estabeleça qualquer tipo de normas de remuneração. Eles argumentam que um sistema de tributação progressiva é a forma mais imparcial para lidar com as desigualdades de renda. Muitos concordam que uma melhor informação e maior poder para os proprietários poderá também eliminar os casos mais exagerados.

RESUMO

A. Teoria da produção e produtos marginais

1. A relação entre a quantidade da produção (seja trigo, aço ou automóveis) e as quantidades de fatores produtivos (trabalho, terra e capital) é chamada de função de produção. O produto total é a totalidade do que é produzido. O produto médio é igual ao produto total dividido pela quantidade total de fatores produtivos. Podemos calcular o produto marginal de um insumo como a produção adicional resultante do acréscimo de uma unidade desse insumo, mantendo os demais fatores constantes.

2. De acordo com a lei dos rendimentos decrescentes, o produto marginal de cada insumo, em geral, diminuirá com o aumento desse insumo, quando todos os demais insumos se mantiverem constantes.

3. Os retornos de escala refletem o impacto na produção de um aumento proporcional de todos os insumos. Uma tecnologia em que a duplicação de todos os insumos leva exatamente à duplicação da produção exibe retornos constantes de escala. Quando a duplicação dos fatores conduz a um aumento da produção inferior (superior) ao dobro da inicial, estamos na presença de retornos marginais decrescentes (crescentes) de escala.

4. Pelo fato de as decisões levarem tempo a serem executadas, e o capital, além de outros fatores, terem vida útil longa, a resposta da produção pode ser variável ao longo

de diferentes períodos de tempo. O curto prazo é um período em que os fatores variáveis, tais como trabalho e matérias-primas, podem ser facilmente alterados, mas os fatores fixos não. No longo prazo, o estoque de capital (as fábricas e equipamentos de uma empresa) pode depreciar-se e ser substituído. No longo prazo, todos os fatores, fixos e variáveis, podem ser ajustados.

5. O progresso tecnológico se refere à mudança nas técnicas de produção básicas, como ocorre quando um novo produto ou processo de produção é inventado, ou um produto anterior, ou processo, é melhorado. Nessas situações, a mesma produção é realizada com menos fatores produtivos, ou uma produção maior é realizada com os mesmos fatores. O progresso tecnológico desloca a função de produção para cima.

6. As tentativas para medir a função de produção agregada para a economia dos Estados Unidos tendem a corroborar as teorias da produção e dos produtos marginais. No século XX, o progresso tecnológico fez aumentar a produtividade tanto do trabalho como do capital. A produtividade total dos fatores (medida pelo quociente entre a produção total e o total dos fatores) cresceu em cerca de 1,5% ao ano ao longo do século XX, embora desde os anos 1970 até meados dos anos 1990, a taxa de crescimento da produtividade tenha sido reduzida nitidamente e os salários reais tenham parado de aumentar. Mas subestimar a importância de produtos novos ou melhorados pode levar a subestimar significativamente o crescimento da produtividade.

B. Organização empresarial

7. As empresas são organizações especializadas dedicadas à gestão do processo de produção.

8. As empresas têm formas e dimensões variadas – com alguma atividade econômica em pequenas empresas individuais, alguma em sociedades e a grande maioria em sociedades anônimas (corporações). Cada tipo de empresa tem vantagens e desvantagens. As pequenas empresas são flexíveis, podem comercializar novos produtos e podem desaparecer rapidamente. Mas elas sofrem de uma desvantagem fundamental por serem incapazes de acumular grandes quantidades de capital a partir de um grupo disperso de investidores. A grande sociedade anônima atual, com o estatuto de responsabilidade limitada garantido pelo Estado, consegue agregar um capital de bilhões de dólares por meio de empréstimos bancários, de dívida e pelo mercado de ações.

9. Em uma economia moderna, as sociedades anônimas produzem a maior parte dos bens e serviços, porque as economias da produção em massa exigem a produção em grandes quantidades, a tecnologia da produção exige capitais muito superiores aos que um indivíduo estaria disposto a arriscar e a produção eficiente requer uma gestão e uma coordenação de tarefas cuidadosas por uma entidade diretora central.

10. A empresa moderna pode envolver incentivos em disputa por causa do divórcio entre propriedade e controle, que produziu o grande abismo entre a remuneração dos gestores e os salários médios.

CONCEITOS PARA REVISÃO

- fatores produtivos, produções, função de produção
- produto total, médio e marginal
- produto marginal decrescente e lei dos rendimentos decrescentes
- retornos constantes, crescentes e decrescentes de escala
- curto prazo *versus* longo prazo
- progresso tecnológico: inovação de processo, inovação de produto

- produtividade
  definida como o produto/fator produtivo
  duas versões: produtividade da mão de obra, produtividade total dos fatores
- função de produção agregada
- razões para a existência de empresas: economias de escala, necessidades financeiras, gestão

- principais formas empresariais: empresa individual, sociedade, sociedade anônima (corporação)
- responsabilidade limitada e ilimitada
- empresa *versus* mercado e o problema de *hold-up*
- divórcio entre a propriedade e o controle: problema do agente-principal

LEITURAS ADICIONAIS E SITES

Leituras adicionais

O trabalho clássico de Ronald Coase é "The Nature of the Firm", *Economica*, novembro de 1937. Os estudantes usufruem de uma resenha não técnica nesse campo no simpósio "The Firm and Its Boundaries," *Journal of Economic Perspectives*, Autumn, 1998. Para uma análise ponderada dos efeitos de rede, ver o simpósio em *Journal of Economics Perspectives*, Spring, 1994. Um estudo fascinante sobre a rede e a nova economia se encontra no Capítulo 7 de Carl Shapiro e Hal R. Varian, *Information Rules*: A Strategic Guide to the Network Economy (Harvard Business School Press, Cambridge, Mass., 1997).

Para um levantamento recente das questões e políticas relativas à remuneração dos executivos, ver Gary Shorter e Marc Labonte, *The Economics of Corporate Executive Pay*, 22 de março de 2007, disponível em <digitalcommons.ilr.cornell.edu/crs/36/>. Uma discussão sobre o contexto econômico desse assunto consta no simpósio no *The Journal of Economic Perspectives*, Autumn, 2003, nomeadamente o artigo por Kevin Murphy e Brian Hall.

Tendências na remuneração dos altos executivos de topo são mostradas na Thomas Piketty e Emmanuel Saez, "Income Inequality in the United States, 1913-1998", *Quarterly Journal of Economics*, 2003, p. 1-39; esse artigo em uma versão atualizada, disponível em <http://elsa.berkeley.edu/~saez/>.

Sites

Um dos sites mais interessantes sobre redes está compilado por Hal R. Varian, reitor da School of Information Management and Systems da Universidade da Califórnia, em Berkeley. Esse site, designado "The Economics of the Internet Information Goods, Intellectual Property and Related Issues", está em <http://www.sims.berkeley.edu/resources/infoecon>.

Um site especializado em economia de redes mantido por Nicholas Economides, da Universidade de Nova York, encontra-se em <http://raven.stern.nyu.edu/networks/site.html>.

QUESTÕES PARA DISCUSSÃO

1. Explique o conceito de função de produção. Descreva a função de produção para hambúrgueres, computadores, espetáculos artísticos, cortes de cabelo e ensino universitário.

2. Considere uma função de produção com a seguinte forma: $X = 100L^{1/2}$, em que X = produto e L = trabalho (considerando que os outros fatores são fixos).
   a. Construa uma figura como a Figura 6-1 e uma tabela como a Tabela 6-1 para o fator $L = 0, 1, 2, 3$ e 4.
   b. Explique se essa função de produção exibe rendimentos decrescentes em relação à mão de obra. Quais os valores que o expoente teria de ter para que essa função de produção tivesse rendimentos crescentes para o trabalho?

3. A tabela a seguir descreve a função de produção efetiva dos oleodutos. Preencha os valores que faltam dos produtos marginal e médio:

(1)	(2)	(3)	(4)
	Tubo de 18 polegadas		
Potência de bombeamento (cv)	Produto total (barris por dia por cv)	Produto marginal (barris por dia por cv)	Produto médio (barris por dia por cv)
10.000	86.000		
20.000	114.000		
30.000	134.000		
40.000	150.000		
50.000	164.000		

4. Usando os dados da Questão 3, desenhe a função de produção, relacionando o produto e a potência em cavalos-vapor (cv). No mesmo gráfico, desenhe as curvas do produto médio e do produto marginal.

5. Suponha que estivesse gerindo a concessão do fornecimento de alimentos durante o torneio esportivo da sua faculdade. Você vende sanduíches, bebidas e batatas fritas. Quais são os seus fatores produtivos de capital, mão de obra e matérias-primas? Se a demanda de sanduíches baixar, que passos poderia dar para reduzir a produção no curto prazo? E no longo prazo?

6. Em economia existe uma importante distinção entre deslocamentos da função de produção e movimentos ao longo da função de produção. Para a concessão de alimentos da Questão 5, dê um exemplo quer de um deslocamento quer de um movimento ao longo da função de produção de sanduíches. Ilustre cada um dos casos com um gráfico da relação entre a produção de sanduíches e a mão de obra utilizada.

7. Quando as empresas trocam um fator produtivo por outro, como quando um agricultor usa tratores em vez de mão de obra, quando os salários aumentam, ocorre a substituição. Considere as seguintes alterações do comportamento de uma empresa. Quais as que representam a substituição de um fator por outro, sem alteração da tecnologia, e quais as que representam progresso tecnológico? Ilustre graficamente cada um dos casos com uma função de produção gráfica.
   a. Quando o preço do petróleo aumenta, uma empresa substitui uma fábrica que funciona com combustível a petróleo por outra que opera com combustível a gás.
   b. Uma livraria reduz o seu pessoal em 60% após ter aberto um site de vendas na internet.
   c. Durante o período 1970-2000, uma tipografia diminuiu em 200 o número de tipógrafos empregados e aumentou em 100 o número de operadores de computador.
   d. Após uma campanha bem-sucedida de sindicalização com empregados de escritório, uma universidade compra computadores pessoais para a sua faculdade e reduz o seu quadro de funcionários administrativos.

8. Considere uma empresa que produz pizzas com os fatores produtivos capital e trabalho. Defina e estabeleça o contraste entre retornos crescentes e decrescentes de escala. Explique por que é possível ter rendimentos decrescentes para um fator e retornos constantes de escala para ambos os fatores.

9. Mostre que se o produto marginal for sempre decrescente, então o produto médio é sempre superior ao produto marginal.

10. Reveja o exemplo da rede mostrado na Figura 6-4. Considere que apenas uma pessoa por mês pode aderir à rede, começando pelo Aníbal e prosseguindo no sentido do relógio.
    a. Construa uma tabela que mostre o valor para a pessoa que adere, bem como o valor externo para os outros (ou seja, o valor para todos os outros que estão na rede) quando mais uma adere. (*Importante*: os valores para o Eusébio são ambos de US$ 4.) A seguir, calcule o valor social total para cada nível de adesão. Desenhe em um gráfico a relação entre a dimensão da rede e o valor social total. Explique por que apresenta retornos crescentes e não decrescentes.
    b. Admita que o custo de adesão é de US$ 4,50. Desenhe um gráfico que mostre como a adesão varia ao longo do tempo se a rede se iniciar com seis pessoas. Desenhe outro que mostre o que acontece se a rede começar com três pessoas. Qual é o ponto em que o equilíbrio aponta para a adesão universal?
    c. Suponha que você seja o promotor da rede mostrada na Figura 6-4. Qual é o preço que poderia fixar para início da rede quando existe apenas um ou dois membros?

CAPÍTULO 7
Análise de custos

Custos registram simplesmente atrações concorrentes.
Frank Knight
Risk, Uncertainty and Profit (1921)

Onde quer que haja produção, os custos a seguem como uma sombra. As empresas têm de pagar pelos seus fatores produtivos: parafusos, solventes, softwares, esponjas, secretárias e estatísticos. As empresas lucrativas estão cientes desse simples fato quando estabelecem as suas estratégias de produção, uma vez que qualquer dólar gasto em custos desnecessários reduz os lucros da empresa em igual montante.

Mas o papel dos custos vai muito além da influência na produção e nos lucros. Os custos afetam a escolha dos insumos, as decisões de investimento e mesmo a decisão de manter, ou não, a atividade. É mais barato contratar um novo trabalhador ou pagar hora extra? Construir outra fábrica ou expandir a antiga? Investir em equipamento no país ou terceirizar a produção no exterior? As empresas precisam escolher métodos de produção que sejam os mais eficientes e que produzam ao custo mínimo.

Este capítulo é dedicado a uma análise abrangente do custo. Primeiro, analisaremos a lista completa de custos econômicos, incluindo a ideia central de custos marginais. A seguir, examinaremos como os contadores das empresas quantificam na prática os custos. Finalmente, analisaremos a noção de custo de oportunidade, um conceito geral que pode ser aplicado a um amplo conjunto de decisões. Este estudo exaustivo do custo embasará a compreensão das decisões de oferta das empresas.

A. ANÁLISE ECONÔMICA DOS CUSTOS

CUSTO TOTAL: FIXO E VARIÁVEL

Imagine uma empresa que produz certa quantidade de produto (designada por q) utilizando-se de capital, trabalho e matérias-primas. Os contadores da empresa têm a tarefa de calcular os custos totais envolvidos no nível q de produção.

A Tabela 7-1 mostra o custo total (CT) para cada nível diferente de produção q. Observando as colunas (1) e (4), vemos que o CT aumenta quando q aumenta. Isso faz sentido, porque é necessário maior quantidade de trabalho e de outros insumos para produzir mais de um bem; insumos adicionais envolvem despesas adicionais. O custo total para produzir 2 unidades é de US$ 110, para 3 unidades é de US$ 130, e assim sucessivamente. Em nossa discussão pressupomos que a empresa produz sempre o produto ao mínimo custo possível.

Custo fixo

As colunas (2) e (3) da Tabela 7-1 dividem o custo total em dois componentes: o custo fixo (CF) e o custo variável (CV).

Os **custos fixos** são despesas que têm de ser pagas mesmo que a empresa não produza nada; podem ser chamados de "custos irreversíveis" (*sunk costs* ou *overhead*, em inglês). Esses custos englobam itens, tais como aluguel de fábricas ou de escritórios, juros sobre empréstimos, salários de funcionários com contratos de longo prazo etc. São fixos porque não variam, mesmo que a produção se altere. Por exemplo, uma sociedade de advogados pode ter um escritório em locação por 10 anos, título de dívida que se manterá, mesmo que a sociedade reduza o seu tamanho inicial pela metade. Uma vez que é o montante que tem de ser pago, qualquer que seja o nível de produção, o CF permanece constante em US$ 55, como na coluna (2).

Custo variável

A coluna (3) da Tabela 7-1 mostra o custo variável (*CV*). Os **custos variáveis** se alteram com mudanças no nível de produção. Neles, incluem-se as matérias-primas exigidas para a produção (como o aço para produzir automóveis), os trabalhadores das linhas de montagem, a energia para colocar as fábricas em operação etc. Em um supermercado, os caixas são um custo variável, pois os gerentes podem ajustar as horas de trabalho desses trabalhadores de acordo com o número de clientes na loja.

Por definição, o *CV* começa em zero quando *q* é zero. O *CV* é a parte do *CT* que aumenta com a produção; de fato, a variação do *CT* entre quaisquer dois níveis de produção é igual à variação do *CV*.

Resumindo os conceitos de custos:

O **custo total** representa a menor despesa monetária total necessária para produzir cada nível de produção *q*. O *CT* aumenta à medida que *q* aumenta.

O **custo fixo** representa a despesa monetária total que é paga mesmo que não haja qualquer produção; o custo fixo não é afetado por qualquer variação da quantidade produzida.

O **custo variável** representa a despesa que varia com o nível de produção – como matérias-primas, salários e combustíveis – e inclui todos os custos que não são fixos.

Sempre, por definição,

$$CT = CF + CV$$

(1) Produção q	(2) Custo fixo CF (US$)	(3) Custo variável CV (US$)	(4) Custo total CT (US$)
0	55	0	55
1	55	30	85
2	55	55	110
3	55	75	130
4	55	105	160
5	55	155	210
6	55	225	280

TABELA 7-1 Custos fixo, variável e total.

Os principais componentes dos custos de uma empresa são os custos fixos (que não sofrem qualquer variação quando a produção varia) e os custos variáveis (que crescem com o aumento da produção). Os custos totais são iguais aos custos fixos mais os custos variáveis: $CT = CF + CV$.

Custos mínimos atingíveis

Qualquer pessoa que já tenha dirigido uma empresa sabe que, quando se elabora um mapa de custos como o da Tabela 7-1, fazemos com que o trabalho da empresa pareça simples demais. Porém, muito trabalho árduo está subjacente à Tabela 7-1. Para atingir um nível de custos mais baixo, os administradores da empresa têm de assegurar que estão pagando o menos possível pelas matérias-primas necessárias, que na configuração da fábrica estão implantadas as tecnologias de menor custo, que os funcionários são honestos e que uma infinidade de outras decisões estão sendo tomadas da forma mais econômica.

Por exemplo, suponha que você gerencia um time de futebol. Você tem de negociar salários com os jogadores, escolher o treinador, negociar com os fornecedores, preocupar-se com a conta da eletricidade e dos outros serviços, avaliar a cobertura do seguro e lidar com outros 1.001 assuntos que estão presentes na gestão de um time, com um custo mínimo.

Os custos totais indicados na Tabela 7-1 são os custos mínimos que resultam de todas essas horas de trabalho de gestão.

DEFINIÇÃO DE CUSTO MARGINAL

O custo marginal é um dos conceitos mais importantes de toda a Economia. O **custo marginal** (*CMg*) representa o custo adicional, ou suplementar, com a produção de uma unidade adicional de produto. Considere que uma empresa está produzindo mil CDs com um custo total de US$ 10 mil. Se o custo total para produzir mil discos for de US$ 10.006, então o custo marginal de produção do milésimo primeiro disco será de US$ 6.

Às vezes, o custo marginal para produzir uma unidade adicional pode ser muito pequeno. Para uma companhia aérea que tenha lugares disponíveis, o custo adicional de mais um passageiro é uma ninharia; não é necessário capital (um avião) nem trabalho (pilotos e assistentes) adicionais. Em outros casos, o custo marginal de mais uma unidade de produto pode ser bastante elevado. Considere uma usina de eletricidade. Em circunstâncias normais, a indústria pode gerar energia suficiente com o funcionamento apenas das suas centrais mais eficientes e com custos menores. Mas em um dia de verão, quando muitos aparelhos de ar condicionado são ligados e a demanda de eletricidade é elevada, a empresa pode se ver forçada a colocar em funcionamento os seus antigos geradores ineficientes e de custos elevados. Essa energia elétrica adicional tem um custo marginal elevado para a empresa.

A Tabela 7-2 utiliza os dados da Tabela 7-1 para ilustrar como calculamos o custo marginal. Os valores do *CMg* na coluna (3) da Tabela 7-2 são obtidos subtraindo-se do *CT* na coluna (2) o *CT* da quantidade subsequente. Assim, o *CMg* da primeira unidade é US$ 30 = US$ 85 – US$ 55; o custo marginal da segunda unidade é US$ 25 = US$ 110 – US$ 85. E assim sucessivamente.

Em vez de obter o *CMg* a partir da coluna *CT*, podemos obter os valores de *CMg* subtraindo a cada valor

(1) Produção q	(2) Custo total CT (US$)	(3) Custo marginal CMg (US$)
0	55	
1	85	30
2	110	25
3	130	20
4	160	
5	210	50

TABELA 7-2 Cálculo do custo marginal.

Quando conhecemos o custo total, é fácil calcular o custo marginal. Para calcular o *CMg* da quinta unidade, subtraímos ao custo total das 5 unidades o custo total de 4 unidades, ou seja, *CMg* = US$ 210 – US$ 160 = US$ 50. Preencha no espaço em branco o custo marginal da quarta unidade.

de *CV*, na coluna (3) da Tabela 7-1, o *CV* da linha seguinte. O custo variável cresce exatamente como o custo total, com a única diferença de o *CV*, por definição, ter de começar no valor zero no lugar de partir do nível constante do *CF*. (Verifique que US$ 30 – US$ 0 = US$ 85 – US$ 55, e US$ 55 – US$ 30 = US$ 110 – US$ 85, e assim sucessivamente.)

O custo marginal de produção é o custo adicional incorrido na produção de 1 unidade adicional de produto.

Custo marginal em gráficos. A Figura 7-1 ilustra o custo total e o custo marginal, bem como mostra que o *CT* está relacionado com o *CMg* da mesma forma que o produto total está relacionado com o produto marginal, ou que a utilidade total está vinculada com a utilidade marginal.

O custo marginal na distribuição de softwares

Quando a Microsoft decidiu entrar no mercado de navegadores para internet, a empresa ofereceu gratuitamente o seu navegador Internet Explorer, quer como produto isolado, quer em conjunto com o seu sistema operacional Windows. Os concorrentes queixaram-se de que a Microsoft estava tendo um "comportamento predatório". Como a empresa podia oferecer um software de navegação sem perder dinheiro?

A resposta reside na incomum propriedade da tecnologia da informação (TI). De acordo com Hal Varian, especialista de TI, a tecnologia da informação, "em geral, tem a propriedade de que é muito caro produzir a primeira cópia e muito barato produzir as cópias seguintes". Nesse caso, embora o desenvolvimento do IE tenha custado muito à Microsoft, o custo marginal de distribuir uma unidade adicional do IE era próximo de zero. Ou seja, o custo para a Microsoft distribuir 1.000.001 unidades não era maior do que o custo para distribuir 1 milhão de unidades. Como o custo marginal era nulo, a Microsoft não estava perdendo dinheiro ao fornecer o Internet Explorer gratuitamente.

CUSTO MÉDIO

Completamos a nossa lista dos conceitos de custo com a discussão dos diferentes tipos de custo unitário ou médio. A Tabela 7-3 expande os dados das Tabelas 7-1 e 7-2 para incluir três novas medidas: custo médio, custo fixo médio e custo variável médio.

Custo médio ou unitário

O custo médio (*CMe*) é um conceito amplamente utilizado nas empresas. Ao compararem o custo médio com o preço, ou receita média, as empresas podem determinar se estão, ou não, obtendo lucro. O **custo médio** é o custo total dividido pelo número total de unidades produzidas, como indicado na coluna (6) da Tabela 7-3. Ou seja,

$$\text{Custo médio} = \frac{\text{Custo total}}{\text{Produção}} = \frac{CT}{q} = CMe$$

Na coluna (6), em que é produzida apenas 1 unidade, o custo médio tem de ser igual ao custo total, ou seja US$ 85/1 = US$ 85. Mas, para $q = 2$, $CMe = CT/2 =$ US$ 110/2 = US$ 55, como indicado. Repare que o custo médio, a princípio, fica cada vez menor. (Em breve, veremos por que.) O *CMe* atinge o mínimo de US$ 40 com $q = 4$, e depois começa a aumentar lentamente.

A Figura 7-2 representa os dados indicados na Tabela 7-3. A Figura 7-2(*a*) apresenta os custos total, o fixo e o variável para diferentes níveis de produção. A Figura 7-2(*b*) apresenta os diferentes conceitos de custo médio, juntamente com uma curva regular do custo marginal. O gráfico (*a*) mostra como o custo total varia juntamente com o custo variável, enquanto o custo fixo se mantém inalterado.

Agora analise o gráfico (*b*). Nele é apresentada a curva *CMe* em forma de "U", alinhando-a imediatamente abaixo da curva *CT* da qual é derivada.

Custos fixo médio e variável médio

Tal como subdividimos o custo total em custo fixo e variável, também podemos subdividir o custo médio

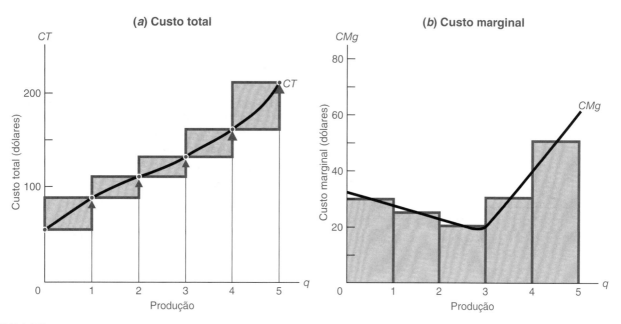

FIGURA 7-1 A relação entre custo total e custo marginal.

Estes gráficos representam os dados da Tabela 7-2. O custo marginal em (b) é obtido pelo cálculo do custo extra em (a) para cada unidade adicional de produto. Assim, para encontrar o *CMg* da produção da quinta unidade, subtraímos US$ 160 de US$ 210 para obter o *CMg* de US$ 50. Foi traçada uma curva contínua por meio dos pontos de *CT* em (a), e a curva contínua *CMg* em (b) faz a ligação entre cada um dos saltos do *CMg*.

(1) Produção q	(2) Custo fixo CF (US$)	(3) Custo variável CV (US$)	(4) Custo total CT = CF + CV (US$)	(5) Custo marginal por unidade CMg (US$)	(6) Custo médio por unidade CMe = CT/q (US$)	(7) Custo fixo médio por unidade CFMe = CF/q (US$)	(8) Custo variável médio por unidade CVMe = CV/q (US$)
0	55	0	55		Infinito	Infinito	Indefinido
				30			
1	55	-----	85		85	55	30
				25			
2	-----	55	110		55	-----	27 ½

3	55	75	130		43 ⅓	18 ⅓	25
				30			
4*	**55**	**105**	**160**	**40***	**40***	13 ¾	26 ¼
				50			
5	55	155	210		42	11	-----
				70			
6	55	225	280		46 ⅔	9 ⅙	37 ½

TABELA 7-3 Todos os conceitos de custo derivam da função do custo total.

Podemos deduzir todos os diferentes conceitos de custo a partir do *CT* na coluna (4). As colunas (5) e (6) são as mais importantes para nos concentrarmos: o custo marginal é calculado pela subtração das linhas consecutivas do *CT* e é apresentado em negrito. O *CMg* de 40 (assinalado com asterisco) para uma produção de 4 vem da linha contínua *CMg* da Figura 7-2(b). Na coluna (6), repare no ponto de custo mínimo de US$ 40 da curva *CMe* em forma de "U" na Figura 7-2(b). (Você consegue compreender por que o *CMg* assinalado com asterisco é igual ao *CMe*, também com asterisco, no valor mínimo deste último? Calcule e preencha todos os valores que estão faltando.)

* Nível mínimo do custo médio.

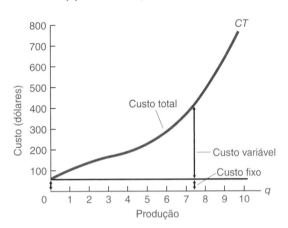

(a) Custo total, fixo e variável

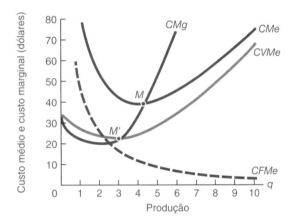

(b) Custo médio, custo marginal

FIGURA 7-2 Todas as curvas de custo podem ser deduzidas a partir da curva de custo total.

(*a*) O custo total é composto do custo fixo e do custo variável.
(*b*) A curva verde do custo marginal desce e depois sobe, como é indicado pelos valores *CMg* da coluna (5) da Tabela 7-3. Repare como a *CMg* intersepta a *CMe* em seu mínimo.

em componentes fixos e não variáveis. O **custo fixo médio** (*CFMe*) é definido como *CF/q*. Dado que o custo fixo total é uma constante, se a dividirmos por uma produção crescente, obteremos uma curva continuamente decrescente do custo fixo médio [veja a coluna (7) da Tabela 7-3]. Em outras palavras, à medida que uma empresa vende uma quantidade maior de produto, ela pode distribuir o custo fixo entre cada vez mais unidades. Por exemplo, uma empresa de software pode ter um quadro ampliado de programadores para desenvolver um novo jogo. O número de cópias vendidas não afeta diretamente o número de programadores necessários, o que faz deles um custo fixo. Assim, se o programa for um sucesso de vendas, o *CFMe* dos programadores será baixo; se o programa for um fracasso, o *CFMe* será elevado.

A curva tracejada *CFMe* na Figura 7-2(*b*) é uma hipérbole, aproximando-se dos dois eixos, ela desce cada vez mais, tornando-se próxima do eixo horizontal à medida que o *CF* constante é distribuído por um número cada vez maior de unidades. Se admitirmos unidades fracionárias de *q*, o *CFMe* seria a princípio infinitamente alto, pois o valor finito de *CF* seria dividido por um valor de *q* cada vez menor.

O **custo variável médio** (*CVMe*) é igual ao custo variável dividido pela produção, ou seja, *CVMe* = *CV/q*. Como você pode observar, tanto na Tabela 7-3 como na Figura 7-2(*b*), o *CVMe* primeiro cai e depois sobe.

Relação entre custo médio e custo marginal

É importante compreender a relação entre custo médio e custo marginal. Começamos com três regras estreitamente relacionadas:

1. Quando o custo marginal é inferior ao custo médio, o custo marginal está empurrando o custo médio para baixo.
2. Quando o *CMg* está acima do *CMe*, o *CMg* está puxando o *CMe* para cima.
3. Quando o *CMg* é igual ao *CMe*, o *CMe* está constante. No ponto inferior da curva do *CMe* em forma de "U", *CMg* = *CMe* = mínimo *CMe*.

Para entender essas regras, comecemos pela primeira. Se o *CMg* está abaixo do *CMe*, significa que a última unidade produzida custa menos que o custo médio de todas as anteriores unidades produzidas. Isso implica que o novo *CMe* (ou seja, o *CMe* que inclui a última unidade) tem de ser inferior ao *CMe* anterior, e, portanto, o *CMe* está caindo.

Podemos ilustrar isso com um exemplo. Observando a Tabela 7-3, vemos que o *CMe* da primeira unidade é 85. O *CMg* da segunda unidade é 25. Isso implica que o *CMe* das 2 primeiras unidades é (85 + 25)/2 = 55. Dado que o *CMg* está abaixo do *CMe*, demonstra-se, claramente, que o *CMe* está caindo.

A segunda regra é ilustrada na Tabela 7-3 pelo caso da sexta unidade. O *CMe* de 5 unidades é 42, e o *CMg* entre a 5ª e a 6ª unidades é 70. O *CMg* está puxando o *CMe* para cima, como vemos pelo *CMe* da sexta unidade que é 46 $^2/_3$.

O caso da quarta unidade é fundamental. Nesse nível, repare que o *CMe* é exatamente igual ao *CMg* com um custo de 40. De modo que o novo *CMe* é exatamente igual ao anterior e ao *CMg*. Ilustramos a relação em detalhe na Tabela 7-4, que tem como foco o nível de produção de *CMe* mínimo. Para este quadro, admitimos que as unidades da Tabela 7-3 estão em milhares, de modo que podemos observar movimentos mínimos de produção. Veja como o *CMg* está quase nada abaixo do *CMe* quando o produto está imediatamente abaixo do ponto mínimo do *CMe* (e quase

q	CF	CV	CT	CMg
3.998	55.000	104.920,03	159.920,03	-----
3.999	55.000	104.960,01	159.960,01	39,98
4.000*	55.000	105.000,00	160.000,00	39,99
4.001	55.000	105.040,01	160.040,01	40,01
4.002	55.000	105.080,03	160.080,03	40,02

TABELA 7-4 É preciso uma lupa para os cálculos do CMe e do CMg no ponto mínimo.

Essa tabela amplia os cálculos de custo ao redor do ponto de CMe mínimo. Pressupomos, para esse cálculo, que os números na Tabela 7-3 estão em milhares. Repare como o custo marginal está quase nada abaixo do CMe mínimo, entre 3.999 e 4 mil unidades, e quase nada acima, entre 4 mil e 4.001 unidades.

*Produção com o menor custo médio.

nada acima do CMe, quando o produto está imediatamente acima do ponto mínimo do CMe). Se aumentássemos ainda mais o número de unidades, ficaríamos tão próximos quanto quiséssemos de uma igualdade exata entre o CMe e o CMg.

Para compreender melhor a relação entre o CMg e o CMe, estude a Figura 7-2(b). Note que, para as primeiras 3 unidades, o CMg está abaixo do CMe e, portanto, o CMe está diminuindo. Exatamente com 4 unidades, o CMe é igual ao CMg. Acima de quatro unidades, o CMg é superior ao CMe, o que faz subir o CMe. Graficamente, isso significa que a curva CMg ascendente intercepta a curva CMe precisamente no seu ponto mínimo.

Em resumo:

Em relação as nossas curvas de custos, se a curva CMg está abaixo da curva CMe, a CMe está descendo. Pelo contrário, se a CMg está acima da curva CMe, a CMe está subindo. Finalmente, quando a CMg é exatamente igual à CMe, a CMe está na horizontal. A curva CMe é sempre cortada no seu ponto mínimo pela curva ascendente CMg.

Médias de bolas rebatidas para ilustrar as regras do CMg e do CMe

Podemos ilustrar a relação CMg-CMe usando as médias de rebatidas de bolas do basebol. Seja RMe a sua média de rebatidas acumulada até o presente (a sua média) e RMg a sua média deste ano (a sua marginal).

Quando está abaixo da RMe, a sua RMg irá empurrar a nova RMe para baixo. Suponha, por exemplo, que a sua RMe dos 3 primeiros anos foi 0,300 e a batida média do 4° ano foi 0,100. A sua nova RMe no final do 4° ano é 0,250. De modo semelhante, se a sua BMg no seu 4° ano for maior que a sua RMe dos 3 primeiros anos, a sua nova RMe acumulada irá aumentar. Se a sua média de batimento do 4° ano é a mesma que a dos 3 primeiros anos, a sua média acumulada não variará (ou seja, se RMg = RMe, então a nova a RMe será igual à RMe anterior).

LIGAÇÃO ENTRE PRODUÇÃO E CUSTOS

Quais são os fatores que determinam as curvas de custo apresentadas antes? Os elementos-chave são (1) os preços dos fatores produtivos e (2) a função de produção da empresa.

Claramente, os preços dos fatores produtivos, como o trabalho e a terra, são importantes ingredientes dos custos. Rendas e salários mais elevados significam custos mais elevados, como lhe dirá qualquer administrador de empresas. Mas os custos também dependem das oportunidades tecnológicas da empresa. Se as melhorias tecnológicas permitirem à empresa produzir o mesmo com menos fatores produtivos, os custos diminuirão.

De fato, se você conhecer os preços dos fatores produtivos e a função de produção, poderá calcular a curva de custo. Podemos ver a dedução do custo a partir dos dados da produção e dos preços dos fatores de produção no exemplo numérico mostrado na Tabela 7-5. Suponha que o agricultor Silva arrende 10 hectares de terra e que contrate trabalhadores agrícolas para cultivar trigo. Por período, a terra custa US$ 5,5 por hectare e a mão de obra custa US$ 5 por trabalhador. Usando métodos agrícolas modernos, Silva pode produzir de acordo com a função de produção indicada nas três primeiras colunas da Tabela 7-5. Neste exemplo, a terra é um custo fixo (porque o agricultor Silva trabalha com um contrato de arrendamento de 10 anos), enquanto o trabalho é um custo variável (uma vez que os trabalhadores agrícolas podem ser facilmente contratados e dispensados).

Usando os dados de produção e dos custos dos fatores produtivos, calculamos, para cada nível de produção, o custo total de produção indicado na coluna (6) da Tabela 7-5. Como exemplo, considere o custo total de produção de 3 toneladas de trigo. Usando a função de produção, Silva pode produzir essa quantidade com 10 hectares de terra e 15 trabalhadores. O custo total de produção de 3 toneladas de trigo é (10 hectares × US$ 5,5 por hectare) + (15 trabalhadores × US$ 5 por trabalhador) = US$ 130. Cálculos similares proporcionarão todos os outros valores de custo total disponíveis na coluna (6) da Tabela 7-5.

Observe que esses custos totais são idênticos aos indicados nas Tabelas 7-1 a 7-3, de modo que os outros conceitos de custo indicados nas tabelas (ou seja, CMg, CF, CV, CMe, CFM e CVM) são também aplicáveis ao exemplo de custo de produção do agricultor Silva.

(1) Produção (ton. de trigo)	(2) Terra (hectares)	(3) Trabalho (trabalhadores)	(4) Renda da terra (US$, por hectare)	(5) Salários (US$, por trabalhador)	(6) Custo total (US$)
0	10	0	5,5	5	55
1	10	6	5,5	5	85
2	10	11	5,5	5	110
3	10	15	5,5	5	130
4	10	21	5,5	5	160
5	10	31	5,5	5	210
6	10	45	5,5	5	280

TABELA 7-5 Os custos são deduzidos a partir dos dados da produção e dos custos dos fatores.

O agricultor Silva arrenda 10 hectares de terra para trigo e emprega uma quantidade variável de trabalho. De acordo com a função de produção agrícola, o uso adequado da terra e da mão de obra do trabalhador produz os resultados mostrados nas colunas (1) a (3) da tabela. Aos preços dos fatores de US$ 5,5 por hectare e US$ 5 por trabalhador, obtemos o custo de produção de Silva na coluna (6). Todos os outros conceitos de custo (tais como os indicados na Tabela 7-3) podem ser calculados a partir dos dados do custo total.

Retornos decrescentes e curvas de custo em "U"

Os economistas, frequentemente, desenham as curvas de custo na forma da letra "U". Para uma curva em "U", o custo diminui na fase inicial, atinge um ponto mínimo e finalmente começa a subir. Vejamos a razão disso. Recorde que as análises da produção do Capítulo 6 distinguiram dois períodos de tempo diferentes, o curto prazo e o longo prazo. Os mesmos conceitos também se aplicam aos custos:

- O *curto prazo* é o período de tempo suficiente para ajustamento dos fatores produtivos variáveis, tais como matérias-primas e trabalho, mas demasiado curto para permitir que todos os fatores possam ser alterados. No curto prazo, os fatores produtivos fixos, como edifícios e equipamentos, não podem ser completamente modificados ou ajustados. Portanto, no curto prazo, os custos do trabalho e das matérias-primas são, em geral, custos variáveis, enquanto os custos de capital são fixos.

- No *longo prazo*, todos os fatores podem ser ajustados, incluindo trabalho, matérias-primas e capital. Assim, no longo prazo, todos os custos são variáveis e nenhum é fixo.[1]

Observe que um custo específico é fixo ou variável, dependendo do período que estamos considerando. No curto prazo, por exemplo, o número de aviões que uma companhia aérea possui é um custo fixo. Mas, no longo prazo, a companhia pode, certamente, redimensionar a sua frota comprando e vendendo aeronaves. Existe, de fato, um mercado ativo de aviões usados, facilitando a alienação de aviões que não são mais necessários. No curto prazo, geralmente consideramos o capital como custo fixo e o trabalho como custo variável. Isso nem sempre é verdade (pense nos professores titulares da sua faculdade), mas o fator trabalho pode, em geral, ser mais facilmente ajustado que o capital.

Por que a curva de custos tem a forma de "U"? Considere o curto prazo, em que o capital é fixo, mas a mão de obra é variável. Nessa situação, há rendimentos decrescentes do fator variável (trabalho), pois cada unidade adicional de trabalho tem menos capital com o qual trabalhar. Como resultado, o custo marginal de produção aumentará, porque o produto adicional produzido em cada unidade de trabalho adicional irá diminuir. Em outras palavras, os rendimentos decrescentes do fator variável implicarão o aumento do custo marginal de curto prazo. Isso demonstra por que os rendimentos decrescentes levam ao aumento dos custos marginais.

A Figura 7-3, que contém exatamente os mesmos dados da Tabela 7-5, ilustra esse ponto. Ela mostra que a região de aumento do produto marginal corresponde à diminuição dos custos marginais, enquanto a região de rendimentos decrescentes implica o aumento dos custos marginais.

Podemos resumir a relação entre as leis da produtividade e as curvas de custo da seguinte forma:

No curto prazo, quando fatores, como o capital, são fixos, os fatores variáveis tendem a apresentar uma fase inicial de produto marginal crescente, seguida de produto marginal decrescente. As curvas de custo correspondentes apresentam uma fase inicial de custos marginais decrescentes seguida de *CMgs* crescentes após se implantarem os rendimentos decrescentes.

---

[1] Para uma análise mais completa sobre curto e longo prazos, consulte o Capítulo 6.

(a) Rendimentos decrescentes...	(b) ... geram uma *CMg* com inclinação crescente
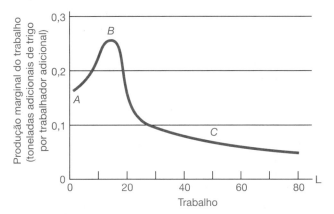	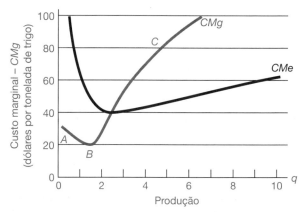

FIGURA 7-3 Rendimentos decrescentes e curvas de custo em forma de "U".

As curvas de custo em forma de "U" são baseadas em rendimentos decrescentes no curto prazo. Com a área de terra fixa e a mão de obra variável, o produto marginal do trabalho em (*a*) primeiro sobe à esquerda de *B*, atinge o pico em *B* e depois apresenta uma queda em *C*, quando passa a haver rendimentos decrescentes do trabalho.

As curvas de custo em (*b*) são deduzidas das curvas de produto e dos preços dos fatores. O produto marginal do fator variável, sendo primeiro crescente e depois decrescente, resulta nas curvas em forma de "U" dos custos marginal e médio.

ESCOLHA DOS FATORES DE PRODUÇÃO PELA EMPRESA

Produtos marginais e a regra do custo mínimo

Toda empresa deve decidir *como* realizar sua produção. A eletricidade deve ser produzida a partir de petróleo ou de carvão? Os automóveis devem ser montados nos Estados Unidos ou no México? As aulas devem ser ministradas por professores ou por alunos do último ano? Completamos agora a ligação entre produção e custo, usando o conceito de produto marginal para ilustrar a forma como as empresas selecionam as combinações de fatores de produção com menor custo.

A nossa análise terá por base o pressuposto fundamental de que as *empresas minimizam os seus custos de produção*. O pressuposto da minimização de custos faz sentido não apenas para as empresas perfeitamente competitivas, como também para as monopolistas, ou até mesmo para organizações não lucrativas, como universidades ou hospitais. Ela simplesmente estabelece que a empresa deve se empenhar para produzir o seu produto ao custo mais baixo possível e, assim, ficar com o máximo de receita livre para ser aplicada na geração de lucros ou para outros fins.

Um exemplo simples mostrará como uma empresa pode decidir entre diferentes combinações de fatores produtivos. Digamos que um escritório de engenharia havia calculado que o nível de produção desejado, de 9 unidades, podia ser realizado por meio de duas opções possíveis. Em ambos os casos, a energia (*E*) custa US$ 2 por unidade, enquanto o trabalho (*L*) custa US$ 5 por hora. Segundo a opção 1, a combinação de fatores será *E* = 10 e *L* = 2. A opção 2 será *E* = 4 e *L* = 5. Qual é a opção preferível? Aos preços de mercado dos fatores, os custos totais de produção da opção 1 são (US$ 2 × 10) + (US$ 5 × 2) = US$ 30, enquanto os custos totais da opção 2 são (US$ 2 × 4) + (US$ 5 × 5) = US$ 33. Portanto, a opção 1 seria a combinação de fatores preferida por ter o menor custo.

Em geral, há muitas combinações de fatores possíveis, e não apenas duas. Mas não temos de calcular o custo de cada uma das diferentes combinações de fatores para encontrar a de custo mínimo. Uma forma simples de encontrar a combinação de custo mínimo é começar calculando o produto marginal de cada fator, como fizemos no Capítulo 6. A seguir, divida o produto marginal de cada fator pelo preço correspondente. *Assim podemos obter o produto marginal por unidade monetária de fator produtivo.* A combinação de fatores com custo mínimo ocorre quando o produto marginal por unidade monetária de fator é igual para todos os fatores. Isto é, as contribuições marginais para o produto de cada unidade monetária de mão de obra, de terra, de combustível etc. têm de ser exatamente iguais.

Seguindo esse raciocínio, uma empresa irá minimizar o seu custo total de produção quando o produto marginal por unidade monetária de fator produtivo for igual para todos os fatores produtivos. Esta é designada regra do custo mínimo.

Regra do custo mínimo: para produzir determinado nível de produto ao custo mínimo, uma empresa deve comprar fatores produtivos até que tenha igualado o produto marginal por unidade monetária gasta em cada fator produtivo. Isso implica que:

$$\frac{\text{Produto marginal de } T}{\text{Preço de } T}$$

$$= \frac{\text{Produto marginal de } A}{\text{Preço de } A} = \ldots$$

Essa regra para as empresas é exatamente análoga à dos consumidores quando maximizam a utilidade, como vimos no Capítulo 5. Ao analisar a escolha do consumidor, vimos que, para maximizar a utilidade, os consumidores devem comprar bens de modo que a utilidade marginal por unidade monetária despendida em cada bem de consumo seja igual para todos os bens consumidos.

Uma forma de entender a regra do custo mínimo é a seguinte: subdivida cada um dos fatores em unidades que valham US$ 1 cada uma (no nosso exemplo anterior de energia/trabalho, US$ 1 de trabalho seria 1/5 de hora, enquanto US$ 1 de energia seria 1/2 unidade). Depois, a regra do custo mínimo estabelece que tem de ser igualado o produto marginal de cada unidade monetária dos fatores produtivos. Se os produtos marginais por US$ 1 de cada fator produtivo não fossem iguais, poderíamos reduzir o fator com menor PMg por unidade monetária e aumentar o fator com maior PMg por unidade monetária e produzir o mesmo produto a um custo inferior.

Um corolário da regra de custo mínimo é a regra da substituição.

Regra da substituição: se o preço de um fator baixar enquanto os preços dos outros fatores se mantiverem constantes, as empresas lucrarão com a substituição dos fatores mais caros pelo que ficou mais barato, até que os produtos marginais por unidade monetária sejam iguais para todos os fatores.

Tomemos o caso da mão de obra (L). Uma redução do preço do trabalho fará aumentar a razão PM_L/P_L acima da razão PMg/P dos outros fatores. O aumento do emprego de L fará baixar, pela lei dos rendimentos decrescentes, o PM_L e, portanto, também PM_L/P_L. Um preço mais baixo e um menor PMg do trabalho fazem, portanto, que o produto marginal por unidade monetária de trabalho volte a ser igual à razão para todos os outros fatores.

B. CUSTOS ECONÔMICOS E CONTABILIDADE DAS EMPRESAS

Desde a General Motors até a mais pequena loja de esquina, as empresas utilizam sistemas mais ou menos elaborados para controlar a evolução dos seus custos. Muitas das categorias de custos na contabilidade das empresas assemelham-se bastante aos conceitos de custo econômico que aprendemos anteriormente. Mas existem algumas diferenças importantes entre a forma como as empresas quantificam os custos e o modo como os economistas a fazem. Nesta seção, apresentaremos os rudimentos da contabilidade comercial e indicaremos as diferenças e semelhanças com os custos econômicos.

DEMONSTRAÇÃO DE RESULTADOS, OU DEMONSTRAÇÃO DE LUCROS OU PREJUÍZOS

Comecemos com uma pequena empresa chamada Cachorro Quente S.A. Como o nome sugere, essa empresa vende cachorro-quente em um pequeno estabelecimento. A atividade consiste na compra de materiais (salsichas, pães, mostarda, grãos para café expresso) e em contratar pessoal para preparar e vender os alimentos. Além disso, a empresa contraiu um empréstimo de US$ 100 mil para o seu equipamento de cozinha e outros móveis para o restaurante, além de ter de pagar o aluguel do estabelecimento. Os fundadores da Cachorro Quente têm grandes ambições, por isso abriram o capital da empresa e emitiram ações (ver no Capítulo 6 as formas de organização empresarial).

Para saber se a Cachorro Quente está tendo lucro, temos de recorrer à **demonstração de resultados**, ou, como ainda alguns preferem chamar, à *demonstração de lucros ou prejuízos*, mostrada na Tabela 7-6. Esse demonstrativo registra o seguinte: (1) as receitas das vendas da Cachorro Quente em 2011, (2) as despesas que tiveram de ser feitas para realizar essas vendas e (3) o resultado líquido, ou os lucros remanescentes depois da dedução das despesas. Isso nos dá a configuração fundamental do demonstrativo dos resultados.

Resultado líquido (ou lucro) =

= receita total − despesas totais

Essa definição revela o "resultado líquido" dos lucros que as empresas querem maximizar. E, em muitos pontos, os lucros das empresas aproximam-se da definição apresentada por economistas de lucros econômicos. Examinemos o demonstrativo de resultados com mais detalhes, começando pelo topo. A primeira linha nos dá as receitas, que foram de US$ 250 mil. As linhas 2 a 9 representam os custos dos diferentes fatores que entram no processo de produção. Por exemplo, o custo de pessoal é o custo anual com os trabalhadores, enquanto o aluguel é o custo anual da utilização do edifício. Os custos comerciais e administrativos incluem os custos da propaganda do produto e do funcionamento do escritório, enquanto os outros custos de exploração incluem o custo de eletricidade.

As três primeiras categorias de custo – matérias-primas, trabalho e outros custos de funcionamento – correspondem basicamente aos custos variáveis da empresa, ou ao seu *custo dos produtos vendidos*. As três categorias seguintes, linhas 6 a 8, correspondem aos custos fixos da empresa, uma vez que não podem ser modificados no curto prazo.

Demonstração de resultados da Cachorro Quente S.A. (De 01/01/2011 a 31/12/2011)		
(1)	**Vendas líquidas (após deduções e abatimentos)**	**US$ 250.000**
	Menos custo dos produtos vendidos:	
(2)	Matérias-primas	US$ 50.000
(3)	Mão de obra	90.000
(4)	Outros custos operacionais (eletricidade etc.)	10.000
(5)	Menos custos fixos:	
(6)	Custos comerciais e administrativos	15.000
(7)	Aluguel do edifício	5.000
(8)	Depreciação	15.000
(9)	Despesas operacionais	US$ 185.000 185.000
(10)	Resultado operacional líquido	US$ 65.000
	Menos:	
(11)	Juros sobre empréstimo do equipamento	6.000
(12)	Impostos estaduais e locais	4.000
(13)	Resultado líquido antes do Imposto de Renda	US$ 55.000
(14)	Menos: Imposto de Renda da Pessoa Jurídica	18.000
(15)	**Resultado líquido depois dos impostos**	**US$ 37.000**
(16)	Menos: dividendos pagos às ações ordinárias	15.000
(17)	Lucros retidos	US$ 22.000

TABELA 7-6 O demonstrativo de resultados apresenta as vendas e as despesas totais em certo período de tempo.

A linha 8 apresenta um termo que ainda não havíamos mencionado antes, *depreciação*, que diz respeito ao custo dos bens de capital. As empresas podem arrendar ou alugar ou possuir os seus bens de capital. No caso do edifício que alugou, a Cachorro Quente deduziu a renda na linha 7 da demonstração dos resultados.

Quando a empresa possui o bem de capital, o tratamento é mais complicado. Suponha que o equipamento da cozinha tem uma vida útil estimada de 10 anos, ao fim do qual não tem utilidade nem valor. De fato, uma parte do equipamento da cozinha é "consumido" todos os anos no processo produtivo. Designamos por "depreciação" o montante consumido e consideramos esse montante como o custo do capital em cada ano. A **depreciação** quantifica o custo anual do insumo de capital do qual uma empresa é efetivamente a proprietária.

O mesmo raciocínio se aplicaria a qualquer bem de capital que uma empresa possua. Os caminhões se tornam usados, os computadores se tornam obsoletos e os edifícios começam a se deteriorar. Para cada um deles, a empresa deveria considerar um custo de depreciação. Existem algumas fórmulas diferentes para cálculo da depreciação anual, mas todas seguem dois princípios fundamentais: (a) o montante total de depreciação ao longo da vida do ativo deve ser igual ao custo histórico do bem de capital ou preço de compra; e (b) a depreciação é considerada na contabilização anual dos custos ao longo do período de vida contábil do ativo, a qual está relacionada com o tempo de vida econômica efetiva do ativo.

Agora podemos entender como podem ser calculadas as depreciações da Cachorro Quente. O equipamento é depreciado de acordo com um período de vida de 10 anos, de modo que o equipamento de US$ 150 mil tem uma depreciação anual de US$ 15 mil (usando o mais simples método de depreciação: o linear). Se possuísse um imóvel, a Cachorro Quente também teria de considerar uma depreciação para o prédio.

Somando todos os custos vistos até agora, obtemos as despesas operacionais (linha 9). O resultado operacional líquido são as receitas líquidas menos as despesas operacionais (linha 1 menos a linha 9). Já consideramos todos os custos de produção? Ainda não. A linha 11 inclui o custo anual do juro do empréstimo de US$ 100 mil. Este deve ser considerado como o custo de obter por empréstimo o capital financeiro. Embora seja um custo fixo, geralmente, é separado dos outros custos fixos. Os impostos estaduais e locais, como os impostos sobre imóveis, são tratados como outras despesas. Deduzindo as linhas 11 e 12, resulta-se um total de US$ 55 mil de lucros antes dos impostos. Como são repartidos esses lucros? Cerca de US$ 18 mil vão para o governo federal na forma de Imposto de Renda da Pessoa Jurídica. Assim sobra um lucro líquido de impostos de US$ 37 mil. São pagos dividendos de US$ 15 mil às ações ordinárias, restando US$ 22 mil para serem reinvestidos na empresa na forma de lucros retidos. Repare, de novo, que os lucros são o remanescente das vendas menos os custos.

BALANÇO

A contabilidade das empresas não se preocupa apenas com os lucros e prejuízos, que são a força econômica orientadora. A contabilidade das empresas inclui também o **balanço**, que é uma imagem da situação financeira em determinada data. Esse demonstrativo registra o que uma empresa, uma pessoa ou um país vale em determinado momento. Em um dos lados do balanço está o **ativo** (bens ou direitos de propriedade da empresa). No outro lado estão dois itens, o **passivo** (dívidas ou títulos de dívida da empresa) e o **patrimônio líquido** (ou valor líquido, igual ao total do ativo menos o total do passivo).

Uma distinção importante entre demonstração dos resultados e balanço é a que existe entre fluxo e estoque. O estoque representa o nível de uma variável, como a quantidade de água de um lago, ou, neste caso, o valor monetário de uma empresa. Uma variável de **fluxo** representa a variação por unidade de tempo, como o fluxo de água em um rio ou o fluxo de receitas e despesas que entram ou saem de uma empresa. *A demonstração dos resultados mede os fluxos que entram e saem da empresa, enquanto o balanço mede o estoque dos ativos e passivos no fim do ano contábil.*

A identidade fundamental ou relação de equilíbrio do balanço é a de que o total dos ativos é igual ao total do passivo mais o patrimônio líquido da empresa para os seus proprietários:

Ativo total = passivo total + patrimônio líquido

Podemos modificar essa equação para concluir que

Patrimônio líquido = ativo − passivo

Façamos uma exemplificação considerando a Tabela 7-7, que apresenta um balanço simples da Cachorro Quente S.A. À esquerda estão os ativos, e do lado direito estão o passivo e o patrimônio líquido. Foi propositadamente deixado em branco o espaço em lucros retidos, porque o único valor correto compatível com a nossa identidade fundamental do balanço é US$ 200 mil. *Um balanço sempre fecha em equilíbrio porque o patrimônio líquido é um valor residual definido como o ativo menos o passivo.* Suponha que um item do balanço se altere (por exemplo, um aumento de ativos); deverá haver uma alteração correspondente no balanço de forma a mantê-lo equilibrado (uma diminuição de ativos, um aumento de passivo, ou um aumento do patrimônio líquido).

Para ilustrar como o patrimônio líquido leva sempre ao equilíbrio, suponha que as salsichas avaliadas em US$ 40 mil tenham estragado. O seu contador relata: "O ativo total teve uma queda de US$ 40 mil; o passivo mantém-se inalterado. Isso significa que o patrimônio líquido foi reduzido em US$ 40 mil, e não se tem outra alternativa senão reduzir o patrimônio líquido de US$ 200 mil para apenas US$ 160 mil. É assim que os contadores procedem.

Resumiremos a nossa análise dos conceitos contábeis do seguinte modo:

1. O demonstrativo de resultados apresenta o fluxo de vendas, de custo e de receitas ao longo do ano ou do período contábil. Ela mede o fluxo de dinheiro que entra e sai da empresa durante determinado período.

2. O balanço representa uma imagem, ou fotografia, financeira instantânea. É como a medida do volume de água em um lago. Os principais itens de balanço são o ativo, o passivo e o patrimônio líquido.

Convenções contábeis

Ao examinar o balanço na Tabela 7-7 você poderá perguntar: como são quantificados os valores dos vários itens? Como os contadores sabem que o equipamento vale US$ 150 mil?

A resposta é que os contadores usam um conjunto de regras, ou convenções contábeis, predefinidas para responder à maioria das questões. O pressuposto mais importante usado no balanço é o de que o valor de quase todos os itens reflete o seu *custo histórico*. Isso difere do conceito de "valor" dos economistas, como veremos na próxima seção. Por exemplo, o estoque de pães para os cachorros-quentes é avaliado no preço pelo qual foram comprados. Um ativo fixo recentemente comprado – um equipamento ou um edifício – é valorizado pelo seu preço de compra (sendo esta a convenção do custo histórico). O capital antigo é valorizado pelo preço de compra menos a depreciação acumulada, contabilizando-se, assim, o declínio gradual da utilidade dos bens de capital. Os contadores usam o custo histórico porque este reflete uma avaliação objetiva, sendo de fácil verificação.

Na Tabela 7-7, os ativos circulantes são aqueles que podem ser convertidos em dinheiro em um ano, enquanto os ativos fixos representam bens de capital e terra. Muitas das contas indicadas explicam-se por si próprias. O ativo disponível consiste em moedas, notas e depósitos à vista no banco. O disponível é o único ativo cujo valor é exato, e não uma estimativa.

Do lado do passivo, as contas e os empréstimos a pagar são valores devidos a terceiros pela compra de bens ou pela obtenção de dinheiro emprestado. Os títulos de dívida emitidos são dívidas de longo prazo que são negociadas no mercado. A última conta do balanço é o patrimônio líquido, ou a situação líquida dos sócios. Esta tem dois componentes. O primeiro é o estoque de capital, que representa o que os sócios, ou acionistas, inicialmente contribuíram para a sociedade. O segundo componente são os lucros retidos. Estes são os lucros reinvestidos na empresa após a dedução de quaisquer dividendos distribuídos aos sócios/acionistas. Recorde que na demonstração dos resultados a Cachorro Quente tem US$ 22 mil de resultados retidos em 2011. A situação líquida da empresa são os ativos da empresa deduzidos das responsabilidades, quando valorizados pelo custo histórico. Confirme que o patrimônio líquido tem de ser igual a US$ 200 mil na Tabela 7-7.

Balanço da Cachorro Quente S.A. (31/12/2011)			
Ativo		**Passivo e patrimônio líquido**	
		Passivo	
Ativo circulante		Passivo atual	
Disponível	20.000	Contas a pagar	20.000
Existências	80.000	Empréstimos a pagar	20.000
Ativo fixo		Passivo de longo prazo	
Equipamento	150.000	Títulos de dívida emitidos	100.000
Edifícios	100.000		
		Patrimônio líquido	
		Ações ordinárias	
		Estoque de capital	10.000
		Lucros retidos	....
Total	350.000	**Total**	350.000

TABELA 7-7   O balanço regista o conjunto de ativos e de passivos mais o patrimônio líquido de uma empresa em determinado momento.

Manipulações financeiras

Agora que revimos os princípios da contabilidade, verificamos que existe uma grande dose de juízo de valor na determinação do exato tratamento de certos itens. No final dos anos 1990, pressionadas para gerar rapidamente lucros crescentes, muitas empresas manipularam suas contabilidades para apresentar resultados brilhantes, ou para disfarçar prejuízos. Entre alguns dos exemplos mais notórios, incluem-se contar ganhos projetados de contratos de longo prazo como receita corrente (Enron, Global Crossing); capitalização das saídas de fundos, enquanto as entradas eram classificadas como receitas correntes (Enron, Qwest); aumento do valor residual dos caminhões ao longo do tempo (Waste Management); aumento do valor da capacidade disponível dos aterros, mesmo que estivessem cheios (Waste Management); e reportar previsões agradáveis de resultados quando a realidade era diferente (Amazon.com, Yahoo e Qualcomm, entre uma infinidade de outras pontocom já inexistentes ou ainda em atividade).

Para se ter conhecimento de como ocorre uma fraude contábil, tomemos o exemplo da Enron. Essa empresa começou genuinamente lucrativa, que possuía a maior rede interestadual de gasodutos de gás natural. Para prosseguir o seu rápido crescimento, passou a comercializar contratos futuros de gás natural e a seguir expandiu o seu modelo de negócio para outros mercados.

Ao longo do tempo, contudo, os seus lucros começaram a diminuir, mas a empresa escondeu essa queda dos investidores. Você poderá perguntar: como uma grande empresa de capital aberto, como a Enron, conseguiu enganar praticamente todo o mundo durante a maior parte do tempo até 2001?

O sucesso em esconder as falhas assentou em quatro fatores complementares. Primeiro, quando os problemas apareceram, a Enron começou a explorar as ambiguidades nos princípios contábeis, tais como os descritos anteriormente. Um exemplo foi um negócio chamado "Projeto Braveheart" com a Blockbuster Video. Esse acordo previa receitas futuras para os próximos 20 anos, com um valor presente de US$ 111 milhões, e a Enron contabilizou-as como receitas correntes, ainda que as projeções estivessem baseadas em pressupostos altamente duvidosos.

Segundo, a empresa decidiu não registrar os detalhes de muitas transações financeiras – por exemplo, escondeu de seus acionistas que tinha participações acionárias em centenas de outras empresas. Terceiro, o conselho de administração e os auditores externos tiveram uma atitude passiva e não contestaram – em alguns casos, nem sequer questionaram – alguns detalhes das contas da Enron. Finalmente, a comunidade investidora, como os grandes fundos de investimento, exerceu uma fraca análise independente e aprofundada sobre os números da Enron, ainda que no pico a Enron absorvesse US$ 70 bilhões dos fundos de investimento.

O caso Enron serve para nos recordar que os mercados financeiros, as empresas de contabilidade e os administradores de investimentos podem ser enganados e investir muitos bilhões de dólares quando as empresas praticarem internamente uma contabilidade agressiva e práticas fraudulentas. Um maior conjunto de questões ocorreu em 2007-2008, quando um bilhão de dólares de títulos de crédito hipotecário lastreado em ativos questionáveis obteve boas notações de risco de agências de classificação de risco, tendo essas agências e os investidores um fraco conhecimento dos fluxos de caixa que estavam por trás desses títulos. A história de tais manipulações contábeis e financeiras é um aviso para a importância de procedimentos contábeis sólidos e para a necessidade de uma supervisão vigilante por parte de entidades governamentais e não governamentais.

C. CUSTOS DE OPORTUNIDADE

Nesta seção, observaremos os custos por outro ângulo. Recorde que um dos princípios básicos de Economia é o de que os recursos são escassos. Isso significa que, sempre que decidimos utilizar um recurso de uma forma, estamos abrindo mão da oportunidade de usá-lo de outro modo. É fácil verificar isso em nossa própria vida, pois estamos constantemente decidindo o que fazer com o tempo e o dinheiro limitados que temos. Vamos a um cinema ou vamos estudar para o teste da próxima semana? Viajamos até o México ou compramos um automóvel? Vamos fazer uma pós-graduação ou estágio profissionalizante, ou começamos a trabalhar logo após a faculdade?

Em cada um desses casos, fazer uma escolha nos custa, de fato, a oportunidade de fazer outra coisa qualquer. O valor da alternativa perdida é chamado de custo de oportunidade, que comentamos brevemente no Capítulo 1 e que desenvolveremos mais profundamente agora. O custo monetário de ir ao cinema, em vez de estudar, é o preço do bilhete, mas o custo de oportunidade inclui também a possibilidade de ter uma nota melhor no exame. O custo de oportunidade de uma decisão inclui todas as suas consequências, quer reflitam transações monetárias ou não.

As decisões têm custos de oportunidade, porque escolher algo em um mundo de escassez significa desistir de qualquer outra coisa. O **custo de oportunidade** é o valor do bem ou serviço mais valioso de que se abriu mão.

Um exemplo importante de custo de oportunidade é o custo de frequentar a universidade. Se você entrou para uma universidade pública em 2008, o custo total de taxas, livros e viagens foi em média de US$ 7 mil. Isso significa que o custo de oportunidade da frequência da universidade é de US$ 7 mil? Certamente que não! Você tem de incluir igualmente o *custo de oportunidade do tempo* gasto estudando e frequentando as aulas. Um emprego de período integral para um jovem com o ensino médio renderia cerca de US$ 26 mil em 2008. Se somarmos tanto as despesas efetivas como o salário perdido descobriríamos que o custo de oportunidade de ir para a faculdade seria de US$ 33 mil (igual a US$ 7.000 + US$ 26.000), bem superior aos US$ 7 mil por ano.

As decisões das empresas também têm custos de oportunidade. Todos os custos de oportunidade aparecem no demonstrativo de resultados? Não necessariamente. Em geral, as contas das empresas incluem apenas as transações em que o dinheiro, de fato, muda de mãos. Em contrapartida, os economistas tentam sempre "levantar o véu do dinheiro" para descobrir as consequências reais que estão subjacentes aos fluxos monetários e quantificar os verdadeiros *custos dos recursos* de uma atividade. Os economistas incluem, portanto, todos os custos – quer reflitam transações monetárias quer não.

Há vários custos de oportunidade importantes que não aparecem no demonstrativo de resultados. Por exemplo, em diversos pequenos negócios, a família pode trabalhar muitas horas não remuneradas que não são incluídas como custos contábeis. Os contadores das empresas também não incluem o custo de capital das contribuições financeiras dos donos. E também não incluem o custo do prejuízo ambiental que ocorre quando uma empresa despeja materiais tóxicos em um riacho. Mas, do ponto de vista econômico, todos são custos efetivos para a Economia.

Ilustremos o conceito de custo de oportunidade considerando o proprietário da Cachorro Quente S.A. Ele trabalha 60 horas por semana, mas não ganha um "salário". No fim do ano, como mostra a Tabela 7-6, a empresa apurou um lucro de US$ 37 mil – muito bom para uma jovem empresa.

Mas será mesmo? O economista insistiria que deveríamos considerar o valor de um fator produtivo independentemente de quem seja o seu proprietário. Deveríamos considerar como custo o trabalho do próprio empresário, ainda que o proprietário não seja pago diretamente e receba de maneira alternativa uma compensação sob a forma de lucros. Como o empresário tem oportunidades alternativas para trabalhar, devemos valorizar o seu trabalho em termos das oportunidades perdidas.

Um estudo cuidadoso poderia mostrar que o proprietário da Cachorro Quente poderia encontrar um emprego similar e igualmente interessante, trabalhando para outra pessoa, e ganhar US$ 60 mil. Isso representa o custo de oportunidade, ou o salário perdido pelo proprietário, porque ele decidiu tornar-se o proprietário não remunerado de um pequeno negócio em vez de um funcionário assalariado de outra empresa.

Portanto, continua o economista, calculemos os verdadeiros lucros da empresa de cachorro-quente. Se aos lucros contabilizados de US$ 37 mil subtrairmos o custo de oportunidade de US$ 60 mil do trabalho do proprietário, chegaríamos a um *prejuízo* líquido de US$ 23 mil. Assim, embora o contador pudesse concluir que a Cachorro Quente é economicamente viável, o economista concluiria que a empresa era uma geradora de prejuízos.

Qual foi o custo da guerra no Iraque?

Uma das questões que mais causam incômodos enfrentadas pelos norte-americanos é calcular o quanto custou a guerra no Iraque. Este assunto envolve questões de custo de oportunidade para o país, e não para a empresa, mas os princípios são semelhantes. O governo de Bush inicialmente estimou que a guerra acabaria rapidamente e que os custos seriam de cerca de US$ 50 bilhões. Na realidade, a guerra se revelou muito mais longa e dispendiosa. De acordo com um relatório do Congresso em 2008, a despesa total acumulada das campanhas no Iraque e no Afeganistão foi cerca de US$ 750 bilhões.

Mas os economistas Linda Bilmes e Joseph Stiglitz argumentam que mesmo esse grande número subestima o total, pois não leva em conta o completo custo de oportunidade da guerra. Um exemplo da subestimação é a remuneração dos membros das forças armadas, que não reflete os custos totais para o país, porque subestima os custos de assistência médica e outros benefícios. Eles escrevem:

> Quando um jovem soldado é morto no Iraque ou no Afeganistão, a sua família receberá um cheque do governo dos Estados Unidos de apenas US$ 500 mil (que combina o seguro de vida com uma "gratificação por morte"), muito menos do que o valor normalmente pago pelas companhias de seguros pela morte de um jovem em um acidente de carro. O "custo orçamentário" de US$ 500 mil é claramente apenas uma parcela do custo total que a sociedade paga pela perda de vida – e ninguém poderá jamais compensar realmente as famílias. Além disso, o pagamento aos traumatizados raramente dá a adequada compensação aos militares feridos ou às suas famílias. De fato, em 20% dos casos de militares feridos gravemente, alguém da família tem de desistir do emprego para cuidar deles.

Bilmes e Stiglitz também calcularam que os preços do petróleo subiram por causa da guerra, contribuindo para o aumento dos preços de US$ 25 por barril em 2003 para um pico de US$ 155 por barril em 2008.

Somando todos os custos de oportunidade até 2008, eles concluíram que a guerra no Iraque custou ao povo americano US$ 3 bilhões, ou cerca de US$ 30 mil dólares por família. Embora estejam sujeitos a debate, esses números são um lembrete oportuno da diferença entre um número contábil e o custo econômico verdadeiro ou de oportunidade.

CUSTO DE OPORTUNIDADE E MERCADOS

Neste ponto, você pode estar se perguntando: "Agora estou totalmente confuso. Primeiro aprendi que o preço é uma boa medida do verdadeiro custo social no mercado. Agora estão me dizendo que o custo de oportunidade é o conceito correto. Será que os economistas não chegam a uma conclusão?".

Há, de fato, uma explicação simples: *em mercados que funcionam corretamente, quando todos os custos são levados em conta, o preço é igual ao custo de oportunidade.* Suponha que uma mercadoria como o trigo é comprada e vendida em um mercado competitivo. Se eu levar o meu trigo ao mercado, receberei várias propostas de compradores interessados: US$ 2.502, US$ 2.498 e US$ 2.501 por alqueire. Esses representam o valor do meu trigo para, digamos, três moagens diferentes. Aceito a mais elevada – US$ 2.502. O custo de oportunidade dessa venda é o valor da melhor alternativa possível, isto é, a segunda oferta mais elevada a US$ 2.501, que é quase idêntica ao preço que aceitei. Quando o mercado se aproxima da concorrência perfeita, as ofertas aproximam-se cada vez mais até que, no limite, a segunda melhor oferta (que é a nossa definição de custo de oportunidade) é exatamente igual à oferta mais elevada (que é o preço). Em mercados competitivos, numerosos compradores competem pelos recursos até o ponto em que o preço é oferecido acima da melhor alternativa disponível e é, portanto, igual ao custo de oportunidade.

Custos de oportunidade fora dos mercados. O conceito de custo de oportunidade é particularmente importante quando analisamos transações que acontecem fora dos mercados. Como medimos o valor de uma estrada ou de um parque? E de uma legislação sobre saúde ou segurança? Até mesmo a aplicação do tempo de um estudante pode ser explicada pelo custo de oportunidade.

- A noção de custo de oportunidade explica a razão por que os estudantes veem mais televisão na semana depois dos exames do que na semana anterior. Ver televisão imediatamente antes de um exame tem um elevado custo de oportunidade, pois o uso alternativo do tempo (estudando) tem um grande valor na melhoria das notas e na obtenção de um bom emprego. Após o exame, o tempo tem um menor custo de oportunidade.

- Ou considere o caso de uma proposta para extrair petróleo na costa da Califórnia. Há uma enxurrada de reclamações. Um defensor do programa afirma: "Precisamos desse petróleo para nos proteger de fontes estrangeiras inseguras que nos têm como reféns. Temos imenso mar ao nosso redor. Isso é, de fato, uma boa economia para o país". Isso pode, de fato, ser uma má economia em virtude do custo de oportunidade. Se a extração levar a vazamentos de petróleo que poluam as praias, o valor recreativo do mar vai ser prejudicado. Esse custo de oportunidade pode não ser facilmente quantificado, mas na sua menor parcela é tão real quanto o valor do petróleo que jaz sob o mar.

O caminho que não foi percorrido. O custo de oportunidade é, portanto, uma medida do que se perdeu quando tomamos uma decisão. Considere o que o poeta Robert Frost tinha em mente quando escreveu

> Havia uma bifurcação na floresta e eu...
> Eu segui pelo caminho menos percorrido,
> E isso fez toda a diferença.

Qual seria o outro caminho que Frost tinha em mente? Uma vida urbana? Uma vida em que ele não tivesse possibilidade de escrever sobre caminhos, paredes e açoites? Imagine o incomensurável custo de oportunidade para todos nós se Robert Frost tivesse seguido pela estrada mais percorrida.

Mas regressemos da poesia à realidade. O ponto essencial a ser entendido é o seguinte:

Os custos econômicos incluem, além do gasto monetário explícito, aqueles custos de oportunidade assumidos pelo fato de os recursos poderem ser usados de formas alternativas.

RESUMO

A. Análise econômica dos custos

1. O custo total (CT) pode ser subdividido em custo fixo (CF) e custo variável (CV). Os custos fixos não são afetados por quaisquer decisões de produção, enquanto os custos variáveis, incorridos em itens como trabalho e matérias-primas, aumentam com o crescimento do nível de produção.

2. O custo marginal (CMg) é o custo adicional total resultante de 1 unidade adicional de produto. O custo total médio (CMe) é a soma do custo fixo médio, que é sempre decrescente ($CFMe$), e do custo variável médio ($CVMe$). O custo médio de curto prazo é geralmente representado por uma curva em forma de "U", que é sempre interceptada no seu ponto mínimo pela curva ascendente CMg.

3. Memorize as regras úteis:

    $CT = CF + CV \quad CMe = CT/q \quad CMe = CFMe + CVMe$

    No ponto inferior da curva de CMe em forma de "U", $CMg = CMe = CMe$ mínimo.

4. Os custos e a produtividade são como imagens em um espelho. Quando se verifica a lei dos rendimentos decrescentes, o produto marginal cai e a curva CMg sobe. Quando existe uma fase inicial de retornos crescentes, a CMg inicialmente cai.

5. Podemos aplicar os conceitos de custo e de produção à escolha pela empresa em relação à melhor combinação dos fatores de produção. As empresas que procuram maximizar os lucros irão querer minimizar o custo de produzir certo nível de produção. Nesse caso, a empresa seguirá a regra do custo mínimo: serão escolhidos os vários fatores de produção de modo que o produto marginal por unidade monetária de um fator de produção seja igual para todos os fatores de produção. Isso implica que $PM_T/P_T = PMg_A/P_A = ...$

B. Custos econômicos e contabilidade das empresas

6. Para compreender a contabilidade, as relações mais importantes são:

    a. A natureza do demonstrativo de resultados; o caráter residual dos lucros; e a amortização dos ativos fixos.

    b. A relação fundamental do balanço entre ativo, passivo e patrimônio líquido; a subdivisão de cada um destes em ativos financeiros e fixos; e a natureza residual do patrimônio líquido.

C. Custos de oportunidade

7. A definição dos custos para um economista é mais ampla que a de um contador. O custo econômico inclui não só os óbvios desembolsos de dinheiro, ou transações monetárias, mas também os custos de oportunidade mais sutis, tais como a remuneração do trabalho do proprietário de uma empresa. Esses custos de oportunidade estão limitados pelas ofertas de compra e venda em mercados competitivos, de modo que o preço se aproxima do custo de oportunidade para os bens e serviços transacionados no mercado.

8. A aplicação mais importante do custo de oportunidade ocorre nos bens não comercializados – tais como ambiente não poluído, a saúde ou recreação – que podem ser muito valiosos, ainda que não sejam comprados e vendidos em mercados.

CONCEITOS PARA REVISÃO

Análise de custos

- custos totais: fixos e variáveis
- custo marginal
- regra do custo mínimo:

$$\frac{PMg_T}{P_T} = \frac{PMg_A}{P_A} = \frac{PMg_{\text{qualquer fator}}}{P_{\text{qualquer fator}}}$$

$CT = CF + CV$
$CMe = CT/q = CFMe + CVMe$

Conceitos de contabilidade

- demonstração dos resultados (conta de ganhos e perdas): vendas, custos e lucros
- depreciação
- identidade fundamental do balanço
- ativos, passivos e patrimônio líquido
- estoque *versus* fluxo
- custo de oportunidade
- conceitos de custo em Economia e em contabilidade

LEITURAS ADICIONAIS E SITES

Leituras adicionais

A abordagem avançada da teoria do custo e da produção pode ser encontrada em livros de nível intermédio. Consulte a lista apresentada no Capítulo 3.

Você poderá encontrar artigos interessantes sobre custos, produção e problemas de decisão das empresas em revistas como *Business Week*, *Fortune*, *Forbes* e *The Economist*. Uma excelente análise não técnica da fraude da Enron encontra-se em Paul M. Healy e Khrishna G. Palepu, "The Fall of Enron", *Journal of Economic Perspectives*, Spring, 2003, p. 3-26.

A citação do custo da guerra é de Linda J. Bilmes e Joseph E. Stiglitz, "The Iraq War Will Cost Us $ 3 Trillion, and Much More", Washington Post, 9 de março, 2008, p. B1. O estudo completo deles é de Joseph E. Stiglitz e Linda J. Bilmes, The

Three Trillion Dollar War: The True Cost of the Iraq Conflict (Norton, New York, 2008).

Sites

Bons estudos de caso sobre custos e produção são encontrados em jornais de negócios. Veja os sites da rede das revistas de negócios citadas anteriormente, <http://www.businessweek.com>, <http://www.fortune.comm>, <http://www.forbes.com> e <http://www.economist.com>. Alguns desses sites requerem uma taxa ou assinatura.

Informações sobre empresas individuais são encontradas nos arquivos da Comissão de Bolsa dos Estados Unidos em <http://www.sec.gov/edgarhp.htm>.

QUESTÕES PARA DISCUSSÃO

1. Durante a sua carreira, na liga principal de beisebol, de 1936 a 1960, Ted Williams teve 7.706 batimentos e 2.654 *hits*.
   a. Qual foi a média de batimentos em toda a sua carreira?
   b. No seu último ano, 1960, Williams teve 310 batimentos e 98 *hits*. Qual era a sua média de batimentos da carreira no fim de 1959? Qual foi a sua média em 1960?
   c. Explique a relação entre a sua média em 1959 e a variação da média da carreira de 1959 para 1960. Diga como isso ilustra a relação entre *CMg* e *CMe*.

2. Ao custo fixo de US$ 55, da Tabela 7-3, acrescente US$ 90 de *CF* adicional. Calcule agora uma nova tabela, com o mesmo *CV* anterior, mas com o novo *CF* = US$ 145. O que acontece ao *CMg* e ao *CVMe*? E aos *CT*, *CMe*, *CFMe*? Consegue verificar que o mínimo de *CMe* é agora $q^* = 5$ com *CMe* = US$ 60 = *CMg*?

3. Explique a razão por que *CMg* intercepta a *CMe* e a *CVMe* em seus valores mínimos (ou seja, no ponto inferior de suas curvas em "U").

4. "O serviço militar obrigatório permite que o governo iluda a si próprio e ao povo acerca dos custos verdadeiros de um grande exército." Compare o custo orçamentário e o custo de oportunidade de um exército voluntário (em que o pagamento seja elevado) e os de um exército obrigatório (em que o pagamento seja baixo). Qual a contribuição do custo de oportunidade para a análise da citação?

5. Considerando os dados da Tabela 7-8, que contém uma situação similar à da Tabela 7-5:
   a. Calcule os *CT*, *CV*, *CF*, *CMe*, *CVMe* e *CMg*. Em uma folha de papel quadriculado, trace as curvas *CMe* e *CMg*.
   b. Considere que o preço do trabalho seja duplicado. Calcule os novos *CMe* e *CMg*. Trace as novas curvas e compare-as com as de (a).
   c. Considere agora que a produtividade total dos fatores seja duplicada (ou seja, que o nível de produto duplique para qualquer combinação de fatores). Repita o exercício de (b). Você pode indicar dois fatores de produção importantes que tendem a afetar as curvas de custo de uma empresa?

6. Explique a falácia em cada uma das seguintes afirmações:
   a. Os custos médios são minimizados quando os custos marginais se encontram em seu valor mínimo.
   b. Como os custos fixos nunca se alteram, o custo fixo médio é uma constante para todos os níveis de produto.
   c. O custo médio aumenta sempre que o custo marginal aumenta.
   d. O custo de oportunidade da extração de petróleo no Parque Natural Yosemite é zero, uma vez que lá não existe qualquer empresa produtiva.
   e. Uma empresa minimiza os custos quando gasta a mesma quantia em cada fator produtivo.

7. Em 2008, uma empresa de software fictícia chamada EconDisaster.com vendeu US$ 7 mil de um jogo chamado "Fornalha Financeira Global". A empresa pagou US$ 1 mil de salários, US$ 500 de aluguel e US$ 500 de eletricidade, e adquiriu um computador por US$ 5 mil. A empresa usa depreciações constantes com um período de vida de 5 anos (isso significa que a depreciação é calculada pelo custo histórico dividido pela vida do equipamento). Essa empresa paga imposto sobre a renda de 25% sobre os lucros e não distribui dividendos. Elabore a sua demonstração dos resultados para 2008 com base na Tabela 7-6.

8. A seguir, elabore o balancete da EconDisaster.com para 31 de dezembro 2008. A empresa não tinha ativos no início do ano. Os proprietários realizaram um capital social de US$ 10 mil com o qual compraram as ações. O resultado líquido e os lucros retidos podem ser calculados a partir da questão anterior.

(1) Produto (ton. de trigo)	(2) Insumo terra (hectares)	(3) Insumo trabalho (n. de trabalhadores)	(4) Renda da terra (US$, por hectare)	(5) Salários da mão de obra (US$, por trabalhador)
0	15	0	12	5
1	15	6	12	5
2	15	11	12	5
3	15	15	12	5
4	15	21	12	5
5	15	31	12	5
6	15	45	12	5
7	15	63	12	5

TABELA 7-8

Apêndice 7

TEORIA DA PRODUÇÃO, TEORIA DOS CUSTOS E DECISÕES DA EMPRESA

A teoria da produção descrita no Capítulo 6 e a análise de custos deste capítulo fazem parte dos fundamentos da microeconomia. É necessário um conhecimento profundo da produção e dos custos para compreender como a escassez econômica se traduz em preços no mercado. Este apêndice desenvolve mais esses conceitos e apresenta o conceito de curva de mesma quantidade produzida ou isoquanta.

FUNÇÃO DE PRODUÇÃO NUMÉRICA

A teoria da produção e a análise dos custos têm as suas raízes no conceito de função de produção, que representa a quantidade máxima de produto que pode ser obtida com várias combinações de fatores produtivos. A Tabela 7A-1 tem um exemplo numérico de uma função de produção com retornos de escala constantes, mostrando a quantidade de fatores produtivos nos eixos e a quantidade de produto nos pontos de interseção da tabela.

No lado esquerdo, são enumeradas as diferentes quantidades de terra, indo de 1 a 6 unidades. Ao longo do eixo horizontal, são indicadas as quantidades de trabalho que vão também de 1 a 6. O produto correspondente a cada linha de terra e a cada coluna de trabalho está indicado no interior da tabela.

Se quisermos saber qual a quantidade exata de produto que haverá quando forem utilizadas 3 unidades de terra e 2 de trabalho, contamos na vertical 3 unidades de terra, e na horizontal 2 unidades de trabalho. Verifica-se que a resposta é 346 unidades de produto. (Você consegue identificar outras combinações de fatores para produzir $q = 346$?) Do mesmo modo, vemos que 3 unidades de terra e 6 de trabalho produzem 600 unidades de q. Lembre-se de que a função de produção mostra a produção máxima possível, dadas as capacidades técnicas e o conhecimento tecnológico disponíveis em determinado momento.

LEI DO PRODUTO MARGINAL DECRESCENTE

A Tabela 7A-1 pode facilmente ilustrar a lei dos rendimentos decrescentes. A princípio, lembre-se de que o produto marginal do trabalho é a produção adicional resultante de 1 unidade adicional de trabalho quando a terra e os outros fatores de produção se mantêm constantes. Em qualquer ponto da Tabela 7A-1, podemos encontrar o produto marginal do trabalho subtraindo a produção do número à direita na mesma linha. Assim, quando há 2 unidades de terra e 4 unidades de trabalho,

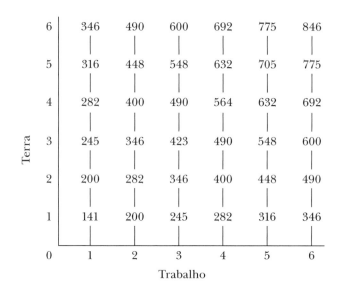

TABELA 7A-1 Matriz que representa uma função de produção relacionando a quantidade de produto com diferentes combinações dos fatores de produção mão de obra e terra.

Quando estão disponíveis 3 unidades de terra e 2 unidades de mão de obra, o engenheiro indica que o produto máximo será de 346 unidades. Repare nos diferentes modos de produzir 346. Faça o mesmo para 490. (A função de produção apresentada na tabela é um caso especial da função de produção de Cobb-Douglas, representada pela fórmula $Q = 100\sqrt{2TA}$.)

o produto marginal de 1 trabalhador adicional seria de 48, ou 448 menos 400, na segunda linha.

"Produto marginal da terra" significa, evidentemente, o produto adicional resultante de 1 unidade adicional de terra quando o trabalho se mantém constante. Calcula-se pela comparação dos números adjacentes em dada coluna. Assim, quando há 2 unidades de terra e 4 unidades de trabalho, o produto marginal da terra é mostrado na quarta coluna como 490 – 400, ou 90.

Podemos encontrar facilmente a produção marginal de cada um dos nossos dois fatores de produção pela comparação dos valores adjacentes nas colunas verticais ou nas linhas horizontais da Tabela 7A-1.

Tendo definido o conceito de produto marginal de um fator produtivo, podemos agora definir facilmente a lei dos rendimentos decrescentes. *Segundo a lei dos rendimentos decrescentes, quando aumentamos a quantidade de um fator, mantendo os demais constantes, o produto marginal do fator que varia irá, pelo menos a partir de certo ponto, diminuir.*

Para ilustrar isso, mantenha a terra constante na Tabela 7A-1, posicionando-se em determinada linha – por exemplo, a linha correspondente a 2 unidades de terra. Deixemos agora o trabalho aumentar de 1 para 2 unidades, de 2 para 3 unidades etc. O que acontece a q em cada um dos passos?

Quando o trabalho passa de 1 para 2 unidades, o nível de produção aumenta de 200 para 282 unidades, ou seja, 82 unidades. Mas o próximo acréscimo de trabalho acrescenta apenas 64 unidades, ou seja, 346 − 282. Os rendimentos decrescentes se estabeleceram. Novos aumentos de uma única unidade de trabalho proporcionam, respectivamente, apenas 54 unidades adicionais de produto, 48 unidades, e, finalmente, 42 unidades. Você pode comprovar facilmente que a lei se verifica em outras linhas quando a terra varia e o trabalho se mantém constante.

Podemos usar esse exemplo para verificar a nossa justificativa intuitiva da lei dos rendimentos decrescentes – a afirmativa de que a lei se verifica pois o fator fixo decresce em relação ao fator variável. De acordo com essa explicação, cada unidade do fator variável tem uma quantidade cada vez menor de fator fixo com que trabalhar. Assim, é natural que o produto adicional diminua.

Se essa explicação é correta, a produção deve aumentar proporcionalmente quando os fatores aumentam conjuntamente. Quando o trabalho e a terra aumentam simultaneamente de 1 para 2, deveríamos obter o mesmo aumento no produto como quando ambos aumentam *simultaneamente* de 2 para 3. Isso pode ser verificado na Tabela 7A-1. No primeiro movimento passamos de 141 para 282, e no segundo movimento a produção aumenta de 282 para 423, um aumento igual a 141 unidades.

COMBINAÇÃO DE FATORES AO CUSTO MÍNIMO PARA DADO PRODUTO

A função de produção numérica nos mostra as diferentes formas de realizar determinado nível de produção. Mas, qual das diversas possibilidades a empresa deverá usar? Se o nível de produção desejado é $q = 346$, há pelo menos 4 combinações diferentes de terra e trabalho, designadas por A, B, C e D na Tabela 7A-2.

Em termos de engenharia, cada uma dessas combinações é igualmente boa para produzir um produto de 346 unidades. Mas o administrador, interessado em minimizar custos, pretende encontrar a combinação com menor custo.

A escolha da empresa entre as diferentes técnicas dependerá dos preços dos fatores. Quando P_L = US$ 2 e P_T = US$ 3, verifique que C é a combinação que minimiza o custo. Mostre que baixar o preço da terra de US$ 3 para US$ 1 leva a empresa a escolher a combinação B, que é mais intensiva em terra.

Suponhamos que o preço do trabalho é US$ 2 e o preço da terra é de US$ 3. Os custos totais, para esse nível de preços dos fatores, são mostrados na terceira coluna da Tabela 7A-2. Para a combinação A, o custo total do trabalho e da terra será de US$ 20, igual a (1 × US$ 2) + (6 × US$ 3). Os custos de B, C e D serão respecti-

	(1)	(2)	(3)	(4)
	Combinações de fatores		Custo total quando P_L = US$ 2 P_T = US$ 3 (US$)	Custo total quando P_L = US$ 2 P_T = US$ 1 (US$)
	Trabalho L	Terra T		
A	1	6	20	—
B	2	3	13	7
C	3	2	12	
D	6	1	15	—

TABELA 7A-2 Insumos e custos de produção para um determinado nível de produto.

Suponha que a empresa decidiu produzir 346 unidades. Ela pode, então, usar qualquer uma das quatro hipóteses de combinação de fatores produtivos designadas por A, B, C e D. À medida que a empresa se movimenta de cima para baixo, a produção se torna cada vez mais intensiva em trabalho e cada vez menos intensiva em terra. Preencha os espaços que estão faltando.

vamente US$ 13, US$ 12 e US$ 15. Com base nos preços considerados, C é a forma menos dispendiosa de atingir o produto pretendido.

Se o preço de algum dos fatores variar, a proporção de equilíbrio dos fatores produtivos também variará, de forma a usar menos do fator cujo preço subiu mais. (Como o efeito de substituição da análise da demanda do consumidor do Capítulo 5.) Logo que sejam conhecidos os preços dos fatores de produção, o método de produção que minimiza o custo pode ser encontrado pelo cálculo dos custos das diferentes combinações de fatores de produção.

Curvas de isoquanta

A análise numérica da forma como a empresa deverá combinar os recursos para minimizar os custos pode ser feita de um modo mais expressivo por meio de gráficos. Faremos a abordagem gráfica confrontando duas novas curvas, a curva de isoquanta e a reta de isocusto.

Transformemos a Tabela 7A-1 em uma curva contínua, traçando uma curva passando pelos pontos que resultam em $q = 346$. Essa curva regular, mostrada na Figura 7A-1, representa todas as diferentes combinações de trabalho e terra que produzem 346 unidades. Esta é designada por **curva de isoquanta** ou **igual quantidade de produto** e é análoga à curva de indiferença do consumidor, analisada no apêndice do Capítulo 5. Você deve conseguir traçar na Figura 7A-1 a isoquanta correspondente para uma produção de 490 com os dados da Tabela 7A-1. De fato, um número infinito dessas curvas de isoquanta pode ser traçado.

Retas de isocusto

Dados os preços de trabalho e da terra, a empresa pode avaliar o custo total para os pontos A, B, C e D ou para

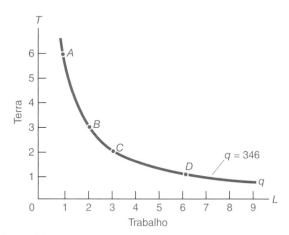

FIGURA 7A-1 Curva de isoquanta.

Todos os pontos na curva de isoquanta representam as diferentes combinações de terra e trabalho que podem ser usadas para produzir as mesmas 346 unidades de produto.

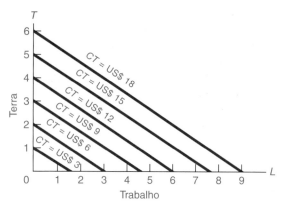

FIGURA 7A-2 Retas de isocusto.

Todos os pontos em dada reta de isocusto representam o mesmo custo total. As linhas são retas porque os preços dos insumos são constantes e todas têm uma inclinação negativa igual à razão entre o preço da mão de obra e o preço da terra, US$ 2/US$ 3, e por isso são paralelas.

qualquer outro ponto na curva de isoquanta. A empresa minimizará os seus custos quando selecionar o ponto da sua curva de isoquanta que tenha o menor custo.

Uma técnica fácil para encontrar o método de produção de custo mínimo é desenhar **retas de isocusto**. Procedemos assim na Figura 7A-2, onde uma família de retas paralelas representa um conjunto de retas de igual custo quando o preço do trabalho é de US$ 2 e o preço da terra é US$ 3.

Para calcular o custo total de qualquer ponto, basta observar o número de referência da reta de igual custo que passa nesse ponto. As retas são todas paralelas, porque se admite que a empresa pode comprar a quantidade que desejar de ambos os fatores produtivos e a preços constantes. As retas são ligeiramente mais horizontais do que os 45°, dado que o preço do trabalho P_L é ligeiramente inferior ao da terra, P_T. Mais precisamente, podemos sempre dizer que o valor aritmético da inclinação de cada reta de isocusto tem de ser igual à razão entre o preço do trabalho e o da terra, neste caso $P_L/P_T = 2/3$.

Curvas de isoquanta e retas de isocusto: tangência de custo mínimo

Combinando as linhas de isoquanta e de isocusto, podemos determinar a posição ótima, ou de custo mínimo, da empresa. Recorde que a combinação ótima de fatores produtivos ocorre no ponto em que dada produção de $q = 346$ pode ser produzida ao custo mínimo. Para encontrar esse ponto, basta sobrepor a única curva de isoquanta à família de retas de isocusto, como é mostrado na Figura 7A-3. A empresa irá se mover sempre ao longo da curva convexa da Figura 7A-3 desde que possa passar para retas de menor custo. O seu equilíbrio será, portanto, em C, onde a curva de isoquanta toca (mas não cruza) a reta de isocusto mais baixa. Esse é um ponto de tangência, onde a inclinação da curva de isocusto é exatamente igual à inclinação da reta de isocusto, e onde ambas apenas se encontram.

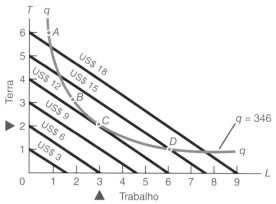

Substituição de insumos para minimizar custo de produção

FIGURA 7A-3 A combinação de menor custo ocorre em C.

A empresa pretende minimizar os seus custos de produção de uma dada quantidade – 346. Procura, portanto, a combinação de insumos menos dispendiosa ao longo da curva de isoquanta. Dirige-se para a combinação de insumos que é a linha de isocusto mais baixa. A posição de menor custo seria onde a curva de igual produto tangencia (mas não cruza) a reta de isocusto. Essa tangência significa que os preços e os produtos marginais dos insumos são proporcionais, sendo os produtos marginais por unidade monetária iguais.

Já sabemos que a inclinação das retas de igual custo é P_L/P_T. Mas qual é a inclinação da curva de isoquanta? Recorde do apêndice do Capítulo 1 que a inclinação de uma linha curva em um ponto é a inclinação da reta tangente à curva no ponto em questão. Para a curva de isoquanta, essa inclinação é a "taxa marginal de substituição" entre os dois insumos produtivos. Este depende dos produtos marginais relativos a dois fatores, a saber, PMg_L/PMg_T, tal como a taxa marginal de substituição entre dois bens ao longo da curva de indiferença do consumidor, anteriormente mostrado, que era igual à razão das utilidades marginais dos dois bens (ver o Apêndice do Capítulo 5).

Condições de custo mínimo

Usando o nosso esquema gráfico, deduzimos, portanto, as condições sob as quais uma empresa minimizará os seus custos de produção:

1. A razão entre os produtos marginais de dois quaisquer fatores produtivos tem de ser igual à razão entre os seus preços:

$$\text{Taxa marginal de substituição} = \frac{\text{Produto marginal do trabalho}}{\text{Produto marginal da terra}}$$

$$= \text{Inclinação da isoquanta} = \frac{\text{Preço do trabalho}}{\text{Preço da terra}}$$

2. Podemos expressar a condição 1 de uma forma diferente e mais esclarecedora. A partir da última equação, segue-se que o produto marginal por unidade monetária obtido da (última) unidade monetária despendida tem de ser o mesmo para todos os fatores produtivos:

$$\frac{\text{Produto marginal de } L}{\text{Preço de } L} =$$

$$\frac{\text{Produto marginal de } T}{\text{Preço de } T} = \ldots$$

Mas você não deve ficar satisfeito com explicações abstratas. Lembre-se sempre das explicações econômicas baseadas no bom-senso, que mostram como uma empresa distribuirá a respectiva despesa entre os insumos, de modo a igualar o produto marginal por unidade monetária de despesa.

RESUMO DO APÊNDICE

1. Uma tabela da função de produção apresenta o produto que é possível obter com cada coluna de trabalho e com cada linha de terra. Podem ser obtidos os rendimentos decrescentes em relação a um fator variável, quando os outros são mantidos fixos ou constantes, pelo cálculo do decréscimo dos produtos marginais em qualquer linha ou coluna.

2. Uma isoquanta, ou curva de igual quantidade produzida, representa as combinações alternativas de fatores produtivos que resultam no mesmo nível de produção. A inclinação, ou taxa marginal de substituição, ao longo dessa curva de isoquanta é igual à razão entre os produtos marginais (por exemplo, PMg_L/PMg_T). As curvas de isocusto são retas paralelas com inclinações iguais às razões dos preços dos fatores (P_L/P_T). O equilíbrio de custo mínimo ocorre no ponto de tangência, onde uma curva de isoquanta toca, mas não cruza, a curva de isocusto mais baixa. No equilíbrio de custo mínimo, os produtos marginais são proporcionais aos preços dos fatores, com mesmos produtos marginais por unidade monetária despendida em todos os fatores (ou seja, iguais PMg_i/P_i).

CONCEITOS PARA REVISÃO

– curvas de igual quantidade produzida, isoquantas
– retas paralelas de igual custo total
– razão de substituição = PMg_L/PMg_T
– P_L/P_T como a inclinação de retas paralelas de igual custo total
– condição de tangência de custo mínimo: $PMg_L/PMg_T = P_L/P_T$ ou $PMg_L/P_L = PMg_T/P_T$

QUESTÕES PARA DISCUSSÃO

1. Mostre que aumentando os salários e mantendo constante a renda da terra, as retas de isocusto ficarão mais inclinadas, o que fará deslocar o ponto C de tangência, na Figura 7A-3, para noroeste, em direção a B, com a substituição do fator produtivo mais caro pelo fator mais barato. O que acontece se substituirmos o trabalho por capital? Os dirigentes sindicais compreenderão essa relação?

2. Qual será a combinação de fatores produtivos de menor custo se a função de produção for dada pela Tabela 7A-1 e os preços dos fatores forem os indicados na Figura 7A-3, quando $q = 346$? Qual seria a razão de custo mínimo para os mesmos preços dos fatores produtivos se o produto duplicasse para $q = 692$? O que aconteceu à "intensidade dos fatores", ou razão terra/trabalho? Você consegue perceber por que esse resultado se verifica para qualquer variação de produto se existirem retornos constantes de escala?

CAPÍTULO 8

Análise de mercados perfeitamente competitivos

O custo de produção não teria qualquer efeito sobre o preço de concorrência se fosse possível ele não exercer efeito algum sobre a oferta.

John Stuart Mill

Descrevemos como o mecanismo de mercado realiza uma espécie de milagre todos os dias, proporcionando os bens de primeira necessidade diária como o pão e uma vasta gama de bens e serviços de alta qualidade sem que haja controle ou direção central. Como funciona exatamente esse mecanismo de mercado?

A resposta começa com os dois lados de cada mercado – oferta e demanda. Esses dois componentes têm de ser associados para que se possa entender como se comporta o mercado como um todo. Este primeiro capítulo sobre a organização setorial analisa o comportamento de mercados perfeitamente competitivos; estes são mercados ideais em que as empresas e os consumidores são pequenos demais para afetar o preço. A primeira seção mostra o comportamento das empresas competitivas. Depois, serão examinados alguns casos especiais. O capítulo conclui mostrando que um setor (ramo de atividade) que seja perfeitamente competitivo será eficiente. Após termos revisto o caso central da concorrência perfeita, passaremos, nos capítulos seguintes, a outras formas de comportamento de mercado, como os monopólios.

A. COMPORTAMENTO DE OFERTA DA EMPRESA COMPETITIVA

COMPORTAMENTO DE UMA EMPRESA COMPETITIVA

Começamos com uma análise de empresas perfeitamente competitivas. Se você fosse dono de uma empresa em concorrência perfeita, qual seria a quantidade que deveria produzir? Qual seria a quantidade de trigo que o agricultor Silva deve produzir se o trigo for vendido a US$ 0,17 o quilo?

A nossa análise de empresas perfeitamente competitivas se baseia em dois pressupostos-chave. Primeiro, admitimos que a nossa empresa competitiva *maximiza os lucros*. Segundo, reiteramos que a concorrência perfeita é um mundo de *empresas muito pequenas que não influenciam o preço*.

Maximização do lucro

Os lucros são como a renda líquida ou a renda disponível de uma empresa. Representam o montante que uma empresa pode pagar em dividendos aos proprietários, reinvestir em novas fábricas e equipamentos, ou aplicar em investimentos financeiros. Todas essas atividades aumentam o valor da empresa para os seus proprietários.

As empresas maximizam os lucros, pois isso maximiza o benefício econômico para os proprietários da empresa. Permitir que os lucros fiquem abaixo do máximo é como pedir um corte na remuneração, o que poucos proprietários de empresas aceitarão voluntariamente.

A maximização do lucro exige da empresa a gestão eficiente da sua atividade interna (evitar o desperdício, melhorar o empenho dos trabalhadores, escolher os processos eficientes de produção etc.) e tomar decisões acertadas no mercado (comprar a quantidade correta de fatores produtivos ao custo mínimo e escolher o nível ótimo de produção).

Como os lucros envolvem tanto custos como receitas, a empresa deve ter um bom conhecimento de sua estrutura de custos. Reveja a Tabela 7-3 no capítulo anterior para assegurar que os importantes conceitos de custo total, custo médio e custo marginal estão claros.

Concorrência perfeita

A concorrência perfeita é o mundo dos *tomadores de preço*. Uma empresa perfeitamente competitiva vende um produto homogêneo (idêntico ao produto vendido pelas outras da mesma atividade). Essa empresa é tão pequena em relação ao seu mercado que não pode influenciar o equilíbrio de preço; apenas pode aceitar o valor dado. Quando o agricultor Silva vende um produto homogêneo como o trigo, ele o vende a uma massa enorme de compradores ao preço de mercado de US$ 0,17 o quilo. Tal como, de uma forma geral, os consumidores têm de aceitar os preços que são cobrados no acesso à internet, ou nas salas de cinema, assim as empresas competitivas têm de aceitar os preços de mercado do trigo, ou do petróleo, que produzem.

Podemos representar um tomador de preço perfeitamente competitivo pelo exame da forma como a demanda tem em conta uma empresa perfeitamente competitiva. A Figura 8-1 mostra o contraste entre a curva da demanda de um setor de atividade (a curva *DD*) e a curva da demanda com que se defronta uma única empresa competitiva (a curva *dd*). Como em um setor competitivo existem inúmeras empresas que são pequenas em relação ao mercado, o segmento da curva da demanda referente à empresa não é mais do que um pequeno segmento da curva do setor de atividade. Graficamente, a parcela da curva da demanda correspondente a uma empresa competitiva é tão pequena que, aos olhos do minúsculo concorrente perfeito, a curva da demanda *dd* da empresa parece completamente horizontal ou infinitamente elástica. A Figura 8-1 ilustra como a elasticidade da demanda para um único concorrente surge muito maior do que a da totalidade do mercado.

Dado que as empresas competitivas não podem influenciar o preço, o preço de cada unidade vendida é a receita adicional que a empresa obtém. Por exemplo, a um preço de mercado de US$ 40 por unidade, a empresa competitiva pode vender tudo o quiser a US$ 40. Se decidir vender 101 unidades no lugar de 100, a sua receita aumenta precisamente em US$ 40.

Eis os principais pontos a não esquecer:

1. Em **concorrência perfeita**, há muitas empresas pequenas produzindo um bem idêntico e cada uma é muito pequena para influenciar o preço de mercado.
2. Uma empresa em mercado competitivo se confronta com uma curva de demanda (*dd*) completamente horizontal.
3. A receita adicional resultante de cada unidade adicional vendida é, portanto, o preço de mercado.

Oferta competitiva em que o custo marginal é igual ao preço

Suponha que você está gerenciando a exploração de petróleo da Petrol S.A. e que é o responsável por fixar

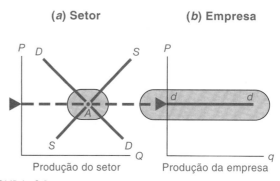

FIGURA 8-1 Para a empresa perfeitamente competitiva a curva da demanda é perfeitamente elástica.

A curva da demanda do setor está do lado esquerdo, apresentando uma demanda inelástica no equilíbrio competitivo em *A*. Contudo, para a empresa perfeitamente competitiva, à direita, a curva da demanda é horizontal (ou seja, perfeitamente elástica). A curva da demanda do lado direito é horizontal porque a empresa em um mercado competitivo tem uma parte tão pequena do mercado que pode vender tudo o que quiser ao preço de equilíbrio.

a produção que maximize os lucros. Como faria para cumprir essa tarefa? Examine a Tabela 8-1 que contém os mesmos dados de custo das Tabelas 7-3 e 7-4 do capítulo anterior. Essa tabela acrescenta um novo pressuposto de que o preço de mercado do petróleo é de US$ 40 por unidade.

Você pode ter um palpite e vender 3 mil unidades. Isso resulta em uma receita total de US$ 40 × 3.000 = US$ 120.000, com um custo total de US$ 130 mil, e a empresa incorre em um prejuízo de US$ 10 mil. Com a ciência econômica, você aprendeu a pensar sobre escolhas *marginais* ou incrementais. Assim, você analisa o efeito de vender uma unidade adicional. A receita de cada unidade é US$ 40, enquanto o custo marginal nesse volume é de apenas US$ 21. Isso implica que a receita adicional ultrapassa o custo marginal de mais uma unidade. Assim, você analisa um nível de produção de 4 mil unidades. Com essa produção, a empresa tem receitas de US$ 40 × 4.000 = US$ 160.000, e custos de US$ 160 mil, de modo que tem um resultado nulo.

O que aconteceria se você aumentasse a produção para 5 mil unidades? A esse nível de produção a empresa tem receitas de US$ 40 × 5.000 = US$ 200.000 e custos de US$ 210 mil. Você tem novamente um prejuízo de US$ 10 mil. O que não está correndo bem? Quando você verifica as suas contas, conclui que no nível de produção de 5 mil unidades o custo marginal é US$ 60. Esse é maior do que o preço de mercado de US$ 40, e assim você está perdendo US$ 20 (igual ao preço menos o *CMg*) na última unidade produzida.

Agora você vê a luz: *o lucro máximo ocorre com a produção em que o custo marginal é igual ao preço.*

O raciocínio que está subjacente a essa afirmação é que a empresa competitiva sempre pode ter lucro

Decisão de oferta de empresa em concorrência perfeita						
(1) Quantidade q	(2) Custo total CT (US$)	(3) Custo marginal por unidade CMg (US$)	(4) Custo médio CMe (US$)	(5) Preço P (US$)	(6) Receita total $RT = q \times P$ (US$)	(7) Lucro $p + RT - CT$ (US$)
0	55.000					
1.000	85.000	27	85	40	40.000	−45.000
2.000	110.000	22	55	40	80.000	−30.000
3.000	130.000	21	43,33	40	120.000	−10.000
3.999	159.960,01	38,98	40.000+	40	159.960	−0,01
		39,99				
4.000	160.000	40	40	40	160.000	0
		40,01				
4.001	160.040,01	40,02	40.000+	40	160.040	−0,01
5.000	210.000	60	42	40	200.000	−10.000

TABELA 8-1 O lucro é maximizado no nível de produção em que o custo marginal é igual ao preço.

As primeiras quatro colunas usam os mesmos dados de custo das Tabelas 7-3 e 7-4 do capítulo anterior. A coluna (5) mostra o preço de US$ 40 que é completamente aceito pelo mercado competitivo. A receita total é o preço vezes a quantidade, enquanto o lucro é a receita total menos o custo total.

Esta tabela mostra que o lucro máximo ocorre com a produção em que o preço é igual ao CMg. Se a produção aumentar acima de $q = 4.000$, a receita adicional de US$ 40 por unidade será menor do que o custo marginal, e o lucro diminui. O que acontece ao lucro se a produção aumentar quando $q < 4.000$?

adicional, desde que o preço seja maior do que o custo marginal da última unidade. O lucro total atinge o seu pico – é maximizado – quando já não há qualquer lucro adicional que possa ser ganho com a venda de mais produto. No ponto de lucro máximo, a última unidade produzida proporciona uma receita exatamente igual ao custo dessa unidade. Qual é essa receita adicional? É o preço por unidade. Qual é esse custo adicional? É o custo marginal.

Testemos essa regra observando a Tabela 8-1. Começando com a produção de lucro máximo que é 4 mil unidades, se a Petrol vender mais 1 unidade, essa unidade proporciona um preço de US$ 40, enquanto o custo marginal dessa unidade é US$ 40,01. Portanto, a empresa perderia dinheiro na 4.001ª unidade. Da mesma forma, a empresa perderia US$ 0,01 se produzisse menos 1 unidade. Isso prova que a produção de máximo lucro da empresa ocorre exatamente em $q = 4.000$, em que o preço é igual ao custo marginal.

Regra para a oferta de uma empresa em concorrência perfeita: uma empresa maximizará o lucro quando a produção estiver no nível em que o custo marginal é igual ao preço:

Custo marginal = preço   ou $CMg = P$

A Figura 8-2 ilustra graficamente a decisão de oferta da empresa. Quando o preço de mercado do produto é US$ 40, a empresa consulta os seus dados de custo na Tabela 8-1 e verifica que o nível de produção correspondente a um custo marginal de US$ 40 é 4 mil unidades. Assim, ao preço de mercado de US$ 40, a empresa desejará produzir e vender 4 mil unidades. Podemos encontrar essa quantidade que maximiza o lucro na Figura 8-2 na interseção da linha de preço, a US$ 40, e da curva CMg, no ponto B.

Elaboramos este exemplo de modo que na produção de máximo lucro a empresa tenha um lucro nulo, sendo as receitas totais iguais aos custos totais. O ponto B é o **ponto de lucro zero**, que corresponde ao nível de produção com o qual a empresa tem lucro econômico igual a zero; no ponto de lucro zero o preço é igual ao custo médio, portanto, as receitas cobrem exatamente os custos.

E se a empresa escolhesse a quantidade errada? Suponha que a empresa escolhe o nível de produção A na Figura 8-2, quando o preço de mercado é de US$ 40. Ela estaria perdendo dinheiro, porque a última unidade tem um custo marginal acima do preço. Podemos calcular o prejuízo, se a empresa erradamente produzir A, como o triângulo sombreado na Figura 8-2. Esse triângulo representa o excesso de CMg sobre o preço para a produção situada entre B e A.

Portanto, a regra geral é:

Uma empresa que queira maximizar o lucro fixará a sua produção no nível em que o custo marginal é igual ao preço. Graficamente, isso significa que a curva do custo marginal da empresa é igual a sua curva de oferta.

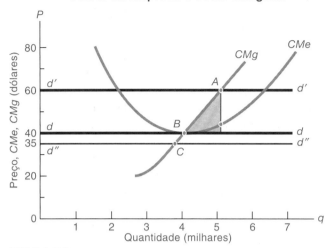

FIGURA 8-2 A curva da oferta da empresa é a sua curva de custo marginal ascendente.

Para uma empresa competitiva que pretende maximizar o lucro, a curva do custo marginal (*CMg*) com inclinação positiva é a curva de oferta da empresa. Para o preço de mercado em *d'd'*, a empresa oferecerá uma produção no ponto de interseção *A*. Explique a razão por que os pontos de interseção *B* e *C* representam o equilíbrio para os preços *d* e *d''*, respectivamente. A região sombreada representa o prejuízo em produzir *A* quando o preço é US$ 40.

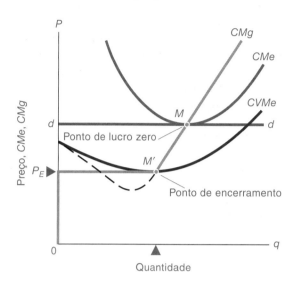

FIGURA 8-3 A curva da oferta da empresa desce pela curva *CMg* até o ponto de encerramento de atividades.

A curva da oferta da empresa corresponde à sua curva *CMg*, desde que as receitas sejam superiores aos custos variáveis. Se o preço cair abaixo do P_E, o ponto de encerramento, os prejuízos são maiores do que os custos fixos e a empresa encerra. Assim, a curva contínua *CMg* é a curva da oferta da empresa.

Custo total e condição de encerramento de atividades

A nossa regra geral para a oferta da empresa deixa aberta uma possibilidade – a de o preço ser tão baixo que a empresa prefira o seu encerramento. Não será possível que no equilíbrio *P = CMg* a Petrol esteja perdendo tanto dinheiro e prefira encerrar as atividades? Em geral, no curto prazo, uma empresa irá querer fechar as portas quando já não conseguir mais cobrir os seus custos variáveis.

Por exemplo, suponha que a empresa se deparasse com um preço de mercado de US$ 35, representado pela linha horizontal *d'd'* da Figura 8-2. A esse preço, o *CMg* é igual ao preço no ponto *C*, um ponto em que o preço é de fato menor do que o custo médio de produção. A empresa aceitaria continuar produzindo, mesmo que estivesse tendo prejuízo?

A resposta surpreendente é que a empresa *não* deve necessariamente encerrar a atividade se estiver perdendo dinheiro. A empresa deve *minimizar os prejuízos*, que é a mesma coisa que maximizar os lucros. Produzir no ponto *C* resultaria em um prejuízo de apenas US$ 20 mil, enquanto o encerramento envolveria perder US$ 55 mil (que é o custo fixo). A empresa, portanto, deveria continuar a produzir.

Para compreender esse ponto, recorde que uma empresa, até mesmo quando não produz nada, tem de arcar com seus compromissos contratuais. No curto prazo, a empresa tem de pagar os custos fixos, tais como juros ao banco, aluguel dos campos de extração de petróleo e os salários dos administradores. No balanço da empresa são os custos variáveis, tais como matérias-primas, trabalhadores da produção e combustíveis, que terão um custo zero se a produção for nula. Será vantajoso continuar a atividade com *P* pelo menos igual ao *CMg*, desde que a receita cubra os custos variáveis.

O preço de mercado em que as receitas são exatamente iguais aos custos variáveis (ou, de forma equivalente, em que os prejuízos são exatamente iguais aos custos fixos) é designado **ponto de encerramento de atividades**. Para preços acima do ponto de encerramento, a empresa deverá produzir ao longo de sua curva de custo marginal, porque, ainda que esteja perdendo dinheiro, perderia ainda mais dinheiro se encerrasse. Para preços abaixo do ponto de encerramento, a empresa não deverá produzir nada porque, se encerrasse, apenas teria como prejuízo os seus custos fixos. Temos, então, a regra de encerramento de atividades:

Regra do encerramento de atividades: o ponto de encerramento ocorre quando as receitas apenas cobrem os custos variáveis ou quando o prejuízo é igual aos custos fixos. Quando o preço desce abaixo dos custos variáveis médios, a empresa maximizará os lucros (minimizará os seus prejuízos) com o encerramento.

A Figura 8-3 mostra os pontos de *encerramento* e *de lucro zero* de uma empresa. O ponto de lucro zero ocorre quando o preço é igual ao *CMe*, enquanto o ponto de encerramento ocorre quando o preço é igual ao *CVMe*. Portanto, na Figura 8-3, a curva da oferta da empresa é a linha tracejada. Primeiro sobe ao longo do eixo vertical até o preço de encerramento; salta a seguir para o ponto de encerramento, em M', onde P é igual ao nível de *CVMe*; e depois sobe pela curva *CMg* para preços acima do preço de encerramento.

A análise das condições de encerramento leva à conclusão surpreendente de que as empresas que maximizam o lucro podem, no curto prazo, continuar a produzir, ainda que continuem a ter prejuízo. Essa condição se verifica especialmente nas empresas que se encontram muito endividadas e que, portanto, tenham custos fixos elevados (as companhias aéreas são um bom exemplo). Para essas empresas, desde que os prejuízos sejam inferiores aos custos fixos, os lucros são maximizados, e os prejuízos minimizados, quando pagam os custos fixos e continuam em atividade.

Poços desativados na extração de petróleo

Um exemplo esclarecedor do funcionamento da regra de encerramento foi observado na indústria petrolífera. Os novos poços de petróleo são explorados por pequenas empresas, que podem atuar ou fechar, dependendo da rentabilidade. Quando eclodiu uma guerra de preços entre os produtores de petróleo em 1999, muitas delas fecharam, e o número dessas empresas em funcionamento nos Estados Unidos reduziu-se para menos de 500. Será que os campos de petróleo secaram? Nada disso. A produção foi, antes, desincentivada, porque o preço do petróleo estava muito baixo. Foram os lucros, e não os poços, que começaram a secar.

O que aconteceu com a atividade de extração durante a escalada do preço do petróleo da década de 2000? De 2002 a 2008, quando os preços do petróleo quadruplicaram, o número de empresas de extração em funcionamento aumentou quase 4 vezes. De fato, como os preços subiram, essas empresas subiram ao longo de uma curva de oferta *CMg* ascendente, semelhante à mostrada na Figura 8-3.

B. COMPORTAMENTO DE OFERTA EM SETORES COMPETITIVOS

Até agora, nossa análise se preocupou apenas com a empresa individual. Mas um mercado competitivo é constituído por muitas empresas, e estamos interessados no comportamento conjunto de todas elas, não apenas de uma única. Como podemos passar de uma para muitas? Da Petrol para a totalidade do setor petrolífero?

SOMA DAS CURVAS DE OFERTA DE TODAS AS EMPRESAS PARA OBTER A OFERTA DE MERCADO

Suponha que tratamos de um mercado competitivo do petróleo. A um dado preço, a empresa *A* oferecerá ao mercado uma determinada quantidade de petróleo, a empresa *B* oferecerá outra quantidade, e assim sucessivamente para as empresas *C*, *D* etc. Em cada caso, a quantidade ofertada será determinada pelos custos marginais de cada empresa. A quantidade *total* ofertada ao mercado, para um determinado preço, será a *soma* das quantidades individuais que todas as empresas oferecem a esse preço.[1]

Esse raciocínio leva à seguinte relação entre ofertas individuais e de mercado em um setor perfeitamente competitivo:

A curva da oferta do mercado de um bem em um setor perfeitamente competitivo obtém-se somando horizontalmente as curvas de oferta de todos os produtores individuais desse bem.

A Figura 8-4 ilustra esta regra para duas empresas. Obtemos a curva da oferta *SS* do setor de atividade somando horizontalmente, para cada preço, as curvas da oferta individual das empresas. Ao preço de US$ 40, a empresa *A* oferecerá 4 mil unidades, enquanto a empresa *B* oferecerá 11 mil unidades. Portanto, o setor oferecerá 15 mil unidades ao preço de US$ 40. Se, em vez de 2, houver 2 milhões de empresas, continuaríamos a deduzir a produção do setor pela soma das quantidades individuais dos 2 milhões de empresas, a um determinado preço. A soma horizontal da produção para cada preço nos dá a curva da oferta do setor.

EQUILÍBRIO DE CURTO E DE LONGO PRAZOS

Os economistas têm observado que deslocamentos da demanda no curto prazo originam maiores ajustamentos de preço e menores ajustamentos de quantidade do que no longo prazo. Podemos entender essa observação fazendo a distinção, em relação ao equilíbrio de mercado, de dois períodos de tempo que correspondem a diferentes categorias de custo: (1) *equilíbrio de curto prazo*, quando qualquer variação da produção tem de usar a mesma quantidade fixa de capital, e (2) *equilíbrio de longo prazo*, quando o capital e todos os outros fatores são variáveis e existe liberdade para as empresas de entrarem ou saírem da atividade.

---

[1] Recorde que a curva da demanda do mercado *DD* é igualmente obtida pela soma horizontal das curvas da demanda individuais *dd*.

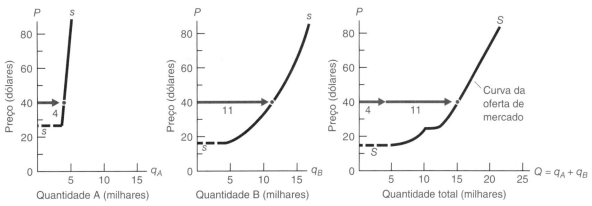

FIGURA 8-4 Para deduzir a oferta de mercado some as curvas de oferta de todas as empresas.

Os gráficos mostram como a curva de oferta de mercado (*SS*) é derivada das duas curvas de oferta individuais (*ss*). Somamos horizontalmente as quantidades ofertadas por cada empresa a US$ 40 para obter a oferta total de mercado, a US$ 40. Isso se aplica para todos os preços e para qualquer número de empresas. Se houvesse mil empresas idênticas à empresa *A*, a curva da oferta de mercado seria similar à da empresa *A* com ampliação, em mil vezes, da escala horizontal.

Entrada e saída de empresas

O nascimento (entrada) e a morte (saída) de empresas são aspectos importantes que afetam a evolução de uma economia de mercado. As empresas *entram* em um setor de atividade quando são criadas ou quando uma empresa existente decide iniciar a produção em outro setor. As empresas *saem* quando deixam de produzir; podem sair voluntariamente se uma linha de produção deixou de ser lucrativa, ou podem ir à falência se a totalidade da empresa não consegue pagar os seus custos. Dizemos que existe *liberdade de entrada e de saída* quando não existem barreiras à entrada ou à saída. Barreiras à entrada incluem exemplos como a regulação pelo governo ou direitos de propriedade intelectual (ou seja, patentes ou softwares).

Para muitos, é surpreendente o grande número de nascimentos e mortes de empresas em uma economia dinâmica como a dos Estados Unidos. Por exemplo, havia 6,5 milhões de empresas registradas no início de 2003. Nesse mesmo ano, nasceram 748 mil novas empresas e 658 mil encerraram as atividades. O setor com mais risco foi o de provedores de internet, em que foram perdidos 30% dos empregos pelo fechamento de empresas. O setor mais seguro foi o das universidades, em que foram perdidos apenas 4% dos empregos por encerramento de atividades.

A maior parte das empresas encerra calmamente, mas, às vezes, há grandes empresas que fecham estrondosamente, como ocorreu com a gigante das comunicações, WorldCom, com US$ 104 bilhões de ativos, que faliu em virtude de uma maciça fraude contábil. Embora as curvas contínuas de custo nem sempre captem o drama da entrada e da saída, a lógica subjacente de *P*, *CMg* e *CMe* é uma força poderosa que dirige o crescimento e o declínio dos principais setores de atividade.

Vamos ilustrar essa diferença entre equilíbrio de curto e de longo prazo com um exemplo. Considere o mercado de peixe fresco abastecido por uma frota de pesca local. Suponha que a demanda de peixe aumente; esse caso é mostrado na Figura 8-5(*a*) como um deslocamento de *DD* para *D'D'*. Com preços maiores, os capitães dos barcos vão querer aumentar a produção. No curto prazo, não podem construir novos barcos, mas podem contratar mais pescadores e trabalhar mais horas. O aumento dos fatores produtivos variáveis irá proporcionar uma maior quantidade de peixe ao longo da *curva de oferta de curto prazo* $S_s S_s$, mostrada na Figura 8-5(*a*). A curva de oferta de curto prazo intercepta a nova curva da demanda em *E'*, o ponto de equilíbrio de curto prazo.

Os preços mais elevados levam a lucros maiores, o que, no longo prazo, induz à construção de mais barcos e atrai mais marinheiros para a atividade. Além disso, novas empresas podem começar a entrar no setor. Isso nos dá a *curva de oferta de longo prazo* $S_L S_L$, na Figura 8-5(*b*), e o equilíbrio de longo prazo em *E''*. A interseção da curva de oferta de longo prazo com a nova curva da demanda proporciona o equilíbrio de longo prazo atingido quando todas as condições econômicas (incluindo o número de barcos, estaleiros e empresas) tenham se ajustado ao novo nível de demanda.

Oferta de longo prazo de um setor de atividade. Qual é a forma da curva de oferta de longo prazo de um setor?

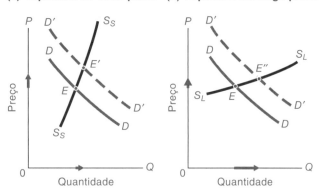

FIGURA 8-5 O efeito do aumento da demanda sobre o preço varia conforme os diferentes períodos de tempo.

Fazemos a distinção entre períodos em que as empresas têm tempo para fazer (*a*) ajustes nos fatores variáveis como o trabalho (equilíbrio de curto prazo) e (*b*) ajuste completo de todos os fatores, tanto fixos como variáveis (equilíbrio de longo prazo). Quanto maior o tempo de ajuste, maior a elasticidade da resposta da oferta e menor o aumento do preço.

Suponha que, em determinado setor, a entrada de empresas idênticas é livre. Se as empresas idênticas utilizam fatores produtivos genéricos, tais como trabalho não especializado que possam ser atraídos de outros usos sem afetar seus preços, temos o caso dos custos constantes, mostrado pela curva de oferta horizontal $S_L S_L$ na Figura 8-6.

Em contrapartida, suponha que alguns dos fatores produtivos utilizados no setor têm uma oferta relativamente pequena, por exemplo, terrenos férteis para vinhedos ou terrenos junto à praia para férias de verão. Então, a curva de oferta para os setores da vinícola ou do veraneio precisa ter inclinação positiva, como é representado pela $S_L S'_L$, na Figura 8-6.

A curva de oferta de longo prazo dos setores que usam fatores escassos é ascendente em decorrência dos rendimentos decrescentes. Por exemplo, considere o caso dos terrenos para vinhedo, que são raros. Quando as empresas aplicam quantidades cada vez maiores de trabalho a uma quantidade fixa de terra, recebem uma produção adicional de uva cada vez menor. Mas cada unidade de trabalho custa o mesmo salário, de modo que o *CMg* do vinho aumenta. Esse aumento de longo prazo do *CMg* significa que a curva de oferta de longo prazo deve estar subindo.

Longo prazo em um setor competitivo

A nossa análise das condições de lucro zero mostrou que as empresas podem continuar em atividade durante algum tempo, ainda que tenham prejuízo. Essa situação é possível, em especial nas empresas que tenham elevados custos fixos. Essa análise permite compreender por que, nas recessões econômicas, muitas das grandes empresas dos Estados Unidos, como a General Motors, mantiveram-se em atividade, embora tenham sofrido prejuízos de bilhões de dólares.

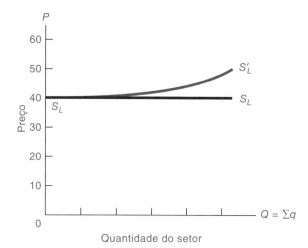

FIGURA 8-6 A oferta de longo prazo de um setor depende das condições de custo.

Com livre entrada e saída, e sendo todas empresas capazes de produzir com curvas de custo idênticas e constantes, a curva de longo prazo $S_L S_L$ será horizontal para o preço de lucro zero – ou de custo médio mínimo – de todas as empresas. Se o setor utiliza um fator específico, tal como um terreno junto à praia, a curva de oferta de longo prazo deve ter uma inclinação ascendente tal como $S_L S'_L$, à medida que uma maior produção utiliza insumos menos adequados.

Tais prejuízos levantam uma questão preocupante: é possível que o capitalismo esteja tendendo para uma "eutanásia dos capitalistas", uma situação em que a concorrência acrescida gera prejuízos crônicos? Para responder a esta questão, precisamos analisar as *condições de encerramento de longo prazo*. Demonstramos que as empresas devem encerrar a atividade quando já não podem cobrir os seus custos variáveis. Mas, no longo prazo, *todos* os custos são variáveis. Uma empresa que esteja perdendo dinheiro pode pagar as suas dívidas, demitir seus gerentes e deixar expirar os contratos de aluguel. No longo prazo, todos os compromissos são, de novo, opções. Assim, no longo prazo, as empresas produzirão apenas enquanto o preço for igual ou superior ao lucro zero, em que o preço é igual ao custo médio.

Há, portanto, um ponto fundamental de lucro zero abaixo do qual o preço de longo prazo não pode baixar para que as empresas se mantenham em atividade. Isto é, o preço de longo prazo deve cobrir os custos despendidos, tais como salários, matérias-primas, equipamento, impostos e outros custos, bem como os custos de oportunidade como a remuneração alternativa do capital do investidor. Isso significa que o preço de longo prazo deve ser igual ou superior ao custo médio total de longo prazo.

Considere o caso em que o preço desce abaixo desse nível crítico de lucro zero. As empresas não lucrativas começam a abandonar o setor. Como há menos empresas produzindo, a curva de oferta de mercado se deslocará para a esquerda e o preço irá, portanto, aumentar. O preço acabará subindo o suficiente para que o setor passe a ser, de novo, lucrativo. Assim, mesmo que atualmente sejam produzidas poucas ferraduras, em comparação com o que era produzido há um século, a fabricação de ferraduras vai obter um lucro de longo prazo igual a zero.

Considere o caso oposto de um setor rentável, como o do desenvolvimento de jogos para computador. No início, o preço está acima do custo médio total de longo prazo, portanto, as empresas estão obtendo lucros econômicos positivos. Admita agora que, no longo prazo, a entrada no setor é absolutamente livre, de modo que um número qualquer de empresas pode entrar no setor e produzir exatamente com os mesmos custos das empresas que já fazem parte dele. Nessa situação, as empresas novas são atraídas pelos lucros futuros, a curva da oferta de curto prazo se desloca para a direita e o preço cai. O preço acaba caindo até o ponto de lucro zero, de modo que a entrada no setor deixa de ser lucrativa para outras empresas. Assim, ainda que possa ser próspero, o setor dos jogos para computador irá obter lucro zero no longo prazo.

A conclusão é que, no longo prazo, o preço em um setor competitivo tenderá para o ponto crítico em que as receitas cobrem apenas a totalidade dos custos competitivos. Abaixo desse preço crítico de longo prazo, as empresas abandonarão a atividade até que o preço regresse ao custo médio de longo prazo. Acima desse preço de longo prazo, novas empresas entrarão no setor, forçando, desse modo, o preço de mercado a baixar até o preço de equilíbrio de longo prazo, com o qual são cobertos apenas todos os custos competitivos.

Equilíbrio de lucro zero de longo prazo: Em um setor constituído por empresas idênticas que podem entrar ou sair livremente da atividade, a condição de equilíbrio de longo prazo é a de que o preço seja igual ao custo marginal e igual ao custo médio mínimo de longo prazo para cada uma das empresas idênticas:

$P = CMg = CMe$ mínimo de longo prazo = preço de lucro zero

Essa é a condição de **lucro econômico zero** de longo prazo.

Chegamos a uma conclusão surpreendente acerca da rentabilidade de longo prazo do capitalismo competitivo. As forças competitivas tendem a empurrar as empresas e os setores de atividade para um estado de longo prazo de lucro zero. No longo prazo, as empresas competitivas terão a rentabilidade normal do seu investimento, e nada mais. Os setores que são lucrativos tendem a atrair a entrada de novas empresas, levando, assim, à queda dos preços e à redução dos lucros para zero. Em contrapartida, as empresas saem dos setores não lucrativos à procura de melhores oportunidades de lucro. Os preços e os lucros tendem a aumentar. *Portanto, no equilíbrio de longo prazo de um setor de atividade perfeitamente competitivo, não se verificam lucros econômicos.*

C. CASOS ESPECIAIS DE MERCADOS COMPETITIVOS

Esta seção aprofunda a análise da questão oferta e demanda. Abordamos, primeiro, certas proposições genéricas acerca dos mercados competitivos e prosseguimos, depois, com alguns casos especiais.

REGRAS GERAIS

Analisamos anteriormente o impacto dos deslocamentos da demanda e da oferta nos mercados competitivos. Esses conhecimentos aplicam-se praticamente a qualquer mercado competitivo, seja o do bacalhau, do carvão, dos aviões de caça, do iene japonês, das ações da IBM ou do petróleo. Existem algumas regras gerais? As proposições que se seguem dizem respeito ao impacto dos deslocamentos da oferta e da demanda sobre o preço e a quantidade comprada e vendida. Lembre-se sempre que o deslocamento da demanda ou da oferta significa um deslocamento da curva, ou função, da demanda ou da oferta, e não um movimento ao longo da curva.

Regra da demanda: (a) em geral, um aumento na demanda de um bem (mantendo-se inalterada a curva da oferta) provoca o aumento do preço desse bem; (b) para a maioria dos bens, um aumento na demanda fará também com que aumente a quantidade demandada. Uma diminuição na demanda terá os efeitos opostos.

Regra da oferta: (c) um aumento na oferta de um bem (mantendo-se constante a curva da demanda), em geral, fará baixar o preço e aumentar a quantidade comprada e vendida. Uma diminuição na oferta tem os efeitos opostos.

Essas duas regras da oferta e da demanda resumem os efeitos qualitativos dos deslocamentos da oferta e da demanda. Mas os efeitos quantitativos no preço e na quantidade dependem das formas exatas das curvas da oferta e da demanda. Nos casos a seguir, veremos a resposta para várias situações importantes de custo e de oferta.

Custo constante

A produção de muitos artigos manufaturados, como nos têxteis, pode ser ampliada pela mera duplicação de fábricas, equipamento e mão de obra. Para produzir 200 mil camisas por dia é necessário fazer simplesmente o mesmo que se faz quando se produzem 100 mil, mas em dobro. Além disso, suponha que a indústria têxtil utilize terra, trabalho e outros fatores produtivos na mesma proporção do restante da economia.

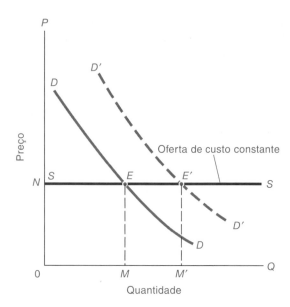

FIGURA 8-7 Caso do custo constante.

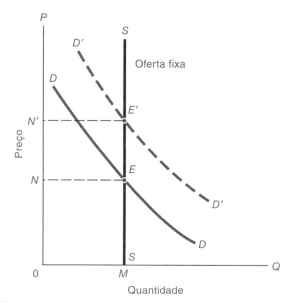

FIGURA 8-9 Fatores com oferta fixa ganham renda.

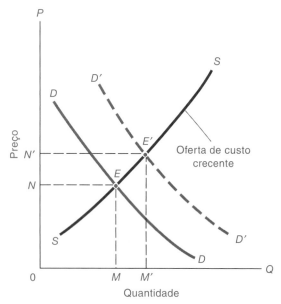

FIGURA 8-8 Caso do custo crescente.

Nesse caso, a curva SS de oferta de longo prazo na Figura 8-7 é uma reta horizontal ao nível constante do custo unitário. Um aumento da demanda de DD para $D'D'$ fará a nova interseção deslocar para o ponto E', aumentando Q, mas mantendo P constante.

Custos crescentes e rendimentos decrescentes

Vimos na seção anterior setores, como a vinicultura ou propriedades de praia, em que a produção usa um fator produtivo com oferta limitada. No caso dos vinhedos, a oferta de boas terras é limitada. A produção anual de vinho pode ser aumentada até um determinado limite pelo acréscimo de mais mão de obra por hectare de terreno. Mas a lei dos rendimentos decrescentes será verificada se os insumos variáveis, como o trabalho, forem adicionados a quantidades fixas de um fator como a terra.

Em resultado dos rendimentos decrescentes, o custo marginal de produção de vinho aumenta quando a produção de vinho aumenta. A Figura 8-8 mostra a curva ascendente da oferta SS. Como o preço será afetado por um aumento na demanda? A figura mostra que uma demanda maior fará com que o preço deste bem aumente, mesmo no longo prazo com empresas idênticas e com liberdade de entrada e saída do setor.

Oferta fixa e renda econômica

Alguns bens ou fatores produtivos têm uma quantidade totalmente fixa, independentemente do preço. Só há uma *Mona Lisa* de Da Vinci. A dádiva original de terra pela natureza pode ser considerada como tendo uma dimensão fixa. O aumento do preço oferecido por um terreno não pode criar um quarteirão adicional entre duas avenidas do centro de Nova York. É improvável que o aumento do salário dos treinadores de alto nível altere o seu esforço. Quando a quantidade ofertada é constante qualquer que seja o preço, o preço pelo uso desse fator de produção é designado **renda** ou **renda econômica pura**.

Quando a oferta independe do preço, a curva da oferta é vertical na região relevante. A terra continuará a contribuir para a produção, independentemente de seu preço. A Figura 8-9 mostra o caso da terra em que um preço maior não pode levar a um aumento da produção.

Um aumento da demanda de um fator com oferta fixa afetará apenas o preço. A quantidade ofertada não se altera.

Quando é decretado um imposto sobre um bem de oferta fixa, o imposto é totalmente pago pelo (ou "é deslocado" para o) vendedor (digamos, o proprietário da terra). O vendedor absorve a totalidade do imposto sobre a renda econômica. O consumidor compra exatamente a mesma quantidade do bem ou do serviço como anteriormente, e ao mesmo preço.

Curva de oferta com inflexão negativa

Nos países pobres, as empresas verificaram, às vezes, que quando aumentavam os salários, os trabalhadores locais trabalhavam menos horas. Quando o salário era duplicado, ao invés de continuarem a trabalhar 6 dias por semana, os trabalhadores podiam trabalhar 3 dias e ir à pesca nos outros 3. O mesmo tem sido observado em países de renda elevada. À medida que, com o progresso tecnológico, os salários reais aumentam, as pessoas querem se beneficiar de suas rendas mais elevadas na forma de mais tempo de lazer e antecipação da aposentadoria. O Capítulo 5 descreveu os efeitos renda e substituição que explicam a razão pela qual uma curva de oferta pode sofrer uma *inflexão*.

A Figura 8-10 mostra a forma que uma curva de oferta de trabalho pode ter. A princípio, o número ofertado de horas de trabalho aumenta com o acréscimo dos salários. Mas além do ponto T, o aumento dos salários leva as pessoas a trabalhar menos horas e a ter mais tempo de lazer. Um aumento na demanda aumenta o preço do trabalho, tal como foi estabelecido na regra da demanda, no princípio desta seção. Mas note por que fomos cautelosos ao acrescentar "para a maioria dos bens" à regra da demanda (b), pois agora o aumento na demanda faz diminuir a quantidade ofertada de trabalho.

Deslocamentos da oferta

Todas as discussões anteriores trataram do deslocamento da demanda sem haver deslocamento da oferta. Para analisar a regra da oferta, agora temos de deslocar a oferta, mantendo a demanda constante. Se a lei da demanda negativamente inclinada é válida, o aumento da oferta deve diminuir o preço e aumentar a quantidade demandada. Você deve desenhar as suas próprias curvas da oferta e da demanda e verificar os seguintes resultados quantitativos da regra da oferta:

(c') Um acréscimo da oferta fará diminuir P mais ainda quando a demanda é inelástica.

(d') Um acréscimo da oferta fará aumentar Q, exceto quando a demanda é inelástica.

Qual a justificativa lógica dessas regras? Exemplifique com os casos de demanda elástica de automóveis e de demanda inelástica de eletricidade.

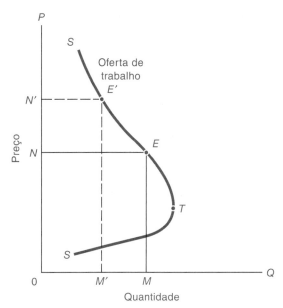

FIGURA 8-10 Curva de oferta com inclinação negativa.

D. EFICIÊNCIA E EQUIDADE DOS MERCADOS COMPETITIVOS

AVALIAÇÃO DO MECANISMO DE MERCADO

Um dos aspectos mais marcantes da última década tem sido a "redescoberta do mercado". Muitos países têm abandonado o intervencionismo de mão pesada na direção e regulação pelo governo, passando para a coordenação descentralizada da mão invisível. Tendo revisto o funcionamento básico dos mercados competitivos, questionemos agora o seu desempenho. Eles merecem notas altas pela satisfação das necessidades econômicas das pessoas? A sociedade está a receber muitas armas e muita manteiga por uma certa quantidade de fatores de produção? Ou a manteiga derreteu a caminho das lojas, enquanto os revólveres ficaram com os tambores tortos? Neste capítulo, faremos uma revisão da eficiência dos mercados competitivos.

Conceito de eficiência

A eficiência é um dos conceitos centrais de toda a Economia. De um modo geral, uma Economia é eficiente quando proporciona aos seus consumidores o mais desejado conjunto de bens e serviços, dados os recursos e a tecnologia da Economia[2]. Uma definição mais precisa

---

[2] A eficiência econômica é diferente da eficiência da engenharia, e, por vezes, será econômico utilizar um método de produção que é menos eficiente do ponto de vista da engenharia. Por exemplo, a física demonstra que mais energia poderá ser convertida em eletricidade se a combustão ocorrer a 2.500 °C em vez de a 1.000 °C. No entanto, a temperatura mais elevada pode exigir metais e projetos incomuns e ter maior custo. Assim, a temperatura menor seria economicamente eficiente, ainda que a temperatura maior tivesse uma maior eficiência termodinâmica.

utiliza o conceito de *eficiência de Pareto* (também designada *eficiência alocativa, otimização de Pareto* ou, por vezes, simplesmente *eficiência*).

A **eficiência de Pareto** (ou apenas **eficiência**) ocorre quando não é possível qualquer reorganização da produção ou da distribuição que melhore a situação de alguém sem piorar a situação de outra pessoa. Sob as condições da eficiência alocativa, a satisfação, ou utilidade, de uma pessoa apenas pode ser aumentada com a redução da utilidade de uma outra pessoa.

Podemos imaginar o conceito de eficiência em termos da fronteira de possibilidades de produção. Uma economia é claramente ineficiente se está no interior da *FPP*. Se ela se movimentar para fora da *FPP*, ninguém precisa sofrer um declínio na utilidade. Uma economia eficiente encontra-se, no mínimo, na sua *FPP*. Mas a eficiência vai mais além e exige não só que seja produzida a combinação correta de bens, mas também que esses bens sejam distribuídos entre os consumidores de modo a maximizar sua satisfação.

Eficiência do equilíbrio competitivo

Uma das mais importantes conclusões de toda a ciência econômica é que a alocação de recursos por mercados perfeitamente competitivos é eficiente. Essa importante conclusão pressupõe que todos os mercados são perfeitamente competitivos e que não há externalidades, como a poluição, ou informação imperfeita. Nesta seção usamos um exemplo simplificado para ilustrar os princípios gerais subjacentes à eficiência dos mercados competitivos.

Considere a situação hipotética em que todos os indivíduos são idênticos. Suponha, ainda, que: (a) todas as pessoas trabalham na agricultura. Quando as pessoas aumentam o seu trabalho e reduzem as horas de lazer, cada hora adicional de trabalho esforçado se torna cada vez mais cansativa; (b) cada unidade adicional de alimento consumido proporciona uma utilidade marginal decrescente (UMg)[3] e (c) dado que a produção de alimentos tem lugar em parcelas fixas de terreno, pela lei dos rendimentos decrescentes, cada minuto adicional de trabalho proporciona uma quantidade adicional de alimentos cada vez menor.

A Figura 8-11 mostra a oferta e a demanda da nossa economia competitiva simplificada. Quando somamos horizontalmente as curvas de oferta idênticas dos nossos agricultores idênticos, obtemos a curva ascendente aos degraus CMg. Como vimos anteriormente neste capítulo, a curva CMg é também a curva da oferta do setor, de

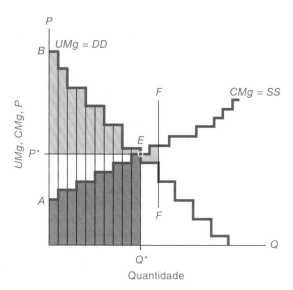

FIGURA 8-11 No ponto de equilíbrio competitivo E, os custos e as utilidades marginais dos alimentos estão exatamente equilibrados.

Muitos agricultores-consumidores idênticos trazem os seus alimentos para o mercado. A curva $CMg = SS$ é a soma das curvas de custo marginal individuais, enquanto a curva $UMg = DD$ é a soma horizontal da apreciação dos alimentos pelos consumidores. No equilíbrio de mercado competitivo E, o ganho de utilidade da última unidade de alimentos é igual ao custo de utilidade (em termos de lazer perdido).

A figura também ilustra o excedente econômico. O custo de produção dos alimentos é mostrado pelas fatias escuras. As fatias brancas, acima da curva SS e abaixo da reta do preço, somam o "excedente do produtor". As fatias claras, abaixo da DD e acima da reta do preço, são o "excedente do consumidor". A soma dos excedentes do produtor e do consumidor é o "excedente econômico". No equilíbrio competitivo em E, o excedente econômico é maximizado. Verifique que a produção em FF reduz o excedente total.

---

modo que a figura mostra $CMg = SS$. A curva de demanda é também a soma horizontal das curvas de utilidade marginal de indivíduos idênticos (ou da demanda de alimentos); é representada pela curva $UMg = DD$ descendente aos degraus dos alimentos na Figura 8-11.

A interseção das curvas SS e DD mostra o equilíbrio competitivo para os alimentos. No ponto E, os agricultores fornecem exatamente o que os consumidores desejam comprar ao preço de equilíbrio de mercado. Todos estarão trabalhando no ponto onde a curva da utilidade marginal do consumo de alimentos com inclinação negativa intercepta a curva do custo marginal crescente da produção de alimentos.

A Figura 8-11 apresenta um novo conceito, o de **excedente econômico**, que é a área entre as curvas da oferta e da demanda no equilíbrio. O excedente econômico é a soma do excedente do consumidor que encontramos no Capítulo 5, que é a área entre a curva da demanda e a reta do preço, e o **excedente do produtor**, que é a área entre a reta do preço e a curva SS.

---

[3] Para manter a situação simplificada, medido o bem-estar em "unidades de utilidade" fixas de tempo de lazer (ou "unidades de desutilidade" de tempo de trabalho árduo). Admitimos além disso, que cada hora de lazer perdida tem uma utilidade marginal constante, de modo que todas as utilidades e custos estão medidos nestas unidades de lazer-trabalho.

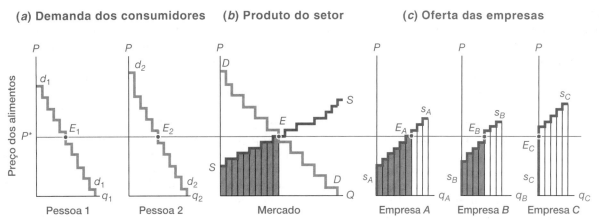

FIGURA 8-12 Os mercados competitivos integram as demandas dos consumidores e os custos dos produtores.

(*a*) As demandas individuais estão representadas à esquerda. Somamos horizontalmente as curvas dos consumidores (*dd*) para obter a curva da demanda do mercado *DD*, no centro.

(*b*) Para alcançar o equilíbrio de mercado em *E*, o mercado reúne as demandas de todos os consumidores e as ofertas de todas as empresas. A linha horizontal do preço dos alimentos mostra onde cada consumidor, à esquerda, e cada produtor, à direita, alcança o equilíbrio. Veja como em *P**, a *UMg* de cada consumidor iguala o *CMg* de cada empresa, conduzindo à eficiência alocativa.

(*c*) Para cada empresa competitiva, os lucros são maximizados quando a curva da oferta é dada pela curva ascendente do *CMg*. A área sombreada mostra o custo de produzir *E* para cada empresa. Quando os preços igualam o custo marginal, o setor de atividade está produzindo ao menor custo total.

O excedente do produtor inclui a renda e os lucros das empresas e dos proprietários de fatores de produção especializados do setor e indica o excesso de receitas sobre o custo de produção. O excedente econômico é o ganho de bem-estar ou de utilidade líquida pela produção e consumo de um bem; é igual à soma do excedente do consumidor com o excedente do produtor.

Uma análise cuidadosa do equilíbrio competitivo mostrará que este maximiza o excedente econômico possível nesse setor. Por isso, é economicamente eficiente. No equilíbrio competitivo do ponto *E*, na Figura 8-11, o consumidor típico terá uma utilidade, ou excedente econômico, maior do que a que teria com qualquer outra alocação admissível dos recursos.

Outra forma de ver a eficiência do equilíbrio competitivo é pela avaliação do efeito econômico de uma pequena variação a partir do equilíbrio competitivo *E*. Como mostra o seguinte procedimento em três fases, se *UMg* = *P* = *CMg*, então, a alocação é eficiente.

1. *P* = *UMg*. Os consumidores decidem comprar alimentos até a quantidade em que *P* = *UMg*. Como resultado, cada pessoa ganha *P* unidades de satisfação com a última unidade consumida de alimentos. (As "unidades de satisfação", *utils*, em inglês, são medidas em termos da utilidade marginal constante do lazer, como indicado na nota de rodapé 3.)

2. *P* = *CMg*. Como produtor, cada pessoa oferece alimentos até o ponto em que o preço dos alimentos é exatamente igual ao *CMg* da última unidade de alimentos ofertada (o *CMg* aqui é o custo em termos do lazer perdido com a produção da última unidade de alimento). O preço corresponde, portanto, às unidades de satisfação em tempo de lazer perdido por causa do trabalho nessa última unidade de alimento.

3. Reunindo as duas equações anteriores, deduzimos que *UMg* = *CMg*. Isso significa que as "unidades de utilidade" ganhas com o consumo da última unidade de alimentos são exatamente iguais às unidades de lazer perdidas no tempo necessário para produzir essa última unidade de alimento. *É exatamente esta condição – de que o ganho marginal para a sociedade da última unidade consumida seja igual ao custo marginal para a sociedade dessa última unidade produzida – que garante que um equilíbrio competitivo seja eficiente.*

Equilíbrio com muitos consumidores e muitos mercados

Passemos agora da nossa parábola simples sobre os agricultores-consumidores idênticos para uma economia composta por milhões de empresas diferentes, centenas de milhões de pessoas e inúmeros bens. Uma economia de concorrência perfeita poderá continuar a ser eficiente nesse universo muito mais complexo?

A resposta é "sim", ou melhor ainda, "sim, se...". A eficiência exige algumas condições restritivas que são analisadas em capítulos posteriores. Essas condições incluem consumidores razoavelmente bem informados, produtores perfeitamente competitivos e ausência de externalidades, como a poluição ou conhecimento incompleto. Para tais economias, um sistema de mercado perfeitamente competitivo ganhará a medalha de ouro dos economistas da eficiência de Pareto.

A Figura 8-12 ilustra como um sistema competitivo dá origem a um equilíbrio entre a utilidade e o custo para um único bem, com empresas e consumidores não idênticos. No lado esquerdo, somamos horizontalmente as curvas da demanda de todos os consumidores para obter a curva de mercado *DD*, apresentada ao centro. No lado direito, somamos todas as curvas *CMg* para obter a curva *SS* do setor de atividade apresentada no centro.

No equilíbrio competitivo do ponto *E*, os consumidores, no lado esquerdo, obtêm a quantidade do bem que pretendem comprar ao preço *CMg* socialmente eficiente. Do lado direito, o preço de mercado também promove a produção eficiente entre as empresas. A área sombreada abaixo de *SS*, no item (*b*) ao centro, representa a soma minimizada das áreas sombreadas de custo no item (*c*) à direita na Figura 8-12. Cada empresa fixa a sua produção de modo que *CMg* = *P*. A eficiência produtiva é atingida porque não existe reorganização da produção que permita que o mesmo nível de produção do setor seja produzido com um custo inferior.

Muitos produtos. A nossa economia não produz apenas alimentos, mas também vestuário, filmes, e muitos outros bens finais. Como a nossa análise se aplica quando os consumidores têm de escolher entre muitos produtos?

Os princípios são exatamente os mesmos, mas agora exigimos uma condição adicional: os consumidores maximizadores da utilidade distribuem o seu dinheiro pelos diferentes bens até que a utilidade marginal da última unidade monetária seja igual para cada um dos bens que são consumidos. Nesse caso, desde que as condições ideais sejam satisfeitas, uma economia competitiva com inúmeros bens e insumos produtivos é eficiente.

Em outras palavras, uma economia perfeitamente competitiva é eficiente quando o custo marginal privado é igual ao custo marginal social, e quando ambos são iguais à utilidade marginal. Todos os setores de atividade têm de igualar o *CMg* e a *UMg*. Por exemplo, se os filmes têm o dobro dos *CMg* dos hambúrgueres, o *P* e a *UMg* dos filmes também têm de ser o dobro do *P* e da *UMg* dos hambúrgueres. Só então as *UMg*, que são iguais aos *P*, serão iguais aos *CMg*. Ao igualar o preço e o custo marginal, a concorrência garante que uma economia pode atingir a eficiência alocativa.

O mercado perfeitamente competitivo é um instrumento para conjugar (a) a vontade dos consumidores que possuem poder de compra para adquirir os bens com (b) os custos marginais desses bens, representados pela oferta das empresas. Sob determinadas condições, a concorrência garante a eficiência, em que a utilidade de nenhum consumidor pode ser aumentada sem a redução da utilidade de outro consumidor. Isso é verdade mesmo em um mundo de muitos fatores produtivos e produtos.

Custo marginal como padrão da eficiência

Este capítulo tem mostrado a importância do custo marginal para atingir a eficiência alocativa dos recursos.

Mas a importância do custo marginal vai muito além da concorrência perfeita. O uso do custo marginal para alcançar a eficiência produtiva se aplica a qualquer sociedade ou organização que tente fazer o uso mais eficaz dos seus recursos, seja essa entidade uma economia capitalista ou socialista, uma organização maximizadora do lucro ou uma sem fins lucrativos, uma universidade, uma igreja, ou até mesmo uma família.

O papel essencial do custo marginal é este: suponha que você tem um objetivo que pode ser atingido usando várias abordagens, tendo cada uma os seus custos. Para decidir quanto de cada abordagem deve adotar, procure sempre igualar o custo marginal entre as várias abordagens. Só quando o custos marginais forem iguais podemos extrair o máximo dos nossos recursos escassos.

O uso do custo marginal como padrão da eficiência alocativa dos recursos é aplicável não apenas às empresas que maximizam o lucro, mas a todos os problemas econômicos, de fato, a todos os problemas econômicos que envolvem escassez. Suponha que você tivesse sido encarregado de resolver um problema ambiental grave, como o do aquecimento global. Em breve, você descobriria que o custo marginal seria fundamental para atingir seus objetivos ambientais da forma mais eficiente. Ao assegurar que os custos marginais da redução de emissões de gases de efeito estufa (GEE) sejam iguais em todos os setores de atividade, e em todos os cantos do mundo, você pode garantir que seus objetivos ambientais estão sendo atingidos aos custos mais baixos possíveis.

O custo marginal é um conceito fundamental para a eficiência. Para qualquer organização orientada para um objetivo, a eficiência exige que o custo marginal de atingir o objetivo deva ser igual em todas as atividades. Em um mercado, uma indústria irá gerar seu produto ao custo total mínimo apenas quando o *CMg* de cada empresa for igual ao preço comum.

RESSALVAS

Já vimos a essência da mão invisível – as notáveis propriedades de eficiência dos mercados competitivos. Mas devemos rapidamente delimitar a análise apontando os defeitos do mercado.

Há duas situações importantes em que os mercados falham, não alcançando um ótimo social. Primeira, os mercados podem ser ineficientes em situações nas quais estejam presentes a poluição ou outras externalidades, ou quando existe concorrência ou informação imperfeitas. Segunda, a distribuição de renda em mercados competitivos, mesmo quando é eficiente, pode não ser socialmente desejável ou aceitável. Iremos rever ambos os pontos nos próximos capítulos, mas será útil descrever agora, sumariamente, cada um desses defeitos.

Falhas de mercado

Quais são as falhas de mercado que mancham a imagem idílica pressuposta na nossa análise dos mercados eficientes? As mais importantes são a concorrência imperfeita, as externalidades e a informação imperfeita.

Concorrência imperfeita. Quando uma empresa tem poder de mercado em um mercado específico (porque tem um monopólio devido a uma patente de medicamento ou à concessão da distribuição local de eletricidade), a empresa pode aumentar o preço do seu produto acima do seu custo marginal. Os consumidores compram menos de tais produtos do que fariam em concorrência perfeita, e sua satisfação é reduzida. Esse tipo de redução da satisfação do consumidor é típico das ineficiências geradas pela concorrência imperfeita.

Externalidades. As externalidades são outra falha importante do mercado. Recorde que as externalidades ocorrem quando algum dos efeitos laterais da produção ou do consumo não estão incluídos nos preços de mercado. Por exemplo, uma empresa de eletricidade pode emitir para a atmosfera gases sulfurosos, causando prejuízo nas habitações da vizinhança e na saúde das pessoas. Se a empresa de eletricidade não pagar pelos impactos prejudiciais, a poluição será ineficientemente elevada e o bem-estar dos consumidores será prejudicado.

Nem todas as externalidades são prejudiciais. Algumas são benéficas, como as que derivam das atividades de desenvolvimento científico. Por exemplo, Chester Carlson ficou milionário quando inventou a fotocópia; mas ainda assim recebeu apenas uma ínfima parcela dos benefícios que as secretárias e os estudantes do mundo inteiro tiveram ao verem-se livres de milhares de milhões de horas de trabalho enfadonho. Outra externalidade positiva deriva dos programas de saúde pública, como a vacinação contra a varíola, a cólera e o tifo; uma vacina protege não apenas a pessoa vacinada, mas também as outras pessoas que poderiam ser infectadas por essa pessoa.

Informação imperfeita. Uma terceira falha de mercado importante é a informação imperfeita. A teoria da mão invisível pressupõe que os compradores e os vendedores têm informação completa acerca de bens e serviços que compram e vendem. Pressupõe-se que as empresas tenham um conhecimento completo sobre as funções de produção para atuar em seu setor. Considera-se que os consumidores conheçam a qualidade e os preços dos bens, como, por exemplo, se as demonstrações financeiras das empresas são corretas e se os medicamentos que usam são seguros e eficazes.

A realidade, é claro, está muito longe desse mundo ideal. A questão fundamental é saber o quanto os desvios em relação à informação perfeita são prejudiciais. Em alguns casos, a perda de eficiência é pequena. A desvantagem não será muito grande se tomar um sorvete de chocolate que seja ligeiramente mais doce do que eu queria, ou se não souber a temperatura exata da cerveja que sai do barril. Em outros casos, a perda é grave. Tome o caso do milionário do aço, Eben Byers, que há um século tomou Radithor, vendido como cura para todos os males, para aliviar suas enfermidades. Análises posteriores revelaram que o Radithor era, na realidade, água destilada tratada com rádio. Byers sofreu uma morte horrenda quando o maxilar e outros ossos se desintegraram. Desse tipo de mão invisível não precisamos.

Uma das funções importantes do governo é identificar aquelas áreas em que as deficiências de informação são economicamente significativas – como nas finanças – e, então, encontrar os remédios.

Dois elogios ao mercado, mas não três

Vimos que os mercados têm propriedades notáveis de eficiência. Mas podemos, por isso, concluir que o capitalismo de *laissez-faire* produz a maior felicidade para o maior número de pessoas? Será que o mercado resulta necessariamente na mais justa utilização de recursos possível? As respostas são não e não.

As pessoas não são igualmente dotadas de poder de compra. Em um sistema de preços e de mercados, um número reduzido de pessoas pode ter a maior parte da renda e da riqueza. Elas podem ter herdado terras valiosas ou campos petrolíferos escassos, ou gerir uma grande empresa ou um fundo lucrativo. Algumas são muito pobres, sem culpa nenhuma, enquanto outras são muito ricas, mas não graças ao seu mérito. Assim, a ponderação pelo poder de compra, que está por trás das curvas da demanda individual, pode não ser justa.

Uma economia com grande desigualdade não é necessariamente ineficiente. A economia pode extrair uma grande quantidade de armas e de manteiga dos seus recursos. Mas os poucos ricos podem comer a manteiga e, com ela, alimentar seus gatos, enquanto as armas são destinadas, principalmente, a proteger a manteiga dos ricos.

Uma sociedade não vive apenas de eficiência. Uma sociedade pode decidir alterar o resultado do funcionamento do mercado para melhorar a equidade ou justiça da distribuição da renda e da riqueza. Os países podem cobrar impostos progressivos sobre as pessoas com renda e riqueza elevadas e usar as receitas para financiar a alimentação, escolas, e os cuidados de saúde para os pobres. Mas há questões incômodas. Em quanto os ricos devem ser tributados? Quais são os programas que mais beneficiam os pobres? Os imigrantes devem ser incluídos no programas de assistência? O capital deve ser tributado à mesma alíquota do trabalho? Os pobres que não trabalham devem receber ajuda do Estado?

Não há respostas cientificamente corretas a essas perguntas. A economia positiva não pode dizer até onde os governos devem intervir para corrigir as desigualdades e ineficiências do mercado. Essas questões normativas são apropriadamente respondidas por meio do debate político e de eleições. Mas a ciência econômica pode oferecer o esclarecimento valioso sobre o mérito de intervenções alternativas, de modo que os objetivos de uma sociedade moderna possam ser atingidos da forma mais eficaz.

RESUMO

A. Comportamento de oferta da empresa competitiva

1. Uma empresa perfeitamente competitiva vende um produto homogêneo e é pequena demais para afetar o preço de mercado. Supõe-se que as empresas competitivas maximizam os seus lucros. Para maximizar os lucros, a empresa competitiva escolherá o nível de produção em que o preço seja igual ao custo marginal de produção, ou seja, $P = CMg$. Graficamente, o equilíbrio da empresa competitiva ocorrerá onde a curva ascendente CMg intercepta a sua curva da demanda horizontal.

2. Os custos variáveis devem ser levados em consideração na determinação do ponto de encerramento de curto prazo de uma empresa. Abaixo do ponto de encerramento, a empresa tem um prejuízo superior aos seus custos fixos. Por isso, não produzirá nada quando o preço cair abaixo do preço de encerramento.

3. A curva da oferta de longo prazo de um setor de atividade competitiva, $S_L S_L$, deve ter em conta a entrada de novas empresas e a saída de antigas. No longo prazo, todos os compromissos da empresa expiram. Esta se manterá em atividade somente se o preço for, ao menos, tão elevado quanto os custos médios de longo prazo. Esses custos incluem os pagamentos em dinheiro a trabalhadores, bancos, fornecedores de matérias-primas e proprietários da terra, e os custos de oportunidade, como os rendimentos dos ativos imóveis que a empresa possui.

B. Comportamento de oferta em setores competitivos

4. A curva ascendente CMg de cada empresa é a sua curva de oferta. Para obter a curva de oferta de um grupo de empresas competitivas, somamos horizontalmente as suas curvas de oferta individuais. A curva de oferta do setor representa, assim, a curva de custo marginal para o setor competitivo no seu conjunto.

5. Como as empresas podem ajustar a produção ao longo do tempo, distinguimos dois períodos de tempo diferentes: (a) equilíbrio de curto prazo quando os fatores variáveis, como trabalho, podem variar, mas os fatores fixos, como o capital e o número de empresas, não podem variar, e (b) equilíbrio de longo prazo, em que o número de empresas e fábricas, e todas as outras condições, ajustam-se completamente às novas condições de demanda.

6. No longo prazo, quando as empresas são livres para entrar e sair do setor, e nenhuma empresa tem qualquer vantagem especial de especialização ou localização, a concorrência eliminará quaisquer lucros excessivos ganhos pelas empresas existentes no setor. Desse modo, assim como a saída livre significa que o preço não pode cair abaixo do ponto decisivo, a entrada livre significa que o preço não pode exceder o custo médio de longo prazo no equilíbrio de longo prazo.

7. Quando um setor pode expandir a sua produção sem que force o aumento dos preços dos seus fatores produtivos, a curva de oferta de longo prazo resultante será horizontal. Quando um setor usa fatores que lhe são específicos, como terrenos em frente à praia, a sua curva de oferta de longo prazo terá uma inclinação positiva.

C. Casos especiais de mercados competitivos

8. Recorde as regras gerais que se aplicam à oferta e demanda competitivas: sob a regra da demanda, um aumento da demanda de um bem (mantendo-se a curva da oferta inalterada), em geral, aumenta o preço do bem e aumenta também a quantidade demandada. Uma diminuição da demanda tem os efeitos opostos.

   Sob a regra da oferta, um aumento da oferta de um bem (mantendo a curva da demanda constante), em geral, diminui o preço e aumenta a quantidade vendida. Uma redução da oferta tem o efeito oposto.

9. Nos casos especiais importantes, incluem-se os dos custos constantes e crescentes, da oferta completamente inelástica (que gera rendas econômicas) e da oferta negativamente inclinada. Esses casos especiais explicam muitos fenômenos importantes encontrados nos mercados.

D. Eficiência e equidade dos mercados competitivos

10. A análise dos mercados competitivos esclarece a questão da organização eficiente de uma sociedade. A eficiência alocativa, ou de Pareto, ocorre quando não existe possibilidade de reorganizar a produção e a distribuição, de modo que a satisfação de todos possa ser melhorada.

11. Em condições ideais, uma economia competitiva atinge a eficiência alocativa. A eficiência exige que todas as empresas sejam concorrentes perfeitas e que não haja externalidades como a poluição ou informação imperfeita. A eficiência implica que o excedente econômico seja maximizado, sendo o excedente econômico igual à soma do excedente do consumidor com o excedente do produtor.

12. A eficiência ocorre porque (a) quando os consumidores maximizam a satisfação, a utilidade marginal (em termos de lazer) é exatamente igual ao preço; (b) quando os produtores competitivos oferecem bens, decidem a produção de modo que o custo marginal seja igual ao preço; (c) dado que $UMg = P$ e $CMg = P$, então $UMg = CMg$.

13. Há limites precisos na condição de ótimo social dos mercados competitivos:

    a. A eficiência de Pareto exige a existência de concorrência perfeita e de informação completa, e a inexistência de externalidades. Quando todas as três condições são satisfeitas, isso levará à importante condição de eficiência:

    Preços relativos = custos marginais relativos = utilidades marginais relativas

    b. Os mercados mais perfeitamente competitivos podem não gerar uma justa distribuição da renda e do consumo. As sociedades podem, portanto, decidir modificar os resultados de mercado de *laissez-faire*. A economia tem o importante papel de analisar os custos e os benefícios relativos dos tipos alternativos de intervenção.

14. O custo marginal é um conceito fundamental para atingir qualquer objetivo, não apenas lucros. A eficiência requer que o custo marginal para atingir o objetivo seja igual em qualquer atividade.

CONCEITOS PARA REVISÃO

Oferta competitiva

- $P = CMg$ como condição de lucro máximo
- curva da oferta da empresa, ss e sua curva CMg
- condição de ponto de lucro zero, em que $P = CMg = CMe$
- ponto de encerramento, em que $P = CMg = CVMe$
- soma das curvas individuais ss para obter a SS do setor de atividade
- equilíbrio de curto e de longo prazos
- condição de lucro zero de longo prazo
- excedente do produtor + excedente do consumidor = excedente econômico
- eficiência = maximização do excedente econômico

Eficiência e equidade

- Eficiência alocativa, eficiência de Pareto
- condições da eficiência alocativa: $UMg = P = CMg$
- eficiência de mercados competitivos
- eficiência *versus* equidade

LEITURAS ADICIONAIS E SITES

Leituras adicionais

A eficiência da concorrência perfeita é uma das principais descobertas da microeconomia. Livros avançados de microeconomia, como os indicados no Capítulo 4, podem oferecer entendimento sobre as descobertas básicas.

O Prêmio Nobel foi atribuído a Kenneth Arrow, John Hicks e Gerard Debreu pelas suas contribuições para o desenvolvimento da teoria da concorrência perfeita e da sua relação com a eficiência econômica. Seus ensaios sobre o tema são muito úteis e podem ser encontrados na obra de Assar Lindbeck, *Nobel Lectures in Economics* (University of Stockholm, 1992). Veja o site do prêmio Nobel logo abaixo para referências feitas a esses economistas.

Sites

Com relação às referências sobre Arrow, Hicks e Debreu, consulte o site <http://www.nobel.se/economics/index/html> para ler sobre a importância das suas contribuições e como elas se relacionam com a ciência econômica.

QUESTÕES PARA DISCUSSÃO

1. Explique por que cada uma das seguintes afirmações sobre as empresas competitivas maximizadoras do lucro está incorreta. Corrija cada uma delas.
   a. Uma empresa competitiva produzirá até ao ponto em que o preço seja igual ao custo médio variável.
   b. O ponto de encerramento de uma empresa ocorre quando o preço é menor do que o custo médio mínimo.
   c. A curva de oferta de uma empresa depende apenas do seu custo marginal. Qualquer outro conceito de custo é irrelevante para as decisões de oferta.
   d. A regra de $P = CMg$ para os setores competitivos é aplicável para as curvas de CMg com inclinação positiva, horizontais e com inclinação negativa.
   e. A empresa competitiva fixa o preço igual ao custo marginal.

2. Suponha que tenha uma empresa perfeitamente competitiva que produz *chips* de memória para computadores. A sua capacidade de produção é de mil unidades por ano. O seu custo marginal é US$ 10 por *chip* no máximo de capacidade. Você tem um custo fixo de US$ 10 mil, se existe produção, e de US$ 0, se encerrar a atividade. Quais são os seus níveis de produção que maximizam o lucro, se o preço de mercado é (a) US$ 5 por *chip*, (b) US$ 15 por *chip* e (c) US$ 25 por *chip*? No caso (b), explique por que a produção é positiva, mesmo que o lucro seja negativo.

3. Uma das regras mais importantes de economia, dos negócios e da vida é o *princípio dos custos irreversíveis* – "águas passadas não movem moinhos". Isso significa que os custos irreversíveis (que são uma perda irrecuperável) devem ser ignorados quando as decisões são tomadas. Apenas os custos futuros, que envolvam custos variáveis e marginais, devem ser considerados na tomada de decisões racionais.

   Para comprovar isso, considere o seguinte: podemos calcular os custos fixos na Tabela 8-1 como o nível de custo quando o produto é zero. O que são custos fixos? Qual é o nível de produção maximizador de lucro para a empresa da Tabela 8-1 se o preço for US$ 40 e os custos fixos forem US$ 0? US$ 55 mil? US$ 100 mil? US$ 1 bilhão? US$ 30 mil negativos? Explique as implicações para uma empresa que está decidindo se deve ou não encerrar.

4. Examine os dados de custo apresentados na Tabela 8-1. Calcule a decisão de oferta de uma empresa competitiva maximizadora de lucro quando o preço é US$ 21, US$ 40 e US$ 60. Qual seria o nível de lucro total para cada um dos três preços? O que aconteceria à entrada ou saída de empresas idênticas no longo prazo, com cada um dos três preços?

5. Usando os dados de custo apresentados na Tabela 8-1, calcule a elasticidade-preço da oferta entre $P = 40$ e $P = 40,02$ para a empresa individual. Suponha que há 2 mil empresas idênticas e construa uma tabela com a

função da oferta do setor. Qual é a elasticidade-preço da oferta do setor entre $P = 40$ e $P = 40,02$?

6. Examine a Figura 8-12 para ver que a empresa competitiva C está parada. Explique a razão pela qual o nível de produção maximizador de lucro da empresa C é $q_c = 0$. O que aconteceria ao custo de produção da totalidade do setor se a empresa C produzisse 1 unidade e a empresa B produzisse menos 1 unidade do que o nível competitivo de produção?

Suponha que a empresa C é um minimercado familiar. Por que as cadeias de supermercados A e B expulsariam C da atividade? O que você pensa sobre a manutenção da empresa C em atividade? Qual seria o impacto econômico de uma legislação que dividisse o mercado em três partes iguais entre o minimercado familiar e as cadeias de supermercados A e B?

7. A demanda do consumidor de um bem depende frequentemente do uso de bens duráveis, tais como imóvel e transporte. Em um caso desses, a demanda apresentará um padrão de variação temporal de resposta semelhante ao da oferta. Um bom exemplo é o da gasolina. No curto prazo, o número de automóveis é fixo, enquanto, no longo prazo, os consumidores podem comprar novos automóveis ou bicicletas.

Qual é a relação entre o período de tempo e a elasticidade-preço da demanda da gasolina? Trace as curvas de demanda de curto e de longo prazos para a gasolina. Mostre o impacto de uma redução da oferta de gasolina em ambos os períodos. Descreva o impacto de uma escassez de petróleo no preço da gasolina e na quantidade demandada, no longo e no curto prazos. Estabeleça duas novas regras de demanda (c) e (d) paralelas às regras (c) e (d) da oferta, analisadas nas Regras Gerais da seção C anterior, que relacionem o impacto de um deslocamento da oferta sobre o preço, e a quantidade no curto e no longo prazos.

8. Interprete este diálogo:

A: "Como os lucros em concorrência podem ser zero no longo prazo? Quem trabalhará por nada?"

B: "São apenas os lucros *excessivos* que são eliminados pela concorrência. Os gerentes são pagos por seu trabalho; e os proprietários obtêm uma remuneração normal pelo seu capital no equilíbrio de concorrência de longo prazo – nem mais, nem menos".

9. Suponha que três empresas estão lançando enxofre na atmosfera na Califórnia. Chamaremos de oferta as unidades de controle ou redução de poluição. Cada empresa tem uma função de redução da poluição, e admitiremos que essas funções são dadas pelas curvas de CMg das empresas A, B e C na Figura 8-12.

   a. Interprete a oferta de "mercado" ou função de CMg para a redução de emissões de poluentes, mostrada no centro da Figura 8-12.

   b. Suponha que a autoridade que controla a poluição decida atingir 10 unidades de controle de poluição. Qual é a eficiência alocativa do controle de poluição entre as três empresas?

   c. Suponha que a autoridade de controle de poluição decida ter as duas primeiras empresas produzindo 5 unidades de controle de poluição cada. Qual será o custo adicional?

   d. Suponha que a autoridade de controle da poluição decida aplicar um "imposto sobre a poluição" para reduzi-la para 10 unidades. Você consegue identificar qual o imposto apropriado, usando a Figura 8-12? Você sabe dizer como cada uma das empresas responderia? A redução da poluição seria eficiente?

   e. Explique a importância do custo marginal na redução eficiente da poluição, nesse caso.

10. Em qualquer mercado competitivo, como ilustrado na Figura 8-11, a área acima da reta do preço de mercado e abaixo da curva DD é o excedente do consumidor (ver a análise do Capítulo 5). A área acima da curva SS e abaixo da reta do preço é o excedente do produtor, e é igual aos lucros mais as rendas das empresas do setor, ou dos proprietários de fatores especializados para o setor. A soma dos excedentes do produtor e do consumidor é o excedente econômico e quantifica a contribuição líquida desse bem para a utilidade acima do custo de produção.

Você consegue encontrar alguma reorganização da produção que aumente o excedente econômico na Figura 8-11, quando comparado com o equilíbrio competitivo no ponto E? Se a resposta for não, então, o equilíbrio é de eficiência alocativa (ou de eficiência de Pareto). Defina eficiência alocativa; a seguir, responda à questão e explique a sua resposta.

Concorrência imperfeita e monopólio

CAPÍTULO 9

O melhor de todos os lucros do monopólio é uma vida tranquila.
J. R. Hicks

A concorrência perfeita é um mercado ideal de inúmeras empresas que não podem afetar o preço. Mas, sendo fácil de analisar, é difícil encontrar esse tipo de empresa. Quando compra o seu automóvel Ford ou Toyota, os seus hambúrgueres do McDonald's ou da Wendy's, ou o seu computador da Dell ou da Apple, você está lidando com empresas suficientemente grandes para influenciar o preço de mercado. De fato, na Economia, a maioria dos mercados é dominada por um punhado de grandes empresas, e frequentemente apenas por duas ou três. Bem-vindo ao mundo em que vivemos, o mundo da concorrência imperfeita.

A. PADRÕES DE CONCORRÊNCIA IMPERFEITA

Veremos que, para dada tecnologia, os preços são mais elevados e as produções são menores em concorrência imperfeita do que em concorrência perfeita. Mas, juntamente a esses vícios, os concorrentes imperfeitos têm virtudes. As grandes empresas exploram economias da produção em larga escala e são responsáveis por muitas das inovações que impulsionam o crescimento econômico de longo prazo. Se você compreender o funcionamento dos mercados de concorrência imperfeita, terá um conhecimento muito mais aprofundado das economias industriais modernas.

Recorde que um mercado perfeitamente competitivo é aquele em que nenhuma empresa é suficientemente grande para influenciar o preço. Com essa definição estrita, poucos mercados na economia dos Estados Unidos são perfeitamente competitivos. Pense nos seguintes: aviões, alumínio, automóveis, softwares, cereais matinais, chicletes, cigarros, distribuição de eletricidade, refrigeradores e trigo. Quantos desses bens se vendem em mercados perfeitamente competitivos? Os aviões, o alumínio e os automóveis certamente não. Até a Segunda Guerra Mundial havia uma única empresa de alumínio: a Alcoa. Mesmo atualmente, as quatro maiores empresas dos Estados Unidos produzem três quartos da produção de alumínio do país. O mercado mundial de aviões comerciais é dominado apenas por duas empresas: a Boeing e a Airbus. Também na indústria automobilística, as cinco maiores fabricantes (incluindo a Toyota e a Honda) detêm quase 80% do mercado dos Estados Unidos de automóveis e caminhonetes. O setor de software apresenta uma rápida inovação, mas para a maioria dos aplicativos, desde contabilidade fiscal a jogos, poucas empresas detêm a maioria das vendas.

E quanto a cereais, chicletes, cigarros e refrigeradores? Esses mercados são dominados de forma ainda mais completa por um número relativamente pequeno de empresas. O mercado da eletricidade também não satisfaz a definição de concorrência perfeita. Na maioria das cidades, uma única empresa distribui toda a eletricidade utilizada pela população. Poucos considerarão econômico instalar um moinho de vento para produzir sua própria energia!

Observando essa lista, você concluirá que apenas o trigo se enquadra na nossa definição estrita de concorrência perfeita. Todos os outros bens, dos automóveis aos cigarros, falham no teste da concorrência por uma simples razão: algumas das empresas do setor podem influenciar o preço de mercado ao alterarem a quantidade do que vendem. Em outras palavras, elas têm *algum* controle sobre o preço da sua produção.

Definição de concorrência imperfeita

Se uma empresa pode influenciar o preço de mercado daquilo que produz, essa empresa é classificada como um "concorrente imperfeito".

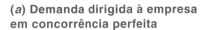

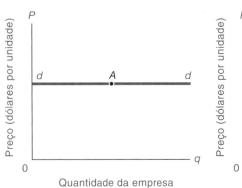
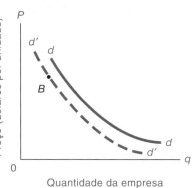

FIGURA 9-1 A prova real da concorrência imperfeita é a inclinação negativa da curva de demanda da empresa.

(*a*) A empresa perfeitamente competitiva pode vender tudo o que quiser ao longo da sua curva horizontal *dd* sem reduzir o preço de mercado. (*b*) Mas o concorrente imperfeito descobrirá que a sua curva de demanda se inclina para baixo, quando o aumento do preço leva à redução das vendas. E, a não ser que se trate de um monopolista protegido, uma redução do preço das suas rivais deslocará nitidamente a sua própria curva de demanda para a esquerda *d'd'*.

A **concorrência imperfeita** se verifica em um setor de atividade sempre que existam vendedores individuais que possam afetar o preço da sua produção. Os principais tipos de concorrência imperfeita são o monopólio, o oligopólio e a concorrência monopolística.

A concorrência imperfeita não implica que uma empresa tenha o controle absoluto sobre o preço do seu produto. Considere o mercado dos refrigerantes do tipo cola, em que a Coca-Cola e a Pepsi, juntas, detêm grande parte da parcela de mercado e em que se verifica claramente concorrência imperfeita. Se o preço médio dos refrigerantes de outros produtores no mercado for de 75 centavos, a Pepsi poderá fixar o preço de uma lata em 70 ou 80 centavos e continuar a ser uma empresa viável. Essa empresa dificilmente poderia fixar o preço de uma lata em 40 ou 50 centavos, pois, com esses preços, seria eliminada do setor. Vemos, então, que um concorrente imperfeito tem algum poder discricionário sobre os seus preços, embora não tenha um poder total.

Além disso, o grau do poder discricionário sobre o preço varia de setor para setor. Em alguns setores imperfeitamente competitivos, o grau de poder de monopólio é muito pequeno. No comércio varejista de computadores, por exemplo, uma ligeira percentagem de diferença no preço geralmente terá um efeito significativo sobre as vendas da empresa. No mercado de sistemas operacionais, ao contrário, a Microsoft tem um monopólio virtual e um grande poder para fixar o preço do seu sistema operacional Windows.

Representação gráfica. A Figura 9-1 mostra graficamente a diferença entre as curvas da demanda com que se defrontam as empresas em concorrência perfeita e as imperfeitamente competitivas. A Figura 9-1(*a*) mostra que um concorrente perfeito enfrenta uma curva de demanda horizontal, que indica que pode vender tudo o que pretende ao preço corrente de mercado. Um concorrente imperfeito, ao contrário, enfrenta uma curva de demanda com inclinação negativa. A Figura 9-1(*b*) mostra que se uma empresa imperfeitamente competitiva aumentar as suas vendas, fará certamente reduzir o preço de mercado do seu produto ao se deslocar para baixo na sua curva de demanda *dd*.

Outra forma de ver a diferença entre concorrência perfeita e imperfeita é considerando a elasticidade-preço da demanda. Para um concorrente perfeito, a demanda é perfeitamente elástica; para um concorrente imperfeito, a demanda tem uma elasticidade finita. Como exercício no uso das fórmulas de elasticidades, calcule a elasticidade para o concorrente perfeito na Figura 9-1(*a*) e para o concorrente imperfeito no ponto *B* na Figura 9-1(*b*).

O fato de as curvas da demanda dos concorrentes imperfeitos terem inclinação para baixo tem uma implicação importante: os concorrentes imperfeitos são *fazedores de preço* (*price makers*) e não *tomadores de preços* (*price takers*). Eles têm de decidir o preço do seu produto, enquanto os concorrentes perfeitos tomam o preço como um dado.

VARIEDADES DE CONCORRENTES IMPERFEITOS

Uma economia industrial moderna como a dos Estados Unidos é uma selva repleta de muitas espécies de concorrência imperfeita. O dinamismo da indústria dos computadores pessoais, impulsionada por rápidos desenvolvimentos da tecnologia, é diferente do tipo de concorrência em um setor com "menor vitalidade", como é o das agências funerárias. Mesmo assim, podemos aprender muito sobre um setor, ao analisar com atenção a sua estrutura de mercado, em especial o número e a dimensão das empresas vendedoras, e que parcela de mercado é controlada pelos maiores vendedores. Os economistas classificam os mercados imperfeitamente competitivos em três estruturas de mercado diferentes.

Monopólio

Em um dos extremos do espectro competitivo está o concorrente perfeito, que é uma empresa inserida em uma multidão de empresas. No outro extremo está o **monopólio**, que consiste em um único vendedor com o controle total sobre um ramo de atividade. (A palavra vem das palavras gregas *mono*, para "um", e *polista*, para "vendedor".) Um monopolista é a única empresa produzindo no respetivo setor de atividade, não existindo outro setor que produza um substituto próximo. Além disso, por enquanto, considere que o monopolista tem de vender tudo a um mesmo preço – não existe discriminação de preço.

Os verdadeiros monopólios hoje em dia são raros. A maioria dos monopólios persiste em virtude de alguma forma de regulação ou proteção estatal. Por exemplo, uma empresa farmacêutica que descobre um novo medicamento fantástico pode ter garantida uma patente que lhe dá o controle monopolista sobre esse medicamento durante um certo número de anos. Outro exemplo importante de monopólio é o caso dos serviços locais de concessionárias, como a empresa que distribui a água até sua casa. Nesses casos, existe de fato um único vendedor de um serviço, sem substitutos próximos. Um dos poucos exemplos de monopólio sem permissão do governo é o da Microsoft Windows, que conseguiu manter o seu monopólio por meio de grandes investimentos em pesquisa e desenvolvimento, inovação rápida, economias de rede e táticas agressivas (e por vezes ilegais) contra os seus concorrentes.

Mas mesmo os monopolistas têm de estar sempre alertas para os potenciais concorrentes. A empresa farmacêutica descobrirá que uma rival produz um medicamento semelhante; as companhias telefônicas, que há uma década eram monopolistas, defrontam-se agora com os telefones celulares. Bill Gates teme que qualquer pequena empresa esteja à espreita para acabar com a posição monopolista da Microsoft. *No longo prazo, nenhum monopólio se encontra completamente livre de ser atacado por concorrentes.*

Oligopólio

O termo **oligopólio** significa "poucos vendedores". Poucos, neste contexto, podem ser apenas 2 ou de 10 a 15 empresas. O aspecto importante do oligopólio é que cada empresa individualmente pode influenciar o preço de mercado. No setor da aviação, a decisão de uma única empresa de baixar as tarifas pode desencadear uma guerra de preços que força a queda das tarifas de todas as suas concorrentes.

Os setores oligopolísticos são comuns na economia dos Estados Unidos, especialmente os de manufatura, transportes e comunicações. Por exemplo, há apenas alguns fabricantes de automóveis, ainda que o setor venda muitos modelos diferentes. O mesmo se verifica no mercado dos eletrodomésticos: as lojas estão cheias de modelos diferentes de refrigeradores e lava-louças, mas todos produzidos por poucas empresas. Você ficará surpreendido ao saber que o setor dos cereais matinais é um oligopólio dominado por poucas empresas, embora pareça haver uma variedade infinita de cereais.

Concorrência monopolística

A última categoria que examinamos é a **concorrência monopolística**. Nessa situação, um número elevado de vendedores produz bens diferenciados. Essa estrutura de mercado faz lembrar a concorrência perfeita pelo fato de existirem muitos vendedores, nenhum dos quais tem uma grande parcela de mercado. Ela difere da concorrência perfeita pelo fato de os produtos vendidos pelas várias empresas diferentes não serem idênticos. **Produtos diferenciados** são aqueles em que as características importantes variam. Os computadores pessoais, por exemplo, têm características diferenciadas, como velocidade, memória, disco rígido, *modem*, tamanho e peso. Como são diferenciados, os computadores podem ser vendidos a preços ligeiramente diferentes.

O caso clássico da concorrência monopolística é o mercado de gasolina no varejo. Você pode ir ao posto local da Shell, mesmo que tenha um preço ligeiramente superior, porque está no seu caminho para o trabalho. Mas se o preço da Shell subir mais do que uns milésimos acima da concorrência, você pode mudar para o posto Ipiranga, que fica um pouco mais longe.

Esse exemplo ilustra a importância da localização na diferenciação de produto. Gasta-se tempo para ir ao banco, ou a um hipermercado, e o tempo necessário para ir às diferentes lojas afeta as nossas decisões de compra. O *preço total* de um bem inclui não só o seu preço nominal, mas também o custo de oportunidade de busca, do tempo de viagem e de outros custos não monetários. Dado que os preços totais dos produtos locais são menores do que os dos longínquos, as pessoas tendem a fazer compras na vizinhança de casa ou do trabalho. Essa ponderação também explica por que os grandes shopping centers são tão populares: permitem às pessoas comprar uma grande variedade de bens com economia do tempo de compra. Atualmente, as compras na internet têm importância crescente porque, ainda que haja custos de envio, o tempo exigido para a compra de um bem em rede pode ser muito reduzido quando comparado com o de pegar o carro ou de ir a pé até a loja.

Hoje, a qualidade do produto é um componente de importância crescente para sua diferenciação. Os bens diferem em suas características, tais como em seus preços. A maioria dos computadores pessoais funciona com os mesmos programas, havendo muitos fabricantes. Contudo, a indústria dos computadores pessoais é um setor de concorrência monopolística, pois os computadores diferem em velocidade, tamanho, memória, serviços de assistência e acessórios como, CD, DVD, modem e placa de som. De fato, todo um conjunto de revistas, que são concorrentes monopolísticas, é dedicado a explicar as diferenças entre os computadores produzidos pelos fabricantes concorrentes monopolísticos!

Concorrência *versus* Rivalidade

No estudo dos oligopólios, é importante reconhecer que concorrência imperfeita não é o mesmo que inexistência de concorrência. De fato, algumas das rivalidades mais intensas na economia ocorrem em mercados em que há poucas empresas. Observe a forte concorrência na aviação comercial, em que duas ou três empresas podem fazer certa rota, mas mesmo assim se envolvem periodicamente em guerras de preços.

Como podemos distinguir a rivalidade entre oligopolistas da concorrência perfeita? A rivalidade engloba uma ampla variedade de comportamentos para aumentar os lucros e a participação no mercado. Neles, incluem-se a propaganda para deslocar a curva de demanda para fora, cortes no preço para aumentar as vendas, e pesquisa para melhorar a qualidade do produto ou desenvolver novos produtos. A concorrência perfeita não tem nada a ver com a rivalidade, significando apenas que nenhuma empresa do setor pode influenciar o preço do mercado.

A Tabela 9-1 apresenta as várias categorias possíveis de concorrência perfeita e imperfeita. Essa tabela é um resumo importante dos diferentes tipos de estrutura de mercado e requer um estudo meticuloso.

FONTES DAS IMPERFEIÇÕES DE MERCADO

Por que em alguns setores verifica-se uma concorrência quase perfeita, enquanto outros estão dominados por meia dúzia de grandes empresas? Na maioria dos casos, a concorrência imperfeita decorre de duas causas principais. Primeira, os setores tendem a ter poucos produtores quando existem economias significativas da produção em larga escala e custos decrescentes. Nessas condições, as grandes empresas podem simplesmente produzir e vender mais barato que as pequenas empresas, que não conseguem sobreviver.

Segunda, os mercados tendem para a concorrência imperfeita quando existem "barreiras à entrada", que dificultam a entrada de novos concorrentes. Em alguns casos, as barreiras podem resultar de leis ou regulações governamentais que limitam o número de concorrentes. Em outros, pode haver determinantes econômicos

		Tipos de estrutura de mercado		
Estrutura	Número de produtores e graus de diferenciação do produto	Setor da economia onde prevalece	Grau de controle da empresa sobre o preço	Métodos de marketing
Concorrência perfeita	Muitos produtores; produtos idênticos	Mercados financeiros e produtos agrícolas	Nenhum	Mercados cambiais ou de tipo leilão
Concorrência imperfeita				
Concorrência monopolística	Muitos produtores; muitas diferenças reais ou atribuídas ao produto	Comércio varejista (pizzas, cerveja etc.) computadores pessoais	Algum	Propaganda e rivalidade pela qualidade; preços administrados
Oligopólio	Poucos produtores; pouca ou nenhuma diferença no produto	Siderurgia, produtos químicos, ...		
	Poucos produtores; produtos diferenciados	Automóveis, softwares de processamento de texto, ...		
Monopólio	Um único produtor; produto sem substitutos próximos	Monopólios franqueados (eletricidade, água); Windows da Microsoft; medicamentos com patente	Considerável	Propaganda

TABELA 9-1   Estruturas de mercado alternativas.

A maioria dos setores é de concorrência imperfeita. Esses são os principais aspectos das diferentes estruturas de mercado.

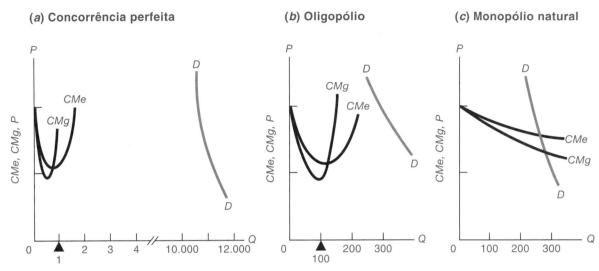

FIGURA 9-2 A estrutura de mercado depende do custo relativo e de condicionantes da demanda.

As condições de custo e demanda afetam as estruturas de mercado. Em concorrência perfeita (*a*), a demanda total do setor *DD* é tão vasta em relação à escala eficiente de um único vendedor que o mercado permite a coexistência de vários concorrentes perfeitos. Em (*b*), os custos se voltam para cima em um nível de produção elevado em relação à demanda total do setor *DD*. A coexistência de vários concorrentes perfeitos é impossível e surge o oligopólio. Quando os custos diminuem rápida e indefinidamente, como no caso do monopólio natural em (*c*), uma empresa pode expandir-se até monopolizar o setor.

que tornem dispendioso para um novo concorrente entrar em um mercado. Examinemos ambas as fontes da concorrência imperfeita.

Custos e imperfeição de mercado

A tecnologia e a estrutura de custos de um ramo de atividade ajudam a determinar o número de empresas que esse setor consegue manter e a sua dimensão. A chave é saber se há economias de escala no setor. Se sim, uma empresa pode diminuir os seus custos médios expandindo a produção, pelo menos, até certo ponto. Isso significa que as empresas maiores terão vantagem pelos custos sobre as empresas menores.

Quando há economias de escala, uma ou algumas empresas irão expandir a sua produção até o ponto em que produzem a maior parte da produção total do setor. O setor torna-se, então, imperfeitamente competitivo. Talvez até um único monopolista passe a dominar o setor; um resultado mais provável é o de que alguns grandes vendedores controlem a maior parte da produção do setor; ou que haja muitas empresas com produtos ligeiramente diferentes. Qualquer que seja o resultado, devemos inevitavelmente encontrar algum tipo de concorrência imperfeita, ao invés da concorrência perfeita com uma infinidade de empresas que não influenciam o preço.

Podemos ver como a relação entre a dimensão do mercado e as economias de escala ajudam a determinar a estrutura de mercado. Há três casos interessantes ilustrados na Figura 9-2.

1. Para compreender melhor como os custos podem determinar a estrutura de mercado, vejamos um caso que é favorável à concorrência perfeita. A Figura 9-2(*a*) mostra um setor em que o ponto de custo médio mínimo é alcançado em um nível de produção que é pequeno em relação ao mercado. Como resultado, esse setor pode bancar muitas empresas operando de maneira eficiente, e que são necessárias para que haja concorrência perfeita. A Figura 9-2(*a*) ilustra as curvas de custo no setor agrícola que é perfeitamente competitivo.

2. Um caso intermediário é o de um setor com economias de escala a um nível relativamente elevado face à dimensão do setor. Numerosos estudos econométricos e de engenharia confirmam que muitos setores não agrícolas apresentam custos médios de longo prazo decrescentes. Por exemplo, a Tabela 9-2 mostra os resultados de um estudo de seis setores nos Estados Unidos. Para esses casos, o ponto de custo médio mínimo é verificado com uma parcela muito grande dos produtos do setor.

Considere agora a Figura 9-2(*b*), que mostra um setor em que as empresas têm custos médios mínimos com uma parcela muito grande do mercado. A curva da demanda do setor permite apenas a existência de um número pequeno de empresas no ponto de custo médio mínimo. Uma estrutura de custos como essa conduzirá ao oligopólio. A maioria dos setores industriais nos Estados Unidos, incluindo os do aço, dos automóveis, do cimento e do petróleo, têm uma estrutura de demanda e de custos similar à da Figura 9-2(*b*). Esses setores tenderão a ser oligopolistas, dado que podem apenas bancar um número reduzido de grandes produtores.

Setor	(1) Participação da produção dos Estados Unidos necessária para uma única empresa explorar economias de escala (%)	(2) Média real da participação de mercado das três principais empresas (%)	(3) Razões para ocorrência de economias de larga escala
Cerveja	10-14	13	Necessidade de criar uma imagem de marca nacional e de coordenar investimentos.
Cigarros	6-12	23	Propaganda e diferenciação pela imagem.
Garrafas de vidro	4-6	22	Necessidade de uma equipe central de engenharia e *design*.
Cimento	2	7	Necessidade de diluir o risco e aumentar o capital.
Refrigeradores	14-20	21	Necessidades de marketing e dimensão das linhas de produção.
Petróleo	4-6	8	Diluir o risco nas operações de extração e coordenar investimento.

TABELA 9-2 A concorrência industrial é baseada em condições de custo.
Esse estudo examinou o impacto das condições de custo sobre os padrões de concentração. A coluna (1) mostra a estimativa do ponto em que a curva de custo médio de longo prazo se volta para cima, como uma parcela da produção do setor. Compare-a com a média de participação no mercado de cada uma das três principais empresas, na coluna (2).
Fonte: F. M. Sherer e David Ross, *Industrial Market Structure and Economic Performance*, 3. ed. (Houghton Mifflin, Boston, 1990.)

3. Um caso importante final é o monopólio natural. Um **monopólio natural** é um mercado em que a produção do setor pode ser realizada de maneira eficiente apenas por um única empresa. Isso ocorre quando a tecnologia exibe significativas economias de escala sobre a totalidade do agregado da demanda. A Figura 9-2(c) mostra as curvas de custo de um monopolista natural. Havendo continuamente retornos crescentes de escala, os custos médios e marginais são sempre decrescentes. À medida que a produção aumenta, a empresa pode baixar cada vez mais os preços e continuar a ter lucro, uma vez que o seu custo médio está diminuindo. A coexistência competitiva pacífica de milhares de concorrentes perfeitos será impossível, porque uma grande empresa é muito mais eficiente do que um conjunto de pequenas empresas.

Alguns exemplos importantes de monopólios naturais são a distribuição local de serviços de telefonia, eletricidade, gás e a água, bem como as ligações de longa distância por ferrovias, rodovias e linhas de transmissão de energia. Muitos dos monopólios naturais mais importantes são "setores de rede" (ver a análise no Capítulo 6).

O progresso tecnológico, contudo, pode enfraquecer os monopólios naturais. Atualmente, a maioria da população dos Estados Unidos é servida por, pelo menos, duas redes de telefonia móvel, que usam ondas de rádio no lugar de cabos, e estão visando o velho monopólio natural das companhias telefônicas. Vemos, atualmente, uma tendência similar na TV a cabo com concorrentes invadindo esses monopólios naturais e os convertendo em oligopólios, nos quais existe uma intensa concorrência.

Barreiras à entrada

Embora as diferenças de custos sejam o determinante que mais influencia as estruturas de mercado, as barreiras à entrada podem também evitar uma concorrência efetiva. **Barreiras à entrada** são fatores que dificultam a entrada de novas empresas em um setor. Quando as barreiras são elevadas, um setor pode ter um número pequeno de empresas e uma pressão reduzida para competirem. As economias de escala funcionam como um tipo comum de barreira à entrada, mas existem outras, entre as quais se incluem restrições legais, elevados custos de entrada, propaganda e diferenciação de produtos.

Restrições legais. Os governos, às vezes, restringem a concorrência em certos setores. Patentes, restrições à entrada, impostos e quotas de importação são importantes restrições legais. Uma *patente* é concedida a um inventor para possibilitar o uso exclusivo (ou monopólio) temporário do produto ou do processo que é patenteado. Por exemplo, é frequente a concessão a empresas farmacêuticas de patentes valiosas de novos medicamentos em que elas investiram centenas de milhões de dólares em pesquisa e desenvolvimento. As patentes são uma das poucas formas de monopólios autorizadas pelo governo, em geral, aprovada pelos economistas. Os governos concedem o monopólio de patente para estimular a atividade inventiva. Sem a perspectiva de uma proteção de monopólio, uma empresa ou um inventor isolado não estariam dispostos a dedicar tempo e recursos à pesquisa e desenvolvimento. O elevado preço de monopólio temporário e a ineficiência resultante é o preço que a sociedade paga pela invenção.

Os governos também impõem *restrições à entrada* em muitas atividades. Em geral, em serviços como os de telefonia e distribuição de energia elétrica e de água, são concedidos *monopólios concessionados* em uma determinada área. Nesses casos, a empresa recebe o direito exclusivo de fornecer um serviço e, em troca, concorda em limitar os seus preços e fornecer um serviço universal na sua região, mesmo que alguns clientes não sejam lucrativos.

A liberdade de comércio, muitas vezes, é controversa, como veremos mais adiante no livro. Mas um aspecto que irá surpreender a maioria das pessoas é a importância do comércio internacional para a promoção de uma concorrência vigorosa.

Os historiadores que estudam as tarifas alfandegárias escrevem que "a tarifa é a mãe de todos os cartéis". (Ver a Questão 10 no final deste capítulo para uma análise desse assunto.) Isso ocorre porque as *restrições às importações* impostas pelo governo têm o efeito de afastar a concorrência estrangeira. Pode muito bem acontecer que o mercado de um produto em um dado país seja apenas suficiente para bancar duas ou três empresas nesse setor, enquanto o mercado mundial é suficientemente grande para bancar muitas empresas.

Na Figura 9-2, podemos ver o efeito de restringir a concorrência estrangeira. Suponha que um pequeno país como a Bélgica decide que apenas a *sua* companhia aérea nacional pode prestar o transporte aéreo no país. É improvável que essa pequena companhia aérea possa ter uma frota de aviões, sistemas de reserva e de manutenção e suporte à internet eficientes. O serviço para a Bélgica seria fraco, e os preços, elevados. A política protecionista altera a estrutura do setor, passando da situação da Figura 9-2(*b*) para a da 9-2(*c*).

Quando os mercados são ampliados com a abolição de tarifas e se transformam em uma zona ampla de mercado livre, a concorrência intensa e efetiva é estimulada, e os monopólios tendem a perder o seu poder. Um dos exemplos mais expressivos do aumento da concorrência surgiu na União Europeia, que nas últimas três décadas reduziu continuamente as tarifas entre os países-membros, e tem se beneficiado de mercados mais amplos para as empresas e de uma menor concentração no setor.

Custo de entrada elevado. Além das barreiras à entrada impostas legalmente, também existem barreiras econômicas. Em alguns setores, o preço de entrada pode, de fato, ser muito elevado. Considere, por exemplo, a construção de aviação comercial. O custo elevado de conceber e testar novos aviões serve para desencorajar potenciais interessados no mercado. É provável que apenas duas empresas, a Boeing e a Airbus, disponham de US$ 10 a US$ 20 bilhões, que são o custo de desenvolvimento de um novo modelo de avião.

Além disso, as empresas efetuam investimentos intangíveis que podem ser muito dispendiosos para qualquer nova empresa potencial. Considere o setor de software. Quando um programa de planilha eletrônica (como o Excel) ou um processador de texto (como o Microsoft Word) atingiram uma ampla aceitação, os concorrentes potenciais descobriram que era difícil entrar no mercado. Os usuários, após terem aprendido um programa, relutam em mudar para outro. Em consequência, para levar as pessoas a tentar um novo programa, quem quiser entrar no setor será obrigado a realizar uma grande campanha promocional, que seria cara, e que, ainda assim, poderia resultar em um fracasso, produzindo um produto não lucrativo. (Lembre-se de nossa discussão sobre os efeitos de rede, no Capítulo 6.)

Propaganda e diferenciação de produto. Às vezes, é possível às empresas criar barreiras à entrada de concorrentes potenciais por meio da propaganda e da diferenciação de produto. A propaganda pode criar o conhecimento do produto e a fidelidade a marcas bem conhecidas. Por exemplo, a Pepsi e a Coca-Cola gastam centenas de milhões de dólares por ano na divulgação de suas marcas, o que torna muito caro para qualquer concorrente potencial entrar no mercado dos refrigerantes do tipo cola.

Além disso, a diferenciação do produto pode impor um obstáculo à entrada e aumentar o poder de mercado dos produtores. Em muitos ramos, como no dos cereais matinais, automóveis, eletrodomésticos e cigarros, é comum um pequeno número de fabricantes produzir uma grande variedade de marcas, modelos e produtos. Em parte, a variedade apela a um número mais amplo de consumidores. Mas o número enorme de produtos diferenciados também serve para desencorajar os concorrentes potenciais. As demandas para cada um dos produtos diferenciados seriam tão pequenas que não permitiriam bancar muitas empresas a operar na parte inferior das suas curvas de custos em forma de "U". O resultado é que a curva de concorrência perfeita *DD* na Figura 9-2(*a*) se contrai tanto para a esquerda que se assemelha às curvas de demanda de oligopólio e monopólio mostradas nas Figuras 9-2(*b*) e (*c*). Assim, a diferenciação, tal como os direitos de importação, produz uma maior concentração e uma concorrência menos perfeita.

Marcas e produtos diferenciados

Uma parte importante da estratégia empresarial moderna é estabelecer uma marca. Suponha, por exemplo, que todas as fábricas da Coca-Cola ficassem destruídas por um terremoto. O que aconteceria ao valor das ações da Coca-Cola? Cairia para zero?

A resposta, de acordo com especialistas em finanças, é que, mesmo sem ativos tangíveis, a Coca-Cola continuaria a valer cerca de US$ 67 bilhões. Esse é o valor da marca da empresa. A marca de um produto envolve a percepção do sabor e da qualidade na mente dos consumidores. Estabelece-se um valor de marca quando uma empresa tem um produto que é considerado melhor, mais confiável ou mais saboroso que os demais produtos, com ou sem marca.

Em um mundo de produtos diferenciados, algumas empresas ganham lucros apreciáveis em virtude do valor de suas marcas. A tabela a seguir mostra as recentes estimativas das 10 marcas mais importantes:

Ordem	Marca	Valor da marca, 2006 (US$, bilhões)
1	Coca-Cola	67
2	Microsoft	60
3	IBM	56
4	GE	49
5	Intel	32
6	Nokia	30
7	Toyota	28
8	Disney	28
9	McDonald's	27
10	Mercedes-Bens	22

Fonte: *Business Week*, disponível na internet em <http://www.businessweek.com>.

Assim, no caso da Coca-Cola, o valor de mercado da empresa era de US$ 67 bilhões acima do que seria justificado pelas suas fábricas, equipamentos e outros ativos. Como as empresas fazem para criar e manter as suas marcas? Primeiro, elas geralmente têm um produto inovador, como uma nova bebida, uma personagem engraçada de desenhos animados, ou um automóvel de alta qualidade. Segundo, mantêm o valor da marca por meio de imensa propaganda, associando mesmo um produto que mata, como os cigarros Marlboro, a um cowboy bem-apessoado em um romântico pôr-do-sol, com belos cavalos. Terceiro, protegem as suas marcas usando direitos de propriedade intelectual, como patentes e direitos autorais. De certa forma, o valor de uma marca é o subproduto da atividade inovadora do passado.

B. COMPORTAMENTO DE MONOPÓLIO

Iniciamos o nosso estudo sobre o comportamento dos concorrentes imperfeitos com uma análise do caso extremo de monopólio. Precisamos de um novo conceito, a receita marginal, que terá amplas aplicações para outras estruturas de mercado também. A principal conclusão será a de que as práticas monopolistas geram ineficiência com preços elevados e produção reduzida, e assim diminuem o bem-estar do consumidor.

CONCEITO DE RECEITA MARGINAL

Preço, quantidade e receita total

Suponha que você possui um monopólio ou um novo tipo de jogo de computador chamado *Monopolia*. Você quer maximizar os seus lucros. Qual o preço e que nível de produção você deverá fixar?

Para responder a essas questões, necessitamos de um novo conceito, o de *receita marginal* (ou RMg). A partir da curva da demanda da empresa, conhecemos a relação entre o preço (P) e a quantidade vendida (q). Esses dados estão nas colunas (1) e (2) da Tabela 9-3 e na forma de curva de demanda (dd) para o monopolista na Figura 9-3(a).

Em seguida, calculamos a receita total para cada nível de vendas, multiplicando o preço pela quantidade. A coluna (3) da Tabela 9-3 mostra como calcular a **receita total** (RT), que é simplesmente $P \times q$. Assim, 0 unidades originam uma RT de 0; 1 unidade origina uma RT = US$ 180 × 1 = US$ 180; 2 unidades originam US$ 160 × 2 = US$ 320; e assim sucessivamente.

Nesse exemplo de demanda linear, inicialmente a receita total aumenta com a produção, uma vez que a redução de P necessária para vender a q adicional é moderada nesse segmento ascendente e elástico da curva de demanda. Mas quando alcançamos o ponto médio da reta de demanda, a RT atinge o seu máximo. Isso ocorre com $q = 5$, $P =$ US$ 100 e $RT =$ US$ 500. Aumentar q para além desse ponto leva a empresa para a região da demanda inelástica. Com a demanda inelástica, a redução do preço origina um aumento das vendas menor do que proporcional, de modo que a receita total diminui. A Figura 9-3(b) mostra a RT na forma de "U" invertido, elevando-se de zero, com um preço muito elevado, até ao máximo de US$ 500 e, depois, diminuindo até zero, à medida que o preço se aproxima de zero.

Como se encontra o preço que maximiza receita? Pode-se ver na Tabela 9-3 que a RT é maximizada quando $q = 5$ e $P = 100$. Esse é o ponto em que a elasticidade da demanda é exatamente igual a 1.

Observe que o preço por unidade pode ser designado por *receita média* (RMe) para o distinguir da receita

	Receita total e marginal		
(1) Quantidade q	(2) Preço P = RMe = RT/q (US$)	(3) Receita total RT = P × q (US$)	(4) Receita marginal RMg (US$)
0	200	0	
			+180
1	180	180	
			+140
2	160	320	
			+100
3	140	420	
			+60
4	120	480	+40
			+20
5	100	500	
			—
6	80	480	
			−60
7	60	—	
			−100
8	40	320	
			−140
9	—	180	
			−180
10	0	0	

TABELA 9-3 A receita marginal é derivada da função demanda.

A receita total (RT) na coluna (3) resulta da multiplicação de P por q. Para obter a receita marginal (RMg), aumentamos q de uma unidade e calculamos a variação na receita total. RMg é menor do que P em decorrência da perda de receita resultante da redução do preço das unidades anteriores para vender outra unidade adicional de q. Repare que a RMg é positiva quando a demanda é elástica. Mas quando a demanda se torna inelástica, a RMg torna-se negativa mesmo que o preço seja ainda positivo.

total. Assim, obtemos P = RMe dividindo RT por q (tal como antes obtivemos CMe pela divisão de CT por q). Verifique que, se a coluna (3) tivesse sido preenchida antes da coluna (2), poderíamos obter a coluna (2) pela divisão.

Receita marginal e preço

O conceito mais novo é o de receita marginal. A **receita marginal** (RMg) é a variação da receita que é gerada pela venda de uma unidade adicional. A RMg pode ser positiva ou negativa.

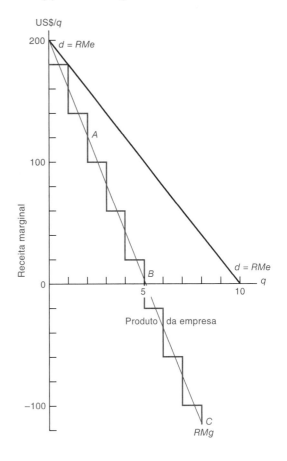

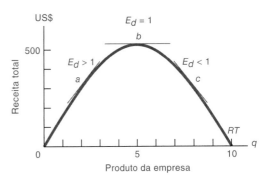

FIGURA 9-3 A curva da receita marginal deriva da curva da demanda.

(a) Os degraus mostram os incrementos da receita total por cada unidade adicional produzida. A RMg é sempre inferior a P desde o princípio. A RMg torna-se negativa quando a dd se torna inelástica. Tornando contínua a linha em degraus da RMg, obtemos a curva fina da RMg, que, neste caso, terá sempre uma inclinação dupla da reta dd.
(b) A receita total tem a forma de "U" invertido – subindo de zero, onde q = 0, até um máximo (onde dd tem elasticidade unitária), e depois caindo novamente até zero, onde P = 0. Se desenharmos a RT como a linha contínua em (b), isso dará a linha contínua RMg em (a).
Fonte: Tabela 9-3.

A Tabela 9-3 mostra a receita marginal na coluna (4). Para calcular a *RMg* subtraem-se as receitas totais das produções consecutivas. Quando subtraímos a *RT*, que se obtém pela venda de *q* unidades da *RT*, que se obtém pela venda de *q* + 1 unidades, a diferença é a receita adicional ou *RMg*. Assim, de *q* = 0 para *q* = 1, obtemos *RMg* = US$ 180 – US$ 0. De *q* = 1 para *q* = 2, a *RMg* é US$ 320 – US$ 180 = US$ 140.

A *RMg* é positiva até atingirmos *q* = 5, e negativa daí em diante. Qual o significado estranho de receita marginal negativa? Que a empresa está pagando às pessoas para ficarem com os seus produtos? Não, de modo algum. A *RMg* negativa significa que, para vender unidades adicionais, a empresa tem de diminuir tanto o seu preço nas unidades anteriores que as receitas totais diminuem.

Por exemplo, quando a empresa vende 5 unidades, obtém:

RT (5 unidades) = 5 × US$ 100 = US$ 500

Digamos agora que a empresa deseja vender uma unidade adicional de produto. Como é um concorrente imperfeito, ela pode aumentar as vendas apenas se reduzir o preço. Então, para vender 6 unidades, a empresa reduz o preço de US$ 100 para US$ 80. Ela obtém US$ 80 de receita pela sexta unidade vendida, mas obtém apenas 5 × US$ 80 pelas primeiras 5 unidades, o que dá:

RT (6 unidades) = 5 × US$ 80 + 1 × US$ 80
= US$ 400 + US$ 80 = US$ 480

A receita marginal entre 5 e 6 unidades é US$ 480 – US$ 500 = –US$ 20. A necessária redução de preço nas primeiras 5 unidades é tão grande que, mesmo depois de aumentar as vendas com mais uma unidade, a receita total diminui. É o que acontece quando a *RMg* é negativa. Para testar o seu conhecimento, preencha o que falta nas colunas (2) e (4) da Tabela 9-3.

Observe que, mesmo que a *RMg* seja negativa, a *RT*, ou preço, ainda é positiva. Não confunda receita marginal com receita média ou preço. A Tabela 9-3 mostra que são diferentes. Além disso, a Figura 9-3(*a*) apresenta a curva da demanda (*RMe*) e a curva de receita marginal (*RMg*). Examine a Figura 9-3(*a*) para ver que os degraus da *RMg* se situam sempre abaixo da curva *dd* da *RMe*. De fato, a *RMg* se torna negativa quando a *RMe* está a meio do caminho para zero.

Elasticidade e receita marginal

Qual é a relação entre a elasticidade-preço da demanda e a receita marginal? A receita marginal é positiva quando a demanda é elástica, zero quando a demanda tem elasticidade unitária, e negativa quando a demanda é inelástica.

Esse resultado é uma importante consequência da definição de elasticidade dada no Capítulo 4. Lembre-se de que a demanda é elástica quando uma diminuição de preço leva a um aumento da receita. Em uma situação dessas, uma queda no preço aumenta tanto a demanda de produção que as receitas aumentam, portanto, a receita marginal é positiva. Por exemplo, na Tabela 9-3, quando o preço cai na região elástica, de *P* = US$ 180 para *P* = US$ 100, a demanda aumenta o suficiente para aumentar a receita total, e a receita marginal é positiva.

O que acontece quando a demanda tem elasticidade igual a um? Uma percentagem de redução do preço é exatamente igual à percentagem do aumento da produção, portanto, a receita marginal é nula. Você compreende por que a receita marginal é sempre negativa na zona inelástica? Por que a receita marginal é sempre positiva para a curva de demanda infinitamente elástica da concorrência perfeita?

A Tabela 9-4 mostra as relações fundamentais da elasticidade. Assegure-se de que você as compreendeu e sabe aplicá-las.

Eis os pontos-chave a recordar:

1. A *receita marginal RMg* é a variação na receita que é gerada por uma unidade adicional de vendas
2. Preço = receita média (*P* = *RMe*)
3. Com demanda com inclinação negativa

    P > *Rmg* = *P* – redução na receita de todas as unidades anteriores
4. A receita marginal é positiva quando a demanda é elástica, é zero quando a demanda tem elasticidade unitária e é negativa quando a demanda é inelástica
5. Para concorrentes perfeitos, *P* = *RMg* = *RMe*

CONDIÇÕES DE MAXIMIZAÇÃO DO LUCRO

Regressemos à questão sobre como um monopolista deve fixar o preço e a quantidade se quiser maximizar os lucros. Por definição, o lucro total é igual à receita total menos os custos totais; em símbolos, *LT* = *RT* – *CT* = (*P* × *q*) – *CT*. Demonstraremos que *o lucro máximo ocorrerá quando o produto se encontrar no nível em que a receita marginal da empresa for igual ao seu custo marginal*.

Uma forma de determinar essa condição de maximização do lucro é utilizando uma tabela de custos e de receitas, como a Tabela 9-5. Para encontrar a quantidade e o preço de maximização do lucro, calcule o lucro total na coluna (5). Essa coluna indica que a melhor quantidade para o monopolista, que é 4 unidades, exige um preço de US$ 120 por unidade. Isso produz uma receita total de US$ 480, e, após subtração dos custos totais de US$ 250, obtemos um lucro total de US$ 230. Em uma olhada rápida, vemos que nenhuma outra combinação preço-produção tem um nível tão elevado de lucro total.

Se a demanda é	Relação entre q e P	Efeito de q sobre RT	Valor da receita marginal (RMg)
Elástica ($E_D > 1$)	% de variação q > % de variação P	q maior, aumenta a RT	$RMg > 0$
Elasticidade 1 ($E_D = 1$)	% de variação q = % de variação P	q maior, a RT não se altera	$RMg = 0$
Inelástica ($E_D < 1$)	% de variação q < % de variação P	q maior, diminui a RT	$RMg < 0$

TABELA 9-4 Relações entre elasticidade da demanda, produção, preço, receita e receita marginal.

Sumário do lucro máximo da empresa

(1) Quantidade q	(2) Preço P (US$)	(3) Receita total RT (US$)	(4) Custo total CT (US$)	(5) Lucro total LT (US$)	(6) Receita marginal RMg (US$)	(7) Custo marginal CMg (US$)	
0	200	0	145	−145			
					+180	30	
1	180	180	175	+5			
					+140	25	
2	160	320	200	+120			$RMg > CMg$
					+100	20	
3	140	420	220	+200			
					+60	30	
4*	120*	480	250	+230	+40	40	$RMg = CMg$
					+20	50	
5	100	500	300	+200			
					−20	70	
6	80	480	370	+110			$RMg < CMg$
					−60	90	
7	60	420	460	−40			
					−100	110	
8	40	320	570	−250			

* Equilíbrio de máximo lucro.

TABELA 9-5 Igualar o custo marginal à receita marginal dá a q e o P de lucro máximo da empresa.

Os custos de produção total e marginal são agora conjugados com as receitas total e marginal. A condição de maximização do lucro é $RMg = CMg$, com $q^* = 4$, $P^* = 120$, e o máximo $LT =$ US$ 230 = (US$ 120 × 4) − US$ 250.

Podemos compreender melhor usando uma segunda abordagem, que é comparar a receita marginal na coluna (6) e o custo marginal na coluna (7). Enquanto cada unidade adicional de produto proporcionar uma receita maior do que o custo, o lucro da empresa aumentará com o aumento da produção. Então, a empresa deverá continuar a aumentar a sua produção enquanto a RMg for maior que o CMg.

Por outro lado, suponha que, a um dado nível de produção, a RMg é menor que o CMg. Isso significa que o aumento da produção reduzirá os lucros, portanto, a empresa deve reduzir a produção. O ponto que proporciona o maior lucro ocorre claramente quando a receita marginal é exatamente igual ao custo marginal. A regra para encontrar o lucro máximo é, portanto:

O preço (P^*) e a quantidade (q^*) que maximizam o lucro de um monopolista ocorrem quando a receita marginal da empresa iguala o seu custo marginal:

$RMg = CMg$, com P^* e q^* de máximo lucro

Estes exemplos mostram a lógica da regra $CMg = RMg$ para maximização dos lucros, mas gostamos sempre de conhecer a razão subjacente às regras. Observe a Tabela 9-5 e suponha que o monopolista está produzindo $q = 2$. Nesse ponto, a sua RMg pela produção de uma unidade adicional é +US$ 100, enquanto o *seu* CMg é US$ 20. Assim, se produzisse uma unidade adicional, a empresa poderia gerar lucros adicionais de $RMg − CMg =$ US$ 100 − US$ 20 = US$ 80. De fato, a coluna (5) da Tabela 9-5 mostra que o lucro adicional ganho quando se passa de 2 para 3 unidades é exatamente US$ 80.

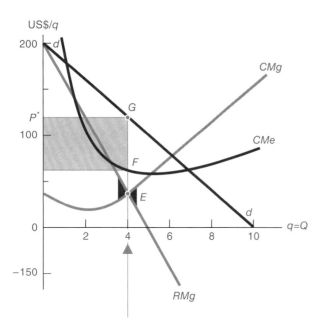

(a) Maximização do lucro

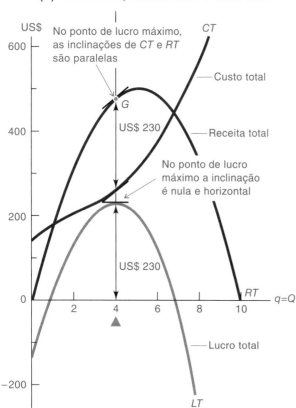

(b) Custo total, receita total e lucro total

Assim, quando a *RMg* é maior que o *CMg*, podem ser obtidos lucros adicionais com o aumento da produção; quando o *CMg* é maior que a *RMg*, podem ser obtidos lucros adicionais diminuindo a produção *q*. A empresa pode maximizar os lucros apenas quando *RMg = CMg*, porque não existem lucros adicionais que possam ser obtidos com a variação do nível de produção.

Equilíbrio do monopólio em gráficos

A Figura 9-4 mostra o equilíbrio de monopólio. A parte (*a*) combina as curvas de custo e de receita da empresa. O ponto de máximo lucro ocorre no nível de produção em que o *CMg* e a *RMg* são iguais, que é dado na interseção de ambas em *E*. O equilíbrio de monopólio, ou ponto de maximização do lucro, ocorre com uma produção de $q^* = 4$. Para encontrar o preço que maximiza o lucro, deslocamo-nos na vertical de *E* para *G* na curva *dd*, onde *P* = US$ 120. O fato da receita média, em *G*, estar acima do custo médio, em *F*, garante um lucro positivo. O valor preciso do lucro é dado pela área do retângulo na Figura 9-4(*a*).

A parte (*b*) apresenta a mesma situação com curvas de receita, custo e lucro totais. A receita total tem forma de "U" invertido. O custo total é sempre crescente. A diferença vertical entre ambos é o lucro total, que tem valores iniciais e finais negativos. Entre elas, o *LT* é positivo, alcançando o máximo de US$ 230 com $q^* = 4$.

Acrescentamos agora outro ponto geométrico importante. *A inclinação de um valor total é um valor marginal.* (Você pode refrescar a sua memória lendo o apêndice do Capítulo 1). Assim, observe o ponto *G* na Figura 9-4(*b*). Se você calcular cuidadosamente a inclinação nesse ponto, verá que é US$ 40 por unidade. Isso significa que cada unidade adicional de produto gera US$ 40 de receita adicional, que por definição é a *RMg*. Assim, a inclinação da curva *RT* é a *RMg*. Da mesma forma, a inclinação da curva *CT* é o *CMg*. Note que com $q = 4$ o *CMg* é também US$ 40 por unidade. Em $q = 4$, o custo marginal e a receita marginal são iguais. Nesse ponto, o lucro total (*LT*) atinge o seu máximo, e uma unidade extra adiciona o mesmo montante aos custos e às receitas.

Na produção de lucro máximo, as inclinações de *RT* e *CT* (que são *RMg* e *CMg*) são paralelas, e, portanto, iguais.

FIGURA 9-4 O equilíbrio de lucro máximo pode ser demonstrado recorrendo-se tanto às curvas totais como às marginais.

(*a*) Em *E*, onde *CMg* intercepta *RMg*, o monopolista obtém o lucro máximo. O preço está na curva de demanda em *G*, acima de *E*. Como *P* está acima de *CMe*, o lucro maximizado é positivo. (Você consegue explicar por que os triângulos de cada um dos lados de *E* mostram a redução do lucro total que resultaria da saída de *RMg = CMg*?)

O gráfico (*b*) apresenta a mesma situação da maximização do lucro, mas utilizando conceitos totais, em vez de conceitos marginais. A curva *RT* mostra a receita total, enquanto a curva *CT* mostra o custo total. O lucro total é igual a *RT* menos *CT*, mostrado geometricamente pela distância vertical de *RT* até *CT*. A inclinação de cada uma das curvas é o valor marginal dessa curva (ou seja, a inclinação de *RT* é a *RMg*). No lucro máximo, a *RT* e a *CT* são paralelas e, portanto, têm inclinações iguais, *RMg = CMg*.

Um monopolista maximizará os seus lucros fixando a produção no nível em que $CMg = RMg$. Como o monopolista tem uma curva de demanda com inclinação negativa, isso significa que $P > RMg$. Uma vez que o preço, para um monopolista que maximiza o lucro, está acima do custo marginal, o monopolista reduz a produção para um nível inferior ao que seria encontrado em um ramo em concorrência perfeita.

Concorrência perfeita como caso extremo da concorrência imperfeita

Embora tenhamos aplicado a regra do $CMg = RMg$ aos monopolistas que desejam maximizar os lucros, esta regra é, de fato, aplicável muito para além da presente análise. Um raciocínio simples mostra que a regra $CMg = RMg$ é igualmente válida para um concorrente perfeito que pretenda maximizar o lucro. Vejamos o porquê em duas etapas:

1. *RMg para um concorrente perfeito.* O que é a *RMg* para um concorrente perfeito? Para um concorrente perfeito, a venda de unidades adicionais nunca fará diminuir o preço, e a "receita perdida" em todas as anteriores q'' é, portanto, igual a zero. O preço e a receita marginal são idênticos para os concorrentes perfeitos.

   Em condições de concorrência perfeita, o preço é igual à receita média, que é igual à receita marginal ($P = RMg = RMe$). A curva dd de um concorrente perfeito e a sua curva *RMg* coincidem enquanto retas horizontais.

2. *RMg = P = CMg para um concorrente perfeito.* Além disso, podemos ver que a lógica da maximização de lucro para os monopolistas aplica-se igualmente bem aos concorrentes perfeitos, mas o resultado é um pouco diferente. A lógica econômica demonstra que os lucros são maximizados no nível de produção em que *CMg* é igual à *RMg*. Mas pela etapa anterior 1, para um concorrente perfeito, *RMg* é igual a *P*. Portanto, a condição de maximização de lucro *RMg = CMg* torna-se o caso especial de $P = CMg$ que deduzimos no capítulo anterior para um concorrente perfeito:

   Como um concorrente perfeito pode vender tudo o que quer ao preço de mercado, $RMg = P = CMg$ no nível de produção de lucro máximo.

Você pode visualizar este resultado refazendo a Figura 9-4(*a*). Se o gráfico se aplicasse a um concorrente perfeito, a curva *dd* deveria ser horizontal no nível do preço de mercado e deveria coincidir com a curva de *RMg*. A interseção onde o lucro é maximizado $RMg = CMg$ deveria também ocorrer onde $P = CMg$. Vemos, então, como a regra geral de maximização do lucro se aplica tanto a concorrentes perfeitos como a imperfeitos.

PRINCÍPIO MARGINALISTA: ÁGUAS PASSADAS NÃO MOVEM MOINHOS

Concluímos este capítulo com uma ideia mais geral sobre a utilização da análise marginalista em economia. Ainda que não o faça necessariamente um indivíduo fabulosamente rico, a teoria econômica apresenta-lhe algumas formas novas de pensar sobre custos e benefícios. *Uma das lições mais importantes da ciência econômica é a de que, quando se está tomando uma decisão, deve-se olhar para os custos e proveitos marginais e ignorar os custos passados ou irrecuperáveis.* Podemos colocar o problema do seguinte modo:

> Águas passadas não movem moinhos. Não olhe para o passado. Não chore sobre leite derramado ou lamente as perdas do passado. Quando está a decidir sobre algo, faça um cálculo ponderado dos custos adicionais em que incorrerá e compare-os com as vantagens adicionais. Tome uma decisão baseada nos custos marginais e nos proveitos marginais.

Esse é o **princípio marginalista**, que significa que as pessoas maximizarão as suas receitas, ou lucros, ou utilidades se tiverem apenas em conta os custos e os benefícios marginais de uma decisão. Há inúmeras situações às quais se aplica o princípio marginalista. Acabamos de ver que o princípio marginalista de igualar o custo e a receita marginal é a regra para a maximização do lucro pelas empresas.

Aversão à perda e o princípio marginalista

Uma aplicação interessante é o comportamento das pessoas que estão vendendo as suas casas. Os economistas do comportamento têm observado que muitas vezes as pessoas resistem a vender a sua casa por um preço inferior ao de compra, mesmo frente a uma acentuada queda dos preços da habitação no local.

Por exemplo, suponha que você tenha comprado a sua casa em San José por US$ 250 mil em 2005 e queria vendê-la em 2008. Em decorrência da queda dos preços das habitações, as casas estão sendo vendidas por US$ 200 mil em 2008. Como foi o caso de milhões de pessoas nos últimos anos, você está se deparando com uma perda do valor nominal.

Os estudos mostram que se você decidir fixar-se no preço de compra de US$ 250 mil pode esperar vários meses sem uma única oferta séria. Isso é o que os economistas do comportamento chamam de "aversão à perda", ou seja, as pessoas resistem a assumir uma perda ainda que manter um ativo resulte em custos. Esse comportamento tem sido verificado em mercados imobiliários, em que as pessoas sujeitas a uma perda fixam preços de venda elevados e esperam mais tempo para vender.

Os economistas desaconselham esse tipo de comportamento. Seria melhor observar o princípio marginalista. Esqueça o que pagou por sua casa. Limite-se a obter o melhor preço que puder.

Monopolistas da idade do ouro

As abstrações econômicas escondem os dramas humanos associados ao monopólio, portanto, concluímos esta seção com uma resenha de um dos períodos mais agitados da história empresarial nos Estados Unidos. Em decorrência da modificação das leis e dos hábitos, os atuais monopolistas nos Estados Unidos têm pouca semelhança com os brilhantes, inventivos, sem escrúpulos e, muitas vezes, desonestos barões da Idade de Ouro (*Gilded Age*, 1870-1914). Figuras lendárias como Rockfeller, Gould, Vanderbilt, Frick, Carnegie, Rothschild e Morgan, com o seu dinamismo, criaram novos setores como o das ferrovias ou do petróleo, promoveram o seu financiamento, desenvolveram o oeste dos Estados Unidos, destruíram os seus concorrentes e transmitiram fortunas fabulosas aos seus herdeiros.

Nas últimas três décadas do século XIX, os Estados Unidos desfrutaram de um forte crescimento econômico azeitado por uma extraordinária ganância e corrupção. Daniel Drew era um criador de vacas, negociante de cavalos e dono de ferrovias que dominava o truque de "engordar o gado com água" (*watering the stock*). Essa prática consistia em fazer o seu gado passar sede até chegar ao matadouro; induzia então uma grande sede com sal e fazia o gado saciar-se de água imediatamente antes de ser pesado. Mais tarde, os ricos iriam também "engordar suas ações" inflacionando o valor de suas ações.

Os construtores de ferrovias da fronteira oeste dos Estados Unidos estão entre os empresários menos escrupulosos de que se tem notícia. As ferrovias transcontinentais foram construídas com a concessão de vastos terrenos federais, ajudados por "luvas" e ofertas de ações a numerosos membros do Congresso e do Governo. Pouco depois da Guerra Civil, o matreiro Jay Gould das ferrovias tentou monopolizar o suprimento de ouro dos Estados Unidos e, com isso, a oferta de moeda do país. Gould, mais tarde, promoveu a sua ferrovia descrevendo o trajeto da sua linha norte – em que cai neve na maior parte do ano – como um paraíso tropical, cheio de laranjais, bananais e macacos. Por volta do final do século, todos os subornos, concessões de terras, "aguamento" de gado e promessas fantásticas levaram à criação do maior sistema ferroviário do mundo.

A história de John D. Rockfeller simboliza os monopolistas do século XIX. Ele vislumbrou riqueza na iniciante indústria petrolífera e começou a instalar refinarias de petróleo. Era um gestor meticuloso e pensou em trazer ordem aos desordeiros dos poços de petróleo. Começou a comprar concorrentes e consolidou a sua posição no setor ao persuadir as empresas ferroviárias a concederem-lhe grandes descontos secretos e a darem-lhe informação sobre os seus concorrentes. Quando os concorrentes não se alinhavam, as ferrovias ao lado de Rockfeller se recusavam a embarcar seu petróleo e até o derramavam na terra. Por volta de 1878, John D. controlava 95% dos oleodutos e das refinarias de petróleo nos Estados Unidos. Os preços subiram e se estabilizaram, a concorrência ruinosa terminou, e atingiu-se o monopólio.

Rockfeller criou uma maneira engenhosa para assegurar o controle sobre seus aliados. Foi o cartel em que os acionistas cediam as suas ações a depositários ("*trustees*") que geriam o setor de modo a maximizar o lucro. Outros setores imitaram o Standard Oil Trust, e, logo, os cartéis estavam implantados nos setores de querosene, açúcar, uísque, chumbo, sal e aço.

Essas práticas irritaram de tal modo as pessoas ligadas ao setor agrário e os populistas que logo foram publicadas leis de defesa da concorrência (ver Capítulo 10). Em 1910, a Standard Oil Corporation foi dissolvida na primeira grande vitória dos Progressistas contra o "Grande Capital". Ironicamente, Rockfeller lucrou de fato com a dissolução, porque o preço das ações da Standard Oil disparou quando foram vendidas ao público.

Os grandes monopólios geraram grandes riquezas. Enquanto, em 1861, havia três milionários nos Estados Unidos, em 1900 havia 4 mil (1 milhão de dólares na virada do século XIX para o XX é equivalente a cerca de 100 milhões nos dólares de hoje).

A riqueza enorme gerou o consumo conspícuo (do inglês "conspicuous consumption", um termo introduzido na Economia por Thorstein Veblen em *The Theory of the Leisure Class*, 1899). Tal como os papas e aristocratas europeus de outras eras, os barões norte-americanos quiseram transformar as suas fortunas em monumentos duradouros. A riqueza foi gasta na construção de palácios principescos como a Marble House (Casa de Mármore) que ainda pode ser vista em Newport, Rhode Island; na aquisição de vastas coleções de arte que formam o núcleo central dos grandes museus norte-americanos como o Metropolitam Museum of Arte de Nova York; e no lançamento de fundações e universidades como as que têm o nome de Stanford, Carnegie, Mellon e Rockefeller. Muito depois dos seus monopólios privados terem sido desmontados pelo governo, ou tomados por concorrentes, e muito depois da sua riqueza ter sido largamente dissipada pelos seus herdeiros e tomada por uma nova geração de empresários, a herança filantrópica dos barões saqueadores continua a moldar as artes, a ciência e a educação nos Estados Unidos.[1]

---

[1] Veja livros sobre esse tema na seção "Leituras adicionais".

RESUMO

A. Padrões de concorrência imperfeita

1. Atualmente, a maioria das estruturas de mercado situa-se em algum lugar entre a concorrência perfeita e o monopólio puro. Em concorrência imperfeita, uma empresa possui algum controle sobre o seu preço, como se prova com a curva de demanda da sua produção com inclinação negativa.

2. Os tipos importantes de estrutura de mercado são: (a) monopólio, em que uma única empresa produz toda a produção em um dado setor; (b) oligopólio, em que um pequeno número de vendedores de produtos similares ou diferenciados abastecem o setor; (c) concorrência monopolística, em que um número elevado de pequenas empresas produz bens relacionados, mas com alguma diferenciação; e (d) concorrência perfeita, em que muitas pequenas empresas oferecem um produto idêntico. Nos três primeiros casos, as empresas no setor enfrentam curvas de demanda com inclinação negativa.

3. As economias de escala, ou custos médios decrescentes, são a principal fonte de concorrência imperfeita. Quando as empresas podem diminuir os custos com a expansão da sua produção, a concorrência perfeita é destruída, porque um menor número de empresas pode fornecer a produção do ramo de atividade de forma mais eficiente. Quando a dimensão mínima eficiente de uma fábrica é relativamente grande ao mercado regional ou nacional, as condições de custo levam à concorrência imperfeita.

4. Além dos custos decrescentes, há outras forças que conduzem à concorrência imperfeita, como as barreiras à entrada sob a forma de restrições legais (por exemplo: patentes ou regulações governamentais), custos elevados de entrada, propaganda e a diferenciação dos produtos.

B. Comportamento de monopólio

5. Podemos obter facilmente a curva de receita total da empresa com base em sua curva de demanda. A partir da função ou da curva de receita total, podemos, então, deduzir a receita marginal, que representa a variação da receita resultante da venda de uma unidade adicional. Para o concorrente imperfeito, a receita marginal é menor do que o preço, em virtude da perda de receita em todas as unidades de produto anteriores, que resulta da empresa ser forçada a descer o seu preço a fim de vender uma unidade adicional de produto. Ou seja, com a demanda negativamente inclinada:

$P = RMe > RMg = P$ – receita perdida em todas as q anteriores

6. Lembre-se das regras da Tabela 9-4 que relacionam a elasticidade da demanda, o preço e a quantidade, a receita total e a receita marginal.

7. Um monopolista encontrará a sua posição de lucro máximo em que $RMg = CMg$, isto é, no ponto em que a última unidade vendida proporciona uma receita adicional exatamente igual ao custo adicional. Esse mesmo resultado, $RMg = CMg$, pode ser demonstrado graficamente pela interseção das curvas RMg e CMg, ou pela igualdade das inclinações das curvas de receita total e de custo total. Em qualquer dos casos, *receita marginal = custo marginal* deve sempre verificar-se na posição de equilíbrio de lucro máximo.

8. Para os concorrentes perfeitos, a receita marginal é igual ao preço. Portanto, para um concorrente, a produção de máximo lucro ocorre quando $CMg = P$.

9. O raciocínio econômico conduz ao importante *princípio marginalista*. Na tomada de decisões, contabilize as vantagens e desvantagens marginais futuras e ignore os custos irrecuperáveis que já foram pagos. Esteja atento à aversão à perda.

CONCEITOS PARA REVISÃO

Tipos de concorrência imperfeita
– concorrência perfeita *versus* imperfeita
– monopólio, oligopólio, concorrência monopolística
– diferenciação do produto
– barreiras à entrada (governamentais e econômicas)

Receita marginal e monopólio
– receita marginal (ou adicional), RMg
– $RMg = CMg$ como condição para maximizar o lucro
– $RMg = P$, $P = CMg$, para o concorrente perfeito
– monopólio natural
– o princípio marginalista

LEITURAS ADICIONAIS E SITES

Leituras adicionais

A teoria do monopólio foi desenvolvida por Alfred Marshall por volta de 1890; consulte sua obra *Principles of Economics*, 9. ed. (Macmillan, Nova York, 1961.)

Uma excelente análise sobre o monopólio e a organização industrial é de F. M. Sherer e David Ross, *Industrial Market Structure and Economic Performance*, 3. ed. (Houghton Mifflin, Boston, 1990.)

O período da Idade do Ouro deu origem ao "jornalismo amarelo" nos Estados Unidos e impulsionou muitas histórias de corrupção, como Matthew Josephson, *The Robber Barons* (Harcourt Brace, Nova York, 1934). Uma descrição mais equilibrada é dada por Ron Chernow, *Titan*: The Life of John D. Rockfeller, Sr. (Random House, Nova York, 1998.)

Para um estudo da aversão à perda no mercado imobiliário, ver David Genesove e Christopher Mayer, "Loss Aversion and Seller Behavior: Evidence from the Housing Market", *Quarterly Journal of Economics*, 2001. O fundamento dessa teoria está em Amos Tversky e Daniel Kahneman, "Loss Aversion in Riskless Choice: A Reference-Dependent Model", *Quarterly Journal of Economics*, 1991.

Sites

Um caso legal importante da última década tem a ver com o eventual monopólio da Microsoft em relação aos sistemas operacionais dos computadores pessoais. Essa questão encontra-se profundamente analisada em "Findings of Fact" sobre o caso de defesa da concorrência da Microsoft pelo Juiz Thomas Penfield Jackson (novembro 5, 1999). A opinião dele e material adicional podem ser encontrados em <http://www.microsoft.com/presspass/legalnews.asp>.

QUESTÕES PARA DISCUSSÃO

1. Suponha que um monopolista possui uma fonte de água mineral. Responda, explicando, às seguintes questões:
   a. Suponha que o custo de produção é zero. Qual é a elasticidade da demanda na quantidade que maximiza o lucro?
   b. Suponha que o CMg de produção é sempre 1 dólar por unidade. Qual é a elasticidade da demanda da quantidade que maximiza o lucro?

2. Explique por que são falsas as seguintes afirmações. Para cada uma delas, escreva a afirmação correta.
   a. Um monopolista maximiza o lucro quando $CMg = P$.
   b. Quanto maior a elasticidade-preço, maior é o preço do monopolista acima do seu CMg.
   c. Os monopolistas ignoram o princípio marginalista.
   d. Os monopolistas maximizarão as vendas. Por isso, produzirão mais do que os concorrentes perfeitos e os seus preços serão menores.

3. Quando dd tem uma elasticidade unitária, qual o valor numérico da RMg? Explique.

4. Em sua opinião sobre o caso de defesa da concorrência da Microsoft, o Juiz Jackson escreveu: "Três fatos principais indicam que a Microsoft se beneficia de um poder de monopólio. Primeiro, a participação de mercado dos sistemas operativos de PC compatíveis Intel pela Microsoft é extremamente grande e estável. Segundo, a participação de mercado dominante da Microsoft está protegida por uma grande barreira à entrada. Terceiro, e principalmente por causa dessa barreira, os consumidores da Microsoft têm falta de uma alternativa comercialmente viável para o Windows". (Veja a referência ao site na seção "Leituras adicionais" deste capítulo.) Por que esses elementos estão relacionados ao monopólio? Todos os três são necessários? Se não são, qual deles é fundamental? Explique o seu raciocínio.

5. Estime as elasticidades-preço numéricas da demanda dos pontos A e B na Figura 9-1. (*Sugestão*: você pode rever a regra para calcular as elasticidades na Figura 4-5.)

6. Desenhe novamente a Figura 9-4(*a*) para o concorrente perfeito. Por que a dd é horizontal? Explique por que a curva dd horizontal coincide com a RMg. Depois procure a interseção entre RMg e CMg onde o lucro é máximo. Por que esse ponto dá a condição de concorrência $CMg = P$? Agora, volte a desenhar a Figura 9-4(*b*) para o concorrente perfeito. Mostre que as inclinações de RT e CT devem continuar a ser iguais no ponto de equilíbrio de máximo lucro para o concorrente perfeito.

7. A empresa Computadores Banana tem custos fixos de produção de US$ 100 mil, enquanto cada unidade tem um custo de US$ 600 de trabalho e US$ 400 de matérias-primas e energia. Ao preço de US$ 3 mil, os consumidores não comprariam nenhum computador Banana, mas a cada redução de US$ 10 no preço, as vendas dos computadores Banana aumentariam mil unidades. Calcule o custo marginal e a receita marginal da Computadores Banana e determine os seus preços e quantidade de monopólio.

8. Mostre que um monopolista que maximiza seus lucros nunca irá operar na região de inelasticidade em relação ao preço da sua curva da demanda.

9. Explique o erro da seguinte afirmação: "Uma empresa para maximizar os seus lucros terá sempre de cobrar o preço mais elevado que o mercado comportar". Escreva a afirmação corrigida e use o conceito de receita marginal para explicar as diferenças entre a afirmação correta e a errada.

10. Recorde a forma como os cartéis estavam organizados para monopolizar setores como os do petróleo e do aço (ver p. 162). Explique a afirmação: "A tarifa é a mãe de todos os cartéis". Use a Figura 9-2 para ilustrar a sua análise. Use o mesmo gráfico para explicar por que a redução das tarifas alfandegárias e outras barreiras ao comércio reduzem o poder de monopólio.

11. *Para os estudantes que gostam de cálculo*: você pode demonstrar a condição de maximização do lucro usando o cálculo. Defina $LT(q)$ = lucros totais, $CT(q)$ = custos totais e $RT(q)$ = receita total. O marginal de algo é derivado desse algo em relação ao produto, de modo que a $dRT(q)/dq = RT'(q) = RMg$ = receita marginal.
    a. Explique por que $LT = RT - CT$.
    b. Demonstre que um máximo da função de lucro ocorre quando $CT'(q) = RT'(q)$. Interprete esse resultado.

Concorrência entre poucos

CAPÍTULO 10

Veja as guerras de preço das companhias aéreas de 1992. Quando a American Airlines, a Northwest Airlines e outras companhias aéreas dos Estados Unidos entraram em um corpo a corpo para igualar e superar a redução dos preços umas das outras, o resultado foi um recorde de viagens aéreas – e um recorde de prejuízos. Algumas estimativas sugerem que as perdas totais sofridas pelo setor, naquele ano, ultrapassaram os lucros conjuntos de todo o setor desde o seu início.

Akshay R. Rao, Mark E. Bergen e Scott Davis
"Como combater em uma guerra de preços"

Nos capítulos anteriores, analisamos as estruturas de mercado da concorrência perfeita e do monopólio total. Porém, se observar a economia norte-americana, você verá que esses casos extremos são raros. A maioria dos setores situa-se entre eles, sendo constituídos por um pequeno número de empresas que concorrem entre si.

Quais são as características-chave desses tipos intermédios de concorrentes imperfeitos? Como eles estabelecem seus preços e a sua produção? Para responder a essas questões, observaremos de perto o que acontece no oligopólio e em concorrência monopolística, prestando especial atenção ao papel da concentração e da interação estratégica. A seguir, apresentamos os elementos da teoria dos jogos, que é uma ferramenta importante para compreendermos como as pessoas e as empresas interagem em situações estratégicas. A seção final revê as várias políticas públicas usadas para combater os abusos de monopólio, focando a regulação e as leis de defesa da concorrência.

A. COMPORTAMENTO DOS CONCORRENTES IMPERFEITOS

Analisemos novamente a Tabela 9-1, que mostra os seguintes tipos de estrutura de mercado: (1) *concorrência perfeita*, que existe quando muitas empresas produzem um bem idêntico; (2) *concorrência monopolística*, que ocorre quando muitas empresas produzem bens que se diferenciam ligeiramente; (3) *oligopólio*, que é uma forma intermediária de concorrência imperfeita em que um setor é dominado por poucas empresas; e (4) *monopólio*, que é a estrutura de mercado mais concentrada, em que uma única empresa fornece toda a produção de um setor.

Como medimos o poder das empresas para controlar os preços e a produção em um setor? Como se comportam aqueles vários tipos? Iniciamos com essas questões.

Medidas do poder de mercado

Em muitas situações – como na decisão sobre se o governo deve intervir em um mercado ou sobre se uma empresa abusou da sua posição monopolista – os economistas necessitam de uma medida quantitativa da dimensão do poder de mercado de uma empresa. O **poder de mercado** significa o grau de controle que uma única empresa ou um pequeno número de empresas tem sobre as decisões de preço e de produção em um ramo de atividade.

A medida mais comum do poder de mercado é a *razão de concentração* de um setor, exemplificado na Figura 10-1. A **razão de concentração das quatro empresas** quantifica a parcela do mercado – ou setor – que é detida pelas quatro maiores empresas. Analogamente, a razão de concentração das oito empresas é a percentagem do mercado detida pelas oito maiores empresas. O mercado é, geralmente, medido pelas receitas totais ou produção domésticas. Em um monopólio puro, a razão das quatro ou das oito empresas seria 100%, porque uma empresa produz 100% do produto; em concorrência perfeita, as duas razões seriam aproximadamente nulas, porque até mesmo as maiores empresas produzem uma ínfima parcela da produção do setor.

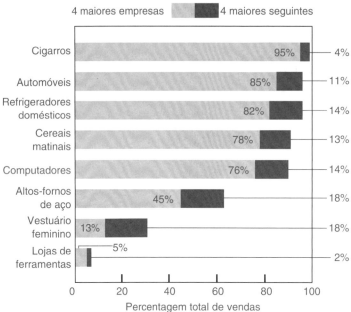

FIGURA 10-1 Os índices de concentração são medidas quantitativas do poder de mercado.

Nos refrigeradores, automóveis e em muitas outras atividades, poucas empresas produzem a maior parte da produção nacional. Compare essa situação com o ideal de concorrência perfeita, em que cada empresa é demasiado pequena para afetar o preço de mercado.
Fonte: U.S. Bureau of the Census, dados de 2002.

Muitos economistas pensam que os índices de concentração tradicionais não quantificam adequadamente o poder de mercado. Uma alternativa que traduz melhor o papel das empresas dominantes é o **Índice Herfindahl-Hirschman** (IHH). Este é calculado pela soma do quadrado das parcelas de mercado de cada um dos seus participantes. A concorrência perfeita deverá ter um IHH de quase zero, porque cada empresa produz apenas uma pequena percentagem do produto total, enquanto o monopólio total tem IHH de 10 mil, porque uma empresa produz 100% do produto. (Para conhecer a fórmula e um exemplo, ver a Questão 2 ao final deste capítulo.)

Aviso sobre as medidas de concentração

Embora sejam amplamente utilizadas, as medidas de concentração são com frequência enganosas, em virtude da concorrência internacional e da concorrência de setores estreitamente relacionados. As medidas de concentração convencionais, como as mostradas na Figura 10-1, incluem apenas a produção interna e excluem as importações. Dado que a concorrência externa é muito intensa no setor de manufatura, o efetivo poder de mercado das empresas internas é muito menor do que o indicado pelas medidas do poder de mercado baseadas apenas na produção interna. Por exemplo, as medidas de concentração convencionais, mostradas na Figura 10-1, indicam que os quatro maiores fabricantes de automóveis têm 85% do mercado dos Estados Unidos. Se incluirmos também as importações, essas mesmas quatro empresas detêm apenas 43% do mercado.

Além de ignorarem a concorrência internacional, as medidas de concentração ignoram o impacto da concorrência de outras empresas relacionadas. Por exemplo, os índices de concentração têm sido habitualmente aplicados a uma definição restrita de ramo de atividade, como "serviços de telefonia por cabo". Contudo, uma concorrência intensa pode vir de outros quadrantes. Por exemplo, os telefones celulares constituem uma grande ameaça aos telefones fixos, ainda que ambos estejam em diferentes classificações da atividade econômica. Ainda que o índice de concentração das quatro empresas para o serviço fixo seja apenas de 60%, o índice de concentração das quatro empresas para todas as empresas de telecomunicações é de apenas 46%, pelo que a definição de mercado pode influenciar fortemente o cálculo dos índices de concentração.

Por fim, é essencial alguma medida da concentração de um mercado para muitos efeitos legais, tais como os aspectos das leis de defesa da concorrência, examinada mais adiante neste capítulo. Uma delimitação rigorosa do mercado que inclua todos os concorrentes relevantes pode ser útil para determinar se os abusos de poder de mercado são, de fato, uma ameaça real.

NATUREZA DA CONCORRÊNCIA IMPERFEITA

Na análise dos determinantes da concentração, os economistas descobriram que nos mercados de concorrência imperfeita estão em ação três fatores fundamentais: as economias de escala, as barreiras à entrada e a interação estratégica (os dois primeiros foram analisados no capítulo anterior, e o terceiro é objeto de exame detalhado na seção a seguir):

- *Custos*. Quando a dimensão mínima eficiente de funcionamento de uma empresa corresponde a uma parcela significativa da produção do ramo de atividade, apenas podem sobreviver de forma lucrativa um número reduzido de empresas e é provável que ocorra oligopólio.
- *Barreiras à concorrência*. Quando existem grandes economias de escala ou restrições à entrada – estabelecidas pelo governo – estas irão limitar o número de concorrentes em um setor.
- *Interação estratégica*. Quando poucas empresas operam em um mercado, essas empresas logo reconhecerão sua interdependência. A **interação estratégica**, que é um aspecto genuíno do oligopólio, e que inspirou a teoria dos jogos, ocorre quando a atividade de cada empresa depende do comportamento de suas concorrentes.

Por que os economistas estão especialmente preocupados com os setores com características de concorrência imperfeita? A resposta é que esses setores têm certos comportamentos inimigos do interesse público. Por exemplo, a concorrência imperfeita, em geral, conduz a preços que estão acima dos custos marginais. Às vezes, sem o incentivo da concorrência, a qualidade do serviço se deteriora. Tanto um preço elevado quanto uma fraca qualidade são resultados indesejáveis.

Como resultado dos preços altos, os setores de oligopólio têm, com frequência (embora nem sempre), lucros acima do normal. A lucratividade dos setores muito concentrados, como o de cigarros e de produtos farmacêuticos, têm sido o alvo de ataques políticos em inúmeras ocasiões. Contudo, estudos detalhados mostram que as indústrias concentradas tendem a ter taxas de lucro apenas ligeiramente superiores às das não concentradas.

Historicamente, uma das principais justificativas para a concorrência imperfeita tem sido a de que as grandes empresas são responsáveis por grande parte da pesquisa e desenvolvimento (P&D) e inovação em uma economia moderna. Há, certamente, alguma dose de verdade nessa ideia, pois os setores altamente concentrados, por vezes, têm níveis elevados de despesa em P&D relativos às vendas, na tentativa de atingir uma vantagem tecnológica sobre a concorrência. Ao mesmo tempo, os indivíduos e as pequenas empresas criaram muitas das grandes descobertas tecnológicas. Analisaremos a Economia da inovação no Capítulo 11.

TEORIAS DA CONCORRÊNCIA IMPERFEITA

Embora seja importante, a concentração não nos diz tudo sobre o assunto. De fato, para explicar o comportamento dos concorrentes imperfeitos, os economistas desenvolveram uma área designada *organização industrial*. Não podemos aqui abarcar essa vasta área. No lugar disso, focaremos três dos casos mais importantes de concorrência imperfeita – cartel, concorrência monopolística e oligopólio de poucos.

Cartel ou conluio entre empresas

O grau de concorrência imperfeita em um mercado é influenciado não só pelo número e dimensão das empresas, mas também por seu comportamento. Quando poucas operam em um mercado, umas sabem o que as outras estão fazendo e reagem. Por exemplo, se existissem apenas duas companhias em uma dada rota aérea e uma aumentasse as tarifas, a outra teria de decidir se aumentaria também as suas ou se permaneceria com tarifas inferiores, combatendo a sua concorrente. A *interação estratégica* é um termo que descreve como a estratégia de negócio de cada empresa depende do comportamento empresarial das suas concorrentes.

Quando em um mercado há apenas um número pequeno de empresas, estas podem escolher entre um comportamento *cooperativo* e um *não cooperativo*. As empresas agem de forma não cooperativa quando decidem por si sós, sem obter qualquer acordo explícito ou implícito com as demais empresas. É o que dá origem a guerras de preços. As empresas operam de forma cooperativa quando tentam minimizar a competição. Em um oligopólio, quando as empresas cooperam ativamente entre si, entram em **conluio**. Esse termo corresponde a uma situação em que duas ou mais empresas, em conjunto, estabelecem seus preços ou produções, repartem o mercado entre si ou tomam outras decisões de gestão.

Nos primeiros anos do capitalismo americano, antes da publicação de leis efetivas de defesa da concorrência, muitas vezes os oligopolistas fundiram-se ou formaram um truste, ou cartel (recapitule a discussão sobre trustes no Capítulo 9). Um **cartel** é uma organização de empresas independentes, que produzem bens similares e atuam em conjunto para aumentar os preços e limitar a produção. Atualmente, com raras exceções, nos Estados Unidos e na maioria das outras economias de mercado, é estritamente proibido o conluio entre empresas para fixar conjuntamente os preços ou repartir os mercados.

Não obstante, as empresas são frequentemente tentadas a se envolverem em conluio tácito, que ocorre quando se abstêm de competir sem que haja acordos explícitos. Quando as empresas conspiram de forma tácita, fixam frequentemente preços idênticos elevados, aumentando os lucros e diminuindo o risco da atividade. Um estudo recente concluiu que cerca de 9% das maiores empresas admitiram ou foram condenadas por terem fixado preços de forma ilegal. Recentemente, os vendedores de música online, diamantes e especialidades de fim de ano têm sido investigados por acordo de preços, enquanto universidades privadas, comerciantes de arte, companhias aéreas e o setor de telefonia têm sido acusados de agir em conluio.

Os ganhos do conluio bem-sucedido podem ser enormes. Imagine um setor em que quatro empresas estão cansadas de guerras de preço predatórias. Essas empresas concordam em fixar o mesmo preço e dividir o mercado. Formam um **cartel** e fixam um preço que maximiza o conjunto de seus lucros. Ao juntarem-se em um oligopólio, tornam-se, de fato, um monopólio.

A Figura 10-2 ilustra a situação da oligopolista A, quando há quatro empresas com curvas de custo e de demanda idênticas. A curva da demanda de A, $D_A D_A$, foi traçada supondo que as outras três empresas cobrarão sempre o mesmo preço de A.

O equilíbrio de lucro máximo para o membro do cartel está indicado na Figura 10-2 no ponto E, a interseção das curvas CMg e RMg da empresa. Nesse caso, a curva de demanda apropriada é $D_A D_A$. O preço ótimo para o membro do cartel é mostrado no ponto G em $D_A D_A$, acima do ponto E. Esse preço é idêntico ao preço de monopólio: está acima do custo marginal e permite aos membros do cartel obterem um lucro elevado de monopólio.

Quando os oligopolistas formam conluio para maximizar o conjunto de seus lucros, tendo em conta as suas interdependências mútuas, a quantidade produzida, o preço praticado e o lucro obtido são os de monopólio.

Embora muitos oligopolistas ficassem satisfeitos por alcançar lucros tão elevados, na realidade há muitos obstáculos que bloqueiam um conluio efetivo. Primeiro, o conluio é ilegal. Segundo, as empresas podem "fraudar" o acordo, concedendo desconto no seu preço a clientes selecionados e, assim, aumentar sua participação no mercado. A redução secreta de preço é especialmente provável em mercados em que os preços não são públicos, onde os bens são diferenciados, onde há um número maior de empresas ou onde a tecnologia se modifica rapidamente. Em terceiro lugar, o crescimento do comércio internacional implica que muitas empresas enfrentem concorrência intensa, tanto nacionais como empresas estrangeiras.

De fato, a experiência demonstra que é difícil operar um cartel bem-sucedido, seja o conluio explícito ou tácito.

Uma história longa nesta área é a do cartel internacional conhecido como a Organização dos Países Exportadores de Petróleo, ou OPEP. A OPEP é uma organização que fixa as cotas de produção para os seus membros em que se incluem a Arábia Saudita, o Irã e a Argélia. O seu objetivo declarado é "assegurar preços

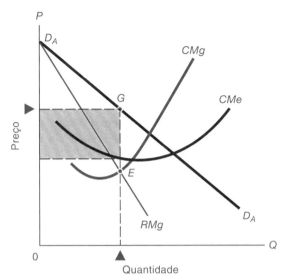

FIGURA 10-2 O cartel se parece muito com o monopólio.

Após passarem por guerras de preços desastrosas, as empresas acabam certamente por reconhecer que a queda de preço de uma é anulada pela redução de preço das concorrentes. Assim, a empresa A pode estimar a sua curva de demanda $D_A D_A$ considerando que as demais irão fixar preços similares. Quando as empresas fazem conluio para estabelecer em conjunto um preço que maximize o lucro, o preço ficará muito próximo do preço de um único monopolista. Você consegue perceber por que os lucros são iguais ao retângulo sombreado?

justos e estáveis para os produtores de petróleo; um fornecimento de petróleo eficiente, econômico e regular aos países consumidores; e uma rentabilidade justa do capital a quem investe no setor". Os seus críticos reclamam que se trata, na realidade, de um cartel que tenta maximizar os lucros dos países produtores.

A OPEP se tornou um nome familiar em 1973, quando reduziu acentuadamente a produção e os preços dispararam. Mas um cartel bem-sucedido exige que os membros fixem uma cota de produção reduzida e mantenham a disciplina. Mas passados poucos anos, a concorrência dos preços reapareceu, quando alguns países da OPEP ignoram as suas cotas. Isso ocorreu de forma espetacular em 1986, quando a Arábia Saudita baixou os preços do petróleo de US$ 28 para menos de US$ 10 o barril.

Outro problema que a OPEP enfrenta é ter de negociar cotas de produção em vez de preços. Isso pode levar a níveis elevados de volatilidade dos preços, dado que a demanda é imprevisível e altamente inelástica em relação ao preço no curto prazo. Os produtores de petróleo ficaram ricos nos anos 2000, quando os preços dispararam, mas o cartel tem um controle fraco sobre os acontecimentos atuais.

O setor de aviação civil é outro exemplo de mercado com uma história de tentativas repetidas – e falhadas –

de conluio. Esse setor poderia parecer um candidato natural ao conluio. Há apenas algumas grandes companhias aéreas e, em muitas rotas, há apenas uma ou duas rivais. Mas analise a citação do início do capítulo, que descreve uma das mais recentes guerras de preços nos Estados Unidos. A falência de companhias aéreas é tão frequente que algumas passam mais tempo falidas do que solventes. De fato, os dados demonstram que a única situação em que uma companhia pode cobrar tarifas acima do normal ocorre quando é quase monopolista em todos os voos para uma cidade.

Concorrência monopolística

No outro extremo, está a **concorrência monopolística**. A concorrência monopolística assemelha-se à concorrência perfeita de três formas: há muitos compradores e vendedores, a entrada e a saída são fáceis e as empresas consideram como dados os preços das outras empresas. A diferença é que, na concorrência perfeita, os produtos são iguais, enquanto na concorrência monopolística os produtos são diferenciados.

A concorrência monopolística é muito comum – pesquise nas prateleiras de qualquer supermercado e verá uma estonteante variedade de diferentes marcas de cereais matinais, xampus e alimentos congelados. Em cada grupo de produtos, os bens ou os serviços são diferentes, mas suficientemente próximos para competirem entre si. Vejamos outros exemplos de concorrência monopolística: podem existir vários supermercados em um bairro, todos com os mesmos produtos, mas em diferentes locais. Os postos de combustíveis também vendem o mesmo produto, mas competem em relação a localização e marca. As várias centenas de revistas nos quiosques são concorrentes monopolísticos, como o são cerca de 50 marcas de computadores pessoais. A lista é interminável.

O ponto importante a reconhecer é que cada vendedor tem alguma liberdade para aumentar ou baixar os preços em virtude da diferenciação de produto (ao contrário da concorrência perfeita em que os vendedores são tomadores de preço). A diferenciação de produto leva a uma inclinação negativa na curva de demanda de cada vendedor.

A Figura 10-3 pode representar uma revista de computadores, de concorrência monopolística, que está no equilíbrio de curto prazo no ponto G. A curva de demanda dd da empresa mostra a relação entre as vendas e o seu preço, quando os preços das outras revistas não se alteram; a sua curva de demanda tem inclinação negativa, uma vez que a revista é um pouco diferente de todas as outras, em virtude de seu conteúdo específico. O preço que maximiza o lucro está em G. Como o preço em G está acima do custo médio, a empresa está realizando um lucro razoável, representado pela área ABGC.

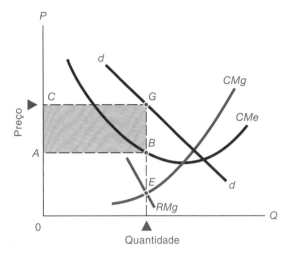

Concorrência monopolística antes da entrada

FIGURA 10-3 Os concorrentes monopolísticos produzem muitos bens semelhantes.

Em concorrência monopolística, numerosas pequenas empresas vendem produtos diferenciados e, portanto têm demandas com inclinação negativa. Cada empresa considera como um dado o preço dos seus concorrentes. O equilíbrio tem $RMg = CMg$ em E, e o preço está em G. Como o preço está acima de CMe, a empresa está tendo lucro, que corresponde à área $ABGC$.

Mas a nossa revista não detém o monopólio dos escritores, das gráficas ou das ideias sobre computadores. Outras empresas podem entrar para o ramo contratando um diretor, tendo uma nova ideia e um logotipo brilhantes, contratando uma gráfica e trabalhadores. Como o ramo das revistas de computadores é lucrativo, os empresários introduzirão novas revistas sobre computadores no mercado. Com a entrada dessas novas revistas, a curva de demanda das revistas de computadores existentes, que são concorrentes monopolísticas, desloca-se para a esquerda, pois as novas revistas apoderam-se de uma parcela do nosso mercado de revistas.

O resultado final é que continuarão a entrar no mercado outras revistas, até que todos os lucros econômicos (incluindo os custos de oportunidade adequados para o tempo, o talento e o capital investido dos proprietários) sejam reduzidos a zero. A Figura 10-4 mostra o equilíbrio final de longo prazo para o vendedor típico. Em equilíbrio, a demanda é reduzida ou deslocada para a esquerda até que a nova curva de demanda $d'd'$ seja tangente (mas nunca cruze) à curva CMe da empresa. O ponto G' é um equilíbrio de longo prazo para o setor, porque os lucros são nulos e ninguém é tentado a entrar ou forçado a sair do setor.

Esta análise tem um bom exemplo na indústria de computadores pessoais. Originalmente, alguns fabricantes de computadores, como a Apple e a Compaq, tiveram grandes lucros. Mas o setor de computadores

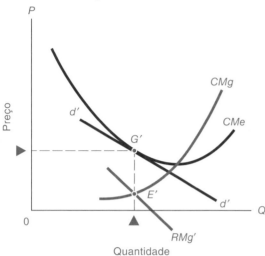

FIGURA 10-4 A livre entrada de numerosos concorrentes monopolísticos elimina o lucro.

A curva do lucro original dd do vendedor típico, da Figura 10-3, irá deslocar-se para baixo e para a esquerda, para $d'd'$, por causa da entrada de novos rivais. As entradas só terminam quando cada vendedor for forçado a situar-se no ponto de tangência de longo prazo G', sem lucro. No equilíbrio de longo prazo, o preço permanece acima de CMg e cada produtor situa-se no ramo descendente à esquerda da sua curva de CMe de longo prazo.

---

pessoais tinha fracas barreiras à entrada, e numerosas pequenas empresas entraram no mercado. Atualmente, há dezenas de empresas, cada uma com uma pequena parcela do mercado e sem lucros econômicos que recompensem o seu esforço.

O modelo de concorrência monopolística proporciona um importante entendimento do capitalismo norte-americano: nesses setores de concorrência imperfeita, a taxa de lucro será nula no longo prazo, à medida que entram empresas com novos produtos diferenciados.

No equilíbrio de longo prazo, em concorrência monopolística, os preços estão acima dos custos marginais, mas os lucros econômicos foram reduzidos a zero.

Os críticos do capitalismo argumentam que a concorrência monopolística é, por natureza, não eficiente. Apontam para o número excessivo de novos produtos pouco diferenciados que levam ao desperdício de duplicação e de custos. Para compreender o raciocínio, observe de novo, na Figura 10-4, o preço de equilíbrio de longo prazo G'. Nesse ponto, o preço está acima do custo marginal e a produção está abaixo do nível ideal de concorrência perfeita.

Essa crítica econômica da concorrência monopolística tem um apelo considerável. É necessária uma grande de imaginação para demonstrar os ganhos para o bem-estar humano de se juntar *Cheerios* de Canela e Maçã aos *Cheerios* de Mel de Avelãs e aos *Cheerios* de Trigo Integral. É difícil entender a razão de existirem postos de gasolina nos quatro cantos de um cruzamento.

Mas existe lógica na diferenciação dos bens e serviços produzidos por uma moderna economia de mercado. A redução do número de concorrentes monopolísticos poderia diminuir o bem-estar do consumidor, porque reduziria a diversidade dos bens e serviços disponíveis. A grande variedade de produtos preenche muitos nichos de preferências e necessidades do consumidor. As pessoas estão dispostas a pagar um valor adicional para terem liberdade de escolha entre várias opções.

Concorrência entre poucos

Para o nosso terceiro exemplo de concorrência imperfeita, voltamos a mercados em que apenas poucas empresas competem. Em vez de focarmos o conluio, iremos considerar o caso fascinante em que as empresas têm uma interação estratégica entre si. Esta interação estratégica é encontrada em todos os mercados que tenham relativamente poucos concorrentes. Assim como um tenista tenta antecipar o movimento do seu oponente, cada empresa deve descobrir como as suas rivais irão reagir a alterações das decisões empresariais chave. Se a GE apresenta um novo modelo de refrigerador, o que fará a Whirlpool, o seu principal concorrente? Se a American Airlines reduz suas tarifas transcontinentais, como a United reagirá?

Consideremos como exemplo o mercado do transporte aéreo entre Nova York e Washington, servido atualmente pela Delta e pela USAir. Esse mercado é designado de **duopólio** porque o produto do setor é oferecido por apenas duas empresas. Suponha que a Delta tenha determinado uma redução de suas tarifas em 10%, o seu lucro aumentará desde que a USAir não acompanhe a redução, mas diminuirá se a USAir acompanhar a redução de preço. Se não puderem fazer conluio, a Delta terá de fazer uma estimativa fundamentada sobre a reação da USAir aos seus movimentos de preços. A melhor abordagem seria estimar como reagiria a USAir a cada uma das suas ações e depois maximizar os lucros *incorporando a interação estratégica*. Essa análise integra a teoria dos jogos que é discutida na seção B deste capítulo.

Interações estratégicas similares são encontradas em muitas atividades importantes: na televisão, nos automóveis e mesmo nos manuais de Economia. Ao contrário das abordagens simples do monopólio e da concorrência perfeita, verifica-se que não existe uma teoria simples para explicar o comportamento dos oligopolistas. Estruturas de custo e de demanda diferentes, setores diferentes e até mesmo diferentes temperamentos dos administradores das empresas levam a diferentes interações estratégicas e a diferentes estratégias de preços. Por vezes, o melhor comportamento é introduzir alguma aleatoriedade na resposta para que os adversários fiquem desnorteados.

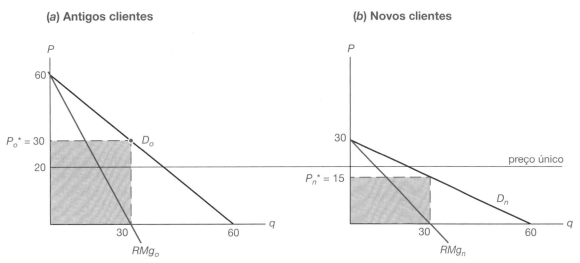

FIGURA 10-5 As empresas podem aumentar os lucros por meio da discriminação de preço.
Você é um vendedor monopolista maximizador de lucro de programas de computador com um custo marginal zero. O seu mercado compõe-se de clientes habituais em (a) e de novos clientes em (b). Os clientes antigos têm uma demanda mais inelástica em virtude dos elevados custos de transferência para novos programas.
Se tiver de fixar um preço único, você maximizará os lucros com um preço de US$ 20 e os lucros serão de US$ 1,2 mil. Mas suponha que você consegue segmentar o seu mercado entre clientes atuais fidelizados e novos clientes relutantes. Isso iria aumentar os seus lucros para (US$ 30 × 30) + (US$ 15 × 30) = US$ 1.350.

A concorrência entre poucos introduz um aspecto completamente novo na vida econômica: força as empresas a ter em conta as reações das concorrentes às decisões de preço e de produção e traz as considerações estratégicas para os seus mercados.

DISCRIMINAÇÃO DE PREÇO

Quando as empresas têm poder de mercado, podem, às vezes, aumentar os seus lucros por meio da discriminação de preço. A **discriminação de preço** ocorre quando o mesmo produto é vendido a diferentes consumidores com preço diferente.

Considere o seguinte exemplo. Você dirige uma empresa que vende um programa financeiro pessoal de sucesso designado DinheiroMeu. O seu diretor de marketing dirige-se a você e diz:

> Veja, chefe. A nossa pesquisa de mercado concluiu que os nossos clientes se dividem em duas categorias: (1) os nossos clientes habituais, que estão fidelizados ao DinheiroMeu, porque fazem os seus registros pessoais usando o nosso programa, e (2) os novos clientes potenciais, que têm usado outros programas. Por que não aumentamos o nosso preço, mas dando um desconto a novos compradores que estão desejosos de migrar-se dos nossos concorrentes? Já fiz os cálculos. Se aumentarmos o nosso preço de US$ 20 para US$ 30, mas dermos um desconto de US$ 15 para os que estão usando outros programas financeiros, vamos ganhar muito dinheiro.

Você fica intrigado com a sugestão. A sua economista elabora as curvas da demanda da Figura 10-5. A pesquisa dela indica que os seus clientes antigos têm uma demanda mais inelástica em relação ao preço do que os potenciais novos clientes, porque os novos clientes têm de pagar custos de transferência substanciais. Se o seu programa de desconto funcionar e for bem-sucedido na segmentação do mercado, os números mostram que os seus lucros subirão de US$ 1,2 mil para US$ 1.350. Para ter a certeza de compreender a análise, use os dados mostrados na Figura 10-5 para estimar o preço de monopólio e os lucros se fixar um preço único de monopólio ou se fizer a discriminação de preço entre os dois mercados.

A discriminação de preço é amplamente utilizada no presente, em especial em bens que não sejam facilmente transferíveis do mercado de baixo preço para o mercado de preço elevado. Eis alguns exemplos:

- Livros-texto idênticos são vendidos a preços menores na Europa do que nos Estados Unidos. O que impede os atacadistas de comprarem grandes quantidades no exterior e colocarem no mercado interno a preço inferior? Uma cota de importação protecionista proíbe a prática. Contudo, enquanto indivíduo, você pode muito bem reduzir os custos dos seus livros comprando-os no exterior por meio de livrarias da internet.

- As companhias aéreas são as mestras da discriminação de preço (reveja a nossa análise da "Elasticidade Airlines", no Capítulo 4). Segmentam o mercado ao fixarem passagens com preços diferentes para quem viaja em períodos de alta estação ou baixa estação, para quem viaja a trabalho ou a turismo, e para aqueles que não se importam em esperar. Isso lhes permite encher os aviões sem reduzir as receitas.

- Os serviços locais usam, com frequência, "preços em duas partes" (às vezes chamados de preços não lineares) para cobrir alguns dos custos fixos. Se olhar para a sua conta de telefone ou de eletricidade, haverá, em geral, um preço de fornecimento e um preço por "unidade" de serviço. Em relação ao preço, como o fornecimento é muito mais inelástico do que o preço por unidade, este, em duas partes, permite aos vendedores baixar os seus preços por unidade e aumentar a quantidade total vendida.

- As empresas envolvidas em comércio internacional, com frequência, descobrem que a demanda externa é mais elástica do que a demanda doméstica. Por isso, vendem, no exterior, a preços inferiores. Essa prática é designada "dumping" e é, às vezes, banida, em acordos de comércio internacionais.

- Às vezes, uma empresa *degrada* o seu produto top de linha e produz um produto inferior, que vende a um preço com desconto para captar um mercado de baixo preço. Por exemplo, a IBM inseriu comandos especiais para tornar mais lenta a sua impressora a laser de 10 para 5 páginas por minuto, de modo a poder vender o modelo mais lento com um preço inferior, sem prejudicar as vendas do seu modelo top de linha.

Quais são os efeitos econômicos da discriminação de preço? Surpreendentemente, muitas vezes, esses efeitos são a melhora do bem-estar econômico. Para compreender esse ponto, recorde que os monopólios aumentam o seu preço e reduzem as suas vendas para aumentar os lucros. Ao fazer isso, podem captar o mercado dos compradores ansiosos, mas perdem o mercado dos compradores relutantes. Ao cobrar preços diferentes dos que querem pagar preços mais elevados (e que acabam pagando) e dos que querem pagar apenas preços mais baixos (que aceitam ficar nos piores assentos do avião, ou com um produto degradado, mas a preço inferior), o monopolista pode aumentar tanto os seus lucros quanto a satisfação dos consumidores.[1]

B. TEORIA DOS JOGOS

O pensamento estratégico é a arte de vencer um adversário, sabendo que o adversário está tentando fazer o mesmo.

Avinash Dixit e Barry Nalebuff,
Pensando Estrategicamente (1991)

A vida econômica está repleta de situações em que os indivíduos, as empresas ou os países competem por lucro ou para dominar. Os oligopólios que analisamos na seção anterior às vezes entram em guerra econômica. Essa rivalidade foi observada no século passado quando Vanderbilt e Drew reduziram repetidamente as tarifas de transporte nas suas ferrovias paralelas. Em anos recentes, as companhias aéreas lançaram pontualmente guerras de preços para atrair clientes e, às vezes, acabavam todos arruinados (ver a citação introdutória deste capítulo). Mas aprenderam que tinham de pensar e agir estrategicamente. Antes de cortar suas tarifas, uma companhia precisa ponderar como reagirão as suas rivais, e como deverá, depois, lidar com essa reação, e assim sucessivamente.

Quando as decisões chegam à fase de pensar sobre o que o seu adversário está pensando, e como reagirá depois, então, estamos no mundo da *teoria dos jogos*. Esta é a análise de situações que envolvam dois ou mais tomadores de decisão que interagem e que têm objetivos conflitantes. Considere as seguintes conclusões dos estudiosos de teoria dos jogos na área de concorrência imperfeita:

- À medida que o número de oligopolistas não cooperativos aumenta, o preço e a quantidade do setor tendem para o resultado da concorrência perfeita.

- Se as empresas forem bem-sucedidas em fazer conluio, o preço e a quantidade de mercado estarão próximos dos gerados por um monopólio.

- As experiências indicam que, à medida que o número de empresas aumenta, os acordos de conluio são mais difíceis para se vigiar e aumenta a frequência do comportamento fraudulento e não cooperativo.

- Em muitas situações, não há equilíbrio estável em um mercado de oligopólio. A interação estratégica pode conduzir a resultados instáveis com as empresas ameaçando fraudar, iniciando guerras de preços, prejudicando os concorrentes mais fracos, dando sinal de suas intenções ou simplesmente saindo do mercado.

A **teoria dos jogos** analisa a forma como dois ou mais jogadores escolhem as estratégias que conjuntamente os afetam. Essa teoria, que pode parecer banal, é de fato plena de significado e foi amplamente desenvolvida por John von Neumann (1903-1957), um gênio da matemática nascido na Hungria. A teoria dos jogos tem sido usada por economistas para estudar as interações dos oligopolistas, as disputas sindicatos-patronato, as políticas comerciais dos países, os acordos internacionais sobre o ambiente, disputas judiciais e um conjunto de outras situações.

A teoria dos jogos oferece contribuições para a política e a guerra, bem como para o dia a dia. Por exemplo, a teoria dos jogos sugere que, em algumas circunstâncias, um padrão de comportamento aleatório devidamente escolhido pode ser a melhor estratégia. As buscas para apanhar drogas ilegais ou armas deve, às vezes, investigar aleatoriamente, ao invés de ser realizada de forma previsível. Do mesmo modo, você deve esporadicamente blefar no pôquer, não apenas para ganhar com uma mão fraca, mas para assegurar que os

---

[1] Para um exemplo de como uma discriminação de preços perfeita melhora a eficiência, ver a Questão 3, ao final deste capítulo.

outros jogadores não desistam quando você aposta forte com uma boa mão. Nesta seção, iremos esquematizar alguns dos principais conceitos da teoria dos jogos.

Pensando na fixação de preços

Comecemos pela análise da dinâmica da guerra de preços. Você está à frente de uma empresa estabelecida, a Amazing.com, cujo lema é "Vendemos pelo menor preço". Você acessa a internet e descobre que a Novolivro, uma loja de livros online, em ascensão, anuncia: "Vendemos 10% mais barato". A Figura 10-6 mostra a dinâmica. As setas verticais mostram as reduções de preço da Novolivro; as setas horizontais mostram a estratégia de resposta da Amazing de acompanhar cada descida de preço.

Seguindo o padrão de reação e contrarreação, pode-se ver que esse tipo de concorrência leva à ruína mútua com um preço zero. Por quê? Porque o único preço compatível com as duas estratégias é um preço igual a zero: 90% de zero é zero.

Finalmente, as duas empresas compreendem: quando uma empresa reduz o seu preço, a outra reduzirá igualmente o seu. Só se tiverem pouca visão é que pensarão que podem oferecer preços inferiores aos da rival durante muito tempo. Em breve, cada uma começará a perguntar: o que a minha rival fará se eu reduzir o preço, ou aumentar, ou manter? *A partir do momento em que começa a considerar qual deverá ser a reação dos outros às suas ações, você estará entrando na área da teoria dos jogos.*

CONCEITOS BÁSICOS

Apresentaremos os conceitos básicos da teoria dos jogos, analisando o **jogo de preços de duopólio**. Um duopólio é um mercado abastecido por apenas duas empresas. Para simplificar, admitimos que as duas empresas têm uma estrutura de custos e demanda iguais. Além disso, cada uma das empresas pode escolher entre cobrar o seu preço normal ou diminuir o preço abaixo dos custos marginais e tentar levar a sua rival à falência, conquistando a totalidade do mercado. O elemento novo no jogo de duopólio é que os lucros da empresa dependerão tanto da estratégia da sua rival como da sua própria.

Um instrumento útil para representar a interação entre duas empresas, ou indivíduos, é uma **matriz de *payoffs*** (remunerações) de duas entradas. Uma matriz de *payoffs* é uma forma de mostrar as estratégias e os *payoffs* de um jogo entre dois jogadores. A Figura 10-7 mostra os resultados do jogo de preços de duopólio das nossas duas empresas. Na matriz de *payoffs*, uma empresa pode escolher as estratégias representadas nas suas linhas ou colunas. Por exemplo, a Novolivro pode escolher nas suas duas colunas e a Amazing pode escolher nas suas duas linhas. Neste exemplo, cada empresa

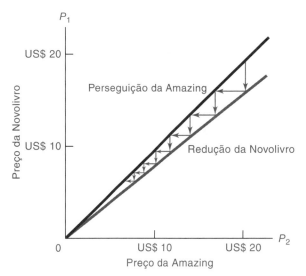

FIGURA 10-6 O que acontece quando duas empresas consecutivamente descem o preço?

Seguir as etapas da redução dinâmica dos preços leva a preços cada vez mais baixos para os dois adversários.

decide se deve cobrar o preço normal ou iniciar uma guerra de preços, decidindo reduzi-los.

Conjugando as duas decisões de cada duopolista, resultam quatro resultados possíveis, que estão representados nas quatro células da matriz. A célula *A*, no lado superior esquerdo, mostra o resultado quando ambas as empresas escolhem o preço normal; *D* é o resultado quando ambas decidem uma guerra de preços, e *B* e *C* resultam de uma ter o preço normal e a outra um preço de guerra.

Os números no interior das células mostram os *payoffs* das duas empresas; ou seja, os lucros que cada empresa obteve em cada um dos quatro resultados. O número no canto inferior esquerdo mostra o *payoff* do jogador da esquerda (Amazing); o número no canto superior direito mostra o *payoff* do jogador de cima (Novolivro). Como as empresas são idênticas, os *payoffs* são simétricos.

Estratégias alternativas

Agora que já descrevemos a estrutura básica de um jogo, consideramos, a seguir, os comportamentos dos jogadores. O elemento novo na teoria dos jogos é analisar não apenas as próprias ações, mas também a interação entre os próprios objetivos e ações e os do opositor. Mas, ao tentar desalojar o seu opositor, você deve sempre lembrar que ele também está tentando fazer-lhe o mesmo.

A filosofia que orienta a teoria dos jogos é a seguinte: escolha a sua estratégia determinando o que faz mais sentido para você, levando em conta que os seus opositores estão analisando-a e fazendo o que é melhor para eles.

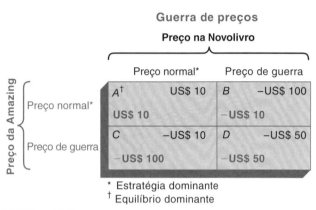

FIGURA 10-7 Uma matriz *payoffs* para uma guerra de preços.

A matriz de *payoffs* mostra as remunerações (*payoffs*) associadas às várias estratégias. A Amazing pode escolher entre duas estratégias, representadas pelas suas duas linhas; a Novolivro pode escolher uma das duas estratégias representadas nas duas colunas. Os valores das células são os lucros para os dois jogadores. Por exemplo, na célula C, a Amazing joga uma "guerra de preços" e a Novolivro joga um "preço normal". O resultado é que a Amazing tem um lucro de –US$ 100, enquanto Novolivro tem um lucro de –US$ 10. A ponderação das melhores estratégias para cada jogador leva ao equilíbrio dominante na célula A.

Apliquemos esta máxima ao exemplo do duopólio. Primeiro, repare que as nossas duas empresas têm os lucros conjuntos mais elevados no resultado A. Cada empresa ganha US$ 10, quando ambas seguem uma estratégia de preço normal. No outro extremo está a guerra de preços, em que cada empresa reduz os preços e tem um grande prejuízo.

Entre os dois extremos encontram-se duas estratégias interessantes, em que apenas uma empresa se aventura em uma guerra de preços. No resultado C, por exemplo, a Novolivro segue uma estratégia de preço normal, enquanto Amazing opta por uma guerra de preços. A Amazing conquista a maior parte do mercado, mas perde muito dinheiro, porque está vendendo abaixo do custo. A Novolivro fica, de fato, em uma situação melhor ao vender ao preço normal em vez de reagir.

Estratégia dominante.   Considerando as estratégias possíveis, o caso mais simples é o da **estratégia dominante**. Essa situação ocorre quando um jogador tem uma única estratégia melhor, *independentemente da estratégia seguida pelo outro jogador.*

No nosso jogo da guerra de preços, por exemplo, considere as opções disponíveis pela Amazing. Se a Novolivro prossegue o negócio como habitualmente, com um preço normal, então a Amazing terá US$ 10 de lucro, se jogar o preço normal, e terá um prejuízo de US$ 100, se declarar uma guerra econômica. Por outro lado, se a Novolivro iniciar uma guerra, a Amazing perderá US$ 10 se seguir o preço normal, mas perderá

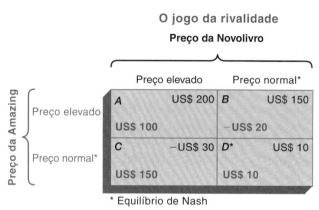

FIGURA 10-8 Um duopolista deve tentar o preço de monopólio?

No jogo da rivalidade, cada empresa pode ganhar US$ 10, mantendo-se no preço normal. Se ambas elevam o preço até o nível elevado de monopólio, os lucros conjuntos serão maximizados. Contudo, a tentação de ambas de "trapacear" e aumentar os seus lucros diminuindo o preço assegura que o equilíbrio de Nash de preço-normal prevalecerá na ausência de conluio.

ainda mais se também se envolver na guerra econômica. Você pode ver que o mesmo raciocínio é válido para a Novolivro. Portanto, independentemente da estratégia seguida pela outra empresa, a melhor estratégia de cada uma é manter o preço normal. *Cobrar o preço normal é uma estratégia dominante para ambas as empresas nesse jogo específico da guerra de preços.*

Quando ambos (ou todos) os jogadores têm uma estratégia dominante, dizemos que o resultado é um **equilíbrio dominante**. Podemos ver que na Figura 10-7 o resultado A é um equilíbrio dominante, pois decorre de uma situação em que ambas as empresas estão jogando as suas estratégias dominantes.

Equilíbrio de Nash.   A maioria das situações interessantes não tem um equilíbrio dominante, portanto devemos aprofundar o assunto. Podemos usar o nosso exemplo de duopólio para explorar esse caso. Neste exemplo, que chamamos de *jogo da rivalidade*, cada empresa considera se deve cobrar o seu preço normal ou subir o seu preço ao de monopólio e tentar auferir lucros de monopólio.

O jogo da rivalidade é mostrado na Figura 10-8. As empresas podem permanecer no seu equilíbrio de preço normal que encontramos no jogo da guerra de preços. Ou podem subir o seu preço na esperança de ganhar lucros de monopólio. As nossas duas empresas têm os lucros *conjuntos* mais elevados na célula A; nesse caso ganham um total de US$ 300, quando ambas seguem uma estratégia de preço elevado. A situação A resultaria certamente se as empresas pudessem fazer conluio e fixar o preço de monopólio. No outro extremo, encontra-se o preço normal de uma estratégia de tipo competitiva, em que cada rival tem lucro de US$ 10.

No meio, há duas estratégias interessantes em que uma empresa escolhe um preço normal e a outra escolhe a estratégia de preço elevado. Na célula C, por exemplo, a Novolivro segue uma estratégia de preço elevado, mas a Amazing reduz o preço. A Amazing conquista a maior parte do mercado e ganha o lucro mais elevado em qualquer das situações, enquanto a Novolivro efetivamente perde dinheiro. Na célula B, a Amazing aposta no preço alto, mas o preço normal da Novolivro significa um prejuízo para a Amazing.

A Amazing tem uma estratégia dominante nesse novo jogo. Lucrará sempre mais se escolher o preço normal. Por outro lado, a melhor estratégia para a Novolivro depende do que a Amazing fizer. A Novolivro desejaria jogar normal se a Amazing jogasse normal e desejaria jogar alto se a Amazing jogasse alto.

Isso deixa a Novolivro perante um dilema: deverá jogar alto e esperar que a Amazing a acompanhe de imediato? Ou jogar pelo seguro? É aqui que a teoria dos jogos se torna útil. A Novolivro deve escolher a sua estratégia colocando-se na posição da Amazing. Ao fazê-lo, a Novolivro verá que a Amazing deve jogar no "preço normal", independentemente do que a Novolivro fizer, porque jogar normal é a estratégia dominante da Amazing. A Novolivro deverá admitir que a Amazing seguirá a sua melhor estratégia, e jogar normal, o que, portanto, significa que a Novolivro deve jogar normal. *Isso ilustra a regra básica da teoria dos jogos: cada um deve estabelecer a sua estratégia com base no pressuposto de que o seu opositor agirá da forma que mais lhe convém.*

A abordagem que acabamos de descrever é um conceito profundo, conhecido por **equilíbrio de Nash**, nome devido ao matemático John Nash que recebeu o Prêmio Nobel por sua descoberta. Em um equilíbrio de Nash, nenhum jogador pode ganhar alguma coisa ao alterar a sua estratégia, dada a estratégia do outro jogador. O equilíbrio Nash é também, às vezes, chamado de **equilíbrio não cooperativo**, porque cada parte escolhe a estratégia que é melhor para si, não havendo conluio ou cooperação, e sem atender ao bem-estar da sociedade ou de qualquer outra parte.

Consideremos um exemplo simples: suponha que outra pessoa guie na faixa da direita na estrada. Qual é a sua melhor estratégia? Claramente, a menos que você seja suicida, você também deve guiar seu carro pelo lado direito. Além disso, uma situação em que todos conduzem pelo lado direito é um equilíbrio de Nash: desde que todos conduzam pelo lado direito, não será do interesse de ninguém começar a conduzir pelo lado esquerdo.

Vejamos a definição técnica do equilíbrio de Nash para o estudante avançado: suponha que o jogador A adota a estratégia S^*_A, enquanto o jogador B adota a estratégia S^*_B. O par de estratégias (S^*_A, S^*_B) é um equilíbrio de Nash se nenhum jogador puder encontrar uma estratégia melhor, admitindo que o outro jogador se mantém em sua estratégia original. Essa análise centra-se em jogos de duas pessoas, mas a análise (e em particular o importante equilíbrio de Nash) pode ser estendida para jogos de muitos indivíduos, ou de "n-indivíduos".

Podemos verificar que as estratégias com asterisco na Figura 10-8 constituem equilíbrios de Nash. Ou seja, nenhum jogador pode melhorar o seu *payoff* fora do equilíbrio (normal, normal), desde que o outro não altere a sua estratégia. Verifique que o equilíbrio dominante representado na Figura 10-7 é também um equilíbrio de Nash.

O equilíbrio de Nash (também chamado por equilíbrio não cooperativo) é um dos conceitos mais importantes da teoria dos jogos e é amplamente utilizado em Economia e em outras ciências sociais. Suponha que, em um jogo, cada jogador escolheu a melhor estratégia (aquela com o maior *payoff*), *admitindo* que todos os outros jogadores mantêm inalteradas as suas estratégias. Um resultado em que todos os jogadores seguem essa estratégia é chamado de um equilíbrio de Nash. Os teóricos dos jogos têm demonstrado que um equilíbrio competitivo é um equilíbrio de Nash.

Jogos, jogos por todos os lados...

As elucidações sobre a teoria dos jogos estendem-se à ciência econômica, às ciências sociais, à administração e à vida quotidiana. Em Economia, por exemplo, a teoria dos jogos pode ajudar a explicar as guerras comerciais bem como as guerras de preços.

A teoria de jogos pode também esclarecer por que a concorrência estrangeira pode conduzir a uma maior concorrência de preços. O que acontece quando empresas japonesas ou chinesas entram no mercado dos Estados Unidos, onde as empresas haviam feito tacitamente conluio, em uma estratégia que havia levado a um preço oligopolístico elevado? As empresas estrangeiras podem "recusar-se a entrar no jogo". Não concordam com as regras e podem, portanto reduzir os preços para aumentar a sua parcela de mercado. O conluio entre as empresas domésticas pode deixar de funcionar porque estas são obrigadas a baixar os preços para competir, de fato, com as empresas estrangeiras.

Um aspecto-chave em muitos jogos é a tentativa, em benefício dos jogadores, de criar *credibilidade*. Alguém tem credibilidade caso se espere que cumpra suas promessas e as suas ameaças, mas não se pode ganhar credibilidade simplesmente fazendo promessas. A credibilidade deve ser consistente com os incentivos do jogo.

Como se pode ganhar credibilidade? Eis alguns exemplos. Os bancos centrais ganham reputação de serem duros com a inflação ao adotarem medidas politicamente impopulares. Cria-se uma credibilidade ainda maior quando o banco central é independente dos governos.

As empresas farão promessas críveis se assinarem contratos que estabeleçam penalidades caso não atuem como foi prometido. Uma estratégia mais perigosa é um exército queimar as pontes na sua retaguarda. Como não pode haver retirada, o compromisso de lutar até a morte torna-se crível.

Esses escassos exemplos dão uma pequena amostra da vasta área da teoria dos jogos. Essa área tem sido extremamente útil no apoio aos economistas e a outros cientistas sociais na análise de situações em que um pequeno número de pessoas está bem informado e tenta ganhar uns aos outros. Os estudantes de economia, administração e negócios, e até os que estudam disciplinas ligadas a segurança nacional, irão descobrir que o uso da teoria dos jogos pode ajudá-los a pensar estrategicamente.

C. POLÍTICAS PÚBLICAS PARA COMBATER O PODER DE MERCADO

A análise econômica mostra que os monopólios produzem desperdício econômico. Qual a dimensão dessas ineficiências? O que podem as políticas públicas fazer para reduzir os danos de poder de mercado? Tratamos dessas duas questões nesta seção final.

CUSTOS ECONÔMICOS DA CONCORRÊNCIA IMPERFEITA

Custo de preços elevados e produção reduzida

A nossa análise tem mostrado como os concorrentes imperfeitos reduzem a produção e aumentam os preços, assim produzindo menos e cobrando mais do que aconteceria em um setor em concorrência perfeita. Isso pode ser visto mais claramente no monopólio, que é a forma extrema de concorrência imperfeita. Para saber de que forma e por que o monopólio mantém a produção muito grande, imagine que todos os outros setores estão perfeitamente organizados. Em um mundo assim, o preço é o padrão ou medida econômica correta da escassez: o preço mede tanto a utilidade marginal do consumo das famílias como o custo marginal de produção para as empresas.

Agora, a Monopólio S.A. entra em cena. Um monopólio não é uma empresa diabólica – não rouba as pessoas ou enfia os seus produtos goela abaixo dos consumidores. Em vez disso, a Monopólio S.A. explora o fato de ser a única vendedora e eleva o seu preço acima do custo marginal (ou seja, $P > CMg$). Uma vez que, para a eficiência econômica, é necessário $P = CMg$, o valor marginal do bem para os consumidores está, portanto, acima do seu custo marginal. O mesmo se passa com o oligopólio e com a concorrência monopolística, desde que as empresas mantenham os preços acima do custo marginal.

Custos estáticos da concorrência imperfeita

Podemos representar as perdas de eficiência com a concorrência imperfeita usando uma versão simplificada do nosso gráfico do monopólio, ilustrado aqui, na Figura 10-9.

Se o setor fosse perfeitamente competitivo, o equilíbrio seria alcançado no ponto em que o $CMg = P$, no ponto E. Em concorrência perfeita geral, a quantidade produzida por este setor seria 6 com um preço de 100.

Considere agora o impacto do monopólio. O monopólio pode ser criado por direitos aduaneiros ou cotas de importação, por um sindicato monopolizar a mão de obra no setor, ou pela patente de um novo produto. O monopolista estabeleceria o CMg igual a RMg (não ao P do setor), deslocando o equilíbrio para a menor $Q = 3$ e o maior $P = 150$ na Figura 10-9. A área $GBAF$ é o lucro do monopolista, que se compara com o lucro nulo do equilíbrio competitivo.

A perda de eficiência associada ao monopólio é, por vezes, chamada **peso morto**. Essa designação se refere à perda do bem-estar econômico, que deriva das distorções nos preços e na produção, tanto as devidas a monopólio quanto as devidas a impostos, tarifas alfandegárias e cotas de importação. Os consumidores podem se beneficiar de um grande excedente do consumidor se um novo medicamento contra as dores for vendido ao custo marginal; contudo, se uma empresa monopoliza o produto, os consumidores perderão mais excedente do que aquele que o monopolista ganhará. Essa perda líquida no bem-estar econômico é designada perda do excedente.

Podemos representar graficamente o peso morto por um monopólio na Figura 10-9. O ponto E é o nível de produção eficiente em que $CMg = P$. A cada unidade que o monopolista reduz na produção abaixo de E, a perda de eficiência é a distância vertical entre a curva da demanda e a curva CMg. A perda de excedente em decorrência da restrição da produção do monopólio é a soma de todas essas perdas, representada pelo triângulo ABE.

A técnica de quantificação dos custos das imperfeições de mercado pelos "pequenos triângulos" da perda do excedente, como o da Figura 10-9, pode ser aplicada a grande parte das situações em que o produto e o preço se desviam dos níveis competitivos.

Este cálculo do custo é, às vezes, chamado de "custo estático" do monopólio. É estático porque admite que a tecnologia para produzir o produto não se altera. Alguns economistas acreditam que os concorrentes imperfeitos podem ter "benefícios dinâmicos" se gerarem um progresso tecnológico mais rápido do que os mercados perfeitamente competitivos. Voltaremos a essa questão na discussão sobre inovação, no próximo capítulo.

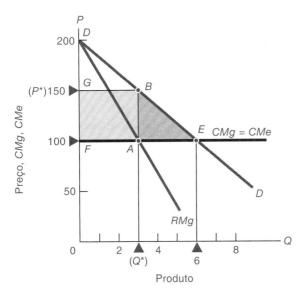

FIGURA 10-9 Os monopolistas causam desperdício econômico ao restringirem a produção.

Os monopolistas tornam a sua produção escassa e, desse modo, fazem os preços subir e aumentam os lucros. Se o setor fosse competitivo, o equilíbrio seria no ponto E, onde o excedente econômico é maximizado.

Na produção do monopolista no ponto B (com $Q = 3$ e $P = 150$), o preço está acima do CMg e perdeu-se o excedente do consumidor. Somando todas as perdas desse excedente entre $Q = 3$ e $Q = 6$ obtemos o desperdício econômico do monopólio que é igual à área triangular ABE. Além disso, o monopolista tem lucros de monopólio (que teriam sido excedente do consumidor) dados pelo retângulo $GBAF$.

Políticas públicas sobre concorrência imperfeita

Como os países podem reduzir os efeitos nocivos das práticas monopolistas? Três abordagens são frequentemente recomendadas por cientistas de Economia e de Direito:

- Historicamente, o primeiro instrumento usado pelos governos para controlar as práticas monopolistas foi a regulação econômica. À medida que evoluiu ao longo do último século, ela permitiu que departamentos de regulação especializados vigiassem os preços, as produções, a entrada e saída de empresas em ramos regulamentados, tais como serviços locais e transportes. É, de fato, o controle limitado pelo governo sem a propriedade estatal.

- O principal método usado atualmente para combater o poder de mercado excessivo é o uso de políticas de defesa da concorrência. As políticas de defesa da concorrência são leis que proíbem certos tipos de comportamento (como o conluio de empresas para fixar os preços) ou limitam certas estruturas de mercado (como o monopólio puro e os oligopólios muito concentrados).

- Mais genericamente, os abusos contra a concorrência podem ser evitados com o incentivo à ela, sempre que possível. Existem numerosas políticas governamentais que podem incentivar uma competição intensa, mesmo entre grandes empresas. É especialmente importante a redução das barreiras à entrada, em todos os tipos de atividade. Isso significa incentivar as pequenas empresas e não isolar os mercados domésticos da concorrência estrangeira.

No final deste capítulo, vamos rever as duas primeiras abordagens.

REGULAÇÃO DA ATIVIDADE ECONÔMICA

A regulação econômica da indústria norte-americana existe há mais de um século. A primeira em nível federal foi aplicada ao transporte, com a Interstate Commerce Comission (ICC), em 1887. A ICC foi concebida tanto para evitar guerras de preços e garantir o serviço às cidades pequenas como para controlar o monopólio. Posteriormente, a esta regulação estendeu-se aos bancos, em 1913; à energia elétrica, em 1920; e às comunicações, aos mercados de valores mobiliários, bem como à mão de obra, aos transportes rodoviários e às viagens aéreas, durante os anos 1930.

A regulação econômica envolve o controle dos preços, das condições de entrada e saída, bem como de padrões de serviço. Essa regulação é mais importante nos setores que são monopólios naturais. (Lembre-se que um monopólio natural ocorre quando o produto de um setor pode ser produzido de maneira eficiente apenas por uma única empresa.) Exemplos importantes de setores regulados atualmente são os serviços de utilidade pública (energia elétrica, gás natural e água) e as telecomunicações (telefone, rádio e TV a cabo). O setor financeiro tem sido regulado desde os anos 1930, com regras rígidas que especificam o que os bancos, as corretoras e as companhias seguradoras podem ou não fazer. Desde 1977, muitas regulações econômicas têm sido suavizadas ou estabelecidas, como as relativas às companhias aéreas, de transporte rodoviário, e de valores mobiliários.

Por que regular um setor?

A regulação restringe o livre poder de mercado das empresas. Quais são as razões que levam os governos a decidir sobrepor-se às decisões efetuadas pelos mercados? A primeira é *evitar os abusos do poder de mercado* por monopólios ou oligopólios. Uma segunda razão importante é *solucionar a assimetria da informação*, como as que ocorrem quando os consumidores têm informação inadequada. A terceira dessas razões pertence à regulação social e é examinada no capítulo sobre economia do ambiente. Analisamos as duas primeiras razões nesta seção.

Limitação do poder de mercado

A visão tradicional é a de que as medidas de regulação devem ser tomadas para reduzir o excessivo poder de mercado. Mais especificamente, os governos devem regular os setores em que existem poucas empresas para assegurar uma concorrência intensa, em especial no caso extremo do monopólio natural.

Sabemos, a partir da nossa discussão dos custos decrescentes em capítulos anteriores, que economias generalizadas são incompatíveis com concorrência perfeita; encontraremos oligopólio ou monopólio em tais casos. Mas a ideia aqui é ainda mais radical: *temos um monopólio natural quando existem economias de escala, ou de escopo, tão grandes que apenas uma empresa pode sobreviver.*

Por que os governos, por vezes, regulam os monopólios naturais? Fazem isso porque um monopolista natural, ao usufruir de uma grande vantagem de custos sobre os seus concorrentes potenciais e em face de uma demanda inelástica em relação ao preço, pode aumentar muito o seu preço, obter enormes lucros de monopólio e originar importantes ineficiências econômicas. Assim, a regulação permite à sociedade usufruir dos benefícios de um monopólio natural, evitar os preços muito elevados que poderiam ser praticados se o setor não fosse regulado. Um exemplo típico é o de distribuição de água local. O custo de captação de água, bem como da construção de um sistema de distribuição e canalização para todas as casas, é suficientemente grande para não compensar ter mais do que uma empresa a prestar o serviço de água local. Esse é um monopólio natural. Com a regulação econômica, uma agência do Estado dará a concessão a uma empresa em uma determinada região. Essa empresa terá de aceitar fornecer água a todas as famílias daquela região. O governo analisa e aprova os preços e as demais condições que a empresa irá apresentar aos seus clientes.

Outro tipo de monopólio natural, dominante em especial nos setores de rede, surge da necessidade de padronização e coordenação pelo sistema para um funcionamento eficiente. As ferrovias precisam de bitola padrão, a transmissão elétrica requer a estabilização de carga e os sistemas de comunicações requerem códigos padrão para que as diferentes partes possam "falar" umas com as outras.

Inicialmente, a regulação foi justificada pela ideia discutível de que era necessária para evitar a concorrência desenfreada ou destrutiva. Esse foi um argumento para o controle continuado sobre ferrovias, transporte rodoviário, aviação civil e automóveis, bem como a regulação do nível da produção agrícola. Os economistas, atualmente, têm pouca simpatia por esse argumento. De fato, a concorrência aumentará a eficiência e os preços notadamente baixos são exatamente o que um sistema de mercado eficiente deve gerar.

Solução para falhas de informação

Os consumidores, com frequência, têm uma informação inadequada acerca dos produtos. Por exemplo, o teste de medicamentos é caro e cientificamente complexo. O governo regula os medicamentos ao permitir a venda apenas dos comprovadamente "seguros e eficazes"; proíbe também a propaganda falsa e enganosa. Em ambos os casos, o governo está tentando corrigir a falha do mercado em proporcionar informação em larga escala por si mesmo.

Uma área em que a regulação da disponibilização de informação é especialmente importante é a dos mercados financeiros. Quando compram ações – ou títulos de dívida – de empresas privadas, as pessoas estão colocando suas fortunas nas mãos de pessoas sobre as quais não sabem quase nada. Antes de comprar ações da ZYX.com, as pessoas examinam as respectivas demonstrações financeiras para conhecer quais têm sido o volume de vendas, os lucros e os dividendos. Mas podemos saber se essas informações são precisas? Como podemos ter a certeza de que as empresas estão registrando essa informação de forma honesta?

É aqui que entra a regulação governamental dos mercados financeiros. A regulação do setor financeiro tem o propósito de melhorar a quantidade e a qualidade da informação, de modo que os mercados possam funcionar melhor. Quando uma empresa vende ações, ou títulos de dívida, nos Estados Unidos, é obrigada a emitir uma extensa documentação sobre sua situação financeira atual e as perspectivas futuras.

Ocasionalmente, e especialmente em períodos de frenesi especulativo, as empresas contornam ou, até mesmo, infringem as regras. Isso aconteceu em grande escala no final dos anos 1990 e no início dos anos 2000, especialmente nas comunicações e em muitas empresas de elevada tecnologia. Quando essas práticas ilegais foram tornadas públicas, o Congresso norte-americano decretou uma nova lei em 2002. Essa lei tornou ilegal mentir a um auditor, fixou um conselho independente para supervisionar os contadores e deu novos poderes de supervisão à Comissão de Bolsa (SEC, *Securities and Exchange Commission*). Alguns argumentaram que esse tipo de lei deve ser bem recebido pelas empresas honestas; padrões de reporte rigorosos são benéficos para os mercados financeiros porque reduzem as assimetrias de informação entre compradores e vendedores, promovem a confiança e encorajam o investimento financeiro.

John McMillan, de Stanford, usa uma interessante analogia para descrever o papel regulador pelo Estado. Os esportes são competições em que os indivíduos e as equipes procuram vencer os adversários com todas as suas forças e com talento. Mas os participantes têm de aceitar um conjunto de regras extremamente detalhadas; além disso, os árbitros observam atentamente os jogadores para assegurar que cumpram as regras e aplicam adequadamente as penalidades previstas para infrações. Sem regras cuidadosamente elaboradas, um jogo se tornaria uma luta sangrenta. Da mesma forma, a regulação pelo Estado, juntamente com um forte sistema judicial, é necessária em uma economia moderna para assegurar que os concorrentes ultrazelosos não monopolizem, poluam, enganem ou prejudiquem, de qualquer modo, os trabalhadores e consumidores. Essa analogia desportiva nos faz recordar que o Estado tem, ainda, um papel importante a desempenhar no monitoramento da economia e na fixação das regras do jogo.

LEI DE DEFESA DA CONCORRÊNCIA E A CIÊNCIA ECONÔMICA

Uma segunda ferramenta importante do governo para promover a concorrência é a lei de defesa da concorrência. O objetivo das políticas de defesa da concorrência é proporcionar aos consumidores os benefícios econômicos de uma concorrência de poder de mercado. As leis de defesa da concorrência atacam os abusos anticompetitivos de duas maneiras diferentes: primeiro, proíbem certos tipos de *comportamento empresarial*, como a fixação de preços, que restringem as forças competitivas. Em segundo lugar, restringem algumas *estruturas de mercado* – como os monopólios –, as quais se considera que, mais provavelmente, restringem o comércio e abusam do seu poder econômico de outras formas. O enquadramento da política de defesa da concorrência foi definido por alguns diplomas legislativos fundamentais e por mais de um século de decisões dos tribunais.

Estatutos de enquadramento

A legislação de defesa da concorrência é como uma floresta gigante que cresceu a partir de um punhado de sementes. Os princípios em que a lei se baseia são tão concisos e lineares que podem ser citados na Tabela 10-1; é surpreendente como tantas leis derivaram de tão poucas palavras.

Lei Sherman (1890). Os monopólios, há muito tempo, foram considerados ilegais segundo a lei consuetudinária, baseada nos usos ou em decisões judiciais do passado. Mas verificou-se que o conteúdo dessas leis era ineficaz contra as fusões e os cartéis que começaram a aparecer na economia dos Estados Unidos nos anos 1880. (Leia, novamente, a seção sobre os monopolistas da Idade de Ouro no Capítulo 9 para apreciar as táticas agressivas daquela época.)

Em 1890, os sentimentos populistas levaram à aprovação da Lei Sherman, que é a pedra fundamental da lei de defesa da concorrência dos Estados Unidos. A Seção 1 da Lei Sherman proíbe contratos, combinações e conspirações para "restringir o comércio". A Seção 2 proíbe a "monopolização" e a conspiração para monopolizar. Nem a lei nem a discussão que a acompanhou continham alguma noção clara acerca do significado preciso de monopólio ou das ações que deviam ser proibidas. O significado foi materializado em decisões judiciais posteriores.

A Lei Clayton (1914). A Lei Clayton foi aprovada para esclarecer e reforçar a Lei Sherman. Proibiu as *vendas casadas* (em que o cliente é forçado a comprar o produto B

As leis de defesa da concorrência
Lei Sherman de defesa da concorrência (1890, após emendas)
§1. Qualquer contrato, combinação na forma de truste ou de qualquer outra, ou conspiração que restrinja o negócio ou o comércio entre os vários estados ou com países estrangeiros é declarado ilegal.
§2. Qualquer pessoa que monopolize, ou tente monopolizar, ou combine ou conspire com qualquer outra pessoa ou pessoas para monopolizar parte do negócio ou do comércio entre os vários estados, ou com países estrangeiros, será considerado culpado de um crime...
Lei Clayton de defesa da concorrência (1914, após emendas)
§2. É proibido... discriminar o preço entre diferentes compradores de bens do mesmo tipo e qualidade... em que o efeito dessa discriminação possa ser uma redução substancial da concorrência ou que tenda a criar um monopólio em qualquer forma de comércio... Desde que nada do que aqui está estabelecido elimine as diferenças devidas unicamente a diferenças de custo...
§3. É proibido a qualquer pessoa... alugar ou vender ou contratar... na condição, acordo ou entendimento de que o arrendatário ou comprador não usará ou negociará... com as mercadorias de um concorrente... em que o efeito... possa ser uma redução substancial da concorrência ou tenda a criar um monopólio em qualquer tipo de comércio.
§7. Nenhuma [sociedade]... poderá adquirir... a totalidade ou qualquer parte... de outra [sociedade]... em que... o efeito dessa aquisição possa ser uma redução substancial da concorrência ou tenda a criar um monopólio.
Lei da Comissão do Comércio Federal (1914, após emendas)
§5. Os métodos desleais de concorrência... e os atos ou práticas desleais e enganadores são proibidos.

TABELA 10-1 A legislação de defesa da concorrência dos Estados Unidos é baseada em várias leis.

As Leis Sherman, Clayton e da Federal Trade Commission lançaram o fundamento da legislação de defesa da concorrência dos Estados Unidos. A interpretação destas leis constituiu as doutrinas de defesa da concorrência modernas.

se quiser o produto A); declarou ilegais a *discriminação de preços* e a exclusividade de negócio; baniu as *direções interligadas* (em que alguns indivíduos são os diretores de mais do que uma empresa do mesmo ramo) e as *fusões* resultantes da aquisição de ações dos concorrentes. Essas práticas não eram ilegais em si mesmas, mas apenas quando pudessem prejudicar substancialmente a concorrência. A Lei Clayton dava ênfase tanto à prevenção como à punição.

Outro elemento importante da Lei Clayton era o fato de que os sindicatos de trabalhadores não eram objeto da lei de defesa da concorrência.

Leis da Comissão do Comércio Federal. Em 1914 foi criada a Comissão do Comércio Federal (FTC, *Federal Trade Commission*) para proibir "métodos desleais de concorrência" e para evitar as fusões anticompetitivas. Em 1938, a FTC foi também incumbida de impedir a propaganda falsa e enganosa. Para reforçar os seus poderes, esta Comissão pode investigar empresas, colocar escutas e usar instrumentos como termos de compromisso de cessação ou acordos de leniência.

QUESTÕES BÁSICAS DA LEI DE DEFESA DA CONCORRÊNCIA: CONDUTA E ESTRUTURA

Embora as leis de defesa da concorrência básicas sejam lineares, na prática, sua aplicação a situações específicas de conduta industrial ou de estrutura e de conduta de mercado não é fácil. A lei atual evoluiu pela interação entre a teoria econômica e os casos judiciais reais.

Uma questão importante que surge em muitos casos é: qual é o mercado relevante? Por exemplo, o que é o setor de "telefonia" em Albuquerque, Novo México? Esse setor inclui todas os setores da informação, ou apenas as telecomunicações, ou só as telecomunicações com fio, ou os telefones com fio em todo o Novo México, ou apenas em algumas áreas postais específicas? Em casos recentes nos Estados Unidos, o mercado tem sido definido de modo a incluir produtos que sejam substitutos razoáveis. Se o preço da linha telefônica aumenta e as pessoas mudam para o serviço de telefonia celular em número significativo, então esses dois produtos seriam considerados como fazendo parte do mesmo setor. Se, ao contrário, poucas pessoas compram mais jornais quando o preço do serviço telefônico aumenta, então os jornais não são incluídos no mercado dos telefones.

Conduta ilegal

Algumas das primeiras decisões de defesa da concorrência diziam respeito ao comportamento ilegal. Os tribunais decidiam que certos tipos de comportamento de conluio eram ilegais em si mesmos; simplesmente não havia qualquer justificativa para defesa dessas ações. Os acusados não podiam defender-se apontando o valor de algum objetivo (como a qualidade do produto) ou circunstâncias atenuantes (como lucros baixos).

O tipo mais importante de conduta ilegal em si mesma é o acordo entre empresas concorrentes para fixar preços. Até mesmo os críticos mais acirrados da política de defesa da concorrência não conseguem descortinar qualquer virtude na combinação de preços. Duas outras práticas são ilegais em todos os casos:

- A *fraude em leilão*, em que várias empresas concordam em estabelecer as suas propostas para que uma empresa ganhe o leilão, geralmente com um preço inflacionado, é sempre ilegal.
- *Esquemas de atribuição de mercado*, em que os concorrentes dividiam os mercados por território ou pelos clientes, são anticompetitivas e, portanto, ilegais por si mesmas.

Muitas outras práticas são menos claras e exigem alguma consideração das circunstâncias particulares:

- *Discriminação de preços* em que uma empresa vende o mesmo produto a diferentes clientes por preços diferentes é impopular, mas, em geral, não é ilegal (recorde a análise anterior da discriminação de preço neste capítulo). Para ser ilegal a discriminação não pode ser baseada em diferentes custos de produção e deve prejudicar a concorrência.
- *Contratos*, ou acordos, *em vendas casadas*, em que uma empresa vende o produto A apenas se o comprador comprar o produto B, são, em geral, ilegais apenas se o vendedor tem um elevado poder de mercado.
- E sobre os *preços predatórios*? Suponha que em virtude do funcionamento eficiente do Walmart e de seus preços baixos, a loja da esquina fechasse. Isso será ilegal? A resposta é: não. A não ser que o Walmart tenha feito algo de ilegal, levar os concorrentes à falência em virtude de uma maior eficiência não é ilegal.

Repare que as práticas desta lista dizem respeito à *conduta* de uma empresa. São os atos por si mesmo que são considerados ilegais, não é a estrutura do setor em que os atos ocorrem. Talvez o exemplo mais célebre seja a grande conspiração do equipamento elétrico. Em 1961, a indústria de equipamento elétrico foi considerada culpada de acordos de preços em conluio. Os dirigentes das principais empresas – como a GE e a Westinghouse – conspiraram para aumentar os preços e procuraram despistar, como personagens em uma novela de espiões, com encontros em casas de caça, usando codnomes e fazendo chamadas de telefones públicos. As empresas concordaram em pagar grandes indenizações aos seus clientes pelos preços exagerados e alguns dirigentes foram presos por terem violado a lei de defesa da concorrência.

Estrutura: a grandeza é maldade?

Os casos de defesa da concorrência com mais visibilidade estão relacionados com a estrutura do setor e não com a conduta das empresas. Esses casos consistem na tentativa de desmantelar ou limitar a conduta de empresas dominantes.

A primeira onda da atividade de defesa da concorrência ao abrigo da Lei Sherman concentrou-se no desmantelamento dos monopólios existentes. Em 1911, o Supremo Tribunal ordenou o desmembramento da American Tobacco Company e da Standard Oil em muitas empresas separadas. Ao condenar esses monopólios flagrantes, o Supremo Tribunal enunciou a importante "regra da razão". Unicamente as restrições *não razoáveis* ao comércio (fusões, acordos e afins) cabiam no âmbito da Lei Sherman e eram consideradas ilegais.

A doutrina da regra da razão anulava praticamente o ataque das leis de defesa da concorrência às fusões monopolistas, como se viu no *caso da U.S. Steel* (1920). J. P. Morgan tinha erguido esse gigante por meio de fusões e, no seu apogeu, controlava 60% do mercado. Mas o Supremo Tribunal determinou que a dimensão do monopólio, em si, não era crime. Nesse período, tal como atualmente, os casos que moldaram o panorama econômico focavam-se mais nas *estrutura* de monopólios ilegais do que na *conduta* anticompetitiva.

Nos últimos anos, dois casos importantes estabeleceram as regras básicas para a estrutura e o comportamento monopolista. No *caso da AT&T*, o Ministério da Justiça apresentou uma acusação de amplas consequências. Durante a maior parte do século XX, a American Telephone and Telegraph (AT&T – por vezes designada Sistema Bell) era um monopólio integrado vertical e horizontalmente, fornecedor de serviços de telecomunicações. Em 1974, o Ministério da Justiça apresentou uma ação de defesa da concorrência, acusando a AT&T de ter monopolizado o mercado regulado de longa distância por meios anticompetitivos – como evitar que a MCI e outras operadoras fizessem a ligação para os mercados locais – e de ter monopolizado o mercado de equipamento de telecomunicações ao recusar-se a comprar equipamento a outros fornecedores que não a Bell.

Confrontada com a perspectiva de perder a ação de defesa da concorrência, a companhia aceitou uma sentença por acordo em 1982. As companhias Bell, que funcionavam localmente, foram autonomizadas (separadas legalmente) da AT&T, e foram reagrupadas em sete grandes companhias regionais. A AT&T manteve as suas atividades de longa distância, bem como os Bell Labs (o organismo de pesquisa) e a Western Electric (o fabricante de equipamento). O efeito líquido foi a redução em 80% da dimensão e das vendas do Sistema Bell.

O desmantelamento do sistema Bell deflagrou uma revolução ininterrupta no setor das telecomunicações. Novas tecnologias estão mudando o panorama deste setor. Os sistemas de telefones celulares estão quebrando o monopólio natural do sistema de cabos, de Alexander Graham Bell; as companhias telefônicas estão agrupando forças para trazer o sinal de televisão até as casas; as linhas de fibra ótica estão começando a funcionar como super-rodovias de dados, transmitindo quantidades enormes de dados pelo país e pelo mundo. A internet está ligando pessoas e lugares entre si, de formas que eram inimagináveis há uma década. Uma lição clara do desmantelamento do sistema Bell é que não é necessário monopólio para que haja progresso tecnológico rápido.

O principal caso de defesa da concorrência mais recente envolveu a gigante da programação Microsoft. Em 1998, o governo federal norte-americano e 19 estados apresentaram uma queixa muito extensa, alegando que a Microsoft tinha mantido ilegalmente a sua posição dominante no mercado de sistemas operacionais e usado esse domínio para estender seu controle sobre outros mercados, como o de *navegadores* de internet. O governo queixou-se que a "Microsoft havia praticado um vasto repertório de condutas ilícitas com o propósito e o efeito de combater ameaças emergentes ao seu poderoso e bem enraizado monopólio de sistemas operacionais". Ainda que um monopólio conquistado por meios justos seja legal, atuar para impedir a concorrência é ilegal.

Na sua "Procura dos Fatos", o Juiz Jackson declarou que a Microsoft era um monopólio que controlava mais de 90% do mercado de sistemas operacionais de PC desde 1990, e que a empresa tinha abusado do seu poder de mercado e causado "prejuízo aos consumidores ao distorcer a concorrência". O Juiz Jackson concluiu que a Microsoft tinha violado as seções 1 e 2 da Lei Sherman. Concluiu que a

> Microsoft manteve o seu poder de monopólio por meios anticompetitivos, tentou monopolizar o mercado de navegadores da internet, e violou a Lei Sherman ao associar ilegalmente seu navegador ao seu sistema operacional.

O Ministério da Justiça propôs a medida radical de desmembramento da Microsoft de acordo com suas linhas funcionais. Esse "divórcio" exigia a separação da Microsoft em duas empresas independentes e separadas. Uma empresa ("WinCo") ficaria com o Windows e os outros negócios de sistemas operacionais, e a outra ("AppCo") ficaria com os aplicativos e outras atividades. O Juiz Jackson aceitou a recomendação para remediar a situação – feita pelo Ministério da Justiça – sem qualquer alteração.

Mas o caso teve, então, uma reviravolta bizarra quando se descobriu que o Juiz Jackson havia tido discussões privadas acaloradas com jornalistas, mesmo quando estava julgando o caso. Ele foi acusado de conduta antiética e afastado do caso. Pouco depois, a administração Bush decidiu que não pretendia implementar o desmembramento da Microsoft e que aceitava medidas saneadoras pela conduta. Essas medidas restringiriam a atuação da Microsoft de modo a proibir a venda casada e a discriminação de preço, bem como assegurar a funcionalidade do Windows com outros programas que não da mesma linha. Depois de prolongadas audiências, o caso foi encerrado em novembro de 2002, mantendo-se a Microsoft intacta, mas sob a vigilância do governo e dos tribunais.

Leis de defesa da concorrência e eficiência

As perspectivas econômica e legal em relação à regulamentação e à defesa da concorrência modificaram-se radicalmente ao longo das três últimas décadas. De forma crescente, a regulação econômica e as leis de defesa da concorrência foram concebidas com o objetivo de melhorar a eficiência econômica, em vez de combater as empresas simplesmente porque são grandes ou lucrativas.

O que levou à mudança de atitude em relação à política de defesa da concorrência? Primeiro, os economistas descobriram que, às vezes, os setores concentrados tinham desempenhos notáveis. Isto é, ainda que os setores concentrados possam ter ineficiências, estas são mais do que compensadas pelas suas eficiências dinâmicas. Considere empresas como a Intel, a Microsoft e a Boeing. Elas têm participações de mercado substanciais, mas também são altamente inovadoras e bem-sucedidas comercialmente.

Um segundo impulso, da nova abordagem da regulação e da defesa da concorrência derivou das novas descobertas sobre a natureza desta última. Considerando tanto os fatos como as observações experimentais, muitos economistas pensam que uma forte rivalidade acaba surgindo, mesmo em mercados oligopolizados, desde que o conluio seja estritamente proibido. De fato, nas palavras de Richard Posner, um antigo professor de Direito e atualmente juiz federal,

> Os únicos atos verdadeiramente unilaterais pelos quais as empresas podem alcançar ou manter o poder de monopólio são as práticas do tipo fraudes cometidas no Registro de Patentes ou incendiar a fábrica de um concorrente, mas a fraude e o crime são, em geral, adequadamente punidos ao abrigo de outra legislação.

Nessa perspectiva, o único propósito válido das leis de defesa da concorrência deverá ser a substituição das leis existentes por uma simples proibição contra os *acordos* – explícitos ou tácitos – que restringem a concorrência injustificadamente.

Uma última razão para a diminuição do ativismo de defesa da concorrência tem sido a crescente globalização em muitos setores concentrados. À medida que mais empresas estrangeiras entram na economia dos Estados Unidos, tendem a competir fortemente por participação de mercado e, com frequência, alteram os padrões de vendas e as práticas habituais de fixação de preços. Por exemplo, quando as vendas dos fabricantes japoneses de automóveis aumentaram, dissolveu-se a cômoda coexistência entre As Três Grandes fabricantes de automóveis dos Estados Unidos. Muitos economistas pensam que a ameaça da concorrência externa é um instrumento muito mais poderoso que as leis de defesa da concorrência para fazer-se respeitar a disciplina de mercado.

RESUMO

A. Comportamento dos concorrentes imperfeitos

1. Recorde as quatro estruturas de mercado mais importantes. (a) *Concorrência perfeita* ocorre quando nenhuma empresa é suficientemente grande para influenciar o preço de mercado. (b) *Concorrência monopolística* ocorre quando muitas empresas produzem bens ligeiramente diferentes. (c) *Oligopólio* é uma forma intermediária de concorrência imperfeita em que poucas empresas dominam um setor. (d) *Monopólio* existe quando uma única empresa é responsável pela produção total de um setor.

2. As medidas de concentração destinam-se a indicar o grau de poder de mercado em um setor de concorrência imperfeita. Os setores que são mais concentrados tendem a ter níveis maiores de despesas em P&D, mas a sua lucratividade em média não é superior.

3. Barreiras fortes à entrada e o conluio total podem levar ao cartel. Essa estrutura de mercado produz uma relação de preço e de quantidade similar à de monopólio.

4. Outra estrutura comum é a concorrência monopolística que caracteriza muitos setores varejistas. Aqui vemos muitas pequenas empresas, com ligeiras diferenças nas características dos seus produtos (por exemplo, diferentes localizações de postos de combustíveis, ou diferentes tipos de cereais matinais). A diferenciação de produto leva cada empresa a confrontar-se com uma curva de demanda com inclinação negativa, uma vez que cada empresa é livre para fixar os seus próprios preços. No longo prazo, a livre entrada no ramo elimina os lucros, e esses setores apresentam um equilíbrio em que as suas curvas *CMe* são tangentes às curvas de demanda. Nesse equilíbrio de tangência, os preços estão acima dos custos marginais, mas o ramo de atividade apresenta uma diversidade maior de qualidade e de serviço do que ocorreria sob concorrência perfeita.

5. Uma última situação aponta para a interação estratégica presente quando um setor é composto apenas por um pequeno número de empresas. Quando um número reduzido de empresas compete em um mercado, essas empresas devem reconhecer suas interações estratégicas. A concorrência entre poucos introduz um aspecto completamente novo na vida econômica: leva as empresas a considerarem as reações das concorrentes às decisões de preço e de produção e traz considerações estratégicas para esses mercados.

6. A discriminação de preço ocorre quando o mesmo produto é vendido a diferentes consumidores com preços diferentes. Essa prática ocorre com frequência quando

os vendedores podem segmentar o seu mercado em diferentes grupos.

B. Teoria dos jogos

7. A vida econômica contém muitas situações de interação estratégica entre empresas, famílias, governos e outros. A teoria dos jogos analisa a forma como duas ou mais partes, que se relacionam em um palco, como, por exemplo, um mercado, escolhem as ações ou estratégias que conjuntamente afetam todos os participantes.

8. A estrutura básica de um jogo inclui os jogadores que têm diferentes ações ou estratégias possíveis e os *payoffs* que descrevem os lucros, ou outros benefícios possíveis que os jogadores obtêm em cada resultado. O novo conceito-chave é a matriz de *payoffs* de um jogo, que mostra a informação sobre as estratégias e os resultados, ou lucros, dos diferentes jogadores para todas as possíveis situações.

9. A chave para a escolha das estratégias na teoria dos jogos é os jogadores pensarem tanto nos seus próprios objetivos como nos dos seus opositores, nunca esquecendo que o outro lado está fazendo o mesmo. Quando estiver participando de um jogo em Economia, ou em outro campo qualquer, admita que o seu opositor irá escolher a opção que seja a melhor para ele ou ela. A seguir adote a estratégia que maximize o seu benefício, considerando sempre que o seu opositor também está analisando as suas opções.

10. Às vezes, está disponível uma estratégia dominante, que é a melhor, independentemente do que o opositor faça. Com maior frequência, encontramos um equilíbrio de Nash (ou equilíbrio não cooperativo) em que nenhum jogador pode melhorar o seu *payoff*, desde que a estratégia do outro jogador não se altere.

C. Políticas públicas para combater o poder de mercado

11. O poder de monopólio, com frequência, conduz à ineficiência econômica; quando o preço sobe acima do custo marginal, os custos aumentam por falta de pressão competitiva e a qualidade do produto se deteriora.

12. A regulação econômica envolve o controle de preços, da produção, das condições de entrada e saída e dos padrões de serviço em um determinado setor. A perspectiva normativa da regulação econômica é que a intervenção governamental é apropriada quando existem falhas de mercado importantes. Nestas, incluem-se o excessivo poder de mercado em um setor, o fornecimento inadequado de informação a consumidores e trabalhadores, e externalidades, como a poluição. A justificativa mais forte para a regulação econômica se dá em relação aos monopólios naturais. Um monopólio natural ocorre quando os custos médios diminuem para cada nível superior de produção, de modo que a organização mais eficiente do setor exige a produção por uma única empresa.

13. A política de defesa da concorrência, que proíbe a conduta anticompetitiva e evita as estruturas monopolistas, é a principal forma de políticas públicas para limitar o poder de mercado das grandes empresas. Essa política derivou de legislação como a Lei Sherman (1890) e a Lei Clayton (1914). Os principais propósitos da política de defesa da concorrência são: (a) proibir as atividades anticompetitivas (que incluem acordos para fixar os preços ou dividir áreas, a discriminação de preços e acordos em cadeia) e (b) destruir as estruturas monopolistas ilegais. Na teoria jurídica atual, tais estruturas são as que têm um poder de mercado excessivo (uma grande participação de mercado) e que também se envolvem em práticas anticompetitivas.

14. A política legal de defesa da concorrência tem sido influenciada significativamente pelo pensamento econômico durante as três últimas décadas. Como resultado, a política de defesa da concorrência concentra-se, hoje, quase exclusivamente na melhoria da eficiência, ignorando as preocupações populistas anteriores sobre o tamanho relativo da(s) empresa(s).

CONCEITOS PARA REVISÃO

Modelos de concorrência imperfeita
– concentração: índices de concentração, IHH
– poder de mercado
– interação estratégica
– conluio tácito e explícito
– concorrência imperfeita:
  – cartel
  – concorrência monopolística
  – oligopólio de poucas empresas
– equilíbrio sem lucro na concorrência monopolística
– ineficiência de $P > CMg$

Teoria dos jogos
– jogadores, estratégias, resultados
– matriz de *payoffs*
– estratégia dominante e equilíbrio
– equilíbrio de Nash ou não cooperativo

Políticas para a concorrência imperfeita
– perdas de excedente
– razões para a regulamentação
  – poder de mercado
  – externalidades
  – falhas de informação

Política de defesa da concorrência
– Leis Sherman, Clayton e da FTC
– monopólio natural
– proibição em si mesma *versus* a "regra da razão"
– política de defesa da concorrência orientada pela eficiência

LEITURAS ADICIONAIS E SITES

Leituras adicionais

Uma excelente revisão da organização industrial é Dennis W. Carlton e Jeffrey M. Perloff, *Modern Industrial Organization* (Addison-Wesley, New York, 2005).

A teoria dos jogos foi desenvolvida em 1944 por John von Neuman e Oscar Morgenstern e publicada em *Theory of Games and Economic Behavior* (Princeton University Press, Princeton, N.J., 1980). Uma revisão interessante da teoria dos jogos por dois líderes da microeconomia é a de Avinash K. Dixit e Barry J. Nalebuff, *Thinking Strategically*: The Competitive Edge in Business, Politics, and Everyday (Norton, New York, 1993). A biografia não técnica de John Nash pela jornalista Silvia Nasar, *A Beautiful Mind*: A Biography of John Forbes Nash Jr. (Touchstone Books, 1999) é uma história contada com vivacidade sobre a teoria dos jogos e um dos seus mais brilhantes teóricos.

A lei e a economia avançaram muito sob a influência de professores como Richard A. Posner, atualmente um juiz de círculo. O seu livro *Antitrust Law*: An Economic Perspective (University of Chicago Press, Chicago, 1976) é um clássico.

Sites

Os estudiosos de teoria dos jogos criaram uma série de sites. Veja, em especial, os de David Levine da UCLA em <http://levine.sscnet.ucla.edu> e Al Roth de Harvard em <http://www.economics.harvard.edu/~aroth/alroth.html>.

A OPEP tem o seu site em <http://www.opec.org>. Esse site faz leituras interessantes do ponto de vista dos produtores de petróleo, sendo, muitos deles, países árabes.

Dados e métodos relativos aos índices de concentração podem ser encontrados em uma publicação do Bureau of Census em <http://www.census.gov/epcd/www/concentration.htm>.

Um excelente site com links para muitos assuntos de defesa da concorrência é <http://www.antitrust.org>. A página principal da Divisão Antitruste do Ministério da Justiça dos Estados Unidos, em <http://www.usdoj.gov/atr/public/div_stats/211491.htm>, contém uma revisão das questões de defesa da concorrência.

QUESTÕES PARA DISCUSSÃO

1. Reveja o cartel e a concorrência monopolística, que são duas teorias da concorrência imperfeita analisadas neste capítulo. Construa uma tabela que compare a concorrência perfeita, o monopólio e as duas teorias em relação às seguintes características: (a) número de empresas; (b) grau de conluio; (c) preço *versus* custo marginal; (d) preço *versus* custo médio de longo prazo; (e) eficiência.

2. Considere um setor cujas empresas têm as seguintes vendas:

Empresa	Vendas
Computadores Maçã	1.000
Computadores Banana	800
Computadores Cominhos	600
Computadores Delta	400
Computadores Alface	300
Computadores Espaguete	200
Computadores Uva	150
Computadores Hambúrguer	100
Computadores Café	50
Computadores Jasmin	1

    O Índice Herfindahl-Hirschman é definido como:
    IHH =
    (Participação de mercado da empresa 1 em %)^2
    + (Participação de mercado da empresa 2 em %)^2 + ···
    + (Participação de mercado da última empresa em %)^2 +

    a. Calcule o índice das quatro empresas e o das seis empresas para o setor de computadores.

    b. Calcule o IHH para esse setor.

    c. Suponha que a Computadores Maçã e a Computadores Banana vão fundir-se, sem alteração das vendas de nenhuma das outras empresas. Calcule o novo IHH.

3. A "discriminação de preço completa" ocorre quando a cada consumidor é cobrado o seu preço máximo pelo produto. Quando isso acontece, o monopolista pode captar a totalidade do excedente do consumidor. Desenhe uma curva da demanda para cada um de seis consumidores e compare (a) a situação em que todos os consumidores se deparam com um preço único com (b) um mercado com discriminação completa de preço. Explique o resultado paradoxal de que a discriminação completa de preço elimina a ineficiência de monopólio.

4. O governo decide aplicar um imposto a um monopólio segundo uma taxa constante de X dólares por unidade. Mostre o impacto sobre a produção e o preço. O equilíbrio depois de imposto está mais perto ou mais afastado do equilíbrio ideal de $P = CMg$?

5. Mostre que um monopolista não regulado e que procura maximizar o lucro nunca irá operar na região de inelasticidade de preço de sua curva de demanda. Mostre como a regulação pode forçar o monopolista a ir para a parte inelástica de sua curva de demanda. Qual será o impacto de um aumento do preço regulado de um monopolista sobre as receitas e os lucros quando está operando (a) na parte elástica da curva de demanda, (b) na parte inelástica da curva da demanda e (c) na parte de elasticidade unitária da curva da demanda?

6. Faça uma lista dos setores que considera que sejam candidatos ao título de "monopólio natural". Reveja, em seguida, as diferentes estratégias de intervenção para evitar o exercício do poder de monopólio. O que faria relativamente a cada um dos setores da sua lista?

7. As empresas muitas vezes pressionam para que sejam estabelecidos impostos ou cotas de importação para atenuar a concorrência externa.

   a. Suponha que o monopolista representado na Figura 10-9 tem um concorrente estrangeiro que fornecerá o produto com uma elasticidade total a um preço ligeiramente acima do preço de monopólio $CMe = CMg$, mas abaixo de P. Mostre o impacto da entrada do concorrente estrangeiro no mercado.

   b. Qual seria o efeito no preço e na quantidade, se fosse fixado um imposto de importação proibitivo sobre o produto estrangeiro? (Um imposto de importação proibitivo é de tal forma elevado que constitui uma barreira efetiva a todas as importações.) Qual poderia ser o efeito de um imposto de importação baixo? Utilize a sua análise para explicar a afirmação: "A tarifa é a mãe do monopólio".

8. Explique, por palavras e graficamente, por que o equilíbrio de monopólio conduz à ineficiência econômica comparativamente ao equilíbrio de concorrência perfeita. Por que a condição $CMg = P = UMg$, do Capítulo 8, é essencial para essa análise?

9. Considere o dilema do prisioneiro, um dos jogos mais famosos. Molly e Knuckles são parceiros de crime. O procurador os interroga separadamente dizendo: "Sei o suficiente de ambos para te mandar para a cadeia por um ano. Mas faço um acordo com você: se confessar sozinho, consigo para você uma sentença de três meses, enquanto o teu parceiro apanha dez anos. Se ambos confessarem, ambos levam cinco anos". O que Molly deverá fazer? Ela deverá confessar e esperar obter uma pena curta? É preferível três meses ao ano que terá como pena, no caso de ficar calada. Mas espere. Existe uma razão ainda melhor para confessar. Suponha que a Molly não confesse, mas o que será pior para ela, o Knuckles confesse. A Molly arrisca-se receber uma pena de 10 anos! Evidentemente, nessa situação, é melhor para a Molly confessar e pegar cinco anos em vez de dez. Construa uma matriz de *payoffs* como a da Figura 10-8. Mostre que cada jogador tem uma estratégia dominante, que é confessar, e, portanto, ambos acabam por receber longas penas de prisão. Mostre, a seguir, o que aconteceria se pudessem entrar em um acordo irrevogável de não confessar.

10. Em sua "Procura por Fatos", no caso Microsoft, o Juiz Jackson escreveu: "É indicativo do poder de monopólio que a Microsoft tenha sentido que tinha um substancial arbítrio na fixação do preço do melhoramento do seu produto Windows 98 (o sistema operacional vendido aos já usuários de Windows 95). Um estudo da Microsoft de novembro de 1997 revela que a empresa podia ter cobrado US$ 49 para a instalação do Windows 98 – não há razão para crer que o preço de US$ 49 teria sido não lucrativo – mas o estudo identifica US$ 89 como o preço que maximiza a receita. A Microsoft optou, então, pelo preço mais elevado". Explique por que esses fatos indicariam que a Microsoft não é um concorrente perfeito. Que informação adicional seria necessária para provar que a Microsoft é um monopólio?

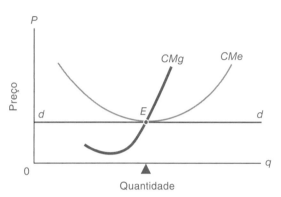

FIGURA 10-10 Concorrência perfeita.

11. No equilíbrio de longo prazo, tanto os mercados perfeitamente competitivos como os de concorrência monopolística alcançam uma tangência entre a curva de demanda dd da empresa e a sua curva CMe de custo médio. A Figura 10-4 mostra a tangência para uma concorrente monopolística. Discuta as semelhanças e as diferenças entre as duas situações em relação a:

    a. Elasticidade da curva da demanda para a produção da empresa.
    b. Amplitude da divergência entre o preço e o custo marginal.
    c. Lucros.
    d. Eficiência econômica.

12. Leia novamente a história da OPEP. Desenhe um conjunto de curvas de oferta e da demanda em que a oferta é completamente inelástica em relação ao preço. Demonstre que um cartel que fixa um objetivo de produção (a curva de oferta inelástica) experimentará preços mais voláteis se a demanda for inelástica em relação ao preço do que se for elástica quando (a) a curva da demanda se desloca horizontalmente por certa quantidade (como ocorreria com um choque imprevisto da demanda) ou (b) há um deslocamento na curva da oferta (digamos que em virtude da fraude de um membro do cartel).

CAPÍTULO

11 Economia da incerteza

As pérolas não se encontram na praia. Você quer uma? Mergulhe à procura dela.
Provérbio chinês

A vida está repleta de incertezas. Suponha que você estivesse atuando no setor petrolífero. Você poderia estar encarregado de uma *joint venture* na Sibéria. Que obstáculos teria de enfrentar? Você encontraria, é claro, os riscos normais que atormentam qualquer produtor de petróleo em todo o mundo – os riscos da queda de preço, de embargos ou de um ataque aos seus petroleiros por algum regime político hostil. Juntamente com estes, haveria os riscos de operar em uma área nova: o desconhecimento das formações geológicas, do território que deve ser percorrido para levar o petróleo ao mercado, da taxa de sucesso dos poços de petróleo e da qualificação dos trabalhadores locais.

A essas incertezas devem-se juntar os riscos políticos relacionados com a negociação com um governo crescentemente autocrático e nacionalista em Moscou, juntamente com os problemas que decorrem de guerras ocasionais e de elementos corruptos em um país em que a corrupção é corriqueira e a lei não impera. E os seus parceiros podem revelar-se sem escrúpulos em se aproveitar do conhecimento local para ficar com mais do que lhes é devido.

As questões econômicas do seu empreendimento mostram complexidades que não são captadas pelas nossas teorias elementares. Muitas dessas questões envolvem *risco, incerteza* e *informação*. A nossa empresa petrolífera tem de lidar com as incertezas da extração, dos preços voláteis e da mudança de mercados. Da mesma forma, as famílias se defrontam com a incerteza dos salários futuros ou do emprego e acerca da rentabilidade dos seus investimentos em educação ou em ativos financeiros. Além disso, as pessoas, às vezes, são atingidas por infortúnios devastadores, tais como furacões, terremotos e doenças. A primeira seção deste capítulo aborda os aspectos econômicos fundamentais da incerteza.

De que forma as pessoas e as sociedades lidam com incertezas? Uma importante abordagem é por meio dos seguros. A segunda seção trata dos fundamentos dos seguros, incluindo o importante conceito de seguro social. A terceira seção aplica o conceito de seguro social à assistência à saúde, que é um crescente dilema político e social nos Estados Unidos. Concluímos com uma análise da Economia da informação que aplicamos ao crescimento da internet.

Nenhum estudo das realidades da vida econômica estará completo sem um estudo aprofundado das questões fascinantes que envolvem a tomada de decisão sob incerteza e a Economia da informação.

A. ECONOMIA DO RISCO E DA INCERTEZA

Em nossa análise dos mercados, admitimos que os custos e as demandas eram conhecidos e certos. Na realidade, a vida econômica tem de lidar com o risco e a incerteza. Descrevemos as incertezas envolvidas em uma *joint venture* de petróleo na Sibéria, mas esses problemas não se restringem ao setor de petróleo. Praticamente todas as empresas se confrontam com incertezas sobre sua produção e sobre os preços de seus fatores de produção. Elas podem descobrir que os seus mercados estão encolhendo em virtude de uma recessão ou que é difícil obter crédito em uma crise financeira. Além disso, o comportamento dos seus concorrentes não pode ser previsto antecipadamente. A essência da atividade empresarial é investir no presente com a finalidade de obter lucros no futuro, colocando, de fato, fortunas como reféns de incerteza futura. A vida econômica é uma atividade de risco.

A ciência econômica moderna tem desenvolvido ferramentas úteis para incorporar a incerteza na análise do comportamento das empresas e das famílias. Esta seção examina o papel dos mercados na dispersão do risco no espaço e no tempo e apresenta a teoria do comportamento individual em situação de incerteza. Esses tópicos não são mais do que uma breve visão do mundo fascinante do risco e da incerteza na vida econômica.

ESPECULAÇÃO: TRANSPORTE DE ATIVOS OU BENS POR MEIO DO ESPAÇO E DO TEMPO

Começamos por considerar o papel dos mercados especulativos. A **especulação** envolve comprar e vender de forma a lucrar com as flutuações de preços. Um **especulador** quer comprar com o preço baixo e vender com preço alto. O bem pode ser cereal, petróleo, ovos, ações ou moeda estrangeira. Os especuladores não compram esses ativos para seu próprio uso. A última coisa que esperam ver é um caminhão de ovos chegando à porta de suas casas. Em vez disso, lucram com as variações de preço.

Muitas pessoas pensam na especulação como uma atividade sinistra, especialmente quando associada a fraudes contábeis e informação privilegiada. Mas a especulação pode ser benéfica para a sociedade. A função econômica dos especuladores é "deslocar" os bens dos períodos de abundância para os períodos de escassez. Ainda que os especuladores nunca cheguem a ver um barril de petróleo ou títulos de dívida do Brasil, podem ajudar a atenuar as diferenças de preços ou de renda desses bens entre regiões ou ao longo do tempo. Fazem-no comprando, quando os bens são abundantes e os preços estão baixos, e vendendo quando os bens são escassos e os preços estão altos. Isso, de fato, pode melhorar a eficiência de um mercado.

Arbitragem e padrões geográficos de preço

O caso mais simples é aquele em que a atividade especulativa reduz ou elimina as diferenças regionais de preço com a compra e venda da mesma mercadoria. Essa atividade é chamada de **arbitragem**, que é a compra de um bem ou ativo em um mercado para imediata revenda em outro mercado, de forma a obter lucro com a discrepância de preço.

Suponhamos que o preço do trigo em Chicago é US$ 0,5 mais caro, por quilo, do que em Kansas City. Além disso, suponha que os custos de seguro e transporte são de US$ 0,1 por quilo. Então um *arbitrador* (alguém que se dedica à arbitragem) pode comprar trigo em Kansas City, enviá-lo para Chicago e realizar um lucro de US$ 0,4 por quilo. Como resultado da arbitragem de mercado, o diferencial deve reduzir, de modo que o diferencial de preço entre Chicago e Kansas City não possa nunca exceder US$ 0,1 por quilo. *De um modo geral, em resultado da arbitragem, a diferença de preço entre mercados será menor que o custo de deslocar um bem de um mercado para outro.*

A atividade frenética dos arbitradores – falar ao telefone simultaneamente para diversos agentes em vários mercados, a busca de diferenciais de preço, tentar alcançar um lucro minúsculo todas as vezes que podem comprar mais barato do que vendem – tende a alinhar os preços de produtos idênticos em mercados diferentes. Uma vez mais, vemos a mão invisível atuando – o objetivo do lucro atua como atenuador dos diferenciais de preço entre os mercados e os faz funcionar de maneira mais eficiente.

Especulação e comportamento dos preços ao longo do tempo

As forças da especulação tenderão a estabelecer padrões de preços definidos ao longo do tempo e no espaço. Mas as dificuldades de previsão do futuro fazem com que esse padrão não seja perfeito: temos um equilíbrio constantemente perturbado, mas que está sempre em um processo de autorrestabelecimento – tal como a superfície de um lago sob a ação dos ventos.

Considere o caso mais simples de uma cultura como a de milho que tem uma colheita por ano e que pode ser armazenada para uso no futuro. Para evitar a escassez de produto, a colheita deve durar o ano todo. Como não há uma lei para regular o armazenamento do milho, como o mercado consegue proporcionar um padrão eficiente de preços e de abastecimento ao longo do ano? O equilíbrio é atingido com as atividades dos especuladores que tentam obter lucro.

Um especulador de milho bem informado compreende que, se todo o milho for colocado no mercado no outono, o seu preço será muito baixo, pois haverá abundância. Alguns meses mais tarde, quando houver falta de milho, o preço tenderá a subir rapidamente. Nesse caso, os especuladores podem lucrar quando (1) compram uma parte da colheita no outono, quando o preço é baixo, (2) armazenam o milho e (3) vendem mais tarde, quando o preço subir.

Como resultado das atividades especulativas, o preço do milho aumenta no outono e, na primavera, o abastecimento de milho melhora fazendo o preço cair. O processo especulativo de compra e venda tende a nivelar a oferta e, portanto, o preço ao longo do ano. A Figura 11-1 mostra o comportamento dos preços ao longo de um ciclo anual idealizado.

É interessante que, se houver uma forte concorrência entre os especuladores, nenhum deles irá ter lucros excessivos. A remuneração dos especuladores incluirá os juros do capital investido, o pagamento adequado do seu tempo e mais um prêmio de risco para compensá-los dos riscos não seguráveis que eles assumem.

A especulação revela o princípio da mão invisível em ação. Ao nivelar as ofertas e os preços, os especuladores

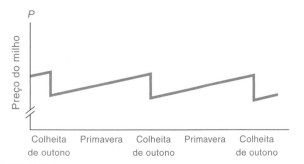

FIGURA 11-1 Os especuladores nivelam o preço de uma mercadoria ao longo do tempo.

Quando um produto é armazenado, o aumento de preço esperado deve igualar os custos de armazenagem. Em equilíbrio, o preço é mais baixo no momento da colheita e aumenta lentamente com o prolongamento do armazenamento, do seguro e dos juros até à colheita seguinte. Esse padrão flexível tende a nivelar o consumo ao longo das várias estações. De outra forma, uma colheita abundante causaria um preço de outono muito baixo e um preço de primavera extremamente elevado.

---

aumentam de fato a eficiência econômica. Ao deslocar bens no tempo, de períodos de abundância para períodos de escassez, o especulador compra quando o preço e a utilidade marginal do bem são baixos e vende quando o preço e a utilidade marginal são elevados. Ao promover os seus interesses particulares (lucros), os especuladores estão, ao mesmo tempo, aumentando o benefício público (utilidade total).

Proteção contra riscos por meio de hedge

Uma função importante dos mercados especulativos é permitir às pessoas a proteção contra riscos por meio do *hedge* (proteção). O *hedge* consiste na redução do risco inerente à posse de um ativo ou de uma mercadoria por meio de uma venda que neutraliza o risco. Imagine um atacadista de milho. Ele compra 2 mil toneladas de milho no Kansas, no outono, armazena durante seis meses e vende na primavera com um lucro de US$ 0,1 por quilo, o que dá para cobrir as despesas.

O problema é que o preço do milho tende a flutuar. Se o preço do milho subir, ele irá realizar um ganho apreciável, mas, se o preço cair muito, a queda poderá eliminar qualquer lucro. Como o proprietário do armazém pode ganhar a vida armazenando milho e evitando o risco das flutuações do preço do milho?

Ele pode evitar o risco do preço do milho fazendo *hedge de seus investimentos*. O proprietário faz o *hedge* vendendo o milho no momento em que o compra, em vez de esperar para fazê-lo seis meses depois. Ao comprar 2 mil toneladas de milho em setembro, ele vende imediatamente o milho para entrega no futuro por um preço acordado que lhe garante os mesmos US$ 0,1 por litro para o custo de armazenamento. Assim, ele se protege contra o risco de flutuações no preço do milho. *A operação de hedge permite às empresas ficarem imunes aos riscos da variação de preço.*

Impactos econômicos da especulação

Mas quem compra o milho e por quê? Alguém concorda em comprar o milho no presente para entrega no futuro. Esse comprador pode ser um padeiro que tem um contrato para vender pão durante seis meses e quer fixar o preço. Ou talvez uma fábrica de etanol necessite de milho para a produção do próximo ano. Ou o comprador pode ser um grupo de investidores que pensa que o preço do milho irá aumentar, e que terá, portanto, um lucro excepcional sobre seu investimento. Alguém, em algum lugar, tem um incentivo econômico para assumir o risco das flutuações do preço do milho.

Os mercados especulativos servem para melhorar os padrões de preço e da alocação através do espaço e do tempo, bem como para ajudar a transferir riscos. Se olharmos por baixo do véu do dinheiro, veremos que a especulação ideal opera a transferência dos bens de épocas de abundância (quando os preços estão baixos) para épocas de escassez (quando os preços estão altos).

A nossa análise tem sugerido que os mercados especulativos ideais podem aumentar a eficiência econômica. Vejamos como. Suponha que os consumidores idênticos têm funções de utilidade em que a satisfação em um determinado ano seja independente da de qualquer outro. Agora, suponha que no primeiro de dois anos há uma grande colheita, por exemplo, três unidades *per capita*, enquanto no segundo há uma colheita reduzida de uma unidade *per capita*. Se esta colheita deficiente pudesse ser prevista com perfeição, como poderia o consumo de 2 por ano – 4 unidades no total – ser distribuído ao longo dos 2 anos? Ignorando os custos de armazenagem, juros e seguro, *a utilidade total e a eficiência econômica no conjunto dos dois anos serão maximizadas apenas quando o consumo for igual em cada ano.*

Por que o consumo uniforme é melhor que qualquer outra distribuição do todo disponível? Por causa da lei da utilidade marginal decrescente. Deveríamos raciocinar do seguinte modo: suponhamos que eu consuma mais no primeiro ano do que no segundo. A minha utilidade marginal (UMg) no primeiro ano seria baixa e no segundo ano seria elevada. Assim, se eu transferir algum cereal do primeiro para o segundo ano, transferirei consumo de um tempo com UMg reduzida para um tempo com UMg elevada. Quando os níveis de consumo forem igualados, as UMg serão iguais e eu maximizarei a minha utilidade total.

Um gráfico pode esclarecer este argumento. Se medirmos a utilidade monetariamente, de modo que cada unidade monetária represente sempre a mesma utilidade marginal, as curvas de demanda da mercadoria com risco se aparentariam com a função de utilidade marginal da Figura 5-1 da p. 75. As duas curvas da Figura 11-2(*a*) mostram o que aconteceria se não houvesse qualquer transferência e com um consumo desigual. Nesse caso, o preço é estabelecido inicialmente em A_1, onde S_1S_1 intercepta DD

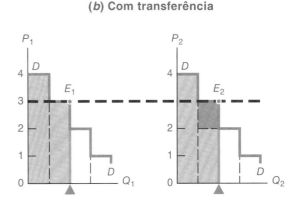

FIGURA 11-2 O armazenamento especulativo pode melhorar a eficiência.

As áreas sombreadas medem a utilidade total usufruída em cada ano. A transferência de 1 unidade para o segundo ano faz igualar Q e também P e UMg e aumenta a utilidade total no montante correspondente ao bloco sombreado mais escuro.

Esse gráfico aplica-se igualmente bem a outras situações. Poderia intitular-se "(a) Sem arbitragem entre mercados regionais" e "(b) Com arbitragem entre mercados". Podemos usar esse gráfico para ilustrar também a aversão ao risco se o denominarmos "(a) Com aposta arriscada" e "(b) Sem aposta arriscada". O seguro serve então para passar as pessoas de (a) para (b) com a dispersão dos riscos por muitos jogos independentes possíveis.

e depois em A_2, em que a oferta mais reduzida S_2S_2 intercepta DD. A utilidade total das áreas sombreadas somaria apenas $(4 + 3 + 2) + 4$, ou US$ 13.

Mas com a transferência ótima de 1 unidade para o segundo ano, como indicado na Figura 11-2(b), os P e Q seriam igualados em E_1 e E_2 e a utilidade total das áreas sombreadas somaria $(4 + 3) + (4 + 3)$, ou seja, US$ 14 *per capita*. Uma breve análise pode mostrar que o ganho na utilidade de US$ 1 é indicado pelo bloco escuro na Figura 11-2(b), que representa o excesso da utilidade marginal da segunda unidade em relação à terceira. Isso prova que a igualdade das utilidades marginais, que é alcançada pela especulação ideal, é ótima.

Ainda que essa análise tenha focado mercadorias, a maioria da especulação envolve ativos financeiros, como ações, títulos de dívida, empréstimos hipotecários e moeda estrangeira. Todos os dias, literalmente, bilhões de dólares de ativos mudam de mãos à medida que as pessoas especulam, fazem *hedge* e investem seus recursos. Os princípios gerais subjacentes à especulação financeira, *hedge* e arbitragem são exatamente iguais aos delineados aqui, embora em dimensões ainda maiores.

A especulação ideal desempenha a importante função da redução da variação não desejada dos consumos. Em um mundo em que as pessoas têm aversão ao risco, a especulação pode aumentar a utilidade total e a eficiência alocativa.

RISCO E INCERTEZA

Quais são as atitudes das pessoas em relação ao risco? Por que as pessoas tentam se livrar de muitos riscos importantes? Como as instituições de mercado, como os seguros, podem ajudar as pessoas a evitar os principais riscos?

Por que os mercados falham no seguro em algumas circunstâncias? Analisaremos essas questões.

Sempre que alguém dirige um automóvel, é proprietário de uma casa, alista-se no exército, ou investe no mercado de ações, está arriscando a vida, seu corpo ou sua fortuna. Em geral, as pessoas querem evitar os principais riscos relativos a sua renda, seu consumo e sua saúde. Quando as pessoas evitam o risco, têm "aversão ao risco".

Uma pessoa tem **aversão ao risco** quando o desprazer pela perda de uma determinada quantia de renda é maior do que o prazer de ganhar a mesma quantia de renda.

Suponha, por exemplo, que nos proponham um jogo de moeda, do tipo de "cara ou coroa", em que ganhamos US$ 1 mil se sair cara e perdemos US$ 1 mil se sair coroa. Essa aposta tem um *valor esperado* de 0 (igual a uma probabilidade de 0,5 vezes US$ 1 mil mais uma probabilidade de 0,5 vezes − US$ 1 mil); uma aposta que tem um valor esperado de zero diz-se equitativa. Se não aceitarmos qualquer jogo equitativo, temos aversão ao risco.

Em termos do conceito de utilidade que analisamos no Capítulo 5, a aversão ao risco é o mesmo que *utilidade marginal decrescente da renda*. Ter aversão ao risco implica que o ganho de utilidade alcançado por um montante adicional de renda é menor do que a perda de utilidade resultante da redução do mesmo montante de renda. Em uma aposta equitativa (como no lançamento de uma moeda por US$ 1 mil), o valor monetário esperado é zero. Mas, em termos de utilidade, o valor esperado da utilidade é negativo, uma vez que a utilidade que pode ser ganha é inferior à utilidade que pode ser perdida.

Podemos usar a Figura 11-2 para ilustrar o conceito de aversão ao risco. Admita que a situação (b) é a posição inicial, em que tem as quantidades iguais de consumo nos estados 1 e 2, consumindo 2 unidades em ambos os estados. Alguém se aproxima e lhe diz: "Vamos lançar uma moeda ao ar por 1 unidade". Essa pessoa está, de fato, oferecendo-lhe a possibilidade de passar para a situação (*a*), em que teria 3 unidades de consumo, se saísse cara, e 1 unidade, se saísse coroa. Com um cálculo rigoroso verá que, se recusar a aposta e se se mantiver na situação (*b*), o valor esperado da utilidade é igual a 7 unidades de utilidade (= 0,5 × 7 unidades de utilidade + 0,5 × 7 unidades de utilidade), enquanto, se aceitar a aposta, o valor esperado da utilidade é 6,5 unidades de utilidade (= 0,5 × 9 unidades de utilidade + 0,5 × 4 unidades de utilidade). Esse exemplo mostra que, se você tem aversão ao risco, com utilidade marginal decrescente, evitará as ações que aumentam a incerteza sem qualquer expectativa de ganho.

Vamos supor que eu cultive milho. Embora eu tenha de enfrentar as contingências naturais da agricultura, prefiro evitar os riscos do preço do milho. Suponha que há dois resultados igualmente esperados de US$ 3 e US$ 5 por alqueire, de modo que o preço esperado do milho é US$ 4 por alqueire. A não ser que consiga cobrir o risco de preço, sou forçado a uma loteria em que tenho de vender a minha colheita de 10 mil alqueires ou por US$ 30 mil ou por US$ 50 mil, dependendo do lado em que cair a moeda dos preços.

Como tenho aversão ao risco, preferia uma situação segura no lugar de tal loteria. A perspectiva de perder US$ 10 mil é mais dolorosa do que o prazer de ganhar US$ 10 mil. Se a minha renda for reduzida para US$ 30 mil, terei de eliminar alguns gastos importantes, como o de substituir um trator velho. Por outro lado, os US$ 10 mil adicionais talvez pudessem ser importantes, sendo dedicados a algum luxo, como férias de inverno. Decido, por isso, cobrir o meu preço de risco vendendo o meu milho pelo valor esperado de US$ 4 por alqueire.

Em geral, as pessoas têm aversão ao risco, preferindo algo certo, a níveis incertos de consumo: as pessoas preferem resultados com menos incerteza e os mesmos valores médios. Por essa razão, as atividades que reduzem as incertezas do consumo levam a uma melhoria do bem-estar econômico.

Aumento preocupante do jogo

O jogo é um vício que, juntamente com as drogas ilegais, a prostituição, as bebidas alcoólicas e o cigarro, tem sido historicamente desencorajado pelo Estado. As atitudes relativas a essas atividades são como as marés. Nas duas últimas décadas as atitudes em relação ao jogo tornaram-se permissivas, enquanto as relativas a drogas e cigarros endureceram. Globalmente, o jogo tem sido um dos setores da economia (legal) com maior crescimento.

O jogo é diferente da especulação. Enquanto a atividade especulativa ideal aumenta o bem-estar econômico, o jogo levanta questões econômicas sérias. Para começar, para além do valor recreativo, o jogo não cria bens ou serviços. Na linguagem da teoria dos jogos, descrita no capítulo anterior, o jogo valendo dinheiro é um "jogo de soma zero" para os jogadores – os clientes dos casinos têm (quase) a certeza de perder no longo prazo, pois a casa fica com uma parte de todas as apostas. Além disso, pela própria natureza, o jogo aumenta a desigualdade de renda. As pessoas que se sentam junto a uma mesa de jogo com a mesma quantia de dinheiro vão-se embora com uma grande diferença de valores. A família de um jogador pode esperar estar no topo do mundo uma semana, para apenas viver de migalhas e remorsos quando a sorte mudar. Alguns observadores também pensam que o jogo tem impactos sociais adversos. Neles, incluem-se o vício do jogo, o crime na vizinhança, a corrupção política e a associação com o crime organizado.

Levando-se em conta a forte crítica econômica contra o jogo, como se compreende a tendência recente para legalizá-lo e o funcionamento de loterias estaduais? Uma razão é que quando os estados estão faminto por impostos sobre renda, procuram fruta em qualquer árvore. Legalizam loterias e cassinos de forma a canalizar os vícios privados para o interesse público extraindo receitas para financiar projetos públicos. Além disso, ao legalizarem o jogo, diminuem o número de situações ilegais e anulam algumas fontes de renda do crime organizado. Apesar dessas justificativas, muitos observadores levantam questões acerca de uma atividade em que o Estado lucra com a promoção de comportamento irracional entre aqueles que menos podem arcar com as consequências.

B. ECONOMIA DOS SEGUROS

A maioria das pessoas gostaria de evitar o risco de perder a vida, um braço ou uma casa. Mas os riscos não podem simplesmente ser enterrados. Quando uma casa arde em chamas, quando alguém fica ferido em um acidente de automóvel ou quando há um furacão que destrói Nova Orleans – alguém, em algum lugar, tem de arcar com o custo.

Os mercados lidam com o risco por meio da **dispersão de risco**. Com esse processo, os riscos que seriam grandes para uma pessoa são dispersos, de modo a tornarem-se um risco pequeno para muitas pessoas. A principal forma de dispersão do risco é o **seguro** que é um tipo de aposta ao contrário.

Por exemplo, ao fazer um seguro contra incêndio de uma casa, os seus proprietários parecem estar apostando, com a seguradora, que a casa irá pegar fogo. Se não pegar fogo, os proprietários arcam com um pequeno prêmio de seguro. Se pegar fogo, a seguradora deve indenizar os proprietários pelo prejuízo sofrido segundo uma percentagem previamente acordada. O que é verdade para o seguro de incêndio é igualmente verdade para os seguros de vida, de acidentes, automóvel ou qualquer outro tipo de seguro.

A seguradora está distribuindo os riscos quando assume muitos riscos diferentes: ela pode fazer o seguro de milhões de casas, ou de vidas ou de automóveis. A vantagem da seguradora reside em que aquilo que é imprevisível para uma pessoa é altamente previsível para uma população. Suponha que a Companhia de Seguros de Incêndio (CSI) tem seguradas 1 milhão de casas, cada uma com o valor de US$ 100 mil. A probabilidade de uma casa pegar fogo é de 1 em mil por ano. O valor esperado dos prejuízos da seguradora é, portanto, $0{,}001 \times US\$\ 100.000 = US\$\ 100$ por casa e por ano. Por isso, a CSI cobra de cada proprietário US$ 100 e mais outros US$ 100 para despesas administrativas e reservas.

Cada proprietário tem de escolher entre um prejuízo *certo* de US$ 200 por ano e um prejuízo catastrófico *possível* de 1 em 1.000 de US$ 100 mil. Em virtude da aversão ao risco, o proprietário decide fazer o seguro que custa mais do que o valor esperado do prejuízo de modo a evitar uma pequena hipótese de um prejuízo catastrófico. As seguradoras podem estabelecer um prêmio que lhes permita um lucro e, ao mesmo tempo, produza um ganho na utilidade esperada das pessoas. De onde vem o ganho econômico? O ganho econômico resulta da lei da utilidade marginal decrescente.

O seguro divide grandes riscos em pequenas partes e, em seguida, vende essas pequenas partes em troca de um pequeno prêmio. Embora o seguro pareça ser outra forma de aposta, ele tem, na verdade, o efeito oposto. Sempre que a natureza origina riscos, o seguro ajuda a reduzir os riscos individuais ao dispersá-los.

Mercados de capitais e partilha de riscos

Outra forma de partilha de risco tem lugar nos mercados de capitais, porque a propriedade financeira do capital *físico* pode ser disseminada por muitos proprietários pela via da propriedade *financeira* por sociedades anônimas.

Veja o exemplo de um investimento que consiste no desenvolvimento de um novo avião comercial. Uma estrutura completamente nova, incluindo pesquisa e desenvolvimento, pode exigir um investimento de US$ 5 bilhões ao longo de 10 anos. Porém, não há garantia de que o avião tenha uma demanda suficientemente grande para reembolsar os fundos investidos. Poucas pessoas têm a riqueza, ou a disposição, para assumir um investimento tão arriscado.

As economias de mercado realizam essa tarefa por meio de empresas de capital aberto, as sociedades anônimas. Uma sociedade como a Boeing é propriedade de milhões de pessoas, nenhuma dessas possuindo uma parcela importante das ações. Em um caso hipotético, divida a posse da Boeing de forma igualitária por 10 milhões de pessoas. Então, o investimento de US$ 5 bilhões transforma-se em um investimento de US$ 500 por pessoa, que é um risco que muitos estão dispostos a assumir se a rentabilidade das ações da Boeing parecer atraente.

Ao dispersar a propriedade de investimentos de risco por muitos proprietários, os mercados de capitais podem dispersar os riscos e incentivar investimentos e riscos muito maiores que os aceitáveis para proprietários individuais.

FALHAS DE MERCADO NA INFORMAÇÃO

A nossa análise até agora tem pressuposto que investidores e consumidores estão bem informados acerca dos riscos que correm, e que os mercados especulativos e de seguro funcionam de maneira eficiente. Na realidade, os mercados que envolvem risco e incerteza estão contaminados por falhas de mercado. Duas das maiores falhas são a seleção adversa e o risco moral (*moral hazard*). Quando essas falhas ocorrem, os mercados podem dar sinais errados, os incentivos podem ser distorcidos e, por vezes, os mercados podem simplesmente deixar de existir. Em virtude das falhas de mercado, os governos podem decidir intervir e oferecer seguro social.

Risco moral e seleção adversa

Embora seja um instrumento útil para reduzir os riscos, por vezes, o seguro não está disponível. Isso se deve ao fato de que os mercados de seguros eficientes podem funcionar somente sob determinadas condições.

Quais são as condições de funcionamento dos mercados de seguros eficientes? Em primeiro lugar, deve haver muitos eventos seguráveis. Somente assim as companhias poderão dispersar os riscos, de forma que um risco grande para uma pessoa se torna um risco pequeno para muitas pessoas.

Além disso, os acontecimentos devem ser estatisticamente independentes. Nenhuma seguradora prudente aceitaria ter todas as suas apólices de seguro de incêndio concentradas no mesmo edifício, ou todos os seguros contra furacões em Miami. As seguradoras tentam distribuir a sua cobertura por muitos riscos e independentes.

E, ainda, deve haver experiência suficiente em relação a esses acontecimentos, de modo que as seguradoras possam estimar as perdas com confiança. Por exemplo, após os ataques terroristas de 11 de setembro, os seguros contra terrorismo a particulares foram cancelados, porque as seguradoras não podiam obter estimativas confiáveis quanto à probabilidade de ataques futuros (ver a Questão 3 no final deste capítulo).

Finalmente, o seguro deve ser relativamente livre do risco moral. O **risco moral** ocorre quando o seguro aumenta o comportamento de risco e, desse modo, altera a probabilidade da perda. Em muitas situações o risco moral não tem importância. Poucas pessoas tentam o suicídio porque possuem uma apólice de seguro generosa. Em outras áreas o risco moral é grave. Os estudos indicam que a existência de seguro aumenta o recurso à cirurgia plástica, e consequentemente as apólices de seguro médico excluem esses serviços.

Quando essas condições ideais estão satisfeitas – quando há muitos resultados, todos mais ou menos independentes, e quando as probabilidades podem ser adequadamente calculadas e não estão contaminadas pelo risco moral, os mercados de seguro privado podem funcionar de maneira eficiente.

Por vezes, o seguro privado é limitado ou caro em virtude da seleção adversa. A **seleção adversa** ocorre quando as pessoas com maior risco são também as que, com maior probabilidade, irão comprar o seguro. A seleção adversa pode levar a um mercado em que apenas as pessoas com o risco mais elevado são seguradas, ou mesmo a uma situação de inexistência de mercado.

Um bom exemplo ocorre quando uma companhia está oferecendo seguro de vida a uma população constituída por fumantes e não fumantes. Suponha que a companhia não possa determinar se uma pessoa é fumante, ou que haja uma obrigação legal que estabeleça que as companhias não possam discriminar as pessoas com base em seu comportamento pessoal. Contudo, as pessoas conhecem os seus hábitos de fumar. Vemos aqui o fenômeno da informação assimétrica, entre comprador e vendedor. A **informação assimétrica** ocorre quando os compradores e os vendedores têm informação diferenciada sobre fatos importantes, como o estado de saúde pessoal ou a qualidade do bem vendido.

Suponha que a companhia seguradora comece por definir um preço com base na taxa média de mortalidade da população. A esse preço, muitos fumantes compram o seguro, mas não a maioria dos não fumantes. Isso significa que as pessoas se escolheram, por si mesmas, desfavoravelmente para a companhia – há, assim, uma seleção adversa. Logo que os dados comecem a chegar, a companhia descobrirá que a realidade é muito pior do que havia previsto.

O que pode acontecer, a seguir, é a companhia aumentar os prêmios do seu seguro. Com a subida do preço, mais não fumantes desistem, e a experiência torna-se ainda pior. O preço pode subir tão alto que até mesmo os fumantes deixem de comprar o seguro. No pior dos casos, o mercado acaba secando completamente.

Vemos que a política de preço de mercado uniforme levou a uma seleção adversa – aumentando o custo, reduzindo a cobertura e limitando o mercado.

Outro exemplo é o mercado de "abacaxis", como o de automóveis usados, onde só os piores carros são vendidos, sendo reduzidos os preços de mercado dos carros usados. Tais falhas de mercado são particularmente graves quando há informação assimétrica entre compradores e vendedores.

Você investiria em uma companhia de seguros que fizesse Seguro de Notas?

Um amigo seu lhe propõe o seguinte esquema: investir em uma nova companhia seguradora, chamada Seguro-N.com, que oferece seguro de notas para estudantes. Em troca de um prêmio modesto, a companhia promete compensar os estudantes em 100% pela perda de renda em virtude de notas ruins. Isso parece uma boa ideia, uma vez que os riscos de renda são muito grandes para a maioria das pessoas.

Refletindo, você consegue imaginar por que a Seguro-N é, quase com certeza, uma má ideia? A razão é que as notas dependem muito do esforço individual e, portanto, o mercado seria contaminado pelo risco moral e pela seleção adversa. Os estudantes seriam tentados a estudar menos (risco moral) e os estudantes que esperam ter notas piores estariam mais inclinados a comprar seguro de notas (seleção adversa). Esses problemas levam a um "mercado perdido" no sentido de que a oferta e a demanda se interceptam no nível zero de seguro de notas. De modo que a companhia ou não terá negócio, ou terá prejuízos colossais.

SEGURO SOCIAL

Quando as falhas de mercado são tão graves que o mercado privado não pode proporcionar a cobertura adequada e de modo efetivo, os estados criam o **seguro social**. Esse seguro é constituído por programas obrigatórios, com cobertura ampla ou universal, financiado por impostos ou taxas. Esses programas são como seguros, porque cobrem situações de risco, como desemprego, doença, ou renda reduzida durante o tempo de aposentadoria. Os poderes do Estado para lançar impostos e para regular as atividades, juntamente com a possibilidade de evitar a seleção adversa por meio da cobertura universal, podem fazer do seguro do Estado uma medida que melhora o bem-estar social. A justificativa para o seguro social foi explicada como se segue pelo destacado economista de política pública Martin Feldstein[1]:

> Há duas razões distintas para que haja seguro social. Ambas refletem a assimetria de informação. A primeira é o fato de que a informação assimétrica enfraquece o funcionamento dos mercados de seguros privados. A segunda é a incapacidade do governo em distinguir aqueles que são pobres em idade avançada, ou quando ficam

---

[1] Veja a referência na seção "Leituras adicionais", ao final deste capítulo.

desempregados por causa da falta de sorte ou por uma irracional falta de previsão, daqueles que intencionalmente "apostam no sistema", ao não pouparem a fim de receberem o subsídio.

O ponto-chave é que o seguro social é criado quando os requisitos dos seguros privados não são cumpridos ou porque os riscos não são independentes, como quando muitas pessoas ficam desempregadas ao mesmo tempo em uma recessão; ou porque a seleção adversa é intensa, como quando as pessoas optam por comprar seguros de saúde para a pior situação assim que descobrem que têm uma doença grave; ou porque os riscos não podem ser facilmente avaliados, como no caso de seguro contra ataques terroristas. Em qualquer dos casos, o mercado privado funciona mal, ou não funciona totalmente, portanto, o governo tem de intervir com o seguro social.

Analisemos detidamente o exemplo do seguro-desemprego. Esse é um exemplo de mercado privado que não pode funcionar porque são violadas muitas das exigências para um seguro privado: o risco moral é elevado (as pessoas podem decidir ficar desempregadas se a indenização for generosa); grave seleção adversa (aqueles que perdem o emprego com mais frequência seriam os que mais provavelmente participariam); os surtos de desemprego não são independentes (tendem a ocorrer juntamente nas recessões do ciclo econômico); e os ciclos econômicos são imprevisíveis, portanto, os riscos não podem ser medidos com precisão. Ao mesmo tempo, em alguns países, considera-se que as pessoas devem ter uma rede segura por baixo delas para protegê-las no caso de perderem o emprego. Como resultado, os governos frequentemente avançam e criam um seguro-desemprego.

A próxima seção analisa o caso importante da assistência à saúde provida pelo Estado, que para muitos países é o maior programa de seguro social.

O seguro social é proporcionado pelos governos quando os mercados de seguros privados não podem funcionar de forma efetiva e a sociedade considera que as pessoas devem ter um seguro social mínimo para os riscos mais graves, como o desemprego, a doença e as baixas rendas.

C. ASSISTÊNCIA À SAÚDE: O PROBLEMA QUE NÃO DESAPARECE

A saúde é, individualmente, o maior programa de governo nos Estados Unidos, em nível federal. Para 2008, os gastos com a saúde totalizaram perto de US$ 700 bilhões, mais até do que o orçamento militar. A maior parte dessa despesa foi com o programa de seguro social chamado Medicare, que presta assistência subsidiada à saúde para os idosos. A contrapartida é haver cuidados de saúde para os pobres, deficientes e veteranos de guerra.

O sistema de assistência à saúde dos Estados Unidos é controverso tanto por ser dispendioso como porque uma grande parcela da população não está coberta por um seguro ou por outros programas. Os gastos com a saúde aumentaram de 4% do PIB em 1940 para 7% em 1970 e atingiram 16% em 2008. No entanto, quase 16% da população não idosa não tem qualquer cobertura. Isso é chamado de "o problema que não pode ser resolvido e que não desaparece".

ECONOMIA DA SAÚDE

Por que a saúde é tão polêmica? Nos Estados Unidos, o sistema de assistência à saúde é uma parceria entre o sistema de mercado e o Estado. Nos últimos anos, esse sistema produziu alguns feitos notáveis. Muitas doenças terríveis, como a varíola e a poliomielite, foram erradicadas. A expectativa de vida, um dos principais índices de saúde, melhorou nos países em desenvolvimento, desde 1900, mais do que durante todo o período anterior da história. Os avanços na tecnologia médica – desde a cirurgia no menisco do joelho até os medicamentos sofisticados contra o câncer – permitiram que mais pessoas vivessem livres de dor e que tivessem uma vida produtiva.

Mesmo com todas essas grandes realizações, importantes problemas de saúde nos Estados Unidos continuam sem solução: a mortalidade infantil é superior à de muitos países com menor renda; muitos americanos não têm cobertura de assistência médica; há grandes disparidades no atendimento entre os ricos e os pobres, e doenças transmissíveis como a Aids e a tuberculose continuam a propagar-se.

A questão que mais preocupa o público, a comunidade empresarial e os líderes políticos é o custo explosivo da assistência à saúde. Praticamente todos concordam que o sistema de saúde nos Estados Unidos tem contribuído muito para a saúde do país, mas muitos temem que esteja se tornando insustentável.

Aspectos econômicos especiais da assistência à saúde

O sistema de assistência à saúde nos Estados Unidos tem três características que têm contribuído para o rápido crescimento do setor de saúde nos últimos anos: uma elasticidade-renda elevada, o avanço tecnológico rápido, e o isolamento crescente dos consumidores em relação aos preços.

A assistência à saúde tem uma elasticidade-renda elevada, indicando que assegurar uma vida longa e de bem-estar se torna cada vez mais importante quando as pessoas são capazes de arcar com outras necessidades básicas. Bens com elasticidade-renda elevada, mantendo tudo o mais constante, tendem a consumir uma parte crescente da renda do consumidor com o aumento de sua renda.

A assistência à saúde tem sido beneficiada com rápidas melhorias da tecnologia médica ao longo do último século. Avanços no conhecimento biomédico fundamental, a descoberta e utilização de uma grande variedade de vacinas e produtos farmacêuticos, o progresso na compreensão da propagação de doenças transmissíveis, e a sensibilização do público para o papel de comportamento individual em relação a fumar, beber e conduzir, têm contribuído para a melhoria notável na saúde dos norte-americanos. As novas e aprimoradas tecnologias criaram novos mercados e estimularam os gastos no setor da saúde.

Além disso, os gastos com assistência à saúde têm aumentado rapidamente em decorrência do crescente subsídio à assistência médica nas últimas décadas. A cobertura de assistência à saúde nos Estados Unidos é em grande parte fornecida pelos empregadores como um benefício adicional isento de impostos. A isenção de impostos é, de fato, um subsídio do Estado. Em 1960, 60% das despesas médicas foram pagas diretamente pelos consumidores; em 2007, apenas 15% delas saíram do próprio bolso. Esse fenômeno é, às vezes, designado "efeito de pagamento por terceiros" para indicar que, quando um terceiro paga a conta, o consumidor, muitas vezes, ignora o custo.

Todas essas forças (elasticidade-renda elevada, o desenvolvimento de novas tecnologias, e o alcance crescente dos pagamentos por terceiros) contribuíram para o rápido crescimento das despesas com assistência à saúde.

Assistência à saúde como um programa de seguro social

Por que a assistência à saúde é um programa de seguro social? Três razões são citadas por especialistas em economia da saúde:

1. Muitas partes do sistema de assistência à saúde, como a prevenção de doenças transmissíveis e o desenvolvimento da ciência básica, são *bens públicos* que o mercado não fornece de forma eficiente. A erradicação da varíola beneficiou bilhões de vítimas potenciais, mas nenhuma empresa poderia captar sequer uma pequena fração dos benefícios do programa de erradicação. Quando uma pessoa para de fumar pelo conhecimento dos perigos, ou quando outra usa preservativo após saber como a Aids é transmitida, esses comportamentos não são menos valiosos para as outras pessoas. Esse aspecto leva ao subinvestimento na melhoria da saúde pública pelo mercado.

2. Um segundo conjunto de falhas de mercado surge em virtude das falhas dos mercados de seguros privados. Uma razão importante para essa falha é a presença de informação assimétrica entre pacientes, médicos e companhias de seguros. As condições médicas, frequentemente, não são do conhecimento dos pacientes, de modo que essa *informação assimétrica* entre médicos e pacientes significa que os pacientes podem estar totalmente dependentes das recomendações dos médicos em relação ao nível adequado de atendimento médico. Às vezes, como quando o paciente é levado para a sala de emergência, pode ficar paralisado e incapaz de escolher as estratégias de tratamento por si próprio, e assim a demanda depende ainda mais das recomendações dos fornecedores. Deve ser dada proteção especial para assegurar que o consumidor não compre, involuntariamente, serviços desnecessários de má qualidade, ou com custo elevado.

Há também assimetrias de informação entre o paciente e o prestador da assistência. As pessoas podem saber mais sobre a sua condição médica do que as empresas de assistência médica. As pessoas de baixo risco podem optar por não comprar o plano de assistência médica. Isso leva à *seleção adversa*, que aumenta o grau de risco médio do grupo e, subsequentemente, aumenta o custo para aqueles que participam do plano. Não é surpresa que as pessoas saudáveis na faixa dos vinte anos são as que mais provavelmente não têm cobertura.

3. Uma terceira preocupação da política pública é o da *equidade* – proporcionar um padrão mínimo de assistência médica para todos. Em parte, a boa assistência à saúde é vista, cada vez mais, como um direito básico nos países ricos. Mas a boa assistência à saúde é também um bom investimento social. A assistência à saúde inadequada é particularmente prejudicial para as pessoas pobres, não só porque essas pessoas tendem a adoecer mais do que as pessoas mais ricas, mas também porque as suas rendas são quase totalmente provenientes de seu trabalho. Uma população mais saudável é uma população mais produtiva, porque as pessoas saudáveis têm rendas maiores e requerem menos cuidados médicos.

São as crianças que arcam com o custo maior de uma assistência médica desadequada. O estado de saúde das crianças pobres e das minorias nos Estados Unidos, em alguns aspectos, tem realmente piorado nos últimos anos. As crianças doentes são desfavorecidas desde o início: terão menos chances de frequentar a escola; quando a frequentarem, terão um desempenho mais fraco; estarão mais propensas a abandoná-la e, quando crescerem, terão menos chances de conseguir bons empregos, com salários elevados. Nenhum país pode prosperar quando uma parcela significativa das suas crianças tem assistência à saúde inadequada.

Racionamento da assistência à saúde

Haja ou não assistência à saúde igual para todos os habitantes de um país, a assistência à saúde deve ser racionada, porque a oferta é limitada. Até chegarmos ao ponto em que todos os sintomas de todos os hipocondríacos possam ser extensamente examinados, sondados, e tratados, será inevitável deixar algumas necessidades médicas notadas por satisfazer. Não há escolha senão racionar os cuidados médicos.

No entanto, o modo *como* iremos fazer esse racionamento não é óbvio. A maioria dos bens e serviços é racionada pelo bolso. Os preços racionam a oferta limitada tanto de bens de lucro (mansões e carros vistosos) quanto de bens essenciais (comida e calçados) por aqueles que mais os querem e podem pagar. Em muitas áreas da assistência à saúde, ao contrário, não permitimos que os preços efetuem o racionamento dos serviços por quem pode pagar mais. Por exemplo, não leiloamos transplantes de fígado ou sangue ou o acesso à sala de emergência para quem der o maior lance. Ao contrário, desejamos que esses bens sejam alocados de forma equitativa.

A subvenção da assistência à saúde leva à escassez, e a demanda do bem deve, portanto, ser limitada de alguma outra forma. Esse fenômeno é conhecido como *racionamento extra-preço*. Entre nós, muitos já experimentaram esse tipo de racionamento, quando esperamos na fila por um bem ou serviço. Quando não é permitido ao preço aumentar para equilíbrio da oferta e da demanda, deve ser encontrado outro mecanismo para "equilibrar o mercado".

A Figura 11-3 ilustra o racionamento extra-preço no mercado médico. Suponha que existem apenas Q_0 unidades de assistência médica disponíveis com uma função demanda do consumidor de *DD*. O preço de equilíbrio de mercado seria em *C*, no qual as quantidades oferecidas e demandadas são iguais. No entanto, como o consumidor paga do seu bolso apenas 20% dos custos, a quantidade demandada é Q_1. O segmento *AB* é a demanda não satisfeita, que está sujeita ao racionamento não efetuado pelo preço; quanto maior o subsídio, mais deve ser usado o racionamento que não é efetuado pelo preço.

A assistência à saúde é um bem econômico, como calçados e gasolina. Os serviços dos médicos, os cuidados de enfermagem, internamento e outros serviços têm uma oferta limitada. As demandas dos consumidores, somando os que estão em estado crítico, razoável, marginal e fora do normal, superam os recursos disponíveis. Mas os recursos devem ser racionados de alguma forma. O racionamento da assistência à saúde de acordo com o poder aquisitivo é inaceitável, pois prejudicaria muito a saúde pública, deixaria necessidades críticas não atendidas e empobreceria muitos. O que deve ser do âmbito do mercado e que mecanismo não mercantil deve ser utilizado quando o mercado é insuficiente? Essas perguntas são o cerne do grande debate sobre os cuidados médicos.

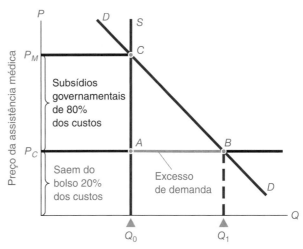

FIGURA 11-3 A assistência à saúde gratuita conduz ao racionamento que não é efetuado pelo preço.

Quando os governos oferecem acesso gratuito ou subsidiado aos cuidados médicos, alguma forma deve ser encontrada para racionar os serviços limitados. No exemplo de um subsídio do Estado, quando a quantidade demandada excede a quantidade fornecida, o excesso de demanda *AB* deve ser eliminado por algum outro mecanismo que não o preço. Frequentemente, as pessoas têm de esperar pelos serviços não urgentes, às vezes por horas, às vezes por meses.

D. INOVAÇÃO E INFORMAÇÃO

Um dos mais importantes tópicos na ciência econômica é a Economia da informação. A informação inclui coisas tão variadas como e-mails, músicas, novas vacinas, e até mesmo este livro que você está lendo. A informação é um tipo de mercadoria muito diferente de coisas como pizzas e calçados, porque tem uma produção cara, mas é muito barato reproduzi-la. Por causa de sua natureza incomum, a informação está sujeita a falhas de mercado, de modo que precisamos desenvolver tipos diferentes de políticas públicas para regular as leis da "propriedade intelectual".

Inovação radical de Schumpeter

Iniciamos nossa análise regressando à Economia da concorrência imperfeita analisada nos dois capítulos anteriores. Aprendemos que os concorrentes imperfeitos fixam os preços muito altos, ganham lucros acima do normal e negligenciam a qualidade do produto.

Essa visão sombria do monopólio foi desafiada por um dos grandes economistas do século passado, Joseph Schumpeter. Ele argumentou que a essência do desenvolvimento econômico é a inovação e que, na realidade, em uma economia capitalista, os monopólios são os difusores da inovação.

> **Joseph Schumpeter:
> economista enquanto romântico**
>
> Nascido no Império Austríaco, Joseph Schumpeter (1883-1950), professor lendário cuja pesquisa abrangeu uma grande variedade de campos das ciências sociais, teve uma vida privada deslumbrante.
>
> Começou estudando Direito, Economia e Política na Universidade de Viena – então um dos centros mundiais da ciência econômica e sede da "Escola Austríaca", que atualmente venera o capitalismo de *laissez-faire*. Enquanto professor foi, com frequência, o herói dos seus alunos. Quando tinha seis meses de ensino entrou pela biblioteca e gritou com o bibliotecário por não permitir aos seus alunos o uso gratuito dos livros. Após insultos mútuos, o bibliotecário desafiou Schumpeter para um duelo. Schumpeter ganhou, ferindo o bibliotecário no ombro, e, depois disso, os estudantes passaram a ter acesso ilimitado aos livros.
>
> Nos intervalos entre os duelos, os insultos à universidade acomodada, ao aparecer em reuniões da faculdade em calças de montar, e as fanfarronices, Schumpeter dedicou-se a apresentar a teoria econômica no continente europeu fundando a Sociedade Econométrica (*Econometric Society*) e viajando até a Inglaterra e a América. Mais tarde, foi para a Universidade de Harvard, se desiludiu com o domínio das teorias do seu grande rival John Maynard Keynes.
>
> Os textos de Schumpeter abordaram a teoria econômica, a sociologia e a história, mas o seu primeiro amor foi a teoria econômica. O primeiro clássico de Schumpeter, *The Theory of Economic Development* (1911), questionou a análise estática tradicional do seu tempo ao sublinhar a importância do empresário ou inovador, a pessoa que introduz "novas combinações" na forma de novos produtos ou métodos de organização. Das inovações resultam lucros temporários acima do normal que acabam sendo dissipados pelos imitadores. Sempre romântico, Schumpeter viu no empresário o herói do capitalismo, a pessoa com "qualidades intelectuais e de vontade superiores" motivada pela ânsia da conquista e do prazer da criação.
>
> A sua obra magistral *History of Economic Analysis* (publicada postumamente em 1954) é uma resenha soberba do surgimento da ciência econômica moderna. Em seu livro "popular" *Capitalismo, Socialismo e Democracia* (1942), ele expressou a sua *hipótese surpreendente* sobre a superioridade tecnológica do monopólio e desenvolveu a teoria da democracia competitiva que mais tarde se transformou na teoria da escolha pública (Ver questão 7, no final deste capítulo). Ele previu funestamente que o capitalismo deveria naufragar, em virtude do desencanto das elites. Se vivesse atualmente, ele poderia muito bem associar-se à queixa dos conservadores de que o Estado de bem-estar social suga a vitalidade econômica da economia de mercado.

Economia da informação

A ciência econômica moderna salienta os problemas especiais envolvidos na **economia da informação**. A informação é um bem fundamentalmente diferente dos bens normais. Como a informação tem custos elevados de produção, mas é barato reproduzi-la, os mercados da informação estão sujeitos a falhas de mercado importantes.

Considere a produção de um programa de computador como o Windows Vista. O desenvolvimento desse programa consumiu vários anos e custou à Microsoft muitos bilhões de dólares. Contudo, pode-se comprar uma cópia legal por cerca de US$ 220 ou uma cópia pirata por US$ 5. O mesmo fenômeno se verifica nos produtos farmacêuticos, nos espetáculos e em outras áreas em que grande valor do bem deriva da informação que contém. Em cada uma dessas áreas, a pesquisa e o desenvolvimento do produto pode ser um processo caro que consome anos. Mas, uma vez registada em papel, em um computador, ou em um CD, a informação pode ser reproduzida e usada por uma segunda pessoa praticamente sem qualquer custo.

A incapacidade das empresas para captar a totalidade do valor monetário de suas invenções é chamada de **inapropriabilidade**. As invenções não são totalmente apropriáveis, porque outras empresas podem imitar ou piratear uma invenção, e os imitadores obtém alguns dos benefícios dos investimentos inventivos; às vezes os imitadores podem fazer baixar o preço do novo produto e, com isso, os consumidores obtêm algum benefício. Estudos de casos concluíram que a *rentabilidade social* da invenção (o valor da invenção para todos os consumidores e produtores) é muitas vezes superior à *rentabilidade privada* apropriável pelo inventor (o valor monetário da invenção para o inventor).

Produzir informação é caro, mas reproduzi-la é muito barato. Na medida em que a recompensa da invenção seja inapropriável, é de se esperar um menor investimento privado em pesquisa e desenvolvimento, sendo o subinvestimento maior na pesquisa básica, porque esse é o tipo de informação menos apropriável. A inapropriabilidade e a rentabilidade social elevada da pesquisa levam a maioria dos governos a subsidiar a pesquisa básica em saúde e em ciência, e a promover incentivos especiais às outras atividades criativas.

Direitos de propriedade intelectual

Os governos há muito reconheceram que as atividades criativas necessitam de apoio especial, porque a recompensa, pela produção de informação com valor, é diminuída pela imitação. A Constituição dos Estados Unidos autoriza o Congresso a "promover o Progresso da Ciência e das Artes práticas, ao assegurar, por Tempo limitado, aos Autores e Inventores, o Direito exclusivo sobre seus Escritos e Descobertas". Desse modo, leis especiais sobre patentes, direitos autorais, segredos comerciais e industriais e meios eletrônicos criam os **direitos de propriedade intelectual**. O propósito é dar ao seu detentor proteção especial contra a cópia e a utilização por outros do material, sem qualquer compensação ao proprietário ou ao criador original.

O primeiro direito de propriedade intelectual foi a **patente**, com a qual o governo cria um uso exclusivo (de fato um monopólio limitado) sobre uma invenção "nova, não óbvia e útil" por um período limitado de tempo, normalmente 20 anos. Similarmente, as leis do direito autoral proporcionam proteção legal contra as cópias não autorizadas dos trabalhos originais – como texto, música, vídeo, arte, programação de computadores e outros bens de informação – em vários meios.

Qual a justificativa para o governo estimular monopólios? De fato, as patentes e os direitos de autor garantem direitos de propriedade sobre livros, música e ideias. Ao permitir aos inventores ter o uso exclusivo da sua propriedade intelectual, o governo aumenta o grau de apropriabilidade e, desse modo, aumenta os incentivos para as pessoas inventarem novos produtos úteis, escreverem livros, comporem músicas e desenvolverem programas de computador. Uma patente também exige a divulgação dos detalhes tecnológicos da invenção, o que incentiva novas invenções e imitações legais. Nos exemplos de patentes bem-sucedidas, incluem-se o descaroçador de algodão, o telefone, a copiadora da Xerox e muitos medicamentos lucrativos.

Dilema da internet

As invenções que melhoram as comunicações não se limitam à era moderna. Mas o rápido crescimento do armazenamento, do acesso e da transmissão de informação eletrônica aumenta a dificuldade para incentivar a criação de nova informação. Muitas das novas tecnologias da informação têm custos fixos elevados e praticamente custos marginais nulos. Com o custo reduzido de sistemas de informação eletrônica como a internet, é tecnologicamente possível disponibilizar grandes quantidades de informação a qualquer pessoa, em qualquer lugar, com um custo marginal quase nulo. A concorrência perfeita não pode sobreviver, uma vez que um preço igual ao custo marginal zero dará receitas nulas e, portanto empresas inviáveis.

A economia da informação esclarece o conflito entre eficiência e incentivos. Por um lado, toda a informação deveria ser disponibilizada gratuitamente – livros de Economia, filmes, música, tudo de graça. A livre disponibilidade da informação parece economicamente eficiente, tendo-se em vista que, desse modo, o preço seria igual ao custo marginal, que é zero. Mas um preço zero sobre a propriedade intelectual destruiria os lucros e, portanto, reduziria os incentivos para a produção de novos livros, filmes e músicas, pois os criadores receberiam uma fraca recompensa da sua atividade criativa. A sociedade debateu-se com esse dilema no passado. Mas, com custos de reprodução e transmissão da informação eletrônica muito inferiores aos da informação tradicional, é cada vez mais difícil encontrar políticas públicas razoáveis e fazer cumprir os direitos da propriedade intelectual.

Os especialistas salientam que as leis sobre direitos de propriedade intelectual, com frequência, são difíceis de fazer cumprir, especialmente quando se aplicam para além das fronteiras nacionais. Os Estados Unidos, há muito tempo, têm uma disputa comercial com a China, acusando-a de contrabando de cópias ilegais de filmes, músicas e softwares norte-americanos. Um filme em DVD que se vende a US$ 25 nos Estados Unidos pode ser comprado a 50 centavos na China. Os setores de direito autoral nos Estados Unidos estimam que 85 a 95% dos trabalhos com direitos de todos os seus membros que se vendiam, em 2007, na China eram pirateados.

Em um mundo cada vez mais dedicado a desenvolver novos conhecimentos – muitos deles intangíveis, como música, filmes, patentes, medicamentos e softwares – os governos devem encontrar um meio-termo nos direitos de propriedade intelectual. Se os direitos de propriedade intelectual são muito fortes, isso levará a preços elevados e a perdas por monopólio, mas, se forem muito fracos, desestimulam a invenção e a inovação.

RESUMO

A. Economia do risco e da incerteza

1. A vida econômica está repleta de incerteza. Os consumidores enfrentam padrões de renda e de emprego incertos, bem como a ameaça de perdas catastróficas; as empresas têm custos incertos e suas receitas contêm incertezas quanto ao preço e à produção.

2. Em mercados que funcionam bem, a arbitragem, a especulação e o seguro ajudam a amenizar os riscos inevitáveis. Os especuladores são pessoas que compram e vendem ativos ou mercadorias, tendo em vista lucrar com as diferenças de preços entre mercados. Transferem os bens de regiões em que os preços são baixos para mercados com preços elevados, de épocas de abundância para épocas de escassez e de estados da natureza incertos para períodos em que o acaso torna os bens escassos.

3. A ação da busca de lucro pelos especuladores e pelos arbitradores tende a criar certos tipos de equilíbrio de preço no espaço, no tempo e nos riscos. Esses equilíbrios de mercado correspondem a resultados de lucro nulo, em que os custos marginais e as utilidades marginais ficam equilibrados em diferentes regiões, períodos de tempo ou estados incertos da natureza. Na medida em que moderam os preços e a instabilidade do consumo, os especuladores fazem parte do mecanismo da mão invisível que desempenha a função socialmente útil da realocação dos bens de períodos de abundância (quando os preços são baixos) para tempos de escassez (quando os preços são elevados).

4. Os mercados especulativos permitem às pessoas obter cobertura contra riscos que não são desejados. O princípio econômico da aversão ao risco, que deriva da utilidade marginal decrescente, implica que as pessoas não aceitem situações de risco com um valor esperado nulo. A aversão ao risco implica que as pessoas façam seguro para diminuir a redução desastrosa da utilidade, devido a incêndio, morte ou outras calamidades.

B. Economia dos seguros

5. O seguro e a dispersão do risco tendem a estabilizar o consumo em diferentes estados da natureza. O seguro assume grandes riscos individuais e os dissemina tanto que esses riscos se tornam aceitáveis para um número grande de pessoas. O seguro é benéfico porque, ao ajudar a igualar o consumo em estados diferentes e incertos, aumenta o nível de utilidade esperado.

6. As condições necessárias para o funcionamento dos mercados eficientes dos seguros são restritivas: deve haver muitos acontecimentos independentes e pequena probabilidade de ocorrência de risco moral ou de seleção adversa. Quando há falhas de mercado, como a seleção adversa, os preços podem ser distorcidos ou os mercados podem deixar de existir.

7. Se os mercados de seguros privados falham, o governo pode tomar medidas para que haja seguro social. Este é provido pelos governos quando os mercados de seguro privado não podem funcionar de forma efetiva e a sociedade pensa que as pessoas devem ter uma rede de seguro privado para os riscos mais graves, como desemprego, doença e baixa renda. Mesmo nas economias de mercado avançadas de mais *laissez-faire* da atualidade, os governos dão cobertura contra o desemprego e o risco de doenças na velhice.

C. Assistência à saúde: o problema que não desaparece

8. A assistência à saúde é o maior programa de previdência social. O mercado de assistência à saúde é caracterizado por múltiplas falhas de mercado que levam os governos a intervir. Os sistemas de saúde têm grandes externalidades. Além disso, a assimetria de informação entre médicos e pacientes leva a incertezas sobre o tratamento e o nível de cuidado adequados, e a assimetria entre os pacientes e companhias de seguros leva à seleção adversa na compra de seguros. Finalmente, como a assistência à saúde é tão importante para o bem-estar humano e produtividade do trabalho, a maioria dos governos esforça-se para fornecer um padrão mínimo de assistência à saúde da população.

9. Quando o governo subsidia a assistência à saúde e tenta oferecer cobertura universal, haverá excesso de demanda por serviços médicos. Um dos desafios é desenvolver mecanismos eficientes e equitativos de racionamento que não seja efetuado pelo preço.

D. Inovação e informação

10. Schumpeter salientou a importância do inovador que introduz "novas combinações" na forma de novos produtos e de novos métodos de organização e que, como recompensa, obtém lucros empresariais temporários.

11. A Economia da informação evidencia as dificuldades relacionadas à produção e distribuição eficiente de conhecimento novo e aperfeiçoado. A informação é diferente dos bens normais, uma vez que a sua produção é dispendiosa, mas a sua reprodução é barata. A incapacidade das empresas para captar a totalidade do valor monetário de suas invenções é chamada de inapropriabilidade. Para aumentar a apropriabilidade, os governos criam direitos da propriedade intelectual, que regem as patentes, direitos de autor, segredos comerciais e os meios eletrônicos. O crescimento de sistemas de informação eletrônicos, como a internet, intensifica o dilema de fixar, de maneira eficiente, o preço dos serviços que prestam informação.

CONCEITOS PARA REVISÃO

Risco, incerteza e seguro

- arbitragem leva à igualdade regional de preços
- padrão ideal de preços sazonais
- especulação, arbitragem, cobertura
- aversão ao risco e utilidade marginal decrescente
- estabilidade *versus* instabilidade de consumo
- seguro e dispersão de risco
- risco moral, seleção adversa
- seguro social
- racionamento que não é efetuado pelo preço

Economia da informação

- economia da informação
  - inapropriabilidade,
  - proteção dos direitos de propriedade intelectual,
  - dilema da produção eficiente de conhecimento
- falha de mercado na informação

LEITURAS ADICIONAIS E SITES

Leituras adicionais

O conceito de seguro social foi descrito por Martin Feldstein em "Rethinking Social Insurance," *American Economic Review*, março 2005 e está disponível em <http://www.nber.org/feldstein/aeajan8.pdf>.

Para uma análise do jogo, ver William R. Eadington, "The Economics of Casino Gambling," *Journal of Economic Perspectives*, Summer, 1999.

A hipótese de Schumpeter foi desenvolvida em J. A. Schumpeter, *Capitalism, Socialism and Democracy* (Harper & Row, Nova York, 1942). Dados que corroboram essa hipótese são apresentados em Scherer e Ross, citados anteriormente.

Muitas questões econômicas, industriais e políticas relacionadas com a nova Economia da informação são abordadas em um livro não técnico escrito por dois economistas eminentes, Carl Shapiro e Hal R. Varian: *Information Rules* (Harvard Business, School Press, Cambridge, Mass, 1998). Uma discussão da internet está contida em Jeffrey K. MacKieMason e Hal Varian, "Economic FAQ's about the Internet", *Journal of Economic Perspectives*, Summer, 1994, p. 92.

Uma discussão do governo dos Estados Unidos sobre o desrespeito da China em relação aos direitos de propriedade intelectual é encontrada em <http://www.ustr.gov/Document_Library/Reports_Publications/Section_Index.html>.

Sites

Um dos sites mais interessantes sobre a internet e os direitos de propriedade intelectual está compilado em Hal R. Varian, economista-chefe da Google, ex-reitor da School of Information Management and Systems da Universidade da Califórnia em Berkeley. Esse site, chamado "The Economics of the Internet, Information Goods, Intellectual Property and Related Issues" está disponível em <http://www.sims.berkeley.edu/resources/infoecon>.

Informações sobre o sistema de assistência à saúde americana estão cuidadosamente compiladas pelo National Center on Health Statistics em <http://www.cdc.gov/nchs>.

QUESTÕES PARA DISCUSSÃO

1. Suponha que um amigo o desafie para lançarem uma moeda, em um jogo de cara ou coroa, com você pagando ao seu amigo US$ 100, se sair cara, e o seu amigo pagando a você US$ 100, se sair coroa. Explique por que o valor esperado é US$ 0. Explique depois por que o valor da utilidade esperada será negativo, se você tiver aversão ao risco.

2. Considere o exemplo do seguro de notas escolares (ver p. 192). Suponha que, com a cobertura do seguro de notas, os estudantes seriam indenizados em US$ 5 mil por ano a cada ponto de classificação que ficasse abaixo da nota máxima (esse valor pode ser uma estimativa do impacto das classificações sobre as rendas futuras). Explique por que o seguro de classificações produziria risco moral e seleção adversa. Por que o risco moral e a seleção adversa levariam as seguradoras a evitar fazer o seguro de notas? Você fica surpreso por não conseguir obter um seguro de notas?

3. Após os ataques terroristas de 11 de setembro de 2001, a maioria das companhias de seguros cancelou a cobertura contra terrorismo. De acordo com o presidente Bush, "Foram canceladas transações imobiliárias no valor de mais de 15 bilhões de dólares, uma vez que os proprietários ou investidores não puderam obter a proteção de seguro que precisavam". Como resultado, o governo norte-americano tomou medidas para proporcionar cobertura de pedidos até o valor de 90 bilhões de dólares. Usando os princípios do seguro, explique por que as companhias de seguros deverão negar-se a garantir os imóveis contra ataques terroristas. Explique se você considera, ou não, que um programa federal seja uma forma apropriada de seguro social.

4. No início do século XIX, apenas uma pequena parcela do produto agrícola do país era vendida nos mercados, sendo os custos de transporte muito elevados. Qual você imagina ter sido o grau de variação de preços entre as regiões, comparado com o da atualidade?

5. Suponha que uma empresa esteja fazendo um investimento arriscado (por exemplo, o desenvolvimento de um concorrente do Windows por US$ 2 bilhões). Você consegue compreender como a ampla disseminação da propriedade dessa empresa permitiria uma dispersão quase perfeita do risco no investimento de software?

6. As empresas de assistência médica, às vezes, não permitem que novos participantes se tornem segurados por causa de "condições existentes", ou doenças preexistentes. Explique por que essa política pode atenuar os problemas da seleção adversa.

7. Joseph Schumpeter escreveu o seguinte:

    O nível de vida moderno das massas evoluiu no período da "grande empresa" relativamente pouco regulada. Se fizermos uma lista dos itens que entram no orçamento do trabalhador moderno, desde 1899 em diante, e observarmos a evolução dos seus preços... não podemos deixar de ficar admirados com a taxa de evolução verificada que, considerando a espetacular melhoria na qualidade, parece ter sido maior e não inferior ao que tenha sido anteriormente. Mas isso não é tudo. Logo que questionemos os itens individuais em que o progresso foi mais notório, o caminho nos leva à porta, não das empresas que trabalham, comparativamente, sob condições de livre concorrência, mas precisamente às portas das grandes empresas – que, como no caso das máquinas agrícolas, também são responsáveis por muito do progresso nos ramos competitivos – o que nos sugere a suspeita inesperada de que a grande empresa tem mais a ver com a criação daquele nível de vida do que com o impedimento da sua subida. (*Capitalism, Socialism and Democracy.*)

    Use essa passagem para descrever o *trade-off* entre ineficiências do monopólio "estático" e eficiência do "dinâmico" progresso tecnológico.

8. Os cuidados continuados para os idosos consistem em ajudá-los em atividades (como tomar banho, vestir e higiene pessoal) que eles não podem realizar por si mesmos. Como essas necessidades eram satisfeitas há um século? Explique por que o risco moral e a seleção adversa tornam, atualmente, o seguro de cuidados continuados tão caro que poucas pessoas decidem comprá-lo.

9. Os estudos econômicos concluíram que a taxa de lucratividade privada das invenções, em geral, não passa de um terço da lucratividade social. Explique essa conclusão em termos da economia da inovação.

PARTE TRÊS

Mercado dos fatores:
trabalho, terra e capital

CAPÍTULO 12
Como os mercados determinam as rendas

Sabes, Ernest, os ricos são diferentes de nós.
F. Scott Fitzgerald

Sim, eu sei. Eles têm mais dinheiro do que nós.
Ernest Hemingway

A. RENDA E RIQUEZA

Nos capítulos anteriores examinamos o produto e os preços de bens e serviços produzidos, desde pequeníssimas granjas a empresas gigantes. Mas o vasto conjunto de produtos que usufruímos não brota simplesmente da terra – são produzidos por trabalhadores, que estão equipados com máquinas, que estão instaladas em fábricas, que estão implantadas em terrenos. Esses insumos recebem rendas – salários, lucros, juro e aluguéis. Chegou o momento de compreender a determinação dos preços dos fatores juntamente com as forças que afetam a distribuição da renda na população.

Os Estados Unidos são uma terra de extremos de renda e de riqueza. Se você fosse um dos 400 norte-americanos mais ricos, provavelmente seria um homem branco, com 60 anos de idade, com uma licenciatura de uma universidade conceituadíssima e um patrimônio líquido de US$ 4 bilhões. Essa ínfima faixa da sociedade norte-americana possui cerca de 5% da riqueza total do país. No passado, essas pessoas fizeram a sua fortuna na indústria manufatureira ou no setor imobiliário, mas os bilionários recentes vêm, sobretudo, da Economia da informação e das finanças. O seu percurso ascendente seria tanto consequência da origem familiar como de seu cérebro, pois provavelmente as suas famílias proporcionaram-lhes um bom começo de vida com uma educação cara; mas atualmente existem mais homens e mulheres que obtiveram sucesso por si mesmos do que há uma década.

No outro extremo, estão os esquecidos que nunca fazem a capa das revistas *Forbes* ou *People*. Veja a história de Robert Clark, um sem-teto e desempregado. Trabalhador da construção civil, e veterano do Vietnã, veio de Detroit para Miami à procura de emprego. Dormiu nas ruas da cidade em um pedaço de papelão, coberto com uma camisa roubada. Todos os dias, ele e outros sem-teto saíam dos buracos para a luz do dia para trabalhar em empresas de trabalho temporário. Essas empresas cobravam aos clientes 8 a 10 dólares por hora, pagavam ao pessoal o salário mínimo e ficavam com a maior parte do dinheiro para transporte e ferramentas. A folha de salário de Clark registrava uma remuneração de 31,28 dólares por 31 horas de trabalho.

Como podemos entender esses extremos de renda e de riqueza? Por que alguns ganham US$ 10 milhões por ano enquanto outros têm líquido apenas US$ 1 por hora? Por que os imóveis em Tóquio ou em Manhattan valem milhares de dólares por metro quadrado, enquanto a terra no deserto pode vender-se por apenas alguns dólares o hectare? E qual é a fonte dos milhões de dólares de lucros ganhos pelas empresas gigantes como a Microsoft e a General Electric?

As questões sobre a distribuição da renda estão entre as mais controversas de toda a ciência econômica.

Alguns argumentam que as rendas elevadas são o resultado injusto da herança do passado ou da sorte, enquanto a pobreza provém da discriminação e da falta de oportunidades. Outros pensam que as pessoas têm o que merecem e que a interferência na distribuição da renda realizada pelo mercado iria prejudicar a eficiência da economia e piorar a situação de todos. Os

Tipo de renda	Montante (US$, bilhões)	Parcela do total (%)	Exemplos
Renda do trabalho:			
Ordenados e salários	6.356	51,8	Salários na indústria automobilística; ordenados dos professores.
Benefícios e outras rendas	1.457	11,9	Contribuições das empresas para fundos de pensões.
Renda da propriedade:			
Renda dos donos de empresas	1.056	8,6	Rendas dos cabeleireiros; parcela de um advogado na renda líquida de uma sociedade de advogados.
Aluguéis	40	0,3	Renda de propriedade de imóveis, depois de despesas e amortização.
Lucros das empresas	1.642	13,4	Lucros da Microsoft.
Juros líquidos	664	5,4	Juros de contas de poupança.
Impostos sobre a produção e outros	1.056	8,6	
Total	**12.271**	**100,0**	

TABELA 12-1   Distribuição da renda nacional, Estados Unidos, 2007.

A renda nacional engloba todas as rendas pagas aos fatores de produção. Quase três quartos consistem em salários e outros tipos de remuneração do trabalho, enquanto o restante é dividido entre aluguéis, lucros das empresas e as rendas dos proprietários.

Fonte: U.S. Department of Commerce, Bureau of Economic Analysis, na página da rede <http://www.bea.gov>.

programas governamentais nos Estados Unidos refletem um consenso difícil de que as rendas devem ser fundamentalmente determinadas pelos ganhos no mercado, mas que o governo deve assegurar uma rede de previdência social que impeça os pobres de cair abaixo de certo padrão de vida mínimo.

RENDA

Na quantificação da situação econômica de um indivíduo ou de um país, as duas medidas utilizadas mais frequentemente são a renda e a riqueza. A **renda** refere-se ao fluxo de salários, juros, dividendos e outros valores que ocorrem durante um dado período de tempo (normalmente um ano). O conjunto de todas as rendas é a *renda nacional*, cujos componentes são apresentados na Tabela 12-1. A maior parcela da renda nacional cabe ao trabalho, quer em salários ou ordenados, quer em outras rendas complementares. O remanescente vai para os vários tipos de *renda da propriedade*: rendas, juros, lucros das empresas e rendas dos proprietários. Essa última categoria compõe-se basicamente das rendas dos proprietários de pequenas empresas.[1]

As rendas em uma economia de mercado são distribuídas aos proprietários dos fatores de produção da economia sob a forma de salários, lucros, aluguéis e juros.

---

[1] Com frequência, os economistas e contadores quantificam a "renda" de formas diferentes. Estudamos as medidas contábeis da renda e da riqueza no Capítulo 7.

Rendas dos fatores versus rendas pessoais

É importante compreender a distinção entre rendas dos fatores e rendas pessoais. A Tabela 12-1 registra a distribuição da renda dos fatores – a divisão entre rendas do trabalho e da propriedade. Porém, a mesma pessoa pode possuir vários fatores de produção. Por exemplo, uma pessoa pode receber um salário, receber juro de uma conta de poupança, ter dividendos de ações de um fundo mobiliário e receber aluguel de um investimento imobiliário. Em linguagem econômica, vemos que a renda de mercado de uma pessoa é simplesmente igual às quantidades de fatores de produção vendidas por essa pessoa, multiplicadas pelo salário ou o preço de cada fator.

Cerca de três quartos da renda nacional vão para o trabalho, enquanto o resto é distribuído por diferentes formas de renda da propriedade. O último quarto de século foi bastante turbulento. Qual tem sido o impacto dos choques nos preços do petróleo, da revolução da informática, da globalização, da redução na estrutura das empresas e do rebuliço financeiro dos últimos anos na parcela do trabalho do bolo total da renda? Observando a Figura 12-1, podemos ver que a parcela da renda nacional que cabe ao trabalho variou muito pouco desde 1970. Esse é um dos aspectos notáveis da distribuição da renda nos Estados Unidos.

Papel do governo

Onde aparece o Estado nessa tabela? A administração pública, em seu conjunto, é a principal fonte de salá-

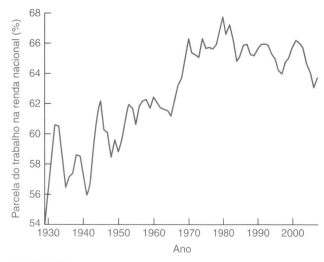

FIGURA 12-1 A participação do trabalho na renda nacional, Estados Unidos.

A parcela da renda do trabalho aumentou gradualmente até 1970. Desde então tem ocorrido uma estabilidade notável, por volta de 2/3 da renda nacional. A renda restante é distribuída por aluguéis, juros, lucros das empresas e renda dos proprietários e vários itens como impostos sobre a produção.

Fonte: U.S. Department of Commerce.

rios, rendas e juros. Os resultados das compras da administração pública estão incluídos nos pagamentos aos fatores de produção referidos na Tabela 12-1.

Contudo, o governo também tem um papel em relação a rendas que não aparecem na Tabela 12-1. Primeiro, o governo recolhe uma parcela importante da renda nacional por meio de impostos e outras cobranças. Em 2008, cerca de 30% do produto interno bruto norte-americano foi cobrado pelas administrações federal, estadual e local na forma de vários tipos de impostos, incluindo os impostos sobre a renda, os impostos sobre os lucros das empresas e as contribuições para o seguro social.

Mas o que os governos arrecadam também é gasto ou distribuído. A administração pública em todos os níveis proporciona rendas na forma de **transferências** que são pagamentos monetários diretos do Estado a particulares, sem a contrapartida de bens ou serviços. O item de transferências com mais peso é o da previdência social para os idosos, mas nas transferências também se incluem o seguro-desemprego, subsídios à agricultura e aos programas de bem-estar. Se, em 1929, os norte-americanos não recebiam quase nada da administração pública, em 2008 cerca de 15% da renda pessoal foi proveniente de transferências do governo.

A renda pessoal é igual à renda de mercado mais as transferências. A maior parte da renda de mercado compõe-se de salários e ordenados; uma pequena, mas rica, minoria aufere a sua renda de mercado de direitos de propriedade. A principal componente das transferências pela administração pública são os pagamentos do seguro social aos idosos.

RIQUEZA

Vemos que alguma renda provém dos juros de títulos de dívida ou dividendos de ações. Isso nos leva ao segundo conceito econômico importante: a **riqueza**, que consiste no valor monetário líquido dos ativos possuídos em um determinado momento. Note que a riqueza é um valor de *estado* (tal como o volume de um lago), enquanto a renda é um *fluxo* por unidade de tempo (tal como a correnteza de um rio). A riqueza das famílias inclui os seus bens tangíveis (casas, automóveis, outros bens de consumo duráveis e terrenos) e os seus ativos financeiros (como dinheiro, contas de poupança, títulos de dívida e ações). Todos os itens que têm valor positivo são chamados de *ativos*, enquanto os que correspondem a dívidas são chamados de *passivos*. A diferença entre o total dos ativos e o total dos passivos é chamada de riqueza ou *patrimônio líquido*.

A Tabela 12-2 apresenta a decomposição dos ativos dos norte-americanos de 1989 a 2004. O ativo mais importante para a maioria das famílias é a casa própria: 68% das famílias possui casa própria, enquanto na geração anterior eram 50%. A maioria das famílias possui uma quantidade modesta de riqueza financeira em contas de poupança e cerca de 1/5 possui diretamente ações de empresas. Mas é visível que uma grande parcela da riqueza financeira do país está concentrada nas mãos de uma pequena fração da população. Cerca de 1/3 de toda a riqueza pertence a 1% das famílias norte-americanas.

B. PREÇOS DOS FATORES PELA PRODUTIVIDADE MARGINAL

A **teoria da distribuição da renda** (ou **teoria da distribuição**) estuda como as rendas são determinadas em uma economia de mercado. As pessoas são, com frequência, confundidas pelas grandes diferenças de rendas das diferentes famílias. São causadas pelas diferenças de talento? Pelo poder monopolista? Pela intervenção do governo? Por que Bill Gates possui US$ 60 bilhões enquanto metade das famílias negras norte-americanas tem um patrimônio líquido de menos de US$ 20 mil? Por que os preços dos terrenos são muito maiores na cidade do que no deserto?

A nossa primeira resposta a estas questões é que a teoria da distribuição da renda é um caso especial da teoria dos preços. Os salários são o preço do trabalho, a renda é o preço do uso da terra etc. Além disso, os preços dos fatores de produção são fundamentalmente estabelecidos pela interação entre a oferta e a demanda dos diferentes fatores – tal como os preços dos bens são, principalmente, determinados pela oferta e demanda dos bens.

Mas apontar para a oferta e a demanda é apenas o primeiro passo no caminho da compreensão da distribuição da renda em uma economia de mercado competitivo. Veremos que a chave para a questão das

Distribuição dos ativos de todas as famílias em % do total, 1989-2004			
	Percentagem do total de ativos		
	1989	1995	2004
Financeiros:			
Depósitos bancários, e similares	9,4	7,7	6,2
Obrigações	3,1	2,3	1,9
Ações	6,2	10,4	11,5
Poupança de aposentadoria	6,6	10,3	11,4
Outros	5,3	6,0	4,7
Tangíveis e outros ativos:			
Casa própria	31,9	30,0	32,3
Outros imóveis e propriedades	13,4	10,0	11,1
Veículos	3,9	4,5	3,3
Investimento em empresas	18,6	17,2	16,7
Outros	1,7	1,5	1,0
	(US$ de 2004 em milhares)		
Riqueza das famílias:			
Mediana	68,9	70,8	93,1
Média	272,3	260,8	448,2

TABELA 12-2 Tendências da riqueza das famílias norte-americanas

As famílias possuem bens tangíveis (como casas e automóveis), bem como ativos financeiros (como depósitos de poupança e ações). O item de ativo mais valioso para a maioria dos norte-americanos continua a ser a casa própria. A mediana da riqueza é muito menor do que a média, o que reflete a grande desigualdade na distribuição de riqueza.

Fonte: Federal Reserve Board, Survey of Consumer Finances, disponível em *Federal Reserve Bulletin* ou em <http://www.federalreserve.gov/pubs/oss/oss2/2004/bull0206.pdf>.

rendas reside na *produtividade marginal* dos diferentes fatores de produção. Nesta seção, veremos que os salários são determinados pelo valor do *produto marginal do trabalho* ou pelo que é conhecido como receita do produto marginal. O mesmo se passa com os outros fatores de produção. Discutiremos primeiro este novo conceito e, a seguir, demonstraremos como ele resolve o enigma de como as rendas são determinadas.

NATUREZA DA DEMANDA DE INSUMOS

A demanda dos insumos difere da demanda dos bens de consumo em dois aspectos importantes: (1) as demandas dos insumos são demandas derivadas e (2) as demandas dos insumos são demandas interdependentes.

Demandas de insumos são demandas derivadas

Consideremos a demanda de espaço para escritório por uma empresa que produz software. Uma empresa de software alugará espaço de escritório para os seus programadores, para pessoal de apoio aos clientes e para outros trabalhadores. De igual modo, outras empresas, como lojas de pizzas ou bancos, precisarão de espaço para suas atividades. Em cada região, haverá uma curva de demanda com inclinação negativa para o espaço de escritório, relacionando a renda cobrada pelos senhorios com a quantidade de espaço pretendido pelas empresas – quanto menor o preço, maior o espaço que as empresas desejarão alugar.

Mas há uma diferença essencial entre as demandas comuns dos consumidores e a demanda de fatores pelas empresas. Os consumidores demandam bens finais, como jogos de computador ou pizzas, pelo prazer ou utilidade diretos que esses bens de consumo proporcionam. Ao contrário, uma empresa não adquire insumos, como espaço para escritório, para obter uma satisfação direta. A empresa compra fatores produtivos pela produção e pela receita que pode alcançar com a utilização desses insumos.

A satisfação está relacionada com os insumos, mas em uma etapa avançada. A satisfação que os consumidores têm com jogos de computador determina quantos jogos de computador a empresa de software pode vender, de quantos empregados precisa, qual a área de escritório de que necessita. Quanto maior o sucesso da programação, maior a demanda de escritórios. Uma análise detalhada da demanda de insumos deve, portanto, reconhecer que a demanda do consumidor determina, em *última instância*, a demanda de escritórios pelas empresas.

Essa análise não se limita ao espaço para escritório. A demanda dos consumidores determina a demanda de todos os insumos, incluindo terras para agricultura, petróleo e fornos para pizza. Você compreende como a demanda de professores de Economia é determinada, em última instância, pela demanda de cursos de Economia pelos estudantes?

A demanda pela empresa de fatores de produção é derivada indiretamente da demanda pelo consumidor do seu produto final.

Os economistas falam, portanto, da demanda de insumos como uma **demanda derivada**. Isso significa que, quando as empresas demandam um fator produtivo, fazem-no porque esse fator lhes permite produzir um bem que os consumidores querem no presente, ou no futuro. A Figura 12-2 mostra como a demanda de um dado fator, tal como terreno fértil para milho, deve ser encarada como derivada da curva de demanda de milho pelo consumidor. Da mesma forma, a demanda de espaço para escritório é derivada da demanda do consumidor por programas de computador e de todos os outros bens e serviços fornecidos pelas empresas que alugam espaço de escritório.

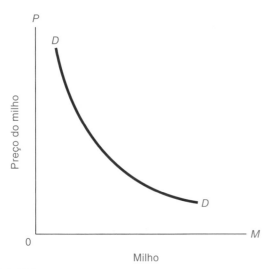 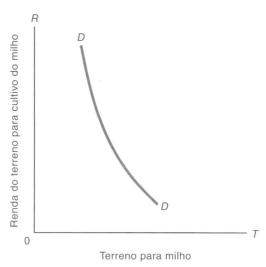

FIGURA 12-2 A demanda de fatores produtivos é derivada da demanda dos bens que eles produzem.

A curva da demanda derivada de terra para o cultivo do milho advém da curva da demanda de milho. Elimine esta e aquela também desaparecerá. Se a curva da mercadoria se tornar mais inelástica, o mesmo tende a acontecer com a curva da demanda de fatores.

Demandas dos fatores são interdependentes

A produção é um trabalho de equipe. Uma serra elétrica por si só é inútil para cortar uma árvore. Um trabalhador de mãos vazias é igualmente inútil. Em conjunto, o trabalhador e a serra podem perfeitamente cortar a madeira. Noutros termos, a produtividade de um insumo, como o trabalho, depende da quantidade dos outros insumos disponíveis para funcionar.

Assim, em geral, é impossível dizer quanto produto se deve a um único insumo tomado isoladamente. Perguntar qual o insumo mais importante é como perguntar quem é mais importante para gerar uma criança, se a mãe ou o pai.

É a *interdependência* das produtividades da terra, do trabalho e do capital que torna a distribuição da renda um tema complexo. Suponha que você tenha sido encarregado de repartir a totalidade do produto de um país. Se a terra tivesse produzido, por si só, um tanto, o trabalho tivesse produzido, por si só, também outro tanto, e as máquinas, por si sós, tivessem produzido o resto, a distribuição seria fácil. Além disso, sob a oferta e a demanda, se cada fator produzisse certa quantidade por si só, então, poderia usufruir do fruto integral do seu próprio esforço.

Mas leia novamente o parágrafo anterior e sublinhe as expressões "por si só". Elas se referem a um mundo fantasioso de produtividades independentes que, de fato, não existe na realidade. Quando uma omelete é produzida com o esforço do cozinheiro e com os ovos da galinha, a manteiga da vaca e o gás natural da terra, como poderemos separar as contribuições isoladas de cada fator?

Para encontrar a resposta, temos de observar a interação das produtividades marginais com a oferta dos fatores produtivos – que, em conjunto, determinam o preço e a quantidade do equilíbrio competitivo.

Revisão da teoria da produção

Antes de apresentar a relação entre os preços dos insumos e os produtos marginais, revisaremos o essencial da teoria da produção do Capítulo 6.

Ela inicia com a noção de *função da produção*. Esta indica a quantidade máxima de produto que pode ser obtida para cada combinação de fatores de produção, com um dado estado do conhecimento tecnológico. O conceito de função de produção fornece uma definição rigorosa de produto marginal. Recorde que o *produto marginal* de um fator produtivo é o produto adicional obtido com 1 unidade adicional desse insumo, mantendo todos os demais insumos constantes.[2] As três primeiras colunas da Tabela 12-3 mostram como os produtos marginais são calculados.

Como elemento final de revisão, recorde a *lei dos rendimentos decrescentes*. A coluna (3) da Tabela 12-3

---

[2] Note que o produto marginal de um insumo é expresso em unidades físicas de produto por unidade adicional do insumo. Por isso, os economistas usam por vezes o termo "produto marginal físico" em vez de "produto marginal", em especial quando querem evitar qualquer possível confusão com o conceito que, em breve, encontraremos designado por "receita do produto marginal". Para simplificar, omitiremos a palavra "físico" e abreviaremos produto marginal com *PMg*.

(1) Unidades de trabalho (trabalhadores)	(2) Produção total (alqueires)	(3) Produto marginal do trabalho (alqueires por trabalhador)	(4) Preço do produto (US$, por alqueire)	(5) Receita do produto marginal do trabalho (US$, por trabalhador)
0	0			
		20.000	3	60.000
1	20.000			
		10.000	3	30.000
2	30.000			
		5.000	3	15.000
3	35.000			
		3.000	3	9.000
4	38.000			
		1.000	3	3.000
5	39.000			

TABELA 12-3 Cálculo da receita do produto marginal de uma empresa perfeitamente competitiva.

O produto marginal da mão de obra é mostrado na coluna (3). A receita do produto marginal da mão de obra indica qual é a receita marginal que a empresa obtém quando é utilizada uma unidade adicional de mão de obra. É igual ao produto marginal da coluna (3) vezes o preço do produto de concorrência da coluna (4).

mostra que cada unidade sucessiva de trabalho tem um produto marginal decrescente. "Produto marginal decrescente" é outro nome para rendimentos decrescentes. Além disso, podemos trocar terra por trabalho, variando a quantidade de terra enquanto mantemos constante o trabalho e os outros fatores produtivos, e, em geral, poderemos observar que a lei dos rendimentos decrescentes se verifica tanto com a terra como com o trabalho.

TEORIA DA DISTRIBUIÇÃO E RECEITA DO PRODUTO MARGINAL

A ideia fundamental sobre a teoria da distribuição é que *as demandas dos vários fatores produtivos são derivadas das receitas que cada fator gera com o seu produto marginal.* Antes de demonstrar esse resultado, começamos pela definição de alguns termos novos.

Receita do produto marginal

Podemos usar as ferramentas da teoria da produção para chegar a um conceito-chave, a *receita do produto marginal (RPMg)*. Suponha que dirigimos uma grande fábrica de camisas. Sabemos quantas camisas cada trabalhador adicional produz. Mas a empresa quer maximizar os lucros em termos monetários, pois paga os salários e os dividendos com dinheiro e não com camisas. Necessitamos, portanto, de um conceito que quantifique o *dinheiro* adicional que cada unidade adicional de insumo produz. Os economistas deram o nome de "receita do produto marginal" ao valor monetário do produto adicional gerado por uma unidade adicional de insumo.

A **receita do produto marginal** do fator produtivo A é a receita adicional gerada por uma unidade adicional do fator produtivo A.

Caso de concorrência perfeita. É fácil calcular a receita do produto marginal quando os mercados de produto são perfeitamente competitivos. Nesse caso, cada unidade de produto marginal do trabalho (PMg_L) pode ser vendida ao preço competitivo (P). Além disso, uma vez que estamos considerando a concorrência perfeita, o preço do produto não é influenciado pela produção da empresa e, portanto, o preço é igual à receita marginal (RMg). Se temos 10 mil alqueires de PMg_L e o preço e a RMg são iguais a US$ 3, o valor monetário do produto do último trabalhador – a receita do produto marginal ($RPMg_L$) – é de US$ 30 mil (igual a 10.000 × US$ 3). Isso mostrado na coluna (5) da Tabela 12-3. Assim, em concorrência perfeita, cada trabalhador vale para a empresa o valor monetário do produto marginal do último trabalhador; o valor de cada hectare de terra é o produto marginal da terra vezes o preço do produto; e assim sucessivamente para cada fator.

A Tabela 12-3 fornece uma relação essencial entre a teoria da produção e a teoria da demanda dos fatores, e deve ser estudada cuidadosamente. As três primeiras colunas mostram os fatores de produção, o produto e o produto marginal do trabalho. Multiplicando o *PMg* na coluna (3) pelo preço na coluna (4), obtemos a receita do produto marginal do trabalho (valor monetário por trabalhador) na coluna (5). É esta última coluna que é crítica para a determinação da demanda de trabalho, como veremos mais à frente neste capítulo. Uma vez conhecido o nível salarial, podemos calcular a demanda de trabalho a partir da coluna (5).

Concorrência imperfeita. O que acontece no caso da concorrência imperfeita, em que a curva da demanda de cada empresa tem inclinação negativa? Nesse caso, a receita marginal obtida com a venda de cada unidade adicional de produto é menor do que o preço, porque, para vender uma unidade adicional, a empresa tem de baixar o preço das unidades anteriores. Cada unidade de produto marginal valerá para a empresa $RMg < P$.

Para continuar o nosso exemplo anterior, suponha que a RMg é de US$ 2, enquanto o preço é de US$ 3. Então, a $RPMg$ do segundo trabalhador na Tabela 12-3 seria de US$ 20 mil (igual ao PMg_L de 10.000 × RMg de US$ 2) em vez de US$ 30 mil do caso competitivo. Em resumo:

A receita do produto marginal representa a receita adicional que a empresa obtém com o emprego de uma unidade adicional de um fator produtivo, mantendo-se os outros fatores constantes. É calculada como o produto marginal do insumo multiplicado pela receita marginal obtida com a venda de uma unidade adicional de produto. Isso se verifica para o trabalho (L), para a terra (T) e para os outros fatores:

Receita do produto marginal do trabalho

$$(RPMg_L) = RMg \times PMg_L$$

Receita do produto marginal da terra

$$(RPMg_T) = RMg \times PMg_T$$

E assim sucessivamente.

Sob condições de concorrência perfeita, dado que $P = RMg$, temos para cada fator produtivo:

Receita do produto marginal $(RPMg_i) = P \times PMg_i$

DEMANDA DE FATORES DE PRODUÇÃO

Analisados os conceitos subjacentes, demonstraremos como as empresas que maximizam o lucro decidem sobre a combinação ótima de fatores, o que nos permitirá deduzir a demanda de fatores.

Demanda de fatores por empresas que maximizam o lucro

O que determina a demanda de qualquer fator de produção? Podemos responder a essa questão analisando como uma empresa orientada para o lucro escolhe a sua combinação ótima de fatores produtivos.

Imagine um agricultor que procura maximizar o lucro. Em sua área, ele pode contratar todos os trabalhadores agrícolas que quiser a US$ 20 mil por trabalhador. O seu contador apresenta-lhe uma folha com os dados da Tabela 12-3. Como você procederia?

Você poderia tentar várias possibilidades. Se contratar um só trabalhador, a receita adicional (a $RPMg$) é US$ 60 mil, enquanto o custo marginal do trabalhador é US$ 20 mil, sendo assim o seu lucro será de US$ 40 mil. Um segundo trabalhador lhe dá uma $RPMg$ de US$ 30 mil para um lucro adicional de US$ 10 mil. O terceiro trabalhador produz adicionalmente uma receita de apenas US$ 15 mil, mas os custos são US$ 20 mil; assim, não será lucrativo contratar o terceiro trabalhador. A Tabela 12-3 mostra que o lucro máximo é alcançado com a contratação de dois trabalhadores.

Seguindo esse raciocínio, podemos deduzir a regra para a escolha da combinação ótima de fatores:

Para maximizar os lucros, as empresas devem adicionar fatores até o ponto em que a receita do produto marginal do fator seja igual ao custo marginal, ou preço, desse fator.

Para mercados de fatores perfeitamente competitivos, a regra é ainda mais simples. Recorde que em concorrência perfeita, a receita do produto marginal é igual ao preço vezes o produto marginal ($RPMg = P \times PMg$).

A combinação de fatores que maximiza os lucros para uma empresa perfeitamente competitiva ocorre quando o produto marginal vezes o preço do produto é igual ao preço do fator:

Produto marginal do trabalho × preço do produto
= preço do trabalho = salário

Produto marginal da terra × preço do produto
= preço da terra = aluguel

Podemos compreender essa regra com o seguinte raciocínio: suponha que cada tipo de fator produtivo é subdividido em pequenos conjuntos que valem US$ 1 cada – conjuntos de US$ 1 de trabalho, de um US$ 1 de terra etc. Para maximizar o lucro, as empresas comprarão fatores até o ponto em que cada pequena unidade de US$ 1 gera produto que vale também US$ 1. Por outras palavras, cada conjunto de fator produtivo no valor de US$ 1 produzirá PMg unidades de produto de modo que $PMg \times P$ seja exatamente igual a US$ 1. Na maximização do lucro, a $RPMg$ das unidades de US$ 1 é exatamente igual a US$ 1.

Regra do custo mínimo. Podemos reformular a condição mais genericamente de modo que se aplique tanto à concorrência perfeita como à concorrência imperfeita dos mercados de produtos (desde que os mercados de insumos sejam competitivos). Refazendo as condições básicas indicadas atrás, a maximização do produto implica:

$$\frac{\text{Produto marginal do trabalho}}{\text{Preço do trabalho}} = \frac{\text{Produto marginal da terra}}{\text{Preço da terra}} = \ldots$$

$$= \frac{1}{\text{Receita marginal}}$$

Suponha que você tivesse um monopólio de televisão a cabo. Se quisesse maximizar os lucros, deveria escolher a melhor combinação de trabalhadores, de implantação dos cabos, de caminhões e equipamento de controle que minimize os custos. Se o aluguel mensal de um caminhão for US$ 8 mil e o salário mensal de um trabalhador for US$ 800, os custos serão minimizados quando os produtos marginais por *unidade monetária de fator produtivo* forem iguais. Dado que os caminhões custam 10 vezes mais do que o trabalho, o *PMg* do caminhão tem de ser 10 vezes o *PMg* do trabalho.

Regra do custo mínimo: os custos serão minimizados quando o produto marginal por unidade monetária de fator produtivo for igual para todos os fatores produtivos. Nos mercados de produtos, isso se verifica tanto para concorrentes perfeitos como para concorrentes imperfeitos.

Receita do produto marginal e demanda de insumos

Tendo deduzido a *RPMg* para os diferentes fatores, podemos agora compreender a demanda de fatores de produção. Vimos que para uma empresa maximizar o lucro, escolheria as quantidades de fatores produtivos de forma que o preço de cada fator fosse igual à *RPMg* desse fator. Isso significa que, pela função da *RPMg* de um fator, podemos determinar imediatamente a relação entre o preço do fator e a sua quantidade demandada. Essa relação é o que designamos por curva da demanda.

Reveja a Tabela 12-3. Essa tabela mostra na última coluna a *RPMg* do trabalho da nossa fazenda produtora de milho. Pela condição de maximização do lucro, sabemos que com um salário de US$ 60 mil a empresa escolheria 1 unidade de trabalho; com um salário de US$ 30 mil seriam escolhidas 2 unidades; e assim sucessivamente.

A função da *RPMg* de cada fator produtivo dá a função demanda desse fator pela empresa.

Usamos este resultado, na Figura 12-3, para traçar uma curva de demanda de trabalho pela nossa fazenda de milho usando os dados apresentados na Tabela 12-3. Traçamos, também, uma curva contínua passando por cada um dos pontos para mostrar a configuração da curva da demanda se unidades de trabalho pudessem ser contratadas de maneira fracionada.

Da demanda da empresa à de mercado. O passo final na determinação da demanda de trabalho e de outros insumos é a agregação das curvas da demanda das diferentes empresas. Tal como para todas as curvas da demanda, a curva da demanda de um mercado competitivo é a *soma horizontal das curvas de demanda de todas as empresas*. Assim, se houvesse mil empresas idênticas, então a demanda de trabalho do mercado seria exatamente igual à da Figura 12-3, exceto que o eixo horizontal teria cada entrada multiplicada por mil. Vemos, então, que a demanda competitiva de fatores de produção é determinada pela soma das demandas de todas as empresas para cada receita do produto marginal.

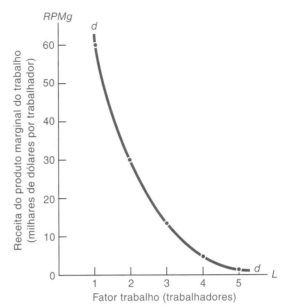

FIGURA 12-3 Demanda dos fatores de produção deduzida dos produtos receita marginais.

A demanda de trabalho deriva da receita do produto marginal da mão de obra. Esta figura usa os dados da empresa competitiva apresentados na Tabela 12-3.

Regra da substituição. Um corolário da regra do custo mínimo é a **regra da substituição**: se o preço de um fator aumenta enquanto os preços dos outros fatores permanecem fixos, a empresa ganhará se substituir o fator mais caro por uma maior quantidade dos outros fatores. Um aumento do preço da mão de obra, P_L, reduzirá PM_L/P_L. As empresas responderão com a redução do número de empregados e o aumento do uso da terra até que seja restabelecida a igualdade dos produtos marginais por unidade monetária dos fatores, reduzindo assim o montante necessário de L e aumentando a demanda de hectares de terra. Um aumento isolado do preço da terra, P_T, fará, pela mesma lógica, com que o trabalho substitua a terra, agora que é mais cara. Tal como a regra do custo mínimo, a regra da substituição e a demanda derivada de fatores se aplica tanto à concorrência perfeita como à concorrência imperfeita nos mercados de produtos.

OFERTA DE FATORES DE PRODUÇÃO

Uma análise completa da determinação dos preços dos fatores e das rendas deve combinar a demanda dos fatores produtivos que acabamos de descrever com as ofertas dos diferentes fatores. Os princípios gerais da oferta variam de fator para fator, sendo esse tema desenvolvido em profundidade nos próximos dois capítulos. Faremos agora alguns comentários introdutórios.

Em uma economia de mercado, a maioria dos fatores de produção é de propriedade privada. As pessoas "possuem" o seu trabalho, no sentido de que controlam o seu uso; mas atualmente esse indispensável "capital humano" apenas pode ser alugado, não pode ser vendido. O capital e a terra são, em geral, propriedade privada das famílias ou de empresas.

As decisões acerca da oferta de *trabalho* são determinadas por muitos condicionantes econômicos e não econômicos. Os principais determinantes da oferta de trabalho são o preço do trabalho (ou seja, o nível dos salários) e os aspectos demográficos, tais como a idade, o sexo, a educação e a estrutura familiar. A quantidade de *terra* e de outros recursos naturais é determinada pela geologia, não podendo ser significativamente alterada, embora a quantidade de terra seja afetada pela conservação, pelos tipos de utilização e por benfeitorias. A oferta de *capital* depende dos investimentos do passado feitos pelas empresas, pelas famílias e pelo Estado. No curto prazo, o estoque de capital disponível é fixo, tal como a terra, mas no longo prazo a oferta de capital é sensível aos fatores econômicos, tais como riscos, impostos e taxas de retorno.

Podemos dizer algo sobre a elasticidade da oferta de fatores produtivos? Na realidade, a curva da oferta pode ter uma inclinação positiva, ser vertical ou até mesmo ter uma inclinação negativa. Para a maioria dos insumos, poderíamos esperar que, no longo prazo, a oferta responda positivamente ao seu preço; nesse caso, a curva da oferta seria ascendente da esquerda para a direita. A oferta total de terra é normalmente considerada como não sendo afetada pelo preço, e, nesse caso, a oferta *total* de terra seria perfeitamente inelástica, tendo uma curva da oferta vertical. Em alguns casos especiais, quando a remuneração do insumo aumenta, os proprietários podem oferecer ao mercado uma menor quantidade do insumo. Por exemplo, se as pessoas pensam que podem reduzir o número de horas de trabalho quando o salário aumenta, a curva da oferta de trabalho pode se inclinar para trás com salários elevados, em vez de subir.

As diferentes elasticidades possíveis da oferta de insumos são ilustradas pela curva da oferta *SS*, da Figura 12-4.

DETERMINAÇÃO DOS PREÇOS DOS INSUMOS PELA OFERTA E DEMANDA

Uma análise completa da distribuição de renda tem de combinar a oferta e a procura dos fatores de produção. As partes anteriores desta seção deram os fundamentos da análise da demanda e uma breve descrição da oferta. Demonstramos que, sendo dados os preços dos insumos, as empresas que procuram maximizar os lucros escolhem as combinações de insumos de acordo com as suas receitas de produtos marginais. Quando o preço da terra diminui, cada agricultor substitui por terra outros insumos, tais como trabalho, maquinário e adubos. Portanto, cada agricultor teria uma curva de demanda do fator terra para milho como a da Figura 12-2(*b*).

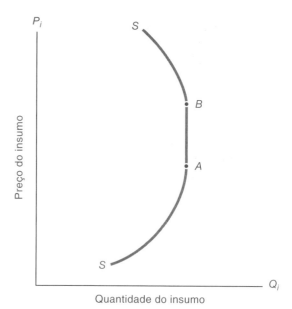

FIGURA 12-4 Curva de oferta de fatores de produção.

As ofertas de fatores de produção dependem das caraterísticas dos fatores e das preferências dos respetivos proprietários. Em geral, as ofertas respondem positivamente ao preço, tal como na região abaixo de *A*. Para insumos cuja oferta é fixa, como a terra, a curva de oferta será perfeitamente inelástica, tal como de *A* a *B*. Em casos especiais, em que um preço maior do insumo faz aumentar muito a renda do seu proprietário, como no caso do trabalho ou do petróleo, a curva de oferta pode ter uma inflexão, como ocorre na região acima de *B*.

Como obtemos a *demanda de mercado* de fatores produtivos (sejam eles terra para milho, trabalho não qualificado ou computadores)? Somamos as demandas individuais de cada uma das empresas. Assim, para um dado preço da terra, somamos todas as demandas de terra de todas as empresas a esse preço; e fazemos o mesmo para todos os preços de terra. Em outras palavras, *somamos horizontalmente todas as curvas de demanda de terra de todas as empresas para obter a curva da demanda de mercado da terra*. Seguimos o mesmo procedimento para qualquer insumo, somando todas as demandas derivadas de todas as empresas para obter a demanda de mercado de cada fator. E em cada caso a demanda derivada do insumo é baseada na receita do produto marginal do insumo considerado.[3] A Figura 12-5 apresenta a curva da demanda geral de um fator de produção sendo a curva *DD*.

---

[3] Note que este processo da soma horizontal das curvas de demanda de um insumo é exatamente o mesmo que seguimos para obter as curvas de demanda de mercado dos bens no Capítulo 5.

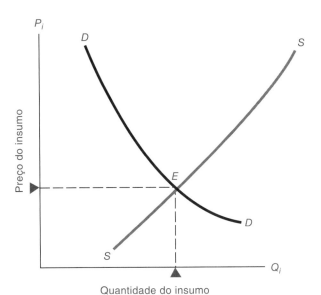

FIGURA 12-5 A oferta do fator de produção e a demanda derivada interagem para determinar os preços do insumo e a distribuição da renda.

Os preços e as quantidades dos fatores são determinados pela interação da oferta e da demanda do insumo.

Como encontramos o equilíbrio geral de mercado? *O preço de equilíbrio do fator produtivo em um mercado competitivo situa-se no nível em que as quantidades ofertadas e as demandadas são iguais.* Isso é ilustrado na Figura 12-5, onde a curva de demanda derivada de um fator intercepta a sua curva da oferta no ponto E. Apenas a esse preço a quantidade que os proprietários do insumo estão dispostos a oferecer é exatamente igual à quantidade que os compradores estão dispostos a adquirir.

Os salários dos empregados de lanchonete e dos cirurgiões

Podemos aplicar esses conceitos a dois mercados de fatores para ver por que razão as disparidades nas rendas são tão grandes. A Figura 12-6 mostra os mercados de dois tipos de trabalho – cirurgiões e empregados de lanchonetes. A oferta de cirurgiões é severamente limitada pela necessidade de autorização pelo conselho de medicina e pela duração e custo de formação e treinamento. A demanda de cirurgiões está aumentando rapidamente, juntamente com outros serviços de saúde. O resultado é os cirurgiões ganharem em média US$ 300 mil por ano. Além disso, um aumento da demanda resultará em um forte aumento das rendas e em um pequeno aumento do número de cirurgiões.

No outro extremo da escala de renda estão os trabalhadores de lanchonetes. Estes trabalhos não têm qualificações ou exigências de formação e estão abertos a praticamente qualquer pessoa. A oferta dessa mão de obra é fortemente elástica. Como a demanda de refeições rápidas aumentou nos últimos anos, o emprego aumentou acentuadamente. Em virtude da facilidade de entrada nesse mercado, o salário médio de um funcionário do setor, em período integral, estava próximo da base da pirâmide de renda com US$ 19 mil por ano. Qual a razão de diferença tão acentuada na capacidade de renda entre os cirurgiões e os empregados de lanchonetes? É principalmente pela qualidade da mão de obra, não pela quantidade de horas trabalhadas.

Os ricos e os outros

Se você é um dos norte-americanos mais ricos, poderá ter US$ 50 milhões de juros, dividendos e outras rendas de propriedade, enquanto as famílias de classe média ganham menos de US$ 1 mil ao ano com a suas riquezas financeiras. A Figura 12-7 explica essa diferença. A taxa de rentabilidade das ações ou dos títulos de dívida não é muito maior para os ricos do que é para a classe média.

O que acontece é que os ricos têm uma base de riqueza da qual tiram muito mais proventos. Os retângulos sombreados na Figura 12-7 mostram os ganhos de capital dos dois grupos. Assegure-se de que você compreende que é a dimensão da riqueza, mais que a taxa de rentabilidade, que faz o retângulo dos maiores detentores de riqueza ser tão grande.

Estes dois exemplos mostram como os preços dos fatores e as rendas das pessoas são determinados pelas forças de mercado subjacentes. A oferta e a demanda funcionam de modo a criar rendas elevadas para os fatores que têm oferta limitada, ou demanda elevada, o que se reflete em elevada receita do produto marginal. Se um fator como os cirurgiões se torna escasso – porque, admitamos, as exigências de formação aumentam – o preço desse fator aumentará, e os cirurgiões se beneficiarão de rendas mais altas. Contudo, se a demanda diminui em algum campo como a psiquiatria – porque, por exemplo, as companhias de seguro reduzem a cobertura de psiquiatria ou porque substitutos próximos como os assistentes sociais e psicólogos lhes retiram pacientes, ou porque as pessoas confiam mais na medicação do que na terapia – uma demanda menor fará com que as rendas dos psiquiatras diminuam. A concorrência dá, mas também tira.

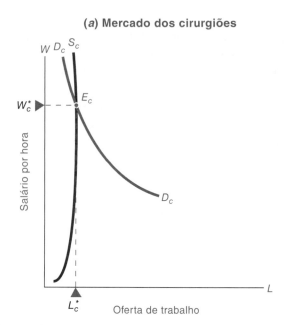
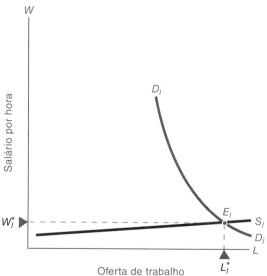

FIGURA 12-6 Os mercados de cirurgiões e de trabalhadores de lanchonetes.

Em (*a*) vemos o impacto de uma oferta limitada de cirurgiões: uma produção reduzida e alta renda por cirurgião. Qual seria o efeito sobre as rendas totais dos cirurgiões e sobre o preço de uma cirurgia se o envelhecimento da população aumentasse a demanda de cirurgiões?

Em (*b*) a livre entrada e a baixa qualificação exigida implica uma oferta de trabalhadores de lanchonetes muito elástica. Os salários são reduzidos e a oferta de emprego é alta. Qual seria o efeito sobre os salários e o emprego se mais jovens procurassem emprego?

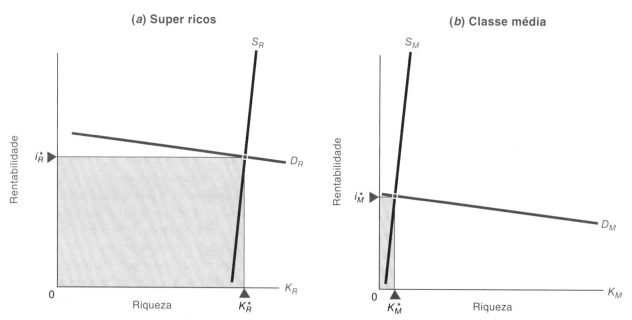

FIGURA 12-7 Diferenças nos ganhos sobre a riqueza.

Essa figura mostra a demanda e a oferta de riqueza detida pelos super-ricos e pela classe média. O eixo horizontal mostra a riqueza total, enquanto o eixo vertical mostra a taxa de rentabilidade da riqueza. A região sombreada é $i \times K$, ou o retorno total da riqueza. Por que o retângulo sombreado dos ricos é muito maior do que o da classe média? A principal razão é que a riqueza dos ricos (K_R) é muito maior do que a da classe média (K_M).

DISTRIBUIÇÃO DA RENDA NACIONAL

Com o nosso novo conhecimento da teoria da produtividade marginal, podemos agora regressar à questão levantada no início do capítulo. Em um mundo de intensa competição, como os mercados alocam a renda nacional entre os vários fatores de produção?

Esta seção desenvolve a teoria neoclássica da repartição da renda dos fatores. Essa pode ser aplicada aos mercados competitivos com um número qualquer de produtos finais e de fatores de produção. Mas é mais facilmente entendida se considerarmos um mundo simplificado com um único produto em que todas as contas são consideradas em unidades "reais", isto é, em termos de bens. Os produtos poderiam ser milho, ou um conjunto de vários bens e serviços, mas vamos chamar-lhe Q. Além disso, fixando o preço igual a 1, podemos conduzir toda a discussão em termos reais, com o valor do produto sendo Q e com os salários sendo salários reais em termos dos bens ou de Q. Nessa situação, uma função de produção nos diz qual a quantidade de Q que é produzida para cada quantidade de horas de trabalho, L, e para cada quantidade de hectares de terra homogênea, T. Note que em decorrência de $P = 1$, sob concorrência perfeita $RPMg = PMg \times P = PMg \times 1 = PMg$. O salário é, portanto, igual a $PMgL$.

A análise do modelo neoclássico é feita do seguinte modo: o trabalhador tem um produto marginal muito grande, porque tem muita terra para trabalhar. O trabalhador 2 tem um produto marginal um pouco menor. Mas os dois trabalhadores são semelhantes, portanto, têm de receber o mesmo salário. A questão é – qual salário? O PMg do trabalhador 1 ou o do trabalhador 2, ou a média dos dois?

Sob concorrência perfeita, a resposta é clara: os proprietários de terra não irão contratar um trabalhador se o salário de mercado for maior do que o produto marginal desse trabalhador. Assim, a concorrência assegurará que *todos* os trabalhadores recebam um salário igual ao produto marginal do último trabalhador.

Mas agora existe um excedente de produto total sobre o gasto com os salários totais, pois os trabalhadores iniciais têm PMg mais elevados do que o último trabalhador. O que sucede ao excesso de PMg produzido por todos os anteriores trabalhadores? O excesso é retido pelos proprietários da terra como seu ganho residual, que, mais tarde, chamaremos de *renda*. Você deve estar se perguntando por que os proprietários da terra, que podem estar sentados nos seus iates a muitos quilômetros de distância, ganham algo com a terra? A razão é que cada proprietário de terra é um participante no mercado competitivo da terra e arrenda a terra pelo melhor preço. Tal como os trabalhadores competem entre si para a obtenção de empregos, os proprietários competem entre si na contratação de trabalhadores. Neste mundo competitivo, não existem sindicatos que mantenham os salários elevados, não há conspiração dos proprietários de terras para explorar os trabalhadores, e, de fato, nenhuma justiça nos salários e rendas ganhos – vemos apenas o funcionamento da oferta e da demanda.

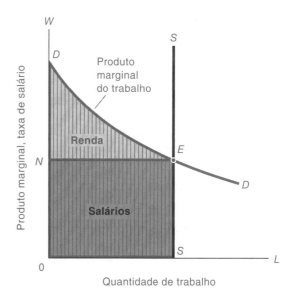

FIGURA 12-8 Os princípios do produto marginal determinam a distribuição da renda dos fatores.

Cada fatia vertical representa o produto marginal dessa unidade de trabalho. O produto nacional total $0DES$ obtém-se pela soma de todas as fatias verticais do PMg até à oferta total de trabalho em S.

A distribuição do produto é determinada pelos princípios do produto marginal. O total dos salários é o retângulo inferior (igual ao salário $0N \times$ a quantidade de trabalho $0S$). As rendas da terra são o triângulo residual NDE.

Determinamos, portanto, o total de salários pagos à mão de obra. A Figura 12-8 mostra que a curva do produto marginal do trabalho resulta na curva da demanda de todos os empregadores em termos dos salários reais. Os fatores da oferta de trabalho determinam a oferta de trabalho (apresentada como SS). O equilíbrio ocorre em E. O total de salários pagos ao trabalho é dado por $W \times L$ (por exemplo, se $W = 5$ e $L = 1$ milhão, os salários totais = 5 milhões); isto é representado pela área escura do retângulo $0SEN$.

Surpreendentemente, podemos também calcular a renda da terra. O triângulo mais claro das rendas NDE na Figura 12-8 quantifica todos os excedentes de produto que foram produzidos, mas que não foram pagos como dos salários. A dimensão do triângulo das rendas é determinada pela redução do PMg do trabalho quando se adiciona trabalho suplementar, isto é, pela dimensão das rendas decrescentes. Se existirem apenas alguns hectares de terra de alta qualidade, as unidades adicionais de trabalho apresentarão fortes rendimentos decrescentes e a parcela das rendas será grande. Se, pelo contrário, existir uma grande quantidade de terra virgem homogênea à espera de ser limpa, então, haverá pouca tendência para rendimentos decrescentes e o triângulo da renda da terra será muito pequeno.

Desenhamos a Figura 12-8 de modo que os salários do trabalho fossem 3 vezes maiores do que a renda da propriedade. Essa relação de 3 para 1 reflete o fato de as rendas do trabalho constituírem cerca de três quartos da renda nacional.

A teoria da produtividade marginal, descrita agora, é amplamente usada em Economia. Uma aplicação importante é no impacto da imigração sobre os salários e lucros, que é analisada na questão 8, no final deste capítulo.

Teoria da produtividade marginal com muitos fatores produtivos

A teoria da produtividade marginal é um passo importante na compreensão dos preços dos diferentes fatores produtivos. Note, além disso, que as posições da terra e do trabalho podiam ser invertidas para se obter uma teoria completa da distribuição. Para alternar os papéis do trabalho e da terra, mantenha o trabalho constante e adicione sucessivas unidades de terra variável ao trabalho fixo. Calcule o produto marginal de cada hectare adicional.

Trace depois uma curva de demanda que mostre quantos hectares de terra os proprietários de trabalho irão demandar, para cada nível de renda. Na nova versão da Figura 12-8 que desenhou, procure um novo ponto de equilíbrio E'. Identifique o retângulo da renda da terra, determinado pela renda multiplicada pela quantidade de terra. Identifique o triângulo residual dos salários do trabalho. Finalmente, repare na completa simetria dos fatores. Esse novo gráfico demonstra que devemos pensar nas parcelas distributivas de cada um e de todos os fatores produtivos como sendo determinadas simultaneamente pelos seus produtos marginais interdependentes.

Mas não é tudo. Em vez de trabalho e de terra, suponha que os dois únicos fatores eram o trabalho e algum bem versátil de capital. Suponha que uma função de produção contínua relaciona Q com o trabalho e o capital, com as mesmas propriedades genéricas das da Figura 12-8. Nesse caso, pode-se desenhar de novo a Figura 12-8 e obter uma imagem idêntica da distribuição da renda entre o trabalho e o capital. Podemos, de fato, executar a mesma operação para três, quatro ou qualquer número de fatores.

Em mercados competitivos, a demanda de fatores de produção é determinada pelos produtos marginais dos fatores. No caso simplificado, em que os fatores são pagos em termos de uma única produção, obtemos

Salário = produto marginal do trabalho

Renda = produto marginal da terra

e assim sucessivamente para qualquer fator. Isso reparte os 100% da renda, nem mais nem menos, entre todos os fatores de produção.

Vemos, então, que a teoria agregada da distribuição da renda é compatível com a fixação competitiva de preços de um número qualquer de bens produzidos por um número qualquer de fatores. Essa teoria simples, mas poderosa, demonstra como em uma economia de mercado competitivo a distribuição da renda está relacionada à produtividade.

Agora que estamos familiarizados com os princípios genéricos que estão subjacentes à determinação dos preços dos fatores e da distribuição da renda, podemos nos voltar para uma discussão detalhada dos aspectos particulares dos três principais mercados de fatores – terra, trabalho e capital.

UMA MÃO INVISÍVEL PARA AS RENDAS?

Acabamos de ver como uma economia perfeitamente competitiva distribui a renda nacional entre os vários fatores de produção em um mundo simplificado.

As pessoas perguntam naturalmente: a remuneração no capitalismo de mercado é justa e equitativa? Em certo sentido, isso é como perguntar se os animais obtêm as suas cotas equitativas de alimento na selva. Tal como a luta na selva distribui o alimento sem se saber se está certo ou errado, assim um mercado competitivo distribui os salários e os lucros de acordo com a produtividade, e não com a ética.

Existirá uma mão invisível no mercado que assegure que as pessoas que mais merecem obterão a remuneração justa? Ou que os que trabalham longas horas, ou noites e fins de semana, ou em trabalhos tediosos ou perigosos recebem um decente nível de vida? Ou que aqueles que trabalham nos países em desenvolvimento obtêm um nível de vida confortável?

Na realidade, os mercados competitivos não garantem que a renda e o consumo irão necessariamente para os que mais precisam ou mais merecem. A concorrência de *laissez-faire* pode levar a uma grande desigualdade, a crianças mal alimentadas que crescem para gerar mais crianças mal alimentadas e à perpetuação da desigualdade de rendas e de riqueza nas sucessivas gerações. Não existe qualquer lei econômica que assegure que os países pobres da África consigam alcançar os países ricos da América do Norte. Os ricos ficam mais ricos e saudáveis à medida que os pobres ficam mais doentes e pobres. Em uma economia de mercado, a distribuição da renda e o consumo refletem não apenas o trabalho esforçado, o caráter engenhoso e a astúcia, mas também outros condicionantes como raça, gênero, localização, saúde e sorte.

Embora o mercado faça maravilhas, produzindo de modo eficiente um crescente conjunto de bens e serviços, não existe mão invisível que assegure que uma economia de *laissez-faire* produzirá uma distribuição justa equitativa da renda e da propriedade.

Agora que vimos os princípios gerais que estão subjacentes aos preços dos fatores de produção e à distribuição da renda, podemos nos voltar para uma análise detalhada dos aspectos especiais em três mercados de fatores principais – terra, trabalho e capital.

RESUMO

A. Renda e riqueza

1. A teoria da distribuição diz respeito à questão básica de *para quem* são produzidos os bens econômicos. Na análise da forma de determinação do preço dos diferentes fatores produtivos – terra, trabalho e capital – a teoria da distribuição considera o modo como as ofertas e as demandas desses fatores estão relacionadas, e como determinam todos os tipos de salários, rendas, taxas de juros e lucros.

2. A renda se refere aos recebimentos totais ou dinheiro ganhos por uma pessoa ou família durante um dado período de tempo (normalmente um ano). A renda consiste em remunerações do trabalho, renda da propriedade e de transferências pelo Estado.

3. A renda nacional consiste nas remunerações do trabalho e na renda da propriedade geradas anualmente pela economia. O governo recolhe uma parcela dessa renda nacional na forma de impostos e devolve uma parte do que recolhe como transferências. A renda pessoal de um indivíduo, após os impostos, inclui as rendas de todos os fatores de produção que ele possui – trabalho e propriedade – mais as transferências recebidas do Estado, menos os impostos.

4. A riqueza consiste no valor monetário líquido dos ativos possuídos em um dado momento. A riqueza é um estoque, enquanto a renda é um fluxo por período de tempo. A riqueza de uma família inclui bens tangíveis como casa e ativos financeiros, como títulos da dívida. Os elementos que têm valor positivo são designados por ativos, enquanto aquilo que se deve são passivos. A diferença entre o total de ativos e o total de passivos é chamada de riqueza, ou patrimônio líquido.

B. Preço dos fatores pela produtividade marginal

5. Para compreender a fixação dos preços dos diferentes fatores de produção, temos de analisar a teoria da produção e a demanda derivada dos fatores. A demanda de fatores é uma demanda derivada: demandamos fornos para pizza não por seu valor intrínseco, mas pelas pizzas que podem produzir para os consumidores. As curvas de demanda dos fatores são derivadas das curvas de demanda dos bens finais. Um deslocamento para cima na curva de demanda final causa um deslocamento similar para cima da curva de demanda derivada do fator; uma maior inelasticidade da demanda do bem final origina uma maior inelasticidade da demanda derivada do fator de produção.

6. Em capítulos anteriores, concluímos os conceitos de função de produção e de produtos marginais. A demanda de um fator é obtida a partir da sua receita do produto marginal (*RPMg*), que é definido como a receita suplementar obtida com o emprego de uma unidade adicional de um insumo. Em qualquer mercado, a *RPMg* de um insumo produtivo é igual à receita marginal obtida com a venda de uma unidade adicional de produto multiplicada pelo produto marginal do insumo (*RPMg* = *RMg* × *PMg*). Para as empresas competitivas, em virtude de o preço ser igual à receita marginal, isso se simplifica para *RPMg* = *P* × *PMg*.

7. Uma empresa maximiza os lucros (e minimiza os custos) quando fixa a *RPMg* de cada fator igual ao custo marginal desse fator, que é o seu preço. Isso é equivalente à condição de a *RPMg* por unidade monetária de fator de produção ser igual para todos os fatores. Isso precisa se manter no equilíbrio, porque um empregador que maximize os lucros irá contratar qualquer insumo até o ponto em que o produto marginal do insumo proporcione uma receita marginal monetária exatamente igual ao custo do insumo.

8. Para obter a demanda de mercado de um insumo, somamos horizontalmente as curvas de demanda de todas as empresas. Isso, juntamente com a curva de oferta específica do próprio insumo, determina o equilíbrio entre a oferta e a demanda. Ao preço de mercado do insumo de produção, as quantidades da demanda e da oferta serão exatamente iguais – apenas no equilíbrio o preço do insumo não terá tendência para se alterar.

9. A teoria da distribuição da renda pela produtividade marginal analisa a forma como o produto nacional é distribuído entre os diferentes fatores. A concorrência dos numerosos proprietários de terra e trabalhadores leva os preços dos insumos a igualar os seus produtos marginais. Esse processo fará a distribuição exata de 100% do produto. Qualquer insumo, e não apenas o trabalho, pode ser o fator variável. Uma vez que cada unidade de insumo é paga apenas pelo *PMg* da última unidade empregada, existe um excedente residual de produto deixado pelos *PMg* das unidades anteriores. Esse valor residual é exatamente igual às rendas dos outros fatores, de acordo com o preço determinado pela produtividade marginal. Assim, a teoria da distribuição pela produtividade marginal, embora simplificada, é um quadro lógico e completo da distribuição da renda sob concorrência perfeita.

10. Ainda que uma economia competitiva consiga extrair a quantidade máxima de pão a partir de seus recursos disponíveis permanece, no entanto, uma importante ressalva acerca de uma economia de mercado. Não temos qualquer razão para pensar que no capitalismo de *laissez-faire* as rendas sejam distribuídas com equidade. As rendas de mercado podem gerar diferenças aceitáveis ou enormes disparidades na renda e na riqueza que persistem durante gerações.

CONCEITOS PARA REVISÃO

- distribuição da renda
- renda (fluxo), riqueza (estoque)
- renda nacional
- transferências
- renda pessoal
- produto marginal, receita do produto marginal, demanda derivada
- receita do produto marginal do fator i
  = $RPM = RMg \times PMg_i = P \times PMg_i$
  de uma empresa competitiva
- teoria neoclássica da distribuição da renda
- retângulo do PMg, triângulo da renda residual
- demandas de fatores em concorrência:
  $PMg_i \times P$ = preço do fator i, o que resulta na regra do custo mínimo

$$\frac{PMg_L}{W} = \frac{PMg_T}{P_T} = \ldots$$

$$= \frac{1}{\text{receita marginal}}$$

- equidade das rendas de mercado

LEITURAS ADICIONAIS E SITES

Leituras adicionais

A teoria neoclássica da distribuição da renda foi desenvolvida por um dos pioneiros da economia americana, John Bates Clark. Aprecie suas ideias principais em *The Distribution of Wealth: A Theory of Wages, Interest and Profits* (1899) em uma publicação online em <http://www.econlib.org/library/Clark/clkDW0.html>.

Sites

Informação sobre a distribuição de renda é recolhida pelo Census Bureau em <http://www.census.gov/hhes/www/income.html>. Os dados mais abrangentes sobre população são recolhidos no censo decenal, disponíveis em <http://www.census.gov>.

Se você quiser examinar dados sobre a dinâmica da renda, um site exemplar para dados é o do Panel Study on Income Dynamics em <http://www.isr.edu/src/psid>.

Os dados mais abrangentes sobre a riqueza dos norte-americanos se encontram reunidos pelo Federal Reserve Board; ver <http://www.federalreserve.gov/PUBS/oss/oss2/scfindex.html>.

QUESTÕES PARA DISCUSSÃO

1. Para cada um dos seguintes insumos, indique o produto final para o qual a sua demanda é derivada: terra para trigo, gasolina, barbeiro, máquina para fabricar bolas de basquete, revista de vinhos e livro de Economia.

2. A Tabela 12-4 apresenta os valores básicos da produção de pizzas, mantendo os outros insumos constantes.
   a. Preencha os espaços em branco nas colunas (3) e (5).
   b. Construa um gráfico como o da Figura 12-3 que mostre a receita do produto marginal dos trabalhadores de pizza e unidades de trabalho.
   c. Se o salário dos trabalhadores for de US$ 30 por trabalhador, quantos trabalhadores serão empregados?
   d. Admita que o preço das pizzas duplique. Desenhe a nova curva da *RPMg*. Estime o impacto no emprego dos trabalhadores de pizza, admitindo que não haja outras alterações.

3. Ao longo do último século, as horas de trabalho na vida de um indivíduo diminuíram 50%, enquanto as rendas reais aumentaram 8 vezes. Admitindo que a principal variação foi um aumento na função de produtividade marginal do trabalho, elabore os gráficos de oferta e demanda do trabalho em 1900 e 2000 que expliquem essa tendência. Nos seus gráficos, coloque o número de horas de trabalho na vida de cada trabalhador no eixo horizontal e o nível salarial real no eixo vertical. Que aspecto essencial relativo à oferta do trabalho você deve invocar para explicar essa tendência histórica?

4. Explique o erro de cada uma das seguintes afirmações e redija a proposição correta.
   a. A receita do produto marginal é calculada como a receita total ganha por trabalhador.
   b. A teoria da distribuição é simples. Deve simplesmente calcular-se quanto produz cada fator e, em seguida, atribuir-lhe a sua parcela do produto.
   c. Em concorrência, os trabalhadores são pagos com o produto total menos o custo das matérias-primas.

5. A Figura 12-1 mostra que a parcela do trabalho na renda nacional variou pouco de 1948 a 2007, embora o PIB real tenha se multiplicado por 3. Desenhe um conjunto de curvas para o conjunto da economia como as representadas na Figura 12-8 que possam explicar esses dois fatos.

6. Os dirigentes sindicais costumam dizer: "Sem trabalhadores não há qualquer produto. Por isso, o trabalho merece a *totalidade* do produto". Os apologistas do capital replicam: "Ponham-se de lado todos os bens de capital, e o trabalho apenas consegue extrair uma insignificância da terra; praticamente todo o produto pertence ao capital".

		Receita do produto marginal		
(1) Unidades de trabalho (trabalhadores)	(2) Produto total (pizzas)	(3) Produto marginal do trabalho (pizzas por trabalhador)	(4) Preço do produto (US$, por pizza)	(5) Receita do produto marginal do trabalho (US$, por trabalhador)
0	0	--	5	--
1	30	--	5	--
2	50	--	5	--
3	60	--	5	--
4	65	--	5	--
5	68	--	5	--
6	68			

TABELA 12-4

Analise as falhas nestes argumentos. Se tivesse de aceitá-los, demonstre que teria de repartir 200 ou 300% do produto para dois ou três fatores de produção, quando apenas 100% podem ser distribuídos. Como se resolve esse conflito por meio da teoria da produtividade marginal neoclássica?

7. Desenhe as curvas da oferta e da demanda do mercado do petróleo. Agora, suponha que um automóvel elétrico viável desloque a demanda do petróleo. Desenhe a nova curva da demanda e o novo equilíbrio. Descreva o resultado em termos do preço do petróleo, da quantidade consumida e da renda total dos produtores de petróleo.

8. Podemos usar a teoria neoclássica da distribuição da renda para analisar o impacto da imigração sobre a distribuição da renda nacional total. Admita que haja dois fatores de produção homogêneos, trabalho e capital, tendo como rendas, salários e lucros. Veja a Figura 12-9, que tem as mesmas variáveis da Figura 12-8. Começamos com a curva da oferta inicial S e o equilíbrio é o ponto A.

Admita, agora, que haja um grande aumento da oferta de trabalho devido à imigração, deslocando a curva da oferta do trabalho de S para S', como é mostrado pela seta. Admita que todos os outros fatores ficassem inalterados. Faça o seguinte:

   a. Descreva e desenhe o novo equilíbrio após a imigração.
   b. Explique o que acontecerá ao nível salarial.
   c. Explique o que acontece ao total de lucros e à taxa de lucro (lucros por unidade de capital).
   d. Explique por que você não pode dizer o que acontecerá ao total de salários ou à parcela da renda do trabalho no total da renda nacional.
   e. Repare que essa questão analisa o impacto da imigração sobre a renda nacional total. Essa análise parece ser diferente da análise da oferta e demanda do Capítulo 3 sobre o impacto da imigração em várias cidades. Explique por que a imigração do México para os Estados Unidos afetará os salários em geral nos Estados Unidos, neste exemplo, enquanto a imigração não afeta as diferenças salariais entre Miami e Detroit, no exemplo do Capítulo 3.

9. Na teoria da produtividade marginal, ilustrada na Figura 12-8, imagine que em vez do trabalho, seja a terra o fator produtivo que varia. Desenhe uma nova figura e explique a teoria com esse novo gráfico. Qual é o fator residual?

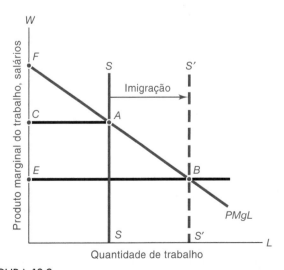

FIGURA 12-9

CAPÍTULO 13

Mercado de trabalho

O trabalho é a maldição da classe boêmia.
Oscar Wilde

O trabalho é mais do que um fator de produção abstrato. Os trabalhadores são pessoas que querem bons empregos com salários elevados para que possam comprar as coisas que precisam e desejam. Este capítulo analisa a forma como os salários são fixados em uma economia de mercado. A primeira seção revê a oferta de trabalho e a determinação dos salários em condições de concorrência. Segue-se uma discussão sobre alguns dos elementos não competitivos dos mercados de trabalho, incluindo os sindicatos e o difícil problema da discriminação.

A. FUNDAMENTOS DA DETERMINAÇÃO DO SALÁRIO

NÍVEL GERAL DE SALÁRIOS

Na análise das rendas do trabalho, os economistas tendem a observar o **salário real** médio que representa o poder de compra de uma hora de trabalho, ou os salários nominais divididos pelo custo de vida.[1] Segundo esse indicador, os trabalhadores norte-americanos estão atualmente muito melhor do que estavam há 100 anos. A Figura 13-1 mostra o salário horário médio real, ou salário nominal ajustado pela inflação, junto ao número médio de horas de trabalho.

Os mesmos ganhos elevados dos trabalhadores encontram-se praticamente em todo o lado. Na Europa Ocidental, no Japão e nos países em industrialização rápida do Extremo Oriente tem havido uma melhoria contínua no longo prazo da capacidade do trabalhador médio para comprar alimentos, vestuário e habitação, bem como na

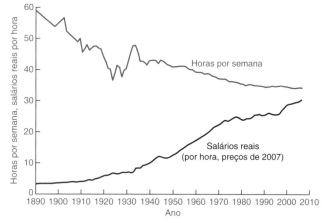

FIGURA 13-1 Os salários têm melhorado à medida que as horas de trabalho têm diminuído.

Com o progresso tecnológico e o desenvolvimento dos bens de capital, os trabalhadores norte-americanos usufruem de salários mais elevados e de menos horas de trabalho. Estes são os frutos do crescimento econômico de longo prazo.

saúde e na expectativa de vida da população. Na Europa e nos Estados Unidos, esses ganhos começaram a aumentar no início do século XIX, com o advento do progresso tecnológico e social associados à Revolução Industrial. Antes dessa época, os salários reais oscilaram para cima e para baixo, mas com poucos ganhos no longo prazo.

Isso não significa que a Revolução Industrial tenha sido um benefício absoluto para os trabalhadores, especialmente na época de *laissez-faire* do século XIX. Na verdade, mesmo um romance de Dickens dificilmente faz justiça às tristes condições do trabalho infantil, dos locais de trabalho perigosos e das péssimas condições de salubridade nas fábricas do início do século XIX. A regra predominante era uma semana de trabalho de

---

[1] Neste capítulo, utilizaremos genericamente a expressão "salários" como uma abreviatura de "salários, ordenados e outras formas de remuneração".

84 horas, excluindo o tempo para o café da manhã e, por vezes, para o almoço. Crianças a partir dos 6 anos de idade eram obrigadas a trabalhar muito, e se uma mulher perdesse dois dedos em um tear ainda ficava com oito para trabalhar.

Foi um erro as pessoas trocarem os campos pelos rigores das fábricas? Provavelmente não. Os historiadores salientam que, mesmo nas condições difíceis das fábricas, os níveis de vida apresentaram, sem dúvida, grandes melhorias em comparação com as dos séculos anteriores de feudalismo agrário. A Revolução Industrial foi um gigantesco passo à frente para a classe trabalhadora e não um passo atrás. A imagem idílica do campo saudável e bonito, habitado por ricos proprietários e camponeses alegres, é um mito histórico não sustentado pela pesquisa estatística.

DEMANDA POR TRABALHADORES

Diferenças na produtividade marginal

Começamos o nosso estudo do nível geral de salários pela análise dos fatores subjacentes à demanda por trabalhadores. Os instrumentos básicos foram apresentados no último capítulo, onde vimos que a demanda por um fator de produção reflete na produtividade marginal deste.

A Figura 13-2 ilustra a teoria da produtividade marginal. Mantendo constantes a tecnologia e outros fatores, existe uma relação entre a quantidade do fator trabalho e a quantidade de produção. Pela lei dos rendimentos decrescentes, cada unidade adicional de trabalho acrescentará uma parcela cada vez menor à produção. No exemplo mostrado na Figura 13-2, para 10 unidades de trabalho, o nível geral dos salários determinado em concorrência será de US$ 20 por unidade.

Mas aprofundemos a questão e questionemos o que está subjacente ao produto marginal. Para começar, a produtividade marginal do trabalho aumentará se os trabalhadores tiverem mais ou melhores bens de capital com que trabalhar. Compare a produtividade de um trabalhador que abre valas usando uma escavadeira com a de outro que usa apenas picareta, ou a capacidade de comunicação dos mensageiros medievais com a do moderno e-mail. Em segundo lugar, a produtividade marginal de trabalhadores mais bem treinados ou com melhor formação será, em geral, maior do que a dos trabalhadores com menor "capital humano".

Essas razões explicam por que os salários e os padrões de vida aumentaram tanto no século XX. Os salários são elevados nos Estados Unidos e em outros países industriais porque esses países acumularam substanciais massas de capital: densas redes viárias, ferroviárias e de comunicações; quantidades enormes de fábricas e equipamentos para cada trabalhador; e estoques adequados de peças de reposição. Mais importantes, ainda, são os grandes desenvolvimentos tecnológicos comparados com os de épocas anteriores. Vimos as lâmpadas elétricas substituírem as lamparinas, os

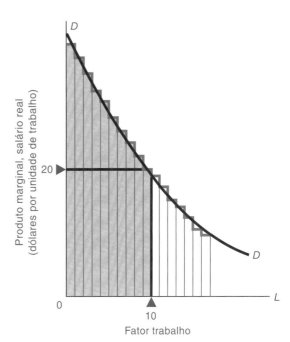

FIGURA 13-2 A demanda por trabalhadores reflete a produtividade marginal.

A demanda por trabalhadores é determinada pela sua produtividade marginal na formação do produto nacional. As barras verticais cinzentas claras representam a produção adicional da primeira, segunda, ... unidade de trabalho. O nível geral de salários, determinado em concorrência com 10 unidades de trabalho, é de US$ 20 por unidade, igual à produtividade marginal da décima unidade. A curva de demanda por trabalhadores se desloca para cima e para fora ao longo do tempo, com o acúmulo de capital, o progresso tecnológico e as melhorias na qualidade do trabalho.

aviões substituírem os cavalos, a fotocopiadora substituir a pena e o tinteiro, os computadores substituírem os ábacos e o comércio na internet invadindo as formas tradicionais de fazer negócio. Imagine qual seria a produtividade atual de um norte-americano médio com a tecnologia de 1900.

A qualidade dos fatores de produção laborais é outra determinante do nível geral de salários. Independentemente do indicador usado – alfabetização, educação ou formação – as competências da força de trabalho atual dos Estados Unidos são muito superiores às de 1900. São necessários anos de educação para formar um engenheiro capaz de conceber um equipamento de precisão. É necessária uma década de treino prévio para habilitar um cirurgião a operar um cérebro com sucesso. À medida que aumentam a formação e as competências da força de trabalho, aumenta também a produtividade do trabalho.

Comparações internacionais

O mesmo raciocínio explica a razão de níveis salariais tão diferentes em todo o mundo. Observe a Tabela 13-1 que mostra os salários médios mais benefícios complementares no setor industrial em oito países. Note que os salários por hora nos Estados Unidos são inferiores aos da Europa, mas são quase 20 vezes mais elevados do que na China.

O que leva a essas enormes diferenças? Não é que os governos da China ou do México impeçam o crescimento dos salários, ainda que as políticas governamentais tenham algum impacto sobre o salário mínimo e outros aspectos do mercado de trabalho. Os salários reais são diferentes nos vários países, em virtude, principalmente, do funcionamento da oferta e da demanda de trabalhadores. Observe a Figura 13-3. Suponha que a Figura 13-3(a) representa a situação nos Estados Unidos enquanto a Figura 13-3(b) descreve a do México. Na Figura 13-3(a) a oferta de trabalhadores dos Estados Unidos é representada pela curva de oferta $S_{EUA}S_{EUA}$ enquanto a demanda de trabalhadores é representada por $D_{EUA}D_{EUA}$. O salário de equilíbrio se situará no nível indicado de E_{EUA}. Se os salários fossem inferiores a E_{EUA} haveria falta de trabalhadores e os empregadores teriam de licitar os salários até E_{EUA}, reestabelecendo o equilíbrio. Forças similares determinam E_M, o salário no México.

Vemos que o salário no México é menor do que nos Estados Unidos, principalmente porque a curva da demanda de trabalhadores mexicana está muito abaixo, em virtude da menor produtividade marginal do trabalho no México. A diferença mais importante reside na qualidade da força de trabalho. O nível educacional médio no México encontra-se muito abaixo do padrão dos Estados Unidos, sendo analfabeta uma grande parcela da população. Além disso, em comparação com os Estados Unidos, um país como o México tem muito menos capital com que trabalhar: muitas das estradas não são asfaltadas, são usados poucos computadores e aparelhos de fax e muito do equipamento é velho ou deficientemente conservado. Todas essas diferenças reduzem a

País	Salários e benefícios complementares no setor industrial, 2006 (US$, por hora)
Alemanha	34,21
Itália	25,07
Estados Unidos	23,82
Japão	20,20
Coreia do Sul	14,72
México	2,75
China	1,37
Filipinas	1,07

TABELA 13-1 O nível salarial geral varia muito entre países.

Os países da Europa Ocidental, o Japão e os Estados Unidos têm salários elevados, enquanto o salário por hora na China é uma pequena fração do norte-americano. Os níveis gerais de salário são determinados pela oferta e pela demanda por trabalhadores, mas outros fatores como capital, níveis educacionais, níveis tecnológicos e paz social têm um enorme impacto nas curvas de oferta e demanda.

Fonte: U.S. Bureau of Labor Statistics em <ftp://ftp.bls.gov/pub/special.requests/ForeignLabor/ichccpwsuppt02.txt> e estimativas pelos autores. Note que estas estimativas usam taxas de câmbio de mercado e não taxas de câmbio de paridade do poder de compra.

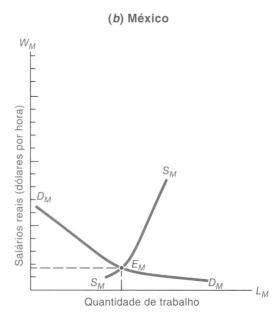

FIGURA 13-3 Recursos, qualificações, gestão, capital e tecnologia favoráveis explicam os salários elevados nos Estados Unidos.

A oferta e a demanda determinam um salário competitivo mais alto nos Estados Unidos que no México. As principais forças que levam a salários mais elevados nos Estados Unidos são uma força de trabalho mais bem instruída e mais qualificada, um maior estoque de capital por trabalhador e tecnologias modernas.

produtividade marginal do trabalho e tendem a reduzir os salários.

Essa análise também ajuda a explicar por que os salários têm aumentado rapidamente em países do Extremo Oriente como Hong Kong, Coreia do Sul e Taiwan. Essas economias estão aplicando uma parcela apreciável de sua produção na educação da sua população, no investimento em novos bens de capital e na importação das últimas tecnologias produtivas. As curvas de *PMg* e *DD* desses países têm se deslocado muito para cima e para a direita. Como resultado, os salários reais nesses países duplicaram nos últimos 20 anos, enquanto têm estagnado em países relativamente fechados e que investem menos em educação, saúde pública e bens tangíveis.

OFERTA DE TRABALHO

Determinantes da oferta

Até agora focamos o lado da demanda do mercado de trabalho. Voltamo-nos, agora, para o lado da oferta. A *oferta de trabalho* refere-se ao número de horas que a população deseja trabalhar em atividades remuneradas. Os três elementos-chave da oferta de trabalho são as horas por trabalhador, a dimensão da força de trabalho e a imigração.

Horas trabalhadas. Embora algumas pessoas tenham empregos com horário flexível, a maioria dos norte-americanos trabalha entre 35 e 40 horas por semana, não havendo grande margem para aumentar ou reduzir sua carga horária semanal. Contudo, muitas pessoas tem um grande controle sobre o número de horas de trabalho ao longo da sua vida. A decisão de ir para a universidade, de se aposentar cedo ou de trabalhar meio período em vez de período integral – tudo isso pode reduzir o número de horas de trabalho ao longo da vida. Por outro lado, a decisão de ter um segundo emprego aumentará as horas de trabalho durante a vida.

Suponha que os salários aumentem. Isso fará aumentar, ou diminuir o número de horas de trabalho ao longo da vida? Observe a curva de oferta de trabalho na Figura 13-4. Repare como ela se eleva inicialmente; depois, no ponto *C*, começa a dobrar de volta. Qual a explicação para que o aumento dos salários inicialmente aumente e depois diminua a quantidade de trabalho ofertada?

Suponha que você é um trabalhador e que acaba de receber a oferta de um nível de salário por hora mais alto, e que é livre para escolher o número de horas de trabalho. Você estará perante um dilema. Por um lado há o *efeito substituição*. (No Capítulo 5 explicamos que o efeito substituição funciona quando as pessoas consomem, ou passam a consumir, mais de um bem quando seu preço relativo diminui e menos de um bem quando seu preço relativo aumenta.) Uma vez que

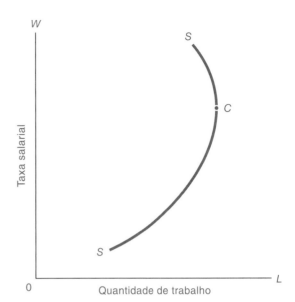

FIGURA 13-4 Com o aumento dos salários, os trabalhadores podem trabalhar menos horas.

Acima do ponto *C*, o aumento do salário reduz a quantidade de trabalho ofertada, porque o efeito renda sobrepõe-se ao efeito substituição. Por quê? Porque, com salários mais elevados, os trabalhadores podem se dar ao luxo de ter mais tempo de lazer, embora cada hora suplementar de lazer custe mais em termos do salário que deixam de ganhar.

cada hora de trabalho é, agora, mais bem remunerada, cada hora de lazer tornou-se mais cara; e, portanto, você tem um incentivo para substituir mais tempo de trabalho por lazer.

Atuando em sentido oposto ao efeito de substituição está o *efeito renda*. Com um salário mais alto, a sua renda será maior. Com uma renda mais elevada, você desejará comprar mais bens e serviços e, além disso, também irá querer mais tempo de lazer. Você terá recursos para usufruir férias mais longas ou aposentar-se mais cedo do que faria em outra situação.

Qual terá maior influência, o efeito substituição ou o efeito renda? Não existe apenas uma resposta correta; ela varia de pessoa para pessoa. No caso ilustrado na Figura 13-4, para todos os níveis salariais abaixo do ponto *C*, a oferta de trabalho aumenta com o aumento de salário: o efeito substituição ultrapassa o efeito renda. Mas acima do ponto *C*, o efeito renda é superior ao efeito substituição, e a oferta de trabalho diminui à medida que o nível salarial aumenta.

Participação da força de trabalho. Uma das evoluções mais significativas das últimas décadas tem sido o aumento acentuado da participação das mulheres. A taxa de participação das mulheres na força de trabalho (ou seja, a parcela de mulheres maiores de 15 anos empregadas ou ativamente à procura de emprego) saltou de 34% em 1950 para 60% atualmente. Em parte, isso pode ser explicado pelo aumento dos salários reais, que tornou o emprego mais atrativo para as mulheres. Contudo, uma

Padrões da oferta de trabalho			
	Taxa de participação na força de trabalho (% da população)		
Grupo de trabalhadores	1960	2007	Resposta da oferta de trabalho a aumentos nos salários reais
Homens adultos (25 aos 54 anos)	97	91	A maioria dos estudos conclui que a curva de oferta de trabalho tem uma inflexão para trás. O efeito renda é superior ao efeito substituição. As elasticidades são cerca de −0,1 para os adultos jovens.
Mulheres adultas (25 aos 54 anos)	43	76	As mulheres têm apresentado, em geral, elasticidades de oferta de trabalho significativamente positivas.
Jovens	48	40	A resposta dos jovens é muito variável.
Aposentados (65 e mais)	21	16	Os aposentados têm apresentado uma resposta favorável à relativa generosidade dos programas de aposentadoria em relação aos salários.
População total (16 anos ou mais)	60	66	A elasticidade da oferta total de mão de obra é próxima de zero, com o efeito renda quase eliminando o efeito substituição. A elasticidade da oferta de mão de obra estimada para a população total se situa no intervalo de 0,0 a 0,2.

TABELA 13-2   Estimativas empíricas da resposta da oferta de trabalho.

Os economistas têm dedicado um estudo cuidadoso à resposta da oferta de trabalho aos salários reais. Para os homens adultos (o termo sintético para designar os homens entre 25 e 54 anos), a curva de oferta tem uma inflexão para trás, (isto é, tem uma elasticidade negativa), enquanto os jovens e as mulheres adultas, em geral, respondem positivamente aos salários. Para o conjunto da economia, a curva de oferta de trabalho é quase totalmente inelástica ou vertical.

Fonte: U.S. Department of Labor, *Employment and Earnings*, março 2008.

mudança dessa magnitude não pode ser explicada apenas por fatores econômicos. Para compreender uma mudança tão significativa nos padrões laborais, devemos observar a mudança de atitude da sociedade em relação ao papel das mulheres como mães, donas de casa e trabalhadoras.

Imigração. O papel da imigração na oferta de força de trabalho tem sido sempre importante nos Estados Unidos. Se em 1970 apenas 5% da população dos Estados Unidos tinha nascido no exterior, em 2008 o número havia aumentado para 12%.

O fluxo de imigrantes legais é controlado por um sistema intrincado de cotas, que favorece os trabalhadores especializados e as suas famílias, bem como parentes próximos de cidadãos norte-americanos ou de residentes permanentes. Além disso, há cotas especiais para refugiados políticos. Muitos imigrantes atuais são pessoas sem documentos (ilegais), que entram nos Estados Unidos à procura de melhores oportunidades econômicas. Nos últimos anos, os maiores grupos de imigrantes legais vieram de países como o México, as Filipinas, o Vietnã e de alguns dos países da América Central e Caribe.

A principal mudança na imigração nas últimas décadas tem sido uma alteração das características dos imigrantes. Na década de 1950, a Alemanha e o Canadá foram as principais origens, enquanto nas de 1980 e 1990 foram o México e as Filipinas. Como resultado, os imigrantes recentes são relativamente menos especializados e têm menor formação do que os de épocas anteriores.

Do ponto de vista da oferta de trabalho, o efeito global da imigração recente nos Estados Unidos tem sido um aumento da oferta de trabalhadores não especializados em relação aos trabalhadores especializados. Estudos realizados estimam que essa alteração na oferta têm contribuído para o declínio dos salários dos grupos com menor formação em relação aos que têm formação universitária.

Evidências empíricas

A teoria não nos diz se a oferta de trabalho de um grupo irá responder positiva ou negativamente a uma variação de salário. Um aumento do imposto sobre a renda de trabalhadores com rendas elevadas – o que reduzirá os seus salários depois de impostos – fará com que reduzam o número de horas de trabalho? Os subsídios a salários de trabalhadores pobres fazem com que aumentem ou diminuam as suas horas de trabalho? Essas questões vitais devem ser tidas em conta pelos políticos quando avaliam as questões de equidade e eficiência. Com frequência, necessitamos conhecer o traçado exato, ou a elasticidade, da curva da oferta de trabalho.

A Tabela 13-2 apresenta um resumo de numerosos estudos sobre o assunto. Essa resenha mostra que a curva de oferta de trabalho dos adultos do sexo masculino parece ser ligeiramente inclinada para trás, enquanto a resposta de outros grupos demográficos é mais parecida com uma curva da oferta convencional com inclinação positiva. Para o conjunto da população, a oferta de trabalho parece ter uma resposta fraca a variações nos salários reais.

DIFERENÇAS SALARIAIS

Embora a análise do nível geral de salários seja importante para comparar países e épocas diferentes, é frequente querermos conhecer as *diferenças salariais*. Na prática, os salários têm enormes diferenças. O salário médio é tão difícil de definir como a pessoa média. Um gestor de fundos de investimentos pode ganhar US$ 400 milhões por ano enquanto um funcionário de escritório desse mesmo fundo ganha US$ 400 por semana. Um médico pode ganhar 20 vezes mais do que um guarda-costas, embora ambos salvem vidas.

Há diferenças importantes nas rendas dos vários ramos de atividade, como se mostra na Tabela 13-3. Os setores menores, como a agricultura, o comércio varejista e o trabalho doméstico, tendem a pagar salários baixos, enquanto as grandes empresas industriais pagam até duas vezes mais. Mas nos principais setores existem grandes variações que dependem das qualificações dos trabalhadores e das condições de mercado – os funcionários de lanchonetes ganham muito menos do que os médicos, embora todos prestem serviços.

Como podemos explicar essas diferenças salariais? Consideremos, em primeiro lugar, um *mercado de trabalho perfeitamente competitivo*, em que haja muitos trabalhadores e empregadores, nenhum dos quais tem o poder de afetar os níveis salariais de forma significativa. Na realidade, poucos mercados de trabalho são perfeitamente competitivos, mas alguns (como os das grandes cidades para trabalhadores jovens ou para empregados de escritório) aproximam-se razoavelmente bem do conceito de competitivo. Se todos os empregos e trabalhadores são iguais em um mercado de trabalho perfeitamente competitivo, a concorrência faz os salários por hora serem exatamente iguais. Nenhum empregador pagaria mais pelo trabalho de uma pessoa do que pelo clone dessa pessoa, ou de outra qualquer pessoa que possua idênticas capacidades.

Isso significa que, para explicar as nítidas diferenças salariais entre setores de atividade e pessoas, temos de examinar as diferenças ou nas profissões, ou nas pessoas ou na existência de concorrência imperfeita nos mercados de trabalho.

Diferenças nos empregos: diferenciais de compensação salarial

Algumas das enormes diferenças salariais observadas no dia a dia ocorrem em virtude das diferenças qualitativas nas profissões. As profissões diferem quanto ao seu poder de atração; assim, os salários precisam ser aumentados para empregos menos atraentes.

Setor	Salário médio por trabalhador em período integral, 2006* (US$ por ano)
De todos os setores	**47.000**
Agricultura	30.400
Indústria extrativa	79.200
Indústria manufatureira	52.300
Comércio de varejo	29.400
Finanças e seguros	82.800
Intermediação de títulos e relacionados	205.600
Serviço doméstico e alimentação	20.800
Serviço de alimentação	18.900

*Remuneração total por trabalhador equivalente em período integral.

TABELA 13-3 As remunerações variam conforme o setor.

Os salários e ordenados anuais médios por grupo amplo de setores variam desde o máximo de US$ 82,8 mil, no setor das finanças, até ao mínimo de US$ 20,8 mil, no serviço de limpeza e alimentação. Em grupos de setores mais restritos, as remunerações variam muito desde os analistas de títulos aos trabalhadores do setor da alimentação.

Fonte: U.S. Bureau of Economic Analysis em <http://www.bea.gov>. Tabela 6.6D nas tabelas completas do NIPA.

Os diferenciais de salário que servem para compensar a atratividade relativa, ou diferenças não monetárias, entre os diferentes empregos são chamados **diferenciais de compensação**.

Os lavadores de janelas devem ser mais bem remunerados que os porteiros, em virtude dos riscos de escalar arranha-céus. Os trabalhadores recebem frequentemente um suplemento de 5% relativo a subsídio de turno no período das 16 até as 24 horas e 10% adicionais quando trabalham no turno da meia-noite às 8 horas. O trabalho extraordinário para além das 40 horas semanais, ou o trabalho realizado em feriados ou aos fins de semana, é, em geral, remunerado por um valor que atinge 1,5 ou o dobro do salário normal. Empregos que envolvam trabalho físico intenso, tédio, baixo prestígio social, ocupação irregular, dispensa sazonal ou risco físico tendem a ser menos atrativos. Não admira, pois, que as empresas tenham de pagar US$ 50 mil ou US$ 80 mil por ano para recrutar pessoal para postos de trabalho perigosos e isolados nas plataformas petrolíferas marítimas ou no Alasca. Do mesmo modo, para os empregos que são especialmente agradáveis ou psicologicamente compensadores, como os de guardas-florestais, o nível salarial tende a ser modesto.

Para testar se uma dada diferença de remuneração entre dois empregos é um diferencial de compensação, pergunte a pessoas que estão bem habilitadas para ambos: "Preferiria o emprego mais bem remunerado ou o menos remunerado?". Se não se mostrarem interessadas no mais bem remunerado, então a diferença é, provavelmente, um diferencial de compensação que reflete as diferenças não monetárias entre os empregos.

Diferenças nas pessoas: qualidade do trabalho

Acabamos de ver que algumas diferenças salariais servem para compensar os diferentes graus de atração das diferentes profissões. Mas olhe à sua volta. Os coletores de lixo ganham muito menos do que os advogados e, contudo, a vida de um advogado tem mais prestígio e condições de trabalho muito mais agradáveis. Vemos inúmeros exemplos de profissões mais bem remuneradas que são mais agradáveis do que outras menos remuneradas. Temos, por isso, de considerar outras causas para além dos diferenciais de compensação para explicar a maioria das diferenças salariais.

Uma razão para as disparidades salariais está nas enormes diferenças de qualidade entre as pessoas. Um biólogo pode classificar-nos a todos como membros da espécie *Homo sapiens*, mas um diretor de pessoal sustentaria que as pessoas são muito diferentes em sua capacidade para contribuir para a produção da empresa.

Embora muitas das diferenças na qualidade do trabalho sejam determinadas por condicionantes não econômicos, a decisão de acumular **capital humano** pode ser avaliada economicamente. O termo "capital humano" se refere ao estoque de capacidades e conhecimentos úteis e com valor, acumulado pelas pessoas no processo da sua educação e formação profissional. Os médicos, advogados e engenheiros investem muitos anos na sua educação formal e na formação profissional. Gastam muito em taxas e em salários perdidos e, com frequência, trabalham durante muitas horas. Parte dos altos salários desses profissionais deve ser encarada como uma retribuição pelo seu investimento em capital humano – uma retribuição pela educação que permite a esses trabalhadores altamente especializados um tipo muito especial de trabalho.

Estudos econômicos sobre rendas e educação mostram que o capital humano, em média, é um bom investimento. A Figura 13-5 mostra a relação entre o salário por hora dos profissionais de nível universitário e o dos que têm o ensino médio. As rendas relativas cresceram muito após 1980, à medida que cresce o "preço da qualificação".

Devemos investir em capital humano?

Os estudantes podem ficar surpreendidos ao saber que cada dia na universidade é um investimento em capital humano. Para frequentar uma universidade cada estudante paga anualmente milhares de dólares em mensalidades e em salários perdidos. Esse custo é um investimento tal como comprar títulos da dívida ou uma casa.

É compensador ter um curso universitário? Os dados sugerem que, para a média dos formados, sim. Observe a Figura 13-5. Suponha que o investimento total na universidade é US$ 200 mil e que um graduado com o ensino secundário ganha US$ 40 mil. Se o diferencial pela universidade é 60% isso significa que um licenciado universitário ganharia US$ 64 mil por ano. Isso representa uma renda anual de US$ 24 mil do investimento, ou cerca de 12% ao ano. Ainda que não se verifique com todos, isso explica por que os estudantes se esforçam para entrar nas boas universidades.

Por que o diferencial pela universidade aumentou tanto? Cada vez mais, na atual Economia dos serviços, as empresas estão processando informação em vez de matérias-primas. Na Economia da informação, as qualificações obtidas na universidade são um pré-requisito para um emprego altamente remunerado. Quem acaba de sair do ensino médio está, em geral, em grande desvantagem no mercado de trabalho.

Ainda que tenha de pedir dinheiro emprestado para a sua educação, abrir mão de anos de emprego remunerado, viver longe de casa e ter de pagar aluguel e livros, tudo isso será provavelmente mais do que compensado ao longo da vida com as rendas de profissões que estão disponíveis apenas para quem tem um curso universitário. Com frequência as pessoas indicam a sorte na determinação das circunstâncias econômicas. Mas, como Louis Pasteur sublinhou, "A sorte favorece a mente preparada". Em um mundo de tecnologias que mudam rapidamente, a educação prepara as pessoas para compreender e lucrar com as novas circunstâncias.

Diferenças entre as pessoas: as "rendas" das pessoas raras

A fama elevou de forma astronômica as rendas de alguns, poucos, muito afortunados. O guru da programação Bill Gates, o feiticeiro dos investimentos Warren Buffet, a estrela do basquetebol Shaquille O'Neal e mesmo alguns economistas consultores empresariais podem ganhar somas fabulosas pelos seus serviços.

Essas pessoas superdotadas têm um talento especial que é altamente valorizado na Economia atual. Fora do seu campo especializado, não ganhariam mais do que uma pequena fração de suas elevadas rendas. Além disso, a sua oferta de trabalho dificilmente responderá de modo perceptível a salários 20% ou mesmo 50% superiores ou inferiores. Os economistas designam o excedente desses salários em relação às suas melhores alternativas noutras atividades como uma renda econômica pura; essas rendas são logicamente equivalentes às rendas recebidas pela terra que tem oferta fixa.

Alguns economistas têm sugerido que o progresso tecnológico está fazendo com que seja mais fácil para um pequeno número de pessoas de destaque ocupar

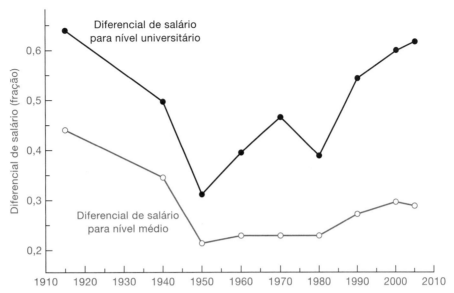

FIGURA 13-5 Os ganhos de renda relativa das pessoas de nível universitário têm sido expressivos.
O diferencial pelo nível superior e nível médio tem aumentado acentuadamente nos últimos anos. O diferencial pelo nível universitário mostra a vantagem de rendas das pessoas de nível superior em relação a quem tem o nível médio, enquanto o diferencial pelo nível médio mostra a vantagem em relação aos que completam o 8º ano. Repare como o diferencial pela educação universitária aumentou acentuadamente após 1980.
Fonte: Claudia Goldin e Lawrence F. Katz, *The Race between Education and Technology* (Harvard University Press, Cambridge, Mass., 2008).

uma participação cada vez maior de mercado. Os "vencedores" nos esportes, nos espetáculos e nas finanças deixam os adversários na corrida pela remuneração muito para trás. Os artistas ou atletas de destaque podem, com apenas uma atuação, ser vistos por bilhões de pessoas por meio da TV ou de gravação – coisa que não era possível mesmo há poucos anos. Se esta tendência continuar e as rendas do trabalho aumentarem ainda mais, o diferencial de renda entre os vencedores e os concorrentes poderá ampliar ainda mais nos próximos anos.

Mercados segmentados e grupos não concorrentes

Mesmo em um mundo perfeitamente competitivo, em que as pessoas podem deslocar-se facilmente de uma ocupação para outra, poderão ocorrer grandes diferenças salariais. Esses diferenciais seriam necessários para refletir as diferenças no custo da educação e da formação profissional, ou na menor atratividade de certas ocupações ou como compensação de talentos raros.

Mas, mesmo tendo em conta todas essas razões para essas diferenças salariais, encontramos ainda uma grande disparidade nos níveis de salário. A principal razão para a diferença restante é que os mercados de trabalho são segmentados em *grupos não concorrentes*.

Ao refletirmos por um momento, poderemos concluir que, em vez de ser um único fator de produção, o trabalho é constituído por fatores de produção muito diferentes, embora estreitamente relacionados. Médicos e economistas, por exemplo, são grupos não concorrentes, porque é difícil e dispendioso para um membro de uma profissão entrar em outra. Assim como existem tipos de casas muito diferentes, cada uma com um preço diferente, assim existem muitas profissões e qualificações diferentes que concorrem apenas de um modo genérico. Uma vez reconhecida a existência de muitas subdivisões no mercado de trabalho, podemos ver a razão pela qual os salários podem ser tão diferentes entre os vários grupos.

Por que o mercado de trabalho está dividido em tantos grupos não concorrentes? A principal razão é que, para as profissões como advocacia e medicina, é necessário um elevado investimento em tempo e dinheiro para ser um bom profissional. Se a extração de carvão diminui em virtude de restrições ambientais, os mineiros dificilmente podem esperar do dia para a noite encontrar emprego como professores de Economia do ambiente. Assim que se especializam em uma determinada profissão, as pessoas passam a fazer parte de um submercado de trabalho específico. Ficam, por isso, sujeitas à oferta e à demanda dessa qualificação profissional e verificam que sua remuneração varia de acordo com o que acontece nessa profissão ou setor de atividade. Por causa dessa segmentação, os salários de uma profissão podem divergir substancialmente dos verificados em outras áreas.

A escolha de profissão pelos novos imigrantes é um caso clássico de grupos não competitivos. Em vez de responderem aleatoriamente a anúncios de jornais, os imigrantes de um dado país tendem a concentrar-se em certas ocupações. Por exemplo, em muitas cidades, como Los Angeles e Nova York, muitos minimercados tendem a ser propriedade de coreanos. A razão é que os coreanos podem obter conselho e apoio de amigos e parentes que também possuem minimercados. À medida que ganham mais experiência e educação nos Estados Unidos, e ganham fluência no inglês, a escolha de profissão pelos imigrantes alarga-se e eles passam a fazer parte da oferta global de mão de obra.

Além disso, a teoria dos grupos não concorrentes nos ajuda a compreender a discriminação no mercado de trabalho. Veremos, na próxima seção deste capítulo, que ocorre muita discriminação porque os trabalhadores são subdivididos por gênero, raça ou outras características pessoais, em grupos não concorrentes, como resultado dos costumes, da lei ou do preconceito.

Embora a teoria dos grupos não concorrentes esclareça um aspecto importante dos mercados de trabalho, devemos reconhecer que, no longo prazo, a entrada e a saída reduzirá as diferenças. É verdade que os mineiros do cobre provavelmente não se tornarão programadores de computador quando os computadores e as fibras óticas substituírem os discos dos telefones e os cabos de cobre. Consequentemente, podemos verificar a ocorrência de diferenciais salariais entre os dois tipos de trabalho. Mas, no longo prazo, com cada vez mais jovens a estudar ciência da computação em vez de irem trabalhar em minas de cobre, a concorrência tenderá a reduzir as diferenças desses grupos não concorrentes.

A Tabela 13-4 resume as diferentes forças que operam na determinação dos níveis salariais em condições de concorrência.

B. QUESTÕES E POLÍTICAS DO MERCADO DE TRABALHO

Até agora temos analisado mercados de trabalho competitivos. Na realidade, há distorções que impedem que a concorrência perfeita vigore nos mercados de trabalho. Uma fonte de concorrência imperfeita é a dos sindicatos de trabalhadores. Os sindicatos representam uma parcela significativa, mas em declínio, dos trabalhadores. Uma segunda faceta dos mercados de trabalho é a discriminação – também menos importante do que em décadas anteriores, mas ainda uma importante questão a considerar. Outro determinante que atua nos mercados de trabalho é o das políticas governamentais. Ao fixar os salários mínimos (discutido no Capítulo 4), apoiando ou desestimulando os sindicatos, ou combatendo a discriminação, os governos exercem uma grande influência nos mercados de trabalho.

ECONOMIA DOS SINDICATOS

Dezesseis milhões de norte-americanos, ou 12% dos trabalhadores assalariados, em 2007, pertenciam a sindicatos. Os sindicatos, sem dúvida, têm poder de mer-

Resumos da determinação do salário competitivos	
Situação do trabalho	**Salário resultante**
1. As pessoas são todas iguais – os empregos são todos iguais.	Não há diferenças salariais.
2. As pessoas são todas iguais – os empregos têm atratividade diferente.	Diferenças compensatórias de salário.
3. As pessoas são diferentes, mas cada tipo de emprego tem oferta inalterável (grupos não concorrentes).	Diferenças salariais que refletem a oferta e a demanda de mercados segmentados.
4. As pessoas são diferentes, mas existe alguma mobilidade entre os grupos (grupos parcialmente concorrentes).	Padrão de equilíbrio geral de diferenças salariais como determinado pela demanda e oferta geral (inclui os casos 1 a 3 como casos especiais).

TABELA 13-4 A estrutura salarial de mercado apresenta grande variedade de tipologia em concorrência.

cado e, por vezes, servem como monopólios de oferta de trabalhadores. Os sindicatos negociam acordos coletivos de trabalho que especificam quem pode ocupar certos lugares, qual o valor salarial e quais são as condições de trabalho. E os sindicatos podem decidir sobre greves – retirar completamente a sua oferta de trabalho e até forçar o fechamento de uma fábrica – a fim de obter um melhor acordo com o empregador. O estudo dos sindicatos é uma parte importante para compreender a dinâmica dos mercados de trabalho.

Os salários e benefícios complementares dos trabalhadores sindicalizados são determinados pela **negociação coletiva**. Este corresponde a um processo de negociação entre os representantes das empresas e dos trabalhadores com o objetivo de estabelecer condições de emprego mutuamente aceitáveis. A parte central é o *pacote econômico*, o qual inclui os níveis salariais de base para as diferentes categorias profissionais, bem como a regulamentação das férias e das pausas durante o trabalho. Além disso, o acordo inclui disposições sobre os benefícios complementares como plano de aposentadoria, cobertura de planos de saúde e aspectos similares.

Uma segunda questão importante são as *condições de trabalho*. Estas dizem respeito à definição de funções dos trabalhadores, segurança no trabalho e fixação do número de trabalhadores por atividade. Especialmente nos ramos de atividade em declínio, o número de trabalhadores necessários em relação a uma dada tarefa é uma questão fundamental, porque a demanda de trabalhadores está diminuindo. Nos transportes ferroviários, por exemplo, assistiu-se à disputa durante décadas sobre o número de pessoas necessárias para conduzir um trem.

A negociação coletiva é um assunto complicado, uma questão de dar e receber. É despendido muito esforço em negociação de cláusulas puramente econômicas, dividindo o "bolo" entre salários e lucros. Por vezes, os acordos ficam suspensos por questões relativas a prerrogativas da administração, tais como a possibilidade de recolocar trabalhadores ou alterar as condições de trabalho. No final, ambas as partes fazem questão de assegurar que os trabalhadores estão satisfeitos e são produtivos nos seus postos de trabalho.

O governo e a negociação coletiva

O enquadramento legal é um determinante importante da organização econômica. Há duzentos anos, quando os trabalhadores tentaram pela primeira vez organizar-se na Inglaterra e na América do Norte, a doutrina da *common law* (lei geral) foi usada contra a "conspiração para restringir o comércio" para impedir o surgimento de sindicatos. No início do século XX, os sindicatos e os seus filiados eram condenados por tribunais, multados, encarcerados e sujeitos a várias restrições legais. Repetidamente, o Supremo Tribunal dos Estados Unidos anulou disposições legais destinadas a melhorar as condições de trabalho para as mulheres e crianças e outras legislações alterando o horário de trabalho e os salários.

O crescimento explosivo dos sindicatos só ocorreu quando o pêndulo se inclinou para o apoio a eles e à negociação coletiva. Um marco fundamental foi a Lei Clayton (1914), saudada como "Magna Carta do Trabalho" e destinada a proteger os trabalhadores da perseguição de defesa da concorrência. A lei das Normas do Trabalho (*Fair Labor Standards Act*, 1938) proibiu o trabalho infantil, fixou o pagamento de 150% das horas de trabalho além das 40 horas semanais e estabeleceu um salário mínimo em nível federal para a maioria dos trabalhadores não rurais.

A legislação trabalhista mais importante foi a Lei das Relações do Trabalho (*National Labor Relations Act*, ou *Wagner Act*), de 1935. Essa lei estabeleceu que: "Os trabalhadores terão o direito de... aderir... a organizações trabalhistas, para negociar coletivamente... e de se envolver em atividades em conjunto". Impulsionado pela legislação pró-sindical, o número de membros sindicalizados aumentou de menos de 1/10 da força de trabalho na década de 1920 para 1/4 no fim da Segunda Guerra Mundial. O declínio dos sindicatos norte-americanos começou no início dos anos 1970. O poder monopolista dos sindicatos foi corroído fundamentalmente pela desregulação de muitos setores, pelo aumento da concorrência externa e por uma atitude governamental menos favorável em relação aos sindicatos.

COMO OS SINDICATOS AUMENTAM OS SALÁRIOS

Como os sindicatos podem aumentar os salários e melhorar as condições de trabalho dos seus membros? *Os sindicatos ganham poder de mercado ao obterem o monopólio legal de fornecerem trabalhadores a uma empresa ou a um setor de atividade específicos.* Usando esse monopólio, os sindicatos obrigam as empresas a proporcionar salários, benefícios e condições de trabalho que estão acima do nível competitivo. Por exemplo, se os encanadores não sindicalizados ganham US$ 20 por hora no Alabama, um sindicato pode negociar com uma grande empresa de construção e fixar o salário em US$ 30 por hora para os encanadores dessa empresa.

Contudo, um acordo desse tipo tem valor para o sindicato apenas se puder ser restringido o acesso da empresa a uma oferta de trabalho alternativa. Assim, sob um acordo coletivo típico, as empresas concordam em não contratar encanadores não sindicalizados, em não contratar serviços de encanamento no exterior e em não subcontratar empresas não sindicalizadas. Cada uma destas salvaguardas ajuda a evitar a erosão do monopólio sobre a oferta de encanadores à empresa. Em alguns setores, como o siderúrgico e o automotivo, os sindicatos tentarão sindicalizar todo o setor, de modo que os trabalhadores sindicalizados da empresa A não necessitem competir com os trabalhadores não sindicalizados da empresa B. Todas essas medidas são necessárias para proteger os elevados níveis salariais dos sindicatos.

A Figura 13-6 mostra o impacto dos altos níveis salariais previamente negociados. Nesse caso, os sindicatos obrigam os empregadores a pagar salários no nível padrão representado pela linha horizontal rr. O equilíbrio está em E', onde rr intercepta a curva da demanda dos empregadores. Repare que o sindicato não reduziu diretamente a oferta quando estabeleceu níveis salariais elevados. Em vez disso, nos níveis salariais elevados, o emprego é limitado pela demanda de trabalhadores das empresas. O número de trabalhadores que procuram emprego excede a demanda no segmento $E'F$. Esses trabalhadores em excesso podem ficar desempregados e à espera de vagas no setor de salário elevado, ou perder a esperança e procurar emprego em outros setores. Os trabalhadores de E' a F estão efetivamente excluídos dos empregos, como se o sindicato tivesse limitado a entrada diretamente.

A necessidade de evitar a concorrência dos não sindicalizados explica também muitos dos objetivos políticos do movimento sindical nacional. Explica por que os sindicatos querem limitar a imigração; por que apoiam a legislação protecionista para limitar a importação de bens estrangeiros, que são bens fabricados por trabalhadores que não são membros dos sindicatos; por que os quase sindicatos, como as associações de médicos, lutam para impedir a prática de medicina por outros grupos; e a razão pela qual, por vezes, os sindicatos se opõem à desregulação em setores como o de transporte rodoviário, as comunicações e o transporte aéreo.

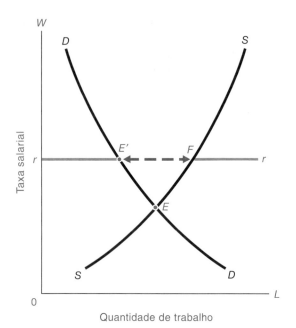

FIGURA 13-6 Os sindicatos estabelecem níveis salariais elevados e limitam o emprego.

Aumentar o nível salarial para rr faz aumentar os salários e diminuir o emprego no mercado de trabalho sindicalizado. Como a oferta e a demanda não estão em equilíbrio, os trabalhadores de E' a F não conseguem encontrar emprego nesse mercado.

Se os sindicatos forçam os salários reais para níveis muito altos, para o conjunto da economia, as empresas irão demandar E' enquanto os trabalhadores oferecerão F. Assim, a seta de E' a F representa a dimensão do desemprego clássico. Essa fonte de desemprego é especialmente importante quando um país não pode influenciar o seu nível de preços ou a sua taxa de câmbio, sendo diferente do desemprego causado por uma demanda agregada insuficiente.

Indeterminação teórica da negociação coletiva

Na maioria das negociações coletivas, os trabalhadores pressionam por salários mais elevados enquanto as administrações buscam menores custos de remuneração. Essa é uma situação conhecida como *monopólio bilateral* – em que existe apenas um comprador e um vendedor. O resultado do monopólio bilateral não pode ser previsto apenas pelas forças econômicas dos custos e da demanda; depende também da psicologia, da política e de outros inúmeros determinantes intangíveis.

EFEITOS SOBRE OS SALÁRIOS E O EMPREGO

Os defensores dos sindicatos de trabalhadores sustentam que os sindicatos têm aumentado os salários reais e têm beneficiado os trabalhadores. Os críticos argumentam que o resultado do aumento dos salários é desemprego elevado, inflação e alocação distorcida de recursos. Quais são os fatos?

A sindicalização aumentou os salários?

Vamos rever os efeitos dos sindicatos sobre os salários relativos. Considerando o conjunto de todos os trabalhadores do setor privado em 2006, os trabalhadores sindicalizados tinham uma remuneração por hora 15% acima da dos trabalhadores não sindicalizados. Contudo, esse valor global não reflete o fato da qualificação, educação e composição setorial dos trabalhadores sindicalizados serem diferentes daquelas dos trabalhadores não sindicalizados.

Levando em conta as diferenças nos trabalhadores, os economistas têm concluído que os que são sindicalizados recebem, em média, um diferencial de 10 a 15% a mais do que os que não são. O diferencial varia desde um valor insignificante, nos setores da hotelaria e dos cabeleireiros, até 25 a 30% de acréscimo de remuneração para os trabalhadores especializados da construção civil ou das minas de carvão. O padrão de resultados sugere que a ação dos sindicatos é mais eficaz no aumento dos salários quando podem, de fato, monopolizar a oferta de trabalho e controlar a entrada. Há alguns indícios de que o impacto dos sindicatos sobre os salários tem diminuído nos últimos anos.

Impactos gerais. Vamos supor que os sindicatos pudessem, de fato, aumentar os salários dos seus associados acima dos níveis competitivos. Isso levaria a um aumento da média no conjunto da economia? Os economistas que estudam essa questão concluem que a resposta é não. Concluem que os sindicatos redistribuem a renda dos trabalhadores não sindicalizados para os trabalhadores sindicalizados. Dito de outro modo, se os sindicatos são bem-sucedidos no aumento dos salários acima dos níveis de concorrência, os seus ganhos são à custa dos salários dos trabalhadores não sindicalizados.

Essa análise é fundamentada pelas evidência empíricas que mostra que a parcela da renda nacional que cabe ao trabalho variou pouco ao longo das seis últimas décadas. Se as influências cíclicas forem expurgadas, não encontramos um impacto apreciável da sindicalização sobre a parcela dos salários nos Estados Unidos (ver Figura 12-1). Além disso, os dados dos países europeus, onde há uma forte sindicalização, sugerem que, quando os sindicatos são bem-sucedidos no aumento dos níveis salariais nominais, às vezes iniciam uma espiral inflacionária de salários-preços sem qualquer efeito, ou com um efeito muito pequeno, sobre os salários reais.

Sindicatos e desemprego clássico

Se os sindicatos não afetam o nível geral dos salários reais, isso sugere que o seu impacto incide principalmente sobre os salários relativos. Isto é, os salários nos setores sindicalizados aumentariam em relação aos dos setores não sindicalizados. Além disso, o emprego tenderia a ser reduzido nos setores sindicalizados e a aumentar nos não sindicalizados.

Quando sindicatos poderosos aumentam os salários reais para níveis artificialmente elevados, o resultado é um excesso de oferta de mão de obra que se designa *desemprego clássico*. Esse caso também é ilustrado pela Figura 13-6. Suponha que os sindicatos forcem o aumento dos salários acima do salário de equilíbrio de mercado E para um salário real mais elevado rr. Então, se a oferta e a demanda de trabalhadores em geral não se alteram, a seta entre E' e F representará o número de trabalhadores que querem trabalhar com o salário rr, mas não conseguem encontrar trabalho. Isso é chamado de desemprego clássico, porque resulta de salários reais que estão acima dos níveis competitivos.

Os economistas muitas vezes distinguem o desemprego clássico do desemprego que ocorre nos ciclos econômicos – frequentemente chamado de desemprego keynesiano – que resulta de uma demanda agregada insuficiente. Os efeitos de salários muito elevados verificaram-se após a unificação econômica da Alemanha em 1990. A união econômica fixou os salários na Alemanha Oriental em um nível, pelo menos, 2 vezes superior ao que se justificaria pela receita do produto marginal do trabalho. O resultado foi uma acentuada redução do emprego na Alemanha Oriental após a unificação.

Essa análise sugere que, quando uma economia fica sujeita a salários reais que sejam muito elevados o resultado poderá ser níveis elevados de desemprego. O desemprego não reagirá à tradicional política macroeconômica de aumento da despesa agregada, mas, em vez disso, exigirá medidas que reduzam os salários reais.

O declínio do sindicalismo nos Estados Unidos

Uma das principais tendências nos mercados de trabalho norte-americanos tem sido a erosão gradual dos sindicatos desde a Segunda Guerra Mundial. Se os membros dos sindicatos correspondiam a 1/4 da força de trabalho em 1955, essa cota diminuiu muito desde 1980. A participação de trabalhadores sindicalizados na indústria reduziu nitidamente nas duas últimas décadas; apenas no setor público os sindicatos continuam a ser uma força poderosa.

Uma das razões para o declínio dos sindicatos é o enfraquecimento do poder da greve, que é a última ameaça na negociação coletiva. Nos anos 1970, os sindicatos nos Estados Unidos usaram essa arma regularmente, havendo em média 300 greves por ano. Mais recentemente, porém, as greves tornaram-se relativamente raras, tendo, de fato, desaparecido praticamente do mercado de trabalho norte-americano. A razão para o declínio é o fato de que as greves, muitas vezes, levaram ao desligamento de trabalhadores. Em 1981, os controladores aéreos em greve foram todos despedidos pelo Presidente Reagan. Quando os jogadores de futebol profissional entraram em greve em 1987 foram forçados a regressar ao trabalho quando os donos das equipes puseram os reservas para jogar. Em 1992, os trabalhadores da Caterpillar, um fabricante de equipamento de grande porte, tiveram de cancelar a sua greve de seis meses quando a Caterpillar ameaçou ocupar os seus postos de trabalho com substitutos permanentes. A incapacidade para prejudicar as empresas com greves levou a um significativo enfraquecimento do poder global dos sindicatos nas duas últimas décadas.

Você poderá estar se perguntando se o enfraquecimento do poder dos sindicatos reduzirá a remuneração do trabalho. Os economistas, em geral, sustentam que o enfraquecimento do poder dos sindicatos diminuirá os salários relativos dos trabalhadores sindicalizados em vez de reduzir a parcela geral do trabalho na renda nacional. Reveja a Figura 12-1 para ver a parcela do trabalho na renda nacional. Você consegue determinar algum efeito do declínio do poder dos sindicatos após 1980 sobre a participação do trabalho? Muitos economistas acreditam que não há efeito algum.

DISCRIMINAÇÃO

A discriminação racial, étnica e de gênero tem sido um aspecto persistente das sociedades humanas desde os primeiros registros históricos. Em um dos extremos, que ocorreu antes da guerra civil nos Estados Unidos, os escravos negros eram considerados como pertencentes a um dono, não tinham praticamente direitos e eram, com frequência, maltratados. Em outras épocas e lugares, como nos Estados Unidos, no período da segregação, ou na África do Sul, sob o *apartheid*, até aos anos 1990, foram segregados na habitação, no transporte e enfrentavam proibições de casamento inter-racial e de emprego nos lugares mais desejáveis. Mesmo atualmente, em uma época em que a discriminação é ilegal, formas sutis de discriminação informal, pré-mercantil, judicial-criminal e estatística, continuam a originar resultados muito diferentes entre homens e mulheres e, em especial, entre grupos raciais e étnicos.

Quem estuda ou passa pela experiência da discriminação sabe que ela se estende para muito para além do mercado. A nossa análise está limitada à discriminação econômica, focando principalmente o emprego. Queremos saber por que persistem diferenças de grupo após a discriminação ter se tornado ilegal. Precisamos conhecer as origens das diferenças nos salários dos vários grupos. Por que os cidadãos afro-americanos e latino-americanos nos Estados Unidos continuam a ter um nível de renda e de riqueza quantitativamente menor que os de outros grupos. Por que as mulheres são afastadas de muitos dos melhores empregos nas empresas? Estas são questões preocupantes que necessitam de resposta.

ANÁLISE ECONÔMICA DA DISCRIMINAÇÃO

Definição de discriminação

Quando ocorrem diferenças econômicas em virtude de características pessoais irrelevantes como raça, gênero, orientação sexual ou religião, chamamos isso de **discriminação**. A discriminação, basicamente, envolve ou (a) tratamento desigual das pessoas com base nas características pessoais ou (b) práticas (por exemplo, testes) que têm um "impacto adverso" sobre certos grupos.

Os economistas que primeiro começaram a estudar a discriminação, como Gary Becker, da Universidade de Chicago, compreenderam que havia um enigma fundamental: se dois grupos de trabalhadores têm uma produtividade equivalente, mas um tem salários mais baixos, por que as empresas competitivas e maximizadores de lucro não contratam os trabalhadores de baixo salário e aumentam os seus lucros? Por exemplo, suponha que um grupo de gerentes em um mercado competitivo decida pagar aos trabalhadores com olhos azuis mais do que aos igualmente produtivos trabalhadores com olhos castanhos. As empresas não discriminadoras poderiam entrar no mercado, reduzir os custos e os preços em relação às empresas discriminadoras ao contratarem principalmente trabalhadores de olhos castanhos e levar as empresas discriminadoras à falência. Assim, mesmo que alguns empregadores tivessem tratamento preconceituoso contra um grupo de trabalhadores, o seu preconceito não seria suficiente para reduzir as rendas desse grupo. A análise de Becker sugere, portanto, que são necessárias outras forças, além das atitudes puramente discriminatórias, para manter as desigualdades de rendas entre grupos equivalentes.

Discriminação pela exclusão

A forma mais persistente de discriminação é excluir certos grupos do emprego e da habitação. A história dos negros norte-americanos ilustra a forma como os processos sociais degradaram os seus salários e estatuto social. Após a abolição da escravatura, a população negra no Sul caiu em um sistema de castas sob a legislação "Jim Crow". Embora legalmente livres e sujeitos às leis da oferta e da demanda, os trabalhadores negros tinham rendas bastante inferiores aos dos brancos. Por quê? Porque tinham educação inferior e eram excluídos dos melhores empregos pelos sindicatos, pelas leis locais e pelos costumes. Eles, consequentemente, foram empurrados para as ocupações subalternas e pouco qualificadas, que eram efetivamente grupos não concorrentes. A segregação no emprego permitiu que a discriminação persistisse durante décadas.

A oferta e a demanda podem ilustrar o modo como a exclusão reduz as rendas dos grupos que são objeto de discriminação. Havendo discriminação, certos empregos são reservados para os grupos privilegiados, como é ilustrado na Figura 13-7(a). Nesse mercado de trabalho, a oferta dos trabalhadores privilegiados é representada por $S_p S_p$, enquanto a demanda para esse tipo de trabalho é representada por $D_p D_p$. O salário de equilíbrio é verificado no nível elevado representado por E_p.

Entretanto, a Figura 13-7(b) apresenta o que está acontecendo aos trabalhadores minoritários que, por residirem em zonas com escolas deficientes e não poderem pagar uma educação privada, não recebem uma formação para os empregos mais bem remunerados. Com baixo nível de qualificação, aceitam empregos igualmente qualificados e têm baixas receitas do produto marginal, portanto os seus salários descem até ao nível de equilíbrio menos elevado representado por E_m.

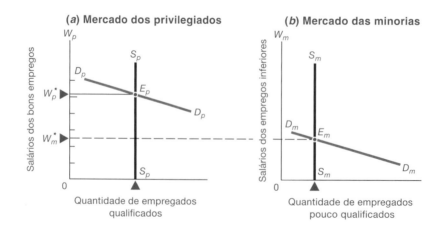

FIGURA 13-7 A discriminação pela exclusão reduz os níveis salariais das minorias excluídas.

A discriminação é, muitas vezes, determinada pela exclusão de certos grupos das profissões privilegiadas. Se as minorias forem excluídas dos bons empregos no mercado (a), terão de trabalhar em empregos inferiores em (b). O grupo privilegiado se beneficia de níveis salariais mais elevados E_p, enquanto as minorias têm baixos níveis salariais, em E_m, no mercado (b).

Repare na diferença entre os dois mercados. Como as minorias estão excluídas dos bons empregos, as forças de mercado forçam a que ganhem salários muito inferiores aos dos trabalhadores privilegiados. Alguém poderá até argumentar que as minorias "merecem" salários mais baixos porque as suas receitas do produto marginal de concorrência são baixas. Mas esse raciocínio omite as raízes das diferenças salariais, as quais resultam do fato de certos grupos terem sido excluídos dos bons empregos por sua incapacidade para obter educação e formação profissional e pela força dos costumes, das leis ou de conluio.

Preferência na discriminação

O exemplo da exclusão levanta ainda a questão da razão pela qual algumas empresas maximizadoras de lucro não burlem as leis ou os costumes para terem custos inferiores aos das suas concorrentes. Uma solução proposta por Becker é a de que tanto as empresas quanto os seus clientes "preferem a discriminação". Talvez alguns gerentes não prefiram contratar trabalhadores negros; talvez os vendedores tenham preconceito e não queiram vender a clientes hispânicos. Os críticos contrapõem que essa abordagem é tautológica, equivalente a dizer: "As coisas são assim porque as pessoas as preferem assim".

Discriminação estatística

Uma das mais interessantes variantes de discriminação ocorre em virtude da interação entre informação incompleta e incentivos distorcidos. Isso é conhecido por **discriminação estatística** em que as pessoas são tratadas com base no comportamento médio dos membros do grupo a que pertencem e não com base em suas características pessoais.

Um exemplo comum ocorre quando um empregador seleciona os empregados com base na sua universidade. O empregador pode ter observado que as pessoas que obtêm diplomas das melhores escolas são, *em média*, mais produtivas; além disso, as médias das classificações são, com frequência, difíceis de comparar, em virtude das diferenças nos padrões de classificação. Os empregadores, portanto, com frequência contratam as pessoas com base na sua escola, em vez de em sua classificação. Um processo de seleção mais cuidadoso mostraria que existem muitos trabalhadores altamente qualificados provenientes das escolas menos conhecidas. Vemos aqui uma forma comum de discriminação estatística baseada na qualidade média do ensino.

A discriminação estatística leva à ineficiência econômica, uma vez que reforça os estereótipos e reduz os incentivos dos membros individuais de um grupo para desenvolver capacidades e experiência. Imagine alguém que vai para uma escola menos conhecida. Essa pessoa sabe que, em grande parte, será avaliada pela qualidade das suas credenciais escolares. A média de classificações, a dificuldade das disciplinas concluídas, o conhecimento efetivo e a sua experiência profissional podem ser ignorados. O resultado é que, quando sujeitos à discriminação estatística, as pessoas têm incentivos muito reduzidos para investir em atividades que melhorem as suas qualificações e as tornem melhores trabalhadores.

A discriminação estatística é especialmente perniciosa quando envolve raça, gênero ou grupos étnicos. Se os empregadores tratarem todos os jovens negros como "improdutivos", em virtude da experiência média na contratação de jovens negros, então as pessoas talentosas serão tratadas não apenas como trabalhadores médios, como terão poucos incentivos para melhorar suas qualificações.

A discriminação estatística é observada em muitas áreas da sociedade. O seguro de vida e o seguro de automóvel, em geral, fazem a média dos riscos das pessoas, englobando as que são cuidadosas e aquelas que se comportam perigosamente; isso tende a reduzir o incentivo para ser cauteloso e leva a uma diminuição do grau médio de cautela na população. As mulheres geralmente eram excluídas das profissões com orientação quantitativa como a engenharia; como resultado, era mais provável que escolhessem a área de humanidades e ciências sociais para os seus cursos e carreiras, o que levava ao reforço do estereótipo de que as mulheres não se interessavam por engenharia.

A discriminação estatística não só classifica as pessoas com base das características de grupo, como também reduz os incentivos das pessoas para fazer investimentos em educação e em formação, e, desse modo, tende a reforçar o estereótipo original.

DISCRIMINAÇÃO ECONÔMICA CONTRA AS MULHERES

O maior grupo a sofrer a discriminação econômica é o das mulheres. Na geração anterior, as mulheres ganhavam cerca de 70% do salário dos homens. Em parte, isso era devido a diferenças na educação, na experiência profissional e a outros determinantes. Atualmente, a lacuna entre sexos diminuiu muito. Grande parte da desigualdade restante é o "diferencial pela família" – uma penalidade em salário contra as mulheres com filhos.

Quais são as fontes das diferenças de renda entre os homens e as mulheres? As causas são complexas, fundadas em costumes e expectativas sociais, na discriminação estatística e em determinantes econômicos, como a educação e a experiência profissional. Em geral, as mulheres não recebem menos do que os homens na mesma ocupação. Em vez disso, o pagamento mais baixo das mulheres ocorre porque foram excluídas de certas profissões altamente remuneradas, como a engenharia, a construção e as minas de carvão. Além disso, as mulheres tendem a interromper as suas carreiras para ter filhos e desempenhar tarefas domésticas, e isso continua a persistir no diferencial pela família. A desigualdade econômica dos sexos também foi mantida porque, até há pouco tempo, eram eleitas poucas mulheres para os conselhos de administração das grandes empresas, para as sociedades nos principais escritórios de advocacia, ou para posições no magistério das universidades mais importantes.

EVIDÊNCIAS EMPÍRICAS

Tendo analisado os mecanismos que levam à discriminação, examinemos, a seguir, as evidências empíricas sobre diferenças de rendas. Em média, as mulheres e as minorias ganham menos que os homens brancos. Por exemplo, as mulheres que trabalhavam em período integral ganharam 60% das rendas dos homens em 1967. Em 2007 essa percentagem tinha aumentado para 80%.

Os economistas do trabalho salientam que as diferenças salariais não são o mesmo que discriminação. As diferenças salariais refletem, com frequência, diferenças nas qualificações e na produtividade. Historicamente, muitos trabalhadores hispânicos, especialmente os imigrantes, têm recebido menos educação do que os brancos nativos; as mulheres ficam durante mais tempo fora da força de trabalho do que os homens. Uma vez que remunerações mais elevadas se encontram relacionadas a níveis de educação mais elevados e de experiência profissional continuada, não é de admirar que existam algumas diferenças salariais.

Qual parcela das diferenças salariais é devida à discriminação e não às diferenças de produtividade? Seguem-se algumas conclusões recentes:

- Para as mulheres, a dimensão da discriminação diminuiu acentuadamente nos últimos anos. Pelas estatísticas, descobriu-se um diferencial pela família que corresponde ao fato de as mulheres que deixam de trabalhar para tomar conta de crianças sofrerem uma penalidade na renda. Excluindo o diferencial pela família as mulheres parecem ter aproximadamente as mesmas remunerações que os homens com a mesma qualificação.

- O diferencial entre os afro-americanos e os brancos foi muito grande durante grande parte da história dos Estados Unidos. Os trabalhadores afro-americanos progrediram muito nas sete primeiras décadas do século XX. Os dados dos anos 1990 indicam que os negros sofreram uma perda de 5 a 15% nas rendas, em virtude da discriminação no mercado de trabalho.

- Uma das principais tendências encorajadoras é o desmoronar das barreiras ao emprego de mulheres e minorias em profissões altamente remuneradas.

No período de 1950 a 2000, a parcela de mulheres e minorias empregadas como médicas, engenheiras, advogadas e economistas cresceu muito. Isso é especialmente notável para as mulheres nas escolas profissionais. A proporção de mulheres em faculdades de direito aumentou de 4% em 1963 para 44% em 2006, enquanto nas escolas de medicina a proporção aumentou de 5% em 1960 para quase 50% em 2006. Encontram-se tendências similares em outras profissões que tinham estado historicamente ligadas a gênero ou raça.

REDUÇÃO DA DISCRIMINAÇÃO NO MERCADO DE TRABALHO

Ao longo do último meio século, os governos tomaram numerosas medidas para acabar com as práticas discriminatórias. As principais medidas foram marcos legislativos, como a Lei dos Direitos Civis, de 1964 (que proíbe a discriminação no emprego com base em raça, cor, religião, sexo ou origem nacional), e o *Equal Pay Act*, de 1963 (que obriga os empregadores a pagarem o mesmo a homens e mulheres por igual trabalho).

Essas leis ajudaram a desmantelar as práticas discriminatórias mais gritantes, mas permanecem barreiras mais sutis. Para combatê-las, têm sido desenvolvidas políticas mais agressivas e controversas, incluindo medidas como a *ação afirmativa*. Esta exige aos empregadores que demonstrem que estão fazendo esforços adicionais para localizar e admitir grupos subrepresentados. Estudos indicam que essa abordagem tem tido um efeito positivo na contratação e nos salários das mulheres e de grupos minoritários. A ação afirmativa tem sido, contudo, largamente criticada nos últimos anos como representando "discriminação inversa", e alguns estados eliminaram o seu uso no emprego e na educação.

Progresso desigual

A discriminação é um processo social e econômico complexo. Foi praticada ao abrigo de leis que privaram grupos desfavorecidos de um acesso igual a empregos, moradia e educação. Mesmo depois de a igualdade ser estabelecida por lei, a separação por raças e sexos perpetuou a estratificação econômica e social.

O progresso na redução do diferencial de rendas entre os diferentes grupos abrandou ao longo das três últimas décadas. A desintegração do núcleo familiar tradicional, os cortes nos programas sociais do governo, leis duras contra as drogas e as taxas de detenção, o combate a muitos programas antidiscriminação e a queda dos salários relativos dos não qualificados levaram ao declínio dos níveis de vida de muitos grupos minoritários. O progresso é desigual, persistindo diferenças substanciais na renda, na riqueza e no emprego.

RESUMO

A. Fundamentos da determinação do salário

1. A demanda por trabalhadores, como a de qualquer outro fator produtivo, é determinada pelo produto marginal do trabalho. Portanto, o nível geral de salários de um país tende a ser mais elevado quando os seus trabalhadores têm melhor educação e melhor formação, quando têm mais e melhor capital com o qual trabalhar e quando usam técnicas de produção mais avançadas.

2. Para uma dada população, a oferta de trabalho depende de 3 determinantes essenciais: dimensão da população, número médio de horas de trabalho e participação na força de trabalho. Nos Estados Unidos, a imigração tem sido uma fonte importante de novos trabalhadores nos últimos anos, aumentando a proporção de trabalhadores relativamente não qualificados.

3. À medida que os salários aumentam, existem dois efeitos opostos na oferta de trabalho. O efeito substituição estimula cada trabalhador a trabalhar durante mais tempo por causa da remuneração mais elevada para cada hora de trabalho. O efeito renda funciona no sentido oposto, porque, se os salários são mais elevados, os trabalhadores ficam com recursos para usufruir mais tempo de lazer, assim como outras coisas boas da vida. A um dado nível crítico de salário, a curva da oferta pode inclinar-se para trás. A oferta de trabalho por pessoas excepcionais e superdotados é muito inelástica: os seus salários são, em grande medida, uma renda econômica pura.

4. Em concorrência perfeita, se todos as pessoas e ocupações fossem exatamente iguais, não haveria diferenças salariais. Os níveis salariais de equilíbrio determinados pela oferta e pela demanda seriam todos iguais. Mas, logo que abandonamos as hipóteses irreais em relação à uniformidade das pessoas e das ocupações, encontramos diferenças salariais importantes, mesmo em um mercado de trabalho em concorrência perfeita. As diferenças salariais, que compensam as diferenças não monetárias na qualidade das profissões, explicam algumas dessas diferenças. As diferenças na qualidade do trabalho explicam muitas outras diferenças. Além disso, o mercado de trabalho é composto por inúmeros tipos de grupos não concorrentes ou parcialmente concorrentes.

B. Questões e políticas do mercado de trabalho

5. Os sindicatos de trabalhadores têm um papel importante, embora decrescente, na economia norte-americana, tanto em termos do número de membros como de influência. A gestão e os representantes dos trabalhadores reúnem-se para negociações coletivas a fim de negociarem um acordo. Tais acordos normalmente contêm a fixação de salários, complementos salariais e condições de trabalho. Os sindicatos afetam os salários por meio da negociação de salários de referência. Contudo, a fim de elevarem os salários acima dos níveis atuais determinados pelo mercado, os sindicatos têm de impedir a admissão ou a concorrência dos trabalhadores não sindicalizados.

6. Embora possam elevar os salários dos seus membros acima dos salários dos trabalhadores não sindicalizados, os sindicatos provavelmente não aumentam os salários reais ou a parcela do trabalho na renda de um país. É provável que aumentem o desemprego entre os membros sindicalizados, que preferem aguardar por nova chamada após uma suspensão temporária do seu emprego bem remunerado, em vez de se deslocarem para empregos menos remunerados em outros ramos de atividade. E em um país com preços inelásticos, se os salários reais forem muito elevados poderão induzir desemprego clássico.

7. Por um acaso da história, uma pequena minoria masculina branca tem usufruído, em todo o mundo, de uma riqueza maior. Mais de um século após a abolição da escravatura, a desigualdade de oportunidades e a discriminação econômica, racial e de gênero, continuam a originar perdas de renda pelos grupos desfavorecidos.

8. Há muitas fontes de discriminação. Um mecanismo importante é a criação e manutenção de grupos não concorrentes. Além disso, a discriminação estatística ocorre quando as pessoas são tratadas com base no comportamento médio dos membros do grupo a que pertencem. Essa forma sutil de discriminação estereotipa as pessoas com base em caraterísticas de grupo, reduz os incentivos das pessoas para se mobilizarem para o desenvolvimento pessoal e, com isso, reforça o estereótipo inicial.

9. Têm sido tomadas muitas medidas para reduzir a discriminação no mercado de trabalho ao longo do último meio século. As primeiras abordagens concentraram-se na abolição das práticas discriminatórias, enquanto as medidas mais recentes exigem políticas como a ação afirmativa.

CONCEITOS PARA REVISÃO

Determinação dos salários em concorrência perfeita

- elementos da demanda por trabalhadores:
  - qualidade do trabalho
  - tecnologia
  - qualidade dos outros fatores
- elementos na oferta de trabalhadores:
  - horas
  - participação na força de trabalho
  - imigração
- efeito renda *versus* efeito substituição
- diferenciais salariais de compensação
- elemento de renda nos salários
- mercados segmentados e grupos não concorrentes

Questões do mercado de trabalho

- negociação coletiva
- sindicatos como monopólios
- desemprego clássico
- discriminação
- diferenciais de rendas: diferenças de qualidade *versus* discriminação
- discriminação estatística
- políticas contra a discriminação

LEITURAS ADICIONAIS E SITES

Leituras adicionais

Os elementos da teoria do capital humano são dados em Gary S. Becker, *Human Capital*: A Theoretical and Empirical Analysis, with Special Reference to Education, 3. ed. (University of Chicago Press, 1993.)

A economia do trabalho é uma área ativa. Muitos tópicos importantes estão cobertos em resenhas avançadas como em Ronald G. Ehrenberg e Robert S. Smith, *Modern Labor Economics*: Theory and Public Policy, 8. ed. (Addison Wesley Longman, Nova York, 2002.)

Uma excelente revisão da Economia da discriminação está contida no simpósio sobre a discriminação em mercados de produto, de crédito e de trabalho no *Journal of Economic Perspectives*, Spring, 1998.

Outra importante fonte sobre o impacto da imigração é George Borjas, Richard Freeman e Lawrence Katz, "How Much Do Immigration and Trade Affect Labor Market Outcomes?" *Brookings Papers on Economic Activity*, vol. 1, 1997, p. 1–90.

Sites

A análise dos dados do mercado de trabalho para os Estados Unidos obtém-se do Bureau of Labor Statistics, disponível em <http://www.bls.gov>. Esse site também tem uma versão online do *The Monthly Labor Review*, que é uma excelente fonte para estudos sobre salários e emprego.

Outra excelente revisão das tendências nos mercados de trabalho com especial referência para as novas tecnologias e discriminação é encontrada em *Economic Report of the President*, 2000, Capítulo 4, "Work and Learning in the 21st Century", disponível em <http://w3.acess.gpo.gov/eop/>.

Para uma perspectiva internacional, visite o site da International Labour Organization, disponível em <http://www.ilo.org>. Se quiser uma lista detalhada sobre a Economia do trabalho, visite o site do curso aberto MIT, disponível em <http://ocw.mit.edu/OcwWeb/Economics/14-64Spring-2006/Readings/index.htm>.

QUESTÕES PARA DISCUSSÃO

1. Que medidas podem ser implementadas para eliminar os mercados segmentados, representados na Figura 13-7?

2. Explique, por palavras e por meio de um gráfico de oferta e demanda, o impacto de cada um dos seguintes fatos sobre os salários e o emprego no mercado de trabalho atingido:

   a. *Sobre o sindicato da construção civil*: o sindicato da construção civil negociou uma regra de trabalho menos exigente, de 60 tijolos por hora para 50 tijolos por hora.

   b. *Sobre os pilotos da aviação civil*: após a desregulação do transporte aéreo, as companhias não sindicalizadas aumentaram a sua participação no mercado em 20%.

   c. *Sobre os médicos*: muitos estados norte-americanos começaram a conceder aos enfermeiros algumas responsabilidades dos médicos.

   d. *Sobre os trabalhadores norte-americanos do setor automobilístico*: o Japão concordou em limitar as suas exportações de automóveis para os Estados Unidos.

3. Explique o que aconteceria às diferenças salariais como resultado do seguinte:

   a. Um aumento do custo das universidades.

   b. Migrações livres nos países da Europa.

   c. Introdução de educação pública gratuita em um país onde a educação era anteriormente privada e muito dispendiosa.

   d. Pelo progresso tecnológico, um grande aumento do número de espectadores de programas populares de desporto e de espetáculo.

4. A discriminação ocorre quando os grupos desfavorecidos, como as mulheres ou os afro-americanos, são segmentados em mercados com baixos salários. Explique como é que cada uma das seguintes práticas, que vigoraram em alguns casos até há pouco tempo, ajudaram a perpetuar a segmentação discriminatória do mercado de trabalho:

   a. Muitas escolas estaduais não permitiam que as mulheres cursassem engenharia.

   b. Muitas universidades de alto nível não admitiam mulheres.

   c. Os não brancos e os brancos recebiam formação escolar em sistemas escolares separados.

   d. Os clubes sociais de elite não admitiam mulheres, afro-americanos ou católicos.

   e. Os empregadores recusavam contratar trabalhadores que tinham frequentado escolas do centro das cidades porque a produtividade média dos trabalhadores oriundos dessas escolas era baixa.

5. A imigração recente fez aumentar o número de trabalhadores pouco qualificados e teve um pequeno impacto sobre a oferta de trabalhadores altamente qualificados. Um estudo recente de George Borjas, Richard Freeman e Lawrence Katz estimou que os salários de quem concluiu o ensino de 2º grau diminuíram 4% em relação aos salários dos licenciados universitários na década de 1980, em resultado da imigração e do comércio.

   a. Para ver o impacto da *imigração* reveja a Figura 12-6 no capítulo anterior. Volte a desenhar os gráficos denominando a parte (*a*) "Mercado dos trabalhadores qualificados" e a parte (*b*) "Mercado de trabalhadores não qualificados". A seguir permita que a imigração desloque a oferta de mão de obra não qualificada para a direita, mantendo a oferta de trabalhadores qualificados inalterada. O que aconteceria aos salários relativos dos qualificados e dos não qualificados e aos níveis relativos de emprego como resultado da imigração?

b. A seguir analise o impacto do *comércio internacional* sobre os salários e o emprego. Suponha que a demanda por trabalhadores qualificados aumentasse em *(a)* enquanto reduzia a demanda por trabalhadores não qualificados internos em *(b)*. Mostre que isso tenderia a aumentar a desigualdade entre trabalhadores qualificados e não qualificados.

6. As pessoas, com frequência, temem que níveis elevados de impostos reduzam a oferta de trabalho. Considere o impacto de impostos mais elevados com uma curva de oferta com inflexão para trás. Defina o salário antes de imposto como W, o salário líquido de impostos W_p, e a taxa de imposto como t. Explique a relação $W_p = (1 - t)W$. Construa uma tabela representando os salários antes e depois de imposto quando o salário antes de imposto é de US\$ 20 por hora para taxas de imposto de 0, 15, 25 e 40%?

Depois volte à Figura 13-4. Para as regiões acima e abaixo do ponto C, mostre o impacto de uma taxa de imposto mais baixa sobre a oferta de trabalho. Em sua tabela, mostre a relação entre a taxa de imposto e as receitas do governo.

CAPÍTULO

14 Terra, recursos naturais e o ambiente

A terra é um bom investimento: já não há quem a produza mais.
Will Rogers

Se você observar qualquer processo econômico, verá que é alimentado por uma combinação especializada dos três fatores de produção fundamentais: terra, trabalho e capital. No Capítulo 1, aprendemos que a terra e os recursos naturais fornecem a base e o combustível da nossa economia, que os bens de capital duráveis e os intangíveis, os quais são produzidos, são parceiros no processo de produção; e que o ser humano lavra a terra, opera o estoque de capital e gere os processos produtivos.

Os capítulos anteriores trataram tanto da teoria econômica dos preços e das produtividades marginais dos insumos como do papel do trabalho na economia. O presente capítulo continua o estudo dos fatores de produção, observando o funcionamento dos mercados da terra, dos recursos naturais e do meio ambiente. Começaremos por analisar os mercados da terra e dos recursos naturais, que são fatores não produzidos. Depois, passaremos para a área vital da Economia do ambiente. Esse tema aborda uma falha de mercado importante, alguns remédios propostos, e ainda discute o tema do aquecimento global.

A. ECONOMIA DOS RECURSOS NATURAIS

Quando os primeiros seres humanos começaram a evoluir, há centenas de milhares de anos, sua economia baseava-se na caça, na pesca e na coleta, tendo um ambiente natural rico, mas pouco capital, além de alguns paus e pedras afiados. Atualmente, esperamos ter ar puro, água abundante e terra preservada. Mas qual é a ameaça para a humanidade, se não respeitarmos os limites do nosso ambiente natural?

Em um extremo está a filosofia ambientalista dos limites e dos perigos. Nessa perspectiva, as atividades humanas ameaçam envenenar os solos, exaurir os nossos recursos naturais, romper a intrincada teia de ecossistemas naturais, e desencadear uma mudança climática desastrosa. O ponto de vista ambientalista está bem expresso pelo aviso sério de E. O. Wilson, renomado biólogo de Harvard:

> O ambientalismo... vê a humanidade como uma espécie biológica estreitamente dependente do mundo natural... Muitos dos recursos naturais da Terra estão em vias de exaustão, a química da sua atmosfera está se deteriorando, e as populações humanas já cresceram de forma excessivamente perigosa. Os ecossistemas naturais, as nascentes de um ambiente saudável, estão sendo irreversivelmente degradados... Sou suficientemente radical para levar a sério a questão ouvida cada vez com mais frequência: é a humanidade suicida?

Quem acredita nesse quadro sombrio argumenta que os seres humanos têm de praticar um crescimento econômico "sustentável" e aprender a viver nos limites dos nossos recursos naturais escassos, ou iremos sofrer consequências horríveis e irreparáveis.

No outro extremo estão os "cornucopianos", ou otimistas tecnológicos, que acreditam que estamos longe da exaustão, quer dos recursos naturais, quer das possibilidades da tecnologia. Nessa visão otimista, podemos antever crescimento econômico ilimitado e aumento dos níveis de vida contínuos, sendo o engenho humano capaz de lidar com qualquer limitação de recursos ou problemas ambientais. Se o petróleo se acabar, existe muito carvão. Se isso não for suficiente, o aumento dos preços da energia induzirá inovações nas energias solar, eólica e nuclear. Os cornucopianos veem a tecnologia, o crescimento econômico e as forças do mercado como os salvadores, não como os bandidos. Um dos mais proeminentes do otimismo tecnológico foi Julian Simon, que escreveu:

Pergunte em uma sala cheia de pessoas se o nosso ambiente está ficando mais sujo ou mais limpo, e a maioria vai dizer "mais sujo". Os fatos irrefutáveis são que o ar nos Estados Unidos (e em outros países ricos) é agora mais seguro para respirar do que há décadas. As quantidades de poluentes estão diminuindo, especialmente as partículas que são o principal poluente. No que diz respeito à água, a proporção de locais vigiados nos Estados Unidos com água potável tem aumentado desde 1961. O nosso ambiente está cada vez mais saudável, com a perspectiva segura de que essa tendência irá continuar.

Em geral, os economistas da corrente principal tendem a se situar entre os extremos dos ambientalistas e dos cornucopianos. Reconhecem que a humanidade vem dilapidando os recursos da terra há séculos. Tendem a salientar que *a gestão eficiente da economia exige o adequado preço dos recursos naturais e ambientais*. Neste capítulo, veremos os conceitos que estão envolvidos no preço dos recursos naturais escassos e na gestão do meio ambiente.

CATEGORIAS DE RECURSOS

Quais são os principais recursos naturais? Compreendem a terra, a água e a atmosfera. A terra nos dá alimentos e vinho, a partir de solos férteis, bem como petróleo e outros minerais, a partir do subsolo. As nossas águas dão peixe, lazer e um meio notavelmente eficiente de transporte. A valiosa atmosfera proporciona ar respirável, pores do sol belíssimos e espaço para os aviões voarem. Os recursos naturais (incluindo a terra) são um conjunto de fatores de produção, como o trabalho e o capital, do qual retiramos produtos ou serviços do seu uso.

Na análise dos recursos naturais, os economistas fazem duas distinções essenciais. A mais importante é sobre se os recursos são apropriáveis ou não apropriáveis. Um bem é chamado **apropriável** quando as empresas ou os consumidores podem captar a totalidade do seu valor econômico. Nos recursos naturais apropriáveis, incluem-se a terra (cuja fertilidade pode ser aproveitada pelo agricultor que vende trigo e vinho nela produzido); os recursos minerais, como o petróleo e gás (em que o proprietário pode vender o valor da jazida do mineral) e as árvores (de que o proprietário pode vender o terreno ou as árvores a quem oferecer mais). Em um mercado competitivo que esteja funcionando bem, seria atribuído um preço e uma alocação, de forma eficiente, aos recursos naturais apropriáveis.

Por outro lado, um recurso é considerado **inapropriável** quando alguns dos custos e dos benefícios associados ao seu uso não vão para o seu proprietário. Por outras palavras, recursos inapropriáveis são os que envolvem externalidades. Recorde que *externalidades* são as situações em que a produção, ou o consumo, impõe a outras partes custos, ou benefícios, não compensados.

Em qualquer parte do mundo, encontram-se exemplos de recursos inapropriáveis. Considere, por exemplo, a exaustão de reservas de muitos peixes importantes, como baleias, atuns, arenque e esturjão. Um cardume de atuns não só proporciona alimento para as nossas refeições, mas também a procriação das futuras gerações de atuns. Contudo, o potencial de procriação não se reflete no preço de mercado do peixe. Consequentemente, quando captura um atum, um barco de pesca não compensa a sociedade pelo desgaste do futuro potencial de procriação. Essa é a razão pela qual, quando não são regulados, os bancos pesqueiros tendem a ser sobre-explorados.

Isso nos leva a um resultado fundamental da economia dos recursos naturais e do ambiente:

Quando os mercados não captam todos os custos e benefícios do uso de recursos naturais, havendo, portanto, externalidades, dão sinais errados e os preços são distorcidos. Em geral, produzem bens em excesso que geram externalidades negativas e bens insuficientes que geram externalidades positivas.

As técnicas usadas para a gestão de recursos dependem de estes serem ou não renováveis. Um **recurso não renovável** é aquele cuja oferta é fixa na essência. Como exemplos importantes, temos os combustíveis fósseis, que foram depositados, há milhões de anos, e que não são renováveis na escala temporal das civilizações humanas, e os recursos minerais não combustíveis, como cobre, prata, ouro, pedras e areia.

Pelo contrário, os **recursos renováveis** são aqueles cujos serviços são reconstituídos regularmente. Se forem geridos de forma adequada, podem proporcionar serviços úteis indefinidamente. A energia solar, os terrenos agrícolas, a água dos rios, as florestas e os pesqueiros contam-se nas categorias mais importantes de recursos renováveis.

Os princípios da gestão eficiente dessas duas classes de recursos apresentam desafios bem diferentes. O uso eficiente de um recurso não renovável exige a distribuição de uma quantidade finita do recurso ao longo do tempo: devemos usar o nosso gás natural de baixo custo nesta geração, ou poupá-lo para o futuro? Pelo contrário, o uso prudente dos recursos renováveis exige que seja assegurada a manutenção eficiente do fluxo de serviços, por meio, por exemplo, de uma gestão apropriada das florestas, da proteção das zonas de procriação de peixe e da regulação da poluição vertida para os rios e lagos.

Este capítulo trata da Economia dos recursos naturais. Começamos esta seção focando a terra. Queremos compreender os princípios subjacentes à fixação de preços de um recurso fixo. Na seção B, passamos para a Economia do meio ambiente, que envolve as importantes questões de política pública que são relevantes para proteger a qualidade do ar, da água e da terra da sua poluição, bem como questões globais, como a alteração climática.

TERRA E RENDAS

O recurso natural individualmente considerado mais valioso é a terra. De acordo com a lei, a propriedade de "terra" consiste em um conjunto de direitos e obrigações, como o direito a ocupar, cultivar, negar o acesso e construir. A menos que alguém queira pôr a empresa funcionando em um balão, a terra é um fator de produção essencial para qualquer atividade. O aspecto incomum da terra é a sua quantidade ser fixa e não reagir ao preço.[1]

Renda como rendimento de fatores fixos

O preço de um fator, assim com oferta fixa, é designado por **renda**, ou **renda econômica pura**. Os economistas aplicam o termo "renda" não apenas à terra, mas também a qualquer fator que tenha uma oferta fixa. Se você pagar US$ 30 milhões por ano a Alex Rodriguez para jogar em seu time de basebol, esse dinheiro seria considerado renda pelo uso de um fator de produção único.

A renda é calculada em unidades monetárias por unidade do fator fixo e por unidade de tempo. A renda da terra no deserto do Arizona pode ser de 50 centavos por hectare ao ano, enquanto em Nova York ou Tóquio pode ser de US$ 1 milhão por hectare, e por ano. Tenha sempre presente que a palavra "renda" é usada de um modo especial e específico em Economia para designar o pagamento de fatores cuja oferta é fixa.

A renda, ou renda econômica pura, é o pagamento pelo uso de fatores de produção que tenham uma oferta fixa.

Equilíbrio de mercado. A curva da oferta da terra é completamente inelástica – isto é, vertical –, uma vez que a oferta de terra é fixa. Na Figura 14-1 as curvas da demanda e da oferta se interceptam no ponto de equilíbrio E. É para esse preço de fator de produção que tenderá a renda da terra. Por quê?

Se a renda estivesse acima do equilíbrio, a quantidade de terra demandada por todas as empresas seria menor do que a oferta fixa. Alguns proprietários de terra ficariam impossibilitados de arrendar a sua terra e teriam de oferecê-la por um valor inferior, baixando a sua renda. Com raciocínio semelhante, a renda não poderia permanecer abaixo do equilíbrio por muito tempo. Somente ao preço competitivo, em que a quantidade demandada de terra é exatamente igual à oferta fixa, o mercado estará em equilíbrio.

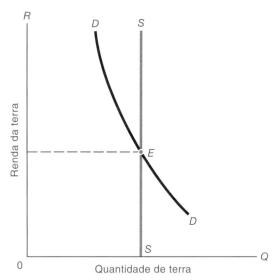

FIGURA 14-1 Quantidade fixa de terra tem de ser utilizada para o que puder produzir.

A oferta perfeitamente inelástica caracteriza o caso da renda, por vezes também designada renda econômica pura. Subimos ao longo da curva *SS* até a curva de demanda para determinar a renda. Além da terra, podemos aplicar as considerações sobre a renda às minas de ouro, aos jogadores de basquetebol com 2 metros de altura e a tudo o mais que tenha uma oferta fixa.

Suponha que a terra pode ser usada apenas para cultivar milho. Se a demanda do milho aumentar, a curva da demanda de terra para milho desloca-se para cima e para a direita, e a renda aumentará. Isso nos conduz a um ponto importante sobre a questão da terra: o preço da terra para milho é elevado porque o preço do milho é elevado. Este é um bom exemplo de *demanda derivada* – que significa que a demanda de um fator é derivada da demanda do produto produzido por esse fator.

Em virtude de sua oferta ser inelástica, a terra será sempre utilizada naquilo a que puder ser destinada. Portanto, o valor da terra deriva inteiramente do valor do produto, e não o contrário.

Impostos sobre a terra

O fato da oferta da terra ser fixa tem uma consequência muito importante. Considere o mercado da terra na Figura 14-2. Suponha que o governo introduz um imposto de 50% sobre todas as rendas da terra, tendo o cuidado de assegurar que não são tributados os edifícios e benfeitorias.

Havendo imposto, a demanda total do uso de terra não se alterou. A um preço (*incluindo* o imposto) de US$ 200, na Figura 14-2, as pessoas continuam a demandar a totalidade da oferta fixa de terra. Assim, dada esta oferta, a renda de mercado do uso da terra (incluindo o imposto) não se alterará e terá de continuar a ser no ponto de equilíbrio de mercado original *E*.

---

[1] Essa declaração deve ser restringida pela possibilidade de os pântanos poderem ser drenados e, em alguns casos, a terra poder ser "produzida" com o aterro de baías. A área de Boston triplicou de 1630 a 1900. Além disso, a terra pode ser usada para diferentes fins, e muitos terrenos agrícolas têm sido transformados em áreas urbanas por todo o mundo.

O que acontece à renda recebida pelos proprietários das terras? A demanda e a quantidade ofertada mantêm-se inalteradas, pelo que o preço de mercado não será afetado pelo imposto. Portanto, este foi completamente pago à custa da renda dos proprietários da terra.

A situação pode ser visualizada na Figura 14-2. O que o agricultor paga e o que o proprietário da terra recebe são agora duas coisas bastante diferentes. No que diz respeito aos proprietários da terra, quando o Estado cobra os seus 50%, o resultado é o mesmo que ocorreria se a demanda líquida para os proprietários tivesse se deslocado de DD para $D'D'$. A rentabilidade de equilíbrio dos proprietários, após os impostos, é agora apenas E'. A totalidade do imposto recaiu sobre os detentores de insumo cuja oferta é perfeitamente inelástica.

Os proprietários, certamente, irão reclamar. Mas, em concorrência perfeita, não podem fazer nada a respeito, uma vez que estão impedidos de alterar a oferta total e a terra tem de ser cedida para aquilo que pode ser usada. Metade de um bolo é melhor do que nada.

Mas, neste ponto você pode estar se perguntando sobre os efeitos de tal imposto sobre a eficiência econômica. O resultado espantoso é que *o imposto sobre a renda não leva a quaisquer distorções ou a ineficiências econômicas.* Esse resultado surpreendente decorre do imposto sobre uma renda econômica pura não alterar o comportamento econômico de ninguém. Os que demandam não são afetados porque o seu preço não se alterou. O comportamento dos que oferecem não é afetado porque a oferta de terra é fixa e não podem ter qualquer reação. Assim, depois do imposto, a economia funciona exatamente da mesma forma como funcionava antes, sem que se verifiquem distorções ou ineficiências em resultado do imposto sobre a terra.

Um imposto sobre uma renda econômica pura não origina distorções ou ineficiências.

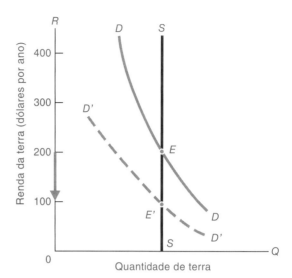

FIGURA 14-2 O imposto sobre a terra, que é fixa, repercute-se sobre os proprietários da terra, com o Estado apropriando-se de renda econômica pura.

Um imposto sobre a terra, que é fixa, não modifica os preços pagos pelos usuários, em E, mas reduz a renda retida pelos proprietários de terra para E'. O que podem fazer estes senão aceitar uma renda menor? Essa foi a lógica do movimento de Henry George a favor do imposto único, que pretendia fazer reverter para a sociedade a valorização dos terrenos, sem distorcer a aplicação de recursos.

Movimento para o imposto único de Henry George

A teoria da renda econômica pura foi a base do movimento para o imposto único nos finais do século XIX. Nessa época, a população da América expandia-se rapidamente com a imigração de gente vinda de todo o mundo. Com o aumento da população e a expansão dos caminhos-de-ferro para o oeste norte-americano, as rendas das terras aumentaram muito, o que proporcionou lucros fantásticos para os que tiveram a visão ou a sorte de ter comprado terra anteriormente.

Por que, perguntavam alguns, os proprietários afortunados deverão receber esses "incrementos da terra obtidos sem esforço"? Henry George (1839-1897), um jornalista que se debruçou muito sobre a Economia, fixou esses sentimentos em seu livro, muito vendido na época, *Poverty and Progress* (1879). Ele exigia o financiamento da administração pública principalmente por meio de impostos sobre a terra, ao mesmo que se reduziriam ou eliminariam os impostos sobre o capital, a mão de obra e as benfeitorias sobre a terra. George pensava que tal "imposto único" poderia melhorar a distribuição da renda sem prejudicar a produtividade da economia.

Ainda que a economia dos Estados Unidos obviamente nunca tenha avançado muito no sentido do imposto único ideal, muitas das ideias de George foram retomadas por gerações subsequentes de economistas. Nos anos de 1920, o economista inglês Frank Ramsey alargou a abordagem de George ao analisar a eficiência de vários tipos de impostos. Isso levou ao desenvolvimento da teoria dos impostos eficientes, ou de Ramsey. Esta análise demonstra que os impostos produzem menos distorções se incidirem sobre setores que tenham oferta e demanda muito inelásticas em relação ao preço.

A lógica na base dos impostos de Ramsey é essencialmente a apresentada na Figura 14-2. Se um bem tem uma oferta ou uma demanda bastante inelásticas, um imposto sobre esse setor terá um reduzido impacto sobre o consumo e a produção e a distorção resultante será relativamente pequena.

B. ECONOMIA DO AMBIENTE

Na seção introdutória deste capítulo, referimos algumas das controvérsias que envolvem os problemas ambientais. Uma grave advertência dos ambientalistas Paul R. Ehrlich e Ann H. Ehrlich em 2008 ilustra essas preocupações:

> A nossa espécie já colheu os frutos mais facilmente capturáveis e converteu as terras mais ricas para uso humano. Para financiar [o crescimento da população], os metais têm de ser extraídos a partir de minérios cada vez mais pobres, enquanto o petróleo, o gás natural e a água terão de ser alcançados em poços cada vez mais profundos e transportados para mais longe. As chamadas terras "marginais", muitas vezes os últimos redutos da biodiversidade, das quais todos nós dependemos para o funcionamento essencial dos ecossistemas, serão convertidas de forma crescente em ainda mais culturas para alimentar as pessoas, os animais ou os veículos... A mudança climática é uma importante ameaça, mesmo que possa não ser o maior problema ambiental. A mudança do uso da terra, a intoxicação do planeta, o aumento da probabilidade de grandes epidemias ou de conflitos por recursos escassos, envolvendo, possivelmente, o uso de armas nucleares, abrangendo toda a população, podem revelar-se mais ameaçadores.

Embora muitos otimistas tecnológicos acreditem que essas preocupações são exageradas, a nossa tarefa é entender *as forças econômicas subjacentes à degradação ambiental*. Esta seção explora a natureza das externalidades ambientais, descreve porque produzem ineficiências econômicas e analisa as possíveis soluções.

EXTERNALIDADES

Recorde que uma *externalidade* é uma atividade que impõe custos ou benefícios involuntários a outros, ou uma atividade cujos efeitos não se refletem completamente no seu preço de mercado.

As externalidades verificam-se de vários modos. Algumas são positivas, enquanto outras são negativas. Quando uma empresa despeja desperdícios tóxicos em um rio, isso pode matar peixes e plantas e reduzir o valor recreativo do rio. Essa é uma externalidade negativa, ou prejudicial, uma vez que a empresa não compensa as pessoas pelos danos causados ao rio. Quando é descoberta uma nova vacina contra a gripe, será proporcionado um benefício a muitas pessoas que não são vacinadas, porque elas ficarão menos expostas à gripe. Essa é uma externalidade positiva ou benéfica.

Algumas externalidades têm um efeito profundo enquanto outras têm apenas pequenos efeitos superficiais. Na Idade Média, quando um portador de febre bubônica entrava em uma cidade, a totalidade da população poderia ser dizimada pela Peste Negra. Por outro lado, quando alguém mastiga um dente de alho em um estádio de futebol em um dia de ventania, os impactos externos são dificilmente perceptíveis.

Bens públicos versus privados

Um caso extremo de externalidade é um *bem público*, que é um bem final que pode ser proporcionado a todos de uma forma tão fácil quanto é proporcionado a cada um.

O bem público por excelência é a defesa nacional. Nada é mais vital para uma sociedade do que a sua segurança. Mas a defesa nacional, como um bem econômico, difere completamente de um *bem privado* como o pão. Dez pães podem ser divididos de muitas maneiras entre as pessoas, e o que cada um come não pode ser comido pelos outros. Mas a defesa nacional, uma vez proporcionada, beneficia a todos de igual modo. Não importa que seja militarista ou pacifista, velho ou novo, ignorante ou letrado – qualquer residente do país recebe das forças armadas a mesma quantidade de segurança nacional.

Repare, portanto, no contraste nítido: a decisão de proporcionar certo nível de um bem público, como a defesa nacional, leva a certo número de batalhões, aviões e tanques para proteção de cada um de nós. Pelo contrário, a decisão de consumir um bem privado, como o pão, é um ato individual. Cada um pode comer quatro fatias, ou duas, ou nada; a decisão é estritamente pessoal e não obriga mais ninguém ao consumo de uma determinada quantidade de pão.

O exemplo da defesa nacional é o caso evidente e extremo de um bem público. Mas quando se pensa em uma vacina contra a varíola, no telescópio Hubble, em água limpa potável, ou em muitos projetos similares do Estado, em geral, encontramos características de bens públicos.

Em resumo:

Bens públicos são aqueles cujos benefícios são indivisivelmente distribuídos a toda a comunidade, quer as pessoas queiram, quer não, consumi-los. **Bens privados**, pelo contrário, são os que podem ser divididos e proporcionados de forma separada a diferentes pessoas, sem benefícios ou custos externos para os outros. O fornecimento eficiente de bens públicos exige, frequentemente, a ação do governo, enquanto os bens privados podem ser alocados com eficiência pelos mercados privados.

Bens públicos globais

Os bens públicos globais talvez sejam a mais difícil de todas as falhas do mercado. Estes são externalidades cujos impactos são indivisivelmente espalhados por todo o mundo. Exemplos importantes são as ações para reduzir o aquecimento global (analisado mais tarde, neste capítulo), medidas para evitar a destruição da camada de ozônio ou a descobertas para prevenir uma epidemia global de gripe aviária. Os bens públicos globais colocam problemas específicos porque não há mercado eficaz ou mecanismos políticos disponíveis para alocá-los de maneira eficiente. Os mercados falham, em geral, porque as pessoas não têm incentivos adequados para produzi-los, enquanto os governos nacionais não conseguem captar todos os benefícios dos seus investimentos em bens públicos globais.

Por que os bens públicos diferem dos outros bens? Se uma tempestade terrível destrói grande parte da colheita de milho, o sistema de preços irá guiar os agricultores e os consumidores para equilibrar as necessidades e as disponibilidades. Se o sistema de estradas públicas americano necessita de modernização, os eleitores irão pressionar o governo para desenvolver um sistema de transporte eficiente. Mas se os problemas que surgem dizem respeito a bens públicos globais, como o aquecimento global ou a resistência a antibióticos, nem os participantes no mercado, nem os governos nacionais têm os incentivos adequados para encontrar um resultado eficiente. O custo marginal dos investimentos para cada pessoa, ou país, é muito menor do que os benefícios marginais globais e o subinvestimento é o resultado certo.

INEFICIÊNCIA DE MERCADO COM EXTERNALIDADES

Abraham Lincoln disse que o governo deve "fazer pelas pessoas o que é preciso fazer, mas o que estas não conseguem fazer por meio do esforço individual ou não o conseguem fazer tão bem". O controle da poluição satisfaz esse princípio, uma vez que o mecanismo de mercado não proporciona um adequado controle dos agentes poluidores. As empresas não irão restringir voluntariamente as emissões de produtos químicos nocivos, e nem sempre evitam despejar resíduos tóxicos nos terrenos. Portanto, o controle da poluição é geralmente tido como uma função legítima do governo.

Análise da ineficiência

Por que as externalidades, como a poluição, levam à ineficiência econômica? Considere uma hipotética central elétrica de combustão de carvão. A Luz & Energia Sujas gera uma externalidade por meio da emissão de toneladas de fumaça nociva de dióxido de enxofre. Parte do enxofre prejudica a própria central, exigindo pinturas mais frequentes e o aumento das contas médicas da empresa. Mas a maior parte do dano é "externa" à empresa, danificando a vegetação e os edifícios, além de causar vários tipos de complicações respiratórias, e até mesmo a morte prematura das pessoas.

A Luz & Energia Sujas precisa decidir quanto de poluição deve reduzir, mas ao mesmo tempo responder aos seus acionistas orientados pelo lucro. Sem qualquer medida antipoluição, os seus trabalhadores e as instalações serão prejudicados. A limpeza da menor partícula, por outro lado, terá um custo muito elevado. Tal limpeza completa teria um custo tão grande que a Luz & Energia Sujas não poderia esperar sobreviver no mercado.

Os administradores decidem, portanto, proceder à limpeza só até o ponto em que os lucros são maximizados. Isso exige que os benefícios para a empresa pela eliminação adicional de poluição ("benefícios privados marginais") sejam iguais ao custo adicional de limpeza ("custo marginal de despoluição"). Estudos econômicos e cálculos de engenharia cuidadosos podem demonstrar que os interesses privados da empresa são maximizados quando a despoluição é fixada em 50 toneladas. A esse nível, os benefícios privados marginais da empresa são iguais ao custo marginal de despoluição de US$ 10 por tonelada. Dito de outro modo, para produzir eletricidade ao custo mínimo, ponderando apenas os custos e benefícios próprios, a Luz & Energia Sujas irá fixar a sua poluição em 350 toneladas e limpar apenas 50 delas.

Suponha, contudo, que uma equipe de cientistas ambientais e economistas é chamada para examinar os benefícios globais da despoluição para a sociedade, e não apenas aqueles da Luz & Energia Sujas. Ao examinarem os impactos totais, os auditores descobrem que os *benefícios sociais marginais* do controle de poluição – incluindo a melhoria na saúde e o aumento do valor das propriedades das regiões vizinhas – são 10 vezes os benefícios privados marginais. O impacto de cada tonelada adicional é para a Luz & Energia Sujas de US$ 10, mas o restante da sociedade sofre um impacto adicional de US$ 90 por tonelada como custos externos. Por que razão a Luz & Energia Sujas não inclui os US$ 90 de benefícios sociais adicionais nos seus cálculos? Os US$ 90 são excluídos porque esses benefícios são exteriores à empresa e não têm qualquer efeito sobre os seus lucros.

Vemos agora como a poluição e outras externalidades conduzem a resultados econômicos não eficientes: em um ambiente não regulado, as empresas fixam os seus níveis mais lucrativos de poluição ao igualarem o benefício e o custo privado marginal da despoluição. Quando os efeitos da poluição são significativos, o equilíbrio privado originará, em uma forma ineficiente, níveis de poluição elevados e uma atividade de despoluição muito pequena.

Poluição socialmente eficiente. Como as decisões privadas sobre controle de poluição não são eficientes, existirá uma melhor solução? Em geral, os economistas procuram determinar o nível de poluição socialmente eficiente ao equilibrar os custos e os benefícios sociais. Mais precisamente, *a eficiência exige que os benefícios sociais marginais da despoluição sejam iguais aos custos sociais marginais da despoluição.*

Como pode ser determinado um nível eficiente de poluição? Os economistas recomendam uma abordagem conhecida como *análise custo-benefício*, em que as emissões de eficiência são estabelecidas pela igualdade entre os custos marginais de uma ação e os seus benefícios marginais. No caso da Luz & Energia Sujas, suponha que os especialistas estudam os dados do custo da despoluição e dos danos ao ambiente. Determinam que os custos sociais marginais e os benefícios sociais marginais são iguais quando o montante da despoluição aumenta de 50 para 250 toneladas. Concluem que, no nível eficiente de poluição, os custos marginais de despoluição são de US$ 40 por tonelada, enquanto os benefícios sociais marginais da última tonelada eliminada são também de US$ 40 por tonelada.

O nível resultante de poluição é socialmente eficiente porque tal taxa de emissões maximiza o valor social líquido da produção. Apenas a esse nível de poluição o custo social marginal da despoluição será igual ao benefício social marginal. Mais uma vez, como em muitas áreas, determinamos o resultado mais eficiente de uma atividade ao igualar os custos marginais aos benefícios marginais.

A análise custo-benefício demonstrará por que as políticas extremistas de "risco zero" ou de "emissão zero" são geralmente desnecessárias. A redução da poluição a zero imporia, em geral, custos de limpeza astronomicamente elevados, enquanto os benefícios marginais de redução dos últimos gramas de poluição podem ser muito modestos. Pode até ser impossível, em alguns casos, continuar a produção com emissões zero, pelo que uma filosofia de risco zero pode exigir o encerramento da indústria de computadores ou a supressão de todo o tráfego de automóveis. Em geral, a eficiência econômica exige uma solução conciliatória, equilibrando o valor adicional da produção da indústria e os danos adicionais pela poluição.

Uma economia de mercado não regulada irá gerar níveis de poluição (ou outras externalidades) em que o benefício privado marginal da despoluição é igual ao custo privado marginal da despoluição. A eficiência exige que o benefício social marginal da despoluição seja igual ao custo social marginal de despoluição. Em uma economia não regulada haverá insuficiente despoluição e demasiada poluição.

Avaliação dos danos

Uma das maiores dificuldades que envolvem a definição de políticas ambientais eficientes ocorre porque é necessário calcular os benefícios do controle da poluição e de outras medidas. Nos casos em que a poluição afeta apenas bens e serviços transacionáveis, a quantificação é relativamente linear. Se um clima mais quente reduz as colheitas de trigo, podemos calcular o prejuízo pela variação do valor líquido do trigo. Similarmente, se uma nova estrada exige a demolição da casa de alguém, podemos calcular o valor de mercado da sua substituição.

Infelizmente, vários tipos de danos ambientais são muito difíceis de avaliar. Um exemplo clássico foi a proposta para a proibição do corte de árvores em grande parte do nordeste do Pacífico, visando preservar o *habitat* das corujas. Isso custaria milhares de postos de trabalho no setor de serrarias e aumentaria o preço da madeira. Como deveríamos avaliar os benefícios da continuação da existência das corujas? Ou, para considerar outro exemplo, o vazamento de petróleo do *Exxon Valdez* em Prince William Sound, no Alasca, prejudicou praias e matou vida selvagem. Quanto vale a vida de uma lontra marítima?

Os economistas têm desenvolvido várias abordagens para a estimativa dos impactos, como aqueles sobre as corujas e as lontras, que não se expressam diretamente em preços de mercado. As técnicas mais confiáveis examinam o impacto do dano ambiental em diferentes atividades e, em seguida, atribuem valores derivados do mercado a essas atividades. Por exemplo, na estimativa do impacto de emissões de dióxido de enxofre, os economistas do ambiente calculam, primeiro, o impacto de maiores emissões na saúde e, depois, atribuem um valor monetário às variações na saúde ou usando técnicas de pesquisa, ou estimativas a partir do comportamento efetivo das pessoas.

Alguns dos casos mais difíceis ocorrem em situações que envolvem ecossistemas e a sobrevivência de espécies diferentes. Quanto a sociedade deverá pagar para garantir a sobrevivência da coruja-malhada? A maioria das pessoas nunca verá uma coruja-malhada, tal como nunca verá um grou, nem visitará alguma vez o Prince William Sound. Mas, mesmo assim, a maioria das pessoas poderá atribuir um valor a esses recursos naturais. Alguns economistas do ambiente usam uma técnica designada *avaliação contingente*, que consiste em perguntar às pessoas quanto estariam dispostas a pagar em uma situação hipotética para, por exemplo, manter um recurso natural intacto. Essa técnica permitirá obter respostas, mas estas nem sempre provarão ser de confiança.

Poucos duvidarão que um ambiente saudável e limpo tenha um valor elevado; mas atribuir valores confiáveis ao ambiente, em especial aos componentes exteriores ao mercado, tem sido uma tarefa difícil.

Análise gráfica da poluição

Podemos ilustrar essas ideias com a ajuda da Figura 14-3. A curva ascendente *CMg* de mercado é o custo marginal da despoluição. As curvas com inclinação negativa são os benefícios marginais da redução da poluição, sendo a linha sólida de cima *BMgS* o benefício social marginal de uma poluição menor, enquanto a linha de baixo *BMgP* é o benefício privado marginal da despoluição para o poluidor.

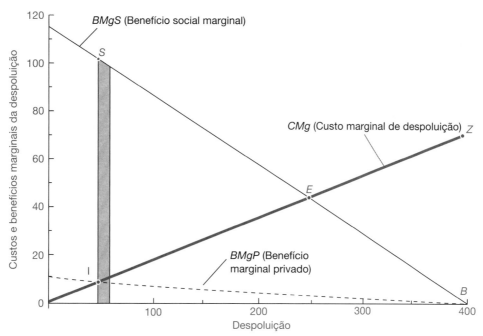

FIGURA 14-3 Ineficiência das externalidades.

Quando o benefício social marginal (*BMgS*) é diferente do benefício privado marginal (*BMgP*), os mercados dão origem a um equilíbrio não regulado em *I*, em que há uma despoluição muito reduzida. A despoluição eficiente ocorre em *E*, onde o *BMgS* e o *CMg* são iguais.

Aviso sobre o gráfico da poluição

Na análise da poluição, é útil pensar no controle da poluição ou da despoluição como um "bem". Portanto, nas representações gráficas, quantificamos os custos e os benefícios marginais no eixo vertical e a redução da poluição no eixo horizontal. O truque aqui é recordar que, uma vez que é um bem, a despoluição é medida positivamente no eixo horizontal. Pode-se igualmente medir a poluição em termos negativos, a partir do ponto extremo de 400. Assim, uma despoluição de zero é uma poluição de 400, enquanto uma despoluição de 400 significa uma poluição zero.

A solução de mercado não regulado ocorre no ponto *I*, onde os custos privados marginais são iguais aos benefícios privados marginais. Nesse ponto, são despoluídas apenas 50 toneladas e os custos e benefícios privados marginais são US$ 10 por tonelada. Mas a solução de mercado não regulado é ineficiente. Podemos verificar isso aumentando a despoluição em 10 toneladas; isto é representado pela fatia fina à direita do ponto *I*. Para essa eliminação adicional, os benefícios marginais são dados pela área total da fatia abaixo da curva *BMgS*, enquanto os custos marginais são dados pela área abaixo da curva *CMg*. Os benefícios líquidos são a parte da fatia representada pela área sombreada entre as duas curvas.

O nível de poluição eficiente ocorre no ponto *E*, onde os benefícios sociais marginais são iguais ao custo marginal da despoluição. Nesse ponto, tanto o *BMgS* como o *CMg* são iguais a US$ 40 por tonelada. Como *BMgS* e *CMg* são iguais, se experimentarmos aumentar a despoluição em um montante muito reduzido, verificaremos também que não haverá diferença entre as curvas, portanto não haverá benefício líquido do controle adicional de poluição. Podemos igualmente quantificar os benefícios líquidos da solução eficiente relativamente à do mercado não regulado, tomando todas as finas fatias do benefício líquido a partir da fatia sombreada até ao ponto *E*. Esse cálculo mostra que a área *ISE* representa os ganhos com a remoção eficiente dos poluentes.

POLÍTICAS PARA CORREÇÃO DE EXTERNALIDADES

Que armas podem ser usadas para combater as ineficiências que derivam das externalidades? As atividades mais visíveis são os programas governamentais antipoluição que usam quer controles diretos quer incentivos financeiros para induzir as empresas a corrigir externalidades. Abordagens mais sutis usam direitos de propriedade melhorados para dar ao setor privado os instrumentos para negociar soluções eficientes. Fazemos uma resenha dessas abordagens nesta seção.

Programas governamentais

Controles diretos. Em quase todos os tipos de poluição, bem como para outras externalidades de saúde e de segurança, os governos se baseiam em controles reguladores diretos; estes são frequentemente designados por *regulações sociais*. Por exemplo, a Lei do Ar Limpo de 1970 reduziu as emissões permitidas de três importantes poluentes em 90%. Em 1977, as empresas de eletricidade foram intimadas a reduzir em 90% as emissões sulfurosas nas novas centrais. Em uma série de regulações, as empresas foram obrigadas a eliminar, paulatinamente, produtos químicos que destroem a camada de ozônio. E a regulação continua.

Como o governo força o cumprimento da regulação da poluição? Continuando o nosso exemplo da Luz & Energia Sujas, o Departamento de Proteção Ambiental poderia ter-lhe fixado o aumento da despoluição para 250 toneladas. Com *regulações tipo comando-e-controle*, o regulador ordenaria simplesmente à empresa cumprir, dando instruções detalhadas sobre qual tecnologia de controle da poluição aplicar e onde. Haveria pouca margem para novas abordagens ou compensações dentro da empresa ou entre empresas. *Se as normas são estabelecidas adequadamente – um "se" muito grande – o resultado poderia aproximar-se do nível eficiente de poluição descrito na parte anterior desta seção.*

Embora seja possível que o regulador possa optar por uma combinação de normas de tipo comando-e-controle que garanta a eficiência econômica, na prática isso não é muito provável. De fato, muitos controles à poluição sofrem de grandes ineficiências. Por exemplo, com frequência, as regulações de poluição são estabelecidas sem comparação dos custos e dos benefícios marginais, e sem essa comparação não é possível determinar o nível mais eficiente de controle da poluição. Além disso, as normas são, em si, uma ferramenta muito rudimentar. A redução eficiente da poluição exige que o custo marginal de poluição seja igual para todas as suas fontes. As regulações do tipo comando-e-controle, em geral, não permitem diferenciação entre empresas, regiões ou setores. Assim, as regulações são geralmente as mesmas para as grandes e para as pequenas empresas, para as cidades e para as zonas rurais, bem como para os setores altamente poluentes e para os pouco poluentes. Embora a empresa A esteja em condições de reduzir uma tonelada de poluição por uma pequena fração do custo da empresa B, a ambas é exigido o cumprimento da mesma norma; nem haverá qualquer incentivo para a empresa que tem custo inferior reduzir a poluição mais do que é exigido pela norma, ainda que isso fosse economicamente justificado. Sucessivos estudos confirmaram que, quando usamos a nossa regulação de tipo comando-e-controle, os nossos objetivos ambientais têm provado ser desnecessariamente dispendiosos.

Solução de mercado: taxas por emissões. Para evitar algumas das falhas dos controles diretos, muitos economistas têm sugerido que a política ambiental devia, ao contrário, basear-se em regulações do tipo de mercado. Uma forma é o uso de *taxas por emissões poluentes*, que obrigaria as empresas a pagar um imposto pela poluição que geram igual ao valor do dano provocado ao meio ambiente. Se a Luz & Energia Sujas estivesse impondo à comunidade vizinha custos marginais externos de US$ 35 por tonelada, o encargo adequado pelas emissões poluentes seria de US$ 35 por tonelada. Isso é, de fato, uma *internalização* da externalidade, que faz a empresa pagar os custos sociais das suas atividades. Ao calcular os seus custos privados, a Luz & Energia Sujas concluiria que no ponto E na Figura 14-3 uma tonelada adicional de poluição teria um custo interno de US$ 5 para a empresa, mais US$ 35 de taxa pela poluição, de onde resulta um custo marginal global de US$ 40 por tonelada de poluição. Ao comparar o novo benefício *privado* marginal (benefício privado mais a taxa pela poluição) com o custo marginal de despoluição, a empresa reduziria a sua poluição para o nível de eficiência. *Se* as taxas pelas emissões poluentes forem corretamente calculadas – outro grande "se" – as empresas orientadas pelo lucro seriam "levadas" por uma mão invisível retificadora para o ponto de eficiência em que os custos sociais marginais e os benefícios sociais marginais de poluição fossem iguais.

As abordagens alternativas são apresentadas graficamente na Figura 14-4, que é similar à Figura 14-3. Na abordagem do controle direto, o governo ordena à empresa para eliminar 250 toneladas de poluentes (ou para não emitir mais de 150 toneladas). Isso colocaria a norma de poluição na linha vertical. Se essa fosse fixada no nível correto, a empresa teria realizado o nível socialmente eficiente de despoluição. Assim, com uma regulação eficiente, a empresa escolheria o ponto E, em que o *BMgS* é igual ao *CMg*.

Podemos também ver como as taxas pelas emissões poluentes funcionariam. Suponha que o governo cobre da empresa uma taxa de US$ 35 por tonelada de poluição. Incluindo esse valor, o benefício privado marginal da despoluição aumentaria de US$ 5 para US$ 40 por tonelada. Representamos isso como o aumento da função do benefício privado marginal na Figura 14-4. Confrontada com os novos incentivos, a empresa escolheria o ponto eficiente E na Figura 14-4.

Solução de mercado: permissão de emissões comerciáveis. Uma nova abordagem que não exige que o governo decrete impostos é o uso de permissão de emissões comerciáveis. Com essa abordagem, em vez de ordenar às empresas que paguem US$ *x* por unidade de poluição e, a seguir, permitir que escolham o nível de poluição, o governo decide esse nível e atribui o adequado número de licenças. O preço das licenças, que representa o nível da taxa pela poluição, é então fixado pela oferta e demanda no mercado de licenças. Admitindo que as empresas conheçam os custos de produção e despoluição, a abordagem pelas licenças negociáveis tem o mesmo resultado da abordagem das taxas pela poluição.

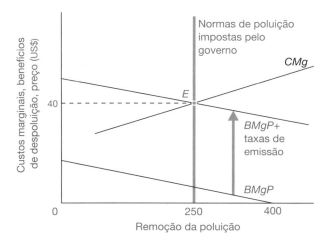

FIGURA 14-4 Normas de poluição e taxas pelas emissões poluentes.

Quando o governo fixa o limite de poluição em 150 toneladas, ou exige a eliminação de 250, essa norma conduzirá à poluição eficiente no ponto E.

O mesmo resultado pode ser alcançado com taxas pela poluição de US$ 35 por tonelada. O *BMgP* de US$ 5 mais a taxa pelas emissões resulta em um benefício marginal total de US$ 40 com uma despoluição de 250 toneladas. Assim, o aumento da curva do benefício marginal (*BMgP* + a taxa pelas emissões) é igual ao *CMg* no nível eficiente E.

Inovações econômicas: a transação de permissão de emissões comerciáveis

A maioria das regulações ambientais usa a abordagem de comando-e-controle que limita as emissões das fontes individuais, como as centrais elétricas ou os automóveis. Essa abordagem não pode limitar as emissões em geral. Mas mais importante ainda, garante que o programa global é ineficiente porque não satisfaz a condição de que as emissões de todas as fontes devam ter custos marginais de despoluição iguais.

Em 1990, os Estados Unidos introduziram uma abordagem radicalmente nova do controle ambiental no seu programa de controle de dióxido de enxofre, que é um dos poluentes mais nocivos ao ambiente. Ao abrigo das emendas da *Clean Air Act* (Lei do Ar Limpo) de 1990, o governo emite certo número de licenças para emissões de dióxido de enxofre. O número total permitido de toneladas no país tem sido gradualmente reduzido desde 1990. O aspecto inovador do plano é que as licenças são transacionadas livremente. As centrais elétricas recebem permissão de emissões comerciáveis e têm permissão para as vender e comprar entre si, como se fossem bens de consumo. As empresas que podem reduzir as suas emissões sulfurosas com menor custo reduzem e vendem as suas licenças; outras empresas que necessitam de licenças adicionais para novas fábricas ou não têm uma forma barata de reduzir as emissões considera-

ram vantajoso comprar licenças em vez de instalar equipamento antipoluição caro ou fechar.

Os economistas ambientais pensam que a melhoria dos incentivos possibilita que os objetivos ambiciosos sejam atingidos com um custo muito inferior ao que seria suportado com a regulação de tipo comando-e-controle. Estudos do economista Tom Tietenberg do Colby College, em Maine, determinaram que as abordagens tradicionais custarão 2 a 10 vezes mais do que custariam as regulações efetivas, como a negociação das emissões poluentes.

O comportamento desse mercado originou uma grande surpresa. Inicialmente, o governo projetou que as licenças, nos primeiros anos, venderiam-se por aproximadamente US$ 300 por tonelada de dióxido de enxofre. Mas, na prática, o preço de mercado nos primeiros tempos caiu para menos de US$ 100 por tonelada. Uma razão para o sucesso foi o programa ter dado incentivos fortes às empresas para inovar e estas terem concluído que o carvão com pouco enxofre podia ser usado mais facilmente e com menos custos do que anteriormente se previra. Essa importante experiência deu uma base sólida aos economistas que argumentam a favor de abordagens da política ambiental baseadas no mercado.

Abordagens privadas

Em geral, pensa-se que é necessário o governo intervir de alguma forma no mercado para ultrapassar as falhas de mercado associadas à poluição e a outras externalidades. Em alguns casos, contudo, direitos de propriedade fortes podem substituir as regulações e os impostos do governo.

Uma abordagem pelo setor privado se baseia nas *leis de responsabilização* em vez das regulações diretas do governo. Sob essa abordagem, o sistema legal responsabiliza o causador das externalidades por qualquer dano causado a outras pessoas. De fato, ao impor um adequado sistema de responsabilidade, a externalidade é internalizada.

Em algumas áreas, essa doutrina está bem implantada. Por exemplo, na maioria dos estados norte-americanos, se alguém for lesado por um motorista negligente poderá processá-lo pelos danos sofridos. Ou se alguém for molestado ou ficar doente por um produto defeituoso, o fabricante poderá ser processado por responsabilidade pelo produto.

Ainda que as regras de responsabilização sejam, em princípio, um meio atrativo de internalizar os custos não mercantis de produção, na prática, são bastante limitadas. Envolvem, em geral, custos judiciais elevados que acrescem aos custos da externalidade original. Além disso, muitos prejuízos não podem ser reclamados por causa de direitos de propriedade não delimitados (como os que envolvem o ar limpo) ou por causa do número elevado de empresas que contribuem para a externalidade (como no caso de produtos químicos despejados em um rio).

Uma segunda abordagem privada se baseia em direitos de propriedade fortes e na *negociação entre as partes*. Essa abordagem foi desenvolvida por Ronald Coase, da Universidade de Chicago, que demonstrou que negociações voluntárias entre as partes afetadas podem, por vezes, levar a um resultado eficiente.

Suponha, por exemplo, que um agricultor está utilizando fertilizantes que escorrem para um rio e matam a maioria dos peixes dos viveiros a jusante. Além disso, suponha que o piscicultor não possa acionar judicialmente o agricultor por matar o peixe. Se o negócio do peixe for suficientemente rentável, o piscicultor pode tentar entrar em contato com o agricultor para reduzir o uso de fertilizantes. Em outras palavras, se existe um lucro líquido que possa ser gerado com a reorganização das atividades conjuntas, os dois têm um incentivo poderoso para se juntarem e decidirem o nível eficiente de fertilizante. Mais ainda, esse incentivo existiria sem qualquer programa governamental antipoluição.

Quando os direitos de propriedade estão bem definidos e os custos de transação são pequenos, especialmente quando há um número reduzido de partes afetadas, a aplicação de leis de forte responsabilidade ou a negociação podem, às vezes, gerar uma solução eficiente de externalidades.

MUDANÇA CLIMÁTICA: DESACELERAR OU NÃO

De todas as questões ambientais, nenhuma é tão preocupante para os cientistas como a ameaça do aquecimento global pelo efeito estufa. Os meteorologistas e outros cientistas avisam que as acumulações de gases, como o dióxido de carbono (CO_2) produzido em grande parte pela queima de combustíveis fósseis, irão provavelmente levar ao aquecimento global e a outras mudanças climáticas significativas no próximo século. Com base nos modelos climáticos, os cientistas projetam que, se as tendências atuais se mantiverem, a Terra pode aquecer de 2 °C a 4 °C ao longo do próximo século. Isso faria com que o clima se afastasse dos parâmetros conhecidos ao longo de toda a civilização humana.

O efeito estufa é o avô dos problemas dos bens públicos; as ações do presente afetarão o clima de todas as pessoas, em todos os países, durante os próximos séculos. Os custos da redução das emissões de CO_2 ocorrem no curto prazo, à medida que os países diminuem o uso de combustíveis fósseis por meio da eficiência energética, do uso de fontes de energia alternativas (a energia solar ou talvez a energia nuclear), plantando árvores e tomando outras medidas. No curto prazo, isso significa que teremos de aceitar energia mais cara e menores níveis de vida e de consumo. Os benefícios da redução de emissões poluentes serão usufruídos futuramente, quando as emissões menos intensas reduzirem os prejuízos climáticos – com menos perturbações na agricultura, nas costas marítimas e nos ecossistemas.

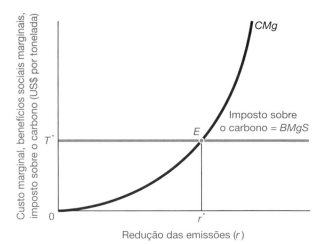

FIGURA 14-5 Impostos sobre o carbono podem atenuar mudanças climáticas prejudiciais.

A redução eficiente da mudança climática exige a fixação de impostos sobre o carbono em T^* ou limitar as emissões de dióxido de carbono para r^*. Tais medidas iriam equilibrar os custos marginais das reduções com os benefícios marginais da redução dos danos da mudança climática.

Os economistas começaram a estudar os impactos econômicos da mudança climática de forma a compreender como os países poderão delinear estratégias sensatas. Estudos econômicos indicam que as economias de mercado, em países avançados como os Estados Unidos, provavelmente ficarão, de modo relativo, imunes à mudança climática nas próximas décadas. Os principais impactos serão provavelmente na agricultura, nas florestas nos bancos pesqueiros, bem como em ecossistemas não protegidos, como recifes de coral.

Uma estratégia eficiente para limitar a mudança climática exige a comparação entre os custos marginais da redução das emissões de dióxido de carbono (CO_2) e os benefícios marginais. A Figura 14-5 mostra esquematicamente os custos marginais das reduções como *CMg* e os benefícios sociais marginais como *BMgS*. No eixo vertical são quantificados os custos e os benefícios em unidades monetárias, enquanto no eixo horizontal são quantificadas as reduções de emissões do dióxido de carbono. O ponto *E* do gráfico representa o ponto eficiente em que os custos marginais de despoluição são iguais aos benefícios marginais da atenuação da mudança climática. Esse é o ponto que maximiza os benefícios econômicos líquidos da redução de emissões. Ao contrário, a solução pura de mercado ocorre com reduções nulas de emissões, onde o *BMgS* é muito superior ao *CMg* de zero. Uma solução ambientalista extrema, que tenta reduzir as emissões a zero, ocorreria na ponta direita do gráfico, onde *CMg* excede em muito o *BMgS*.

Como se pode alcançar o ponto *E*, o nível eficiente de redução de CO_2? Como as emissões de CO_2 resultam da queima de combustíveis que contêm carbono, alguns têm sugerido um "imposto sobre o carbono" contido nos combustíveis. Os que contêm mais carbono, como o carvão, seriam tributados mais fortemente do que os com pouco, como o gás natural. Os economistas têm desenvolvido modelos que estimam as vias eficientes para os impostos sobre o carbono – que equilibrassem os custos econômicos de impostos mais elevados com os benefícios da redução dos danos do aquecimento global. Esses modelos podem servir de guia às autoridades políticas ao delinearem estratégias para combater o aquecimento global. A Figura 14-5 mostra que, se for fixado no nível adequado, o imposto do carbono induzirá o nível eficiente de redução de emissões.

Bens públicos globais e o Protocolo de Kyoto

Analisamos o problema dos bens públicos globais anteriormente, neste capítulo. Os países tratam desses bens públicos globais por meio de acordos internacionais, como os tratados. Estes se destinam a passar de um resultado não cooperativo e não eficiente para uma solução cooperativa e eficiente no jogo da poluição. Mas alcançar acordos eficientes é, muitas vezes, difícil. As medidas para diminuir o aquecimento global são um bom exemplo. Embora os cientistas tenham alertado acerca das mudanças climáticas há mais de três décadas, não existem acordos internacionais importantes sobre a mudança climática até a Convenção – quadro das Nações Unidas sobre mudanças climáticas (FCCC, *Framework Convention on Climate Change*) em 1992. A FCCC continha cláusulas aceitas pelos países de elevada renda com compromissos não imperativos para limitar as emissões de gases de estufa como o CO_2.

Quando as medidas voluntárias se revelaram ineficazes, os países negociaram o Protocolo de Kyoto de 1997 sobre a mudança climática. De acordo com o Protocolo, as nações de renda elevada e os países ex-socialistas, concordaram em *compromissos imperativos* para reduzir até 2010 o total das suas emissões de gases de efeito estufa em 5% (em relação aos níveis de 1990). A cada país estava atribuído um objetivo preciso. Com base tanto na teoria econômica como na experiência do programa de comércio de emissões sulfurosas dos Estados Unidos (analisado anteriormente), o Protocolo de Kyoto incluía uma cláusula para a negociação de emissões entre países. O protocolo teve um início dúbio quando a administração de Bush retirou em 2001 a participação dos Estados Unidos.

Os economistas levaram a cabo análises detalhadas das abordagens alternativas disponíveis para tratar das questões envolvidas no aquecimento global. Uma conclusão desses estudos é que é importante assegurar que os participantes no mercado se confrontem com a totalidade dos custos das suas ações. Atualmente, a externalidade da mudança climática não está internalizada na maioria dos países, porque as emissões de CO_2 têm preço zero. Sem os apropriados sinais dos preços é irrealista pensar que os milhões de empresas e os milhares de milhões de consumidores tomarão decisões para reduzir o uso de combustíveis com carbono. Os estudos também indicam que a participação global – e não apenas a participação de países de renda elevada – é fundamental para o abrandamento da mudança climática de uma forma econômica. Ao excluir das exigências de redução países em desenvolvimento que utilizam intensivamente energia, como China e Índia, o custo para se atingir o objetivo de emissões globais aumentou muito comparativamente a um acordo global eficaz nos custos.

A primeira fase do Protocolo de Kyoto entrou em vigor em 2008, mas se refere apenas ao período até 2012. Muitos dos que estão preocupados com o futuro do mundo esperam para ver se a nova administração de Obama, nos Estados Unidos, adere ao esforço e se uma solução eficiente de longo prazo pode ser concebida, implementada e cumprida.

Discussão e poluição, ou razão e cálculo?

Vimos que muitos ambientalistas colocam questões duvidosas a respeito do futuro da humanidade. Tendo passado a matéria em revista, o que podemos concluir? Dependendo da perspectiva de cada um, é fácil ficar otimista ou pessimista em relação a nossa capacidade para compreender e lidar com as ameaças ao nosso meio ambiente. Por um lado, é verdade que nos deslocamos para mares desconhecidos, destruindo muitos recursos, modificando outros de forma irreversível e jogando com o nosso mundo de mais modos do que percebemos. Os seres humanos parecem brigar tal como fizeram desde os primórdios da história, e inventaram armas que são aterrorizantemente eficazes na resolução de seus conflitos. Ao mesmo tempo, os nossos poderes de observação e de análise são também muito mais poderosos.

O que vai prevalecer nessa corrida entre a nossa tendência para brigar e poluir e o nosso poder de raciocínio e de cálculo? Existem recursos suficientes que permitam aos pobres usufruir dos padrões de consumo atuais dos países de renda elevada, ou os ricos atuais irão derrubar a escada dos que estão querendo subir? Não existem soluções definitivas a essas questões profundas. Mas os economistas pensam que uma resposta central é a utilização dos mecanismos de mercado para gerar incentivos para a redução da poluição e de outros efeitos colaterais danosos do crescimento econômico. Decisões acertadas juntamente com os incentivos adequados ajudarão a assegurar que o *Homo sapiens* pode não somente sobreviver, como também, prosperar durante muito tempo.

RESUMO

A. Economia dos recursos naturais

1. Os recursos naturais são não renováveis quando não podem regenerar-se rapidamente e, portanto, a sua oferta é essencialmente fixa. Os recursos são renováveis quando o seu uso é disponibilizado regularmente e podem, se forem geridos adequadamente, proporcionar serviços úteis por tempo indefinido.

2. Os recursos naturais são apropriáveis quando as empresas ou os consumidores podem captar a totalidade dos benefícios do seu uso; são exemplos de recursos apropriáveis os vinhedos e os campos de petróleo. Os recursos naturais são inapropriáveis quando a totalidade dos seus custos ou benefícios não é revertida para os seus donos; em outras palavras, envolvem externalidades.

3. A remuneração de fatores de produção fixos, como a terra, é chamada de renda econômica pura ou, abreviadamente, renda. Como a curva de oferta da terra é vertical e totalmente inelástica, a renda é determinada pelos preços e não o contrário.

4. Um fator como a terra, que tem uma oferta inelástica, continuará a ser utilizado na mesma quantidade, mesmo que a sua remuneração como fator seja reduzida. Por essa razão, Henry George salientou que a renda tem mais a natureza de um "excedente" do que de uma remuneração necessária para induzir a participação do fator produtivo. Isso proporciona a base para a sua proposta de imposto único para tributar o incremento do valor da terra não resultante do esforço do dono, que aumenta as receitas dos impostos sem aumentar os preços aos consumidores ou distorcer a produção. A moderna teoria dos impostos extrapola a visão de George ao mostrar que as ineficiências são minimizadas quando são tributados bens que têm oferta ou demanda relativamente inelásticas, porque tais impostos levam a distorções relativamente pequenas no comportamento.

B. Economia do ambiente

5. Os problemas ambientais surgem de externalidades que derivam da produção e do consumo. Uma externalidade é uma atividade que impõe involuntariamente custos ou benefícios a outros, e cujos efeitos não se refletem completamente nos preços de mercado.

6. O caso extremo de externalidade é o dos bens públicos, como a defesa nacional, em que todos os consumidores de um grupo compartilham, de igual forma, o consumo e não podem ser excluídos dele. A saúde pública, as invenções, os parques naturais e as barragens também possuem características de bens públicos. Estes contrastam com os bens privados, como o pão, que podem ser repartidos e fornecidos a uma única pessoa.

7. Uma economia de mercado não regulada produzirá poluição em excesso e insuficiente despoluição. As empresas não reguladas decidem sobre a despoluição e outros bens públicos pela comparação dos benefícios *privados* marginais da despoluição com os custos privados marginais. Mas a eficiência exige que os benefícios *sociais* marginais sejam iguais aos custos sociais marginais da despoluição.

8. Os economistas salientam que a gestão eficiente das externalidades exige o preço adequado dos recursos naturais e ambientais. Isso requer que seja assegurado que os participantes do mercado se confrontem com a totalidade dos custos sociais das suas atividades.

9. Existem várias abordagens pelas quais os governos podem tomar medidas para internalizar ou corrigir as ineficiências que derivam das externalidades. As alternativas incluem soluções descentralizadas ou privadas (como negociações e regras de responsabilidade legal) e abordagens de imposição pelo governo (tais como normas quanto à emissão de poluentes ou impostos sobre poluição). A experiência indica que não há nenhuma abordagem ideal para todas as circunstâncias, mas muitos economistas pensam que um maior uso de abordagens orientadas para o mercado levaria à melhoria da eficiência dos sistemas de regulação.

10. Bens públicos globais apresentam os problemas mais difíceis porque não podem facilmente ser resolvidos nem pelos mercados nem pelos governos nacionais. Os países têm de trabalhar em conjunto para conceber novas ferramentas para alcançar acordos internacionais quando questões como o aquecimento global ameaçam o nosso ecossistema e o nosso padrão de vida.

CONCEITOS PARA REVISÃO

Terra e recursos naturais
- recursos renováveis *versus* não renováveis
- recursos apropriáveis *versus* inapropriáveis
- renda, renda econômica pura
- oferta inelástica de terra
- tributação dos fatores fixos

Economia do ambiente
- externalidades e bens públicos
- bens privados *versus* públicos
- ineficiência das externalidades
- custos internos *versus* externos, custos sociais *versus* privados
- soluções para as externalidades: normas, impostos, responsabilidade, negociação
- permissão de emissões comerciáveis
- bens públicos globais

LEITURAS ADICIONAIS E SITES

Leituras adicionais

A Economia ambiental é um campo em rápido crescimento. Explore temas avançados em um livro como o de Thomas H. Tietenberg, *Environmental Economics and Policy*, 7. ed. (Addison-Wesley, New York, 2006). Um excelente livro de resenha é Robert Stavins, ed., *Economics of Environment*: Selected Readings 5. ed (Norton, New York, 2005).

A citação de Wilson é de Edward O. Wilson, "Is Humanity Suicidal?", *New York Times Magazine*, 30 de maio, 1993, p. 27. A citação de Julian Simon é de *Scarcity or Abundance? A Debate on the Environment* (Norton, New York, 1994), disponível em <http://www.juliansimon.com/writings/Norton/NORTON01.txt>. A citação de Ehrlich e Ehrlich é de *The New York Review of Books*, 14 de fevereiro, 2008.

Sites

Um dos melhores sites na internet sobre recursos e o meio ambiente é mantido pela organização não governamental Resources for the Future, disponível em <http://www.rff.org/>. Você pode consultar esse site para uma grande variedade de temas. Dados sobre energia estão disponíveis no site abrangente da Energy Information Agency, disponível em <http://www.eia.doe.gov>. Conheça mais sobre a política ambiental no site da U.S. Environmental Protection Agency, disponível em <http://www.epa.gov>. A política ambiental internacional pode ser encontrada no Programa Ambiental das Nações Unidas, disponível em <http://www.unep.org>. Informações sobre o Protocolo de Kyoto e outros programas para tratar das mudanças climáticas podem ser encontradas em <http://www.ipcc.ch> e <http://www.unfccc.de>.

QUESTÕES PARA DISCUSSÃO

1. Qual é a diferença entre recursos renováveis e não renováveis? Dê exemplos de cada um.

2. O que se entende por recurso natural inapropriável? Dê um exemplo e explique por que a alocação desse recurso pelo mercado é ineficiente? Que medida você tomaria para melhorar o resultado obtido pelo mercado?

3. Defina "renda econômica pura".
   a. Mostre que um aumento na oferta de um fator gerador de renda fará baixar a sua renda e reduzir os preços dos bens que o utilizam.
   b. Explique a seguinte proposição da teoria da renda: "Não é verdade que o preço do milho seja elevado porque o preço da terra é elevado. O inverso está mais próximo da verdade: o preço da terra para milho é elevado porque o preço do milho é elevado". Ilustre com um gráfico.
   c. Considere a citação em (b). Por que ela é verdadeira para a globalidade do mercado, mas incorreta para o agricultor individual? Explique a falácia da composição que está aqui presente.

4. Admita que a curva de oferta dos jogadores de destaque do basebol é perfeitamente inelástica em relação aos seus salários.
   a. Explique o que significa oferta completamente inelástica em termos do número de jogos jogados.
   b. A seguir, admita que, por causa da televisão, a demanda por serviços dos jogadores da liga principal de basebol aumente. O que aconteceria aos seus salários? O que aconteceria às suas médias de rebatidas (mantendo-se o resto constante)? Essa teoria corresponde às tendências históricas?

5. Explique por que um imposto sobre a renda da terra é eficiente. Compare um imposto sobre a terra com um imposto sobre as casas (que estão sobre a terra).

6. "Bens públicos locais" são os que beneficiam principalmente os habitantes de uma cidade, ou de um estado, como as praias ou escolas abertas apenas aos residentes de uma cidade. Haverá alguma razão para pensar que as cidades podem atuar competitivamente para proporcionar a quantidade adequada de bens públicos locais aos seus habitantes? Em caso afirmativo, isso sugere uma teoria econômica do "federalismo fiscal", segundo o qual os bens públicos locais devem ser fornecidos localmente?

7. Decida qual das seguintes externalidades é suficientemente grave para exigir a ação coletiva. Em caso afirmativo, qual das quatro soluções consideradas neste capítulo seria a mais eficiente?
   a. Siderurgias que emitem óxidos sulfúricos no ar de Birmingham.
   b. A fumaça de cigarro em restaurantes.
   c. A fumaça de cigarro por um estudante em seu quarto individual.
   d. A condução de automóvel sob a influência do álcool.
   e. A condução de automóvel por pessoas com menos de 21 anos sob o efeito do álcool.

8. Combine com os seus colegas de turma para fazerem uma análise de avaliação contingente sobre o valor do seguinte: proibir a extração de petróleo em todas as áreas selvagens dos Estados Unidos; evitar a extinção de corujas por mais 10 mil anos; garantir que haja pelo menos 1 milhão de corujas durante outros 10 mil anos; redução da probabilidade de morrer em um acidente de automóvel de 1 em mil para 1 em 2 mil por ano. O que você pensa sobre a confiabilidade dessa técnica para obter informação sobre as preferências das pessoas?

9. Don Fullerton e Robert Stavins argumentam que as seguintes afirmações são mitos a respeito de como os economistas pensam sobre o meio ambiente (ver a seção "Leituras adicionais" do Capítulo 1 sobre o livro de Stavins).

Para cada uma, explique por que é um mito e qual é a abordagem correta:

a. Os economistas pensam que o mercado resolve todos os problemas ambientais.

b. Os economistas sugerem sempre soluções de mercado para os problemas ambientais.

c. Os economistas usam sempre os preços de mercado para avaliar as questões ambientais.

d. Os economistas estão preocupados apenas com a eficiência e nunca com a distribuição da renda.

10. **Problema avançado:** Os bens públicos globais colocam problemas específicos, uma vez que nenhum país isoladamente pode captar todos os benefícios dos seus esforços de controle de poluição. Para verificar isso, desenhe de novo a Figura 14-5 e chame-a de "Redução de Emissões Poluentes nos Estados Unidos". Atribua a todas as curvas o nome de Estados Unidos, para indicar que se referem aos custos e benefícios apenas nesse país. A seguir, desenhe uma nova curva $BMgS$ que seja 3 vezes maior do que a $BMgS_{EUA}$ para indicar que os benefícios para o mundo são 3 vezes maiores que os dos Estados Unidos isoladamente. Considere o equilíbrio "nacionalista" em E, em que os Estados Unidos maximizam os seus próprios benefícios líquidos da despoluição. Você pode verificar porque ele é ineficiente do ponto de vista do mundo inteiro? (*Sugestão*: o raciocínio é exatamente análogo ao da Figura 14-3.)

Considere esse assunto do ponto de vista da teoria dos jogos. Um equilíbrio de Nash ocorreria quando cada país escolhesse o equilíbrio nacionalista que acabou de analisar. Descreva por que este é exatamente análogo ao ineficiente equilíbrio de Nash descrito no Capítulo 10 – só que os jogadores agora são países e não empresas. Considere agora o jogo cooperativo em que os países se juntam para encontrar o equilíbrio eficiente. Descreva o equilíbrio eficiente em termos das curvas CMg e $BMgS$ globais. Você pode explicar por que o equilíbrio eficiente exigiria um imposto sobre o carbono uniforme em todos os países?

Capital, juros e lucros

CAPÍTULO 15

É possível comer do bolo e continuar a tê-lo: emprestando-o a juros.
Anônimo

Os Estados Unidos são uma economia "capitalista". Com isso queremos dizer que a maior parte do capital e outros bens do país são de propriedade privada. Em 2008, o estoque líquido de capital nos Estados Unidos era de mais de US$ 150 mil *per capita*, dos quais 67% pertenciam a empresas privadas, 14% a pessoas, e 19% ao Estado. Além disso, a propriedade da riqueza do país estava fortemente concentrada nas carteiras dos americanos mais ricos. Sob o capitalismo, as pessoas e as empresas privadas realizam a maior parte da poupança, possuem a maior parte da riqueza, e obtêm a maior parte dos lucros desses investimentos.

Este capítulo é dedicado ao estudo do capital. Começamos com uma discussão sobre os conceitos básicos na teoria do capital. Estes incluem a noção de "etapas sucessivas" e várias medidas da taxa de rentabilidade do investimento. Voltamo-nos depois para as questões fundamentais da oferta e da demanda do capital. Essa panorâmica nos dará uma compreensão mais profunda de algumas das principais características de uma economia de mercado privada.

A. CONCEITOS BÁSICOS DOS JUROS E DO CAPITAL

O que é capital?

Iniciamos com um breve resumo dos conceitos importantes de capital e finanças. O **capital** consiste em bens produzidos e duráveis que são, por sua vez, usados como fatores de produção na produção subsequente. Alguns bens de capital duram apenas alguns anos, enquanto outros podem durar um século ou mais. Mas a propriedade essencial do capital é ser, ao mesmo tempo, um fator de produção e um produto.

Em uma época anterior, o capital consistia principalmente de bens tangíveis. Três categorias importantes de capital tangível são as edificações (como fábricas e casas), os equipamentos (bens duráveis dos consumidores, como automóveis; e equipamentos duráveis dos produtores, como máquinas e caminhões), e itens de estoques (como carros nos parques de estacionamento dos revendedores).

Atualmente, o capital intangível tem uma importância crescente. Nele, incluem-se o software (como os sistemas operacionais de computador), patentes (como as dos microprocessadores), e nomes de marcas (como Coca-Cola). Robert Hall, de Stanford, os chama de "e-capital" para distinguir entre o capital tangível tradicional e o cada vez mais importante capital intelectual.

Preços e aluguéis dos bens de capital

O capital é comprado e vendido nos mercados de capitais. Por exemplo, a Boeing vende aviões às companhias aéreas; estas, a seguir, usam esses bens especializados de capital juntamente com programas de computador, mão de obra especializada, terra e outros fatores para produzir e vender viagens aéreas.

A maior parte do capital é propriedade das empresas que o utilizam. Contudo, algum capital é alugado pelos seus proprietários. Os pagamentos pelo uso temporário dos bens de capital são designados por *aluguéis*. Um apartamento que seja propriedade do Sr. Proprietário pode ser alugado por um ano a um estudante, com o pagamento mensal de US$ 800. Fazemos a distinção entre *renda* dos fatores de produção fixos, como a terra, e o *aluguel* de bens duráveis, como o capital.

Capital versus ativos financeiros

As pessoas e as empresas possuem uma mistura de vários tipos de ativos. Uma classe é o fator de produção capital que acabamos de analisar, como computadores, veículos e edifícios que são usados para produzir outros bens e serviços. Mas temos de distinguir esses ativos tangíveis dos *ativos financeiros* que são essencialmente folhas de papel, ou registros eletrônicos. Mais precisamente, ativos financeiros são direitos monetários de uma entidade sobre outra. Um exemplo importante é um empréstimo hipotecário que é um direito sobre o proprietário de um apartamento para pagamentos mensais de juros e capital; esses pagamentos irão reembolsar o empréstimo inicial que ajudou a pagar a compra da casa.

Com frequência, como no caso do empréstimo hipotecário, um ativo tangível está subjacente (ou serve de garantia) ao ativo financeiro. Em outros casos, como nos empréstimos a estudantes, o valor do ativo financeiro pode derivar da promessa de pagamento baseada na futura capacidade de renda de uma pessoa.

É claro que os ativos financeiros são partes essenciais de uma economia, porque aumentam a produtividade de outros fatores. Mas qual é a função dos ativos financeiros? São fundamentais em virtude da divergência entre os que poupam e os que investem. Os estudantes precisam de dinheiro para pagar a universidade, mas não têm atualmente a renda, ou poupança, para pagar a despesa. Pessoas mais velhas, que estão trabalhando e poupando para a aposentadoria, podem ter renda acima das suas despesas e criam poupança. Um vasto sistema financeiro de bancos, fundos mútuos, companhias de seguros e fundos de pensão – muitas vezes complementados por empréstimos e garantias do governo – serve para canalizar os fundos daqueles que estão poupando para os que estão investindo. Sem esse sistema financeiro, não seria possível às empresas fazerem os enormes investimentos necessários para desenvolver novos produtos, não seria possível às pessoas comprar imóvel, antes de terem poupado a totalidade do preço, e aos estudantes ir para a universidade sem, primeiro, terem poupado os enormes valores necessários.

Taxa de retorno dos investimentos

Suponha que você possui algum capital e o aluga ou que tem algum dinheiro e o empresta a um banco ou a uma pequena empresa. Ou talvez queira contrair um empréstimo hipotecário para comprar uma casa. Naturalmente você quer saber o que vai ter de pagar sobre o que tomar emprestado ou quanto vai ganhar pelo que emprestar. Esse valor é chamado **taxa de retorno do investimento**. No caso específico do retorno sobre ativos financeiros, esses ganhos são chamados de **taxa de juros**. Do ponto de vista econômico, as taxas de juros ou o retorno do investimento são o preço de pedir emprestado ou de emprestar dinheiro. As rentabilidades variam muito, dependendo do prazo, do risco, impostos, e de outros atributos do investimento.

Vamos dedicar um espaço considerável neste capítulo ao conhecimento destes conceitos. O seguinte resumo destaca as ideias principais:

1. O capital é composto por bens duráveis produzidos, que, por sua vez, são utilizados como fatores de produção para a produção de outros bens. O capital é composto por ativos tangíveis e intangíveis.
2. O capital é comprado e vendido nos mercados de capitais. O pagamento pelo uso temporário de bens de capital é chamado de aluguel.
3. Temos de distinguir os ativos financeiros, que são essencialmente pedaços de papel, cujo valor é derivado da propriedade de outros ativos tangíveis ou intangíveis.
4. A taxa de retorno do investimento, e o caso especial da taxa de juros, é o preço de emprestar ou tomar emprestado fundos. Costumamos calcular as taxas de retorno usando unidades de percentagem anual.

TAXAS DE RETORNO E DE JUROS

Vamos agora examinar com mais detalhes os principais conceitos na teoria de capital e financeira. Começamos com a definição de uma taxa de retorno de investimentos, que é o conceito mais geral. Em seguida, aplicamos essas definições aos ativos financeiros.

Taxa de retorno do capital

Uma das mais importantes tarefas de qualquer economia é alocar o seu capital entre os vários investimentos possíveis. Um país deve aplicar os seus recursos em investimento na indústria pesada, como a siderurgia, ou em tecnologias da informação, como a internet? A Intel deve construir uma fábrica de US$ 4 bilhões para produzir a nova geração de microprocessadores? Essas questões envolvem investimentos dispendiosos – gasto de dinheiro no presente para obter um retorno no futuro.

Para decidir qual é o melhor investimento, necessitamos de uma medida para o retorno, ou rentabilidade. Uma importante medida é a **taxa de retorno do investimento**, a qual corresponde ao retorno monetário anual líquido para cada unidade monetária de capital investido.

Consideremos, como exemplo, uma empresa de locação de automóveis. A Empresa de Locação Patinho Feio compra um carro usado por US$ 20 mil e o aluga. Após deduzir todas as despesas (receitas menos despesas como salários, materiais de escritório e energia), e ignorando qualquer alteração do preço dos automóveis, a Patinho Feio ganha um aluguel líquido de US$ 2,4 mil ao ano. A taxa de retorno é de 12% ao ano (12% = US$ 2.400 ÷ US$ 20.000). Note que a taxa de retorno é um número puro por unidade de tempo. Isto é, a taxa de retorno tem a dimensão de (dinheiro no período)/(dinheiro) e é normalmente calculada como uma percentagem anual.

Esses conceitos são úteis para comparar investimentos. Suponha que você está considerando a possibilidade de fazer investimentos em automóveis de aluguel, poços de petróleo, apartamentos, educação etc. Como você pode decidir qual investimento realizar?

Uma abordagem útil é comparar as taxas de retorno do capital dos diferentes investimentos. Para cada possibilidade, calcule o custo monetário do bem de capital. A seguir, estime as receitas ou aluguéis monetários anuais líquidos proporcionadas pelo ativo. A razão entre o rendimento anual líquido e o custo monetário é a taxa de retorno do investimento que diz quanto dinheiro você recupera para cada unidade monetária investida, medida como montante anual por unidade monetária de investimento, ou percentagem anual.

A taxa de retorno do investimento é o rendimento anual líquido (receitas menos despesas) por unidade monetária de capital investido. É um número puro – uma percentagem anual.

Em terrenos, árvores e poços de petróleo. Eis alguns exemplos de taxas de retorno de investimentos:

- Comprar um terreno por US$ 100 mil e vendê-lo um ano mais tarde por US$ 110 mil. Se não houver outras despesas, a taxa de retorno desse investimento é US$ 10 mil ao ano/US$ 100 mil, ou 10% ao ano.
- Plantar um pinheiro com um custo de mão de obra de US$ 100. Ao fim de 25 anos o pinheiro adulto é vendido por US$ 430. A taxa de retorno nesse projeto de capital é, portanto, 330% por quarto de século, o que é equivalente a uma taxa de retorno de 6% ao ano, ou seja, US$ $100 \times (1,06)^{25}$ = US$ 430.
- Comprar equipamento para extração de petróleo por US$ 20 mil. Durante 10 anos tem um retorno anual de US$ 30 mil, mas obriga a despesas anuais de US$ 26 mil para combustível, seguro e manutenção. O rendimento líquido de US$ 4 mil cobre os juros e reembolsa o capital inicial de US$ 20 mil em 10 anos. Qual é a taxa de retorno? Nesse caso, as tabelas financeiras indicam que a rentabilidade é de 15% ao ano.

Ativos financeiros e taxas de juros

Para o caso de ativos financeiros usamos um conjunto variado de termos quando medimos a taxa de retorno. Quando você subscreve obrigações ou deposita dinheiro em uma conta de poupança, o rendimento financeiro desse investimento é chamado de *taxa de juros*. Por exemplo, se tivesse comprado um título de dívida por 1 ano em 2008, você teria ganhado um rendimento de cerca de 3% ao ano. Isso significa que, se tivesse subscrito um título de dívida de US$ 1 mil em 1º de janeiro de 2008, então, em 1º de janeiro de 2009, teria US$ 1,03 mil.

Em geral, as taxas de juros são referidas em percentagem anual. Isso representa o pagamento de juros relativos caso a quantia fosse depositada ou emprestada por um ano inteiro; para períodos mais curtos, ou mais longos, o pagamento de juros é ajustado proporcionalmente.

VALOR PRESENTE DOS ATIVOS

Grande parte dos ativos produz um fluxo de rendas, ou receitas, ao longo do tempo. Quem possui um prédio de apartamentos, por exemplo, irá receber rendas ao longo da vida do prédio, da mesma forma que o dono de um pomar colhe frutos das árvores todos os anos.

Suponha que o proprietário deixasse de ter interesse pelo prédio e decidisse vendê-lo. Para estabelecer um preço justo pelo prédio, ele necessitaria determinar o valor no presente da totalidade do fluxo de rendimento futuro. O valor desse fluxo é chamado valor presente do ativo de capital.

O **valor presente** é o valor monetário no presente de um fluxo de rendimento futuro. Ele é obtido pelo cálculo da quantidade de dinheiro que seria necessário investir hoje, à taxa de juros corrente, para gerar o futuro fluxo de receitas desse ativo.

Comecemos com um exemplo muito simples. Suponhamos que alguém se ofereça para lhe vender uma garrafa de vinho que tem uma maturação exatamente ao fim de um ano e que pode, então, ser vendida exatamente por US$ 11. Admitindo que a taxa de juros do mercado seja de 10% ao ano, qual é o valor presente do vinho – isto é, quanto você deveria pagar pelo vinho no presente? Deveria pagar exatamente US$ 10, porque o investimento de US$ 10 no presente, à taxa de juros de mercado de 10%, valerá US$ 11 daqui a um ano. Assim, US$ 10 é o valor presente do vinho que vale US$ 11 daqui a um ano.

Valor presente de perpetuidades

Apresentamos a primeira forma de cálculo do valor presente por meio do caso de uma *perpetuidade*, que é um ativo, como a terra, que perdura para sempre e que rende US$ N todos os anos, de agora até a eternidade. Procuramos o valor presente (V) se a taxa de juros for i% ao ano, em que o valor presente é o montante monetário investido hoje e que renderá exatamente US$ N todos os anos. É simplesmente isto:

$$V = \frac{\text{US\$ } N}{i}$$

onde

  V = valor presente da terra (US$)
  US$ N = receitas anuais perpétuas (US$ ao ano)
  i = taxa de juros em termos decimais
  (por exemplo, 0,05 ou 5/100 ao ano)

Isso significa que se a taxa de juros for sempre de 5% ao ano, um ativo que rende um fluxo constante de rendimento pode ser vendido por 20 (= 1/0,05) vezes o seu rendimento anual. Nesse caso, qual seria o valor presente de uma perpetuidade que renda US$ 100 ao ano? A uma taxa de juros de 5% o seu valor presente seria US$ 2 mil (= US$ 100 ÷ 0,05).

A fórmula para perpetuidades pode igualmente ser usada para avaliar ações. Suponha que se espera que as ações da Água da Serra S.A. paguem um dividendo de US$ 1 ao ano até um futuro indefinido e que a taxa de desconto para ações é de 5% ao ano. Então, o preço da ação devia ser P = US$ 1/0,05 = US$ 20 por ação. (Esses valores estão corrigidos pela inflação, portanto, o numerador equivale a "dividendos reais" e o denominador é a "taxa real de desconto", definida mais à frente.)

Fórmula geral do valor presente

Tendo visto o caso simples de uma perpetuidade, passamos ao caso geral do valor presente de um ativo com um fluxo de rendimento que varia ao longo do tempo. O principal ponto que se deve ter em mente em relação ao valor presente é que os pagamentos futuros valem menos que os pagamentos atuais e são, portanto, *descontados* em relação ao presente. Os pagamentos no futuro valem menos do que os atuais, da mesma forma que os objetos distantes parecem menores que os que estão próximos. A taxa de juros produz uma redução de perspectiva no tempo similar.

Vejamos um bom exemplo.[1] Suponha que alguém se propusesse a pagar aos seus herdeiros US$ 100 milhões daqui a 100 anos. Quanto você deveria pagar por isso no presente? De acordo com a regra geral do valor presente, para calcular o valor presente de US$ P a ser pago daqui a t anos, calcule quanto você teria de investir hoje para aumentar até US$ P ao fim de t anos. Admitamos que a taxa de juros seja de 6% ao ano. Aplicando essa taxa todos os anos ao montante em crescimento, um montante inicial de US$ V cresce em t anos $V \times (1 + 0,06)^t$. Desse modo, necessitamos apenas de inverter a expressão para calcular o valor presente: o valor presente de US$ P a ser pago daqui a t anos é de US$ $P/(1 + 0,06)^t$. Usando essa fórmula, determinamos que o valor presente de US$ 100 milhões pagos daqui a 100 anos é de US$ 294.723.

Na maioria dos casos, há vários termos no fluxo de rendimento de um ativo. Nos cálculos do valor presente, cada unidade monetária deve valer por si própria. Primeiro, calcule o valor presente de cada parcela do fluxo de receitas futuras, dando o devido desconto exigido pela data de pagamento. A seguir, somam-se simplesmente todos esses valores presentes separados. Dessa soma resulta o valor presente do ativo.

A fórmula exata do valor presente (V) é a seguinte:

$$V = \frac{N_1}{1+i} + \frac{N_2}{(1+i)^2} + \ldots + \frac{N_t}{(1+i)^t} + \ldots$$

Nesta equação, i é a taxa de juros do mercado para um período (que se admite constante). Além disso, N_1 são as receitas líquidas (positivas ou negativas) no período 1, N_2 as receitas líquidas no período 2, N_t as receitas líquidas no período t, e assim sucessivamente. O fluxo de rendimentos $N_1, N_2, \ldots, N_t, \ldots$ terá então o valor presente V dado pela fórmula.

Admita, por exemplo, que a taxa de juros é 10% ao ano e que você irá receber US$ 1,1 mil no próximo ano e US$ 2.662 ao fim de 3 anos. O valor presente deste fluxo é:

$$V = \frac{1.100}{(1,10)^1} + \frac{2.662}{(1,10)^3} = 3.000$$

A Figura 15-1 mostra graficamente o cálculo do valor presente de uma máquina que tem um rendimento anual líquido constante de US$ 100 ao longo de um período de 20 anos e não tem valor residual ao final. O seu valor presente não é US$ 2 mil, mas apenas US$ 1.157. Repare como os últimos rendimentos são desvalorizados, ou descontados, em virtude da perspectiva temporal. A área total remanescente após a atualização (a área mais clara) representa o valor presente total da máquina – o valor no presente da totalidade do fluxo de rendimentos futuros.

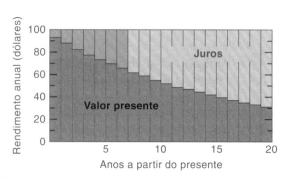

FIGURA 15-1 Valor presente de um ativo.

A área de baixo mostra o valor presente de uma máquina que proporciona um rendimento anual de US$ 100 durante 20 anos, a uma taxa de juros de 6% ao ano. A área de cima foi descontada. Explique por que o aumento da taxa de juros faz aumentar a área de cima e, portanto, diminuir o preço de mercado de um ativo.

---

[1] A Questão 9, ao final deste capítulo, em um caso da vida real, questiona o valor presente dos terrenos de Manhattan quando esta foi comprada pelos holandeses.

Agir para maximizar o valor presente

A fórmula do valor presente nos diz como calcular o valor de qualquer ativo, desde que sejam conhecidos os rendimentos. Mas repare que as receitas futuras de um ativo dependem normalmente das decisões da empresa: devemos usar um caminhão durante 8 ou 9 anos? Fazer uma revisão uma vez por mês ou uma vez por ano? Substituí-lo por outro caminhão mais barato e de pouca duração, ou por um mais caro e de maior duração?

Há uma regra que fornece a resposta correta para todas as decisões de investimento: calcule o valor presente resultante de cada possível decisão. Atue depois de modo a maximizar o valor presente. Dessa forma, você aumentará a sua riqueza, para gastar quando e como quiser.

Taxas de juros e preços dos ativos

Quando as taxas de juros sobem, os preços de muitos ativos caem. Por exemplo, se o Federal Reserve*, inesperadamente, aperta a política monetária e aumenta as taxas de juros, geralmente iríamos ler que os preços das obrigações e ações caíram. Podemos compreender a razão desse padrão utilizando o conceito de valor presente.

A nossa análise anterior mostrou que o valor presente de um ativo dependerá tanto do fluxo de rendimentos futuros quanto da taxa de juros. Quando a taxa de juros varia, o mesmo acontecerá ao valor presente e, portanto, ao valor de mercado de um ativo. Vejamos alguns exemplos:

- Comece com um título de dívida de 1 ano e uma taxa de juros inicial de 5% ao ano. Se o título restitui US$ 1 mil daqui a um ano, então, o seu valor presente é de US$ 1.000/1,05 = US$ 952,38. Suponha, agora, que a taxa de juros sobe para 10% ao ano. Então, o valor presente do título seria apenas US$ 1.000/1,1 = US$ 909,09. O preço do ativo diminuiu quando a taxa de juros aumentou.
- Tomemos o caso de uma perpetuidade que rende US$ 100 ao ano. Com uma taxa de juros de 5% ao ano, a perpetuidade tem um valor presente de US$ 100/0,05 = US$ 2.000. Se, entretanto, a taxa de juros sobe para 10% ao ano, o valor cai para metade, para apenas US$ 1 mil.

Compreendemos agora que os preços dos ativos tendem a mover-se inversamente às taxas de juros, por que o seu valor presente diminui com o aumento da taxa de juros. Observe também que os preços dos ativos de longo prazo tendem a variar mais do que os preços dos ativos de curto prazo. Isso ocorre porque a maior parte do retorno é no futuro, e os preços dos ativos de longo prazo são, portanto, mais afetados pela alteração da taxa de juros.

---

* N. de RT.: Equivalente ao Banco Central.

A dependência dos preços dos ativos em relação às taxas de juros é uma propriedade geral dos ativos financeiros. Os preços de ações, obrigações, imóveis, e de muitos outros ativos de longo prazo diminuem com o aumento das taxas de juros.

O MUNDO MISTERIOSO DAS TAXAS DE JUROS

Os manuais se referem frequentemente "*a* taxa de juros" como se fosse única, mas, de fato, o complexo sistema financeiro atual tem um conjunto diversificado de taxas de juros. Se você consultar o *The Wall Street Journal* verá páginas inteiras de taxas de juros financeiras. As taxas de juros dependem principalmente das características do empréstimo, ou do devedor. Vejamos as principais diferenças.

Os empréstimos são diferentes quanto a *prazo, ou maturidade* – o período de tempo ao fim do qual têm de ser pagos. Os empréstimos mais curtos são os *overnight*. Títulos de curto prazo são emitidos por períodos de até um ano. As sociedades emitem frequentemente obrigações com prazos entre 10 e 30 anos e os empréstimos hipotecários têm, normalmente, um prazo até 30 anos. Aos títulos de longo prazo corresponde uma taxa de juros maior do que aos emitidos para curto prazo, uma vez que quem empresta está disposto a sacrificar um acesso rápido aos seus fundos apenas se puderem aumentar a sua remuneração.

Os empréstimos também variam quanto ao *risco*. Alguns empréstimos estão praticamente isentos de risco, enquanto outros são altamente especulativos. Os investidores exigem que seja pago um prêmio quando investem em aplicações com risco. Os ativos mais seguros no mundo são os títulos do Estado norte-americano. Essas obrigações são garantidas pela completa confiança, crédito e poderes de tributação do Estado. Com risco intermediário, estão os empréstimos concedidos a empresas, estados e cidades merecedores de crédito. Investimentos com risco, para os quais existe uma grande probabilidade de descumprimento, ou não pagamento, são os de empresas próximas da falência, cidades com uma base fiscal em retração e países como a Argentina, com dívidas externas muito elevadas e sistemas políticos instáveis.

O governo dos Estados Unidos paga o que se designa por taxa de juros "sem risco"; ao longo das duas últimas décadas essa taxa variou entre 0 e 15% ao ano, para títulos de curto prazo; títulos com um risco maior podem pagar 1, 2 ou 10% ao ano, a mais do que a taxa de juros sem risco; esse prêmio reflete o valor necessário para compensar quem empresta pelos prejuízos em caso de descumprimento.

Os ativos variam quanto à liquidez. Diz-se que um ativo possui *liquidez* se puder ser convertido em moeda

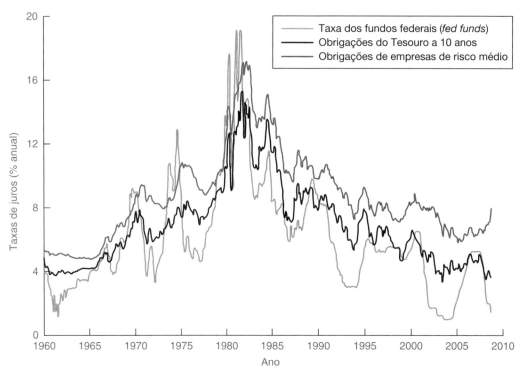

FIGURA 15-2 A maioria das taxas de juros tem variações similares.

Este gráfico apresenta as principais taxas de juros na economia dos Estados Unidos. A taxa mais baixa é geralmente a taxa dos fundos federais (*fed funds*), fixada pelo Federal Reserve na sua política monetária. Taxas de juros de maior prazo e de maior risco são normalmente mais elevadas do que as taxas de juros de prazo mais curto e de menor risco.

Fonte: Federal Reserve System, disponível em <http://www.federalreserve.gov/releases/>.

---

rapidamente, e com reduzida perda de valor. A maioria dos títulos negociados, incluindo ações de empresas e títulos de dívida de empresas e do Estado, pode ser rapidamente convertida em numerário próximo do seu valor presente. Nos títulos sem liquidez, incluem-se os ativos únicos para os quais não existe um mercado funcionando corretamente. Por exemplo, se você possuir a única mansão em uma pequena cidade verá que será difícil vender o ativo rapidamente, ou por um preço próximo do seu valor de mercado real – a sua casa é um ativo sem liquidez. Por causa do risco mais elevado e da dificuldade de transformar rapidamente os ativos em moeda, para os ativos ou empréstimos sem liquidez são exigidas taxas de juros mais elevadas do que para aqueles que possuem liquidez, ou não têm risco.

Quando se consideram esses três componentes (juntamente a outros, como o tratamento tributário e os custos administrativos), não surpreende que existam tantos instrumentos financeiros e tantas taxas de juros diferentes. A Figura 15-2 e a Tabela 15-1 mostram o comportamento de algumas taxas de juros importantes ao longo das últimas cinco décadas. Na análise a seguir, quando se indicar "a taxa de juros", em geral, estamos nos referindo à taxa de juros dos títulos do Estado de curto prazo, como a taxa dos Títulos do Tesouro a 90 dias. Como a Figura 15-2 mostra, a maioria das outras taxas de juros aumenta e diminui em consonância com as taxas de juros de curto prazo.

Taxas de juros reais versus taxas de juros nominais

Os juros são pagos em termos monetários e não em termos de casas ou de automóveis, ou de bens em geral. A *taxa de juros nominal* quantifica a remuneração em unidades monetárias ao ano e para cada unidade monetária investida. Mas a moeda pode tornar-se uma unidade de medida distorcida. Os preços das casas, dos automóveis e dos bens em geral mudam de ano para ano – atualmente os preços aumentam por causa da inflação. Dito de outro modo, a taxa de juros em unidades monetárias não quantifica o que um credor efetivamente recebe em termos de bens e serviços. Admitamos que você empreste, hoje, US$ 100 a um juros de 5% ao ano. Você receberia US$ 105 no final do ano. Mas, como os preços se alteraram ao longo do ano, você não poderá comprar a mesma quantidade de bens que podia comprar no início do ano se tiver US$ 105.

Necessitamos, claramente, de outro conceito que quantifique a rentabilidade dos investimentos em termos dos bens e serviços reais e não da rentabilidade em termos monetários. Esse conceito alternativo é a *taxa de juros real* que quantifica a quantidade de bens que podemos obter no futuro pelos bens que deixamos de

Classe de ativos	Período	Taxa de rentabilidade nominal (% anual)	Taxa de rentabilidade real (% anual)
Títulos da dívida soberana:			
3 meses	1960-2008	5,2	1,0
10 anos	1960-2008	6,9	2,7
Títulos de dívida de empresas:			
Seguras (*rating* Aaa)	1960-2008	7,7	3,4
Com risco (*rating* Baa)	1960-2008	8,7	4,4
Capital de S.A.	1960-2008	9,9	5,6
Empréstimos ao consumo:			
Hipotecárias (taxa fixa)	1971-2008	9,2	4,9
Cartões de crédito	1972-2008	16,4	11,8
Para automóveis novos	1972-2008	10,4	6,0

TABELA 15-1 Taxas de juros dos principais ativos financeiros.

Os títulos do Estado, sendo seguros, têm as rentabilidades mais baixas. Repare que os consumidores pagam um encargo substancial nos cartões de crédito (Estudantes: cuidado!). As taxas de juros reais estão corrigidas da inflação. Repare que os títulos de dívida Aaa são o tipo mais seguro de títulos das empresas, enquanto os títulos Baa têm um significativo risco de falência.

Fontes: Federal Reserve Board, disponível em <http://www.federalreserve.gov/releases/> e Department of Commerce.

adquirir no presente. A taxa de juros real é obtida com a correção das taxas de juros nominais, ou monetárias, pela taxa de inflação.

A **taxa de juros nominal** (por vezes, chamada de *taxa de juros monetária*) é a taxa de juros sobre o dinheiro, em termos de dinheiro. Quando ler sobre taxas de juros no jornal, ou examinar as taxas de juros na Figura 15-2, você observará as taxas de juros nominais; elas correspondem à remuneração em unidades monetárias por unidade monetária de investimento.

Por outro lado, a **taxa de juros real** é corrigida da inflação e é calculada como a taxa de juros nominal menos a taxa de inflação. Como exemplo, suponha que a taxa de juros nominal é 8% ao ano e a taxa de inflação é 3% ao ano; podemos calcular a taxa de juros real como 8 – 3 = 5% ao ano.

Como exemplo simples, suponha que você vive em uma economia em que o único produto é pão. Suponha ainda que o preço do pão, no primeiro período é US$ 1 por pão e a inflação do pão é de 3% ao ano. Se você emprestar US$ 100 com juros de 8% ao ano, no fim do ano terá US$ 108. Contudo, por causa da inflação, no próximo ano você só poderá comprar 105 (e não 108) pães. A taxa de juros real (ou medida pelos pães) é 8 – 3 = 5%.[2]

Em períodos de inflação, devemos usar taxas de juros reais, e não taxas de juros nominais, ou monetárias, para calcular a remuneração dos investimentos, em termos dos bens ganhos ao ano em relação aos bens investidos. A taxa de juros real é aproximadamente igual à taxa de juros nominal menos a taxa de inflação.

O investimento mais seguro do mundo

Os títulos do Tesouro dos Estados Unidos são, geralmente, considerados um investimento sem risco. O seu inconveniente é que pagam uma taxa de juros fixa em dólares. Isso significa que, se a inflação aumentar, a taxa de juros real pode se tornar facilmente negativa.

Em 1997, o governo dos Estados Unidos resolveu esse problema com a apresentação de Títulos do Tesouro Protegidos da Inflação (TTPI). Os TTPI têm o juros e o capital indexados à inflação, portanto, pagam uma taxa de juros real constante ao longo do seu prazo.

É assim que esses títulos especiais funcionam: todos os anos, o montante do capital é ajustado pelo aumento do índice de preços ao consumidor (IPC). Vejamos um exemplo concreto. Em janeiro de 2000, o Tesouro emitiu obrigações protegidas de inflação por 10 anos e a 4,25%. Entre janeiro de 2000 e junho de 2003, o IPC aumentou 12%. Portanto, um mesmo título de dívida de US$ 1 mil seria valorizado por US$ 1,12 mil em junho de 2003. Se o Tesouro fez um pagamento de juros em junho de 2003, seria de 4,25% de US$ 1,12 mil, em

---

[2] O cálculo exato da taxa de juros real é realizado do seguinte modo: seja π a taxa de inflação, i a taxa de juros nominal e r a taxa de juros real. Se você investir US$ 1, hoje, obterá US$ $(1 + i)$ ao fim de um ano. Contudo, os preços aumentaram, portanto, você precisa de US$ $(1 + \pi)$ ao fim de um ano para comprar a mesma quantidade de bens que podia comprar hoje com US$ 1. Em vez de comprar 1 unidade de bens hoje, você pode, portanto, comprar $(1 + r)$ unidades daqui a um ano, em que $(1 + r) = (1 + i)/(1 + \pi)$. Para valores pequenos de i e de π, $r = i - \pi$.

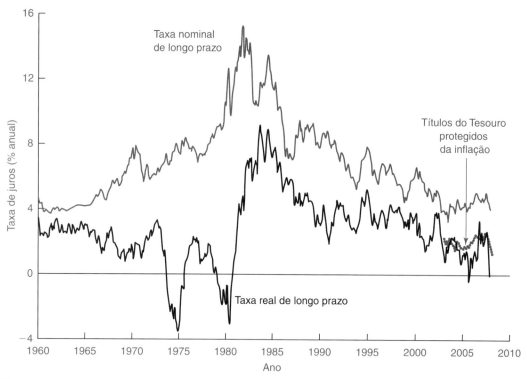

FIGURA 15-3 Taxas de juros reais *versus* taxas de juros nominais.

A linha de cima mostra a taxa de juros nominal de títulos do Tesouro de longo prazo. A linha de baixo mostra a taxa de juros real "calculada", que é igual à taxa de juros nominal menos a taxa de inflação ocorrida no ano anterior. Repare que as taxas de juros reais foram descendo até 1980. Após 1980, porém, as taxas de juros reais aumentaram de forma acentuada. A linha curta desde 2003 mostra a taxa de juros real dos títulos de longo prazo indexados à inflação.

Fonte: Federal Reserve Board, U.S. Department of Labor.

vez de 4,125% de US$ 1 mil como seria no caso das obrigações normais. Admitamos ainda que a inflação era em média de 3% ao ano de 2000 a 2010. Então, o valor do capital reembolsado seria de US$ 1.343,92 [= US$ 1.000 × $(1,03)^{10}$] em vez dos US$ 1 mil de um título de dívida convencional.

Desde que as pessoas esperem que haja inflação nos próximos anos, a taxa de juros dos TTPI será menor do que as dos Títulos do Tesouro convencionais. Por exemplo, em abril de 2008, os Títulos do Tesouro por 10 anos tinham um rendimento de 3,6% ao ano, enquanto os TTPI por 10 anos tinham uma renda real de 1,2%. Isso indica que o investidor médio esperava que a inflação em 10 anos fosse, em média, 3,6 − 1,20 = 2,4% ao ano.

A diferença entre taxas de juros nominal e real em obrigações de longo prazo é ilustrada na Figura 15-3. A linha de cima apresenta a taxa de juros nominal, e a linha de baixo, mais extensa, uma taxa de juros real calculada. Além disso, o segmento mais curto que começa em 2003 mostra a taxa de juros real dos TTPI. Esta figura mostra que o aumento das taxas de juros nominais de 1960 a 1980 foi puramente ilusório, pois as taxas de juros nominais estavam simplesmente se mantendo a par da taxa de inflação nesses anos. Porém, a partir de 1980, as taxas de juros reais aumentaram acentuadamente e mantiveram-se elevadas durante uma década. Os dados sobre os TTPI mostram que a taxa de juros real diminuiu muito durante a crise de crédito de 2007-2008.

Os economistas têm sido entusiastas dos títulos indexados há muitos anos. Tais títulos podem ser comprados por pensionistas que pretendem garantir que os seus rendimentos de aposentadoria não sejam dilapidados pela inflação. De modo similar, os pais que querem poupar para a educação dos seus filhos podem ficar despreocupados em relação a alguns dos seus investimentos ao saberem que irão acompanhar o nível geral de preços. Mesmo as autoridades monetárias encontram validade nos títulos indexados, pois a diferença entre os títulos de dívida convencionais e os TTPI dá uma indicação do que está acontecendo com a inflação esperada. O grande enigma para muitos economistas é o motivo pelo qual o governo levou tanto tempo para introduzir essa importante inovação.

B. TEORIA DO CAPITAL, DOS LUCROS E DOS JUROS

Agora que fizemos uma resenha dos principais conceitos, prosseguiremos para a análise da *teoria do capital e dos juros*. Essa teoria explica como a oferta e a demanda por capital determina a rentabilidade em termos de taxas de juros reais e lucros.

TEORIA BÁSICA DO CAPITAL

Produção indireta

No Capítulo 2, assinalamos que o investimento em bens de capital envolve a produção *indireta*. Em vez de pescar peixes com as próprias mãos, descobrimos que, em última instância, era mais compensador, primeiro, construir barcos e fabricar redes e, depois, utilizar os barcos e as redes para pescar muito mais peixes do que conseguiríamos à mão.

Dito de outro modo, o investimento em bens de capital exige abdicar do consumo no presente para aumentar o consumo futuro. Consumir menos no presente libera a mão de obra para a produção de redes que permitirão pescar muito mais peixe no futuro. Em um sentido mais geral, o capital é produtivo porque, ao prescindir de consumo no presente, conseguimos um consumo maior no futuro.

Para entender isso, imagine duas ilhas que são exatamente iguais. Ambas têm a mesma quantidade de mão de obra e de recursos naturais. A ilha *A* usa esses fatores primários diretamente para produzir bens de consumo como alimentos e vestuário; não utiliza quaisquer bens de capital produzidos. Em contrapartida, a econômica ilha *B* sacrifica consumo atual e usa os seus recursos e mão de obra para produzir bens de capital, tais como arados, pás e teares. Após esse sacrifício temporário de consumo atual, *B* acaba ficando com um grande estoque de bens de capital.

A Figura 15-4 mostra a forma como a ilha *B* deixa para trás a ilha *A*. Para cada ilha, a figura quantifica o montante de consumo que pode ser usufruído, mantendo o estoque existente de capital. Em virtude de sua poupança, a ilha *B*, utilizando métodos indiretos e capital-intensivos de produção, irá beneficiar-se, no futuro, de um maior consumo do que a ilha *A*. *B* obtém mais do que 100 unidades de bens de consumo futuros pelo seu sacrifício inicial de 100 unidades de consumo no presente.

Com o sacrifício de consumo atual e a criação de bens de capital no presente, as sociedades podem aumentar o seu consumo no futuro.

Rendimentos decrescentes e a demanda por capital

O que acontece quando um país sacrifica uma parcela cada vez maior do seu consumo para o acúmulo de capital, e a produção se torna cada vez mais indireta? Podemos esperar que a lei dos rendimentos decrescentes entre em ação. Tomemos o exemplo dos computadores. Os primeiros computadores eram caros e usados de forma intensiva. Há quatro décadas, os cientistas gostariam de prolongar a última hora disponível de uma unidade central que tinha menos capacidade do que um computador pessoal atual. Em 2009, o acervo de computadores do país tinha uma capacidade de cálculo e de armazenamento milhões de vezes maior. Portanto, o produto marginal da capacidade de computação – o valor do último cálculo ou do último *byte* de armazenamento – tinha diminuído muito à medida que os computadores aumentaram em relação à mão de obra, à terra e a outro capital. De uma forma geral, com o acúmulo de capital, os rendimentos decrescentes aparecem e a taxa de retorno dos investimentos tende a diminuir.

Surpreendentemente, a taxa de retorno do capital não se reduziu significativamente ao longo dos últimos 200 anos, embora o estoque de capital tenha se multiplicado muitas vezes. As taxas de retorno mantiveram-se elevadas em virtude de a inovação e o progresso tecnológico terem criado novas oportunidades lucrativas tão depressa quanto o investimento interior as anulava. Ainda que os computadores sejam milhares de vezes mais poderosos do que eram há uns anos, novas aplicações em todos os setores da sociedade, desde o diagnóstico médico ao e-mail, continuam a fazer dos computadores um investimento lucrativo.

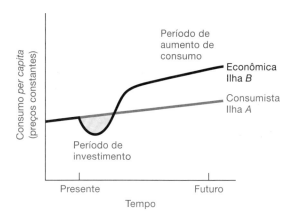

FIGURA 15-4 O investimento no presente possibilita o consumo no futuro.

Duas ilhas partem de uma situação idêntica no que diz respeito a mão de obra e a recursos naturais. A ilha *A*, mais consumista, não investe nada e apresenta um crescimento modesto no consumo *per capita*. A ilha *B*, econômica, dedica um período inicial ao investimento, sacrificando o consumo, e depois se beneficia com a colheita de um consumo muito maior no futuro.

> **Irving Fisher: economista defensor de causas**
>
> Irving Fisher (1867-1947) foi um gênio multifacetado e um batalhador. A sua pesquisa econômica pioneira abrange desde estudos teóricos fundamentais sobre a utilidade e a teoria do capital a investigações práticas sobre os ciclos econômicos, números índices e reforma monetária.
>
> Entre as suas contribuições fundamentais está o desenvolvimento de uma teoria completa do capital e dos juros em *The nature of capital and interest* (1906) e *The theory of interest* (1907). Fisher descreveu a interação entre a taxa de juros e outros inúmeros elementos da economia. Contudo, Fisher demonstrou que os determinantes básicos da taxa de juros eram dois pilares fundamentais: impaciência, refletida no "desconto pelo tempo", e a oportunidade de investimento refletida na "taxa de rentabilidade marginal sobre o custo". Foi Fisher que descobriu a profunda relação entre os juros e o capital e a economia, tal como descreveu neste resumo da *The theory of interest*:
>
>> A verdade é que a taxa de juros não é um fenômeno restrito que se aplica apenas a uns poucos contratos empresariais, mas infiltra-se em todas as relações econômicas. É o que liga o homem ao futuro e com o qual ele toma todas as suas decisões de longo alcance. Entra no preço de títulos, terra, e bens de capital em geral, bem como em rendas, salários e no valor de todas as "interações". Afeta profundamente a distribuição da riqueza. Em resumo, do seu correto ajustamento dependem os termos equitativos de toda a troca e distribuição.
>
> Fisher sempre ansiou que a pesquisa teórica pudesse ser aplicada empiricamente. A sua filosofia está consubstanciada na Sociedade Econométrica que ajudou a fundar, e cuja constituição anunciou uma ciência que levaria ao "avanço da teoria econômica na sua relação com a estatística e a matemática [e] a unificação das abordagens teórico-quantitativa e empírico-quantitativa".
>
> Além da pesquisa em Economia pura, Fisher foi um constante defensor de causas. Ele lutou por um "dólar compensado" como substituto do padrão-ouro. Após ter contraído tuberculose, tornou-se um defensor apaixonado da melhoria da saúde e desenvolveu 15 regras de higiene pessoal. Nelas, incluíam-se a apologia apaixonada da proibição do álcool e idiossincrasias como mastigar 100 vezes antes de engolir. Dizia-se que sem álcool e mastigando muito o jantar, as festas na casa de Fisher não eram as mais animadas de New Haven.
>
> A previsão mais famosa de Fisher ocorreu em 1929, quando argumentou que o mercado de ações tinha atingido um "patamar permanente de prosperidade". Ele jogou o seu dinheiro de acordo com a sua previsão e parte substancial da sua riqueza dissipou-se na Grande Depressão.
>
> Ainda que a perícia financeira de Fisher tenha sido questionada, o seu legado em ciência econômica cresce continuamente e é geralmente reconhecido como o maior economista norte-americano de todos os tempos.

Determinação dos juros e a rentabilidade do capital

Podemos utilizar a teoria clássica do capital para compreender a determinação da taxa de juros. As famílias *oferecem* fundos para investimento abstendo-se de consumir e acumulando poupança ao longo do tempo. Simultaneamente, as empresas *demandam* bens de capital para combiná-los com mão de obra, terra e outros fatores produtivos. Em última instância, a demanda de capital por uma empresa é motivada pelo seu desejo de realizar lucros ao produzir bens.

Ou, como Irving Fisher colocou a questão há um século:

> A quantidade de capital e a taxa de retorno do capital são determinadas pela interação entre (1) a *impaciência* das pessoas para consumir no presente em vez de acumularem mais bens de capital para um consumo futuro (talvez a pensar na aposentadoria ou para uma proverbial necessidade) e (2) as *oportunidades de investimento* que proporcionam maiores ou menores rentabilidades a esse capital acumulado.

Para compreender as taxas de juros e a rentabilidade do capital, considere um caso ideal de uma economia fechada, com concorrência perfeita e isenta de risco e de inflação. Ao decidir sobre um investimento, uma empresa que procura maximizar o lucro compara sempre o custo de obter fundos de empréstimo com a taxa de retorno do capital. Essa empresa realizará o investimento se a taxa de retorno for maior que a taxa de juros de mercado do empréstimo que a empresa pode obter. Se a taxa de juros é maior do que a taxa de retorno do investimento, a empresa não investirá.

Onde termina esse processo? As empresas acabam efetuando todos os investimentos cujo retorno seja superior à taxa de juros do mercado. O equilíbrio é, então, alcançado quando o montante de investimento que as empresas estão dispostas a realizar, a uma dada taxa de juros, é exatamente igual à poupança que essa taxa de juros induz.

Em uma economia competitiva isenta de risco ou de inflação, a taxa de rentabilidade competitiva do capital será igual à taxa de juros do mercado. A taxa de juros do mercado tem duas funções: fazer o racionamento da oferta escassa de bens de capital pelas utilizações que têm as maiores taxas de rentabilidade e induzir as pessoas a sacrificar o consumo no presente, de modo a aumentar o estoque de capital.

Análise gráfica da rentabilidade do capital

Podemos ilustrar a teoria do capital focando um caso simples em que todos os bens de capital físico são iguais. Além disso, admita que a economia esteja em um estado estacionário, sem que se verifique crescimento da população ou progresso tecnológico.

Na Figura 15-5, *DD* representa a curva da demanda para o estoque de capital; traduz a relação entre a quantidade demandada de capital e a taxa de rentabilidade do capital. Recorde, do Capítulo 12, que a demanda de um fator como o capital é uma demanda derivada – a demanda vem do *produto marginal do capital* que é o produto adicional proporcionado pelos aumentos do estoque de capital.

A lei dos rendimentos decrescentes pode ser observada no fato de a curva da demanda de capital na Figura 15-5 ter uma inclinação negativa. Quando o capital é muito escasso, os projetos de produção mais lucrativos têm uma taxa de rentabilidade muito elevada. Gradualmente, à medida que a comunidade explora os projetos mais rentáveis com o acúmulo do capital e com a totalidade da mão de obra e da terra sendo fixas, os rendimentos decrescentes passam a vigorar. A comunidade tem, então, de investir em projetos menos rentáveis à medida que se desloca para baixo, na curva de demanda de capital.

Equilíbrio de curto prazo. Podemos agora ver como a oferta e a demanda interagem. Na Figura 15-5, os investimentos do passado produziram um determinado estoque de capital, representado pela curva de oferta de curto prazo vertical *SS*. As empresas irão demandar bens de capital da forma indicada pela curva da demanda com inclinação negativa, *DD*.

Na interseção da oferta e da demanda, no ponto *E*, o montante de capital é totalmente racionado pelas empresas que o demandam. Nesse equilíbrio de curto prazo, as empresas estão dispostas a pagar 10% ao ano por fundos emprestados para compra de bens de capital. Nesse ponto, quem empresta fundos fica satisfeito por receber exatamente 10% ao ano por sua oferta de capital.

Assim, no nosso mundo simplificado e sem risco, a taxa de rentabilidade do capital é exatamente igual à taxa de juros de mercado. Com qualquer taxa de juros mais elevada, haveria empresas que não estariam interessadas em recorrer a empréstimos para os seus investimentos; com qualquer taxa de juros inferior, haveria empresas reclamando contra a escassez de capital. A oferta e a demanda somente se equilibram com a taxa de juros de equilíbrio de 10%. (Recorde que essas são taxas de juros *reais*, porque não há inflação.)

Mas o equilíbrio em *E* só é sustentado no curto prazo: com essa taxa de juros elevada, as pessoas desejam acumular mais capital, isto é, continuar a poupar e a investir. Isso significa que o estoque de capital aumenta. Contudo, em virtude da lei dos rendimentos decrescentes, a taxa de rentabilidade e a taxa de juros descem. Com o aumento do capital – mantendo-se tudo o mais inalterado, como a mão de obra, a terra e o conhecimento tecnológico – a taxa de rentabilidade do estoque acrescida de capital reduz-se para níveis cada vez mais baixos.

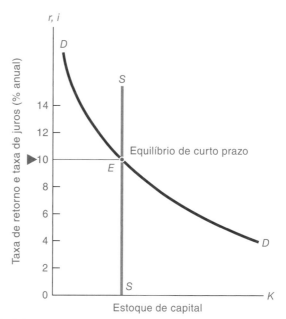

FIGURA 15-5 Determinação de curto prazo dos juros e das rentabilidades.

No curto prazo, a economia herdou um determinado estoque de capital do passado, indicado pela curva vertical da oferta de capital *SS*. A interseção da curva de oferta de curto prazo com a curva da demanda de capital determina a rentabilidade de curto prazo do capital e a taxa de juros real de curto prazo em 10% ao ano.

Esse processo é mostrado graficamente na Figura 15-6. Note que a formação de capital está no ponto *E*.

Portanto, todos os anos o estoque de capital é um pouco maior, à medida que se verifica investimento líquido. Com o passar do tempo, a comunidade desloca-se lentamente para baixo ao longo da curva *DD*, como é representado pelas setas na Figura 15-6. Você pode observar uma série de curvas de oferta de capital de curto prazo a traço muito fino na figura – *S*, *S'*, *S''*, *S'''*, ... Essas curvas mostram como a oferta de capital de curto prazo aumenta com o acúmulo de capital.

Equilíbrio de longo prazo. O equilíbrio final é apresentado em *E'* na Figura 15-6; é onde a oferta de longo prazo de capital (representada por $S_L S_L$) intercepta a demanda de capital. No equilíbrio de longo prazo, a taxa de juros real assenta no nível em que o estoque de capital que as empresas desejam deter é igual ao montante de riqueza que as pessoas desejam possuir. No equilíbrio de longo prazo, deixa de haver poupança líquida, o acúmulo líquido de capital é zero e o estoque de capital deixou de aumentar.

O investimento irá extinguir-se gradualmente, à medida que todas as oportunidades de investimento se esgotam? Alguns economistas (como Joseph Schumpeter) têm comparado o processo de investimento à vibração de uma corda de violino: em um mundo de tecnologia imutável, a corda gradualmente deixa de vibrar à

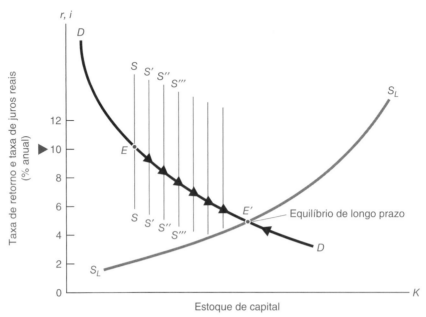

FIGURA 15-6 Equilíbrio de longo prazo da oferta e da demanda de capital.

No longo prazo, a sociedade acumula capital, de modo que a curva de oferta deixa de ser vertical. Como está representada aqui, a oferta de capital e de riqueza é sensível a taxas de juros mais elevadas. No equilíbrio original de curto prazo, em E, há investimento líquido, portanto a economia se desloca para baixo ao longo da curva da demanda DD, como indicado pelas setas. O equilíbrio de longo prazo ocorre em E', onde acaba a poupança líquida.

---

medida que o acúmulo de capital reduz as rentabilidades do capital. Mas antes que a economia tenha se acomodado em um estado estacionário, ocorre um evento do exterior ou uma invenção que faz a corda vibrar e coloca de novo as forças do investimento em movimento.

O estoque de capital de equilíbrio de longo prazo ocorre com essa taxa de juros real com a qual o valor dos ativos que as pessoas pretendem possuir é exatamente igual ao volume de capital que as empresas pretendem para a produção.

LUCROS COMO UM RETORNO DO CAPITAL

Agora que examinamos os determinantes da rentabilidade do capital, seguimos para a análise dos lucros. Além dos salários, dos juros e da renda, os economistas tratam frequentemente de uma quarta categoria de remuneração, os *lucros*. O que são os lucros? De uma forma mais geral, em que diferem dos juros e das rentabilidades do capital?

Estatísticas dos lucros declarados

Antes de apresentar os conceitos econômicos, iniciamos com as medições usadas na contabilidade. Os contadores definem os lucros como a diferença entre as receitas totais e os custos totais. Para calcular os lucros, os contadores partem das receitas totais e subtraem todas as despesas (salários, ordenados, rendas, custo das matérias-primas, juros, impostos sobre as vendas e outras despesas). O que sobra residualmente é chamado de lucro.

Na análise dos lucros, contudo, é importante distinguir os *lucros contábeis* dos *lucros econômicos*. Os lucros contábeis (ou lucros das empresas) são o rendimento residual quantificado nas demonstrações financeiras pelos contadores. Os lucros econômicos são os rendimentos após a dedução de todos os custos – tanto os monetários como os implícitos, ou custos de oportunidade. Esses conceitos de lucro diferem, porque os lucros contábeis omitem algumas rentabilidades implícitas. Os custos de oportunidade dos fatores detidos pelas empresas são designados por *rentabilidade implícita*.

Por exemplo, muitas empresas possuem grande parte do seu capital, e não existe um custo contábil pelo custo de oportunidade, ou rentabilidade implícita, do capital possuído. Os lucros contábeis, portanto, incluem um retorno implícito do capital possuído pelas empresas. Nas grandes empresas, os lucros econômicos deveriam ser iguais aos lucros empresariais menos uma rentabilidade implícita do capital possuído pela empresa, juntamente com quaisquer outros custos não remunerados totalmente aos preços de mercado. Os lucros econômicos são, em geral, menores do que os lucros empresariais.

Determinantes dos lucros

O que determina a taxa de lucro em uma economia de mercado? Os lucros são, de fato, uma combinação de diferentes elementos, incluindo as rentabilidades implícitas sobre o capital dos donos, a remuneração por assumir o risco e lucros pela inovação.

Lucros como remunerações implícitas. Uma larga parcela dos lucros declarados pelas empresas é principalmente a remuneração para os proprietários da empresa dos fatores de produção, incluindo o capital e o esforço fornecido pelos proprietários. Por exemplo, alguns lucros são a remuneração do trabalho pessoal desenvolvido pelos proprietários da empresa – por exemplo, do médico ou do advogado que trabalha em uma pequena sociedade de profissionais. Outra parte é a renda da terra possuída pela empresa. Nas grandes empresas, grande parte dos lucros representam o custo de oportunidade do capital investido.

Assim, parte do que é vulgarmente designado por lucro não é mais do que "aluguéis implícitos", "rendas implícitas" e "salários implícitos", que são as remunerações dos fatores de produção que a empresa possui.

Lucros como prêmio por assumir o risco. Os lucros também incluem um prêmio pelo risco dos investimentos relevantes. A maioria das empresas precisa assumir um risco de descumprimento que ocorre quando um empréstimo ou investimento não pode ser reembolsado, porque, por exemplo, o devedor vai à falência. Além disso, há muitos riscos seguráveis, como de incêndio e furacões, que podem ser cobertos com um seguro. Uma preocupação adicional é o risco sistemático, ou não segurável, dos investimentos. Uma empresa pode ter um grau elevado de sensibilidade em relação aos ciclos econômicos, ou seja, os seus rendimentos flutuam acentuadamente quando o produto agregado aumenta ou diminui. Todos esses riscos devem ser segurados ou devem receber um prêmio de risco nos lucros.

Lucros como prêmio pela inovação. Um terceiro tipo de lucro consiste na remuneração pela inovação e pela invenção. Uma economia em crescimento está constantemente produzindo novos bens e serviços – desde telefones, no século XIX, a automóveis, no início do século XX, a bens e serviços relacionados com computadores, na época atual. Esses novos produtos são o resultado de pesquisa, desenvolvimento e marketing. Designemos a pessoa que traz um produto ou processo novo ao mercado como *inovador*, ou *empreendedor*.

O que queremos dizer com "inovadores"? Os inovadores são pessoas que têm a visão, a originalidade e o anseio de introduzir novas ideias. A nossa economia tem sido revolucionada pelas descobertas de grandes inventores como Alexander Graham Bell (o telefone), Jack Kilby (o circuito integrado) e Kary Mulis (reação em cadeia de polímeros).

Qualquer inovação bem-sucedida cria uma oportunidade temporária de monopólio. Podemos designar por lucros pela inovação (por vezes designados lucros schumpeterianos) a rentabilidade adicional temporária para os inovadores ou empreendedores. Esses ganhos de lucro são temporários e, em breve, serão elimi-

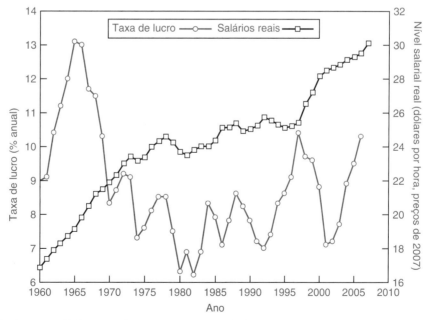

FIGURA 15-7 Tendências nos salários e nos lucros nos Estados Unidos.

Como variaram os rendimentos da mão de obra e do capital nos últimos anos? Os salários médios reais têm continuado a crescer. Após um pico em meados dos anos 1960, a taxa de lucro antes de impostos do capital empresarial norte-americano caiu acentuadamente e, a seguir, oscilou nas três últimas décadas com uma média em torno de 8%.

Fonte: U.S. Departments of Commerce and Labor.

nados pelos rivais e pelos imitadores. Mas, assim que uma fonte de lucros pela inovação desaparece, logo surge outra. Uma economia irá gerar esse tipo de lucro desde que continue a inovar.

Os lucros das empresas são o componente mais volátil da renda nacional. Os direitos para ganhar lucros empresarias – representados pela propriedade de ações e de títulos das sociedades – deverão, portanto, oferecer um prêmio significativo para atrair investidores avessos ao risco. Essa rentabilidade adicional das ações, acima da dos investimentos sem risco, é chamada de *prêmio de risco das ações*. Estudos empíricos sugerem que o prêmio de risco das ações foi em média cerca de 5% ao ano ao longo do século XX (ver Tabela 15-1 na página 257).

Os lucros são um item residual da renda, igual às receitas totais menos os custos totais. Os lucros contêm elementos de remuneração implícita (como a remuneração pelo capital dos proprietários), de remuneração por assumir o risco, e de lucros pela inovação.

Evidência empírica sobre remuneração da mão de obra e do capital

Concluímos com uma visão das tendências atuais da remuneração da mão de obra e do capital ao longo das quatro últimas décadas, como é ilustrado na Figura 15-7. Os salários reais (que são os salários monetários, por hora, corrigidos dos movimentos do índice de preços ao consumidor) cresceram continuamente. A taxa de lucro do capital antes de impostos diminuiu desde o seu pico, em meados dos anos 1960, e tem sido, em média, de 8% ao ano, nas três últimas décadas.

RESUMO

A. Conceitos básicos dos juros e do capital

1. Recorde as principais definições:

    Bens de capital: bens produzidos duráveis usados depois na produção.

    Aluguéis: remunerações monetárias anuais líquidas dos bens de capital.

    Taxa de retorno do capital: receitas anuais líquidas do capital, divididas pelo valor monetário do capital (medida como uma percentagem anual).

    Taxa de juros: rentabilidade de ativos financeiros, em percentagem anual.

    Taxa de juros real: rentabilidade de fundos corrigida da inflação, também medida em percentagem anual.

    Valor presente: valor no presente de um fluxo de rendimentos futuros de um ativo.

2. As taxas de juros são a taxa de rentabilidade dos ativos financeiros, medida em percentagem anual. As pessoas estão dispostas a pagar juros, uma vez que os fundos obtidos de empréstimo lhes permitem comprar bens e serviços para satisfazer as necessidades de consumo atual ou para realizar investimentos lucrativos.

3. Observamos uma grande variedade de taxas de juros. Essas taxas variam em decorrência de muitos condicionantes, como o prazo dos empréstimos, o risco e a liquidez dos investimentos e tributação dos juros.

4. Geralmente, em períodos inflacionários, as taxas de juros nominais, ou monetárias, aumentam, refletindo o fato de o poder de compra do dinheiro diminuir com o aumento dos preços. Para calcular os juros em termos de bens e serviços reais, usamos a taxa de juros real, que é aproximadamente igual à taxa de juros nominal menos a taxa de inflação.

5. Os ativos geram fluxos de rendimento em períodos futuros. Com o cálculo do valor presente de um ativo, podemos converter o fluxo de rendimentos futuros em um único valor do presente. Isso é feito procurando-se qual o valor monetário atual que gera o valor total do fluxo de todos os rendimentos futuros quando investido à taxa de juros do mercado.

6. A fórmula exata do valor presente é a seguinte: cada unidade monetária a ser paga no prazo de t anos tem o valor presente (V) de US$ $1/(1+i)^t$. Assim, para um fluxo de receitas líquidas qualquer ($N_1, N_2, ..., N_t, ...$) em que N_t é o valor monetário das receitas do futuro ano t, temos:

$$V = \frac{N_1}{1+i} + \frac{N_2}{(1+i)^2} + ... + \frac{N_t}{(1+i)^t} + ...$$

B. Teoria do capital, dos lucros e dos juros

7. Um terceiro fator de produção é o capital, um bem produzido e durável que é usado depois na produção. Em um sentido mais geral, o investimento em capital representa um adiamento do consumo. Com o adiamento do consumo no presente e a alternativa produção de edifícios ou de equipamento, a sociedade aumenta o consumo no futuro. É um fato tecnológico que a produção indireta dá origem a uma taxa de rentabilidade positiva.

8. Os juros representam um mecanismo que desempenha duas funções na economia. Como mecanismo incentivador, é um estímulo para as pessoas pouparem e acumularem riqueza. Como instrumento de racionamento, a taxa de juros permite à sociedade selecionar apenas os projetos de investimento com as maiores taxas de rentabilidade. Contudo, com o acúmulo de capital, e passando a vigorar a lei dos rendimentos decrescentes, a taxa de rentabilidade do capital e a taxa de juros serão forçadas pela concorrência a diminuir. A queda das taxas de juros é um sinal para a sociedade adotar projetos com uma intensidade capitalista maior com taxas de rentabilidade inferiores.

9. A poupança e o investimento envolvem a espera pelo consumo no futuro, em vez de consumir no presente. Esta economia interage com a produtividade líquida do capital para determinar as taxas de juros, a taxa de rentabilidade do capital e o estoque de capital. Os fundos ou ativos financeiros, necessários para a compra de

capital, são proporcionados pelas famílias que estão dispostas a sacrificar o consumo no presente em troca de um maior consumo no futuro. A demanda por capital vem das empresas que possuem uma variedade de projetos de investimento para produção indireta. No equilíbrio de longo prazo, a taxa de juros é, assim, determinada pela interação da produtividade líquida do capital e da disposição das famílias para sacrificar o consumo no presente em troca do consumo futuro.

10. Os lucros são as receitas menos as despesas. Recorde que os lucros econômicos diferem dos calculados pelos contadores. A ciência econômica distingue três categorias de lucros. (a) Uma importante fonte são os lucros como remuneração implícita. As empresas possuem geralmente muitos dos seus fatores de produção não laborais – capital, recursos naturais e patentes. Nesses casos, a remuneração implícita dos fatores que são possuídos faz parte dos lucros. (b) Outra fonte de lucros é o risco não segurável ou não coberto, em especial o associado ao ciclo econômico. (c) Finalmente, os lucros pela inovação são ganhos pelos empreendedores que introduzem novos produtos e inovações.

CONCEITOS PARA REVISÃO

- capital, bens de capital
- ativos tangíveis *versus* ativos financeiros
- aluguéis, taxa de rentabilidade de capital, taxa de juros, lucros
- valor presente
- taxa de juros, real e nominal

- adicional da taxa de juros devido ao prazo, risco e menor liquidez
- títulos indexados à inflação
- investimento como abstenção de consumo atual
- elementos gêmeos na determinação dos juros:

- remuneração da produção indireta
- impaciência
- elementos dos lucros:
  - remuneração implícita
  - riscos
  - inovação

LEITURAS ADICIONAIS E SITES

Leituras adicionais

Os fundamentos da teoria do capital foram estabelecidos por Irving Fisher em *The Theory of Interest* (Macmillan, New York, 1930).

Você pode encontrar tópicos avançados da teoria das finanças em um livro de nível intermediário, como Lawrence S. Ritter, William L. Silber e Gregory F. Udell, *Principles of Money, Banking, and Finantial Markets*, 11. ed. (Addison Wesley Longman, New York, 2003). A referência padrão sobre a história monetária dos Estados Unidos é Milton Friedman e Anna Jacobson Schwartz, *Monetary History of the United States 1867-1960* (Princeton University Press, Princeton, N.J., 1963).

As teorias modernas do capital e das finanças são assuntos muito populares e são tratados com frequência na parte de macroeconomia de cursos de introdução ou em cursos especiais. Um bom livro sobre o assunto é Burton Malkiel, *A Random Walk Down Wall Street* (Norton, New York, 2003).

Um recente livro cobrindo a história e a teoria financeiras e argumentando que o mercado de bolsa de valores estava extraordinariamente sobreavaliado no período da alta do mercado de 1981/2000 é o de Robert Shiller, *Irrational Exuberance*, 2. ed. (Princeton University Press, Princeton, N. J., 2005). Uma resenha dos dados sobre a teoria do mercado eficiente por Burton Malkiel e Robert Shiller pode ser encontrada em *Journal of Economic Perspectives*, Winter, 2003.

Sites

Há muitos dados sobre mercados financeiros. Ver <http://finance.yahoo.com> como ponto de entrada nos mercados de ações e títulos, bem como informação sobre determinadas empresas individuais. Ver também <http://www.bloomberg.com> para atualização de informação financeira.

Dados sobre mercados financeiros são também produzidos pelo Federal Reserve System em <http://www.federalreserve.gov>.

QUESTÕES PARA DISCUSSÃO

1. Calcule o valor presente de cada um dos seguintes fluxos de rendimento, em que I_t é o rendimento no ano t futuro e i é a taxa de juros anual constante em percentagem anual. Considere duas casas decimais quando os números não forem inteiros.

    a. $I_0 = 10$, $I_1 = 110$, $I_3 = 133{,}1$; $i = 10$.
    b. $I_0 = 17$, $I_1 = 21$, $I_2 = 33{,}08$, $I_3 = 23{,}15$; $i = 5$.
    c. $I_0 = 0$, $I_1 = 12$, $I_2 = 12$, $I_3 = 12$, ...; $i = 5$.

2. Apresente a diferença entre os quatro seguintes rendimentos de ativos duráveis: (a) renda da terra, (b) aluguel de um bem de capital, (c) taxa de rentabilidade de um bem de capital e (d) taxa de juros real. Dê um exemplo de cada um.

3. Problemas de taxa de juros (que podem exigir uma calculadora):

    a. Investir US$ 2 mil a uma taxa de juros de 13,5% ao ano. Qual é o seu saldo total após seis meses?

b. Diz-se que o juros é "composto" quando se recebe juros sobre juros anteriormente recebidos; a maioria das taxas de juros cotadas atualmente é composta. Se investir US$ 10 mil por três anos a uma taxa anual composta de 10%, qual é o valor total do investimento no fim de cada ano?

c. Considere os seguintes dados: o índice de preços ao consumidor, em 1977 foi 60,6, e em 1981 foi 90,9. As taxas de juros dos títulos do Estado de 1978 a 1981 (em percentagem anual) foram 7,2; 10,0; 11,5 e 14,0. Calcule as taxas de juros média nominal e média real, para o quadriênio 1978-1981.

d. Os Títulos do Tesouro são normalmente vendidos com desconto; isto é, um Título do Tesouro de US$ 10 mil, a 90 dias, seria vendido no presente a um preço tal que se recebendo US$ 10 mil, no prazo, originaria a taxa de juros de mercado. Se a taxa de juros de mercado é 6,6% ao ano, qual seria o preço de um Título do Tesouro de US$ 10 mil, a 90 dias?

4. Questões de valor presente:

a. Considere um título de dívida a 1 ano da análise do valor presente. Calcule seu valor presente se a taxa de juros for 1, 5, 10 e 20%.

b. Qual é o valor da perpetuidade que rende US$ 16 ao ano com taxas de juros de 1, 5, 10 e 20% ao ano.

c. Compare as respostas de (a) e (b). Qual dos ativos é mais sensível às variações da taxa de juros? Quantifique a diferença.

5. Usando a análise oferta e demanda dos juros, explique como cada uma das seguintes hipóteses poderia afetar as taxas de juros na teoria do capital:

a. Uma inovação que aumentasse o produto marginal do capital para cada nível de capital.

b. Uma redução do desejo de posse de riqueza pelas famílias.

c. Um imposto de 50% sobre a rentabilidade do capital (no curto e no longo prazo).

6. Voltando às Figuras 15-5 e 15-6, reveja como a economia se deslocou da taxa de juros do equilíbrio de curto prazo de 10% ao ano para o equilíbrio de longo prazo. Explique, em seguida, o que aconteceria, tanto no curto como no longo prazo, se as inovações fizessem deslocar a curva da demanda de capital para cima. O que aconteceria se a dívida do Estado tivesse um grande aumento e se uma grande parcela da oferta de capital pelos particulares fosse absorvida pela dívida do Estado? Desenhe novas figuras em ambos os casos.

7. Explique a regra do cálculo do valor presente descontado de um fluxo de rendimento perpétuo. A uma taxa de 5%, qual é o valor de uma perpetuidade que paga US$ 100 ao ano? E de US$ 200 ao ano? E que paga US$ N ao ano? A 10 ou a 8% qual é o valor de uma perpetuidade de US$ 100 ao ano. O que acontecerá ao valor capitalizado de uma perpetuidade, por exemplo, de um título de dívida perpétuo, se a taxa de juros duplicar?

8. Recorde a fórmula algébrica de uma progressão geométrica convergente:

$$1 + K + K^2 + \ldots = \frac{1}{1-K}$$

para qualquer fração K menor do que 1. Se você estabelecer $K = 1/(1+i)$, poderá verificar a fórmula do valor presente de um fluxo de rendimento permanente $V = $ US$ N/i? Apresente uma prova alternativa usando o senso comum. Qual seria o valor, a uma taxa de juros de 6% ao ano, de uma loteria que proporcionasse uma renda vitalícia de US$ 5 mil ao ano a você e aos seus herdeiros?

9. O valor da terra em Manhattan era em 2008 cerca de US$ 150 bilhões. Imagine que você está em 1626 e é o consultor econômico dos holandeses quando eles estão estudando a possibilidade de comprar Manhattan dos índios Manhasset. Além disso, suponha que a taxa de juros relevante para calcular o valor presente é 4% ao ano. Você diria aos holandeses que US$ 24 seria um bom preço de compra? A sua resposta se alteraria se a taxa de juros fosse 6%? E 8%? (*Sugestão*: Para cada taxa de juros, calcule o valor presente em 1626 do valor da terra em 2008. A seguir, compare com o valor de compra em 1626. Para este exemplo, simplifique, considerando que os proprietários não cobram aluguel sobre a terra. Como uma questão avançada adicional, considere que a renda é igual a 2% do valor da terra a cada ano).

10. Um aumento das taxas de juros, em geral, fará os preços dos ativos baixar. Para verificar isso, calcule o valor presente dos dois ativos seguintes com taxas de juros de 5, 10 e 20% ao ano:

a. Uma perpetuidade que renda US$ 100 ao ano.

b. Uma árvore de Natal que seja vendida por US$ 50 daqui a um ano.

Explique por que o ativo de longo prazo é mais sensível à variação da taxa de juros do que o ativo de curto prazo.

PARTE QUATRO

Aplicações dos princípios econômicos

CAPÍTULO 16

Tributação e despesa pública

O espírito de um povo, o seu nível cultural, a sua estrutura social, as ações de que a sua política é capaz, tudo isso, e muito mais, está escrito na sua história fiscal... Quem souber ouvir o seu mensageiro, poderá nele discernir o trovão da história mundial, mais nitidamente do que em qualquer outro lugar.

Joseph Schumpeter

Quando observamos uma economia de mercado gerando todos os tipos de produtos, desde maçãs e barcos a raios X e zinco, seria tentador pensar que os mercados exigem pouco mais do que trabalhadores especializados e um grande estoque de capital. Mas a história tem mostrado que os mercados não podem funcionar de modo eficaz por si mesmos. No mínimo, uma economia de mercado eficiente precisa de polícia para garantir a segurança física, um sistema judicial independente para fazer cumprir os contratos, mecanismos reguladores para evitar os abusos monopolistas e a poluição, escolas para educar os jovens e um sistema de saúde pública para evitar as doenças transmissíveis. O traçado preciso da linha que separa as atividades do Estado e as privadas é uma questão difícil e controversa, mantendo o debate sobre o papel apropriado do Estado na educação, na saúde e no apoio à renda.

Como economistas, queremos ir além dos debates políticos e analisar as funções do Estado – a sua vantagem comparativa na economia mista. Neste capítulo, examinaremos o papel do governo em uma economia industrial avançada. Quais são os objetivos apropriados da política econômica em uma economia de mercado e quais são os instrumentos disponíveis para alcançá-los? Quais os princípios subjacentes a um sistema tributário eficiente? Conhecer as respostas a estas perguntas é a chave para o desenvolvimento de políticas públicas adequadas.

A. CONTROLE GOVERNAMENTAL DA ECONOMIA

Os debates acerca do papel do governo têm frequentemente lugar em termos de ideias de slogans, com palavras de ordem como "Não a novos impostos" ou "Equilibrem o orçamento". Essas frases simplistas não captam a gravidade da matéria que é a política econômica do Estado. Admita que a população deseje aplicar mais recursos para melhoria da saúde pública; ou que sejam aplicados mais recursos na educação dos jovens; ou que o desemprego deve ser reduzido em uma recessão profunda. Uma economia de mercado não pode resolver automaticamente esses problemas. Cada um desses objetivos pode ser atingido se, e apenas se, o governo alterar os impostos, as despesas ou as leis. O trovão da história mundial faz-se ouvir na política fiscal porque a tributação e a despesa são instrumentos muito poderosos para a mudança social.

INSTRUMENTOS DA POLÍTICA GOVERNAMENTAL

Em uma economia industrial moderna, não há esfera da vida econômica fora da ação do governo. Podemos identificar três instrumentos principais que o governo usa para influenciar a atividade econômica privada:

1. Os *impostos* sobre rendas e bens e serviços. Esses impostos reduzem a renda privada e, consequentemente, reduzem a despesa privada (em automóveis, ou em refeições fora de casa) e proporcionam recursos para a despesa pública (como mísseis e merenda escolar). O sistema tributário também serve para desestimular certas atividades que são tributadas mais fortemente (como o tabagismo) e para estimular outras atividades ao serem reduzidamente tributadas, ou serem mesmo subsidiadas (como a assistência médica);

2. As *despesas* em certos bens e serviços (tais como estradas, educação ou segurança pública) e as *transferências* (como os subsídios de previdência social e vales-alimentação) que proporcionam recursos aos particulares;
3. As *leis* ou controles que orientam as pessoas para desenvolver ou evitar certas atividades econômicas. Por exemplo, as regras que limitam a poluição que as empresas podem gerar, que dividem as frequências de rádio ou que obrigam o teste de segurança de novos medicamentos.

Tendências no tamanho do governo

Há mais de um século que a renda e a produção nacionais estão crescendo em todas as economias. Ao mesmo tempo, na maioria dos países, a despesa pública tem crescido ainda mais rapidamente do que a economia como um todo. Em cada período de emergência – depressão, guerra ou preocupação com problemas sociais, como a pobreza ou a poluição – a atividade da administração pública se expandiu. Após a crise ter passado, os controles e a despesa pública nunca regressaram aos níveis anteriores.

Antes da Primeira Guerra Mundial, a despesa pública ou a tributação, no conjunto dos níveis federal, estadual e local, somavam pouco mais de 1/10 do total da renda nacional dos Estados Unidos. O esforço de guerra durante a Segunda Guerra Mundial obrigou o governo a consumir cerca de metade da produção total da nação que havia crescido muito. Em 2007, a despesa de todos os níveis da administração pública nos Estados Unidos estava próxima a 33% do PIB.

A Figura 16-1 mostra a tendência dos impostos e das despesas em todos os níveis da administração pública nos Estados Unidos. As curvas ascendentes indicam que as parcelas de impostos e de despesa pública têm crescido continuamente nas últimas décadas.

A expansão da administração pública não ocorreu sem oposição; cada novo programa de despesa e de tributação provocou uma reação muito intensa. Por exemplo, quando a previdência social foi introduzida em 1935, os opositores a denunciaram como um sinal sinistro de socialismo. Mas, com o passar do tempo, as atitudes políticas evoluíram. O sistema "socialista" de previdência social é atualmente defendido por políticos de todos os matizes como uma parte essencial do "contrato social" entre gerações. As doutrinas radicais de uma época tornam-se o evangelho da seguinte.

A Figura 16-2 mostra como a despesa pública em percentagem do PIB varia entre os países. Os que tem renda elevada tendem a tributar e a ter uma despesa do PIB maior do que os países pobres. Podemos discernir um padrão entre os países mais ricos? Nesses países não se encontra uma lei simples que relacione a carga fiscal ao bem-estar econômico dos cidadãos, em face da efetiva diversidade da realidade fiscal de cada país. Por exemplo, o financiamento dos sistemas de educação e de saúde, dois dos maiores componentes da despesa pública, é muito diferenciado entre os vários países.

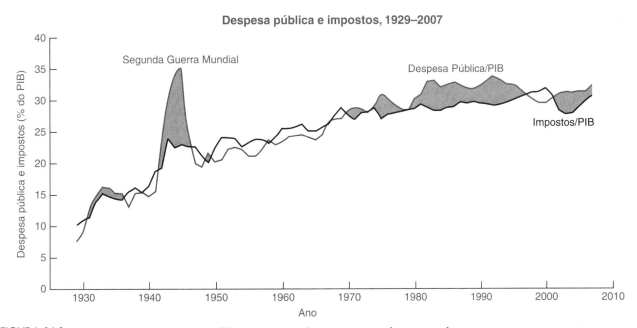

FIGURA 16-1   O peso da administração pública na economia tem aumentado acentuadamente.

As despesas públicas incluem as despesas em nível federal, estadual e local em bens, serviços e transferências. Repare como a despesa cresceu rapidamente no tempo da guerra, mas não regressou aos níveis anteriores a ela. A diferença entre a despesa e os impostos é o déficit ou o superávit do Estado.

Fonte: U.S. Department of Commerce.

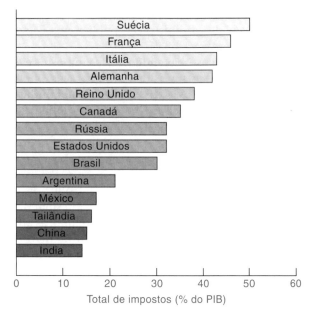

FIGURA 16-2 A tributação é maior nos países ricos.

O peso dos impostos e da despesa pública nos países pobres é relativamente pequeno. Com a prosperidade, surge uma maior exigência de bens públicos e de redistribuição pelos impostos para ajudar as famílias de baixa renda.

Fonte: Nações Unidas para o período 2000–2002, disponível em <http://unpan1.un.org/intradoc/groups/public/documents/un/unpan014052.pdf>.

As Figuras 16-1 e 16-2 mostram a despesa pública total. Essa despesa inclui as compras de bens e serviços (como mísseis e educação), bem como transferências (como os pagamentos da previdência social e juros da dívida pública). As despesas em bens e serviços são uma exigência direta sobre a produção de um país; as transferências, pelo contrário, aumentam a renda das pessoas e permitem-lhes comprar bens e serviços, mas não reduzem de uma forma direta a quantidade de bens e serviços disponíveis para o consumo e investimento privado.

Crescimento de controles e de regulamentos públicos

Além do crescimento das despesas e dos impostos, tem havido também uma grande expansão das leis e dos regulamentos sobre os assuntos econômicos.

A economia dos Estados Unidos no século XIX foi a que mais se aproximou de uma pura sociedade de *laissez-faire* – o sistema que o historiador inglês Thomas Carlyle apelidou de "anarquia com autoridade policial". Essa filosofia permitia às pessoas uma grande liberdade pessoal na busca de suas ambições econômicas e gerou um século de rápido progresso material. Mas os críticos viram muitas falhas neste idílico *laissez-faire*. Os historiadores recordam as crises econômicas cíclicas, os extremos de pobreza e de desigualdade, uma arraigada discriminação racial e a poluição das águas, da terra e do ar. Os detratores e os progressistas exigiram uma rédea para o capitalismo, de modo a que as pessoas pudessem conduzir este animal rebelde por caminhos mais civilizados.

Com início na década de 1890, os Estados Unidos afastaram-se gradualmente da ideia de que "o governo que governa melhor é o que governa menos". Os presidentes Theodore Roosevelt, Woodrow Wilson, Franklin Roosevelt e Lyndon Johnson – apesar de uma forte oposição – estenderam as fronteiras do controle federal sobre a economia, criando novos instrumentos reguladores e fiscais para combater os problemas econômicos do seu tempo.

Os poderes constitucionais do Estado foram interpretados em sentido mais amplo e utilizados para "assegurar o interesse público" e para "policiar" o sistema econômico. Em 1887, foi criada a Interstate Commerce Commission (ICC) para regular o tráfego ferroviário interestadual. Pouco depois, a Sherman Antitrust Act e outras leis foram concebidas contra as combinações monopolísticas "restritivas do comércio".

Nos anos 1930, todo um conjunto de ramos de atividade ficou sujeito à *regulação econômica*, em que o governo estabelece preços, condições de entrada e saída do setor e normas de segurança. Desde essa época, nos setores regulados passaram a incluir-se a aviação civil, o transporte terrestre e marítimo; os serviços de eletricidade, gás e telefone; os mercados financeiros; o petróleo e o gás natural, bem como os oleodutos.

Além de regular os preços e os padrões de negócios, o país tentou proteger a saúde e a segurança por meio da *regulação social* cada vez mais apertada. Após as revelações dos escândalos do início do século XX, foram aprovadas leis a favor da pureza dos alimentos e medicamentos. Nos anos 1960 e 1970, o Congresso aprovou uma série de leis que regularam a segurança nas minas e, depois, a segurança dos trabalhadores de um modo geral; que regularam a poluição do ar e da água; que estabeleceram normas de segurança para os automóveis e bens de consumo; e regularam as minas a céu aberto, a energia nuclear e os resíduos tóxicos.

Nas últimas três décadas, o crescimento de programas do estado abrandou. Os economistas argumentaram persuasivamente que muitas regulações econômicas estavam impedindo a concorrência e mantendo os preços altos, em vez de os reduzirem. Na área das regulações sociais, os economistas têm enfatizado a necessidade de assegurar que os benefícios marginais das regulações sejam superiores aos seus custos marginais. Atualmente, os "programas sociais" (programas disponíveis para todos os que cumprem critérios bem definidos de elegibilidade), tais como aposentadorias e assistência médica, são os principais programas de despesa na maioria dos países de renda elevada.

Contudo, um retorno à época do *laissez-faire* é pouco provável. Os programas do governo têm alterado a própria natureza do capitalismo. A propriedade privada é cada vez menos totalmente privada. A livre empresa tornou-se progressivamente menos livre. A evolução irreversível faz parte da história.

FUNÇÕES DO GOVERNO

Começamos a ter um quadro da forma como o governo dirige e interage com a economia. Quais são os objetivos econômicos apropriados da ação do governo em uma economia mista moderna? Examinemos as quatro principais funções:

1. Melhorar a eficiência econômica;
2. Reduzir a desigualdade econômica;
3. Estabilizar a economia por meio de políticas macroeconômicas;
4. Conduzir a política econômica internacional.

Melhorar a eficiência econômica

Um objetivo econômico central do governo é auxiliar a alocação socialmente desejável de recursos. Este é o lado *microeconômico* da política de governo; está concentrada no *quê* e no *como* da vida econômica. As políticas microeconômicas diferem entre os países, de acordo com os costumes e as filosofias políticas. Alguns países dão ênfase à abordagem de não intervenção, ou de *laissez-faire*, deixando ao mercado a maior parte das decisões. Outros países pendem para uma pesada regulação estatal, ou mesmo para a propriedade pública das empresas, em que as decisões de produção são tomadas pelo planejamento governamental.

Os Estados Unidos são fundamentalmente uma economia de mercado. A maioria das pessoas presume que será dada ao mercado a primazia na resolução de qualquer questão microeconômica. Mas, por vezes, existem boas razões para o governo ultrapassar as decisões de alocação de recursos pela oferta e demanda de mercado.

Os limites da mão invisível. Em capítulos anteriores explicamos como a mão invisível da concorrência perfeita levaria a uma alocação eficiente de recursos. Mas esse resultado da mão invisível é verificado apenas em certas condições limitadas. Todos os bens têm de ser produzidos de maneira eficiente por empresas perfeitamente competitivas. Todos os bens têm de ser privados, como o pão, a totalidade dos quais pode ser subdividida em fatias de consumo para as várias pessoas. Não podem ocorrer externalidades, como a poluição do ar. Os consumidores e as empresas têm de estar totalmente informados sobre os preços e as características dos bens que compram e vendem.

Se todas essas condições ideais forem satisfeitas, a mão invisível poderia proporcionar uma produção e uma distribuição do produto nacional perfeitamente eficientes e não haveria necessidade da intervenção do governo para promover a eficiência.

Contudo, mesmo neste caso ideal, se houvesse uma divisão do trabalho entre pessoas e regiões e se um mecanismo de preços funcionasse, o governo teria um importante papel a desempenhar. Os tribunais e a polícia seriam necessários para garantir o cumprimento dos contratos, coibir o comportamento fraudulento e violento, e proteger os cidadãos contra o roubo e a agressão externa, além de garantir os direitos legais de propriedade.

Interdependências inevitáveis. O *laissez-faire*, com uma intervenção mínima do governo, poderia ser um bom sistema se as condições ideais citadas aqui se verificassem efetivamente. Na realidade, cada uma das condições ideais que citamos é violada em determinado grau em todas as sociedades humanas. As fábricas não reguladas tendem a poluir o ar, a água e a terra. Quando surgem doenças contagiosas, os mercados privados têm um incentivo reduzido para desenvolver programas eficazes de saúde pública. Os consumidores, por vezes, estão mal informados sobre as características dos bens que compram. O mercado não é o ideal. Existem falhas do mercado.

Em outras palavras, os governos usam com frequência as suas armas para corrigir importantes falhas do mercado, das quais as mais importantes são:

- *A quebra da concorrência perfeita.* Quando os monopólios ou os oligopólios fazem acordos para fixar preços ou para eliminar empresas do setor, o governo pode aplicar leis de defesa da concorrência ou criar a regulação;

- *Externalidades e bens públicos.* O mercado não regulado pode originar muita poluição do ar e pouco investimento em saúde pública e ciência básica. O governo pode usar a sua influência para controlar as externalidades prejudiciais ou financiar programas de ciência e saúde pública; pode decretar impostos sobre atividades que obrigam a custos sociais (como a fumaça) ou subsidiar atividades que sejam socialmente benéficas (como a educação ou programas de saúde pré-natal);

- *Informação imperfeita.* Os mercados não regulados tendem a proporcionar informação insuficiente aos consumidores para que possam tomar decisões. Antigamente, os vendedores ambulantes comercializavam poções que tão facilmente matavam como curavam. Isso levou à regulação dos alimentos e medicamentos, exigindo-se que as empresas farmacêuticas proporcionassem dados detalhados sobre a segurança e eficácia dos novos medicamentos antes de serem vendidos. O governo passou a exigir dos fabricantes, também, informações sobre a eficiência energética dos principais eletrodomésticos, como refrigeradores e aquecedores. Além disso, pode usar a sua capacidade de despesa para, por si próprio, investigar e proporcionar a necessária informação, como faz com os dados sobre a segurança dos automóveis.

Existe, claramente, uma grande lista de problemas da distribuição de recursos com que o governo tem de lidar.

Reduzir a desigualdade econômica

Mesmo quando é extremamente eficiente, a mão invisível pode, ao mesmo tempo, originar uma distribuição bastante desigual de renda. Sob o *laissez-faire*, as pessoas acabam por ficar ricas ou pobres, dependendo de onde nasceram, da riqueza que herdaram, dos seus talentos e esforços, da sorte na prospecção de petróleo e do seu gênero ou da cor da sua pele. Para algumas pessoas, a distribuição de renda resultante da concorrência não regulada parece tão arbitrária quanto a pilhagem e a distribuição darwinista de alimentos que ocorrem na selva.

Nas sociedades mais pobres, há pouca renda excedente para tirar dos que estão em situação melhor e dar aos mais desafortunados. Mas quando prosperam, as sociedades podem dedicar mais recursos para atender as necessidades básicas e garantir previdência social a todos os seus residentes. Essas atividades são o papel do estado do bem-estar social – em que os governos proporcionam um padrão de vida mínimo para todos – que será examinado em detalhe no próximo capítulo. Os países ricos da América do Norte e da Europa Ocidental dedicam atualmente uma parcela significativa das respectivas receitas à manutenção de padrões mínimos de saúde, alimentação e renda.

A redistribuição da renda, normalmente, é atingida por meio de políticas fiscais e de despesa. Na maioria dos países mais ricos está na lei que as crianças não devem passar fome em virtude da situação econômica dos seus pais; que os pobres não devem morrer por falta de dinheiro para os cuidados médicos necessários; que os jovens devem receber educação pública gratuita; e que os idosos devem viver os seus últimos anos com um nível mínimo de renda. Nos Estados Unidos, esses serviços do governo são proporcionados principalmente por meio de programas de transferências, tais como vales-alimentação, o Medicaid e a previdência social.

Mas as atitudes em relação à redistribuição também evoluem. Com o aumento da carga tributária e dos déficits públicos e com o aumento dos custos dos programas de apoio à renda, os contribuintes resistem cada vez mais aos programas de redistribuição e à tributação progressivas.

Estabilizar a economia por meio de políticas macroeconômicas

Nos seus primórdios, o capitalismo era propenso a pânicos financeiros e surtos de inflação e depressão. Atualmente, o governo tem a responsabilidade de evitar as depressões cíclicas catastróficas por meio do uso adequado das políticas monetária e fiscal, bem como da regulação do sistema financeiro. Além disso, o governo tenta suavizar os altos e baixos do ciclo econômico, de modo a evitar tanto o desemprego em larga escala, na fase baixa do ciclo, quanto uma inflação elevada, na fase alta. Recentemente, tem se preocupado em encontrar as políticas econômicas que estimulem o crescimento econômico no longo prazo. Essas questões são consideradas em pormenor nos capítulos sobre macroeconomia.

Conduzir a política econômica internacional

Como veremos na resenha do comércio internacional, no Capítulo 18, nos últimos anos os Estados Unidos ligaram-se de forma crescente à economia global. O governo desempenha atualmente um papel essencial, representando os interesses do país na arena internacional e negociando acordos benéficos com outros países, em uma grande variedade de assuntos, que podemos agrupar em quatro áreas principais:

- *Redução das barreiras ao comércio.* Uma importante parte da política econômica envolve a harmonização das leis e a redução das barreiras ao comércio, de modo a incentivar a especialização e a divisão internacionais do trabalho proveitosas. Nos últimos anos, os países têm negociado uma série de acordos comerciais para redução das tarifas e outras barreiras ao comércio, nos produtos agrícolas e industriais e serviços.

   Tais acordos frequentemente geram conflitos. Às vezes, prejudicam certos grupos, como quando a eliminação de tarifas sobre os têxteis reduz o emprego nesse setor. Além disso, os acordos internacionais podem implicar a perda de soberania nacional como contrapartida do aumento das rendas. Suponha que as leis de um país protegem os direitos da propriedade intelectual, como patentes e direitos autorais, enquanto as leis de outro país permitem a cópia livre de livros, vídeos e softwares. Quais as leis que devem prevalecer?

- *Condução de programas de assistência.* Os países ricos têm numerosos programas destinados a melhorar a situação dos pobres de outros países. Esses programas envolvem ajuda externa direta, assistência técnica e, em caso de calamidade, o estabelecimento de instituições como o Banco Mundial para conceder empréstimos a taxa de juros reduzida aos países mais pobres e condições mais favoráveis nas suas exportações.

- *Coordenação de políticas macroeconômicas.* Os países têm verificado que as políticas monetária e fiscal de outros países afetam a inflação e o desemprego e as condições financeiras internas. O sistema monetário internacional não gere a si próprio; o estabelecimento de um sistema de taxa de câmbio que funcione continuamente é um prerrequisito do comércio internacional eficiente. Quando eclodiu em 2008, a crise de crédito americana se alastrou rapidamente até a Europa e ameaçou vários bancos europeus. Os bancos centrais precisaram agir de forma coordenada para assegurar que a falência de um banco, ou mesmo o receio de falência, em um país, não se espalhasse como fogo pelo sistema financeiro internacional. Em especial, em regiões com integração mais estreita, como a Europa Ocidental, os países procuram coordenar a sua política fiscal, monetária e de taxa de juros, ou até mesmo adotar uma moeda comum, de modo que a inflação, o desemprego, ou uma crise financeira em um país não tenha efeitos prejudiciais em toda a região.

- *Proteção do ambiente global.* A faceta mais recente da política econômica internacional é trabalhar com outros países para a proteção do ambiente global, quando vários países contribuem, ou são afetados, por externalidades. Historicamente, as áreas com mais atividade têm sido as de proteção de zonas pesqueiras e de qualidade da água dos rios. Quando o buraco do ozônio antártico ameaçou a saúde pública, os países chegaram a um acordo para limitar o uso de produtos químicos que destroem o ozônio. Outros tratados foram estabelecidos para reduzir as ameaças de desmatamento, o aquecimento global e a extinção de espécies. É óbvio que os problemas ambientais internacionais só podem ser resolvidos por meio da cooperação de muitos países.

Mesmo os conservadores mais radicais concordam que o estado tem um papel importante a desempenhar na representação do interesse nacional na anarquia dos países.

TEORIA DA ESCOLHA PÚBLICA

A maior parte da nossa análise tem se concentrado na teoria *normativa* do governo – sobre as políticas apropriadas que o governo *deve seguir* para aumentar o bem-estar da população. Mas os economistas são tão otimistas quanto à ação do governo como o são quanto à do mercado. Os governos podem tomar decisões erradas, ou aplicar erroneamente boas ideias. De fato, tal como existem falhas de mercado, como os monopólios e a poluição, também existem "falhas de governo", em que suas intervenções levam ao desperdício ou à má distribuição de renda.

Essas questões são do domínio da teoria da **escolha pública** que é o ramo da Economia e da Ciência Política que estuda a forma como os governos tomam decisões. A teoria da escolha pública examina a forma como os diferentes mecanismos de votação podem funcionar, e demonstra que não há nenhum mecanismo ideal para transformar as preferências individuais em escolhas públicas. Essa abordagem analisa também as falhas de governo, que ocorrem quando as ações do Estado falham na melhoria da eficiência econômica, ou quando o governo redistribui a renda de forma injusta. A teoria da escolha pública aborda questões como o horizonte temporal curto dos representantes eleitos, a falta de uma rigorosa restrição orçamentária e o papel do dinheiro no financiamento de eleições, como fontes das falhas de governo. Um estudo cuidadoso dessas falhas é essencial para a compreensão das suas limitações e para garantir que os programas de Estado não sejam excessivamente intervencionistas ou perdulários.

Economia da política

Os economistas centram uma grande parte da sua análise sobre o funcionamento do mercado. Mas economistas respeitáveis avaliaram também o papel do governo na sociedade. Joseph Schumpeter foi pioneiro da teoria da escolha pública em *Capitalism, Socialism and Democracy* (1942) e o estudo de Kenneth Arrow, prêmio Nobel, acerca da escolha pública trouxe rigor a esse campo. No estudo de referência, *An Economic Theory of Democracy* (1957), Anthony Downs formulou uma nova e poderosa teoria segundo a qual os políticos escolhem as políticas econômicas de forma a serem reeleitos. Downs demonstrou que essa teoria implica que os partidos políticos se movem em direção ao centro do leque político em virtude da competição eleitoral.

Entre as aplicações mais importantes da teoria da escolha pública está a da regulação econômica. George Stigler argumentou que as agências reguladoras têm sido "capturadas" pelos regulados e que frequentemente têm beneficiado mais os setores que regulam do que os consumidores. Estudos de James Buchanan e Gordon Tullock em *The Calculus of Consent* (1959) defenderam controles e equilíbrios e advogaram o uso da unanimidade nas decisões políticas, argumentando que as decisões por unanimidade não são coercitivas para ninguém. A economia da escolha pública tem sido aplicada a áreas como a política agrícola e os tribunais e constituiu a base teórica para uma revisão constitucional para equilíbrio do orçamento.

B. DESPESAS PÚBLICAS

Em nenhuma outra área, como na despesa pública, podem ser observadas mais claramente as mudanças do papel do governo. Reveja a Figura 16-1. Ela mostra a parcela do produto nacional aplicada em despesa pública, que inclui compras de bens, salários dos funcionários públicos, pagamentos da previdência social e outras transferências e juros da dívida pública, além de outros elementos. Você pode ver que a parcela do governo aumentou na maior parte do século XX com saltos temporários em períodos de guerra, mas tem se estabilizado nos últimos anos.

FEDERALISMO FISCAL

Embora tenhamos nos referido ao governo como se fosse uma única entidade, de fato, os norte-americanos têm três níveis de governo: federal, estadual e municipal. Isso reflete uma divisão das responsabilidades fiscais pelos diferentes níveis de administração – um sistema conhecido por *federalismo fiscal*. As fronteiras nem sempre são nítidas, mas, em geral, o governo federal dirige as atividades que dizem respeito à totalidade do país – pagando as despesas com a defesa, a exploração espacial e os negócios estrangeiros. A administração municipal trata da educação das crianças, de policiar as ruas e recolher o lixo. Os estados constroem rodovias, gerem os sistemas universitários e administram os programas de bem-estar social.

A Tabela 16-1 apresenta o total da despesa dos diferentes níveis do governo nos Estados Unidos. O predomínio do papel federal é um fenômeno relativamente recente. Antes do século XX, o governo municipal era, de longe, o mais importante dos três níveis. O governo federal fazia pouco mais que financiar as forças armadas, pagar os juros da dívida pública e financiar algumas obras públicas. A maior parte da receita dos impostos era proveniente dos cobrados sobre as bebidas alcoólicas e sobre o cigarro, bem como de tarifas. Mas duas guerras mundiais e o surgimento do estado do bem-estar social, com programas de transferência como a previdência social e o Medicare, aumentaram a despesa gradualmente. O advento do imposto sobre a renda nacional em 1913 proporcionou uma fonte de fundos que nenhum estado ou município podia alcançar.

Para compreender o federalismo fiscal, os economistas salientam que as decisões de despesa deviam ser distribuídas pelos níveis de governo de acordo com o âmbito de ação dos programas de cada um deles. Em geral, as autarquias são responsáveis pelos *bens públicos municipais*, atividades cujos benefícios se circunscrevem fundamentalmente aos residentes locais. Como as bibliotecas e a iluminação das ruas são usufruídas pelos habitantes da cidade, as decisões sobre esses bens são adequadamente tomadas pelos residentes locais. Muitas funções federais envolvem *bens públicos nacionais* que proporcionam benefícios a todos os cidadãos nacionais. Por exemplo, uma vacina contra a Aids beneficiaria a população de todos os estados, e não apenas a que vive perto do laboratório em que fosse descoberta. E quanto à proteção global da camada do ozônio ou a redução do aquecimento global? Estes são *bens públicos globais*, uma vez que transcendem as fronteiras de cada país.

Um sistema eficiente de federalismo fiscal tem em conta a forma como os benefícios dos programas públicos se disseminam através das fronteiras políticas. A distribuição mais eficiente consiste em localizar as decisões relativas aos impostos e despesas, de modo que os beneficiários dos programas sejam aqueles que paguem os impostos e possam avaliar os resultados.

Despesas federais

Vejamos agora os diferentes níveis de administração pública. A administração pública dos Estados Unidos é a maior empresa do mundo. Compra mais automóveis e aço, tem a maior folha de salários e movimenta mais dinheiro que qualquer outra organização. Os números das finanças federais são astronômicos – da ordem dos bilhões e trilhões de dólares. As despesas do orçamento federal para 2009 estavam projetadas em cerca de US$ 3.107 bilhões ou US$ 3,1 trilhões; este enorme montante correspondeu a US$ 27 mil por cada família norte-americana.

A Tabela 16-2 enumera as principais categorias da despesa federal para o ano fiscal de 2009. (O ano fiscal federal norte-americano de 2009 correspondeu ao período de 1º de outubro de 2008 a 30 de setembro de 2009.)

Os itens com crescimento mais rápido nas três últimas décadas têm sido os programas de assistência social, que proporcionam benefícios ou pagamentos às pessoas que satisfazem certas condições de elegibilidade estabelecidas pela lei. Os principais programas de assistência são a previdência social (pensões de velhice e de sobrevivência e seguro por invalidez), programas de saúde (que incluem o Medicare, para os que têm mais de 65 anos, e o Medicaid, para as famílias sem recursos) e programas de apoio à renda (que incluem o subsídio de alimentação e o seguro desemprego). De fato, praticamente a totalidade do crescimento da despesa federal nos últimos anos pode ser atribuída aos programas de assistência social, que cresceram de 28% no orçamento de 1960 para 60% no de 2009.

Nível do Estado	Despesas totais, 2007 (US$, bilhões)	% do total
Federal	2.515	56,8
Estadual	857	19,3
Municipal	1.058	23,9
Todos os níveis	4.429	100,0

TABELA 16-1 Despesas correntes da administração federal, estadual e municipal.

Nos primeiros tempos da república, a maior parte da despesa estava concentrada nos níveis estadual e municipal. Atualmente, mais de metade da despesa pública total é federal.

Fonte: U.S. Bureau of Economic Analysis.

Despesas federais, ano fiscal de 2009		
Descrição	Despesas (US$, bilhões)	% do total
Defesa nacional	675,1	21,7
Previdência social	649,3	20,9
Medicare	413,3	13,3
Apoio à renda	401,7	12,9
Saúde	299,4	9,6
Juros da dívida pública	260,2	8,4
Apoio e serviços aos veteranos	91,9	3,0
Educação, formação profissional, emprego e serviço social	88,3	2,8
Transporte	83,9	2,7
Justiça	51,1	1,6
Negócios estrangeiros	38,0	1,2
Recursos naturais e meio ambiente	35,5	1,1
Ciência, espaço e tecnologia	29,2	0,9
Desenvolvimento regional e comunitário	23,3	0,8
Administração pública	21,5	0,7
Agricultura	19,1	0,6
Comércio e crédito à habitação	4,2	0,1
Energia	3,1	0,1
Total das despesas	**3.107,4**	**100,0**

TABELA 16-2   A despesa federal é dominada pela defesa e pelos programas de assistência.

Cerca de um quinto da despesa federal se destina a pagar a defesa ou as pensões resultantes das guerras do passado. Atualmente, mais de metade da despesa é destinada aos programas de assistência social que têm tido um crescimento rápido – apoio à renda, previdência social e saúde. Observe como o custo tradicional da administração é pequeno.

Fonte: Office of Management and Budget, *Orçamento do Estado dos Estados Unidos, Ano Fiscal de 2009*, disponível em <http://www.whitehouse.gov/omb/budget/fy2009/hist.html>.

Despesas estaduais e municipais

Embora sejam as batalhas sobre o orçamento federal que surgem nas primeiras páginas, as entidades estaduais e locais desempenham muitas das funções essenciais da economia atual. A Figura 16-3 ilustra a forma como os estados e os municípios gastam o seu dinheiro. O principal item é, de longe, a educação, porque a maioria das crianças do país é educada em escolas financiadas principalmente pela administração local. Ao tentar igualar os recursos educacionais disponíveis para cada criança, a educação pública ajuda a nivelar as grandes disparidades que, de outro modo, verificariam-se em termos de oportunidades econômicas.

Nos últimos anos, os itens de despesa com crescimento mais rápido dos estados e dos municípios têm sido a assistência à saúde e as prisões. Nas duas últimas décadas, o número de presos nas prisões estaduais triplicou, desde que nos Estados Unidos foi lançada uma campanha de combate ao crime, em parte, por meio de penas de prisão prolongadas, em especial para os traficantes de drogas. Ao mesmo tempo, as administrações estaduais e municipais foram forçadas a absorver a sua participação dos custos crescentes de assistência à saúde.

FIGURA 16-3   Distribuição da despesa pelas administrações estadual e municipal, 2006.

Os programas estaduais e municipais incluem a educação, o financiamento dos hospitais e a manutenção das estradas. A educação e a assistência médica têm uma parcela crescente da despesa estadual e municipal.

Fonte: Bureau of Economic Analysis.

IMPACTOS CULTURAIS E TECNOLÓGICOS

Os programas governamentais têm impactos sutis sobre o país, para além da despesa monetária. O governo federal alterou a fisionomia do país por meio do sistema de rodovias interestaduais. Ao tornar as viagens de automóvel mais rápidas, essa vasta rede fez baixar os custos de transporte, substituiu as ferrovias e levou os produtos a todos os cantos do país. Também ajudou a acelerar a expansão urbana e o crescimento da cultura suburbana.

O governo colocou os Estados Unidos em destaque em muitas áreas da ciência e tecnologia. O apoio do governo deu um forte impulso às indústrias eletrônicas. O desenvolvimento do transístor pelos laboratórios da Bell, por exemplo, foi parcialmente financiado pelo exército norte-americano, preocupado em melhorar radares e comunicações. As atuais indústrias de computadores e de aviões foram impulsionadas, nos seus primeiros anos, por um grande apoio governamental. A internet foi desenvolvida pelo Ministério da Defesa para criar uma rede que pudesse continuar a funcionar no caso de uma guerra nuclear.

Atualmente, o governo tem um papel especialmente importante na ciência básica. Oitenta e cinco porcento de toda a pesquisa de base nos Estados Unidos é financiada pelo governo ou por instituições sem fins lucrativos, como as universidades. Se o leitor pesquisar a origem de um invento bem-sucedido, descobrirá que o governo certamente subsidiou a educação do inventor e deu apoio à pesquisa universitária básica. Os estudos econômicos indicam que estes fundos foram bem empregados, e mais ainda, estima-se que as taxas de rentabilidade social em pesquisa e desenvolvimento excederam a rentabilidade de investimentos em muitas outras áreas.

C. ASPECTOS ECONÔMICOS DA TRIBUTAÇÃO

Os impostos são o preço que pagamos por uma sociedade civilizada.
Juiz Oliver Wendell Holmes

Os governos devem financiar seus programas. Os fundos provêm principalmente dos impostos e qualquer queda na arrecadação representa um prejuízo que recairá sobre o cidadão.

Mas, em economia, necessitamos sempre levantar o véu dos fluxos monetários para compreender o fluxo dos recursos reais. Por detrás dos fluxos monetários dos impostos, o que o governo precisa, de fato, são da terra, da mão de obra e do capital escassos da economia. Quando um país entra em guerra, as pessoas discutem a forma de financiar a despesa militar. Mas o que realmente acontece é que as pessoas são deslocadas de suas profissões civis, os aviões transportam tropas em vez de turistas e o petróleo vai para as aeronaves de guerra em vez de irem para os automóveis. Quando o governo concede um apoio à pesquisa em biotecnologia, a sua decisão significa, na realidade, que um lote de terreno que poderia ser usado para um edifício de escritórios está agora sendo usado para um laboratório.

Com os impostos, o governo está, na realidade, decidindo como apropriar-se dos recursos das famílias e das empresas nacionais, dos quais necessita para as finalidades públicas. O dinheiro arrecadado por meio dos impostos é o veículo pelo qual os recursos reais são transferidos dos bens privados para os bens coletivos.

PRINCÍPIOS DE TRIBUTAÇÃO

Princípios do benefício versus da capacidade de pagamento

Uma vez que tenha decidido cobrar determinado montante de impostos, o governo tem muitos tributos possíveis para aplicar. Pode tributar a renda, os lucros, ou as vendas, os ricos ou os pobres, os idosos ou os jovens. Existem regras que ajudem a construir um sistema tributário justo e eficiente?

De fato, há. Os economistas e os filósofos políticos têm proposto dois princípios fundamentais na organização de um sistema tributário:

- O **princípio do benefício**, segundo o qual as pessoas devem ser tributadas na proporção do benefício que recebem dos programas governamentais. Da mesma forma que as pessoas pagam com o seu dinheiro na proporção do seu consumo privado de pão, os impostos sobre uma pessoa devem estar relacionados com o uso que fazem dos bens coletivos, como as estradas ou os parques públicos.

- O **princípio da capacidade de pagamento**, que estabelece que o montante de impostos que uma pessoa paga deve estar relacionado com a sua renda ou riqueza. Quanto maior a riqueza ou a renda, maior o imposto. Normalmente, os sistemas tributários organizados de acordo com o princípio da capacidade de pagamento são também *redistributivos*, ou seja, coletam fundos das pessoas com maior renda para aumentar a renda e consumo dos grupos pobres.

Por exemplo, se a construção de uma nova ponte é financiada pelos pedágios, isso é um reflexo do princípio do benefício, uma vez que paga a ponte quem a utiliza. Mas se a ponte for financiada com a arrecadação dos impostos sobre a renda isso seria um exemplo do princípio da capacidade de pagamento.

Equidade horizontal e vertical

Quer estejam de acordo com o princípio do benefício ou com o princípio da capacidade de pagamento, a maioria dos sistemas tributários modernos tenta incorporar perspectivas modernas sobre a justiça ou a equidade. Um princípio importante é o de **equidade horizontal**, segundo o qual aqueles que são essencialmente iguais devem ser tributados de forma igual.

A noção de tratamento igual de pessoas iguais tem raízes profundas na filosofia política ocidental. Se duas pessoas forem iguais em tudo, exceto na cor dos olhos, devem pagar os mesmos impostos, de acordo com todos os princípios da tributação. No caso da tributação pelo benefício, quem recebe exatamente o mesmo serviço de rodovias, ou de parques naturais, segundo o princípio da equidade horizontal, deve pagar exatamente os mesmos impostos. Ou, se um sistema tributário segue o princípio da capacidade para pagar, a equidade horizontal estipula que as pessoas que têm renda igual devem pagar os mesmos impostos.

Um princípio mais controverso é o da **equidade vertical**, que trata da tributação de pessoas com diferentes níveis de renda. Nesse caso, os princípios filosóficos abstratos ajudam pouco na resolução de assuntos de justiça. Imagine que A e B são iguais em tudo, exceto pelo fato de que B tem 10 vezes a riqueza e a renda de A. Isso significa que B deve pagar a mesma quantia de impostos que A paga pelos serviços públicos, tais como a proteção policial? Ou que B deve pagar de imposto na mesma percentagem da renda? Ou, uma vez que a polícia precisa de mais tempo para proteger a propriedade de B, será, talvez, mais justo que B pague de imposto uma parcela maior da renda?

Esteja ciente de que os princípios gerais e abstratos de tributação não podem determinar a estrutura tributária de um país. Quando Ronald Reagan fez campanha pela redução dos impostos, pensava que os tributos elevados eram injustos para quem tinha trabalhado com afinco e poupara pensando no futuro. Uma década mais tarde, Bill Clinton disse: "Temos agora uma verdadeira justiça no código dos impostos com mais de 80% do peso deles recaindo sobre aqueles que ganham mais de US$ 200 mil por ano". O que parece justo para um, parece injusto para o outro.

A equidade horizontal é o princípio segundo o qual pessoas iguais devem ter um tratamento igual. A equidade vertical sustenta que as pessoas em circunstâncias desiguais devem ser tratadas de forma desigual e justamente, mas não existe consenso sobre de que forma exata a equidade vertical deva ser aplicada.

Acordos pragmáticos na tributação

Como as sociedades têm resolvido essas questões filosóficas complexas? Os governos têm geralmente adotado soluções pragmáticas que só se baseiam parcialmente nas abordagens do benefício e da capacidade para pagar. Os representantes políticos sabem que os impostos são muito impopulares. Na verdade, a reclamação contra a "tributação sem representação" ajudou a desencadear a Revolução Americana. Os sistemas de tributação modernos são um compromisso difícil entre os princípios sublimes e o pragmatismo político. Como escreveu há três séculos o astuto ministro francês das finanças Colbert, "aumentar os impostos é como depenar um ganso: queremos arrancar o maior número de penas com o menor esforço possível".

O que tem sido seguido na prática? Com frequência, os serviços públicos beneficiam, em primeiro lugar, grupos identificados, não exigindo esses grupos um tratamento especial pela sua renda média, ou outras características. Nesses casos, os governos modernos geralmente baseiam-se em impostos segundo o benefício.

Assim, as estradas municipais são normalmente pagas pelos residentes locais. São cobradas "taxas de uso" pela canalização de água e de esgotos, as quais são tratadas como bens privados. Os impostos cobrados na gasolina podem ser aplicados em estradas.

Impostos progressivos e regressivos. Os impostos por benefício são uma parcela em declínio das receitas do governo. Atualmente, os países avançados baseiam-se principalmente nos **impostos progressivos sobre a renda**. Com impostos progressivos, uma família com US$ 50 mil de renda é mais tributada do que outra que tenha uma renda de US$ 20 mil. Não só a família com maior renda é obrigada a pagar mais, como paga uma parcela maior de sua renda.

Esse imposto progressivo contrasta com um **imposto proporcional** estrito, em que todos os contribuintes pagam exatamente a mesma proporção de renda. Um **imposto regressivo** retira uma parcela da renda das famílias pobres maior do que das famílias ricas.

Um imposto é chamado de *proporcional*, *progressivo* ou *regressivo* conforme tributa às pessoas com rendas mais altas uma proporção igual, maior ou menor da renda que é cobrada às pessoas com renda menor.

Os diferentes tipos de imposto são exemplificados na Figura 16-4. Eis alguns exemplos. É progressivo um imposto sobre a renda da pessoa física que seja criado para arrecadar uma parte cada vez maior para cada unidade adicional de renda. Os economistas descobriram, pelo contrário, que o imposto sobre o cigarro é regressivo. Isso ocorre porque a despesa com cigarros cresce menos do que a renda. Por exemplo, alguns estudos determinaram que a elasticidade-renda do consumo de cigarros é cerca de 0,6. Isso significa que um aumento de 10% na renda leva a um aumento de 6% de despesas com cigarro e a um aumento também de imposto sobre o cigarro de 6%. Assim, os grupos de maior renda pagam uma parcela menor da sua renda em impostos sobre o cigarro do que os grupos de baixa renda.

Impostos diretos e indiretos. Os impostos são classificados como diretos e indiretos. Os **impostos indiretos** recaem sobre bens e serviços e, desse modo, só "indiretamente"

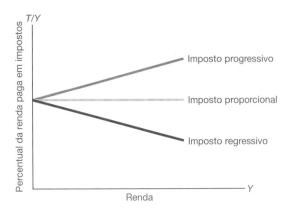

FIGURA 16-4 Impostos progressivos, proporcionais e regressivos.

Os impostos são chamados de progressivos se cobrarem uma maior parcela de renda à medida que a renda aumenta; são proporcionais se cobram uma parcela constante da renda; e regressivos se incidem mais fortemente sobre as famílias de mais baixa renda do que nas de renda mais elevada.

Receitas fiscais federais, ano fiscal de 2009	
	Receitas (% do total arrecadado)
Progressivos:	
Impostos sobre a renda da pessoa física	46,6
Impostos sobre imobiliário e doações	1,0
Imposto sobre a renda das empresas	12,6
Proporcionais:	
Imposto sobre salários	35,2
Regressivos:	
Impostos sobre consumos	2,6
Impostos de importação	1,1
Outros impostos e receitas	1,0
Total	**100,0**

TABELA 16-3 Os impostos sobre a renda e sobre os salários são as principais fontes de receitas federais.

Os impostos progressivos ainda são as principais fontes das receitas federais, mas os impostos proporcionais sobre a renda do trabalho estão se aproximando rapidamente. Os impostos regressivos sobre o consumo diminuíram acentuadamente em nível federal.

Fonte: Ver a Tabela 16-2.

sobre as pessoas. Como exemplos há os impostos sobre consumos específicos ou sobre as vendas, impostos sobre o cigarro e sobre a gasolina, impostos alfandegários sobre as importações e os impostos sobre os bens imóveis. Em contrapartida, os **impostos diretos** incidem diretamente sobre as pessoas ou as empresas. Exemplos de impostos diretos são os impostos sobre a renda da pessoa física, impostos para a previdência social e outros sobre a renda do trabalho, e os impostos sobre sucessões e doações. Os impostos diretos têm a vantagem de poderem ser criados mais facilmente, de forma a enquadrarem-se em determinadas circunstâncias pessoais, tais como a dimensão da família, a renda, a idade e, de uma forma geral, a capacidade para pagar. Diferentemente, os impostos indiretos têm a vantagem de ser mais fáceis de cobrar, uma vez que podem ser liquidados no comércio no varejo ou no atacado.

TRIBUTAÇÃO FEDERAL

Tentemos agora compreender os princípios que regem o sistema federal de tributação. A Tabela 16-3 mostra um panorama dos impostos mais importantes cobrados em nível federal, classificados em progressivos, proporcionais ou regressivos.

Imposto sobre a renda da pessoa física

A nossa análise inicia-se com o imposto sobre a renda da pessoa física, que é a parcela mais importante e complexa do sistema tributário. Este imposto é um imposto direto e é aquele que mais reflete o princípio da capacidade para pagar.

O imposto sobre a renda da pessoa física apareceu tarde na história dos Estados Unidos. A Constituição proibia qualquer imposto direto que não fosse repartido entre os estados, de acordo com a sua população. Isso se alterou em 1913 quando a 16ª Emenda da Constituição determinou que "o Congresso terá o poder de decretar e cobrar impostos sobre a renda, qualquer que seja a respectiva fonte".

Como funciona o imposto federal sobre a renda? O princípio é simples, embora os formulários sejam complexos. Inicia-se com o cálculo da renda de pessoa física; depois se subtraem certas despesas, deduções e isenções para obter a renda tributável. A seguir, calcula-se o imposto com base na renda tributável.

Suponha que você tenha acabado de se formar e tenha se empregado na Califórnia com um salário de US$ 60 mil em 2009. A Tabela 16-4 mostra o cálculo do total do imposto direto que você deve esperar. Vale a pena seguir linha a linha para compreender os vários itens.

A linha 1 começa com o seu salário. O primeiro conjunto de impostos é destinado à previdência social. Adiaremos a nossa análise desses impostos para a próxima seção. A linha 5 mostra a sua *renda bruta ajustada* – ou seja, total de salários, juros, dividendos e outras rendas recebidas. Se for solteiro, você terá uma *isenção pessoal* de US$ 3,5 mil. Se não possuir uma habitação, irá provavelmente ter uma *dedução genérica* de US$ 5,45 mil. Da subtração desses dois resulta a sua *renda tributável federal* de US$ 51,05 mil.

A seguir, você observa as tabelas do imposto. Estas apresentam atualmente um tributo de US$ 9.106 sobre

1	Salário anual	US$ 60.000
2	Impostos para a previdência social	
3	Aposentadoria	3.720
4	Medicare	870
5	Renda bruta ajustada federal	60.000
6	Menos	
7	Isenção da pessoa física	3.500
8	Isenção padrão	5.450
9	Renda tributável federal = (5) − (7) − (8)	51.050
10	Imposto sobre a renda	
11	Federal	9.106
12	Estado (Califórnia)	2.672
13	Total de impostos = (3) + (4) + (11) + (12)	16.368
14	Renda após impostos = (1) − (13)	43.632
15	Taxa de imposto	
16	Média = (13) / (1)	27,3%
17	Marginal*	42,0%

* Taxa marginal de imposto é o total de impostos adicionais por uma unidade monetária de renda adicional. Isso seria calculado pela repetição de todas as linhas para uma renda adicional de US$ 1 mil e depois dividindo o valor adicional de impostos por mil.

TABELA 16-4 Cálculo dos impostos sobre a renda de pessoa física, 2009.

A tabela mostra um cálculo ilustrativo do total de impostos para um trabalhador solteiro que vive na Califórnia, 2009. O trabalhador tem um salário total de US$ 60 mil. Os impostos para a previdência social são para os futuros benefícios da previdência social e pagamento dos benefícios de saúde para os trabalhadores aposentados. Os impostos sobre a renda são cobrados pelo governo federal e por muitos estados.

A taxa de imposto média é 27,3%. Os economistas focam as taxas marginais de imposto, que é o imposto adicional por unidade monetária adicional de renda. Para o nosso trabalhador, a taxa marginal de imposto está calculada em 42%.

Fonte: Internal Revenue Service e Estado da Califórnia (tabelas de imposto preliminares).

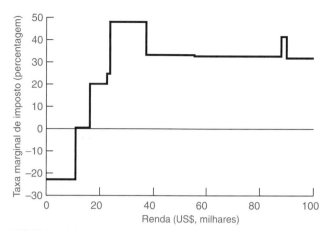

FIGURA 16-5 Taxa marginal de imposto das famílias nos Estados Unidos por categoria de renda, 2005.

A taxa marginal de imposto é o imposto adicional que é pago por unidade monetária adicional da renda. A figura mostra as taxas marginais de imposto das famílias em 2005. Nelas, incluem-se os impostos para a previdência social, bem como os federais e os estaduais médios. Por causa do crédito de imposto pela renda ganha, os trabalhadores de baixa renda recebem uma devolução de imposto – isso é, um "imposto negativo sobre a renda" dos salários. Repare que as taxas marginais de imposto nesta figura são diferentes das da Tabela 16-4, porque a Califórnia tem impostos relativamente elevados e porque o CBO usa diferentes pressupostos para as isenções e as deduções.

Fonte: CBO Congressional Budget Office, Effective Marginal Tax Rates on Labor Income, novembro de 2005, disponível em <http://www.cbo.gov>.

essa renda. Você teria também de pagar ao estado onde mora o valor de US$ 2.672, nesse caso.

Somando todos os impostos, você concluiria que deve US$ 16.308. Isso representa 27,3% de sua renda. Essa é a chamada **taxa média (ou efetiva) de imposto**, que é igual ao total de impostos dividido pelo total de renda.

A última linha apresenta um conceito novo importante. A **taxa marginal de imposto** é o imposto adicional que é pago por unidade monetária de renda adicional. Já encontramos antes o termo "marginal" que sempre significa "adicional". Se você ganhasse uma renda adicional de US$ 1 mil, teria de pagar US$ 420 de impostos. Isso significa que a sua taxa marginal de imposto é de US$ 420/US$ 1.000, ou 42%. A taxa marginal de imposto é uma ferramenta crítica para a análise da tributação, porque as pessoas e as empresas tendem a reagir às suas taxas marginais de imposto, não às suas taxas médias de imposto. Além disso, quando as taxas marginais de imposto são extremamente elevadas, os incentivos para trabalhar diminuem e o esforço pode diminuir significativamente.

A taxa marginal de imposto é um conceito central na análise tributária. Refere-se ao imposto adicional pago por unidade monetária de renda adicional e é especialmente importante para compreender os efeitos de incentivo da tributação.

A Figura 16-5 mostra a taxa marginal de imposto estimada para famílias com renda até US$ 100 mil. As famílias de baixa renda têm um "imposto negativo sobre a renda" uma vez que recebem um crédito de imposto pela renda ganha.

A noção de taxa marginal de imposto é extremamente importante na ciência econômica moderna. Recorde o *princípio marginalista*. As pessoas só devem estar preocupadas com os custos ou os benefícios adicionais que ocorrem. Devem considerar que "águas passadas não movem moinhos". De acordo com esse princípio, o efeito mais importante de qualquer imposto sobre os incentivos deriva da taxa marginal de imposto.

> **Reforma tributária radical: o imposto de taxa única**
>
> O imposto sobre a renda de pessoa física é um poderoso mecanismo para arrecadar receitas. Mas tornou-se muito complexo após um século, desde a sua introdução. Além disso, está repleto de brechas ou "deduções fiscais" que proporcionam benefícios a certas formas de renda ou de despesa e até mesmo a certos grupos de contribuintes. Por exemplo, despesas com juros de empréstimos hipotecários e com assistência médica são dedutíveis da renda – são, de fato, despesa subsidiada.
>
> Os economistas têm feito uma campanha incansável por um sistema fiscal mais transparente – que *alargasse* a base tributária e, assim, aumentasse as receitas, ao eliminar os cortes desnecessários, podendo, portanto, *baixar as taxas marginais de imposto*. Uma das mais radicais e inovadoras propostas para uma reforma tributária de base é o *imposto de taxa única*, que foi desenvolvido em detalhe por Robert Hall e Alvin Rabushka, de Stanford.[1] A proposta deles incorporava os seguintes aspectos principais (ver a Questão 9 ao final deste capítulo para um exemplo):
>
> - Tributa o consumo em vez da renda. Como analisaremos mais adiante neste capítulo, tributar o consumo serve para incentivar a poupança e pode ajudar a relançar a taxa de poupança nacional que se encontra em declínio.
> - Integra o imposto sobre a renda das empresas e o imposto sobre a renda da pessoa física. Isso elimina uma das principais distorções do código tributário dos Estados Unidos.
> - Elimina praticamente todas as brechas e os benefícios fiscais. Desaparecem os benefícios por assistência médica, habitação própria e contribuições de beneficência.
> - Proporciona uma isenção básica de US$ 20 mil por família e, a seguir, impõe uma taxa marginal de imposto constante de 19% acima desse nível.
>
> Os efeitos econômicos de um imposto de taxa única seriam de longo alcance. Entidades fortemente tributadas como as empresas sentiriam uma redução de impostos e experimentariam um importante ganho de capital. Quem ganha salários elevados descobriria que os seus impostos seriam reduzidos pela metade. Ao mesmo tempo, a quantidade de habitações ocupadas pelo proprietário e as despesas médicas diminuiriam e os donativos de beneficência cairiam muito.
>
> Hall e Rabushka salientam, sobretudo, a importância de reduzir as taxas marginais de imposto. Eles argumentam que o imposto de taxa única "daria um enorme impulso à economia dos Estados Unidos ao melhorar drasticamente os incentivos para trabalhar, poupar, investir e assumir riscos empresariais. O imposto fixo pouparia aos contribuintes centenas de milhares de milhões de dólares em custos de conformidade diretos e indiretos".
>
> Os críticos do plano salientam que ele levaria a uma importante redistribuição de renda para as pessoas de maior renda à custa das famílias de renda pequena ou média. Quem perde questiona se os ricos, cuja parcela aumentou consideravelmente nas últimas três décadas, merecem outra chuva de riqueza. Vemos aqui, de novo, outro exemplo do conflito entre justiça e eficiência que surge em muitas das questões mais controversas de política econômica.

Impostos para a previdência social

Praticamente todas as atividades estão abrangidas pela Social Security Act. Os trabalhadores recebem aposentadorias que dependem do seu histórico de renda e das contribuições efetuadas no passado para a previdência social. Este programa de previdência social também financia um programa para incapacitados e de seguro de saúde para os pobres e para os idosos.

Para pagar esses benefícios, os empregados e os empregadores arcam com um imposto sobre salários. Como se mostra na Tabela 16-4, em 2008, esse imposto representava um total de 15,3% em relação a todas as receitas salariais abaixo de um limite de US$ 102 mil, por ano e por pessoa, e um imposto sobre o salário de 2,9% da renda salarial anual acima de US$ 102 mil. O imposto é dividido igualmente entre empregador e funcionário.

A Tabela 16-3 mostra o imposto sobre salários como um imposto proporcional porque coleta uma fração fixa das receitas do emprego. No entanto, a incidência do imposto é mais complicada, porque o imposto sobre os salários inclui apenas os ganhos do trabalho (o que o torna regressivo) e financia a aposentadoria mais generosamente para as pessoas de baixa renda (o que o torna progressivo).

Impostos sobre as empresas

O governo federal cobra uma grande variedade de outros impostos, alguns dos quais são referidos na Tabela 16-3. O *imposto sobre a renda das empresas* é um imposto sobre os lucros das empresas.

O imposto sobre a renda das empresas tem sido muito criticado por alguns economistas, que argumentam que as empresas não são mais do que uma ficção legal e, por isso, não deviam ser tributadas. Ao tributar primeiro os lucros das empresas e depois os dividendos pagos pelas empresas e recebidos pelos particulares, o governo sujeita as empresas a uma dupla tributação.

Impostos sobre o consumo

Ainda que os Estados Unidos se baseiem especialmente nos impostos sobre a renda, existem os impostos sobre o

---

[1] *The Flat Tax*, 2. ed. Hoover Institute Press, Palo Alto, Calif., 2007.

consumo, que têm uma abordagem totalmente diferente, pois são impostos sobre as compras de bens e serviços, em vez de sobre a renda. A justificativa é que as pessoas devem ser penalizadas por aquilo que *usam* ao invés de por aquilo que *produzem*. Os impostos sobre as vendas são o exemplo mais familiar de impostos sobre o consumo. Não há um imposto nacional sobre as vendas nos Estados Unidos, embora haja certo número de *impostos federais sobre consumos* de determinados bens finais, como cigarro, bebidas alcoólicas e gasolina. Os impostos sobre vendas e sobre consumos específicos são, geralmente, regressivos porque levam uma parcela maior da renda das famílias mais pobres do que das mais ricas.

Muitos têm argumentado que os Estados Unidos deviam basear-se mais nos impostos sobre as vendas, ou sobre o consumo. Um imposto largamente usado fora do país é o *imposto sobre o valor agregado*, ou IVA, que funciona como um **imposto sobre as vendas**, mas cobra receitas em cada uma das etapas da produção. Assim, incidindo sobre pão, o IVA é cobrado desde o agricultor que cultiva o trigo, à moagem que produz a farinha, ao padeiro que faz o pão, e à padaria na fase da venda ao público.

Os apologistas dos *impostos sobre o consumo* argumentam que o país está atualmente poupando e investindo menos do que é necessário para as necessidades futuras e que, com a substituição de imposto sobre a renda pelo imposto sobre o consumo, a taxa de poupança nacional deveria aumentar. Os críticos dos impostos sobre o consumo respondem que tal mudança é indesejável porque os impostos sobre as vendas são mais regressivos do que o atual imposto sobre a renda. O imposto de taxa única, apresentado antes, é efetivamente equivalente a um sistema de imposto sobre o consumo pessoal muito simplificado. (Ver a Questão 9, mais à frente.)

IMPOSTOS ESTADUAIS E LOCAIS

Sob o sistema de federalismo fiscal dos Estados Unidos, os governos estaduais e locais baseiam-se em um conjunto de impostos muito diferentes dos do governo federal. A Figura 16-6 ilustra as principais fontes dos fundos que financiam as despesas estaduais e locais.

Impostos sobre a propriedade

O *imposto sobre a propriedade* incide principalmente sobre bens imóveis – terreno e edifícios. Cada município estabelece uma taxa de imposto anual que incide sobre o valor atribuído aos terrenos e edificações. Em muitas localidades, o valor atribuído pode ser muito inferior ao verdadeiro valor de mercado. O imposto sobre a propriedade representa cerca de 30% das receitas totais das finanças estaduais e municipais. A Figura 16-6 mostra que os municípios são os receptores principais dos impostos sobre a propriedade.

Como cerca de 1/4 dos valores de propriedades são de terrenos, o imposto sobre a propriedade tem ele-

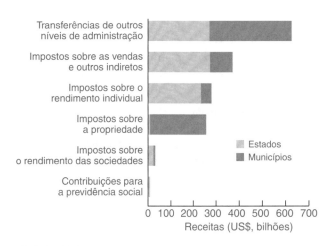

FIGURA 16-6 Os estados e as autarquias baseiam-se em transferências e impostos indiretos.

As cidades dependem fundamentalmente dos impostos sobre os imóveis porque as casas e os terrenos não podem simplesmente se deslocar para os subúrbios a fim de evitar um imposto da cidade. Os estados obtêm a maior parte das receitas dos impostos sobre as vendas e a renda.
Fonte: U.S. Bureau of Economic Analysis.

mentos de um imposto sobre o capital e de um imposto sobre a terra do tipo Henry George. Os economistas pensam que o componente da terra do imposto sobre a propriedade tem uma distorção pequena, enquanto o componente de capital fará deslocar os investimentos das cidades principais com impostos elevados para os subúrbios com impostos menores.

Outros impostos

A maioria dos outros impostos estaduais e municipais está estreitamente relacionada com os impostos federais análogos. Os estados obtêm a maior parte das suas receitas dos *impostos sobre as vendas* de bens e serviços. Cada compra no supermercado ou no restaurante está sujeita a uma percentagem de imposto (a alimentação e outros bens de primeira necessidade estão isentos em alguns estados). Os estados tributam a renda líquida das empresas e imitam o governo federal, em uma escala muito menor, ao tributarem as pessoas de acordo com a grandeza de sua renda.

Há outras receitas variadas. Muitos estados cobram "impostos dos usuários de rodovias" que incidem sobre a gasolina. As loterias e o jogo legalizado são uma fonte crescente de receitas, com os quais os estados federais se beneficiam do incentivo para as pessoas se empobrecerem.

EFICIÊNCIA E JUSTIÇA NO SISTEMA TRIBUTÁRIO

Objetivo da tributação eficiente

Nos últimos anos, os economistas têm focado, cada vez mais, a eficiência dos diferentes sistemas tributários. O primeiro ponto a reter aqui é que a eficiência depende principalmente das taxas marginais de imposto com que os contribuintes se confrontam. Reveja a Figura 16-5 para recordar como as taxas marginais de imposto diferem segundo as categorias de renda.

Impostos sobre a renda do trabalho. De que forma as taxas marginais de imposto elevadas afetam o comportamento econômico? Na área da oferta do trabalho, os impactos são mistos. Como vimos no Capítulo 13, o impacto das taxas de imposto sobre o número de horas de trabalho efetivo não é claro, porque os efeitos renda e substituição das variações salariais funcionam em sentidos opostos. Como consequência dos impostos progressivos, algumas pessoas podem escolher mais lazer em vez de mais trabalho. Outras podem trabalhar mais intensamente, de forma a obter os seus milhões. Muitos médicos, artistas, celebridades e executivos empresariais com renda elevada e que apreciam as suas profissões e a sensação do poder, ou de realização que deles derivam, trabalharão com tanto esforço por US$ 800 mil, descontados os impostos, como por US$ 1 milhão, também depois de impostos.

A Figura 16-7 mostra como um aumento na taxa de imposto sobre o trabalho afetará a oferta de trabalho; repare no paradoxo de as horas trabalhadas poderem, de fato, diminuir após um corte da taxa de imposto se a curva da oferta de trabalho tiver inflexão para trás.

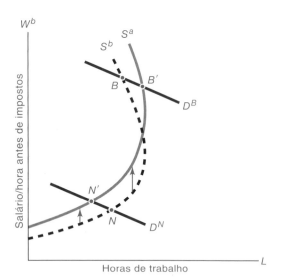

FIGURA 16-7 A resposta do trabalho aos impostos depende da forma da curva da oferta.

A demanda e a oferta colocam a oferta de trabalho face ao salário antes de imposto. A curva da oferta de trabalho antes de imposto (S^b) desloca-se verticalmente para a oferta depois de imposto (S^a) após o decreto de um imposto sobre a renda das receitas do trabalho de 25%. Se a demanda de trabalhadores intercepta a oferta na região normal, embaixo, vemos uma redução esperada do trabalho oferecido de N para N'. Se a oferta de trabalho tiver inflexão para trás, como no alto, ela cresce com o aumento do imposto, passando de B para B'.

Impostos sobre a renda do capital. Na área da poupança e do investimento, os impostos têm, provavelmente, efeitos mais importantes sobre os montantes oferecidos e a eficiência. Quando são elevados em um setor, os recursos se deslocarão para áreas onde sejam mais leves. Por exemplo, como os lucros das empresas são duplamente tributados, as poupanças das pessoas sairão do setor empresarial e irão para setores com menos impostos. Se os investimentos com risco são tributados desfavoravelmente, os investidores podem preferir investimentos mais seguros.

Impactos da globalização. Com a crescente abertura das economias, os países precisam se assegurar de que os fatores móveis de produção como o capital e os trabalhadores altamente qualificados não fujam para países de baixa tributação. Essa preocupação tem particular relevância para os impostos sobre as empresas, pois estas empresas podem facilmente transferir suas sedes para algum paraíso fiscal.

Eficiência versus justiça

Há muito tempo os economistas se preocupam com o impacto dos impostos sobre a eficiência econômica. Recorde, do Capítulo 14, que Henry George argumentou que um imposto sobre a terra terá pouco impacto sobre a eficiência, uma vez que a oferta de terra é completamente inelástica. A teoria moderna da tributação eficiente propõe a *regra do imposto de Ramsey,* segundo a qual o governo deve cobrar os impostos mais elevados sobre os insumos e os produtos que sejam mais inelásticos na oferta ou na demanda.[2] A justificativa para a regra do imposto de Ramsey é que se um bem tem demanda, ou oferta, muito inelástica em relação ao preço, um imposto sobre esse bem terá um pequeno impacto sobre o consumo e a produção. Em algumas circunstâncias, os impostos de Ramsey podem constituir uma forma de aumentar as receitas com uma perda mínima de eficiência econômica.

Mas as economias e as políticas não tratam apenas da eficiência. Ainda que uma pesada tributação sobre as rendas da terra, ou sobre a alimentação, possam parecer eficientes, seriam por muitos considerados injustas. Um aviso sério sobre o dilema resulta da proposta de introdução de um imposto por pessoa física no Reino Unido em 1990. O *imposto de capitação (poll tax)* é um *imposto fixo,* ou seja, um imposto fixo por pessoa física. A vantagem desse imposto é que, tal como um imposto sobre a terra, não induziria quaisquer ineficiências. De fato, as pessoas, provavelmente, não iriam fugir para a Rússia, ou cometer suicídio, para evitar o imposto, portanto as distorções econômicas deveriam ser compreensivelmente mínimas.

Porém, o governo britânico subestimou até que ponto a população considerava este imposto como injusto. O imposto do eleitor é altamente regressivo porque coloca um peso proporcionalmente muito maior nas pessoas com

---

[2] Recorde a discussão do Capítulo 14 sobre o impacto único de Henry George e a extensão aos impostos eficientes ou de Ramsey.

renda fraca, do que nos ricos. A crítica ao imposto do eleitor teve um papel essencial na derrubada do governo de Thatcher após 11 anos no poder. Isso ilustra claramente a dificuldade da escolha entre eficiência e justiça nos impostos, bem como em outras áreas da política econômica.

Tributar os "males" em vez dos "bens": impostos verdes

Ainda que raramente tenham sido apologistas dos impostos de capitação (*poll tax*), os economistas têm sido favoráveis a uma abordagem em que o sistema tributário pese mais sobre os "males" do que sobre os "bens". A principal fonte de ineficiência está no fato de que os impostos, em geral, incidem sobre os "bens" – atividades econômicas como o trabalho, o investimento em capital, a poupança ou a assunção de risco – e desse modo desincentivam essas atividades. Uma abordagem alternativa é tributar os "males". Nos impostos tradicionais sobre os males, incluem-se os "impostos sobre o pecado": impostos sobre as bebidas alcoólicas, o cigarro e outras substâncias que tenham efeitos prejudiciais sobre a saúde.

Uma nova abordagem sobre tributação é taxar a poluição e outras externalidades indesejáveis; tais impostos são designados *impostos verdes*, uma vez que são concebidos para ajudar o ambiente ao mesmo tempo em que aumentam as receitas. Suponha que o país decida ajudar a diminuir o aquecimento global por meio de um "imposto do carbono", que é um imposto sobre as emissões do dióxido de carbono de centrais elétricas e outras fontes. Pelo raciocínio econômico habitual, sabemos que o imposto levará as empresas a reduzir as suas emissões de dióxido de carbono, melhorando, desse modo, o ambiente. Além disso, esse imposto verde proporcionará receitas que o governo pode usar ou para financiar as suas atividades ou para reduzir as taxas de imposto nas atividades benéficas, como o trabalho, ou a poupança. Assim, os impostos verdes são duplamente eficazes: o governo obtém receitas e o meio ambiente melhora, pois os impostos desestimulam as externalidades prejudiciais.

NOTA FINAL

A nossa resenha introdutória do papel do governo na economia é um aviso sério das responsabilidades e das imperfeições da ação coletiva. Por um lado, os governos têm de defender as suas fronteiras, estabilizar as suas economias, proteger a saúde pública e controlar a poluição. Por outro, as políticas refletem principalmente a tentativa de redistribuir a renda dos consumidores para os grupos politicamente poderosos.

Isto quer dizer que devemos trocar a mão visível do governo pela mão invisível dos mercados? A Ciência Econômica não pode responder a questões políticas tão profundas. Mas a Ciência Econômica pode examinar os pontos fortes e os pontos fracos de ambas as escolhas, a pública e a de mercado, e apontar os mecanismos (tais como os impostos verdes ou os subsídios à pesquisa e ao desenvolvimento) com os quais uma mão invisível corrigida pode ser mais eficiente e justa do que os extremos, tanto do puro *laissez-faire*, como da direção burocrática sem limites.

RESUMO

A. Controle governamental da economia

1. O papel econômico do governo tem crescido muito ao longo do último século. Ele influencia e controla a atividade econômica privada com o uso de impostos, despesas e regulação direta.

2. Um estado do bem-estar social moderno desempenha quatro funções econômicas: (a) soluciona as falhas de mercado; (b) redistribui a renda e os recursos; (c) determina as políticas fiscal e monetária para estabilizar o ciclo econômico e promover o crescimento econômico de longo prazo; e (d) faz a gestão dos assuntos econômicos internacionais.

3. A teoria da escolha pública analisa o comportamento efetivo dos governos. Tal como a mão invisível pode falhar, também existem falhas do governo, quando as intervenções governamentais conduzem ao desperdício ou à redistribuição da renda de forma não desejável.

B. Despesas públicas

4. O sistema de finanças públicas dos Estados Unidos é o de federalismo fiscal. O governo federal concentra a sua despesa em assuntos de natureza nacional – em bens públicos nacionais como a defesa e a exploração espacial. Os estados e os municípios concentram-se geralmente nos bens públicos locais – cujos benefícios estão, em grande medida, confinados aos limites dos estados ou das cidades.

5. A despesa do estado e a arrecadação tributária correspondem atualmente a um terço do produto nacional total. Desse total, 55% são despendidos em nível federal e o restante é dividido entre as administrações dos estados e dos municípios. Apenas uma pequena parcela das receitas do governo é dedicada às atividades tradicionais de polícia e da justiça.

C. Aspectos econômicos da tributação

6. Os princípios do "benefício" e da "capacidade para pagar" são duas teorias importantes da tributação. Um imposto é progressivo, proporcional ou regressivo se retiver uma parcela da renda das famílias ricas maior, igual ou menor do que a parcela retida da renda das famílias pobres. Os impostos diretos e progressivos sobre a renda contrastam com os impostos indiretos e regressivos sobre as vendas e consumos específicos.

7. Mais de metade das receitas federais provêm dos impostos sobre a renda das pessoas e das empresas. O restante

provém dos impostos sobre os salários ou sobre bens de consumo. A administração local obtém a maior parte da sua receita a partir dos impostos sobre o imobiliário, enquanto para os estados, o mais importante são os impostos sobre as vendas.

8. O imposto sobre a renda da pessoa física tributa "a renda derivada de todas as fontes", menos certas isenções e deduções. A taxa marginal de imposto, que corresponde à parcela de impostos pagos por cada unidade monetária de renda adicional, é a chave para determinar o impacto dos impostos sobre os incentivos para trabalhar ou poupar.

9. O imposto federal com um crescimento mais pronunciado é o imposto sobre os salários, usado para financiar a previdência social. É um encargo vinculado em que os fundos se destinam a financiar as pensões de aposentadoria e os subsídios por doença ou incapacidade. Como existem benefícios visíveis no fim do fluxo de pagamentos, o imposto sobre a folha de salários tem elementos de tributo segundo o benefício.

10. Os economistas apontam para a regra de impostos de Ramsey, segundo a qual a eficiência será promovida se os impostos incidirem mais fortemente nas atividades que sejam relativamente inelásticas em relação ao preço. Uma nova abordagem é a dos impostos verdes, aplicando taxas sobre as externalidades ambientais, para redução das atividades prejudiciais e, ao mesmo tempo, aumentando as receitas, que, de outro modo, seriam cobradas sobre bens ou fatores produtivos. Mas, para todos os impostos, a equidade e a aceitabilidade política são restrições muito sérias.

CONCEITOS PARA REVISÃO

Funções do Governo
- três instrumentos do controle econômico pelo governo:
  - impostos
  - despesas
  - leis
- falhas do mercado *versus* falhas do governo
- teoria da escolha pública

- quatro funções do governo:
  - eficiência
  - distribuição
  - estabilização
  - representação internacional

Despesa pública e tributação
- federalismo fiscal e bens públicos locais *versus* nacionais

- impacto econômico da despesa pública
- princípios do benefício e da capacidade de pagamento
- equidade horizontal e vertical
- impostos diretos e indiretos
- programas de subsídios
- impostos progressivos, proporcionais e regressivos
- impostos de Ramsey e verdes

LEITURAS ADICIONAIS E SITES

Leituras adicionais

Uma excelente revisão das questões tributárias está contida no simpósio sobre reformas dos impostos em *Journal of Economic Perspectives*, Summer, 1987. O estudo clássico do imposto de taxa única referido no texto está também online em <http://www.hoover.org/publications/books/3602666.html>.

Sites

Dados sobre o orçamento do Estado e tendências dos impostos podem ser encontrados nos sites do governo norte-americano. Por exemplo, as tendências globais são apresentadas pelo Bureau of Economic Analysis em <http://www.bea.gov>. Informação sobre o orçamento para o governo federal dos Estados Unidos vem do Office of Management and Budget em <http://www.whitehouse.gov/omb>.

O Internal Revenue Service (IRS) tem um site expressivo com uma abundância de estatísticas de impostos em <http://www.irs.gov e www.irs.gov/taxstats/index.html>.

Duas organizações que estudam a tributação e têm bons sites na internet são a National Tax Association em <http://www.ntanet.org> e a Brookings Institution em <http://www.brookings.org>. Textos sobre políticas por um instituto de pesquisa britânico que foca a previdência social e tributação podem ser encontrados em <http://www.ifs.org.uk>.

QUESTÕES PARA DISCUSSÃO

1. Recorde a declaração de Justice Oliver Wendell Holmes: "Os impostos são o preço que pagamos por uma sociedade civilizada". Interprete essa declaração, recordando que, em Economia, necessitamos sempre levantar o véu dos fluxos monetários para compreender o fluxo dos recursos reais.

2. Em sua apreciação sobre se prefere uma economia de puro *laissez-faire* ou com regulação pelo Estado, analise se deveria haver controle público sobre prostituição, drogas, transplantes de coração, armas e bebidas alcoólicas. Discuta as vantagens respectivas de impostos elevados e da proibição de tais bens. (Recorde a discussão da proibição de drogas no Capítulo 5.)

3. Os críticos do sistema de impostos nos Estados Unidos argumentam que ele prejudica os incentivos ao trabalho, à poupança e à inovação e, portanto, reduz o crescimento econômico no longo prazo. Explicar por que os "impostos verdes" podem promover a eficiência econômica e o crescimento econômico. Considere, por exemplo, impostos

sobre emissões sulfurosas ou de dióxido de carbono, ou sobre os navios que derramam petróleo. Elabore uma lista de impostos que, em sua opinião, aumentariam a eficiência, e compare os seus efeitos com os dos impostos sobre a renda do trabalho ou do capital.

4. Os economistas da tributação referem-se frequentemente aos impostos fixos (*lump-sum*) que incidem sobre as pessoas, independentemente da sua atividade econômica. Os fixos são eficientes porque impõem taxas marginais de imposto nulas sobre todos os fatores produtivos e produções.

   Admita que o governo decrete um imposto de US$ 200 para cada pessoa. Mostre em um gráfico o seu efeito sobre a oferta e demanda de trabalho. A receita do produto marginal do trabalho continua a ser igual ao salário em equilíbrio?

   Em uma estrutura vitalícia, o equivalente dinâmico dos impostos fixos é um "imposto sobre capacidades inatas", que tributaria as pessoas físicas com base em sua renda potencial do trabalho. Você seria a favor de tal mudança? Descreva algumas das dificuldades na implantação de um imposto sobre a capacidade inata.

5. Faça uma lista dos vários impostos federais por ordem da sua progressividade. Se o governo federal tivesse de trocar os impostos sobre a renda por impostos sobre o consumo, ou sobre as vendas, qual seria o efeito em termos da progressividade total do sistema tributário?

6. Alguns bens públicos são locais, beneficiando os residentes de áreas restritas; outros são nacionais, beneficiando um país inteiro; alguns são globais, tendo efeitos sobre todos os países. Um bem é privado quando tem externalidades insignificantes. Dê alguns exemplos de bens privados puros e de bens públicos, ou externalidades, locais, nacionais e globais. Para cada um, indique o nível de administração que poderia estabelecer as políticas relevantes de modo mais eficiente e sugira uma ou duas medidas de governo apropriadas que pudessem resolver a externalidade.

7. De nossa discussão sobre a incidência dos impostos, recorde que a incidência de um imposto se refere a sobre quem incide, em última instância, o seu fardo econômico e ao seu efeito total sobre os preços, produções e outras grandezas econômicas. A seguir, temos algumas questões de incidência que podem ser respondidas com o uso da oferta e da demanda. Use gráficos para explicar as suas respostas.

   a. Na Lei Orçamentária de 1993, o Congresso aumentou os impostos federais sobre a gasolina em 1 centavo por litro. Admitindo que o preço da gasolina no atacado seja determinado em mercados mundiais, qual é o impacto relativo do imposto sobre os produtores e consumidores norte-americanos?

   b. Os impostos para a previdência social incidem, em geral, sobre a renda do trabalho. Qual é a sua incidência se a oferta de trabalho for perfeitamente inelástica? E se a oferta de trabalho tiver uma inflexão para trás?

   c. Admita que as empresas tenham de ganhar uma dada taxa de retorno sobre o investimento depois de impostos, sendo a rentabilidade determinada nos mercados de capitais mundiais. Qual é a incidência de um imposto sobre a renda das empresas em uma pequena economia aberta?

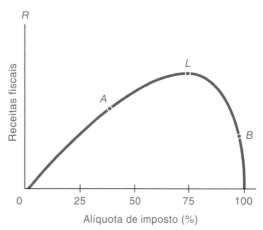

FIGURA 16-8 A curva de Laffer.

8. Uma questão interessante envolve a *Curva de Laffer*, que tem o nome devido ao economista californiano que durante algum tempo foi candidato a senador, Arthur Laffer. Na Figura 16-8, a curva de Laffer mostra como crescem as receitas com o aumento das *alíquotas de imposto*, atingem um máximo no ponto *L* e depois diminuem até 0 com uma alíquota de imposto de 100%, em que a atividade é completamente desestimulada. A forma exata da curva de Laffer para os vários impostos é altamente controversa.

   Um erro comum na discussão sobre impostos é a falácia do *post hoc* (ver a análise desta no Capítulo 1). Os proponentes de impostos menores invocavam frequentemente a curva de Laffer nos seus argumentos. Apontam os cortes de impostos nos anos 1960 para sugerir que a economia está à direita do pico da curva de Laffer, por exemplo, em *B*. Dizem, de fato, que "Após os cortes nos impostos de Kennedy-Johnson de 1964, as receitas federais aumentaram efetivamente de US$ 110 bilhões em 1963 para US$ 133 bilhões em 1966. Portanto, a redução dos impostos faz aumentar as receitas". Explique por que isso não prova que a economia estava à direita de *L*. Responda em seguida, por que esse é um exemplo da falácia do *post hoc*. Apresente uma análise correta.

9. De acordo com o imposto de taxa única, a totalidade da renda das pessoas e das empresas é tributada de uma só vez com uma alíquota de imposto baixa e fixa. A Tabela 16-5 mostra como tal imposto poderia funcionar. Compare as taxas de imposto médio e marginal do imposto de taxa única com o esquema dos impostos mostrado na Tabela 16-4. Liste as vantagens e desvantagens de ambos. Qual é o mais progressivo?

(1) Renda bruta ajustada (US$)	(2) Deduções e isenções (US$)	(3) Renda tributável (US$)	(4) Imposto sobre a renda da pessoa física (US$)
5.000	20.000	0	0
10.000	20.000	0	0
20.000	20.000	0	0
50.000	20.000	30.000	6.000
100.000	20.000	80.000	16.000
1.000.000	20.000	980.000	196.000

TABELA 16-5

CAPÍTULO

17 Eficiência *versus* igualdade:
o grande conflito

[O conflito] entre a igualdade e a eficiência [é] o nosso principal antagonismo socioeconômico, atormentando-nos em múltiplos aspectos da política social. Não podemos ter o bolo da eficiência do mercado e compartilhá-lo de forma igualitária.

Arthur Okun (1975)

Há cerca de um século, vários governos do Ocidente começaram a intervir no mercado e introduziram medidas de previdência social como proteção contra as pressões socialistas – essa nova concepção foi chamada de "estado do bem-estar social". As atitudes em relação ao estado do bem-estar social evoluíram gradualmente para a economia de mercado mista existente atualmente nas democracias da Europa e da América do Norte. Nesses continentes, o mercado é responsável pela produção e determinação de preços da maioria dos bens e serviços, enquanto os governos geram a economia e proporcionam apoio aos pobres, desempregados e idosos.

Um dos aspectos mais controversos das políticas governamentais diz respeito às políticas relativas aos pobres. As famílias devem ter renda garantida? Ou, talvez, apenas níveis mínimos de alimentação, habitação e assistência médica? Os impostos devem ser progressivos, redistribuindo a renda dos ricos para os pobres? Ou a tributação deve ter como principal objetivo a promoção do crescimento econômico e da eficiência?

Surpreendentemente, essas questões têm sido cada vez mais controversas, à medida que as sociedades se tornam mais ricas. Pode-se pensar que, à medida que um país se torna mais próspero, passa a dedicar uma parcela maior de sua renda a programas de ajuda aos necessitados no seu país e no exterior. Isso nem sempre ocorre. Com o aumento da carga fiscal ao longo do último meio século, as revoltas dos contribuintes têm incitado reduções das alíquotas dos impostos. De forma crescente, as pessoas também estão conscientes de que as tentativas para igualar as rendas podem prejudicar os incentivos e a eficiência. Atualmente, as pessoas perguntam: quanto do bolo econômico tem de ser sacrificado para se dividi-lo de forma mais equitativa? De que forma devemos reelaborar os programas de apoio à renda para atingir o objetivo de reduzir as carências e a desigualdade, sem levar o país à bancarrota?

O objetivo deste capítulo é examinar a distribuição da renda juntamente com os dilemas das políticas para a redução da desigualdade. Essas questões econômicas são das mais controversas da atualidade. Recorde a sugestão do primeiro capítulo de que a Ciência Econômica serve melhor o interesse público utilizando a frieza da razão a serviço dos corações apaixonados. Este capítulo aborda as tendências da desigualdade e os méritos relativos das várias abordagens, bem como indica de que maneira a análise econômica com a cabeça fria pode ajudar a promover tanto a justiça como o crescimento contínuo da economia mista.

A. FONTES DA DESIGUALDADE

Para quantificar a desigualdade no controle sobre os recursos econômicos, precisamos nos concentrar nas diferenças tanto da renda como da riqueza. Recorde que renda pessoal significa o total das receitas, ou dinheiro recebido por uma pessoa, ou por uma família, durante dado período (normalmente um ano). As principais componentes da renda pessoal são receitas provenientes do trabalho, da propriedade (tais como aluguéis, juros e dividendos) e as transferências do governo. A renda disponível consiste na renda pessoal menos os impostos pagos. A riqueza, ou patrimônio líquido, equivale ao valor monetário dos ativos financeiros ou tangíveis menos o montante das dívidas aos bancos e a outros credores. Você pode recordar as principais fontes de renda e riqueza revendo as Tabelas 12-1 e 12-2. (Veja as páginas 203 e 205.)

DISTRIBUIÇÃO DA RENDA E DA RIQUEZA

As estatísticas mostram que em 2006 a mediana da renda das famílias norte-americanas foi de US$ 48,2 mil, o que significa que metade das famílias recebia menos do que esse valor e outra metade recebia mais. Esse valor diz respeito à *distribuição da renda*, o que mostra a variabilidade, ou dispersão, dela. Para compreender a distribuição da renda, considere a seguinte experiência. Suponha que uma pessoa de cada família registrasse a renda anual da sua família em um cartão. Podemos, em seguida, ordenar esses registos em *classes de renda*. Alguns dos cartões vão para os 20% mais baixos, o grupo com renda média de US$ 11.551. Alguns pertencerão à classe seguinte. Poucos irão para a classe do topo dos 5% de famílias com renda superior a US$ 362.514.

A Tabela 17-1 mostra a efetiva distribuição da renda das famílias norte-americanas em 2006. A coluna (1) mostra os vários quintis de classe de renda, mais o grupo superior dos 5% das famílias. A coluna (2) apresenta a renda média de cada classe de renda. A coluna (3) representa a percentagem de famílias em cada classe de renda, enquanto a coluna (4) mostra a percentagem da renda nacional total que vai para as famílias na classe de renda.

Uma observação rápida da Tabela 17-1 permite ver um leque muito ampliado da renda na economia dos Estados Unidos. Metade da população ganha menos de US$ 50 mil. À medida que subimos a renda, o número de famílias é cada vez menor. Se fizéssemos uma pirâmide de renda com tijolos, com cada tijolo representando US$ 500 de renda, o topo seria mais alto que o Monte Everest, mas a maioria das pessoas se encontraria a poucos metros do solo.

Como medir a desigualdade entre classes de renda

Em um extremo, se a renda fosse distribuída de forma absolutamente igualitária, não haveria diferença entre os 20% inferiores e os 20% superiores da população: cada quintil receberia exatamente 20% da renda do país. Isso é o que significa igualdade absoluta.

A realidade é bem diferente. Em 2006, o quintil inferior, com 20% das famílias, recebe menos de 4% da renda total. Entretanto, a situação é inversa para os 5% das famílias do topo que recebem 21% da renda.

Podemos mostrar o grau de desigualdade em um gráfico conhecido por curva de Lorenz, um instrumento bastante usado na análise da desigualdade de renda e de riqueza. A Figura 17-1 é uma curva de Lorenz que representa a dimensão da desigualdade descrita nas colunas da Tabela 17-2; ou seja, confronta os padrões de (1) uma igualdade absoluta com (2) uma desigualdade absoluta e (3) a desigualdade efetiva nos Estados Unidos, em 2006.

A igualdade absoluta é representada pelos valores da coluna (4), na Tabela 17-2. Quando representados em um gráfico, correspondem à linha diagonal a 45° traçada da Figura 17-1 da curva de Lorenz.

No outro extremo, temos o caso hipotético da desigualdade absoluta, em que apenas uma pessoa tem toda a renda. Tal desigualdade está representada na coluna (5) da Tabela 17-2 e na curva inferior do diagrama de Lorenz – a linha preta tracejada que forma o ângulo reto.

Qualquer distribuição efetiva da renda, como a de 2006, situa-se entre os extremos de igualdade e de desigualdade absoluta. A coluna 6 na Tabela 17-2 apresenta os dados derivados das duas primeiras colunas em uma forma adequada para a representação gráfica como uma curva de Lorenz real. Essa curva aparece na Figura 17-1 como a curva intermediária. A área sombreada indica o desvio em relação à igualdade absoluta, dando-nos assim uma medida do grau de desigualdade da distribuição da renda.

(1) Classe de renda das famílias	(2) Média	(3) Percentagem de todas as famílias nesta classe	(4) Percentagem da renda total recebida pelas famílias nesta classe
Quintil inferior	US$ 11.551	20	3,4
Segundo quintil	US$ 29.442	20	8,7
Terceiro quintil	US$ 49.968	20	14,8
Quarto quintil	US$ 79.111	20	23,4
Quintil superior	US$ 169.971	20	49,7
Os 5% superiores	US$ 362.514	5	21,2

TABELA 17-1 Distribuição da renda monetária das famílias norte-americanas, 2006.

Como foi distribuída a renda total entre as famílias, em 2001? Agrupamos as famílias no quinto (ou quintil) com menor renda, no quintil com a segunda menor renda etc.

Fonte: U.S. Bureau of the Census, Current Population Report, *Income, Poverty and Health Insurance Coverage in the United States*, 2007, disponível em <http://www.census.gov/hhes/www/income/income.html>.

> **O coeficiente de Gini**
>
> Muitas vezes, os economistas precisam calcular medidas quantitativas da desigualdade. Uma medida útil é o *coeficiente de Gini*. Obtém-se pela multiplicação por 2 da área sombreada da curva de Lorenz da Figura 17-1. O coeficiente de Gini é igual a 1 quando a desigualdade é completa e igual a zero quando a igualdade é total. Para verificar isso, recorde que uma sociedade com renda igualitária teria uma curva de Lorenz sobre a linha de 45%, pelo que a área sombreada seria zero. Inversamente, quando a curva se situa sobre o eixo, a área é 1/2, que, quando multiplicada por 2, resulta em um coeficiente de Gini igual a 1.
>
> Usando o coeficiente de Gini, o Census Bureau calcula que a igualdade pouco se alterou de 1967 a 1980 (o coeficiente de Gini aumentou de 0,399 para 0,403), mas aumentou constantemente de 1980 a 2006 (de 0,403 para 0,469).

FIGURA 17-1 A curva de Lorenz representa a desigualdade de renda.

Ao marcar os valores da coluna (6) da Tabela 17-2, vemos que a curva sólida da distribuição real da renda se situa entre os dois extremos de igualdade e desigualdade absolutas. A área sombreada dessa curva de Lorenz (em percentagem da área do triângulo) quantifica a desigualdade relativa da renda. (Como seria a curva na terrível década de 1920, quando a desigualdade era maior? E em uma situação utópica em que todos tivessem heranças e oportunidades iguais?)

Distribuição da riqueza

Uma fonte importante de desigualdade da renda é a desigualdade da propriedade da *riqueza*, que corresponde à propriedade líquida dos ativos financeiros e de propriedade tangível. Os que são extraordinariamente ricos – seja em virtude de herança, habilidade ou sorte – recebem renda bastante acima da quantia ganha pela família de renda média. Quem não tem riqueza parte de uma situação de desvantagem de renda.

Nas economias de mercado, a riqueza está distribuída muito mais desigualmente que a renda, como mostra a Figura 17-2. Nos Estados Unidos, os 10% de famílias mais ricas em 2004 possuíam 70% da riqueza e o 1% das famílias detinha cerca de 35% de toda a riqueza.

As sociedades são ambivalentes em relação à posse de grandes riquezas. Há um século, o presidente T. Roosevelt criticou "os malefícios da grande riqueza" e decretou impostos fortemente progressivos sobre a renda e sobre a herança. Um século depois, os conservadores tentaram abolir todos os impostos sobre heranças e doações, apelidando-os de "impostos sobre a morte".

Desigualdade entre países

Os países apresentam distribuições da renda bastante diferentes em função da sua estrutura econômica e

(1)	(2)	(3)	(4)	(5)	(6)
			\multicolumn{3}{c}{Percentagem de renda recebida por esta classe e pelas inferiores}		
Classe de renda das famílias	Percentagem de renda total recebido pelas famílias nesta classe	Percentagem acumulada de pessoas	Igualdade absoluta	Desigualdade absoluta	Distribuição efetiva
Quintil inferior	3,4	20	20	0	3,4
Segundo quintil	8,7	40	40	0	12,1
Terceiro quintil	14,8	60	60	0	26,9
Quarto quintil	23,4	80	80	0	50,3
Quintil superior	49,7	100	100	100	100,0

TABELA 17-2 Casos efetivos e extremos de desigualdade.

Ao acumular as parcelas de renda de cada quintil apresentado na coluna (2), podemos comparar a distribuição efetiva na coluna (6) com os casos extremos de total desigualdade e igualdade.

Fonte: Ver a Tabela 17-1.

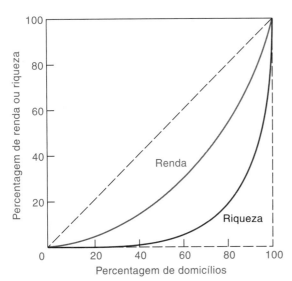

FIGURA 17-2 A desigualdade é maior na riqueza que na renda anual.

A posse de riqueza tende a ser mais concentrada que a renda anual.
Fonte: Para a renda, ver a Tabela 17-1. A fonte para a riqueza é Federal Reserve Board, Survey of Consumer Finances, 2004, disponível em <http://www.federalreserve.gov/Pubs/oss/oss2/2004/scf2004home_modify.html>.

	Razão entre a renda dos 10% mais ricos e a renda dos 10% mais pobres
Japão	4,5
República Checa	5,2
Suécia	6,2
Alemanha	6,9
República da Coreia	7,8
França	9,0
Espanha	9,0
Canadá	10,0
Itália	11,7
Austrália	12,7
Reino Unido	13,6
Estados Unidos	15,7
África do Sul	31,9
Argentina	38,9
Brasil	67,0
Namíbia	129,0

TABELA 17-3 Desigualdade comparada em vários países.

Apresenta-se a razão entre a renda dos 10% do topo da população e a renda dos 10% do fundo. A desigualdade difere muito entre os países. O Japão e a Europa Ocidental têm a menor desigualdade, enquanto os países da América do Sul têm a maior.
Fonte: World Bank, World Development Indicators, 2005, disponível em <http://devdata.worldbank.org/wdi2005/index2.htm>.

social. A Tabela 17-3 mostra a desigualdade em vários países medida pela razão entre a renda dos 10% do topo e o dos 10% do fundo da distribuição de renda. Os países orientados para o mercado, como os Estados Unidos, tendem a ter as distribuições de renda mais desiguais entre os países de renda mais elevada. Os estados do bem-estar social da Europa Ocidental tendem a ter a desigualdade menor. As fontes da elevada desigualdade nos Estados Unidos são analisadas mais tarde neste capítulo.

A experiência dos países em desenvolvimento mostra uma relação interessante. A desigualdade começa a aumentar quando os países iniciam a industrialização, após essa fase a desigualdade diminui. Os maiores extremos de desigualdade ocorrem nos países de renda média, em especial em países latino-americanos, como o Brasil e a Argentina.

POBREZA NOS ESTADOS UNIDOS

De acordo com as Escrituras, "Você sempre terá os pobres contigo". A pobreza é, de fato, uma preocupação permanente nos Estados Unidos e no resto do mundo. Antes de analisarmos os programas de combate à pobreza, devemos examinar a definição de pobreza.

Conceito ilusório de pobreza

O termo "pobreza" significa coisas diferentes para pessoas diferentes. Obviamente, a pobreza é uma condição que as pessoas têm de renda inadequada, mas é difícil estabelecer uma separação exata entre o pobre e o não pobre. Por isso, os economistas têm elaborado certas técnicas que proporcionam a definição oficial de pobreza.

A pobreza foi oficialmente definida nos Estados Unidos nos anos 1960 como renda insuficiente para comprar alimentos, vestuário, alojamento e outras necessidades básicas. Isso foi calculado a partir dos orçamentos familiares e duplamente testado pelo exame da parcela de renda gasta em alimentação. Desde então, o orçamento da pobreza tem sido atualizado com o índice oficial de preços no consumidor para refletir as variações no custo de vida. De acordo com a definição padrão, o custo de vida de subsistência de uma família de quatro pessoas era US$ 21,2 mil em 2008. Esse valor representa o "limiar de pobreza" ou a demarcação entre famílias pobres e não pobres. O limiar de pobreza varia também em relação ao tamanho da família.

Embora seja útil um valor exato para medida da pobreza, os especialistas reconhecem que "pobreza" é um termo relativo. A noção de orçamento de subsistência inclui questões subjetivas de preferências e de convenções sociais. A habitação que atualmente é considerada abaixo do padrão inclui, frequentemente, equipamentos e canalizações que nem os milionários nem os barões ladrões de épocas anteriores dispunham.

Em virtude das limitações da definição usual, peritos da National Academy of Sciences recomendaram que a definição de pobreza fosse alterada para refletir a *situação de renda relativa*. Estabeleceu-se que uma família seja considerada pobre se o seu consumo for menor que 50% da mediana do consumo familiar em alimentos, vestuário e habitação. A pobreza no sentido de renda relativa deveria diminuir quando a desigualdade diminuísse; a pobreza não se alteraria se a economia crescesse, desde que não houvesse alteração da distribuição da renda e do consumo. Neste mundo novo, uma maré alta levantaria todos os barcos, mas não alteraria a parcela da população considerada pobre. Essa nova abordagem está sendo cuidadosamente ponderada pelo governo norte-americano.

Quem são os pobres?

A pobreza atinge mais alguns grupos que outros. A Tabela 17-4 mostra a incidência da pobreza em vários grupos em 2006. Os brancos têm menores taxas de pobreza que os negros e os hispânicos. Os idosos já não têm pobreza acima da média.

A tendência mais preocupante talvez seja a das famílias monoparentais, encabeçadas por mulheres, por serem a maior parcela, e crescente, da população pobre. Em 1959, cerca de 18% das famílias pobres eram encabeçadas por mulheres que criavam os filhos sozinhas. Em 2006, a taxa de pobreza desse grupo era de 30%. Os sociólogos receiam que as crianças de famílias monoparentais recebam alimentação e educação inadequadas e que elas terão mais dificuldades para escapar da pobreza quando forem adultas.

Por que tantas famílias encabeçadas por mulheres e de minorias são pobres? Qual é o papel da discriminação? Observadores experientes afirmam que a discriminação racial ou sexual descarada, pela qual as empresas simplesmente pagam menos às minorias e às mulheres, atualmente está desaparecendo. Contudo, a pobreza relativa das mulheres e dos negros continua em um nível elevado. Como podemos conciliar essas duas tendências aparentemente contraditórias? O principal determinante em jogo é o diferencial crescente entre a renda dos trabalhadores com educação e qualificação elevadas e a dos trabalhadores sem qualificação e com baixa escolaridade. Ao longo dos últimos 25 anos, a diferença salarial entre esses dois grupos aumentou acentuadamente. A diferença salarial crescente tem atingido, com especial intensidade, os grupos minoritários.

Quem são os ricos?

No outro extremo estão os de renda elevada. Muitos dos que têm as maiores rendas têm principalmente *renda da propriedade*, que consiste em ativos, como ações, obrigações e imóveis. Na geração anterior, a maior parte dos americanos mais ricos obteve a sua riqueza por herança. Hoje, o empreendedorismo é um caminho muito mais importante para se tornar rico. A maioria dos mais ricos nos Estados Unidos conseguiu sua riqueza por assumir riscos e criar novos negócios rentáveis, como empresas de softwares, redes de televisão e redes de varejo. As pessoas que inventaram bens, ou serviços, ou que organizaram as empresas que os trouxeram para o mercado ficaram ricas pelos "lucros schumpeterianos" dessas inovações. Nesse grupo de pessoas ricas incluem-se heróis populares, como Bill Gates (cabeça da gigante do software, Microsoft), os Waltons (fundadores da Walmart) e Warren Buffett (guru dos investimentos). Em uma época anterior, os ricos viviam de ações, obrigações e arrendamento de terras.

Outra mudança importante entre os que têm maior renda é que os salários (incluindo os dos donos) contam hoje para 85% da renda dos 1% do topo, enquanto essa parcela era apenas de cerca de 50% no início do século XX. Quem tem as maiores rendas é, cada vez

Pobreza nos principais grupos, 2006	
Grupo populacional	**Percentagem de pobres no grupo**
População total	12,3
Por grupo racial ou étnico:	
Brancos (não hispânicos)	8,2
Negros	24,3
Hispânicos	20,6
Por idade:	
Menos de 18 anos	17,4
Dos 18 aos 64 anos	10,8
65 anos ou mais	9,4
Por tipo de família:	
Casal	5,7
Mulher chefe de família, sem marido	30,5
Homem chefe de família, sem mulher	13,8

TABELA 17-4 Incidência da pobreza em vários grupos, Estados Unidos, 2006.

Os brancos e os casais têm taxas de pobreza inferiores à média. Os negros, os hispânicos e as famílias encabeçadas por mulheres têm taxas de pobreza acima da média.

Fonte: U.S. Bureau of the Census, *Poverty in the United States*, 2006, CPS 2007 Annual Social and Economic Supplement, retirado de <http://pubdb3.census.gov/macro/032007/pov/toc.htm>.

mais, quem trabalha em finanças. Qual a profissão que individualmente mais ganha? Nos últimos anos, têm sido os banqueiros de investimento e os especialistas que trabalham nos mercados financeiros. A remuneração média no setor dos valores mobiliários em 2006 foi de US$ 206 mil para todos os trabalhadores, com os gerentes de alto nível e os analistas, muitas vezes, ganhando esse valor.

Por que há diferenças tão grandes na remuneração entre empregos? Algumas das diferenças vêm de investimentos em capital humano, como os anos necessários para formar um médico de alto nível. As capacidades também desempenham um papel, por exemplo, ao limitar os empregos em finanças para aqueles que têm uma profunda competência para cálculos decimais. Alguns empregos pagam mais porque são perigosos ou desagradáveis (recorde a análise dos diferenciais de compensação no Capítulo 13). Além disso, quando a oferta de trabalho é limitada em uma profissão (por exemplo, por restrições sindicais ou a regras de licenciamento profissional), as restrições da oferta fazem os ordenados e salários dessa profissão subirem.

Tendências da desigualdade

A desigualdade de renda nos Estados Unidos passou por um ciclo completo ao longo do século passado. A história dessa desigualdade é mostrada na Figura 17-3. Nela é apresentada a razão entre a renda do quintil mais rico das famílias e a do quintil mais pobre. Podemos ver três períodos distintos: a redução da desigualdade até a Segunda Guerra Mundial, parcelas estáveis até os anos 1970 e, a seguir, o aumento da desigualdade ao longo das três últimas décadas. Vemos que a razão entre a renda do grupo superior e a do inferior quase duplicou. Além disso, examine as parcelas de renda dos quatro grupos principais, mostradas na Figura 17-4. A tendência mais marcante é 0,1% do topo da pirâmide da renda. As 133 mil famílias desse grupo tiveram uma renda média de US$ 6,3 milhões em 2006.

Redução da desigualdade. A desigualdade atingiu um pico em 1929 e depois diminuiu muito na Grade Depressão, quando os preços das ações reduziram a renda dos grupos do topo. O prolongado crescimento do pós-guerra trouxe prosperidade aos trabalhadores da classe média, e a parcela dos grupos do topo da renda reduziu-se até o ponto baixo dos anos 1960. A parcela da renda total correspondente ao quintil mais pobre das famílias aumentou de 3,8% para cerca de 5% entre 1929 e 1975.

Por que a desigualdade diminuiu nesse período? A desigualdade diminuiu, em parte, em virtude da redução da desigualdade salarial. Com o aumento da educação dos grupos de mais baixa renda e a sindicalização da população ativa, a diferença salarial foi reduzida. As políticas governamentais, como a previdência social,

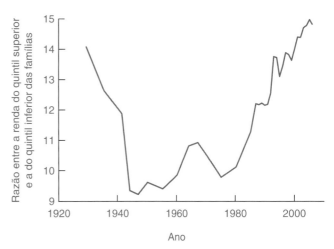

FIGURA 17-3 Tendências na desigualdade nos Estados Unidos, 1929-2006.

Uma medida útil da desigualdade é a razão entre a renda do quintil superior da população e a do quintil inferior. A parcela da renda superior diminuiu após 1929, com o colapso da Bolsa nos anos 1930, com o reduzido desemprego e a redução das barreiras para as mulheres e as minorias durante a Segunda Guerra Mundial, e a migração da agricultura para a cidade. Desde 1980, a desigualdade de renda aumentou acentuadamente com a imigração elevada e com o declínio dos salários dos não qualificados.

Fonte: U.S. Bureau of the Census, com séries históricas ajustadas pelos autores.

tiveram um grande impacto na população idosa, enquanto programas como subsídios em dinheiro, vales-alimentação para os indigentes e o seguro-desemprego, ampliaram a renda de outros grupos de baixa renda. O sistema norte-americano progressivo de imposto sobre a renda, que tributa mais fortemente as rendas maiores, levou à redução do grau da desigualdade.

Aumento da diferença. No último quarto de século, algumas dessas tendências inverteram-se. A parcela da renda total pertencente ao quintil inferior diminuiu acentuadamente nos anos 1980, afundando de 5,4% em 1975 para 3,4% em 2006. E a renda real média das famílias no quintil inferior estabeleceu-se muito abaixo do seu ponto mais elevado. Ainda que a renda dos pobres tenha estagnado durante o último quarto de século, a parcela da renda que coube aos norte-americanos mais ricos disparou.

Por que a desigualdade aumentou nas últimas décadas? Após anos de intenso debate sobre essa questão, uma tentativa de conclusão foi proposta em uma pesquisa recente realizada por Robert J. Gordon e Ian Dew-Becker. As suas conclusões são as seguintes:

- Praticamente nada da crescente desigualdade veio da evolução da parcela global do trabalho na renda nacional. Essa parcela não tem sofrido alteração desde 1970.

FIGURA 17-4   Participação de renda dos grupos de maior renda, 1917-2006.

A desigualdade caiu durante a maior parte do século XX e depois começou a subir por volta de 1970. Os ganhos mais expressivos foram no grupo mais acima – as 0,1% das famílias do topo, no qual a participação passou de 2% da renda em 1975 para mais de 9% no último ano.

Fonte: Os métodos foram desenvolvidos por Thomas Piketty e Emmanuel Saez, em "Income Inequality in the United States, 1913–1998", *Quarterly Journal of Economics*, 2003. Esses dados são da atualização de março de 2008, disponíveis em <http://elsa.berkeley.edu/~saez/>.

- O declínio dos sindicatos contribuiu ligeiramente para a desigualdade em relação aos homens.
- O impacto do comércio exterior sobre os salários relativos parece ser mínimo, enquanto a imigração parece ter prejudicado os trabalhadores nascidos no exterior, que são "substitutos" próximos dos imigrantes.
- O progresso tecnológico parece ter reduzido principalmente os salários relativos dos grupos de renda média, enquanto aumentou a renda dos trabalhadores altamente qualificados complementares e teve pouco efeito sobre os trabalhadores não qualificados do setor de serviços.
- O topo máximo da distribuição de renda tem aumentado a sua participação acentuadamente por causa de três fenômenos. Primeiro, o salário das superestrelas tem aumentado, uma vez que a tecnologia tem ampliado a audiência de atletas e artistas. Segundo, a renda dos profissionais do topo, particularmente no setor financeiro, tem aumentado com a crescente globalização da economia dos Estados Unidos. Terceiro, eles endossam a ideia de que a separação entre propriedade e controle permitiu "os ganhos exagerados na remuneração dos CEOs".

Concluímos assim a nossa descrição da quantificação e das fontes da desigualdade. Na próxima seção, voltamo-nos para uma análise dos programas governamentais para combater a pobreza e reduzir a desigualdade. Em todas as democracias com níveis elevados de renda esses programas são repensados ao mesmo tempo em que o papel do Estado é redefinido.

B. POLÍTICAS DE COMBATE À POBREZA

Todas as sociedades tomam medidas para ajudar os seus cidadãos pobres. Mas o que é dado ao pobre tem de vir dos outros grupos, e esse é indubitavelmente o ponto mais contestado dos programas de redistribuição. Além disso, os economistas temem o impacto da redistribuição sobre a eficiência e a motivação de um país. Nesta seção, revemos o surgimento do estado do bem-estar social, consideramos os custos da redistribuição de renda e investigamos o sistema atual de apoio à renda.

Surgimento do estado do bem-estar social

Os primeiros economistas clássicos pensavam que a distribuição da renda seria inalterável. Eles argumentavam que as tentativas para atenuar a pobreza com intervenções governamentais na economia eram esforços inglórios que acabariam simplesmente por reduzir a renda nacional total. Essa perspectiva foi contestada pelo economista e filósofo inglês John Stuart Mill. Embora alertando contra as interferências no mecanismo de mercado, ele argumentou eloquentemente que as políticas governamentais podiam reduzir a desigualdade.

No final do século XIX, os dirigentes políticos da Europa Ocidental tomaram medidas que constituíram uma virada histórica no papel do governo na economia. Bismarck na Alemanha, Gladstone e Disraeli na Grã-Bretanha, seguidos por Franklin Roosevelt nos Estados Unidos, introduziram um novo conceito de responsabilidade do governo quanto ao bem-estar da população.

Isso marcou o nascimento do estado do bem-estar social, em que o governo toma medidas para proteger as pessoas contra determinadas contingências e para garantir a elas um padrão de vida mínimo.

Nos programas importantes do estado do bem-estar social, incluem-se aposentadorias, seguros de acidente e de doença, seguro-desemprego, seguros de saúde, programas de alimentação e habitação, abonos de família e suplementos à renda de certos grupos de pessoas. Essas políticas têm sido aplicadas gradualmente desde 1880 até o presente. O estado do bem-estar social surgiu tarde nos Estados Unidos, tendo sido introduzido no New Deal na década de 1930 com o seguro-desemprego e a previdência social. Juntou-se o apoio médico a idosos e a pobres na década de 1960. Em 1996, o governo federal norte-americano inverteu a marcha ao eliminar a garantia de uma renda mínima. O debate sobre a redistribuição nunca acaba.

CUSTOS DA REDISTRIBUIÇÃO

Um dos objetivos para uma economia mista moderna é proporcionar segurança mínima para quem está temporária ou permanentemente incapacitado a ganhar sua própria renda adequada. Uma das justificativas para essas políticas é a promoção de maior igualdade.

Quais são os diferentes conceitos de igualdade? Para começar, as sociedades democráticas estabelecem o princípio da igualdade dos *direitos políticos*, nos quais se incluem, em geral, o direito de voto, o direito a julgamento com júri e o direito à liberdade de expressão e associação. Nos anos 1960, os filósofos liberais expuseram a ideia de que as pessoas deveriam ter também *oportunidades econômicas* iguais. Em outras palavras, as regras deveriam ser as mesmas para todos. Todos deviam ter acesso idêntico às melhores escolas, à melhor formação profissional e aos melhores empregos. A discriminação com base na raça e no gênero deveria assim desaparecer. Foram tomadas muitas medidas para promover uma maior igualdade, mas provou-se que as desigualdades de oportunidades eram muito persistentes.

Outro objetivo, e o de mais amplo alcance, é o da igualdade do *resultado econômico*. Nessa utopia, as pessoas teriam o mesmo consumo, quer fossem espertas ou não, esforçadas ou preguiçosas, sortudas ou desafortunadas. Os salários seriam os mesmos para o médico e para a enfermeira, para o advogado e para a secretária. "De cada um, de acordo com suas capacidades, a cada um, de acordo com suas necessidades", foi a formulação dessa filosofia por Karl Marx.

Atualmente, até mesmo os socialistas mais radicais reconhecem que são necessárias algumas diferenças no resultado econômico para o funcionamento eficiente da economia. Sem um diferencial de remuneração para os vários tipos de trabalho, como poderíamos assegurar que haveria pessoas para executar tanto os trabalhos desagradáveis como os agradáveis, e pessoas para trabalhar tanto nas plataformas de petróleo perigosas como nos lindos parques naturais? A insistência na igualdade de resultados prejudicaria seriamente o funcionamento da economia.

Balde furado

Ao tomar medidas de redistribuição da renda dos ricos para os pobres, os governos podem prejudicar a eficiência econômica e reduzir o montante da renda nacional disponível para distribuir. No entanto, sendo um bem social, a igualdade tem um custo.

A questão de saber quanto estaremos dispostos a pagar, em termos de redução da eficiência, por uma maior igualdade foi tratada por Arthur Okun na sua experiência do "balde furado". Ele observou que, se damos valor à igualdade, concordaríamos em retirar um dólar do balde dos muito ricos para dá-lo aos muito pobres. Mas, continuou ele, suponha que o balde da redistribuição tenha furos. Suponha que apenas uma parcela – metade, por exemplo – de cada dólar pago em impostos pelo rico chegue efetivamente ao pobre. Então, a redistribuição em nome da igualdade será feita à custa da eficiência econômica.[1]

Okun apresentou um dilema fundamental. As medidas de redistribuição, como o imposto progressivo sobre a renda, analisado no Capítulo 16, diminuem o produto real ao reduzirem os incentivos ao trabalho e à poupança. À medida que um país pondera as suas políticas de redistribuição da renda, irá querer ponderar o benefício de uma maior igualdade em relação ao impacto dessas políticas sobre a renda nacional total.

---

[1] Arthur M. Okun, *Equality and Efficiency*: The Big Tradeoff (Brookings Institution, Washington, D.C., 1975).

Custos da redistribuição em gráficos

Podemos ilustrar a ideia de Okun usando a curva de possibilidade de renda da Figura 17-5. Esse gráfico mostra a renda disponível para os vários grupos com a redistribuição de renda pelos programas de governo.

Começamos por dividir a população ao meio; a renda real do grupo da metade inferior é medido no eixo vertical da Figura 17-5, enquanto a renda da metade superior é medida no eixo horizontal. No ponto A, que é o ponto antes da redistribuição, não são cobrados impostos nem são efetuadas transferências, portanto as pessoas vivem simplesmente com sua renda de mercado. Em uma economia competitiva, o ponto A é o de eficiência e a política de não redistribuição maximiza a renda nacional total.

Contudo, no ponto A de *laissez-faire*, o grupo de maior renda recebe substancialmente mais que o da metade inferior. As pessoas podem lutar por maior igualdade por meio de impostos e transferências, na esperança de um deslocamento para o ponto de rendas iguais, em E. Se essas medidas puderem ser tomadas sem a redução do produto nacional, a economia se deslocaria ao longo da linha de A para E. A inclinação do segmento AE é −45°, o que reflete o pressuposto sobre a eficiência de que o balde redistributivo não tem furos, portanto cada dólar tirado da metade superior aumenta a renda da metade inferior exatamente em US$ 1. Ao longo da linha de −45°, a renda nacional total é constante, indicando que os programas de redistribuição não têm qualquer impacto sobre a renda nacional total.

A maioria dos programas de redistribuição afeta a eficiência. Se um país redistribui a renda pela imposição de altas taxas de imposto sobre as pessoas mais ricas, o esforço de trabalho e de poupança dessas pessoas poderá ser reduzido ou desviado, resultando em um menor produto nacional total. Essas pessoas podem gastar mais dinheiro com advogados tributaristas, ou investir menos em inovações com grande rentabilidade, mas arriscadas. Além disso, se a sociedade garante uma renda mínima aos pobres, o estigma da pobreza será reduzido e os pobres poderão trabalhar menos. Todas essas reações aos programas de redistribuição reduzem o montante total da renda nacional real.

De acordo com a experiência de Okun, podemos concluir que a cada US$ 100 de impostos sobre os ricos, a renda dos pobres aumenta apenas em US$ 50, sendo o resto dissipado por um esforço menor ou por custos administrativos. O balde da redistribuição desenvolveu um grande buraco. O custo da redistribuição é mostrado pela curva ABZ da Figura 17-5, onde a fronteira hipotética da renda real afasta-se da linha de −45°, porque os impostos e as transferências produzem ineficiências.

A experiência dos países socialistas exemplifica como as tentativas de igualar a renda com a expropriação das propriedades dos ricos pode acabar por prejudicar todos. Ao proibir a propriedade privada das empresas, os governos socialistas reduziram as desigualdades que derivam dos grandes rendas da propriedade. Mas a redução dos incentivos ao trabalho, ao investimento e à inovação prejudicou seriamente essa experiência radical de "a cada um de acordo com as suas necessidades" e empobreceu países inteiros. Por volta de 1990, as comparações dos padrões de vida no Leste e no Ocidente convenceram muitos países socialistas de que a propriedade privada das empresas beneficiaria os padrões de vida tanto dos trabalhadores como dos capitalistas.

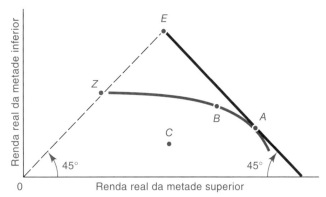

FIGURA 17-5 A redistribuição de renda pode prejudicar a eficiência econômica.

O ponto A marca o resultado mais eficiente, correspondente ao produto nacional máximo. Se a sociedade pudesse redistribuir sem qualquer perda de eficiência, a economia se moveria para o ponto E. Como os programas redistributivos causam, em geral, distorções e perdas de eficiência, o trajeto da redistribuição poderia ocorrer ao longo da linha ABZ. A sociedade tem de decidir qual grau de eficiência irá sacrificar para ganhar maior igualdade. Por que todos iriam querer evitar os programas de redistribuição que deslocassem a economia do ponto B para o ponto C?

Qual o tamanho dos furos?

Okun caracterizou o nosso sistema de redistribuição de impostos e transferências como um balde furado. Mas qual o tamanho dos furos na economia norte-americana? O país está perto do ponto A, da Figura 17-5, em que os furos são negligenciáveis? Ou de B, em que são substanciais? Ou de Z, em que o balde redistributivo é, de fato, uma peneira? Para encontrar a resposta, temos de examinar as principais ineficiências induzidas por elevadas taxas de imposto e por programas generosos de apoio de renda: custos administrativos, enfraquecimento dos incentivos ao trabalho e à poupança e custos socioeconômicos.

- O governo tem de contratar fiscais de impostos para aumentar as receitas e auditores da previdência social para distribuí-los. Essas são ineficiências claras, ou necessidades lamentáveis, mas são pequenas: o serviço de cobrança do imposto sobre a renda gasta apenas metade de um centavo em custos administrativos a cada dólar de receitas cobradas.

- À medida que aumenta a arrecadação feita pela cobrança de impostos, não seremos desestimulados e acabaremos trabalhando menos? As taxas de imposto poderiam ser tão elevadas que as receitas totais acabariam sendo, de fato, menores do que seriam se as taxas dos impostos fossem mais moderadas. A evidência empírica, contudo, sugere que o dano dos impostos sobre o esforço de trabalho é limitado. Em alguns grupos, a curva de oferta de trabalho pode efetivamente ter uma inflexão para trás, o que indica que um imposto sobre os salários pode aumentar em vez de diminuir o esforço de trabalho. A maioria dos estudos conclui que os impostos têm um impacto reduzido sobre o esforço de trabalho dos trabalhadores de renda média elevada. Porém, pode muito bem haver impactos substanciais do sistema de impostos e de transferências no comportamento das pessoas pobres.

- Talvez o mais importante furo potencial do balde da renda seja o componente de poupança. Alguns pensam que os programas governamentais atuais desestimulam a poupança e o investimento. Alguns estudos econômicos indicam que, ao tributar a renda em vez do consumo, a poupança total é reduzida. Além disso, os economistas temem que a taxa de poupança nacional tenha diminuído acentuadamente em virtude dos programas sociais generosos – em especial a previdência social e o Medicare – que reduziram a necessidade de as pessoas pouparem para a velhice e para as contingências de saúde.

- Alguns afirmam que os furos não podem ser encontrados nas estatísticas de custos dos economistas; em vez disso, os custos da igualdade veem-se mais nas atitudes que nos dólares. As pessoas ficarão tão chocadas com a perspectiva de impostos elevados que irão se voltar para as drogas e para a ociosidade? O sistema de bem-estar social estaria gerando uma subclasse permanente, uma sociedade de pessoas que caíram na armadilha de uma cultura de dependência?

- Algumas pessoas criticam a própria noção de custos de redistribuição com a seguinte argumentação: a pobreza tem raízes na alimentação deficiente nos primeiros anos de vida, nas famílias desestruturadas, no analfabetismo em casa, em uma educação precária e na falta de formação profissional. A pobreza gera pobreza; o círculo vicioso da má alimentação, da fraca educação, da dependência de drogas, da baixa produtividade e de renda reduzida dá origem a uma nova geração de famílias pobres. Esses analistas afirmam que os programas desenvolvidos para proporcionar assistência à saúde e alimentação adequada para as famílias pobres aumentarão a produtividade e a eficiência, em vez de reduzir a produção. Ao quebrar o círculo vicioso da pobreza no presente, estaremos aumentando as qualificações, o capital humano e a produtividade dos filhos da pobreza no futuro.

Soma dos furos

Somando todos os furos, qual é a sua dimensão? Okun argumentou que os furos são pequenos, em especial quando os fundos para os programas de redistribuição são retirados do bolo de um imposto sobre a renda com ampla base tributável. Outros contestam com veemência, apontando para as elevadas taxas marginais de imposto e para os programas de transferências muito generosos, confusos e destrutivos para a eficiência econômica.

Qual é a realidade? Embora tenha sido realizada muita pesquisa sobre o custo da redistribuição, a verdade tem se mostrado de difícil compreensão. Uma conclusão cautelosa é a de que existem apenas ligeiras perdas da eficiência econômica resultantes dos programas de redistribuição do tipo dos aplicados atualmente nos Estados Unidos. Para muitos, os custos da redistribuição, em termos de eficiência, são um preço razoável a se pagar pela redução dos custos econômicos e humanos da pobreza em má alimentação, saúde deficiente, perdas de qualificações profissionais e miséria humana. Mas, nos países cujas políticas de previdência social foram muito além das aplicadas nos Estados Unidos, verificam-se maiores ineficiências. Em países igualitários como a Suécia e os Países Baixos, que proporcionam proteção do berço à cova aos seus cidadãos, constata-se diminuição da participação na população ativa, desemprego crescente e aumento dos déficits orçamentários. Esses países têm tomado medidas para reduzir o fardo do estado do bem-estar social.

Os países necessitam elaborar as suas políticas cuidadosamente para evitar os extremos da desigualdade inaceitável ou de uma grande ineficiência.

POLÍTICAS DE COMBATE À POBREZA: PROGRAMAS E CRÍTICAS

Todos os países ajudam os seus idosos, os seus jovens e os seus doentes. Por vezes, o apoio vem de familiares ou de organizações religiosas. Ao longo de grande parte do último século, os governos centrais têm, cada vez mais, assumido a responsabilidade de proporcionar apoio à renda dos pobres e necessitados. Contudo, à medida que os governos têm assumido responsabilidades maiores em relação a mais pessoas, o peso dos programas de transferências no orçamento público tem aumentado de forma constante. Atualmente, a maioria dos países de renda elevada enfrenta a perspectiva de aumentar a carga tributária para financiar os programas de saúde pública e as aposentadorias, bem como os programas de apoio à renda das famílias pobres. Esse aumento do fardo fiscal provocou uma acentuada agitação contra os "programas do estado do bem-estar social", em especial nos Estados Unidos. Analisemos os principais programas contra a pobreza e as reformas recentes.

Programas de apoio à renda

Quais são os principais programas atuais de apoio à renda? Vejamos brevemente alguns dos programas que foram estabelecidos nos Estados Unidos.

A maior parte dos programas de apoio à renda têm como destinatários os idosos, e não os pobres. Os principais são a previdência social, que é um programa federal de contribuição à aposentadoria, e o Medicare, que é um programa de saúde subsidiado para os que têm mais de 65 anos de idade. Esses dois são os maiores programas de transferências nos Estados Unidos, assim como na maioria dos países de renda elevada.

Os programas direcionados especificamente para as famílias pobres são uma colcha de retalhos de programas municipais, estaduais e federais. Alguns são de assistência em dinheiro; outros subsidiam determinadas despesas, como o programa de vales de alimentação, ou o Medicaid, que proporciona assistência à saúde gratuita às famílias pobres. A maioria dos programas dirigidos às famílias pobres foi fortemente reduzida ao longo das duas últimas décadas.

O programa mais controverso era o de assistência em dinheiro aos pais pobres com filhos pequenos. Esse programa foi drasticamente reformulado em 1996, reforma que será analisada a seguir.

Qual o montante de todos os programas federais em termos de despesa orçamentária? Todos os programas federais contra a pobreza totalizam atualmente cerca de 20% do orçamento federal.

Problemas dos incentivos aos pobres

Um dos maiores obstáculos com que as famílias pobres se defrontam é o de que as regras, na maioria dos programas de previdência social, reduzem fortemente os estímulos para a demanda por emprego por parte dos adultos com renda baixa. Se uma pessoa pobre que recebe apoio da previdência social arranja emprego, o governo cessa vales-alimentação, transferências de dinheiro e subsídios de renda de casa, e a pessoa pode até mesmo perder os benefícios médicos. Podemos dizer que os pobres se confrontam com elevadas "taxas de imposto" (ou, mais precisamente, "taxas de redução de benefícios") marginais, dado que os benefícios da previdência social são substancialmente reduzidos quando a renda aumenta.

A BATALHA PELA REFORMA DO ESTADO DO BEM-ESTAR SOCIAL

O sistema de previdência social tradicional tem poucos defensores. Alguns querem desmantelá-lo; outros querem reforçá-lo. Alguns desejam devolver a responsabilidade de apoio à renda aos estados, municípios ou famílias; outros querem ampliar a ação do papel federal. Essas abordagens tão díspares refletem as diferentes perspectivas em relação à pobreza, as quais levam a propostas de políticas substancialmente diferentes.

Duas visões da pobreza

Os cientistas sociais apresentam grande variedade de propostas para erradicar, ou atenuar, a pobreza. As diferentes abordagens refletem com frequência perspectivas diferentes sobre as raízes da pobreza. Os proponentes de uma ação governamental decisiva veem a pobreza como o resultado das condições sociais e econômicas sobre as quais os pobres têm pouco controle. Salientam que má alimentação, escolas degradadas, famílias desestruturadas, discriminação, falta de oportunidades de emprego e um ambiente perigoso são as determinantes do destino do pobre. Se você tem esse ponto de vista também pensa que o governo tem a responsabilidade de atenuar a pobreza – ou provendo renda aos pobres, ou corrigindo as condições que originam a pobreza.

Uma segunda perspectiva afirma que a pobreza deriva do comportamento individual mal adaptado – comportamento que é da responsabilidade das pessoas e que é solucionado adequadamente por elas. Em épocas anteriores, os apologistas do *laissez-faire* afirmavam que os pobres eram indolentes, preguiçosos e bêbados; como escreveu um trabalhador da caridade quase há um século: "A demanda por emprego... é, na maioria das vezes, [causada pela] bebida". Às vezes, o governo é acusado de alimentar a dependência com os programas governamentais que reduzem a iniciativa individual. Os críticos que defendem essa visão advogam que o governo devia realizar cortes nos programas sociais para que as pessoas desenvolvessem os seus próprios recursos.

O debate sobre a pobreza foi sucintamente resumido pelo eminente sociólogo William Wilson:

> Os liberais têm habitualmente salientado que a situação dos grupos desfavorecidos pode estar relacionada com os problemas do conjunto da sociedade, incluindo os problemas da discriminação e da subordinação das classes sociais... Os conservadores, ao contrário, têm normalmente salientado a importância dos valores e dos recursos competitivos dos diferentes grupos na análise das experiências dos desfavorecidos.[2]

Muito do debate atual pode ser mais bem compreendido se essas duas perspectivas e suas implicações forem devidamente equacionadas no contexto político.

---

[2] William Julius Wilson, "Cycles of Deprivation and Underclass Debate", *Social Service Review* (dezembro de 1985), p. 541-559.

Programas atuais de suplemento de renda nos Estados Unidos

A maioria dos países de alta renda proporciona suplementos de renda garantidos para famílias pobres com crianças, e esse modelo foi seguido pelos Estados Unidos até 1996. Nessa época, o país iniciou uma abordagem radicalmente diferente para aumentar a renda dos pobres. Primeiro, ampliou um programa para reforçar os salários das famílias que trabalham. Segundo, alterou basicamente os programas de assistência em dinheiro, abolindo o subsídio federal às famílias pobres.

Crédito de imposto pela renda do trabalho

O programa de suplemento de salário é designado por *crédito de imposto pela renda do trabalho*, (EITC, *Earned Income Fax Credit*). Esse crédito se aplica à renda do trabalho e é, de fato, um suplemento salarial. Em 2008, o EITC proporcionava um suplemento à renda salarial máximo de 40%, até um limite de US$ 4.824, por família com duas crianças. Um pai ou mãe recebe algum crédito para renda até cerca de US$ 39 mil. É conhecido como crédito "reembolsável", uma vez que é, de fato, pago a uma pessoa quando ela não deve qualquer imposto.

Qual é a diferença entre um programa de assistência em dinheiro tradicional e o crédito de imposto pela renda ganha? A assistência em dinheiro proporciona um benefício mínimo às famílias pobres e, depois, reduz o benefício à medida que a renda de mercado aumenta. O EITC, ao contrário, não dá nada a quem não trabalha e reforça a renda de quem produz. A filosofia do EITC é essencialmente a de "quem não trabalha não recebe apoio do governo".

Reforma da previdência social de 1996 nos Estados Unidos

Desde os anos 1930 até 1996, as famílias pobres podiam também se beneficiar de um programa federal de assistência em dinheiro conhecido por Ajuda a Famílias com Crianças Dependentes. Esse programa era um *subsídio garantido*, ou seja, quem satisfizesse certas condições podia receber os benefícios garantidos por lei.

O presidente Clinton havia se candidatado com o compromisso de "reforma da previdência social tal como a conhecemos". Em 1996, aliou-se a um Congresso republicano e alterou completamente as regras da assistência em dinheiro. O antigo programa foi substituído por outro chamado Assistência Temporária a Famílias Necessitadas (TANF, *Temporry Assistance for Nudy Families*), que anulou a garantia federal à ajuda em dinheiro e transferiu o programa para os 50 estados.

Os principais preceitos do novo programa foram os seguintes:

- A responsabilidade primária de apoio à renda dos pobres foi transferida para os governos estaduais e municipais. Esse apoio substituiu o sistema anterior em que o governo federal financiou a maior parte dos custos do apoio à renda.
- O direito à assistência federal em dinheiro do programa foi anulado.
- Cada família é sujeita a um limite de 5 anos ao longo da vida para receber benefícios ao abrigo do programa financiado em nível federal. Após 5 anos, os fundos do programa deixam de ser usados para apoio dessa família, mesmo que esta se desloque para outro estado, ou mesmo que tenha estado fora dos apoios da previdência social durante vários anos.
- Os adultos apoiados têm de arranjar emprego após 2 anos consecutivos de benefícios.
- Os imigrantes legais podem ser excluídos dos benefícios do programa.
- Outros programas importantes de apoio à renda baixa não foram substancialmente alterados.

Avaliação. A reforma da previdência social de 1996 foi uma alteração importante da política social. Um aspecto é o efeito sobre os *mercados de trabalho*. À medida que a perda de benefícios força as pessoas a procurar trabalho, aumentará a oferta de trabalho por trabalhadores relativamente sem formação e não qualificados. Essa oferta acrescida tenderá a diminuir os salários dos trabalhadores com menor remuneração e a aumentar a desigualdade de renda. (Esse efeito é muito similar ao do forte aumento da imigração que tem contribuído para a diminuição dos salários dos trabalhadores não qualificados nas três últimas décadas.) Se os salários de equilíbrio de alguns trabalhadores forem reduzidos abaixo do salário mínimo, isso poderá levar também a um aumento na taxa de desemprego desses grupos.

Um aspecto importante da nova lei, enfatizada pelos conservadores sociais e econômicos, foi a *transferência de responsabilidade* do apoio à renda das famílias pobres para os estados. A ideia subjacente a essa mudança era que os estados iriam inverter a tendência de um século de aumento da generosidade dos programas sociais. Os críticos dessa transferência pensavam que passar para os estados a responsabilidade de tomada de decisão iria criar fortes incentivos aos estados para reduzir os benefícios de previdência social de forma a diminuir os custos e a carga fiscal da população de baixa renda. Isso tem sido chamado de "corrida para o último lugar", em que o ideal para os estados é ter os menores benefícios possíveis e empurrar as famílias de baixa renda para longe.

Os *impactos* da expansão do EITC e da reforma da previdência social de 1996 surpreenderam a maioria dos analistas. Entre os maiores impactos contam-se os seguintes:

- A queda do número de participantes de programas sociais tem sido sem precedentes, ampliado e contínuo. De 1995 a 2008, o número de famílias na previdência social reduziu-se em mais de 70%. Ainda que fosse esperada uma redução, a sua dimensão e duração foram surpreendentes.

- Houve grande aumento da taxa de participação na população ativa de mulheres sozinhas com filhos pequenos. A combinação de incentivos econômicos e de um forte mercado de trabalho foi bem-sucedida ao deslocar as mulheres da previdência social para o emprego.

POLÍTICA ECONÔMICA PARA O SÉCULO XXI

Como deve ser redefinido o papel do governo na economia? Concluímos com três reflexões:

1. Examinemos as funções econômicas essenciais do governo. O governo combate as falhas de mercado, redistribui a renda, estabiliza a economia, lida com os assuntos internacionais e promove o crescimento econômico de longo prazo. Todas são essenciais. Ninguém, seriamente, propõe anular a ação do governo. Ninguém atualmente defende o armazenamento do lixo nuclear, as crianças órfãs vegetarem pelas ruas, a privatização do banco central ou a abertura das fronteiras a todos os fluxos de pessoas e drogas. A questão não é sobre o governo dever ou não regular a economia, mas sobre como e onde intervir.

2. Embora o governo desempenhe o papel central em uma sociedade civilizada, devemos reavaliar constantemente a missão e os instrumentos de suas políticas. O governo tem o monopólio do poder político, e isso impõe uma responsabilidade especial de operar de maneira eficiente. Cada centavo do governo gasto em programas esbanjadores podia ser usado para promover a pesquisa científica, ou diminuir a fome. Cada imposto ineficiente reduz as oportunidades de consumo das pessoas, seja de alimentos, de educação ou de alojamento. A premissa central da economia é de que os recursos são escassos – e isso se aplica tanto ao Estado quanto ao setor privado.

3. Embora a Ciência Econômica possa analisar as principais controvérsias de políticas públicas, não pode ter a palavra final. Isso porque, subjacente a todos os debates sobre políticas públicas, há pressupostos normativos e juízos de valor sobre o que é justo e adequado. O que um economista faz, portanto, é tentar esforçadamente manter a separação nítida entre a ciência positiva e o juízo normativo – estabelecer uma linha entre o cálculo econômico do cérebro e os sentimentos do coração. Mas manter a descrição separada da prescrição não significa que o economista profissional seja um computador isento de sentimentos. Os economistas estão tão divididos em suas filosofias políticas quanto o resto da população. Os economistas conservadores defendem com veemência a redução da dimensão do alcance do governo e o fim de programas de redistribuição de renda. Os economistas liberais, de forma igualmente apaixonada, defendem a redução da pobreza ou o uso de políticas macroeconômicas para combater o desemprego. A ciência econômica não pode dizer qual ponto de vista político está certo ou errado. Mas pode equipar-nos para o grande debate.

RESUMO

A. Fontes da desigualdade

1. No século XIX, os economistas clássicos pensavam que a desigualdade era uma constante universal, inalterável pela política governamental. Essa perspectiva não sobreviveu aos fatos. A pobreza sofreu uma profunda regressão no princípio do século XX e a renda absoluta dos que se situavam no nível inferior da distribuição de renda aumentou acentuadamente. Desde mais ou menos 1980 que essa tendência se inverteu e a desigualdade tem aumentado.

2. A curva de Lorenz é instrumento adequado para medir as diferenças, ou desigualdades, na distribuição de renda. Ela mostra a percentagem da renda total que vai para o 1% mais pobre da população, para os 10% mais pobres, para os 95% mais pobres, e assim sucessivamente. O coeficiente de Gini é uma medida quantitativa da desigualdade.

3. A pobreza é essencialmente uma noção relativa. Nos Estados Unidos, a pobreza foi definida, no início dos anos 1960, em termos da adequação da renda. Segundo esse padrão de medida da renda, têm sido realizados poucos progressos na redução da desigualdade ao longo da última década.

4. A desigualdade de renda diminuiu acentuadamente durante a maior parte do século XX. Depois, começando por volta de 1975, o fosso entre ricos e pobres começou a alargar-se. Os maiores ganhos de renda foram para o topo da distribuição de renda, para os 0,1% mais ricos. Analistas acreditam que o "colapso dos homens ricos" de 2007-2009 irá diminuir as diferenças de renda no escalão superior. A riqueza é ainda mais desigualmente distribuída que a renda, tanto nos Estados Unidos como nas outras economias capitalistas.

B. Políticas de combate à pobreza

5. Os filósofos políticos estabeleceram três tipos de igualdade: (a) a de direitos políticos, como o direito de voto; (b) a de oportunidades, proporcionando acesso igual a

empregos, educação e outros sistemas sociais; e (c) a do resultado, pela qual as pessoas têm garantia de renda ou consumo igual. Enquanto os dois primeiros tipos de igualdade são aceitos de um modo crescente nas democracias mais avançadas como os Estados Unidos, a igualdade do resultado é, em geral, rejeitada por ser impraticável e demasiado prejudicial à eficiência econômica.

6. A igualdade tem custos, bem como benefícios; os custos aparecem como perdas do "balde furado" de Okun. Ou seja, as tentativas para reduzir a desigualdade de renda por meio de impostos progressivos, ou de transferências, podem prejudicar os incentivos econômicos ao trabalho e à poupança e, desse modo, podem reduzir a dimensão do produto nacional.

7. Os principais programas para aliviar a pobreza são os pagamentos de previdência social, vale-alimentação, Medicaid e um grupo de programas menores, e menos direcionados. No seu conjunto, esses programas são criticados, pois impõem taxas de redução de benefícios (ou taxas marginal de "imposto") elevadas sobre as famílias de baixa renda quando estas começam a ganhar salários, ou outras fontes de renda.

CONCEITOS PARA REVISÃO

- tendências da distribuição de renda
- curva de Lorenz da renda e da riqueza
- coeficiente de Gini
- pobreza
- estado do bem-estar social

- "balde furado" de Okun
- igualdade: política, de oportunidades, de resultado
- igualdade *versus* eficiência
- curva de possibilidades de renda: caso ideal e caso realista

LEITURAS ADICIONAIS E SITES

Leituras adicionais

Um livro influente sobre igualdade *versus* eficiência é de Arthur Okun, *Equality and Efficiency*: The Big Tradeoff (Brookings Institution, Washington, D.C. 1975).

Para uma revisão não técnica de questões da reforma da saúde, veja o simpósio no *Journal of Economic Perspectives*, Summer, 1994.

Sites

O Census Department reúne dados sobre a pobreza. Ver <http://www.census.gov/hhes/www/poverty.html>. Para informação sobre previdência social e pobreza, ver <http://www.welfareinfo.org>. O site <http://www.doleta.gov> descreve os resultados da reforma da previdência social sob uma perspectiva individual.

O Urban Institute (http://www.urban.org) e o Joint Center for Poverty Research (http://www.jcpr.org) são organizações dedicadas à análise das tendências da pobreza e da distribuição de renda.

QUESTÕES PARA DISCUSSÃO

1. Suponha que todos os alunos da turma escrevam anonimamente, em um cartão, uma estimativa da renda anual da respectiva família. A partir desses dados, construa uma tabela de frequências com a distribuição de renda. Qual é a renda mediana? E a renda média?

2. Qual seria o efeito dos seguintes acontecimentos sobre a curva de Lorenz da renda após impostos? (Considere que os impostos sejam gastos pelo governo em uma fatia significativa do PIB.)

    a. Um imposto sobre a renda proporcional (ou seja, todas as rendas são tributadas com a mesma taxa).

    b. Um imposto sobre a renda progressiva (ou seja, as rendas mais elevadas são tributadas mais fortemente que as rendas mais baixas).

    c. Um aumento acentuado dos impostos sobre o cigarro e a alimentação.

    Trace quatro curvas de Lorenz para ilustrar a distribuição de renda original e a distribuição de renda após cada uma das três categorias de imposto.

3. Reveja a experiência do "balde furado" de Okun. Reúna um grupo e peça a cada membro que escreva em uma folha qual o montante do vazamento tolerável quando o governo transfere US$ 100 do quintil de maior renda para o quintil de menor renda. Você pensa que deveria ser 99%? Ou 50%? Ou zero? Cada pessoa deve escrever uma pequena justificativa para o valor máximo. Coloque os resultados em uma tabela e, a seguir, analise as diferenças.

4. Considere duas formas de complementar a renda dos pobres: (a) assistência em dinheiro (por exemplo, US$ 500 por mês) e (b) benefícios por tipo de despesa, como alimentação ou assistência médica subsidiadas. Enumere as vantagens e os inconvenientes da aplicação de cada uma das estratégias. Você pode explicar por que

os Estados Unidos aplicam principalmente a estratégia (b)? Você concorda com essa decisão?

5. Em um país chamado Econolândia, existem 10 pessoas. As suas rendas (em milhares) são US$ 3, US$ 6, US$ 2, US$ 8, US$ 4, US$ 9, US$ 1, US$ 5, US$ 7 e US$ 5. Construa uma tabela de quintis de renda como a Tabela 17-2. Trace uma curva de Lorenz. Calcule o coeficiente de Gini definido na seção A.

6. As pessoas continuam a argumentar sobre a forma que a assistência aos pobres deve ter. Uma escola diz: "Deem às pessoas dinheiro e deixem-nas comprar serviços de saúde e os alimentos de que necessitam". A outra escola afirma: "Se derem dinheiro aos pobres, eles podem gastá-lo em cerveja e drogas. O seu dinheiro irá melhorar a deficiente alimentação e a saúde se proporcionar os serviços em espécie (ou seja, fornecendo diretamente o bem ou o serviço em vez de dar o dinheiro para comprá-los). O dinheiro que cada um ganha pode ser gasto da forma que cada um quiser, mas o dinheiro da sociedade de apoio à renda é um dinheiro que a sociedade tem o direito de canalizar para os seus objetivos".

O argumento da primeira escola pode basear-se na teoria da demanda: deixem que cada família decida como maximizar a sua utilidade com um orçamento limitado. O Capítulo 5 mostra por que esse argumento pode estar certo. Mas e se a necessidade dos pais incluir principalmente cerveja e bilhetes de loteria e nenhum leite e vestuário para as crianças? Você concorda com a segunda visão? Com sua própria experiência e com sua leitura, qual dos dois pontos de vista você endossaria? Explique o seu raciocínio.

Comércio internacional

CAPÍTULO 18

À CÂMARA DOS DEPUTADOS: Estamos sujeitos à concorrência intolerável de um rival estrangeiro que goza de condições de tal modo superiores na produção de luz que pode inundar o nosso mercado nacional com preços reduzidos. Este concorrente é nem mais nem menos que o Sol. Reivindicamos, então, que seja aprovada uma lei que obrigue o fechamento de todas as janelas, aberturas e fissuras por meio das quais a luz do Sol costuma penetrar nas nossas casas em prejuízo da atividade lucrativa que temos sido capazes de desenvolver no país.

Assinado: Os fabricantes de velas
Frédéric Bastiat

A. NATUREZA DO COMÉRCIO INTERNACIONAL

No nosso dia a dia, é fácil deixar de notar a importância do comércio internacional. Os Estados Unidos fornecem enormes quantidades de alimentos, aviões, computadores e máquinas a outros países; e, em troca, obtêm grandes quantidades de petróleo, calçados, automóveis, café e outros bens e serviços. Embora os norte-americanos tenham orgulho de sua engenhosidade, é necessário reconhecer quantos bens – incluindo pólvora, música clássica, relógios, ferrovias, penicilina e radar – resultaram de invenções de pessoas de terras muito distantes e, há muito, esquecidas.

Quais são as forças econômicas que estão na base do comércio internacional? Colocando de forma simples, o comércio promove a especialização que, por sua vez, aumenta a produtividade. No longo prazo, o aumento do comércio e uma maior produtividade fazem com que os níveis de vida de todos os países se elevem. De forma gradual, os países têm concluído que a abertura das suas economias ao sistema de comércio global é o caminho mais seguro para a prosperidade.

Neste capítulo, estendemos nossa análise ao exame dos princípios que comandam o *comércio internacional*, por meio do qual os países exportam e importam bens, serviços e capital. A Economia internacional envolve muitas das questões mais controversas da atualidade. A nação deve se preocupar com o fato de tantos dos seus bens de consumo serem produzidos no exterior? Nós ganhamos com o comércio internacional, ou devemos restringir as regras do comércio com o México e a China? Os trabalhadores são prejudicados com a concorrência da "mão de obra estrangeira barata"? Como os princípios que dirigem o comércio devem ser estendidos aos direitos de propriedade intelectual, como patentes e direitos autorais? A recompensa econômica é alta para aqueles que encontram respostas adequadas a essas questões.

Comércio internacional versus interno

Em um sentido econômico profundo, o comércio é comércio, quer envolva pessoas que vivem no mesmo país, ou pessoas de países diferentes. No entanto, há três diferenças significativas entre o comércio interno e o internacional, as quais têm consequências econômicas e práticas importantes:

1. *Maiores oportunidades de comércio.* A principal vantagem do comércio internacional é que ele expande os horizontes comerciais. Se as pessoas fossem forçadas a consumir apenas o que se produz em seu país, o mundo ficaria mais pobre, tanto no aspecto material, como no espiritual. Os canadenses não poderiam beber vinho, os norte-americanos não poderiam comer bananas, e a maior parte do mundo viveria sem jazz e os filmes de Hollywood.

2. *Países soberanos.* O comércio com o exterior envolve pessoas e empresas de muitos países. Cada país é uma entidade soberana que regula o fluxo de pessoas, bens e finanças que cruzam suas fronteiras. Isso contrasta com o comércio realizado dentro das

fronteiras nas quais existe uma única moeda, e o comércio e a moeda circulam livremente, e as pessoas podem migrar facilmente à procura de novas oportunidades. Por vezes, os países levantam barreiras ao comércio internacional usando tarifas e participações de importação para "proteger" os trabalhadores ou empresas afetados pela concorrência estrangeira.

3. *Finanças internacionais*. A maioria dos países tem a sua própria moeda. Eu quero pagar os automóveis japoneses em dólares enquanto a Toyota quer receber em ienes japoneses. Compram-se e vendem-se ienes por dólares de acordo com uma taxa de câmbio, que é o preço relativo das diferentes moedas. O sistema financeiro internacional tem de assegurar um fluxo contínuo de dólares, ienes e outras moedas – ou, de outra forma, há o risco de paralisação do comércio. Os aspectos financeiros do comércio internacional são analisados nos capítulos sobre macroeconomia.

Tendências do comércio internacional

Quais são as principais componentes do comércio internacional dos Estados Unidos? A Tabela 18-1 mostra a composição do comércio internacional no país em 2007. O grosso do comércio são bens, especialmente manufaturados, embora o comércio de serviços tenha crescido rapidamente. Os dados revelam que os Estados Unidos, apesar de serem uma economia industrial avançada, exportam surpreendentemente uma grande quantidade de bens primários (como alimentos) e importam grandes quantidades de bens sofisticados de indústrias de capital intensivo (como automóveis ou componentes de computadores). Além disso, há um importante comércio intrassetorial ou intraindústria. Em um determinado setor, os Estados Unidos exportam e importam, simultaneamente, porque um grau elevado de diferenciação de produtos significa que os vários países tendem a ter nichos em algumas partes do mercado.

JUSTIFICATIVA PARA O COMÉRCIO INTERNACIONAL DE BENS E SERVIÇOS

Quais são os fatores econômicos que estão subjacentes aos padrões do comércio internacional? Os países consideram que é benéfico participar do comércio internacional por várias razões: diversidade das condições de produção, diferenças de preferências existentes entre os países e redução dos custos de produção em larga escala.

Diversidade dos recursos naturais

O comércio pode ser realizado em virtude da diversidade das possibilidades de produção entre os países. Em parte, essas diferenças refletem a dotação de recursos naturais. Um país pode ter sido abençoado

Comércio internacional de bens e serviços, 2007 (bilhões de dólares)		
	Exportações	Importações
Bens	**1.149**	**1.965**
Alimentos e bebidas	84	50
Matérias-primas	316	269
Bens de capital	446	284
Veículos motorizados	121	204
Bens de consumo	146	308
Outros bens	36	49
Serviços	**479**	**372**
Viagens	97	76
Passagens aéreas	25	29
Outros transportes	52	67
Royalties e taxas de licenças	71	28
Outros serviços privados	217	135
Material bélico e governo	17	37
Total de bens e serviços	**1.628**	**2.337**

TABELA 18-1 Comércio internacional de bens e serviços.

Os Estados Unidos exportam uma grande variedade de bens e serviços desde alimentos a direitos autorais. Em 2007, as importações dos Estados Unidos excederam as exportações em US$ 700 bilhões. Os Estados Unidos exportam principalmente bens de capital especializados, como maquinário. Ao mesmo tempo, importam muitos outros produtos industriais, como automóveis e máquinas fotográficas, porque outros países se especializaram em diferentes nichos de mercado e se beneficiam de economias de escala.

Fonte: U.S. Bureau of Economic Analysis, disponível em <http://www.bea.gov/international/>.

com reservas de petróleo e outros com uma imensidade de terrenos férteis. Um país montanhoso pode gerar grande quantidade de energia hidroelétrica que vende aos vizinhos, enquanto um país com portos de águas profundas pode tornar-se um centro de transporte marítimo.

Diferenças de gostos

Uma segunda razão para o comércio reside nas preferências. Mesmo que as condições de produção fossem idênticas em todas as regiões, os países desenvolveriam o comércio se suas preferências pelos bens fossem diferentes.

Suponha, por exemplo, que a Noruega e a Suécia pescam peixe de mar e criam gado em terra aproximadamente na mesma quantidade, mas os suecos têm uma maior demanda por carne, enquanto os noruegueses têm uma maior preferência por peixe. Uma exportação de carne pela Noruega e de peixe pela Suécia teria lugar de forma mutuamente vantajosa. Ambos os países ganhariam com esse comércio.

Diferenças nos custos

Talvez a principal razão para haver comércio seja a diferença dos custos de produção entre os países. Verificamos grandes diferenças nos custos da mão de obra entre diferentes nações. Em 2006, por exemplo, o salário na China de US$ 1 por hora era cerca de 1/30 do salário na Europa Ocidental. As empresas que procuram competir de forma eficaz esforçam-se por encontrar os componentes da cadeia de produção que podem ser proveitosamente produzidas na China com os seus trabalhadores não qualificados. Quando um iPod ou um telefone celular é rotulado de "Made in China", isso provavelmente significa que foi montado na China, enquanto o *design*, as patentes, o marketing e os discos rígidos foram produzidos em outros países.

Uma característica importante no mundo de hoje é que algumas empresas ou países se beneficiam de economias de escala; isto é, tendem a ter menores custos médios de produção quando o volume de produção aumenta. Assim, quando um país começa a ter êxito com determinado produto, poderá tornar-se um grande produtor a custos reduzidos. As economias de escala proporcionam uma vantagem significativa de custos e tecnologia sobre os outros países, os quais verificam ser mais barato comprar do líder da produção do que produzirem eles próprios.

A produção em grande escala é uma vantagem importante em setores com grandes despesas em pesquisa e desenvolvimento. Como líder mundial na fabricação de aviões, a Boeing, com um grande volume de vendas, pode diluir o enorme custo de concepção, desenvolvimento e teste de um novo avião. Isso significa que a empresa pode vender aviões a um preço inferior ao dos seus concorrentes que têm um menor volume de atividade. O único verdadeiro concorrente da Boeing é a Airbus, que levantou voo graças a grandes subsídios de vários países europeus para cobrir os seus custos de pesquisa e desenvolvimento.

O exemplo da redução do custo ajuda a explicar o importante fenômeno do vasto comércio intrassetorial, mostrado pela Tabela 18-1. Por que os Estados Unidos tanto importam como exportam computadores e equipamentos relacionados? Considere uma empresa como a Intel, que produz semicondutores. A Intel tem fábricas nos Estados Unidos, bem como na China, na Malásia e nas Filipinas, e, com frequência, remete produtos fabricados em um país para serem montados e testados em outro. Padrões similares de especialização intrassetorial encontram-se nos automóveis, na siderurgia, nos têxteis e em muitos outros produtos industriais.

B. VANTAGEM COMPARATIVA ENTRE PAÍSES

PRINCÍPIO DA VANTAGEM COMPARATIVA

É apenas por bom-senso que os países produzem e exportam os bens para os quais se encontram especialmente qualificados. Mas existe um princípio mais profundo que está subjacente a *todo* o comércio – na família, dentro de um país e entre países – que vai para além do bom-senso. Segundo o *princípio da vantagem comparativa* um país pode se beneficiar com o comércio, mesmo que seja absolutamente mais eficiente (ou absolutamente menos eficiente) do que os outros países na produção de qualquer produto. De fato, de acordo com a vantagem comparativa, o comércio beneficia mutuamente todos os países.

Senso incomum

Imagine um mundo em que existem apenas dois bens, computadores e vestuário. Suponha que os Estados Unidos têm uma maior produção por trabalhador (ou por unidade de insumo) do que o resto do mundo na produção, quer de computadores quer de vestuário. Mas suponha que os Estados Unidos são relativamente mais eficientes na produção de computadores do que em vestuário. Por exemplo, o país pode ser 50% mais produtivo em computadores e 10% mais produtivo em vestuário do que os outros países. Nesse caso, seria benéfico para os Estados Unidos exportar o bem em que é relativamente mais eficiente (computadores) e importar o bem em que é relativamente menos eficiente (vestuário).

Ou considere um país pobre como o Mali. Como poderia um país desprovido como esse, cujos trabalhadores usam teares manuais e tem uma produtividade que é uma pequena fração da dos trabalhadores dos países industrializados, esperar exportar alguns dos seus produtos têxteis? Surpreendentemente, de acordo com o princípio da vantagem comparativa, o Mali pode se beneficiar com a exportação de bens em que é *relativamente* mais eficiente (como os têxteis) e importar bens que produz *relativamente* de forma menos eficiente (como turbinas e automóveis).

Segundo o princípio da **vantagem comparativa**, cada país se beneficiará com a especialização na produção e exportação dos bens que pode produzir com um custo relativamente menor; inversamente, cada país se beneficiará se importar os bens que produz com um custo relativamente maior.

Esse princípio simples proporciona uma base sólida para o comércio internacional.

Análise da vantagem comparativa segundo David Ricardo

Vamos ilustrar os princípios fundamentais do comércio internacional considerando os Estados Unidos e a

Europa de dois séculos atrás. Se a mão de obra (ou os recursos de uma forma mais geral) é absolutamente mais produtiva nos Estados Unidos do que na Europa, isso significa que os Estados Unidos não irão importar nada? E seria economicamente sensato para a Europa "proteger" os seus mercados com tarifas ou participações de importação?

O primeiro a responder a essas questões foi o economista inglês David Ricardo, em 1817, que demonstrou que a especialização internacional beneficia um país. Ele chamou o resultado de lei da vantagem comparativa.

Para simplificar, Ricardo trabalhou com apenas duas regiões e dois bens, e decidiu medir todos os custos de produção em termos de horas de trabalho. Seguiremos a sua análise dos alimentos e vestuário para a Europa e os Estados Unidos.[1]

A Tabela 18-2 apresenta os dados ilustrativos. Nos Estados Unidos, é necessária 1 hora de trabalho para produzir 1 unidade de alimento, enquanto 1 unidade de vestuário custa 2 horas de trabalho. Na Europa, os alimentos custam 3 horas de trabalho, e o vestuário custa 4. Vemos que os Estados Unidos têm uma *vantagem absoluta* em ambos os bens, uma vez que os pode produzir com maior eficiência do que a Europa. Contudo, os Estados Unidos têm *vantagem comparativa* em alimentos, enquanto a Europa tem *vantagem comparativa* no vestuário. A razão para isso é que os alimentos são *relativamente mais baratos* nos Estados Unidos em comparação com a Europa, enquanto o vestuário é *relativamente mais barato* na Europa em comparação com os Estados Unidos.

A partir desses fatos, Ricardo provou que ambas as regiões sairiam beneficiadas caso se especializassem em suas áreas de vantagem comparativa, isto é, se os Estados Unidos se especializassem na produção de alimentos e a Europa na produção de vestuário. Nessa situação, os Estados Unidos exportariam alimentos para pagar o vestuário europeu, enquanto a Europa exportaria vestuário para pagar os alimentos norte-americanos.

Para analisar os efeitos do comércio, temos de medir os montantes de alimentos e vestuário que podem ser produzidos e consumidos em cada região (1) se não houver comércio internacional e (2) se houver comércio livre especializando-se cada região em sua área de vantagem comparativa.

Antes do comércio. Comecemos examinando o que acontece na ausência de qualquer comércio internacional, por hipótese, em virtude de ser proibido todo o comércio ou em decorrência de tarifas muito elevadas. A Tabela 18-2 mostra que o salário real por 1 hora de trabalho do trabalhador norte-americano é 1 unidade de alimentos ou 1/2 unidade de vestuário. O trabalhador europeu ganha apenas 1/3 de unidade de alimentos ou 1/4 de unidade de vestuário por hora de trabalho.

Produto	Requisitos da mão de obra europeia e norte-americana para produção	
	Trabalho necessário à produção (homens-hora)	
	Nos Estados Unidos	Na Europa
1 unidade de alimento	1	3
1 unidade de vestuário	2	4

TABELA 18-2 A vantagem comparativa depende apenas dos custos relativos.

Em um exemplo hipotético, os Estados Unidos têm custos menores tanto nos alimentos como no vestuário. A produtividade do trabalho nos Estados Unidos é entre 2 a 3 vezes a da Europa (duas vezes no vestuário, três vezes nos alimentos).

É evidente que, se a concorrência perfeita estivesse a vigorar em cada região isoladamente, os preços de alimentos e de vestuário seriam diferentes nos dois lugares, em decorrência dos diferentes custos de produção. Nos Estados Unidos, o vestuário seria 2 vezes mais caro do que os alimentos, pois a produção de uma unidade de vestuário exige um trabalho duas vezes maior do que a produção de uma unidade de alimentos. Na Europa, o vestuário custaria apenas 4/3 dos alimentos.

Após o comércio. Suponha agora que fossem eliminadas todas as tarifas e se permitisse o livre comércio. Por simplicidade, admita ainda que não há custos de transporte. Qual o fluxo de bens que ocorre quando não há restrições ao comércio? O vestuário é relativamente mais caro nos Estados Unidos (com um preço relativo de 2 comparado com o de 4/3) e os alimentos são relativamente mais caros na Europa (com um preço relativo de 3/4 comparado com 1/2). Com esses preços relativos, e sem quaisquer tarifas ou custos de transporte, os alimentos serão em breve embarcados dos Estados Unidos para a Europa e o vestuário da Europa para os Estados Unidos.

Com a penetração do vestuário europeu no mercado norte-americano, os produtores de confecções norte-americanos perceberão a redução dos preços e dos lucros e começarão a fechar suas fábricas. Em contrapartida, os agricultores europeus perceberão a redução dos preços dos alimentos quando os produtos norte-americanos chegarem aos mercados europeus; eles sofrerão prejuízos, alguns irão à falência e serão retirados recursos da agricultura.

Após todos os ajustes para o comércio internacional terem ocorrido, os preços de vestuário e alimentos deverão ser iguais na Europa e nos Estados Unidos (tal como a água, em dois vasos interligados, deve ficar no mesmo nível logo que se remova as barreiras entre eles). Sem informação adicional sobre as ofertas e as demandas exatas, não podemos saber o nível exato em que os preços irão se fixar. Mas sabemos que os preços relativos dos

---

[1] Uma análise da vantagem comparativa realizada com vários países e vários produtos é apresentada mais adiante neste capítulo.

alimentos têm de se situar entre o preço relativo europeu (3/4) e o americano (1/2). Vamos admitir que o preço relativo final seja 2/3, portanto, 2 unidades de vestuário são trocadas por 3 unidades de alimentos. Por simplicidade, medimos os preços em dólares norte-americanos e consideramos que o preço dos alimentos em livre comércio é US$ 2 por unidade, assim, o preço de livre comércio de vestuário é US$ 3 por unidade.

Com o livre comércio, as regiões modificaram as suas atividades produtivas. Nos Estados Unidos foram retirados recursos do vestuário para a produção de alimentos, enquanto a Europa restringiu o seu setor agrícola e expandiu a sua produção de vestuário. *Havendo livre comércio, os países transferem a produção para as áreas em que têm vantagem comparativa.*

Ganhos econômicos do comércio

Quais são os efeitos econômicos da abertura das duas regiões ao comércio internacional? Os Estados Unidos, em seu conjunto, beneficiam-se pelo fato de o vestuário importado custar menos do que o produzido internamente. Da mesma forma, a Europa se beneficia com a especialização em vestuário e consumindo alimentos mais baratos do que os produzidos internamente.

Podemos avaliar mais facilmente os ganhos de comércio com o cálculo do seu efeito sobre os salários reais dos trabalhadores. Os salários reais são calculados pela quantidade de bens que um trabalhador pode comprar com a remuneração de 1 hora de trabalho. Com a Tabela 18-2, podemos observar que, havendo comércio, os salários reais serão maiores do que antes de haver comércio tanto na Europa *como* nos Estados Unidos. Para simplificar, suponha que cada trabalhador compre 1 unidade de vestuário e 1 unidade de alimento. Antes de haver comércio, esse conjunto de bens de consumo custa a 1 trabalhador americano 3 horas de trabalho e a 1 trabalhador europeu 7 horas.

Após a liberação do comércio, o preço por unidade de vestuário passa a ser US$ 3, enquanto o preço por unidade de alimento será US$ 2. Um trabalhador norte-americano continua precisando trabalhar 1 hora para comprar 1 unidade de alimento, porque os alimentos são produzidos internamente; mas, de acordo com a razão de preços de 2 para 3, o trabalhador americano precisa trabalhar apenas 1,5 hora para produzir o suficiente para comprar 1 unidade de vestuário europeu. Portanto, desde que haja comércio, o conjunto de bens custa ao trabalhador norte-americano 2,5 horas de trabalho, o que representa um aumento de 20% no salário real do trabalhador americano.

Para os trabalhadores europeus, 1 unidade de vestuário continua a custar 4 horas de trabalho em uma situação de liberdade de comércio. Contudo, para obter 1 unidade de alimento, o trabalhador europeu necessita produzir apenas 2/3 de unidade de vestuário (que exige 2/3 × 4 horas de trabalho) e, em seguida, trocar esses 2/3 de unidade de vestuário por 1 unidade de alimento norte-americano. O total de trabalho europeu necessário para obter um conjunto de consumo é, portanto, $4 + 2\,^2/_3 = 6\,^2/_3$, o que representa um aumento dos salários reais de cerca de 5% em relação à situação de inexistência de comércio.

Todos os países ficam em melhor situação quando, existindo livre comércio, cada um se concentra em sua área de vantagem comparativa. Comparado a uma situação em que não há comércio, os trabalhadores de cada região podem obter maior quantidade de bens de consumo pela mesma quantidade de trabalho quando se especializam em suas áreas de vantagem comparativa e trocam a sua própria produção pelos bens em que têm desvantagem relativa.

Subcontratação* (outsourcing) como outro tipo de comércio

Recentemente, os norte-americanos ficaram preocupados com o *outsourcing*. Qual é exatamente a questão nesse caso? O *outsourcing* refere-se à localização de serviços ou de processos de produção no exterior. Exemplos significativos são: telemarketing, diagnósticos médicos, impressão gráfica, desenvolvimento na internet e engenharia. Estes diferem do comércio internacional de bens mais convencional, pois se referem a serviços que, em uma época anterior, eram caros em países estrangeiros, ao passo que, hoje, com comunicações rápidas e de baixo custo, tais processos podem ser economicamente localizados onde os custos são menores. Tal como o baixo custo de transporte marítimo tornou possível maior comércio internacional de cereais no século XIX, comunicações de baixo custo tornaram possível atualmente ter arquitetos na Índia trabalhando em projetos para empresas de Nova York.

Muitos economistas respondem ao *outsourcing*, argumentando que é apenas uma extensão do princípio da vantagem comparativa a mais setores. Por exemplo, quando era economista-chefe de George W. Bush, Greg Mankiw declarou: "penso que o *outsourcing* é um fenômeno crescente, mas é algo que devemos entender como uma provável vantagem para a economia no longo prazo". Esse comentário desencadeou uma controvérsia tempestuosa entre republicanos e democratas, e uma figura política apelidou-o de "Alice no país das maravilhas econômicas".

A maioria dos economistas tende a concordar com Mankiw de que o *outsourcing* é outro exemplo da ação da vantagem comparativa. Mas há consequências políticas para os governos. Uma análise cuidadosa pelo economista de Princeton (e conselheiro de presidentes

---

* N. de R.T.: Subcontratação de atividades intermediárias no exterior.

democratas), Alan Blinder, sugeriu o seguinte conselho para o país, e talvez também para os estudantes de hoje:

> Os países ricos como os Estados Unidos terão de reorganizar a natureza do trabalho para explorar a sua grande vantagem em serviços não mercantis: estão perto de onde está o dinheiro. Isso significará, em parte, a especialização mais na prestação de serviços onde a presença pessoal ou é imperativa ou altamente benéfica. Assim, a força de trabalho dos Estados Unidos no futuro terá provavelmente mais advogados de divórcio e menos advogados que escrevem contratos rotineiros, médicos internos e menos radiologistas, mais vendedores e menos datilógrafos. O sistema de mercado é muito bom para fazer ajustes como esses, mesmo os de maior envergadura. Já fez isso antes e irá continuar a fazê-lo. Mas isso leva tempo e pode mover-se de forma imprevisível.

ANÁLISE GRÁFICA DA VANTAGEM COMPARATIVA

Podemos usar a fronteira das possibilidades de produção (*FPP*) para ampliar a nossa análise da vantagem comparativa. Continuaremos com o exemplo numérico simples desenvolvido neste capítulo, mas a teoria é igualmente válida em um mundo competitivo com muitos insumos diferentes.

Os Estados Unidos sem comércio

No Capítulo 1, apresentamos a *FPP*, que mostra as combinações de bens que podem ser produzidos com dados recursos e tecnologia de uma sociedade. Usando os dados da produção apresentados na Tabela 18-2, e admitindo que tanto a Europa como os Estados Unidos tenham 600 unidades de trabalho, podemos deduzir facilmente a *FPP* de cada região. A tabela que acompanha a Figura 18-1 mostra os possíveis níveis de alimentos e de vestuário que os Estados Unidos podem produzir com os seus fatores de produção e tecnologia. A Figura 18-1 representa as possibilidades de produção; a reta *DA* representa a *FPP* dos Estados Unidos. A *FPP* tem uma inclinação de $-1/2$, que representa os termos em que os alimentos e o vestuário podem ser substituídos na produção. Em mercados competitivos e não existindo comércio internacional, a razão de preços entre alimentos e vestuário será também $1/2$.

Até agora nos concentramos na produção e ignoramos o consumo. Observe que, se estiverem isolados do comércio internacional, os Estados Unidos podem consumir apenas o que produzem. Suponha que, para as rendas e demandas de mercado, o ponto *B* na Figura 18-1 corresponde à produção e consumo dos Estados Unidos na ausência de comércio. Sem comércio, os Estados Unidos produzem e consomem 400 unidades de alimentos e 100 unidades de vestuário.

Podemos fazer exatamente o mesmo em relação à Europa. Mas a *FPP* da Europa será diferente da dos

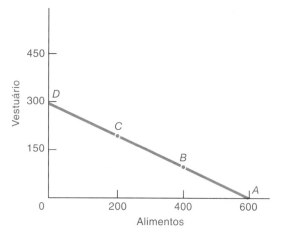

FIGURA 18-1 Dados sobre a produção nos Estados Unidos.

A reta de custos constantes, *DA*, representa a fronteira de possibilidades de produção doméstica dos Estados Unidos. Na ausência de comércio, os Estados Unidos produzirão e consumirão em *B*.

Estados Unidos, uma vez que a Europa tem eficiências diferentes na produção de alimentos e vestuário. O preço relativo europeu é $3/4$, refletindo o custo relativo dos alimentos e vestuário nessa região.

Abertura ao comércio

Agora, vamos permitir o comércio entre as duas regiões. Os alimentos podem ser trocados por vestuário segundo a mesma razão de preços. Designamos a razão entre os preços de exportação e os de importação por **termos de troca**. Para indicar as possibilidades de comércio, juntamos as duas *FPP* na Figura 18-2. A *FPP* dos Estados Unidos mostra as suas possibilidades internas de produção, enquanto a *FPP* da Europa mostra os termos com que pode internamente substituir alimentos e vestuário. Observe que a *FPP* da Europa está mais próxima da origem do que a dos Estados Unidos, porque a Europa tem produtividade mais baixa em ambos os setores; tem uma desvantagem absoluta na produção tanto de alimentos como de vestuário.

Contudo, a Europa não deve ser desestimulada por causa de sua desvantagem absoluta, pois é da diferença nas produtividades relativas, ou na vantagem comparativa, que resultam os benefícios do comércio. Os ganhos do comércio são ilustrados pelas linhas exteriores

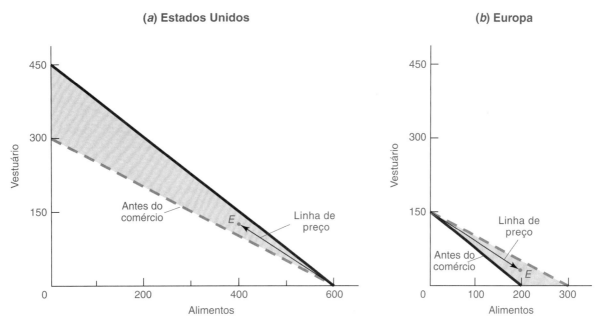

FIGURA 18-2 Ilustração da vantagem comparativa.
Por meio do comércio, tanto a Europa como os Estados Unidos melhoram o seu consumo disponível. Se não for permitido o comércio, cada região tem de ficar satisfeita com a sua própria produção. Está, portanto, limitada à sua curva das possibilidades de produção, representada para cada região pela linha designada "Antes do comércio". Após a abertura das fronteiras e a concorrência ter igualado os preços relativos dos dois bens, a linha de preços relativos passará a ser como indicado pelas setas. Se cada região se defronta com os preços dados pelas setas, você consegue ver por que as suas possibilidades de consumo devem melhorar?

da Figura 18-2. Se pudessem entrar no comércio com os preços relativos da Europa antes de haver comércio, os Estados Unidos poderiam produzir 600 unidades de alimentos e deslocar-se para noroeste ao longo da linha exterior na Figura 18-2(*a*), em que representa a razão de preços – ou termos de troca – que é gerada pela *FPP* da Europa. De forma similar, se pudesse negociar com os preços dos Estados Unidos antes de haver comércio, então a Europa poderia especializar-se em vestuário e deslocar-se para sudeste ao longo da linha tracejada da Figura 18-2(*b*), linha esta que representa a razão de preços dos Estados Unidos antes de haver comércio.

Isso leva a uma conclusão importante e surpreendente: os países pequenos são os que mais têm a ganhar com o comércio internacional. Esses países afetam menos os preços mundiais e, portanto, podem fazer comércio aos preços mundiais, que são muito diferentes dos preços internos. Além disso, os países que são muito diferentes dos outros têm muito a ganhar, enquanto os países grandes nem tanto. (Esses assuntos são levantados na Questão 3, ao final do capítulo.)

Preço relativo de equilíbrio. Havendo comércio, é estabelecido um conjunto de preços no mercado mundial, dependendo das ofertas e demandas globais. Sem informação adicional, não podemos especificar o preço relativo exato, mas podemos determinar qual será o seu intervalo de variação. Os preços têm de situar-se em algum lugar entre os preços das duas regiões. Isto é, sabemos que o preço relativo dos alimentos e do vestuário tem de situar-se em algum lugar no intervalo entre 1/2 e 3/4.

O preço relativo final dependerá das demandas relativas de alimentos e de vestuário. Se a demanda por alimentos for grande, o preço dos alimentos será relativamente elevado. Se a demanda por alimentos fosse tão elevada que a Europa produzisse alimentos tal como vestuário, a razão de preços seria a dos preços relativos da Europa antes de haver comércio, ou seja, 3/4. Por outro lado, se a demanda de vestuário fosse tão elevada que levasse os Estados Unidos a produzir vestuário além de alimentos, então, os termos de troca seriam iguais ao preço relativo dos Estados Unidos de 1/2 de antes de haver comércio. Se cada região se especializasse completamente na área da sua vantagem comparativa, com a Europa produzindo apenas vestuário e os Estados Unidos produzindo apenas alimentos, então, o preço relativo se situaria em algum lugar entre 1/2 e 3/4. O preço relativo depende da dimensão da demanda.

Suponha agora que as demandas eram tais que o preço relativo final é 2/3, vendendo-se 3 unidades de alimentos por 2 unidades de vestuário. Com esta razão de preços, cada região irá, então, especializar-se – os Estados Unidos em alimentos e a Europa em vestuário – e exportar parte de sua produção para pagar as importações pelo preço relativo mundial de 2/3.

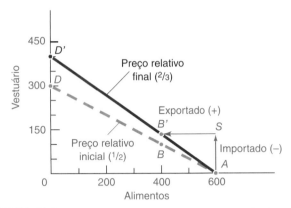

FIGURA 18-3. Os Estados Unidos com e sem comércio.

A liberdade de comércio amplia as opções de consumo dos Estados Unidos. A linha *DA* representa a curva das possibilidades de produção dos Estados Unidos. A linha *D'A* é a nova curva das possibilidades de consumo quando os Estados Unidos podem comercializar, sem restrições, ao preço relativo de 2/3 e, em consequência, especializar-se completamente na produção de alimentos (em *A*). As setas de *S* para *B'* e de *A* para *S* mostram, respectivamente, os montantes exportados (+) e importados (–) pelos Estados Unidos. Como resultado do livre comércio, os Estados Unidos acabam situando-se em *B'*, com maior disponibilidade de ambos os bens do que teria se consumissem apenas o que produzissem ao longo de *DA*.

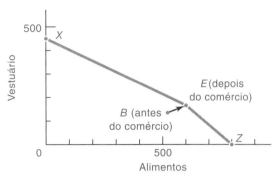

FIGURA 18-4 O livre comércio permite que o mundo se desloque para a sua fronteira das possibilidades de produção.

Mostramos aqui o efeito do livre comércio do ponto de vista do mundo como um todo. Antes de o comércio ser liberado, cada região encontra-se na sua *FPP* nacional. Uma vez que, não existindo comércio, o equilíbrio é ineficiente, o mundo está no interior de sua *FPP*, no ponto *B*.

O livre comércio permite a cada região especializar-se nos bens em que tem vantagem comparativa. Como resultado da especialização eficiente, o mundo se desloca para fora, para a fronteira eficiente, no ponto *E*.

A Figura 18-2 ilustra de que forma o comércio ocorreria. Cada região se defrontaria com uma curva de possibilidades de consumo de acordo com a qual pode produzir, comercializar e consumir. *A curva das possibilidades de consumo começa no ponto de completa especialização da região e em seguida afasta-se, segundo o preço relativo mundial de 2/3*. A Figura 18-2(*a*) mostra as possibilidades de consumo dos Estados Unidos como uma seta fina com uma inclinação de – 2/3, partindo do ponto da sua completa especialização, com 600 unidades de alimentos e nenhum vestuário. De forma similar, as possibilidades de consumo da Europa, havendo comércio, são mostradas na Figura 18-2(*b*) por meio da seta com sentido sudeste, a partir do seu melhor ponto de especialização total, com uma inclinação de – 2/3.

O resultado final é indicado pelos pontos *E* na Figura 18-2. Neste equilíbrio de livre comércio, a Europa se especializa na produção de vestuário e os Estados Unidos se especializam na produção de alimentos. A Europa exporta 133 ¹/₃ unidades de vestuário por 200 unidades de alimentos dos Estados Unidos. Ambas as regiões ficam em condições de consumir mais do que poderiam se produzissem isoladamente; ambas as regiões se beneficiam com o comércio internacional.

A Figura 18-3 ilustra os benefícios do comércio para os Estados Unidos. A linha tracejada interior mostra a *FPP* enquanto a linha exterior mostra as possibilidades de consumo à razão de preços mundial de 2/3. As setas representam os montantes exportados e importados. Os Estados Unidos acabam por se situar no ponto *B'*. Por meio do comércio, deslocam-se pela linha *D'A*, tal como se uma descoberta útil deslocasse a *FPP* para fora.

As lições dessa análise estão resumidas na Figura 18-4. Essa figura mostra a fronteira das possibilidades de produção *mundial*. A *FPP* mundial representa o produto máximo que pode ser obtido a partir dos recursos mundiais quando os bens são produzidos da forma mais eficiente, ou seja, com a divisão do trabalho e a especialização regional mais eficientes.

A *FPP* mundial é construída a partir das duas *FPP* regionais da Figura 18-2 com a determinação do nível máximo de produto mundial que pode ser obtido a partir das *FPP* individuais das regiões. Por exemplo, a quantidade máxima de alimentos que pode ser produzida (sem qualquer produção de vestuário) é mostrada na Figura 18-2 como 600 unidades nos Estados Unidos e 200 unidades na Europa, resultando em um máximo mundial de 800 unidades. Esse mesmo ponto (800 de alimentos, 0 de vestuário) é então marcado na *FPP* mundial da Figura 18-4. Podemos, também, representar o ponto (0 de alimento, 450 de vestuário) na *FPP* mundial pela análise das *FPP* regionais. Todos os pontos individuais intermediários podem ser obtidos por meio de um cálculo minucioso dos produtos mundiais máximos que podem ser produzidos se as duas regiões se especializarem de uma forma eficiente nos dois bens.

Antes da abertura das fronteiras ao comércio, o mundo encontra-se no ponto *B*. Esse é um ponto de ineficiência – abaixo da *FPP* mundial – uma vez que as regiões têm níveis diferentes de eficiência relativa nos vários bens. Após a abertura das fronteiras ao comércio, o

FIGURA 18-5 Com muitos bens, existe um espectro de vantagens comparativas.

mundo desloca-se para o ponto *E* de equilíbrio com liberdade de comércio, em que os países se especializam nas suas áreas de vantagem comparativa.

O livre comércio em mercados competitivos permite ao mundo deslocar-se para a fronteira da sua curva de possibilidades de produção.

EXTENSÕES PARA MUITOS BENS E PAÍSES

O mundo do comércio internacional é constituído por mais do que duas regiões e dois bens. Contudo, os princípios que explicamos antes não sofrem alterações essenciais em situações mais realistas.

Muitos bens

Quando duas regiões, ou países, produzem muitos bens a custos constantes, esses bens podem ser ordenados de acordo com as vantagens ou custos comparativos de cada um. Por exemplo, os bens podem ser microprocessadores, computadores, aviões, automóveis, vinho e *croissants*, todos ordenados conforme a sequência de vantagem comparativa apresentada na Figura 18-5. Como você pode ver a partir da figura, de todos os bens, os microprocessadores são os mais baratos nos Estados Unidos em relação aos custos na Europa. A Europa tem a sua maior vantagem comparativa nos *croissants*. Há duas décadas, os Estados Unidos dominavam o mercado dos aviões comerciais, mas a Europa ganhou atualmente uma participação de mercado substancial, de modo que os aviões estão se deslocando para a direita.

Podemos ter praticamente a certeza de que, havendo comércio, os Estados Unidos iriam produzir e exportar microprocessadores e a Europa iria produzir e exportar *croissants*. Mas onde se situaria a linha divisória? Entre aviões e automóveis? Ou entre vinho e *croissants*? Ou se situaria em uma das mercadorias em vez de entre elas? Talvez os automóveis sejam fabricados em ambos os lugares.

Você não deve ficar surpreso ao saber que a resposta depende das demandas e das ofertas dos diferentes bens. Podemos pensar nos bens como contas esféricas dispostas em um fio de acordo com a sua vantagem comparativa; a grandeza da oferta e da demanda determinará onde irá situar-se a linha divisória entre a produção norte-americana e a europeia. Um aumento da demanda por microprocessadores e computadores, por exemplo, tende a aumentar os preços relativos dos bens norte-americanos. Essa alteração pode levar os Estados Unidos a especializarem-se tanto nas áreas em que têm vantagem comparativa que deixaria de ser lucrativo produzir em áreas com desvantagem comparativa, como a de automóveis.

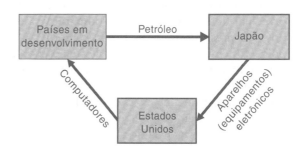

FIGURA 18-6 O comércio triangular beneficia todos.
Na realidade, o comércio internacional, tal como o comércio interno, tem muitos lados.

Muitos países

E no caso de haver muitos países? Com a introdução de muitos países não é necessário alterar a nossa análise. No que respeita a um único país, todos os outros países podem ser aglutinados em um grupo designado "o resto do mundo". As vantagens do comércio não têm qualquer relação especial com as fronteiras nacionais. Os princípios já desenvolvidos aplicam-se entre grupos de países e, de fato, entre regiões dentro do mesmo país. De fato, são tão aplicáveis ao comércio entre os nossos estados do norte e do sul como ao comércio entre os Estados Unidos e o Canadá.

Comércio triangular e multilateral

Com muitos países em cena, será em geral benéfico participar no *comércio triangular* ou *multilateral* com muitos outros países. Geralmente, o comércio bilateral entre dois países não é equilibrado.

Considere o exemplo simples do fluxo de comércio triangular ilustrado na Figura 18-6, onde as setas mostram a direção das exportações. Os Estados Unidos compram aparelhos eletrônicos do Japão, este compra petróleo e bens primários dos países em vias de desenvolvimento, e os países em vias de desenvolvimento compram computadores dos Estados Unidos. Na realidade, a estrutura do comércio é ainda mais complexa do que esse exemplo triangular.

QUALIFICAÇÕES E CONCLUSÕES

Completamos a nossa visão da teoria da vantagem comparativa. As suas conclusões aplicam-se a um número qualquer de países e de bens. Além disso, essa teoria pode ser generalizada de forma a abarcar muitos fatores de produção, alterações das proporções entre os fatores e rendimentos decrescentes. Mas não podemos terminar sem referir duas importantes limitações dessa teoria.

1. *Pressupostos clássicos.* De um ponto de vista teórico, o principal defeito da vantagem comparativa reside nos seus pressupostos clássicos. Essa teoria pressupõe o funcionamento contínuo de uma economia competitiva, mas o comércio pode levar ao agravamento dos problemas ambientais, se existirem bens públicos locais ou globais. (Ver o Capítulo 14 para uma análise adicional.) Além disso, podem surgir ineficiências na vigência de preços e salários inflexíveis, de ciclos econômicos e de desemprego involuntário. Quando existem falhas macro ou microeconômicas de mercado, o comércio pode muito bem empurrar um país para *dentro* da sua *FPP*. Quando a economia está em depressão, ou o sistema de preços não funciona bem, por causa de razões ambientais ou outras, não podemos ter a certeza de que os países ganham com o comércio.

    Feitas tais ressalvas, não surpreende que a teoria da vantagem comparativa seja posta em segundo plano durante as depressões cíclicas. Durante a Grande Depressão dos anos 1930, quando o desemprego disparou e o produto real decaiu, os países erigiram barreiras de tarifas elevadas em suas fronteiras, o que levou à redução acentuada do comércio externo. Além disso, durante os prósperos anos de 1990, o livre comércio foi atacado de forma crescente pelos ambientalistas, que viam nele um meio para permitir às empresas despejar poluentes nos oceanos, ou em países com regulações fracas. Os ambientalistas estavam entre os principais críticos das últimas tentativas de promoção do livre comércio (ver a seção "Negociando o livre comércio", ao final deste capítulo).

2. *Distribuição de renda.* Uma segunda precaução diz respeito ao impacto em determinadas pessoas, setores ou fatores de produção. Mostramos que a abertura de um país ao comércio aumentará a renda nacional desse país. O país pode consumir mais de todos os bens e serviços do que seria possível se as fronteiras estivessem fechadas ao comércio.

    Mas isso não significa que *todos* se beneficiem com o comércio, como é demonstrado pelo teorema de Stolper-Samuelson. Podemos ilustrar esse teorema usando um exemplo. Suponha que os Estados Unidos têm uma população ativa relativamente qualificada, enquanto a China tem uma população ativa pouco qualificada. Além disso, suponha que a mão de obra qualificada é usada mais intensamente na fabricação de aviões, e a mão de obra não qualificada é usada mais intensamente na produção de vestuário. Agora passamos de uma situação de não haver comércio a uma situação de livre comércio. Como no exemplo, seria de esperar que os Estados Unidos exportassem aviões e importasse vestuário. O preço dos aviões nos Estados Unidos aumentaria, e o do vestuário cairia.

    O ponto interessante é o impacto sobre o trabalho. Como resultado da mudança na produção interna, a demanda por trabalhadores não qualificados cai em virtude da queda dos preços e da produção de vestuário, enquanto a demanda por trabalhadores qualificados aumenta em virtude do aumento dos preços e da produção de aviões. Isso, em um mundo com salários flexíveis, leva, nos Estados Unidos, a uma queda dos salários dos trabalhadores não qualificados e a um aumento dos salários de trabalhadores qualificados. Em geral, o livre comércio tende a aumentar os preços dos fatores que estão intensamente incorporados nas exportações e a reduzir os preços dos fatores que estão intensamente incorporados nas importações. (Em um mundo com salários inflexíveis, pode haver o desemprego de trabalhadores não qualificados, como mostra a nossa análise de macroeconomia.)

    Estudos recentes indicam que os trabalhadores não qualificados nos países de renda elevada têm sofrido, nas três últimas décadas, reduções dos salários reais em decorrência do aumento das importações de países em desenvolvimento. A perda de salários ocorreu porque as importações de bens como vestuário são produzidas por trabalhadores não qualificados em países em desenvolvimento. Em certo sentido, esses trabalhadores são substitutos próximos dos trabalhadores não especializados da indústria de vestuário dos países com rendas elevadas. O aumento do comércio internacional de vestuário reduz os preços, e isso tende a reduzir os salários dos trabalhadores não qualificados nos países de renda elevada.

    A teoria da vantagem comparativa mostra que os outros setores irão ganhar mais que o montante que foi perdido pelos setores prejudicados. Além disso, no decurso de longos períodos de tempo, os que ficaram desempregados em setores de baixos salários acabam sendo atraídos para empregos com salários maiores. Mas aqueles que sofrem temporariamente com o comércio internacional são efetivamente prejudicados e tornam-se defensores veementes da proteção e das barreiras comerciais.

Apesar das suas limitações, a teoria da vantagem comparativa é uma das verdades mais profundas de toda a Economia. Os países que não respeitam a vantagem comparativa pagam um preço elevado em termos dos seus níveis de vida e de crescimento econômico.

C. PROTECIONISMO

Volte ao início deste capítulo e releia a "Reivindicação dos fabricantes de velas", escrita pelo economista francês Frederic Bastiat para satirizar as propostas solenes para proteger os produtos internos das importações. Atualmente, as pessoas encaram a concorrência externa com suspeita, e campanhas como a de "compre o produto nacional" são consideradas patrióticas.

Contudo, desde os tempos de Adam Smith os economistas têm marchado atrás de outro tambor. Os economistas, em geral, pensam que o livre comércio promove uma divisão do trabalho, entre os países, mutuamente benéfica; o comércio livre e aberto permite a *cada* país expandir as suas possibilidades de produção e de consumo, elevando o nível de vida em todo o mundo. O protecionismo impede que as forças da vantagem comparativa promovam o maior benefício possível.

Esta seção revê os argumentos econômicos sobre o protecionismo.

ANÁLISE PELA OFERTA E DEMANDA DO COMÉRCIO E DAS TARIFAS

Livre comércio versus nenhum comércio

A teoria da vantagem comparativa pode ser esclarecida por meio da análise da oferta e da demanda de bens no comércio internacional. Considere o mercado do vestuário nos Estados Unidos. Para simplificar, suponha que os Estados Unidos são uma parte diminuta do mercado e que, portanto, o país não pode afetar o preço mundial do vestuário. (Essa suposição nos permitirá analisar a oferta e a demanda de modo muito mais fácil; o caso mais realista, em que um país pode influenciar os preços mundiais, será considerado posteriormente neste capítulo.)

A Figura 18-7 mostra as curvas de oferta e de demanda de vestuário nos Estados Unidos. A curva da demanda dos consumidores norte-americanos é *DD* e a curva de oferta interna das empresas norte-americanas é *SS*. Supomos que o preço do vestuário seja determinado no mercado mundial e que é igual a US$ 4 por unidade. Ainda que as transações no comércio internacional sejam efetuadas com diferentes moedas, por agora podemos simplificar e converter a função de oferta estrangeira em uma curva de oferta em dólares por meio das taxas de câmbio atuais.

Equilíbrio sem comércio.
Suponha que os custos de transporte ou as tarifas para o vestuário fossem proibitivos (por exemplo, US$ 100 por unidade de vestuário). Onde se situaria o equilíbrio se não houvesse comércio? Nesse caso, o mercado norte-americano do vestuário se situaria na interseção da oferta e da demanda *domésticas*, representada pelo ponto *N* na Figura 18-7. Nesse ponto de inexistência de comércio, os preços seriam relativamente elevados a US$ 8 por unidade, e os produtores domésticos satisfariam toda a demanda.

Livre comércio.
Considere agora a abertura do mercado americano de vestuário ao comércio internacional. Na ausência de custos de transporte, de tarifas e de participações, o preço nos Estados Unidos tem de ser igual ao preço mundial. Por quê? Porque se o preço norte-americano fosse superior ao preço chinês, os empresários atentos iriam comprar onde o vestuário fosse mais barato (China) e vender onde o vestuário fosse mais caro (Estados Unidos); portanto, a China exportaria vestuário para os Estados Unidos. Uma vez ajustados os fluxos comerciais às ofertas e às demandas, o preço nos Estados Unidos seria igual ao preço mundial. (Em um mundo com custos de transporte e com tarifas, o preço nos Estados Unidos seria igual ao preço mundial ajustado para esses custos.)

A Figura 18-7 ilustra como serão determinados os preços, as quantidades e os fluxos comerciais, havendo livre comércio, no nosso exemplo do vestuário. A linha horizontal de US$ 4 representa a curva de oferta pelas importações; ela é horizontal, ou perfeitamente elástica em relação ao preço, porque se presume que a demanda norte-americana é muito pequena para afetar o preço mundial do vestuário.

Havendo comércio, as importações fluem para os Estados Unidos, fazendo baixar o preço do vestuário para o preço mundial de US$ 4 por unidade. Nesse nível, os produtores domésticos fornecerão a quantidade *ME*, ou 100 unidades, enquanto, a esse preço, os consumidores pretenderão adquirir 300 unidades. A diferença, representada pela linha *EF*, é a quantidade das importações. Quem decidiu que deveríamos importar essa quantidade exata de vestuário e que os produtores domésticos abasteceriam apenas 100 unidades? Um departamento chinês de planejamento? Um cartel de empresas têxteis? Não, a quantidade de comércio foi determinada pela oferta e pela demanda.

Além disso, o nível de preços no equilíbrio quando não existe comércio determinou o sentido dos fluxos comerciais. Os preços norte-americanos quando não há comércio são maiores do que os da China, de modo que os produtos fluem em direção aos Estados Unidos. Recorde esta regra: *Sob livre comércio, de fato, nos mercados em geral, os bens fluem das regiões de preços baixos para as regiões em que os preços são altos.* Quando os mercados se abrem ao comércio livre, o vestuário flui subindo do mercado chinês, que tem preços baixos, para o mercado norte-americano, que tem preços mais elevados, até que os níveis de preços sejam iguais.

Barreiras comerciais

Durante séculos, os governos usaram tarifas e as participações para aumentar as receitas e influenciar o desenvolvimento de certos setores. Desde o século XVIII –

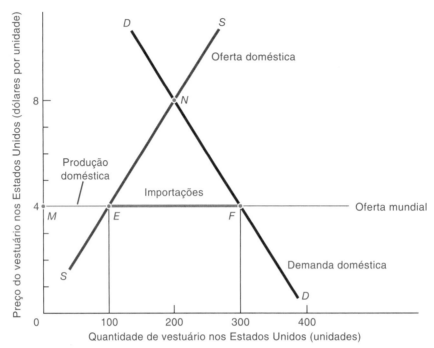

FIGURA 18-7 Produção, importações e consumo norte-americanos com livre comércio.

Vemos aqui o equilíbrio no mercado do vestuário havendo livre comércio. Os Estados Unidos têm uma desvantagem comparativa no vestuário. Portanto, não existindo comércio, o equilíbrio seria em N, com um preço nos Estados Unidos de US$ 8, enquanto o preço mundial é US$ 4.

Supondo que a demanda norte-americana não afeta o preço mundial de US$ 4 por unidade, havendo livre comércio, o equilíbrio verifica-se quando os Estados Unidos produzem ME (100 unidades) e importam a diferença entre a demanda e a oferta internas indicadas como EF (ou 200 unidades).

---

quando o parlamento inglês tentou impor tarifas sobre o chá, o açúcar e outras mercadorias das suas colônias norte-americanas – a política das tarifas provou ser um campo fértil para a revolução e para a luta política.

Podemos usar a análise da oferta e demanda para compreender os efeitos econômicos das tarifas e das cotas. Para começar, repare que uma **tarifa** é um imposto de importação que incide sobre os produtos externos. Uma **cota de importação** é um limite sobre a quantidade de importações. Os Estados Unidos têm participações de importação relativas a muitos produtos, incluindo têxteis, relógios e queijos.

A Tabela 18-3 apresenta as taxas médias das tarifas em países importantes em 2003. Repare que elas variam amplamente para os vários produtos na maioria dos países. Seria necessário um estudo profundo para compreender por que nos Estados Unidos a tarifa sobre a importação de cavalos é nula, enquanto sobre jumentos é de 6,8%. Por outro lado, não é necessário um estudo apurado para perceber por que os têxteis e o aço têm cotas restritivas e tarifas elevadas, porque esses são setores com influência política no Congresso ou na Casa Branca.

Tarifa proibitiva. O caso mais fácil de analisar é este – uma tarifa que seja tão elevada que elimine todas as importações. Revendo a Figura 18-7, o que sucederia se a

País ou região	Taxa média das tarifas, 2003 (%)
Hong Kong (China)	0,0
Suíça	0,0
Japão	3,3
Estados Unidos	3,9
Canadá	4,2
União Europeia	4,4
Rússia	11,3
China	12,0
México	17,3
Paquistão	17,2
Índia	33,0
Irã	30,0
Média de grupos importantes:	
Países de baixa renda	5,9
Países de renda média	14,1

TABELA 18-3 Taxas médias de tarifas, 2003.

As alíquotas das tarifas variam muito entre regiões. Os Estados Unidos e regiões como Cingapura e Hong Kong (China) têm atualmente tarifas reduzidas, embora haja exceções, como para os têxteis e o aço. Países como a Índia e a China continuam a manter barreiras comerciais protecionistas.

Fonte: Organização Mundial de Comércio e organismos governamentais.

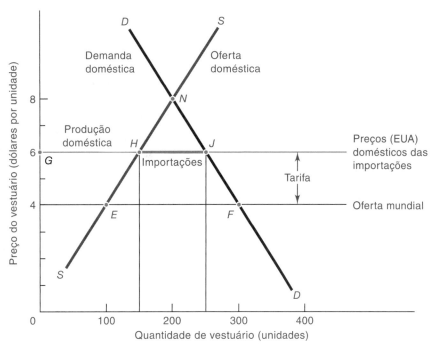

FIGURA 18-8   Efeito de uma tarifa.

Uma tarifa faz baixar as importações e o consumo, bem como aumentar internamente a produção e o preço. Partindo do equilíbrio de livre comércio na Figura 18-7, os Estados Unidos fixam agora uma tarifa de US$ 2 sobre as importações de vestuário. O preço do vestuário chinês importado aumenta para US$ 6 (incluindo a tarifa).
O preço de mercado aumenta de US$ 4 para US$ 6, portanto, a quantidade total da demanda diminui. As importações reduzem-se de 200 para 100 unidades, enquanto a produção doméstica aumenta de 100 para 150 unidades.

---

tarifa sobre o vestuário fosse superior a US$ 4 por unidade (isto é, mais do que a diferença entre o preço de US$ 8 dos Estados Unidos sem comércio e o preço mundial de US$ 4)? Esta seria uma tarifa proibitiva, impedindo qualquer comércio de vestuário. Qualquer importador que comprasse vestuário ao preço mundial de US$ 4 o venderia nos Estados Unidos por US$ 8, que é o preço quando não existe comércio. Mas esse preço não cobriria o custo do bem mais a tarifa. As tarifas proibitivas impedem, assim, todo o comércio.

Tarifa não proibitiva.   Tarifas inferiores (menores do que US$ 4 por unidade de vestuário) seriam prejudiciais, mas não eliminariam o comércio. A Figura 18-8 mostra o equilíbrio no mercado de vestuário com uma tarifa de US$ 2. Supondo, de novo, que não houvesse custos de transporte, uma tarifa de US$ 2 significaria que o vestuário estrangeiro seria vendido nos Estados Unidos a US$ 6 por unidade (igual ao preço mundial de US$ 4 mais a tarifa de US$ 2).

O equilíbrio resultante de uma tarifa de US$ 2 reduz o consumo doméstico (ou a quantidade demandada) de 300 unidades, do equilíbrio com livre comércio, para 250 unidades, após a imposição da tarifa; aumenta a produção doméstica em 50 unidades e reduz a quantidade de importações em 100. Este exemplo resume o impacto econômico das tarifas:

Uma tarifa tende a elevar o preço, a diminuir as quantidades consumidas e importadas, bem como a aumentar a produção interna do bem em questão.

Cotas.   As cotas têm o mesmo efeito qualitativo das tarifas. Uma cota proibitiva (uma que impeça todas as importações) é equivalente a uma tarifa proibitiva. O preço e a quantidade regressariam ao equilíbrio de inexistência de comércio, em *N*, na Figura 18-8. Uma cota menos restritiva poderia limitar as importações a 100 unidades de vestuário; essa cota seria igual à linha *HJ* na Figura 18-8. Uma cota de 100 unidades levaria ao mesmo preço e produção de equilíbrio de uma tarifa de US$ 2.

Embora não haja uma diferença substancial entre tarifas e cotas, existem algumas diferenças sutis. Uma tarifa proporciona receita ao governo, o que permitirá talvez a redução de outros impostos, compensando, desse modo, algum prejuízo gerado aos consumidores do país importador. Uma cota, por outro lado, canaliza o lucro da diferença de preço para o bolso dos importadores ou dos exportadores que têm a sorte de obter uma licença de importação. Estes ganham o suficiente para pagar bebidas, jantares, ou mesmo corromper os funcionários que atribuem as licenças de importação.

Em virtude dessas diferenças, os economistas consideram geralmente as tarifas como o mal menor. Contudo, se um governo está determinado a impor cotas, deveria leiloar as escassas licenças de importação. Um leilão assegurará que será o governo, e não o importador, quem receberá a receita do direito limitado de importação; além disso, a burocracia não será tentada a atribuir cotas mediante suborno, favoritismo ou nepotismo.

Custos de transporte. E os custos de transporte? O custo para movimentar bens volumosos e perecíveis tem efeito igual ao das tarifas, reduzindo a extensão dos benefícios da especialização regional. Por exemplo, se custa US$ 2 por unidade transportar roupas da Europa para os Estados Unidos, o equilíbrio de oferta e demanda se pareceria com a Figura 18-8, com o preço norte-americano US$ 2 acima do europeu.

Mas existe uma diferença entre proteção e custos de transporte: custos de transporte são impostos pela natureza – por oceanos, montanhas e rios –, enquanto tarifas restritivas são exclusivamente de responsabilidade das nações. De fato, um economista chamou as tarifas de "ferrovias negativas". Impor uma tarifa tem o mesmo impacto econômico que jogar areia nos motores de navios que transportam bens de outros países para nossos portos.

Custos econômicos das tarifas

O que acontece quando os Estados Unidos instituem uma tarifa sobre o vestuário, como a tarifa de US$ 2 indicada na Figura 18-8? Há três efeitos: (1) os produtores domésticos, ao atuarem com um preço protetor proporcionado pela tarifa, podem expandir a produção; (2) os consumidores confrontam-se com preços mais elevados e, portanto, reduzem seu consumo; e (3) o governo ganha a receita da tarifa.

As tarifas originam ineficiências econômicas. Quando são estabelecidas, as perdas econômicas dos consumidores são superiores à soma da receita obtida pelo governo com os lucros extras dos produtores.

Análise gráfica. A Figura 18-9 mostra o custo econômico de uma tarifa. As curvas de oferta e de demanda são idênticas às da Figura 18-8, mas estão destacadas três áreas. (1) A área *B* é a receita da tarifa recolhida pelo governo. É igual ao valor da tarifa vezes as unidades importadas, o que totaliza US$ 200. (2) A tarifa aumenta o preço nos mercados internos de US$ 4 para US$ 6 e os produtores aumentam sua produção para 150. Assim, os lucros totais aumentam US$ 250, correspondendo à área *LEHM* e sendo igual a US$ 200 das unidades anteriores e de um adicional de US$ 50 das 50 unidades novas. (3) Finalmente, observe que uma tarifa impõe um custo elevado aos consumidores. O total da perda do excedente do consumidor é dado pela área *LMJF* e é igual a US$ 550.

O impacto social global é, portanto, um ganho para os produtores de US$ 250, um ganho para o governo de US$ 200 e uma perda para os consumidores de US$ 550. O custo social líquido (considerando cada um desses dólares igualmente) é, portanto, US$ 100. Podemos considerar isso igual à soma de *A* e *C*. A interpretação dessas áreas é importante:

- A área *A* é a perda líquida que decorre da produção doméstica ter um custo maior do que a produção externa. Quando o preço doméstico aumenta, as empresas são induzidas a aumentar o uso de capacidade doméstica relativamente cara. Elas produzem até o ponto em que o custo marginal seja US$ 6 por unidade, em vez de US$ 4 havendo livre comércio. As empresas reabrem fábricas antigas ineficientes ou trabalham com turnos extraordinários nas fábricas existentes. Do ponto de vista econômico, essas fábricas têm uma desvantagem comparativa, pois o vestuário, agora produzido por essas fábricas, poderia ser produzido mais barato no exterior. O novo custo social dessa produção ineficiente é a área *A*, igual a US$ 50.

- Além disso, há uma perda líquida para o país por causa do preço mais elevado, mostrada pela área *C*. Essa é a perda de excedente do consumidor que não pode ser compensada pelos lucros das empresas ou pelas receitas da tarifa. Essa área representa o custo econômico quando os consumidores transferem as suas compras de importações de baixo custo para bens internos com um custo elevado. Essa área é também igual a US$ 50.

Assim, a perda social total da tarifa é de US$ 100, qualquer que seja o cálculo.

A Figura 18-9 ilustra um aspecto que é importante para compreender a política e a história das tarifas. Quando uma tarifa é imposta, parte do impacto econômico decorre porque ela redistribui a renda dos consumidores para os produtores e trabalhadores domésticos protegidos. No exemplo mostrado na Figura 18-9, as áreas *A* e *C* representam, respectivamente, as perdas de eficiência de uma maior produção doméstica e da redução do consumo. Com base nos pressupostos simplificados considerados anteriormente, as perdas de eficiência somam US$ 100. Entretanto, a redistribuição em questão é muito maior, sendo igual a US$ 200, obtidos das receitas das tarifas cobradas aos consumidores da mercadoria, mais US$ 250 de lucros maiores. Os consumidores ficarão insatisfeitos com o aumento do custo do produto, enquanto os produtores e os trabalhadores dessas empresas serão beneficiados. Vemos, assim, por que as batalhas sobre as restrições das importações se centram geralmente mais sobre os ganhos e perdas de redistribuição do que sobre as questões da eficiência econômica.

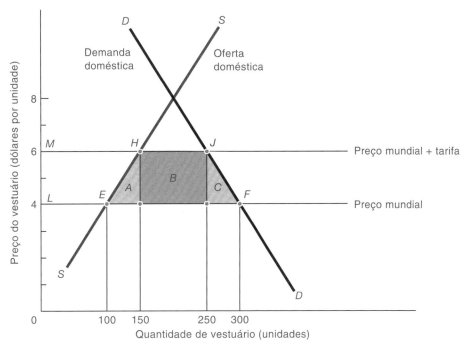

FIGURA 18-9 Custo econômico de uma tarifa.

A imposição de uma tarifa aumenta as receitas e conduz à ineficiência. O impacto da tarifa tem três efeitos. O retângulo B é a receita da tarifa obtida pelo Estado. O triângulo A é o custo acrescido da produção das empresas que produzem sob a proteção da tarifa. O triângulo C é a perda líquida do excedente do consumidor em decorrência do preço ineficientemente elevado. As áreas A e C são as ineficiências irredutíveis causadas pela tarifa.

A imposição de uma tarifa tem três efeitos: incentiva ineficientemente uma maior produção interna; aumenta os preços, induzindo os consumidores a reduzir as suas compras do bem sujeito à tarifa abaixo dos níveis de eficiência; e aumenta as receitas do governo. Somente os dois primeiros implicam necessariamente custos para a economia.

Custo do protecionismo nos têxteis

Concretizemos esta análise com o exame dos efeitos de uma tarifa específica, como a tarifa sobre o vestuário. As tarifas sobre os têxteis e o vestuário estão entre as mais elevadas das que estão em vigor nos Estados Unidos. Como os consumidores e os produtores são afetados por essas tarifas elevadas?

Para começar, as tarifas fazem aumentar os preços internos do vestuário. Em decorrência da elevação dos preços, muitas fábricas que, de outra forma, iriam à falência por causa da redução da vantagem comparativa nos têxteis, mantêm-se em funcionamento. Elas quase não dão lucro, mas conseguem vender o suficiente para continuar a produção doméstica. O emprego no setor têxtil doméstico é superior ao que existiria havendo liberdade de comércio, embora, em virtude da pressão da concorrência estrangeira, os salários dos têxteis sejam os mais baixos de todo o setor de manufatura.

Do ponto de vista econômico, o país está desperdiçando recursos nos têxteis. Esses trabalhadores, essas matérias-primas e esse capital seriam usados mais produtivamente em outros setores – talvez na fabricação de aviões, ou nos serviços financeiros, ou no comércio eletrônico. O potencial produtivo do país é menor, uma vez que se mantêm fatores de produção em uma indústria que já perdeu a sua vantagem comparativa.

Os consumidores, é claro, pagam por essa proteção à indústria têxtil com preços mais elevados. Eles obtêm uma satisfação das suas rendas menor da que teriam se pudessem comprar têxteis da Coreia, da China ou da Indonésia, a preços que não incluíssem tarifas elevadas. Os consumidores são induzidos a reduzir as suas compras de vestuário, canalizando fundos para alimentação, transporte ou atividades recreativas, cujos preços relativos foram reduzidos pela tarifa.

Por último, o governo obtém receitas das tarifas sobre os têxteis. Essas receitas podem ser utilizadas para adquirir bens públicos ou para reduzir outros impostos, de modo que (ao contrário da perda do consumidor ou da ineficiência produtiva), esse efeito não é um ônus social real.

ECONOMIA DO PROTECIONISMO

Tendo examinado o impacto das tarifas sobre os preços e a quantidade, analisaremos os argumentos a favor e contra o protecionismo. Os argumentos a favor de tarifas e de participações de importação para proteção contra a concorrência das importações estrangeiras tomam muitas formas diferentes. As principais categorias são: (1) argumentos não econômicos que sugerem que é desejável o sacrifício do bem-estar econômico de modo a subsidiar outros objetivos nacionais, (2) argumentos que são baseados na incompreensão da lógica econômica, e (3) análises que se baseiam no poder de mercado ou nas imperfeições macroeconômicas.

Objetivos não econômicos

Se algum dia você for encarregado da defesa do comércio em um debate, irá reforçar a sua argumentação, referindo, desde o início, que na vida não conta apenas o bem-estar econômico. Um país não deve, certamente, sacrificar a sua liberdade, sua cultura e seus direitos humanos por um pequeno acréscimo de renda nacional.

O setor de semicondutores dos Estados Unidos é um exemplo apropriado desse caso. Nos anos 1980, o Ministério da Defesa reclamou que, sem um setor independente de semicondutores, as forças armadas ficariam excessivamente dependentes dos *chips* japoneses e de outros fornecedores estrangeiros para uso em armas de alta tecnologia. Isso levou a um acordo para a proteção do setor. Os economistas estavam céticos em relação ao valor dessa abordagem. O seu argumento não questionava o objetivo de segurança nacional. Questionavam, antes, os meios para atingir o resultado desejado. Pensavam que a proteção era mais cara do que uma política direcionada para o setor, talvez um programa para aquisição de um número mínimo de *chips* de alta qualidade.

A segurança nacional não é o único objetivo não econômico da política comercial. Os países podem desejar preservar as suas culturas tradicionais ou as condições ambientais. A França argumentou que os seus cidadãos precisam ser protegidos dos filmes "bárbaros" norte-americanos. O receio era de que a indústria cinematográfica francesa pudesse ser submergida por uma nova onda de filmes de ação de Hollywood de orçamentos elevados e repletos de efeitos especiais. Como resultado, a França tem mantido participações rígidas sobre o número de filmes e programas de televisão dos Estados Unidos que podem ser importados.

Bases infundadas para as tarifas

Mercantilismo. É atribuída a Abraham Lincoln a seguinte observação: "Não sei grande coisa sobre tarifas. Mas sei que quando compro um casaco inglês, eu fico com o casaco e a Inglaterra fica com o dinheiro. Mas quando compro um casaco nos Estados Unidos, eu fico com o casaco e os Estados Unidos com o dinheiro".

Esse raciocínio representa uma antiga falácia, típica dos chamados escritores mercantilistas dos séculos XVII e XVIII. Eles consideravam que um país ficaria em uma boa situação se vendesse mais bens em relação aos que comprassem, uma vez que uma balança comercial "favorável" significava a entrada de ouro no país pelo pagamento do seu excedente de exportações.

O argumento mercantilista confunde os meios com os fins. A acumulação de ouro ou de outras formas de pagamento não eleva o padrão de vida de um país. O dinheiro não vale por si mesmo, mas pelo que consegue comprar de outros países. Portanto, a maioria dos economistas rejeita atualmente a ideia de que o aumento das tarifas para se obter um excedente comercial melhora o bem-estar econômico de um país.

Tarifas para interesses particulares. A principal fonte de pressão para a fixação de tarifas protetoras são os poderosos grupos de interesse especial. As empresas e os trabalhadores sabem muito bem que uma tarifa sobre os seus produtos os ajudará, ainda que imponha custos a outros. Adam Smith compreendeu bem esse ponto quando escreveu:

> Esperar a liberdade de comércio é tão absurdo como esperar a Utopia. Não somente o preconceito do público, como também – o que é mais difícil de controlar – o interesse privado de muitos indivíduos irão irresistivelmente contra ela.

Se o livre comércio é tão benéfico para um país no seu conjunto, por que os proponentes do protecionismo continuam a exercer uma influência tão desproporcional nas legislaturas? Os poucos que se beneficiam ganham muito com a proteção específica e, portanto, dedicam importâncias elevadas ao *lobby* político. Em contrapartida, os consumidores individuais são apenas ligeiramente afetados pela tarifa alfandegária sobre um produto; como as perdas são pequenas e disseminadas, as pessoas têm um pequeno incentivo para gastar recursos para expressar a sua opinião em todos os casos de imposto de importação. Há um século, a corrupção criminosa era usada para comprar os votos necessários para aprovar legislação sobre tarifas. Atualmente, os poderosos *lobbies*, financiados por trabalhadores ou por empresas, colam-se aos legisladores e reclamam apoio para tarifas e participações para têxteis, madeira, aço, açúcar e outros bens.

Se os votos políticos fossem expressos na proporção do benefício econômico total, os países decretariam a extinção da maioria das tarifas. Mas não há representação proporcional para todos os dólares de interesse econômico. É muito mais difícil convencer os consumidores sobre os benefícios da liberdade de comércio do que organizar algumas empresas ou sindicatos de trabalhadores para que reclamem contra a "mão de obra chinesa barata". Em todos os países, os inimigos infatigáveis da liberdade de comércio são os interesses particulares das empresas e dos trabalhadores.

Um caso expressivo é o da cota norte-americana do açúcar, que beneficia uns poucos produtores enquanto custa aos consumidores norte-americanos mais de US$ 1 bilhão por ano. O consumidor médio provavelmente não sabe que a participação do açúcar lhe custa 1 centavo por dia, sendo reduzido o incentivo para pressionar pelo livre comércio do açúcar.

Concorrência da mão de obra estrangeira barata. De todos os argumentos a favor do protecionismo, o mais persistente é que a liberdade de comércio expõe os trabalhadores dos Estados Unidos à concorrência da mão de obra estrangeira barata. Argumentam que a única forma de preservar os elevados salários dos Estados Unidos é proteger os trabalhadores do país, impedindo a entrada ou estabelecendo uma tarifa elevada sobre os bens produzidos em países com salários reduzidos. Uma versão extrema desse argumento é que, havendo liberdade de comércio, os salários dos Estados Unidos irão convergir para os reduzidos salários do exterior. Essa ideia foi divulgada pelo candidato presidencial Ross Perot durante os debates sobre o NAFTA (*North American Free Trade Agreement*, Acordo de Livre Comércio da América do Norte), quando argumentou:

> Filosoficamente, [o NAFTA] é maravilhoso, mas realisticamente será mau para o nosso país. Essa coisa vai criar um verdadeiro sorvedouro gigante nos Estados Unidos em uma época em que precisamos da criação de empregos e não da sua destruição. Os salários dos mexicanos irão aumentar para US$ 7,50 por hora e os nossos irão baixar para US$ 7,50 por hora.

Esse argumento parece razoável, mas é totalmente incorreto, uma vez que ignora o princípio da vantagem comparativa. A razão por que os trabalhadores norte-americanos têm salários mais elevados é que, em média, eles são mais produtivos. Se o salário nos Estados Unidos é 5 vezes o do México é porque, em média, o produto marginal dos trabalhadores americanos é 5 vezes o dos trabalhadores mexicanos. O comércio se desenvolve de acordo com a vantagem comparativa, e não segundo os níveis salariais ou segundo a vantagem absoluta.

Tendo demonstrado que o país ganha com a importação de bens produzidos por "mão de obra estrangeira barata", para os quais tem uma desvantagem comparativa, não devemos ignorar os impactos que o comércio pode ter nas empresas específicas e nos trabalhadores. Recorde o teorema de Stolper-Samuelson apresentado antes. Se os Estados Unidos têm uma desvantagem comparativa em setores como o dos têxteis, ou brinquedos, e esses setores são intensivos em mão de obra não qualificada, a redução das barreiras ao comércio tenderá a reduzir os salários da mão de obra não qualificada nos Estados Unidos. Pode também haver efeitos temporários nos trabalhadores cujos salários caem enquanto procuram empregos alternativos. As dificuldades dos trabalhadores despedidos serão maiores se a globalidade da economia estiver em recessão, ou se houver desemprego elevado nos mercados de trabalho locais. No longo prazo, os mercados de trabalho irão transferir os trabalhadores dos ramos em declínio para os setores avançados, mas a transição pode ser penosa para muitas pessoas.

Em resumo:

O argumento da "mão de obra estrangeira barata" é inconsistente porque ignora a teoria da vantagem comparativa. Um país se beneficiará com o comércio, mesmo que os seus salários sejam muito superiores aos salários dos seus parceiros de comércio. Os salários elevados decorrem da eficiência elevada, e não do protecionismo realizado por meio de tarifas.

Tarifas de retaliação. Embora muitas pessoas concordem que um mundo com livre comércio seria a melhor solução possível, elas percebem que esse não é o mundo em que vivemos. Elas afirmam que "enquanto outros países estabelecerem restrições à importação, ou discriminarem de outra forma os nossos produtos, não temos alternativa senão jogar o mesmo jogo da proteção em autodefesa. Somos pelo livre comércio, desde que seja um comércio leal. Mas insistimos para que as condições de jogo sejam iguais para todos". Em várias ocasiões, nos anos 1990, os Estados Unidos estiveram à beira de desencadear guerras comerciais com o Japão e a China, ameaçando com tarifas elevadas se o outro país não acabasse com alguma prática comercial questionável.

Quem defende essa abordagem argumenta que ela pode ajudar a demolir as barreiras protecionistas em outros países. Esse raciocínio foi expendido em uma análise do protecionismo no *Economic Report of the President*:

> A intervenção no comércio internacional... mesmo que tenha custos para a economia dos Estados Unidos no curto prazo, pode, entretanto, ser justificada se servir o objetivo estratégico de aumentar os custos das políticas intervencionistas de governos estrangeiros. Assim, existe um papel potencial para medidas cuidadosamente programadas... destinadas a convencer os outros países a reduzir as suas distorções comerciais.

Embora potencialmente válido, esse argumento deve ser usado com grande cautela. Tal como a ameaça de guerra conduz com tanta frequência ao conflito armado e ao controle de armas, os blefes protecionistas podem prejudicar tanto quem ameaça como o oponente. Estudos históricos demonstram que as tarifas de retaliação, normalmente, levam os outros países a aumentar suas tarifas ainda mais, e raramente são um determinante eficaz de negociação para a redução multilateral das tarifas.

Salvaguarda contra as importações. Nos Estados Unidos e em outros países, as empresas e os trabalhadores que são prejudicados pela concorrência externa tentam obter proteção sob a forma de tarifas e cotas. Atualmente, o Congresso trata relativamente pouco de casos de tarifas. O Congresso compreendeu que a política de tarifas era um assunto muito controverso e delegou a pesquisa e a decisão sobre reclamações a agências especializadas. Em geral, uma medida de salvaguarda é analisada pelo Ministério do Comércio e pela Comissão do Comércio Internacional. As medidas de salvaguarda incluem as seguintes ações:

- A *cláusula de exceção* foi comum nos períodos iniciais. Permite a salvaguarda temporária contra importações (tarifas, cotas de importação e de exportação negociadas com outros países) quando um setor for "prejudicado" pelas importações. Verificam-se danos quando o produto, o emprego e os lucros de um setor doméstico diminuem com o aumento das importações.
- *Tarifas antidumping* são fixadas quando países estrangeiros vendem nos Estados Unidos a preços abaixo dos custos médios, ou a preços inferiores aos do mercado doméstico. Quando se detecta a venda abaixo de custo é lançada uma tarifa (*antidumping*) sobre o bem importado.
- *Tarifas, ou direitos, de retaliação* são lançados para anular a vantagem pelo custo de importações quando os estrangeiros subsidiam suas exportações para os Estados Unidos. Tornaram-se a forma mais popular de protecionismo contra as importações e têm sido postos em prática centenas de vezes.

Qual é a justificativa para essas medidas? A restrição das importações parece razoável, mas vai, de fato, totalmente contra a teoria da vantagem comparativa. Essa teoria diz que um setor que não consegue concorrer com as empresas estrangeiras será prejudicado pelas importações. *Analisados quanto à vantagem econômica, os setores, menos produtivos estão efetivamente sendo eliminados pela concorrência dos mais produtivos do próprio país.*

É de fato brutal. Nenhuma indústria desaparece por vontade própria. Nenhuma região aceita de bom grado a reconversão industrial. Com frequência, a reconversão das velhas para as novas indústrias envolve desemprego e dificuldades consideráveis. A indústria ou a região fracas sentem-se como se estivessem suportando sozinhas o peso do progresso.

Argumentos potencialmente válidos para o protecionismo

Finalmente, podemos considerar três argumentos a favor do protecionismo que podem ter mérito econômico verdadeiro:

- As tarifas podem alterar os termos de troca a favor de um país.
- A proteção temporária com tarifas de uma "indústria nascente" com um potencial de crescimento pode ser eficiente no longo prazo.
- Uma tarifa pode, em certas condições, ajudar a reduzir o desemprego.

Os termos de troca ou argumento sobre a tarifa ótima. Um argumento válido para a imposição de tarifas é o de que assim irão ser alterados os termos de troca a favor de um país e contra os países estrangeiros. A expressão *termos de troca* corresponde à razão entre os preços de exportação e os preços de importação. A ideia é a de que quando um país grande aplica tarifas sobre as suas importações, a redução da demanda do bem nos mercados mundiais fará baixar o preço de equilíbrio e, desse modo, reduzir o custo do bem de antes da tarifa para o país importador. Tal alteração corresponde a uma melhoria dos termos de troca do país e aumentará a renda real interna. O conjunto de tarifas que maximiza a renda real interna é designado por *tarifa ótima*.

O argumento dos termos de troca foi apresentado há 150 anos pelo apologista da liberdade de comércio John Stuart Mill. É o único argumento a favor de tarifas que é válido na condição de existir pleno emprego e concorrência perfeita. Suponha que os Estados Unidos decretassem uma tarifa "ótima" sobre o petróleo importado. A tarifa levaria ao aumento do preço doméstico do petróleo e reduziria sua demanda mundial. O preço mundial do petróleo sofreria, portanto, uma redução. De modo que uma parte da tarifa iria recair realmente sobre o produtor de petróleo. (Vemos que um país muito pequeno não pode usar esse argumento, uma vez que não pode influenciar os preços mundiais.)

Não encontramos, então, um argumento teórico seguro a favor das tarifas? A resposta seria afirmativa se pudéssemos esquecer que essa é uma política de "empobrecer nosso vizinho" e pudéssemos ignorar as reações dos outros países. Mas os outros países irão certamente reagir. De fato, se os Estados Unidos impusessem uma tarifa ótima de 30% sobre as suas importações, por que a União Europeia e o Japão não iriam também aplicar tarifas de 30 ou 40%? Ao final, quando todos os países tivessem calculado e aplicado a sua própria tarifa ótima nacionalista, o nível geral das tarifas poderia aumentar em espiral, na versão tarifária de uma corrida armamentista.

Em última análise, tal situação não representaria certamente uma melhoria do bem-estar econômico, nem do mundo, nem de um país individualmente. Quando todos os países aplicam tarifas ótimas, é muito provável que se reduza o bem-estar econômico de *todos*, à medida que os entraves ao livre comércio aumentam. O mais provável é que todos eles saiam beneficiados se todos eles abolirem as barreiras comerciais.

Tarifas para as indústrias nascentes. No seu famoso *Report on Manufactures* (1791), Alexander Hamilton propôs o estímulo da industrialização por meio da proteção das "indústrias nascentes" contra a concorrência estrangeira. De acordo com essa doutrina, que recebeu o apoio cauteloso de economistas do livre comércio, como John Stuart Mill e Alfred Marshall, existem linhas de produção em que um país poderá ter vantagem comparativa desde que possam iniciar a atividade.

Tais indústrias nascentes não estariam em condições de suportar o duro confronto com as grandes concorrentes do mercado global. Com algum apoio temporário, contudo, poderiam crescer até usufruírem de economias de produção em massa, de um conjunto de trabalhadores especializados, de invenções bem adaptadas à economia local e da eficiência tecnológica típica de muitas indústrias na maturidade. Embora o protecionismo, inicialmente, faça aumentar os preços para o consumidor, a indústria na maturidade poderia tornar-se tão eficiente que o custo e o preço iriam, de fato, diminuir. Uma tarifa é justificada se o benefício posterior para os consumidores for mais do que suficiente para compensar os preços mais elevados durante o período de proteção.

Esse argumento deve ser considerado com cautela. Estudos históricos têm apresentado casos genuínos de indústrias nascentes protegidas que se desenvolveram até se sustentarem por seus próprios meios. E estudos sobre países recentemente industrializados com sucesso (como Cingapura e Taiwan) mostram que, frequentemente, estes países protegeram das importações suas indústrias transformadoras durante os estágios iniciais de industrialização. Mas os subsídios serão uma forma mais eficiente e transparente de apoiar as indústrias nascentes. De fato, a história das tarifas revela muitos casos, como do aço, do açúcar e dos têxteis, em que a proteção perpétua das indústrias nascentes continua a não permitir abandonar as "fraldas" após muitos anos.

A proteção trágica do Brasil à sua indústria de computadores

O Brasil oferece um exemplo gritante das armadilhas do protecionismo. Em 1984, o Brasil aprovou uma lei banindo a maior parte dos computadores estrangeiros. A ideia era proporcionar um ambiente protegido em que a própria indústria de computadores nascente do Brasil pudesse se desenvolver. A lei foi aplicada com vigor por meio de uma "polícia dos computadores" especial que procurava, nos escritórios das empresas e nas salas de aula, computadores ilegais importados.

Os resultados foram alarmantes. Tecnologicamente, os computadores fabricados no Brasil estavam com vários anos de atraso em relação aos do mercado mundial que evoluiu rapidamente, e os consumidores pagavam 2 a 3 vezes o preço mundial, quando conseguiam encontrar um. Por outro lado, como eram muito caros, os computadores brasileiros não podiam competir no mercado mundial, portanto, as empresas brasileiras de computadores não podiam usufruir da vantagem de economias de escala vendendo para outros países. O preço elevado dos computadores reduziu, também, a competitividade no resto da economia. "Nós estamos efetivamente com muito atraso por causa desse nacionalismo sem sentido", disse Zélia Cardoso de Melo, ministra da economia do Brasil em 1990. "O problema dos computadores bloqueou efetivamente a modernização da indústria brasileira."

A combinação da pressão dos consumidores e das empresas brasileiras com as reivindicações dos Estados Unidos para abertura do mercado forçaram o Brasil a acabar com a proibição de computadores importados em 1992. Em um ano, as lojas de eletrônica de São Paulo e do Rio de Janeiro encheram-se de computadores, impressoras a laser e telefones celulares importados, e as empresas do Brasil puderam começar a explorar a revolução dos computadores. Cada país e cada geração aprendem a seu modo as lições da vantagem comparativa.

Tarifas e desemprego. O desejo de aumentar o emprego em período de recessão ou de estagnação tem sido, historicamente, um motivo forte para o protecionismo. A proteção cria empregos ao aumentar o preço das importações e transferir a demanda para a produção doméstica; a Figura 18-8 demonstra esse efeito. Com o crescimento da demanda doméstica, as empresas contratam mais trabalhadores e o desemprego diminui. Isso também corresponde a uma política de "empobrecer os vizinhos", dado que aumenta a demanda doméstica às custas do produto e do emprego em outros países.

Contudo, embora possa aumentar o emprego, o protecionismo econômico não constitui um programa eficaz para atingir um nível de emprego elevado, a eficiência e a estabilidade de preços. A análise macroeconômica mostra que existem meios melhores para reduzir o desemprego do que por meio da imposição de medidas protecionistas. Com o uso adequado da política monetária e fiscal, um país pode aumentar a produção e reduzir o desemprego. Além disso, o uso de políticas macroeconômicas gerais permitirá aos trabalhadores despedidos de empregos com fraca produtividade, em indústrias que perderam a sua vantagem comparativa, deslocarem-se para empregos com elevada produtividade, em indústrias que gozam de vantagem comparativa.

Essa lição foi amplamente demonstrada nos anos 1990. De 1991 a 1999, os Estados Unidos criaram 16 milhões de novos empregos, em termos líquidos, mantendo os mercados abertos e com tarifas reduzidas; o seu déficit comercial aumentou acentuadamente nesse período. Em contrapartida, os países da Europa não criaram praticamente novos empregos, embora tenham se colocado em uma posição de superávit comercial.

As tarifas e o protecionismo contra as importações são uma forma ineficiente de criar empregos e reduzir o desemprego. Uma forma mais eficaz de aumentar o emprego produtivo é por meio de políticas monetárias e fiscais domésticas.

Outras barreiras ao comércio

Embora este capítulo tenha abordado principalmente as tarifas, a maior parte do que foi citado também se aplica a outros obstáculos ao comércio. As cotas de importação têm quase os mesmos efeitos que as tarifas, pois impedem que a vantagem comparativa dos vários países determine os preços e as quantidades no mercado. Recentemente, houve países que negociaram participações de importação entre si. Os Estados Unidos, por exemplo, forçaram o Japão a estabelecer "voluntariamente" participações de exportação de automóveis e negociaram participações de exportação similares para televisões, calçados e aço.

Devemos mencionar, também, as denominadas barreiras não tarifárias (BNT). Essas barreiras consistem em restrições informais, ou regulações, que dificultam a venda por certos países dos seus produtos nos mercados externos. Por exemplo, as empresas norte-americanas queixaram-se que as regulações japonesas as excluem dos setores de telecomunicações, cigarro e construção.

Qual a importância das barreiras não tarifárias em relação às tarifas? Os estudos econômicos indicam que as barreiras não tarifárias foram, de fato, mais importantes do que as tarifas durante os anos 1960; nos últimos anos duplicaram efetivamente a proteção existente nos códigos tarifários. Em certo sentido, as barreiras não tarifárias têm sido as substitutas das tarifas mais convencionais, à medida que estas são reduzidas.

NEGOCIAÇÕES COMERCIAIS MULTILATERAIS

Da disputa de "braço de ferro" entre os benefícios econômicos do comércio livre e o apelo político a favor do protecionismo, qual tem sido a força vencedora? A história das tarifas dos Estados Unidos, mostrada na Figura 18-10, tem sido instável. Durante a maior parte da sua história, os Estados Unidos foram um

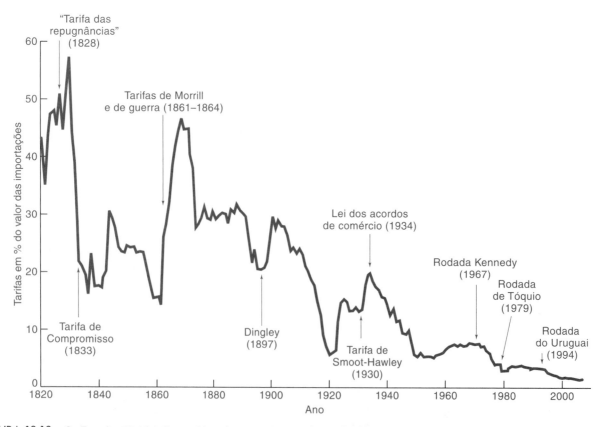

FIGURA 18-10 Os Estados Unidos foram historicamente um país com tarifas elevadas.

Os direitos de importação foram elevados na maior parte da história dos Estados Unidos, mas as negociações sobre comércio a partir dos anos 1930 baixaram-nos acentuadamente.

país com tarifas elevadas. O auge do protecionismo foi atingido com a infame tarifa de Smoot-Hawley, de 1930, que enfrentou a oposição de quase todos os economistas norte-americanos, mas foi facilmente aprovada no Congresso.

As barreiras comerciais estabelecidas durante a Grande Depressão ajudaram a aumentar os preços e a exacerbar as dificuldades econômicas. Nas guerras comerciais dos anos 1930, os países tentavam aumentar o emprego e a produção aumentando as barreiras comerciais às custas dos seus vizinhos. Os países aprenderam rapidamente que, ao final do jogo das retaliações alfandegárias, todos perdiam.

Negociando o livre comércio

No final da Segunda Guerra Mundial, a comunidade internacional criou um conjunto de instituições para promover a paz e a prosperidade econômica por meio de políticas de cooperação.

Acordos multilaterais. Um dos acordos multilaterais mais bem-sucedido foi o Acordo Geral sobre Tarifas e Comércio (GATT, em inglês). Seus preceitos foram incorporados nos estatutos da Organização Mundial de Comércio (OMC) no início de 1995. Os estatutos do GATT abordam a elevação dos níveis de vida por meio da "redução substancial das tarifas e de outras barreiras ao comércio e a eliminação de tratamento discriminatório no comércio internacional". Em 2008, a OMC tinha 153 países-membros, o que corresponderia a cerca de 90% do comércio mundial.

Entre os princípios da OMC estão: (1) os países devem trabalhar para a redução das barreiras ao comércio; (2) todas as barreiras ao comércio devem ser aplicadas em uma base não discriminatória (ou seja, todos os países devem desfrutar o *status* de "nação mais favorecida"); (3) quando um país aumenta as suas tarifas acima dos níveis acordados deve compensar os seus parceiros comerciais pelo prejuízo econômico sofrido; e (4) os conflitos comerciais devem ser resolvidos por meio de consultas e de arbitragem.

As negociações de comércio multilaterais foram bem-sucedidas na redução das barreiras comerciais no período posterior à Segunda Guerra Mundial. As últimas negociações bem-sucedidas constituíram a Rodada do Uruguai, que englobou 123 países e foi concluída em 1994. Em 2001, os países iniciaram uma nova rodada em Doha, Qatar. Entre os pontos da agenda estão a agricultura, direitos de propriedade intelectual e o meio ambiente. As novas negociações têm sido controversas, tanto entre os países em desenvolvimento, que pensam que os países ricos estão protegendo demais a agricultura, como nos grupos antiglobalização, que argumentam que o crescimento do comércio está prejudicando o meio ambiente. Em face de divisões profundas, a rodada de Doha não teve qualquer progresso até 2008.

Abordagens regionais. Ao longo dos últimos anos, os governos tomaram algumas medidas para promover a liberdade de comércio ou para ampliar os mercados regionais. Entre as mais importantes encontram-se as seguintes.

A proposta mais controversa para redução das barreiras comerciais foi o NAFTA, que foi acaloradamente debatido e aprovado no Congresso por uma votação apertada, em 1993. O México é o terceiro maior parceiro comercial dos Estados Unidos e a maior parte do comércio Estados Unidos/México envolve produtos industrializados. O NAFTA não só permite a passagem de bens pelas fronteiras sem pagamento de tarifas, como também flexibiliza a regulação sobre investimentos dos Estados Unidos e do Canadá no México. Os proponentes argumentaram que o plano iria permitir um padrão de especialização mais eficiente e possibilitaria às empresas dos Estados Unidos competir de maneira mais eficaz com empresas de outros países; os opositores, em especial grupos de trabalhadores, argumentavam que o acordo iria aumentar a oferta de produtos produzidos por trabalhadores com pouca qualificação e, desse modo, reduzir os salários dos trabalhadores dos setores atingidos.

Os economistas advertem, contudo, que os acordos regionais de comércio, como o NAFTA, podem causar ineficiência se excluir potenciais parceiros comerciais. Eles apontam a estagnação dos países do Caribe, que foram excluídos das cláusulas de livre comércio do NAFTA, como um sinal de aviso dos perigos da abordagem regional.

O acordo de comércio de maior alcance tem sido o movimento no sentido de um mercado único entre os principais países europeus. Desde a Segunda Guerra Mundial, os países da União Europeia (UE) têm desenvolvido um mercado comum com barreiras mínimas ao comércio internacional ou dos movimentos de fatores de produção. A primeira medida envolveu a eliminação de todas as tarifas internas e das barreiras reguladoras ao comércio e aos fluxos de mão de obra e de capital. O passo mais recente foi a introdução de uma moeda única (o euro), na maioria dos membros da UE. A unificação europeia é um dos tributos mais eloquentes ao poder de uma ideia – a de que o livre comércio promove a eficiência econômica e o progresso tecnológico.

Avaliação

Após a Segunda Guerra Mundial, as autoridades econômicas de todo o mundo estavam firmemente convencidas de que a liberdade de comércio era essencial para a prosperidade mundial. Essas convicções traduziram-se em vários acordos de comércio bem-sucedidos para a redução das tarifas, como mostra a Figura 18-10. A filosofia do livre comércio dos economistas e das autoridades econômicas orientados para o mercado tem sido fortemente testada por períodos de desemprego elevado, por fortes oscilações nas taxas de câmbio e, recentemente, por forças antiglobalização. Não obstante, a maioria dos países tem seguido a tendência de crescente abertura e de orientação para o exterior.

Os estudos econômicos, em geral, demonstram que os países têm se beneficiado com menores barreiras ao comércio à medida que os fluxos comerciais e os níveis de padrão de vida têm subido. Mas a luta pela preservação da abertura dos mercados é testada constantemente, à medida que o ambiente político-econômico evolui.

RESUMO

A. Natureza do comércio internacional

1. A especialização, a divisão do trabalho e o comércio aumentam a produtividade e as possibilidades de consumo. Há ganhos do comércio entre países, tal como dentro de um país. Participar no comércio internacional é mais eficiente do que se basear apenas na produção doméstica. O comércio internacional é diferente do comércio interno porque amplia o mercado, uma vez que o comércio ocorre entre países soberanos, e pelo fato de os países, normalmente, terem as suas próprias moedas, que têm de ser convertidas com base nas taxas de câmbio.

2. A diversidade é a razão fundamental para que os países participem no comércio internacional. Dentro desse princípio geral, vemos que o comércio ocorre (a) em decorrência das diferenças das condições de produção, (b) em decorrência da diminuição de custos (ou economias de escala) e (c) em decorrência da diversidade de preferências.

B. Vantagem comparativa entre países

3. Recorde que o comércio ocorre em decorrência das diferenças nas condições de produção ou da diversidade de preferências. O fundamento do comércio internacional é o princípio ricardiano da vantagem comparativa. De acordo com o princípio da vantagem comparativa, cada país se beneficiará caso se especialize na produção e exportação de bens que possa produzir a um custo relativamente baixo. Inversamente, cada país se beneficiará se importar os bens que produz a um custo relativamente elevado. Esse princípio se verifica mesmo que uma região seja absolutamente mais, ou menos, produtiva do que outra em todos os bens. Desde que haja diferenças nas eficiências *relativas*, ou *comparativas*, entre países, cada país deve se beneficiar de uma vantagem, ou de uma desvantagem, comparativa na produção de alguns produtos.

4. A lei da vantagem comparativa vai além do simples padrão geográfico de especialização e da direção do comércio. Também demonstra que os países ficam em uma melhor situação e que os salários reais (ou, de uma forma mais geral, a renda nacional total) aumentam com o comércio e com o acréscimo da produção total mundial resultante. Participações e tarifas destinadas a "proteger" os trabalhadores ou os setores reduzem a renda nacional total e as possibilidades de consumo de um país.

5. Os mesmos princípios da vantagem comparativa aplicam-se mesmo quando existem muitos produtos e muitos países. Com muitos bens, podemos colocar os produtos em uma sequência de vantagem comparativa, desde o relativamente mais eficiente ao relativamente menos eficiente. Com muitos países, o comércio pode ser triangular ou multilateral, tendo os países grandes superávits ou déficits bilaterais com outros países tomados individualmente.

C. Protecionismo

6. O comércio completamente livre faz igualar os preços internos dos bens comercializados com os dos mercados mundiais. Havendo comércio, os bens fluem dos mercados onde os preços são menores para os mercados em que os preços são maiores.

7. Uma tarifa aumenta os preços domésticos dos bens importados, o que leva à redução do consumo e das importações juntamente ao aumento da produção doméstica. As participações de importação têm efeitos muito similares e, além disso, podem reduzir as receitas do governo.

8. Uma tarifa causa desperdício econômico. A economia sofre perdas com a diminuição do consumo doméstico e com o desperdício de recursos com bens sem vantagem comparativa. As perdas são, em geral, superiores às receitas que o governo obtém com as tarifas.

9. A maioria dos argumentos a favor das tarifas limita-se simplesmente a justificar os benefícios especiais de determinados grupos de pressão e não resistem à análise econômica. Três argumentos que suportam uma análise minuciosa são os seguintes: (a) a tarifa ótima ou dos termos de troca pode, em princípio, aumentar a renda real de um país grande à custa dos seus parceiros comerciais; (b) em uma situação em que haja desemprego, as tarifas podem empurrar uma economia em direção ao pleno emprego, mas as políticas monetárias e fiscais podem atingir o mesmo objetivo quanto ao emprego e com menos ineficiência do que essa política de "empobrecer os vizinhos"; e (c) às vezes, as indústrias nascentes podem precisar de proteção temporária para realizar a sua efetiva vantagem comparativa de longo prazo.

10. O princípio da vantagem comparativa precisa ser qualificado se os mercados não funcionam bem em virtude do desemprego ou de fortes oscilações nos mercados de câmbio. Além disso, certos setores, ou insumos, podem ser prejudicados pelo comércio se as importações reduzirem suas rendas. A abertura ao comércio pode prejudicar os insumos que estão mais incorporados nos bens importados.

CONCEITOS PARA REVISÃO

Princípios do comércio internacional

- vantagem (ou desvantagem) absoluta e comparativa
- princípio da vantagem comparativa
- ganhos econômicos do comércio
- comércio triangular e multilateral
- FPP mundial *versus* nacional
- consumo *versus* possibilidades de produção com comércio
- teorema de Stolper-Samuelson

Economia do protecionismo

- equilíbrio de preço com e sem comércio
- tarifas, participações e barreiras não tarifárias
- efeitos das tarifas sobre o preço, as importações e a produção doméstica
- argumentos mercantilistas, da mão de obra estrangeira barata e de retaliação
- a tarifa ótima, desemprego e exceções para indústrias nascentes

LEITURAS ADICIONAIS E SITES

Leituras adicionais

A teoria da vantagem comparativa foi descoberta e analisada por David Ricardo em *Principles of Political Economy and Taxation* (1819, vários editores).

Essa obra encontra-se disponível em vários sites, incluindo <http://www.econlib.org/library/Ricardo/ricP.html>. Uma revisão clássica do debate sobre o livre comércio é de Jagdish Bhagwati, *Protectionism* (MIT Press, Cambridge, Mass., 1990). Alguns dos melhores e mais conhecidos textos sobre Economia internacional encontram-se em *The Economist*, também disponível em <http://www.economist.com>.

As observações de Mankiw sobre *outsourcing*, bem como algumas reações, estão em <http://www.cnn.com/2004/US/02/12/bush.outsourcing/>. O artigo de Blinder, "Offshoring: The Next Industrial Revolution?", apareceu em *Foreign Affairs*, março–abril 2006, e está disponível em <http://www.foreignaffairs.org/>.

Sites

O Banco Mundial <http://www.worldbank.org> tem informação sobre os seus programas e publicações no seu site, tal como o Fundo Monetário Internacional, ou FMI <http://www.imf.org>. O site das Nações Unidas apresentam links para muitas instituições internacionais e das suas bases de dados <http://www.unsystem.org>. Outra boa fonte de informação sobre os países de renda elevada é a Organização para a Cooperação e Desenvolvimento Econômico, ou OCDE <http://www.oecd.org>. Os dados do comércio dos Estados Unidos estão disponíveis em <http://www.census.gov>.

Você encontra informações sobre outros países por meio dos seus órgãos de estatística. Um compêndio das agências nacionais está disponível em <http://www.census.gov/main/www/sta_int.html>.

Uma das melhores fontes de textos de política sobre Economia internacional é <http://www.iie.com/homepage.htm>, o site do Peterson Institute for International Economics.

QUESTÕES PARA DISCUSSÃO

1. Diga se as seguintes afirmações estão corretas ou não e explique o seu raciocínio. Se a citação estiver incorreta, proponha a correção.
    a. "Nós, mexicanos, não podemos nunca competir lucrativamente com o colosso do norte. As suas fábricas são muito eficientes, têm muitos computadores e máquinas de ferramentas e as suas capacidades tecnológicas são muito avançadas. Nós precisamos de tarifas ou não conseguiremos exportar nada!"
    b. "Se os trabalhadores norte-americanos estiverem sujeitos a uma concorrência desenfreada da mão de obra mexicana barata, os nossos salários reais terão necessariamente de diminuir de uma forma drástica."
    c. "O princípio da vantagem comparativa aplica-se igualmente às famílias, às cidades e aos estados, assim como aos países e aos continentes."
    d. A citação de Ross Perot, na p. 317.
2. Reconstrua a Figura 18-1 e a tabela que a acompanha para mostrar os dados da produção para a Europa; considere que a Europa tem 600 unidades de trabalho e que as produtividades do trabalho são as dadas pela Tabela 18-2.
3. O que aconteceria se os dados da Tabela 18-2 se alterassem de (1, 2; 3, 4) para (1, 2; 2, 4)? Mostre que seria eliminado todo o comércio. Use isso para explicar a expressão *Vive la différence!* ("Viva a diferença!"). Por que os maiores ganhos no comércio fluem para os países pequenos, cujos preços antes de haver comércio são muito diferentes dos preços mundiais?
4. Suponha que os dados da Tabela 18-2 pertencem a um país recentemente industrializado (PRI) e aos Estados Unidos. Quais são os ganhos do comércio entre os dois países? Suponha agora que o PRI adote a tecnologia norte-americana e passe a ter possibilidades de produção idênticas às da coluna dos Estados Unidos na Tabela 18-2. O que acontece ao comércio internacional? O que acontecerá aos padrões de vida e aos salários reais do PRI? O que acontecerá aos padrões de vida norte-americanos? Existe aqui alguma lição

acerca do impacto sobre o comércio e o bem-estar de economias convergentes?

5. Um senador dos Estados Unidos escreveu o seguinte: "Supõe-se que o comércio aumente as rendas de todos os países nele envolvidos – pelo menos isso é o que Adam Smith e David Ricardo nos ensinaram. Se o nosso declínio econômico tem sido causado pelo crescimento econômico dos nossos concorrentes, então esses filósofos – e a totalidade da disciplina de Economia que eles fundaram – andaram nos enganando ao longo de 200 anos".

Explique por que a primeira frase está correta. Explique também por que a segunda frase não é consequência da primeira. Você consegue dar um exemplo de como o crescimento do País J pode fazer baixar o padrão de vida do País A. (*Sugestão*: a resposta à Questão 4 o ajudará a descobrir o equívoco da citação.)

6. Os protecionistas modernos têm usado os seguintes argumentos para proteção das indústrias domésticas contra a concorrência estrangeira:

   a. Em certas situações, um país pode melhorar o seu nível de vida ao estabelecer o protecionismo, se nenhum outro país retaliar.

   b. Os salários na China são uma ínfima parcela dos salários nos Estados Unidos. A não ser que limitemos as importações dos produtos chineses, seremos confrontados no futuro com o crescimento do déficit comercial devido à investida competitiva dos trabalhadores com salários baixos.

   c. Um país pode estar disposto a aceitar uma pequena redução do seu padrão de vida a fim de preservar certos setores que considera necessários para a segurança nacional, tais como o dos supercomputadores ou do petróleo, protegendo-os da concorrência estrangeira.

   d. *Para quem estudou macroeconomia*: se os salários, ou preços, rígidos, ou uma taxa de câmbio imprópria, levarem à recessão ou ao desemprego elevado, as tarifas poderão aumentar o produto e reduzir a taxa de desemprego.

   Para cada caso, estabeleça a relação entre o argumento e uma das defesas tradicionais do protecionismo. Apresente as condições sob as quais seria válido e diga se concorda, ou não, com o argumento.

7. Os Estados Unidos têm tido participações para o aço, transportes marítimos, automóveis, têxteis e muitos outros produtos. Os economistas estimam que por meio do leilão de direitos de participação, o Tesouro poderia ganhar anualmente pelo menos 10 bilhões de dólares. Use a Figura 18-9 para analisar a economia das participações do seguinte modo: admita que o governo imponha uma participação de 100 nas importações, distribuindo a participação por países, com base nas importações do último ano. Quais seriam o preço e a quantidade de equilíbrio do vestuário? Quais seriam as perdas de eficiência pelas participações? Quem receberia as receitas do retângulo *B*? Qual seria o efeito do leilão dos direitos de importação?

PARTE CINCO

Macroeconomia:
crescimento econômico e ciclos econômicos

CAPÍTULO

19 Panorama da macroeconomia

O propósito global da economia é a produção de bens ou serviços para consumo no presente ou no futuro. Penso que o ônus da prova tem de recair sempre sobre aqueles que produzem menos em vez de mais, sobre aqueles que deixam homens, máquinas ou terra desocupados e que podiam ser usados. É impressionante como podem ser encontradas tantas razões para justificar esses desperdícios: receio de inflação, déficits da balança de pagamentos, orçamentos desequilibrados, dívida externa excessiva, perda de confiança no dólar.

James Tobin
National Economic Policy

Existe uma grande oferta de empregos ou estes são difíceis de encontrar? Os salários reais e os padrões de vida estão crescendo rapidamente ou os consumidores estão lutando para sobreviver quando a inflação reduz o salário real? Está ocorrendo um período de exuberância financeira com os preços das ações subindo rapidamente? Ou o banco central está utilizando a política monetária para combater os efeitos da queda dos preços da habitação e de uma crise financeira? Quais são os impactos da globalização e do comércio exterior sobre o emprego e a produção internos? Essas são questões centrais da macroeconomia, que é o tema dos próximos capítulos.

A **macroeconomia** é o estudo do comportamento da economia como um todo. Examina as forças que afetam empresas, consumidores e trabalhadores no seu conjunto. A macroeconomia contrasta com a **microeconomia**, que estuda os preços, as quantidades e os mercados individualmente.

Dois temas centrais estarão presentes na nossa revisão sobre macroeconomia:

- As flutuações de curto prazo da produção, do emprego, das condições financeiras e dos preços a que chamamos *ciclo econômico*.

- As tendências de longo prazo na produção e nos padrões de vida, conhecidas por *crescimento econômico*.

O desenvolvimento da macroeconomia foi uma das maiores descobertas da ciência econômica do século XX, tendo levado a uma melhor compreensão de como combater as crises econômicas periódicas e como estimular o crescimento econômico de longo prazo. Após a Grande Depressão, John Maynard Keynes desenvolveu a sua teoria revolucionária que ajudou a explicar as forças que produzem as flutuações econômicas e sugeriu como os governos podem controlar os piores excessos do ciclo econômico. Ao mesmo tempo, os economistas têm-se esforçado para compreender o mecanismo do crescimento econômico de longo prazo.

As questões macroeconômicas dominaram a agenda política e econômica nos Estados Unidos durante grande parte do século passado. Nos anos 1930, quando a produção, o emprego e os preços sofreram um colapso nos Estados Unidos e em muitos dos países do mundo industrializado, os economistas e os líderes políticos defrontaram-se com a calamidade da Grande Depressão. Durante a guerra do Vietnã, nos anos 1960, e nas crises energéticas, dos anos 1970, a questão crítica foi a "estagflação", uma combinação de crescimento lento e de aumento dos preços. Nos anos 1990, verificou-se um período de rápido crescimento econômico, de queda do desemprego e de preços estáveis – anos em que tudo corria bem, designados por alguns como a "década fabulosa". Depois, as bolhas no mercado de ativos estouraram duas vezes na primeira década dos anos 2000. O primeiro choque foi uma queda acentuada nos preços das ações das empresas tecnológicas nos anos 2000, que foi seguido por um declínio acentuado nos preços do imobiliário a partir de 2007, produzindo uma profunda crise financeira e conduzindo a uma recessão intensa e longa.

Por vezes, as falhas macroeconômicas levantam questões de vida ou de morte para países ou até para ideologias. Os dirigentes comunistas da antiga União Soviética proclamaram que ultrapassariam o Ocidente em termos econômicos. A história provou que essa foi uma promessa furada, na medida em que a Rússia, um país detentor de recursos naturais e poder militar, foi incapaz de produzir tanto manteiga adequada para os seus cidadãos como as armas para os seus exércitos imperiais. As falhas macroeconômicas acabaram derrubando os regimes comunistas da União Soviética e do leste Europeu e convenceram os povos quanto à superioridade econômica dos mercados privados como a melhor abordagem para estimular o rápido crescimento econômico.

Este capítulo serve de introdução à macroeconomia. Apresenta os principais conceitos e mostra como aplicá-los a muitas questões-chave da história e da política dos últimos anos. Mas esta apresentação é apenas um primeiro curso para abrir o apetite. E enquanto não dominar todos os capítulos das Partes Cinco a Sete, você não poderá apreciar totalmente o rico manjar da macroeconomia, que tem sido uma fonte tanto de inspiração para a política econômica como de contínua controvérsia entre os economistas.

A. CONCEITOS FUNDAMENTAIS DA MACROECONOMIA

O NASCIMENTO DA MACROECONOMIA

Os anos 1930 marcaram o despertar da ciência da macroeconomia, fundada por John Maynard Keynes quando tentava compreender o mecanismo econômico que originou a Grande Depressão. Após a Segunda Guerra Mundial, refletindo tanto o aumento da influência das ideias keynesianas como o receio de outra depressão, o Congresso dos Estados Unidos proclamou formalmente a responsabilidade federal pelo desempenho macroeconômico e aprovou a Lei do Emprego de 1946, um marco na legislação, que estipulava:

> O Congresso, por meio desta, declara que são permanentes a política e a responsabilidade do governo federal em usar todos os meios admissíveis e compatíveis com as suas necessidades e obrigações... de promover o máximo de emprego, de produção e de poder de compra.

Pela primeira vez, o Congresso proclamava o papel do governo na promoção do crescimento da produção, na ampliação do emprego e na manutenção da estabilidade dos preços. A Lei do Emprego enquadra apropriadamente as três questões centrais da macroeconomia:

1. *Por que, por vezes, a produção e o emprego diminuem e como o desemprego pode ser reduzido?* Todas as economias de mercado apresentam ciclos de expansão e de contração conhecidos como *ciclos econômicos*. A última recessão econômica nos Estados Unidos ocorreu após uma grave crise do mercado financeiro que começou em 2007. Os preços dos imóveis e das ações caíram fortemente, e os bancos restringiram o crédito e os empréstimos. Como resultado, a produção e o emprego despencaram acentuadamente. Os líderes políticos de todo o mundo usaram as ferramentas da política monetária e fiscal para reduzir o desemprego e estimular a atividade econômica.

   De tempos em tempos, os países passam por desemprego elevado que persiste por longos períodos, por vezes até uma década. Um período assim ocorreu nos Estados Unidos durante a Grande Depressão, que se iniciou em 1929. Nos anos seguintes, o desemprego aumentou até atingir quase 1/4 da população ativa, enquanto a produção industrial caiu pela metade. Uma das crises econômicas mais profundas e prolongadas da era moderna ocorreu no Japão, que experimentou o declínio dos preços e foi incapaz de livrar-se do desemprego elevado e do crescimento econômico lento depois de 1990.

   A macroeconomia estuda as fontes da persistência do desemprego e da inflação elevada. Tendo considerado os sintomas, os macroeconomistas sugerem as possíveis soluções, como o uso da política monetária para alterar as taxas de juros e as condições de crédito, ou a utilização de instrumentos fiscais, como a tributação e os gastos públicos. A vida e os haveres de milhões de pessoas dependem de os economistas encontrarem os diagnósticos corretos para as principais doenças macroeconômicas, e de os governos aplicarem o remédio certo na hora certa.

2. *Quais são as fontes da inflação dos preços e como estes podem ser mantidos sob controle?* Uma economia de mercado usa os preços como medida de referência para quantificar as grandezas econômicas e para dirigir as empresas. Quando os preços estão subindo – um fenômeno a que chamamos *inflação* – a medida de referência pelos preços perde o seu valor. Em períodos de inflação elevada, as pessoas ficam confusas quanto aos preços relativos e cometem erros nas suas decisões de despesa e de investimento. A carga tributária pode aumentar. As famílias com rendas fixas descobrem que a inflação está corroendo suas rendas.

   A política macroeconômica tem, de modo crescente, enfatizado o objetivo-chave de manutenção da inflação reduzida e estável. Muitos países fixam "metas de inflação" para a sua política econômica, sendo as metas, muitas vezes, na faixa de 1 a 3% ao ano. Exceto por breves picos, os Estados Unidos conseguiram conter a inflação ao longo das últimas duas décadas, com uma taxa média de 3% ao ano para o índice de preços ao consumidor.

Muitos países não têm sido tão bem-sucedidos. Os ex-países socialistas, como a Rússia, e muitos países latino-americanos e em desenvolvimento têm experimentado taxas de inflação de 50, 100 ou 1.000% ao ano nas duas últimas décadas. O recorde da inflação nos últimos anos ocorreu no conturbado Zimbabwe, onde a inflação foi de cerca de 20.000.000% ao ano, em 2008. Um frango que, no início do ano, custava 10 mil dólares zimbabwuanos, no final do ano custava 20 bilhões de dólares zimbabwuanos! Por que os Estados Unidos foram capazes de manter enjaulado o dragão inflacionário, enquanto o Zimbabwe não o foi? A macroeconomia pode sugerir o papel adequado das políticas monetária e fiscal, dos sistemas de taxa de câmbio e de um banco central independente na contenção da inflação.

3. *Como um país pode aumentar a sua taxa de crescimento econômico?* O objetivo isolado mais importante da macroeconomia diz respeito ao crescimento econômico de um país no longo prazo. Isso corresponde ao crescimento do produto *per capita*, que é o determinante central da melhoria dos salários reais e padrões de vida de um país. Muitos países da América do Norte e da Europa Ocidental têm usufruído de rápido crescimento econômico há dois séculos e os residentes nesses países têm rendas médias elevadas. Nas cinco últimas décadas, países asiáticos como o Japão, a Coreia do Sul e Taiwan geraram aumentos significativos dos padrões de vida dos seus povos. O crescimento da China também tem sido notável nos últimos anos. Porém, alguns países, em especial os da África subsaariana, têm sofrido o declínio da produção *per capita* e do padrão de vida.

Os países querem conhecer os ingredientes da receita do crescimento bem-sucedido. Os historiadores econômicos têm descoberto que entre os determinantes-chave do crescimento econômico de longo prazo estão: confiar aos mercados privados bem regulados a maior parte da atividade; uma política macroeconômica estável; elevadas taxas de poupança e de investimento; a abertura ao comércio internacional e instituições governamentais confiáveis e não corruptas.

Todas as economias enfrentam conflitos inevitáveis entre esses objetivos. Aumentar a taxa de crescimento da produção no longo prazo pode exigir maior investimento em educação e capital, mas intenso investimento exige no presente menor consumo de bens como alimentos, vestuário e lazer. Além disso, as autoridades econômicas são forçadas a intervir por meio de políticas macroeconômicas quando a economia cresce muito rapidamente, para evitar o aumento da inflação, ou quando as condições financeiras exibem uma exuberância irracional.

Não existem fórmulas mágicas para assegurar uma inflação baixa e estável, um emprego elevado e um crescimento rápido. Os macroeconomistas realizam intensos debates sobre os objetivos e as políticas apropriadas para atingi-los. Mas o acerto das políticas macroeconômicas é essencial para que um país possa atingir os seus objetivos econômicos da forma mais eficaz.

O santo padroeiro da macroeconomia

Todas as análises de política macroeconômica começam por John Maynard Keynes. Keynes (1883-1946) foi um gênio multifacetado, reconhecido nos campos da matemática, da filosofia e da literatura. Além disso, teve tempo para dirigir uma grande companhia de seguros, ser conselheiro do Tesouro britânico, ajudar a gerir o Banco de Inglaterra, editar uma revista econômica mundialmente famosa, colecionar arte moderna e livros raros, iniciar um teatro de repertório e casar com uma brilhante bailarina russa. Foi também um investidor que sabia como ganhar dinheiro com uma acertada especulação, tanto para si como para o seu colégio universitário, o King's College, em Cambridge.

A sua principal contribuição, contudo, foi a invenção de uma diferente forma de olhar para a macroeconomia e para a política macroeconômica. Antes de Keynes, a maioria dos economistas e das autoridades econômicas aceitava os altos e baixos dos ciclos econômicos como algo tão inevitável como as marés. Essas ideias estabelecidas há muito nos deixaram indefesos face à Grande Depressão dos anos 1930. Mas no livro de 1936, *Teoria Geral do Emprego, do Juro e da Moeda*, Keynes deu um enorme salto intelectual, ao apresentar duplo argumento: primeiro, é possível a persistência de desemprego alto e de capacidade subutilizada nas economias de mercado; segundo, as políticas fiscal e monetária do governo podem influenciar a produção e, assim, reduzir o desemprego e encurtar as recessões econômicas.

Essas propostas tiveram um impacto explosivo quando Keynes as apresentou pela primeira vez, o que originou grande controvérsia e discussão. Nos anos após a Segunda Guerra Mundial, a economia keynesiana passou a dominar a macroeconomia e a política governamental. Desde então, novos desenvolvimentos incorporando condicionantes da oferta, expectativas e visões alternativas sobre a dinâmica dos preços e dos salários corroeram o anterior consenso keynesiano. Embora poucos economistas atualmente acreditem que a ação do governo possa eliminar os ciclos econômicos – como a Economia de Keynes, certa vez, parecia prometer –, nem a ciência econômica nem a política econômica foram as mesmas desde a grande descoberta de Keynes.

OBJETIVOS E INSTRUMENTOS DA MACROECONOMIA

Tendo revisto as principais questões de macroeconomia, passamos agora para a discussão dos principais objetivos e instrumentos da política macroeconômica. Como os economistas avaliam o sucesso do desempenho global de uma economia? Quais são os instrumentos que os governos podem usar para atingir seus objetivos econômicos? A Tabela 19-1 enumera os principais objetivos e instrumentos da política macroeconômica.

Medindo o sucesso econômico

O principal objetivo macroeconômico é atingir um nível elevado, com crescimento rápido da produção, desemprego reduzido e preços estáveis. Usaremos esta seção tanto para definir os principais termos macroeconômicos como para analisar a importância de cada um. Um tratamento mais detalhado dos dados macroeconômicos é adiado para o próximo capítulo. Alguns dados importantes estão disponibilizados no apêndice deste capítulo.

Produção. O objetivo final da atividade econômica é produzir os bens e serviços que a população deseja. O que poderia ser mais importante para uma economia que produzir, em grande quantidade, habitação, alimentos, educação e atividades recreativas para a sua população?

A medida mais abrangente da produção total de uma economia é o **produto interno bruto** (PIB). O PIB é a quantificação do valor de mercado de todos os bens e serviços finais – cerveja, automóveis, concertos de *rock*, passeios etc. – produzidos em um país durante um ano. Existem duas formas para medir o PIB. O *PIB nominal* é medido a preços reais de mercado. O *PIB real* é calculado a preços constantes, ou invariáveis (em que calculamos o número de automóveis vezes o seu preço em dado ano).

O PIB real é a medida da produção analisada mais frequentemente; serve para o controle apertado do pulsar da economia de um país. A Figura 19-1 mostra a taxa de crescimento do PIB real nos Estados Unidos desde 1929. A taxa de crescimento é definida como

Taxa de crescimento do PIB real no ano t (%)

$$= 100 \times \frac{\text{PIB}_t - \text{PIB}_{t-1}}{\text{PIB}_{t-1}}$$

Por exemplo, o PIB real norte-americano em 2006 foi de US$ 11.294,8 bilhões e em 2007 foi de US$ 11.523,9 bilhões (ambos a preços do ano 2000). Uma calculadora mostrará que o crescimento do PIB real em 2007 foi de 2,0% ao longo do ano. Vale a pena ter certeza de que você consegue reproduzir esse cálculo. Observe o forte declínio econômico durante a Grande Depressão dos anos 1930, a expansão durante a Segunda Guerra Mundial e as recessões em 1974, 1982, 1991 e 2008.

Apesar das flutuações de curto prazo observadas nos ciclos econômicos, as economias avançadas exibem geralmente um crescimento contínuo no longo prazo do PIB real e uma melhoria dos padrões de vida; esse processo é conhecido como *crescimento econômico*. A economia norte-americana provou ser, ela própria, um motor poderoso de progresso ao longo de mais de um século, como se observa pelo crescimento do seu produto potencial.

O **PIB potencial** representa o nível máximo sustentável de produção que a economia pode gerar. Quando uma economia está operando no seu potencial, existem níveis elevados de utilização da população ativa e do estoque de capital. Quando a produção cresce acima do produto potencial, a inflação dos preços tende a aumentar, enquanto uma produção abaixo do nível potencial leva a um desemprego elevado.

O produto potencial é determinado pela capacidade produtiva da economia, que depende dos fatores de produção disponíveis (capital, trabalho, terra etc.) e da eficiência tecnológica da economia. O PIB potencial tende a crescer gradualmente, uma vez que os fatores como o trabalho, o capital e o nível tecnológico variam lentamente ao longo do tempo. Pelo contrário, o PIB real é sujeito a grandes variações cíclicas se a estrutura de despesa se altera significativamente.

Durante as recessões cíclicas, o PIB real cai abaixo do seu potencial e o desemprego aumenta. Em 1982, por exemplo, a economia dos Estados Unidos produziu

Objetivos
Produção:
Nível elevado e crescimento rápido da produção
Emprego:
Nível elevado de emprego e desemprego involuntário reduzido
Preços estáveis
Instrumentos
Política monetária:
Compra e venda de títulos de dívida, regulação das instituições financeiras
Política fiscal:
Despesa pública
Impostos

TABELA 19-1 Objetivos e instrumentos da política macroeconômica.

A parte de cima da tabela apresenta os principais objetivos da política macroeconômica. A parte de baixo apresenta os principais instrumentos, ou medidas políticas, disponíveis para as economias modernas. As autoridades econômicas mudam os instrumentos de política para influenciar o ritmo e a direção da atividade econômica.

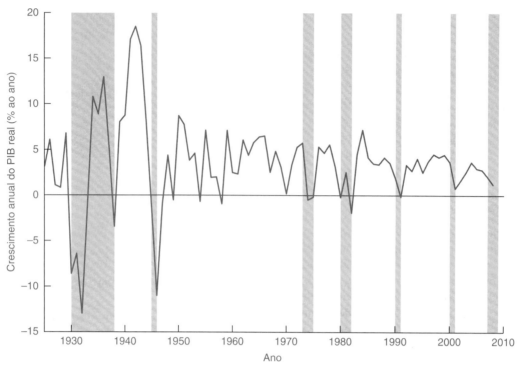

FIGURA 19-1 Taxa de crescimento do PIB real dos Estados Unidos entre 1929 e 2008.

O PIB real é a medida mais abrangente da produção de uma economia. Este gráfico mostra a taxa de crescimento de um ano para o seguinte. Repare na oscilação de taxas negativas de crescimento na Grande Depressão dos anos 1930. Vemos também a Grande Moderação dos últimos anos em que a produção foi menos volátil que nos períodos anteriores.

Fonte: U.S. Bureau of Economic Analysis, disponível em <http://www.bea.gov>. As zonas sombreadas são as principais recessões econômicas.

menos cerca de US$ 400 bilhões que a produção potencial. Isso representou perda de US$ 5 mil por família durante um único ano. Uma *recessão* é um período de declínio significativo da produção, da renda e do emprego, que dura normalmente alguns meses e é marcado por contrações espalhadas por muitos setores da economia. Uma recessão grave e prolongada é chamada de *depressão*. A produção pode estar temporariamente acima do seu potencial durante as expansões e em tempos de guerra, quando os limites de capacidade são ultrapassados, mas as elevadas taxas de utilização podem induzir o aumento da inflação e são normalmente contidas pelas políticas monetária e fiscal.

A Figura 19-2 mostra o produto potencial estimado e o efetivo, no período de 1929-2008. Repare como foi grande o diferencial entre o produto real e o potencial durante a Grande Depressão dos anos 1930.

Emprego em alta, desemprego em baixa. De todos os indicadores macroeconômicos, o emprego e o desemprego são os mais diretamente sentidos pelas pessoas, que querem encontrar empregos bem remunerados sem procurar, ou esperar, durante muito tempo e querem ter segurança no emprego e bons benefícios. Em termos macroeconômicos, esses são os objetivos de *maior oferta de emprego* que tem como contrapartida um *baixo índice de desemprego*. A Figura 19-3 mostra as tendências do desemprego ao longo das últimas oito décadas. A **taxa de desemprego**, no eixo vertical, é a percentagem da população ativa que está desempregada. A população ativa inclui todas as pessoas empregadas e os desempregados que estão à procura de emprego. Exclui os que não têm trabalho e os que não estão à procura de emprego.

A taxa de desemprego tende a refletir o estado do ciclo econômico: quando a produção está em queda, a demanda por trabalhadores cai e a taxa de desemprego aumenta. O desemprego atingiu proporções epidêmicas durante a Grande Depressão dos anos 1930, quando cerca de 1/4 da força de trabalho ficou desempregada. Desde a Segunda Guerra Mundial, o desemprego nos Estados Unidos tem flutuado, mas têm sido evitadas as taxas elevadas associadas a depressões.

Estabilidade dos preços. O terceiro objetivo macroeconômico é a *estabilidade dos preços*. Esta é definida como uma taxa de inflação baixa e estável.

Para registar os preços, os estatísticos oficiais constroem **índices de preços**, ou medidas do nível geral de preços. Um exemplo importante é o **índice de preços ao consumidor** (IPC), que quantifica a tendência do preço médio de bens e serviços comprados pelos consumidores. Em geral, designaremos o nível geral de preços pela letra *P*.

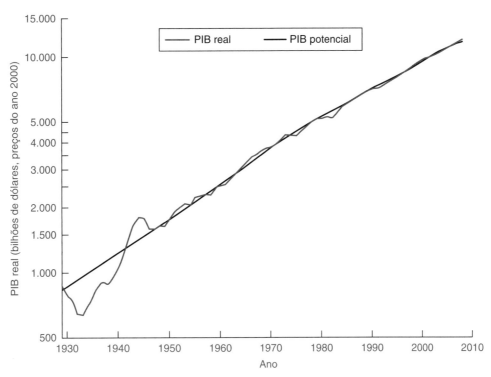

FIGURA 19-2 PIB real e potencial nos Estados Unidos.

Os ciclos econômicos ocorrem quando a produção real se distancia do seu potencial. A linha contínua mostra a produção potencial, ou tendência, no período 1929-2008. A produção potencial cresceu cerca de 3,4% ao ano. Observe o grande diferencial entre o PIB real e o potencial durante a Grande Depressão dos anos 1930.

Fonte: U.S. Bureau of Economic Analysis, Congressional Budget Office e estimativas dos autores. Note que o PIB real é estimado diretamente dos dados subjacentes, enquanto o produto potencial é um conceito analítico derivado do PIB real e dos dados do desemprego.

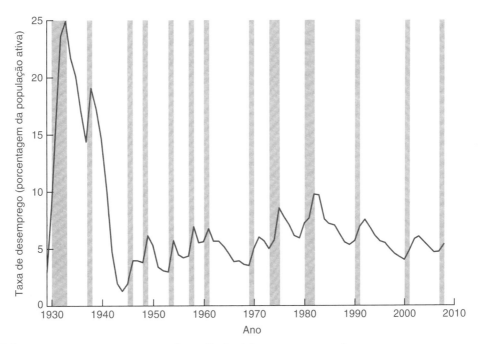

FIGURA 19-3 O desemprego aumenta nas recessões e diminui durante as expansões.

A taxa de desemprego quantifica a parcela da população ativa que está à procura e não consegue encontrar emprego. O desemprego aumenta nas recaídas do ciclo econômico e diminui durante as expansões. As zonas sombreadas são as recessões segundo o NBER (*National Bureau of Economic Research*).

Fonte: U.S. Bureau of Labor Statistics, disponível em <http://www.bea.gov>.

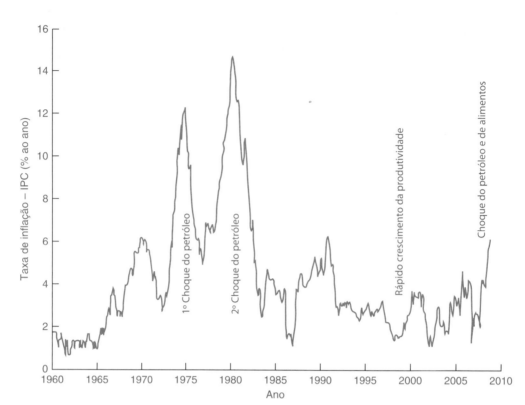

FIGURA 19-4 Inflação dos preços ao consumidor nos Estados Unidos, 1960-2008.

A taxa de inflação mede a taxa de variação dos preços de um ano para o seguinte; neste caso, vemos a taxa de inflação medida pelo índice de preços no consumidor (IPC). Muitos episódios inflacionários têm sido associados a choques dos preços do petróleo ou dos alimentos. Repare que a inflação tem ocorrido em um corredor estreito desde meados dos anos 1980.

Fonte: U.S. Bureau of Labor Statistics. Os dados mostram a taxa de inflação dos 12 meses anteriores.

Os economistas medem a estabilidade dos preços observando a **taxa de inflação**. A taxa de inflação é a variação percentual do nível geral de preços de um ano para o seguinte. Por exemplo, o IPC foi 201,6 em 2006 e 207,3 em 2007. O cálculo da taxa de inflação é como o cálculo anterior da taxa de crescimento:

$$\text{A taxa de inflação no ano } t = 100 \times \frac{P_t - P_{t-1}}{P_{t-1}}$$

Calculamos, portanto, a taxa de inflação para 2007 como

$$\text{Taxa de inflação em 2007} = 100 \times \frac{207,3 - 201,6}{201,6}$$
$$= 2,8\% \text{ ao ano}$$

A Figura 19-4 apresenta a taxa de inflação pelo IPC de 1960 a 2008. Desde o fim do período inflacionário do início dos anos 1980 a inflação foi em média de 3% ao ano até 2008.

Uma *deflação* ocorre quando os preços diminuem (o que significa uma taxa de inflação negativa). No outro extremo está a *hiperinflação*, um aumento no nível de preços de mil ou de um milhão por cento ao ano. Em tais situações, como na Alemanha de Weimar dos anos 1920, no Brasil dos anos 1980, na Rússia dos anos 1990, ou no Zimbabwe em anos recentes, os preços perdem praticamente o significado e o sistema de preços deixa de funcionar.

A estabilidade dos preços é importante porque um sistema de mercado que funcione sem sobressaltos exige que os preços transmitam informação correta sobre a escassez relativa. A história tem demonstrado que uma inflação elevada impõe muitos custos – alguns visíveis e outros invisíveis – a uma economia. Com uma inflação elevada, os impostos tornam-se altamente variáveis, o valor real das aposentadorias diminui e as pessoas gastam recursos reais para evitar a depreciação da moeda. Mas a redução dos preços (deflação) também tem custos. Assim, a maioria dos países procura o meio-termo virtuoso de subida suave dos preços, como a melhor forma para estimular o sistema de preços a funcionar de maneira eficiente.

Em resumo:

Os objetivos da política macroeconômica são:

1. nível elevado e crescente da produção nacional;
2. emprego elevado com desemprego reduzido;
3. nível de preços estável ou com aumento suave.

Ferramentas da política macroeconômica

Coloque-se como economista-chefe dos consultores do governo. O desemprego está aumentando e o PIB diminuindo. Ou talvez o estouro de uma bolha especulativa nos preços do setor imobiliário tenha levado à inadimplência em massa, a perdas bancárias e à redução do crédito. Ou o seu país está em crise com a balança de pagamentos, com um grande déficit comercial e a taxa de câmbio em queda livre. Quais políticas podem ajudar a reduzir a inflação ou desemprego, impulsionar o crescimento econômico, ou corrigir um desequilíbrio comercial?

Os governos dispõem de certos instrumentos que podem utilizar para influenciar a atividade macroeconômica. Um *instrumento de política* é uma variável econômica sob o controle do governo que pode influenciar um ou mais objetivos macroeconômicos. Ao mudar as políticas monetária, fiscal e outras, os governos podem evitar os maiores excessos do ciclo econômico, ou aumentar a taxa de crescimento do produto potencial. Os principais instrumentos da política macroeconômica estão enumerados na metade inferior da Tabela 19-1.

Política fiscal. A **política fiscal** corresponde ao uso de impostos e das despesas do governo. As *despesas ou gastos do governo* ocorrem de dois modos. Primeiro, são as compras governamentais. Estas compreendem a despesa com bens e serviços – compras de tanques de guerra, construção de estradas, salários dos juízes etc. Além disso, há as transferências do governo que ampliam as rendas de grupos determinados, como os idosos e os desempregados. A despesa do governo determina a dimensão relativa do setor público e do privado, isto é, qual parcela do PIB é consumida coletivamente em vez de modo privado. Em uma perspectiva macroeconômica, a despesa do governo também influencia o nível global de despesa na economia e, assim, influencia o nível do PIB.

A outra parte da política fiscal, a *tributação*, afeta a globalidade da economia de dois modos. Para começar, os impostos afetam as rendas das pessoas. Ao deixar as famílias com maior, ou menor, renda disponível, os impostos influenciam o montante que as pessoas gastam com bens e serviços, bem como o montante da poupança privada. O consumo e a poupança do setor privado têm importantes efeitos sobre o investimento e a produção no curto e no longo prazos.

Além disso, os impostos afetam os preços dos bens e dos fatores de produção e, por isso, influenciam os incentivos e o comportamento. Os Estados Unidos têm, com frequência, empregado medidas tributárias especiais (como o crédito de imposto pelo investimento ou amortizações aceleradas) como formas de aumentar o investimento e impulsionar o crescimento econômico. Muitas cláusulas do código tributário têm um impacto importante sobre a atividade econômica por meio do seu efeito sobre os incentivos ao trabalho e à poupança.

Política monetária. O segundo instrumento importante da política macroeconômica é a **política monetária**, que o governo conduz por meio da gestão da moeda, do crédito e do sistema bancário do país. Você já deve ter lido como o banco central dos Estados Unidos, o Federal Reserve System, afeta a economia ao determinar as taxas de juros de curto prazo. Como é que o Federal Reserve ou qualquer outro banco central consegue realmente fazê-lo? Isso é feito principalmente com a fixação de objetivos de curto prazo da taxa de juros e por meio da compra e venda de títulos do Tesouro para atingir essas metas. Por meio das suas operações, o Federal Reserve influencia muitas variáveis financeiras e econômicas, tais como as taxas de juros, os preços das ações, os preços dos imóveis e as taxas de câmbio. Essas variáveis financeiras afetam a despesa em investimentos, especialmente na habitação, no investimento empresarial, em bens de consumo e nas exportações e importações.

Historicamente, o Federal Reserve (Fed) tem aumentado as taxas de juros quando a inflação ameaçava subir muito. Isso levou à redução do investimento e do consumo, causando declínio no PIB e redução da inflação. Na desaceleração mais recente, que começou em 2007, o Fed agiu rapidamente para baixar as taxas de juros menores, oferecer crédito e ampliar suas facilidades de empréstimos para fora das instituições bancárias tradicionais.

O banco central é uma instituição macroeconômica chave em todos os países. O Japão, a Grã-Bretanha, a Rússia e os países da União Europeia têm poderosos bancos centrais. Em uma "economia aberta", isto é, uma cujas fronteiras estão abertas a fluxos de bens, serviços e financeiros, o sistema de taxa de câmbio também é uma parte central da política monetária.

A política monetária é a ferramenta com que a maioria dos países conta mais frequentemente para estabilizar o ciclo econômico, embora se torne menos potente em recessões profundas. A forma exata com que os bancos centrais podem influenciar a atividade econômica será detalhadamente analisada nos capítulos sobre política monetária.

Em resumo:

Um país dispõe de dois tipos principais de política que podem ser usados para atingir os seus objetivos macroeconômicos – a política fiscal e a política monetária.

1. A política fiscal consiste na despesa pública e nos impostos. A despesa pública influencia a dimensão relativa da despesa coletiva e do consumo privado. Os impostos subtraem-se das rendas, reduzem a despesa privada e afetam a poupança privada; além disso, afetam o investimento e a produção potencial. A política fiscal é utilizada principalmente para influenciar o crescimento econômico no longo prazo, por meio do seu impacto sobre a poupança

nacional e o investimento; também é usada para estimular a despesa em recessões profundas.

2. A **política monetária**, conduzida pelo banco central, determina taxas de juros de curto prazo. E, desse modo, influencia as condições de crédito, incluindo os preços de ativos, como ações e títulos de dívida, e as taxas de câmbio. Variações nas taxas de juros, juntamente com outras condições financeiras, afetam a despesa em setores como o investimento das empresas, a habitação e o comércio internacional. A política monetária tem um efeito importante, tanto sobre o PIB real como sobre o PIB potencial.

CONEXÕES INTERNACIONAIS

Nenhum país é uma ilha isolada. Todos participam, de forma crescente, na economia mundial e estão interligados por meio do comércio e das finanças – é um fenômeno chamado de *globalização*. Como os custos com transporte e comunicação têm diminuído, as conexões internacionais estreitaram-se relativamente há uma geração. O comércio internacional substituiu a construção de impérios e a conquista militar como o caminho mais seguro para a riqueza e influência nacional.

As conexões comerciais de importações e exportações de bens e serviços ocorrem quando os Estados Unidos importam automóveis do Japão ou exportam computadores para o México. Conexões financeiras ocorrem em atividades como compra por estrangeiros de títulos dos Estados Unidos para os seus fundos de dívida soberana ou a diversificação pelos americanos dos seus fundos de pensões com ações de mercados emergentes.

Os países acompanham de perto as suas transações internacionais. Uma medida especialmente importante é a *balança comercial*. Esta representa a diferença numérica entre o valor das exportações e o das importações, juntamente com alguns outros ajustes. (A balança comercial está intimamente relacionada com as *exportações líquidas*, que é a diferença entre o valor das exportações e o valor das importações de bens e serviços.) Quando as exportações excedem as importações, a diferença é um superávit, enquanto uma balança negativa é um déficit. Em 2007, as exportações totalizaram US$ 2.463 bilhões, enquanto o total das importações e as transferências líquidas foram de US$ 3.194 bilhões; a diferença foi um déficit da balança comercial de US$ 731 bilhões.

Na maior parte do século XX, os Estados Unidos tiveram um excedente no seu comércio externo, exportando mais do que importavam. Mas a estrutura comercial modificou-se muito no último quarto de século. Como a poupança nos Estados Unidos diminuiu e a poupança externa aumentou, uma parte substancial da poupança externa fluiu para os Estados Unidos. A contrapartida da poupança estrangeira nos Estados Unidos foi que a balança comercial se tornou acentuadamente deficitária. Com o aumento do investimento estrangeiro no país, os Estados Unidos, em 2008, tinham um saldo de dívida externa em torno de US$ 2,5 bilhões. Alguns economistas temem que uma grande dívida externa coloque sérios riscos para os Estados Unidos – riscos que analisaremos em capítulos posteriores.

À medida que as economias ficam mais estreitamente ligadas, a política econômica internacional torna-se mais importante, particularmente nas pequenas economias abertas. Mas lembre-se de que o comércio e as finanças internacionais não são fins em si mesmos. Antes, o comércio internacional serve ao objetivo último de melhorar os padrões de vida.

As principais áreas que serão tratadas são as políticas comerciais e a gestão financeira internacional. As *políticas comerciais* consistem em tarifas, cotas e outras regulações que restringem ou incentivam as importações e as exportações. A maioria das políticas comerciais tem um efeito reduzido sobre o desempenho macroeconômico de curto prazo, mas, de tempos a tempos, como foi o caso dos anos 1930, as restrições ao comércio internacional são tão graves que causam importantes perturbações econômicas, inflações ou recessões.

O segundo conjunto de políticas é a *gestão das finanças internacionais*. O comércio internacional de um país é influenciado por sua taxa de câmbio, que representa o preço da sua própria moeda em termos das de outros países. Os sistemas de câmbios são uma parte integrante da política monetária. Em pequenas economias abertas, a gestão da taxa de câmbio é isoladamente a mais importante política macroeconômica.

A economia internacional é uma rede intrincada de ligações comerciais e financeiras entre os países. Quando funciona sem descontinuidades, o sistema econômico internacional contribui para o rápido crescimento econômico; quando os sistemas de comércio deixam de funcionar, a produção e as rendas são prejudicadas em todo o mundo. Portanto, os países ponderam os impactos das políticas comerciais e das políticas de finanças internacionais nos seus objetivos internos de produção elevada, emprego elevado e estabilidade de preços.

B. OFERTA E DEMANDA AGREGADAS

A história econômica dos países pode ser observada no seu desempenho macroeconômico. Os economistas têm desenvolvido a análise da oferta-e-demanda agregadas para ajudar a explicar as principais tendências da produção e dos preços. Começamos por explicar essa importante ferramenta da macroeconomia e a seguir a usamos para compreender alguns acontecimentos históricos importantes.

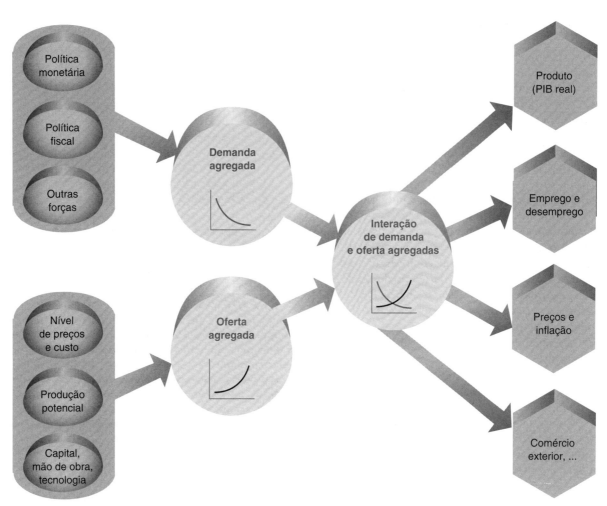

FIGURA 19-5 A oferta e a demanda agregadas determinam as principais variáveis macroeconômicas.

Este gráfico fundamental mostra os principais determinantes que afetam a atividade econômica global. No lado esquerdo, estão as principais variáveis que determinam a oferta e a demanda agregadas; nelas, incluem-se as variáveis de política econômica, como as políticas monetária e fiscal, bem como o estoque disponível de capital e de mão de obra. No centro, a oferta e a demanda agregadas interagem. Os principais resultados são apresentados nos hexágonos do lado direito: produto, emprego, nível de preços e comércio externo.

DENTRO DA MACROECONOMIA: OFERTA E DEMANDA AGREGADAS

Definições de oferta e demanda agregadas

Como interagem as diferentes forças para determinar a atividade econômica global? A Figura 19-5 mostra as relações entre as diferentes variáveis no interior da macroeconomia. Separa as variáveis em duas categorias: as que afetam a oferta agregada e as que afetam a demanda agregada. Embora a divisão seja simplista, a separação das variáveis nestas duas categorias nos ajuda a compreender o que determina os níveis de produção, preços e desemprego.

A parte inferior da Figura 19-5 mostra as forças que afetam a oferta agregada. A **oferta agregada** refere-se à quantidade total de bens e serviços que as empresas de um país estão dispostas a produzir e a vender em dado período. A oferta agregada (frequentemente designada por AS, do inglês *aggregate supply*) depende do nível de preços, da capacidade produtiva da economia e do nível dos custos.

Em geral, as empresas desejariam vender tudo o que pudessem produzir a preços elevados. Em certas circunstâncias, os preços e os níveis de despesa podem reduzir-se, de modo que as empresas podem descobrir que têm um excesso de capacidade. Em outras condições, como durante uma expansão em tempo de guerra, as fábricas operam na capacidade máxima quando as empresas se esforçam por satisfazer todas as suas encomendas.

Vemos, portanto, que a oferta agregada depende do nível de preços que as empresas podem praticar, bem como da capacidade da economia, ou do produto potencial. O produto potencial, por sua vez, é determinado pela disponibilidade de fatores de produção (sendo o trabalho e o capital os mais importantes) e da eficiência de gestão e técnica com que esses fatores são combinados.

A produção nacional e o nível geral de preços são determinados pelas duas lâminas gêmeas da tesoura da oferta e da demanda agregadas. A segunda lâmina é a **demanda agregada**, que se refere ao montante total que os diferentes setores da economia estão dispostos a gastar em dado período. A demanda agregada (designada com frequência por AD, do inglês, *aggregate demand*) é igual ao total da despesa em bens e serviços. E depende do nível de preços, bem como da política monetária, da política fiscal e de outros condicionantes.

Os componentes da demanda agregada incluem o *consumo* (automóveis, alimentos e outros bens de consumo adquiridos pelos consumidores); o *investimento* (construção de casas e fábricas, bem como equipamentos das empresas); as *compras do governo* (como despesas com professores e mísseis); e as *exportações líquidas* (a diferença entre as exportações e as importações). A demanda agregada é afetada pelos preços dos bens oferecidos, por forças exógenas, como guerras e o clima, e pelas políticas governamentais.

Usando ambas as lâminas da tesoura da oferta e da demanda agregadas, alcançamos o equilíbrio resultante, como é mostrado no círculo do lado direito da Figura 19-5. A produção nacional e o nível de preços se estabelecem no patamar em que os consumidores estão dispostos a comprar o que as empresas estão dispostas a vender. A produção e o nível de preços resultantes determinam o emprego, o desemprego e o comércio internacional.

Curvas da oferta e da demanda agregadas

As curvas da oferta e da demanda agregadas são usadas, com frequência, para ajudar a analisar as condições macroeconômicas. Recorde que, no Capítulo 3, usamos as curvas da oferta e da demanda de mercado para analisar os preços e as quantidades de produtos isolados. Um esquema gráfico análogo pode nos auxiliar a compreender como a política monetária, ou o progresso tecnológico, atua por meio da oferta e demanda agregadas para determinar a produção nacional e o nível de preços.

A Figura 19-6 mostra as funções da oferta e da demanda agregadas para a produção de toda uma economia. No eixo horizontal, está a produção total (PIB real) da economia. No eixo vertical, está o nível geral de preços (medido pelo "preço do PIB"). Usamos o símbolo Q para a produção real e P para o nível de preços.

A curva com inclinação negativa é a **função demanda agregada** ou curva AD. Representa o que todas as entidades da economia – consumidores, empresas, estrangeiros e governo – comprariam, nos vários níveis de preços agregados (mantendo-se constantes os outros fatores que afetam a demanda agregada). Pela curva, vemos que, em um nível geral de preços de 150, a despesa total seria de US\$ 3.000 bilhões (por ano). Se o

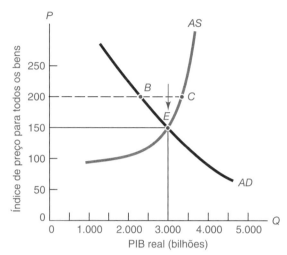

FIGURA 19-6 O preço e a produção agregados são determinados pela interação da oferta e da demanda agregadas.

A curva AD representa a quantidade da despesa total a diferentes níveis de preços, mantendo-se os restantes fatores constantes. A curva AS mostra o que as empresas produzirão e venderão a diferentes níveis de preços, mantendo-se o restante constante.

A produção nacional e o nível geral de preços são determinados na interseção das curvas da demanda e da oferta agregadas no ponto E. Esse equilíbrio ocorre em um nível geral de preços em que as empresas estão dispostas a produzir e a vender o que os consumidores e outros agentes da demanda estão dispostos a adquirir.

nível de preços aumentasse para 200, a despesa total seria reduzida para US\$ 2.300 bilhões.

A curva com inclinação positiva é a **função oferta agregada**, ou curva AS. Essa curva representa a quantidade de bens e serviços que as empresas estão dispostas a produzir e a vender em cada nível de preços (mantendo-se constantes as outras determinantes da oferta agregada). De acordo com a curva, as empresas estarão dispostas a vender US\$ 3.000 bilhões ao nível de preços de 150; estarão, portanto, dispostas a vender uma maior quantidade, US\$ 3.300 bilhões, se os preços aumentarem para 200. Se o nível da produção total demandado aumentar, as empresas desejarão vender mais bens e serviços em um nível de preços mais elevado.

Aviso sobre as curvas AS e AD

Antes de prosseguir, deixamos agora um aviso importante: não confundir as curvas macroeconômicas AD e AS com as curvas microeconômicas DD e SS. As curvas microeconômicas da oferta e da demanda representam as quantidades e os preços dos bens específicos, sendo considerados determinantes como a renda nacional e os preços dos outros bens. Já as curvas da oferta e da demanda agregadas representam a determinação da produção total e do nível geral de preços,

> mantendo-se constantes determinantes como a oferta de moeda, a política fiscal e o estoque de capital.
>
> A oferta e a demanda agregadas explicam de que forma o *total dos impostos* afeta a demanda agregada, a produção nacional e o nível geral de preços. A oferta e a demanda microeconômicas podem considerar a forma como os aumentos de *impostos sobre a gasolina* afetam as compras de gasolina, mantendo a renda constante. Os dois conjuntos de curvas têm uma semelhança superficial, mas explicam fenômenos muito diferentes.
>
> Note também que desenhamos a curva AS com inclinação positiva e a curva AD com inclinação negativa. Explicaremos a razão dessas inclinações em capítulos posteriores.

Equilíbrio macroeconômico. Vemos agora como a produção agregada e o nível de preços se ajustam, ou balançam, para trazer a oferta e a demanda agregadas para o equilíbrio. Isto é, usamos os conceitos AS e AD para ver como são determinados os *valores de equilíbrio do preço e da quantidade*, ou para encontrar o P e o Q que satisfazem os compradores e os vendedores considerados no seu conjunto. Para as curvas AS e AD apresentadas na Figura 19-6, a economia na globalidade está em equilíbrio no ponto E. Somente nesse ponto, em que o nível da produção é $Q = 3$ e $P = 150$, estarão os compradores e os vendedores satisfeitos. Somente no ponto E os que demandam estão dispostos a comprar exatamente o montante que as empresas estão dispostas a produzir e a vender.

Como a economia chega a esse equilíbrio? Na verdade, o que entendemos por equilíbrio? Um **equilíbrio macroeconômico** é uma combinação da quantidade e preço globais com os quais todos os compradores e vendedores estão satisfeitos com todas as suas compras, vendas e preços.

A Figura 19-6 ilustra o conceito. Se o nível de preços fosse superior ao do equilíbrio, admitamos que $P = 200$, as empresas desejariam vender mais do que os compradores desejariam comprar; as empresas desejariam vender a quantidade C, enquanto os compradores iriam querer comprar apenas a quantidade B. Os bens se acumulariam nas prateleiras se as empresas produzissem mais do que os consumidores comprassem. Em decorrência do excesso de oferta agregada de bens, as empresas reduziriam a produção e diminuiriam os preços. O nível geral de preços começaria a descer ou a crescer mais lentamente. Com a queda do nível de preços do seu nível original muito elevado, o diferencial entre a despesa total desejada e as vendas totais desejadas se reduziria. Os preços acabariam sendo reduzidos até o ponto em que a produção e a demanda totais estivessem em equilíbrio. No equilíbrio macroeconômico, não haveria nem excesso de oferta nem excesso de demanda – não havendo pressão para a alteração do nível geral de preços.

HISTÓRIA MACROECONÔMICA: 1900-2008

Podemos usar o esquema da oferta e demanda agregadas para analisar a história macroeconômica recente dos Estados Unidos. Focaremos a expansão econômica durante a guerra do Vietnã, a profunda recessão causada pela contração monetária do início dos anos 1980 e o recorde fenomenal do crescimento econômico durante o século XX. O apêndice deste capítulo fornece também dados sobre as principais variáveis macroeconômicas nos Estados Unidos.

Expansão em tempos de guerra. A economia norte-americana entrou nos anos 1960 após ter passado por numerosas recessões (ver a Figura 19-3). O presidente John Kennedy trouxe a abordagem econômica keynesiana para Washington. Os seus conselheiros econômicos recomendaram políticas expansionistas e o Congresso aprovou medidas para estimular a economia, em especial cortes nos impostos sobre as pessoas e as empresas em 1963 e 1964. O PIB cresceu rapidamente nesse período, o desemprego foi reduzido e a inflação foi contida. Em 1965, a economia estava no seu produto potencial.

Infelizmente, o governo subestimou a magnitude da despesa com a guerra do Vietnã; os gastos com a defesa cresceram 55% de 1965 a 1968. Mesmo quando ficou claro que uma importante expansão inflacionária estava em marcha, o Presidente Johnson adiou medidas fiscais dolorosas para retardar o crescimento econômico. O aumento dos impostos e os cortes nas despesas não militares só ocorreram em 1968, o que foi tarde demais para evitar pressões inflacionárias do sobreaquecimento da economia. O Federal Reserve acompanhou a expansão com o crescimento rápido da moeda e com taxas de juros reduzidas. Como resultado, a economia cresceu muito rapidamente no período de 1966-1970. Sob a pressão de desemprego reduzido e da elevada utilização dos fatores, a inflação começou a aumentar, inaugurando a "Grande Inflação", que durou de 1966 a 1981.

A Figura 19-7 ilustra os acontecimentos desse período. Os cortes dos impostos e as despesas militares deslocaram a curva da demanda agregada para a direita de AD para AD', desarticulando o equilíbrio de E para E'. A produção e o emprego cresceram acentuadamente, e a inflação aumentou à medida que a produção excedeu os limites de capacidade. Os economistas aprenderam que era mais fácil estimular a economia que convencer os políticos a aumentar os impostos para retardar a economia quando surgiu a ameaça de inflação. Essa lição levou muitos a questionar a bondade do uso de políticas fiscais para estabilizar a economia.

Restrição monetária, 1979-1982. Os anos 1970 foram um período de dificuldades, com o aumento dos preços do petróleo, a escassez de cereais, um forte aumento nos preços de importação, militância sindical e salários

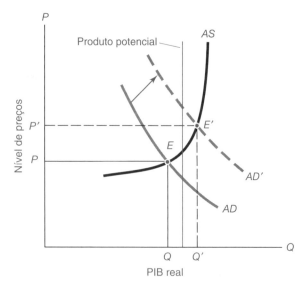

FIGURA 19-7 A expansão em tempo de guerra é impulsionada pelo aumento da demanda agregada.

Durante o período de guerra, a despesa militar acrescida aumentou a despesa agregada, deslocando a demanda agregada de AD para AD' e aumentando a produção de equilíbrio de E para E'. Quando a produção aumenta muito acima da produção potencial, o nível de preços se eleva acentuadamente de P para P', surgindo a inflação em tempo de guerra.

em aceleração. A inflação dos preços tinha se incorporado à economia dos Estados Unidos e em muitas outras economias. Como a Figura 19-4 mostra, a inflação aumentou para níveis de dois dígitos no período de 1978-1980.

Uma inflação a dois dígitos era inaceitável. Em resposta, o Federal Reserve, sob a liderança do economista Paul Volcker, tomou a medida drástica de restrição monetária para retardar a inflação. As taxas de juros aumentaram fortemente em 1979 e 1980, o mercado de ações caiu e era difícil obter crédito. A política de restrição monetária do Fed refreou a despesa dos consumidores e das empresas. Os componentes da demanda agregada sensíveis aos juros foram particularmente afetados. Após 1979, a construção habitacional, as compras de automóveis, o investimento das empresas e as exportações líquidas foram fortemente reduzidas.

Podemos ver como a restrição monetária reduziu a demanda agregada na Figura 19-7 simplesmente com a inversão da seta. Ou seja, a política de restrição monetária reduziu a despesa e produziu um deslocamento para a esquerda e para baixo da curva da demanda agregada – exatamente o oposto do efeito dos cortes de impostos e do aumento da despesa com a defesa nos anos 1960.

Os efeitos da restrição monetária tiveram dois aspectos. Primeiro, a produção deslocou-se para baixo do seu potencial e o desemprego aumentou acentuadamente (ver Figura 19-3). Segundo, o aperto monetário e o elevado desemprego produziram uma descida acentuada da inflação, de uma média de 12% ao ano, no período de 1978-1980, para uma média de cerca de 4% ao ano, no período subsequente (ver Figura 19-4). As políticas de restrição monetária tiveram sucesso ao acabarem com a Grande Inflação, mas o país pagou por meio de um desemprego maior e de uma produção menor no período da restrição monetária.

O século do crescimento. O último ato do nosso drama macroeconômico diz respeito ao crescimento da produção e dos preços durante todo o período após 1900. A produção cresceu 34 vezes desde o início do século XX. Como podemos explicar esse aumento fenomenal?

Uma análise cuidadosa do crescimento econômico norte-americano revela que a taxa de crescimento durante o século XX foi, em média, de 3,33% ao ano. Parte desse crescimento foi devido ao aumento da escala da produção, à medida que os fatores de produção de capital, trabalho e mesmo terra cresceram acentuadamente ao longo do período. De igual importância foram os aumentos da eficiência devidos aos novos produtos (como os automóveis) e aos novos processos (como a computação eletrônica). Outros determinantes menos visíveis também contribuíram para o crescimento econômico, como melhores técnicas de gestão e melhores serviços (incluindo inovações como as linhas de montagem e a entrega no dia seguinte).

Muitos economistas pensam que o crescimento quantificado subestima o verdadeiro crescimento, uma vez que as nossas estatísticas oficiais tendem a esquecer da contribuição dos novos produtos e da melhoria da qualidade dos produtos para os padrões de vida. Por exemplo, com a introdução de sanitários no interior das casas, milhões de pessoas deixaram de defrontar-se com as neves no inverno ao usarem sanitários exteriores; no entanto, esse aumento do conforto nunca apareceu no produto interno bruto quantificado.

Como podemos representar o aumento enorme da produção no nosso esquema AS-AD? A Figura 19-8 mostra que o aumento dos fatores de produção e a melhoria da eficiência levaram a um enorme deslocamento para a direita da curva AS de AS_{1900} para AS_{2008}. Os custos de produção aumentaram acentuadamente. Por exemplo, a renda média aumentou de US$ 0,15 por hora em 1900 para US$ 30 por hora em 2008. Esse aumento de custo fez deslocar a curva AS para cima. O efeito global, portanto, foi o aumento tanto da produção como dos preços, como é mostrado na Figura 19-8.

O papel da política macroeconômica

A política macroeconômica desempenhou um papel central na melhoria das condições do ciclo econômico do último meio século. A descoberta e a aplicação da macroeconomia, bem como a devida avaliação do papel e das limitações da política monetária e fiscal,

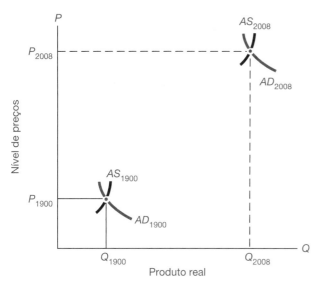

FIGURA 19-8 O crescimento da produção potencial determina o desempenho econômico de longo prazo.

Ao longo do século XX, os aumentos da mão de obra, do capital e da eficiência levaram a um enorme acréscimo do potencial produtivo da economia, deslocando a oferta agregada bem para a direita. No longo prazo, a oferta agregada é o principal determinante do crescimento da produção.

reduziram a volatilidade do ciclo econômico e levaram à Grande Moderação. A aplicação da política fiscal e, especialmente, da política monetária ajudou a diminuir o desemprego e a assegurar preços muito estáveis ao longo das duas últimas décadas. Quando os Estados Unidos se confrontaram com um grande choque para o seu sistema financeiro em 2007-2009, os banqueiros centrais lembraram-se *e compreenderam* as lições da Grande Depressão. Eles sabiam que os receios financeiros são contagiosos, que o colapso de bancos pode levar à corrida aos bancos e que a instabilidade gera mais instabilidade. O conhecimento da história e da teoria macroeconômicas e a intervenção do banco central como financiador de última instância podem amortecer um choque bancário e evitar que crises bancárias se transformem em recessões profundas.

Contudo, não há cura milagrosa para os choques macroeconômicos. Quando uma queda pronunciada da produção e do emprego atingiu os Estados Unidos em 2007-2009, foram lançadas políticas monetárias e fiscais para amortecer o choque, mas não foi possível eliminá-lo completamente. Até agora temos disponível o conhecimento para evitar depressões, mas não para banir as recessões.

RESUMO

A. Conceitos fundamentais da macroeconomia

1. A macroeconomia é o estudo do comportamento da totalidade da economia: analisa o crescimento de longo prazo, bem como os movimentos cíclicos da produção total, do desemprego e da inflação, e o comércio e as finanças internacionais. Isso contrasta com a microeconomia, que estuda o comportamento dos preços e produtos em cada mercado individualmente.

2. Os Estados Unidos proclamaram os seus objetivos macroeconômicos na Lei do Emprego de 1946, que declarou que era política federal "promover o emprego, a produção e o poder de compra máximos". Desde então, as prioridades nacionais entre esses três objetivos têm variado. Mas todas as economias de mercado continuam a enfrentar três questões macroeconômicas centrais: (a) Por que a produção e o emprego, às vezes, diminuem, e como o desemprego pode ser reduzido? (b) Quais são as raízes da inflação dos preços e como ela pode ser mantida sob controle? (c) Como um país pode aumentar a sua taxa de crescimento econômico?

3. Além dessas questões complexas, está a dura constatação de que há conflitos inevitáveis entre esses objetivos: o crescimento rápido dos padrões de vida futuros pode significar a redução do consumo no presente e a redução da inflação pode envolver um período temporário de desemprego elevado.

4. Os economistas avaliam o sucesso do desempenho global de uma economia pela forma como esta atinge estes objetivos: (a) níveis elevados e rápido crescimento da produção (medida pelo produto interno bruto real) e do consumo; (b) uma taxa de desemprego reduzida e emprego elevado, com uma ampla oferta de bons empregos; (c) inflação baixa e estável.

5. Antes de a ciência macroeconômica ter sido desenvolvida, os países tendiam a andar à deriva, sem uma bússola no meio de correntes macroeconômicas que se alteravam. Atualmente, existem numerosos instrumentos com os quais os governos podem conduzir a economia: (a) A política fiscal (despesa pública e tributação) ajuda a determinar a alocação dos recursos entre bens privados e públicos, influencia as rendas e o consumo das pessoas e proporciona incentivos para o investimento e para outras decisões econômicas. (b) A política monetária, em especial a definição das taxas de juros de curto prazo pelo banco central, afeta todas as taxas de juros, os preços dos ativos, as condições de crédito e as taxas de câmbio. Os setores mais afetados são a habitação, o investimento empresarial, os bens duráveis de consumo e as exportações líquidas.

6. Um país não é mais que uma pequena parte de uma economia global cada vez mais integrada, em que os países estão ligados por meio do comércio de bens e serviços e por meio de fluxos financeiros. Um sistema econômico internacional que funcione sem sobressaltos contribui para o rápido crescimento econômico, mas a economia internacional pode jogar areia no motor do crescimento quando os fluxos comerciais são interrompidos ou quando o mecanismo financeiro internacional entra em colapso. Gerir o comércio e as finanças internacionais é um dos pontos importantes da agenda de todos os países.

B. Oferta e demanda agregadas

7. Os conceitos centrais para compreender a determinação da produção nacional e do nível de preços são a oferta agregada (AS) e a demanda agregada (AD). A demanda agregada é composta do total de gastos efetuados por famílias, empresas, governo e estrangeiros em uma economia. Representa a produção total que seria voluntariamente adquirida para cada nível de preço, dadas a política monetária e a fiscal e outros condicionantes que afetam a demanda. A oferta agregada descreve qual a quantidade de produto que as empresas estariam dispostas a produzir e a vender, dados os preços, os custos e as condições de mercado.

8. As curvas AS e AD têm a mesma forma das curvas já conhecidas da oferta e da demanda analisadas em microeconomia. Mas esteja atento às confusões potenciais entre a oferta e a demanda agregadas e as microeconômicas.

9. O equilíbrio macroeconômico global, que determina tanto o preço como a produção agregadas, ocorre na interseção das curvas AS e AD. No nível de preço de equilíbrio, os compradores estão dispostos a comprar o que as empresas estão dispostas a vender. A produção de equilíbrio pode divergir do pleno emprego ou da produção potencial.

10. A história norte-americana recente mostra um ciclo irregular de choques de demanda e de oferta agregadas e reações de política econômica. Em meados dos anos 1960, os déficits ampliados pela guerra mais a facilitação de dinheiro levaram a um rápido aumento da demanda agregada. O resultado foi um aumento acentuado dos preços e da inflação. No final dos anos 1970, as autoridades econômicas reagiram ao aumento da inflação apertando a política monetária e elevando as taxas de juros. O resultado foi a redução da despesa em bens sensíveis ao juros, como a habitação, o investimento e as exportações líquidas. Desde meados dos anos 1980, a economia dos Estados Unidos tem passado por um período de inflação reduzida e de recessões pouco frequentes, que foram suaves até recentemente.

11. No longo prazo, o crescimento da produção potencial aumentou muito a oferta agregada e levou ao crescimento contínuo da produção e dos padrões de vida.

CONCEITOS PARA REVISÃO

Principais conceitos macroeconômicos

- macroeconomia *versus* microeconomia
- produto interno bruto (PIB), efetivo e potencial
- emprego, desemprego, taxa de desemprego
- inflação, deflação
- índice de preços no consumidor (IPC)
- exportações líquidas
- política fiscal (despesa pública, tributos)
- política monetária

Oferta e demanda agregadas

- oferta agregada, demanda agregada
- curva AS, curva AD
- equilíbrio entre AS e AD
- fontes do crescimento de longo prazo

LEITURAS ADICIONAIS E SITES

Leituras adicionais

O grande clássico da macroeconomia é de John Maynard Keynes, *The General Theory of Employment, Interest, and Money* (Harcourt, New York, publicado pela primeira vez em 1935). Keynes foi um dos mais agradáveis escritores entre os economistas. Uma edição online da *The General Theory* está disponível em <http://www.marxists.org/reference/subject/economics/keynes/general-theory/>.

Há muitos bons textos intermediários sobre macroeconomia. Eles devem ser consultados quando você quiser aprender mais sobre determinados temas.

Sites

Os assuntos macroeconômicos são um tema central da análise no *Economic Report of the President*. Estão disponíveis online em <http://www.acess.gpo.gov/eop/>. Outra boa fonte sobre assuntos de macroeconomia é o Congressional Budget Office, que emite relatórios periódicos sobre a economia e a situação do orçamento em <http://www.cbo.gov>.

As organizações de pesquisa contêm, com frequência, excelentes análises online de assuntos macroeconômicos atuais. Ver especialmente os sites na rede da Brookings Institution <http://www.brookings.org> e o do American Enterprise Institute <http://www.aei.org/>.

Alguns blogs excelentes a respeito de macroeconomia são: um blog de economistas líderes na Europa e alguns americanos contêm comentários econômicos interessantes em <http://www.voxeu.org>; o *International Herald Tribune* tem um bom grupo de escritores credenciados em <http://blogs.iht.com/tribtalk/business/globalization>.

QUESTÕES PARA DISCUSSÃO

1. Quais são os principais objetivos da macroeconomia? Escreva uma breve definição de cada um desses objetivos. Explique cuidadosamente a importância de cada um.

2. Usando os dados do apêndice deste capítulo, calcule:
   a. A taxa de inflação em 1981 e 2007.
   b. A taxa de crescimento do PIB real em 1982 e 1984.
   c. A taxa média de inflação de 1970 a 1980 e de 2000 a 2007.
   d. A taxa de crescimento médio do PIB real de 1929 a 2008.

   {*Dica*: As fórmulas no texto dão a técnica para o cálculo das taxas de crescimento de 1 ano. Nas taxas de crescimento para vários anos utilize a seguinte fórmula:

   $$g_t^{(n)} = 100 \times \left[\left(\frac{X_t}{X_{t-n}}\right)^{1/n} - 1\right]$$

   onde $g_t^{(n)}$ é a taxa média de crescimento anual da variável X para os n anos entre o ano $(t-n)$ e o ano t. Por exemplo, suponha que a IPC em $(t-2)$ é 100,0, enquanto o IPC no ano t é 106,09. Então a taxa média de inflação é $100 \times \left[\left(\frac{106,09}{100,0}\right)^{1/2} - 1\right] = 3\%$ ao ano.}

3. Qual seria o efeito de cada um dos seguintes acontecimentos sobre a demanda agregada ou sobre a oferta agregada, conforme indicado (mantendo sempre o resto constante)?
   a. Um grande corte nos impostos sobre as pessoas e as empresas (sobre a *AD*).
   b. Um acordo sobre redução de armamentos que leve à redução da despesa com a defesa (sobre a *AD*).
   c. Um aumento do produto potencial (sobre a *AS*).
   d. Uma expansão monetária que faça baixar as taxas de juros (sobre a *AD*).

4. Para cada um dos acontecimentos enumerados na Questão 3, use o esquema *AS-AD* para mostrar o efeito sobre a produção e sobre o nível geral de preços.

5. Coloque-se no lugar de uma autoridade econômica. A economia está em equilíbrio com $P = 100$ e $Q = 3.000 =$ PIB potencial. Você recusa a "acomodação" à inflação, ou seja, pretende manter os preços absolutamente estáveis em $P = 100$, independentemente do que possa ocorrer à produção. Você pode usar a política monetária e a fiscal para influenciar a demanda agregada, mas não pode influenciar a oferta agregada no curto prazo. Como você reagiria a:
   a. Um aumento inesperado da despesa de investimento.
   b. Um aumento acentuado do preço dos alimentos em consequência de uma cheia catastrófica.
   c. Uma redução da produtividade que faça diminuir o produto.
   d. Uma forte diminuição das exportações líquidas decorrentes de uma depressão profunda no leste asiático.

6. Em 1981-1983, a administração de Reagan aplicou uma política fiscal que reduziu os impostos e aumentou os gastos do governo.
   a. Explique por que essa política tenderia a aumentar a demanda agregada. Mostre o impacto sobre a produção e os preços, supondo apenas um deslocamento da *AD*.
   b. Os economistas do lado da oferta sustentam que os cortes de impostos afetarão a oferta agregada, principalmente pelo aumento do produto potencial. Supondo que as medidas fiscais de Reagan tenham afetado a *AS*, bem como a *AD*, mostre o impacto sobre a produção e o nível de preços. Explique por que o impacto das políticas fiscais de Reagan sobre a produção é inequívoco, ao contrário do impacto sobre os preços.

7. O pacote econômico de Clinton, tal como foi aprovado em 1993 no Congresso, teve o efeito de restringir a política fiscal ao aumentar os impostos e reduzir a despesa. Mostre o efeito dessa política (a) supondo que não haja política monetária neutralizadora e (b) supondo que a política monetária neutralizasse completamente o impacto sobre o PIB e que um déficit menor levasse a um maior investimento e a um maior crescimento da produção potencial.

8. Os Estados Unidos tiveram uma importante recessão no início dos anos 1980. Considere os dados sobre o PIB real e o nível de preços na Tabela 19-2.
   a. Para os anos de 1981 a 1985, calcule a taxa de crescimento do PIB real e a taxa de inflação. Você consegue determinar em que ano houve uma recaída acentuada do ciclo, ou recessão?
   b. Em um gráfico *AS-AD*, como o da Figura 19-6, trace um conjunto de curvas *AS* e *AD* que represente o preço e a produção de equilíbrio apresentados na tabela. Como explicaria a recessão que identificou?

Ano	PIB real (US$, bilhões, preços de 2000)	Nível de preços* (2000 = 100)
1980	5.161,7	54,1
1981	5.291,7	59,1
1982	5.189,3	62,7
1983	5.423,8	65,2
1984	5.813,6	67,7
1985	6.053,7	69,7

* Observe que o índice de preços apresentado é o índice de preços do PIB, que mede a tendência de preço de todos os seus componentes.

TABELA 19-2

Apêndice 19

DADOS MACROECONÔMICOS PARA OS ESTADOS UNIDOS

Ano	PIB nominal (US$, bilhões)	PIB real Preços de 2000 (US$, bilhões)	Taxa de desemprego (%)	IPC média 1982--1984 = 100	Taxa de inflação (IPC) (% ao ano)	Superávit (+) ou déficit (−) (US$, bilhões)	Exportações líquidas (US$, bilhões)
1929	103,6	865,2	3,2	17,1	0,0	1,0	0,4
1933	56,4	635,5	24,9	13,0	−5,2	−0,9	0,1
1939	92,2	950,7	17,2	13,9	−1,4	−2,1	0,8
1945	223,1	1.786,3	1,9	18,0	2,2	−29,0	−0,8
1948	269,2	1.643,2	3,8	24,0	7,4	3,6	5,5
1950	293,8	1.777,2	5,2	24,1	1,1	5,5	0,7
1960	526,4	2.501,8	5,5	29,6	1,5	7,2	4,2
1970	1.038,5	3.771,9	5,0	38,8	5,7	−15,2	4,0
1971	1.127,1	3.898,7	6,0	40,5	4,1	−28,4	0,6
1972	1.238,3	4.104,9	5,6	41,8	3,2	−24,4	−3,4
1973	1.382,7	4.341,4	4,9	44,4	6,1	−11,3	4,1
1974	1.500,0	4.319,5	5,6	49,3	10,4	−13,8	−0,8
1975	1.638,3	4.311,2	8,5	53,8	8,7	−69,0	16,0
1976	1.825,3	4.540,9	7,7	56,9	5,6	−51,7	−1,6
1977	2.030,9	4.750,6	7,1	60,6	6,3	−44,1	−23,1
1978	2.294,7	5.015,0	6,1	65,2	7,4	−26,5	−25,4
1979	2.563,3	5.173,5	5,9	72,6	10,7	−11,3	−22,5
1980	2.789,5	5.161,7	7,2	82,4	12,7	−53,6	−13,1
1981	3.128,4	5.291,7	7,6	90,9	9,9	−33,3	−12,5
1982	3.255,0	5.189,3	9,7	96,5	6,0	−131,9	−20,0
1983	3.536,7	5.423,8	9,6	99,6	3,1	−173,0	−51,7
1984	3.933,2	5.813,6	7,5	103,9	4,3	−168,1	−102,7
1985	4.220,3	6.053,8	7,2	107,6	3,5	−175,0	−115,2
1986	4.462,8	6.263,6	7,0	109,7	1,9	−190,8	−132,7
1987	4.739,5	6.475,1	6,2	113,6	3,5	−145,0	−145,2
1988	5.103,8	6.742,7	5,5	118,3	4,0	−134,5	−110,4
1989	5.484,4	6.981,4	5,3	123,9	4,7	−130,1	−88,2
1990	5.803,1	7.112,5	5,6	130,7	5,3	−172,0	−78,0
1991	5.995,9	7.100,5	6,9	136,2	4,1	−213,7	−27,5
1992	6.337,7	7.336,6	7,5	140,3	3,0	−297,4	−33,2
1993	6.657,4	7.532,7	6,9	144,5	2,9	−273,5	−65,0
1994	7.072,2	7.835,5	6,1	148,2	2,6	−212,3	−93,6
1995	7.397,7	8.031,7	5,6	152,4	2,8	−197,0	−91,4
1996	7.816,9	8.328,9	5,4	156,9	2,9	−141,8	−96,2
1997	8.304,3	8.703,5	4,9	160,5	2,3	−55,8	−101,6
1998	8.747,0	9.066,9	4,5	163,0	1,5	38,8	−159,9
1999	9.268,4	9.470,4	4,2	166,6	2,2	103,6	−260,5
2000	9.817,0	9.817,0	4,0	172,2	3,3	189,5	−379,5
2001	10.128,0	9.890,7	4,7	177,0	2,8	46,7	−367,0
2002	10.469,6	10.048,9	5,8	179,9	1,6	−247,9	−424,4
2003	10.960,8	10.301,1	6,0	184,0	2,3	−372,1	−499,4
2004	11.685,9	10.675,7	5,5	188,9	2,6	−370,6	−615,4
2005	12.433,9	11.003,5	5,1	195,3	3,3	−318,3	−714,6
2006	13.194,7	11.319,4	4,6	201,6	3,2	−220,0	−762,0
2007	13.807,6	11.523,9	4,6	207,3	2,8	−399,4	−707,8
2008	14.304,4	11.666,0	5,8	215,2	4,1	−456,5	−727,9

TABELA 19A-1

O Tabela 19A-1 contém alguns dos principais dados macroeconômicos analisados neste capítulo. Os principais dados podem ser obtidos por meio dos sites do governo norte-americano na internet em <http://www.fedstats.gov>, <http://www.bea.gov> ou <www.bls.gov>.

Medindo a atividade econômica

CAPÍTULO
20

Quando você consegue medir aquilo de que fala e pode expressá-lo em números, então você sabe alguma coisa sobre o assunto; quando você não pode medi-lo, nem expressá-lo em números, o seu conhecimento é fraco e insatisfatório; pode ser até o princípio do conhecimento, mas pouco avançou no seu pensamento em direção ao estágio da ciência.

Lord Kelvin

De todos os conceitos de macroeconomia, o mais importante é o produto interno bruto (PIB), que quantifica o valor total dos bens e serviços finais produzidos em um país durante um ano. O PIB faz parte das *contas nacionais da produção e da renda* (ou *contas nacionais*), que são um conjunto de estatísticas que permitem às autoridades econômicas determinar se a economia está em contração ou em expansão e se há ameaça de uma grave recessão ou inflação. Quando os economistas querem determinar o nível de desenvolvimento econômico de um país, analisam o PIB *per capita*.

Embora o PIB e o resto das contas nacionais pareçam ser conceitos misteriosos, contam-se de fato entre as grandes invenções da era moderna. Tal como os satélites no espaço podem pesquisar a situação meteorológica de todo um continente, o PIB pode dar uma imagem global do governo da economia. Neste capítulo, explicamos a forma como os economistas calculam o PIB e outros indicadores macroeconômicos importantes.

PRODUTO INTERNO BRUTO: A MEDIDA DO DESEMPENHO DE UMA ECONOMIA

O que é o *produto interno bruto*? O PIB é o nome que damos ao valor de mercado de todos os bens e serviços finais produzidos em um país durante um determinado ano. É o valor a que se chega quando se aplica a medida monetária aos diversos bens e serviços – desde abacate a zinco – que um país produz com os seus recursos de terra, trabalho e capital. O PIB é igual ao total da produção de bens de consumo e de investimento, das compras governamentais e das exportações líquidas para outros países.

O produto interno bruto (PIB) é a medida mais abrangente da produção total de bens e serviços de um país. É a soma dos valores monetários do consumo (C), do investimento bruto (I), das compras governamentais de bens e serviços (G) e das exportações líquidas (X) produzidos em um país durante um ano.

Em símbolos:

$$PIB = C + I + G + X$$

O PIB é usado para muitas finalidades, porém a mais importante é medir o desempenho global de uma economia. Se você perguntar a um historiador de Economia o que aconteceu durante a Grande Depressão, a melhor resposta seria:

> Entre 1929 e 1933, o PIB caiu de US$ 104 bilhões para US$ 56 bilhões. Esse declínio brusco do valor monetário dos bens e serviços produzidos pela economia norte-americana causou desemprego elevado, dificuldades, uma forte queda da bolsa de valores, falências, quebras de bancos, greves e conflito político.

De forma similar, se perguntássemos a um macroeconomista o que houve de incomum nos anos 1990, ele poderia responder:

> A segunda metade do século XX foi um período econômico único. Durante esses anos, as regiões ricas do Norte – englobando o Japão, os Estados Unidos e a Europa Ocidental – passaram pelo mais rápido crescimento do produto *per capita* de que se tem registo histórico. Desde o final da Segunda Guerra Mundial até o ano 2000, por exemplo, o PIB *per capita* nos Estados Unidos aumentou quase 250%.

Agora vamos analisar os elementos das contas da renda e da produção nacionais. Começamos por mostrar diferentes formas de calcular o PIB e a diferença

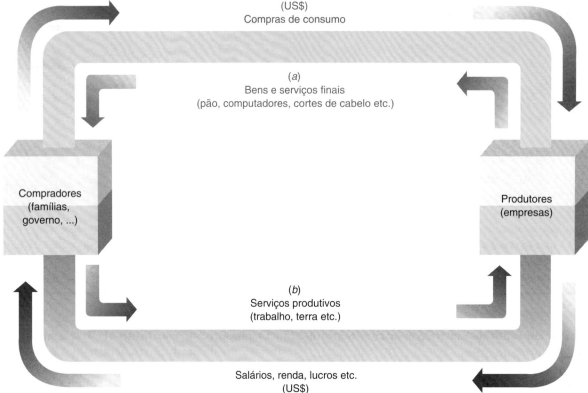

FIGURA 20-1   O produto interno bruto pode ser medido (a) como um fluxo de produtos finais ou, equivalentemente, (b) como um fluxo de remunerações ou rendas.

No arco superior, os compradores adquirem bens e serviços finais. O fluxo monetário total da sua despesa em cada ano é uma das medidas do produto interno bruto. O arco inferior mede o fluxo anual de custos do produto: as rendas que as empresas pagam em salários, rendas, juros, dividendos e lucros.
As duas medidas do PIB têm sempre de ser iguais. Observe que esta figura é a contrapartida macroeconômica da Figura 2-1 que apresentava o fluxo circular da oferta e da demanda.

---

entre PIB real e nominal. Analisaremos, a seguir, os principais componentes do PIB. Concluímos com uma discussão sobre a medida do nível geral de preços e da taxa de inflação.

Duas medidas do produto nacional: fluxo de bens e fluxo de rendas

De que forma os economistas medem efetivamente o PIB? Uma grande surpresa é que podemos medir o PIB de duas formas completamente independentes. Como mostra a Figura 20-1, o PIB pode ser medido ou como um fluxo de produtos ou como uma soma de rendas.

Para demonstrar as diferentes formas de calcular o PIB, começamos por considerar um mundo muito simplificado em que não há governo, comércio exterior e investimento. Por enquanto, a nossa pequena economia produz apenas *bens de consumo,* que são os artigos adquiridos pelas famílias para satisfazer os seus desejos. (*Nota importante*: o nosso primeiro exemplo está muito simplificado para mostrar as ideias básicas. Nos exemplos realistas que se seguirão juntaremos o investimento, o governo e o setor externo).

Abordagem pelo fluxo de produtos.   Todos os anos a população consome uma grande variedade de bens e serviços finais: bens como maçãs, programas de computador e calças jeans; e serviços como assistência médica e cortes de cabelo. Incluímos apenas os *produtos finais* – bens adquiridos e consumidos, em última instância, pelos consumidores. As famílias gastam suas rendas nesses bens de consumo, tal como é indicado no arco superior da Figura 20-1. Some todo o dinheiro gasto com o consumo desses bens e você chegará ao PIB total dessa economia simplificada.

Assim, na nossa economia simplificada, você pode calcular facilmente a renda ou o produto nacional como a soma do fluxo anual dos bens e serviços finais: (preço das calças jeans × número de calças jeans) + (preço das maçãs × número das maçãs), e assim sucessivamente para todos os outros bens finais. O produto interno bruto é definido como o valor monetário total do fluxo dos produtos finais produzido pelo país.

Nas contas nacionais, usam-se os preços de mercado como medida do valor dos diferentes bens, porque os preços de mercado refletem o valor econômico relativo dos diversos bens e serviços. Isto é, os preços relativos dos diferentes bens refletem quanto os consumidores valorizam as últimas (ou marginais) unidades de consumo desses bens.

Abordagem pelas rendas ou pelo custo. A segunda forma equivalente de calcular o PIB é pelas contas de renda, também chamada de abordagem pelo custo. Veja o arco inferior da Figura 20-1. Através dele fluem todos os custos da atividade empresarial; esses custos incluem os salários pagos à mão de obra, os aluguéis pagos pela terra, os lucros pagos ao capital e assim sucessivamente. Mas esses custos empresariais são também as rendas que as famílias recebem das empresas. Ao medir o fluxo anual dessas rendas, os técnicos de estatística chegam novamente ao PIB.

Assim, uma segunda via para calcular o PIB é pelo total das rendas dos fatores produtivos (salários, juros, aluguéis e lucros), que são os custos de produção dos produtos finais da sociedade.

A equivalência das duas abordagens. Calculamos, então, o PIB pela abordagem do arco superior do fluxo dos produtos e pela abordagem do arco inferior do fluxo das rendas. Qual das duas é a melhor? A surpresa é que *elas são exatamente iguais.*

Podemos compreender a razão de as duas abordagens serem idênticas analisando uma economia simples de cabeleireiros. Considere que os cabeleireiros não tenham outras despesas além das despesas de mão de obra. Se venderem 10 cortes de cabelo a US$ 8 cada um, o PIB é de US$ 80. Mas as remunerações dos cabeleireiros (em salários e lucros) são exatamente iguais a US$ 80. Assim, o PIB é idêntico quer como fluxo de produtos (US$ 80 de cortes de cabelo) quer como fluxo de custo e rendas (US$ 80 de salários e lucros).

De fato, as duas abordagens são idênticas porque incluímos os "lucros" no arco inferior juntamente com as outras rendas. O que é exatamente o lucro? O lucro é o que resta da venda de um produto depois de pagos os custos dos outros fatores – salários, juros e aluguéis. É o resíduo que automaticamente se ajusta para levar o arco inferior dos custos, ou rendas, a ser exatamente igual ao arco superior dos bens e serviços.

Em resumo:

O PIB, ou produto interno bruto, pode ser medido de duas formas diferentes: (1) como o fluxo de despesa com produtos finais, ou (2) como o total de custos, ou rendas, dos fatores de produção. Ambas as abordagens proporcionam exatamente a mesma medida do PIB.

Contas nacionais derivadas das contas das empresas

É natural que você queira saber onde os economistas encontram todos os dados das contas nacionais. Na prática, os economistas do governo extraem esses dados de uma grande variedade de fontes, incluindo pesquisas, declarações de imposto de renda, estatísticas de vendas no varejo e dados do emprego.

A fonte de dados mais importante é a contabilidade das empresas. Um *balanço* de uma empresa, ou de um país, é o registo numérico de todos os fluxos (saídas, custos etc.) durante um dado período. Podemos mostrar a relação entre as contas das empresas e as contas nacionais elaborando as contas de uma economia composta apenas por fazendas. A metade superior da Tabela 20-1 mostra os resultados da exploração anual de uma única fazenda típica. Colocamos as vendas dos produtos finais do lado esquerdo e os vários custos de produção do lado direito. A metade inferior da Tabela 20-1 mostra como se elaboram as contas do PIB para nossa economia agrária simples, em que todos os produtos finais são produzidos em 10 milhões de unidades agrícolas idênticas. As contas nacionais limitam-se a somar ou *agregar* os produtos e os custos das 10 milhões de fazendas idênticas para obter as duas diferentes formas de medida do PIB.

O problema da "dupla contagem"

Definimos o PIB como a produção total de bens e serviços finais. Um *produto final* é aquele que é produzido e vendido para consumo ou investimento. O PIB exclui os *bens intermediários* – bens que são usados para produzir outros bens. O PIB inclui, portanto, pão, mas não o trigo, e computadores pessoais, mas não os *chips.*

Para o cálculo do PIB pelo fluxo de produção, a exclusão dos bens intermediários não coloca grandes complicações. Incluímos simplesmente o pão e os computadores no PIB, mas evitamos incluir o trigo e o fermento, usados na produção do pão, ou os *chips* e o plástico, usados na produção de computadores. Se observar de novo o arco superior da Figura 20-1, você verá que o pão e os computadores aparecem no fluxo dos produtos, mas não encontra qualquer farinha ou *chips.*

O que aconteceu a eles? Esses são produtos intermediários e estão apenas circulando dentro do bloco designado por "produtores". Se não são comprados pelos consumidores, eles nunca aparecerão no PIB como produtos finais.

"Valor adicionado" no arco inferior. Um técnico estagiário de estatística que esteja se formando no cálculo do PIB poderia confundir-se e dizer:

> Eu compreendo que, se for cuidadoso, a sua abordagem do produto no arco superior evitará incluir produtos intermediários. Mas não teremos o mesmo problema quando aplicamos a abordagem do custo ou das rendas do arco inferior?
>
> Afinal de contas, quando juntamos os demonstrativos de resultados das empresas, não estaremos considerando a quantidade de cereal que os comerciantes de grãos

(a) Demonstrativo de resultados de uma fazenda típica			
Produção da fazenda		Rendas	
Venda de produtos (milho, maçãs etc.)	US$ 1.000	**Custos de produção:**	
		Salários	US$ 800
		Aluguéis	100
		Juros	25
		Lucro (residual)	75
Total	US$ 1.000	Total	US$ 1.000

(b) Conta do produto nacional (milhões de dólares)			
Fluxo de produtos do arco superior		Fluxo de rendas do arco inferior	
Produto final (10 × 1.000)	US$ 10.000	**Custos ou remunerações:**	
		Salários (10 × 800)	US$ 8.000
		Rendas (10 × 100)	1.000
		Juros (10 × 25)	250
		Lucro (10 × 75)	750
PIB total	US$ 10.000	PIB total	US$ 10.000

TABELA 20-1 Construção das contas nacionais do produto a partir das contas das empresas.

A parte (a) mostra a conta de resultados de uma unidade agrícola típica. O lado esquerdo mostra o valor de produção enquanto o lado direito mostra os custos da fazenda. A parte (b) soma ou agrega depois as 10 milhões de fazendas idênticas para obter o PIB. Observe que o PIB do lado do produto é exatamente igual ao PIB do lado da renda.

pagam aos agricultores, o que os padeiros pagam aos comerciantes de cereal e o que os varejistas pagam aos padeiros? Isso não resultará em dupla contagem, ou até em tripla contagem dos bens que passam pelos vários estágios produtivos?

Estas são boas questões, mas há uma técnica engenhosa que resolve o problema. Quando calculam as rendas do arco inferior, os estatísticos têm muito cuidado em incluir no PIB apenas o valor adicionado de cada empresa. O **valor adicionado** é a diferença entre as vendas de uma empresa e as suas compras de matérias-primas e de serviços a outras empresas.

Em outras palavras, ao calcular as rendas do PIB, ou valor adicionado por uma empresa, os estatísticos incluem todos os custos, exceto os pagamentos feitos a outras empresas. Assim, os custos da empresa na forma de salários, ordenados, pagamento de juros e dividendos são incluídos no valor adicionado, mas as compras de trigo ou aço, ou eletricidade, são excluídas dele. Por que todas as compras de outras empresas são excluídas do valor adicionado para obter o PIB? Porque essas compras serão adequadamente contabilizadas no PIB por meio dos valores adicionados por outras empresas.

A Tabela 20-2 usa os estágios da produção de pão para ilustrar como a cuidadosa aplicação da abordagem pelo valor adicionado nos permite subtrair as compras de bens intermediários que aparecem nas demonstrações de resultados das fazendas, das moagens, dos padeiros e dos varejistas. O cálculo final mostra a desejada igualdade entre (1) as vendas finais de pão e (2) as remunerações totais, calculadas como a soma de todos os valores adicionados em todos os vários estágios da produção de pão.

Abordagem pelo valor adicionado: para evitar a dupla contabilização, temos o cuidado de incluir no PIB apenas os produtos finais e de excluir os intermediários que são usados na produção dos produtos finais. Com o cálculo do valor adicionado em cada estágio, tendo o cuidado de subtrair as despesas com bens intermediários comprados de outras empresas, a abordagem pelas rendas do arco inferior evita adequadamente toda a dupla contabilização, e registra exatamente, uma única vez, os salários, os juros, os aluguéis e os lucros.

DETALHES DAS CONTAS NACIONAIS

Agora que já temos uma visão geral das contas da renda e da produção nacionais, prosseguiremos no restante do capítulo com uma ronda sobre os vários setores. Antes de iniciarmos a caminhada, observe a Tabela 20-3 para ter uma ideia de para onde estamos indo. Essa tabela mostra um conjunto resumido de contas, tanto do lado do produto como da renda. Se você compreender a estrutura da tabela e as definições dos termos nela apresentados, estará em um bom caminho para compreender o PIB e a sua família de componentes.

	Receitas, custos e valor adicionado do pão (centavos por pão)				
Estágio de produção	(1) Receitas de vendas	(2) Menos: custo dos produtos intermediários			(3) Valor adicionado (salários, lucro etc.) (3) = (1) – (2)
Trigo	23	0	=		23
Farinha	53	23	=		30
Massa assada	110	53	=		57
Produto final: pão	**190**	110	=		80
Total	376	186			190
					(soma do valor adicionado)

TABELA 20-2 O PIB é a soma do valor adicionado de cada estágio da produção.

Para evitar a dupla contabilização dos produtos intermediários, calculamos o valor adicionado em cada estágio de produção. Isso envolve subtrair do valor total das vendas todos os custos de materiais e de produtos intermediários comprados de outras empresas. Note que cada item de produto intermediário tanto aparece na coluna (1) como é subtraído no estágio de produção seguinte, na coluna (2). Em quanto estaríamos superestimando o PIB se considerássemos todas as receitas, e não apenas o valor adicionado? A superestimativa seria de 186 centavos por pão.

Abordagem pelo produto	Abordagem pela renda
Componentes do PIB:	**Abordagem do produto interno bruto pelas remunerações ou rendas:**
Consumo (C)	Remunerações da mão de obra (salários, ordenados e outros)
+ Investimento privado interno bruto (I)	+ Lucros das empresas
+ Compras do governo (G)	+ Outras rendas da propriedade (aluguéis, juros, renda dos proprietários)
+ Exportações líquidas (X)	+ Depreciação
	+ Impostos sobre a produção
Igual: produto interno bruto	**Igual: produto interno bruto**

TABELA 20-3 Visão geral das contas da renda e do produto nacionais.

Esta tabela apresenta as principais componentes dos dois lados das contas nacionais. O lado esquerdo mostra os componentes da abordagem pelo produto (ou arco superior); os símbolos C, I, G e X são, com frequência, usados para representar aqueles quatro itens do PIB. O lado direito mostra os componentes da abordagem pela renda, ou custo, (ou arco inferior). Ao final, cada abordagem chegará exatamente ao mesmo PIB.

PIB real versus nominal: "deflação" do PIB com um índice de preços

Definimos o PIB como o valor monetário dos bens e serviços. Ao medir o valor monetário, usamos como unidade de medida os *preços de mercado* dos diferentes bens e serviços. Mas os preços variam ao longo do tempo, à medida que a inflação, em geral, ano após ano, faz os preços subirem. Quem iria querer medir coisas com uma régua de borracha – que estica em suas mãos de um dia para o outro – em vez de com uma régua rígida e inalterável?

O problema da variação dos preços é um daqueles que os economistas têm de resolver quando usam o dinheiro como unidade de medida. É claro que queremos uma medida da produção e da renda nacionais que use uma régua inalterável. Os economistas podem substituir a unidade elástica por uma confiável, retirando o componente de aumento de preço, de modo a criar um índice real, ou quantitativo, do produto nacional.

A ideia básica é a seguinte: podemos medir o PIB de um ano específico usando os preços de mercado correntes nesse ano; obtemos, assim, o **PIB nominal**, ou o PIB a preços correntes. Mas, em geral, estamos mais interessados na determinação do que aconteceu com o **PIB real** – que é um índice do volume, ou da quantidade – dos bens e serviços produzidos. Calculamos o PIB real seguindo a pista do volume, ou quantidade, da produção, após termos afastado a influência da variação dos preços, ou inflação. Assim, o PIB nominal é calculado usando os preços variáveis, enquanto o PIB real representa a variação no volume da produção total, após terem sido eliminadas as variações de preço.

A diferença entre o crescimento do PIB nominal e o PIB real é o crescimento no **preço do PIB**, por vezes designado **deflator do PIB**.

Um exemplo simples ilustrará a ideia geral. Suponha que um país produza mil quilos de milho no ano 1 e 1,01 mil quilos no ano 2. O preço de um quilo é de US$ 1 no ano 1 e US$ 2 no ano 2. Podemos calcular o PIB nominal (PQ) como US$ 1 × 1.000 = US$ 1.000 no ano 1 e US$ 2 × 1.010 = US$ 2.020 no ano 2. O PIB nominal cresceu, portanto, em 102% entre os dois anos.

Mas a quantidade real de produção não aumentou tão rapidamente. Para encontrar o produto real, temos de considerar o que aconteceu com os preços. Usamos o ano 1 como o ano base. O ano base é o ano em que medimos os preços. Podemos, para efeitos de índice, estabelecer o índice de preços para o primeiro ano (o ano base) como $P_1 = 1$. Isso significa que a produção será medida em preços do ano base. Dos dados do último parágrafo vemos que o deflator do PIB é P_2 = US$ 2/US$ 1 no ano 2. O PIB real (Q) é igual ao PIB nominal (PQ) dividido pelo deflator do PIB (P). Assim, o PIB real foi igual a US$ 1.000/1 = US$ 1.000, no ano 1, e US$ 2.020/2 = US$ 1.010, no ano 2. Portanto, o crescimento do PIB real, que corrige a variação de preços, é de 1% e é igual ao crescimento da produção de milho, como deveria ser.

A comparação entre 1929 e 1933 ilustrará o processo de deflação de um episódio histórico real. A Tabela 20-4 dá o valor do PIB nominal de US$ 104 bilhões para 1929 e de US$ 56 bilhões para 1933. Isso representa uma queda de 46% do PIB nominal de 1929 para 1933. Mas o governo estima que os preços, em média, caíram 26% nesse período. Se escolhermos 1929 como o nosso ano base, com o deflator do PIB igual a 1 nesse ano, isso significa que o índice de preços de 1933 foi de 0,74. Assim, o nosso PIB de US$ 56 bilhões em 1933 valia realmente muito mais do que metade dos US$ 104 bilhões do PIB de 1929. A Tabela 20-4 mostra que, em termos dos preços de 1929, ou do poder de compra dos dólares de 1929, o PIB real diminui para US$ 76 bilhões. Assim, parte da redução para quase metade, indicada pelo PIB nominal, foi devida ao rápido declínio do nível de preços, ou deflação, durante a Grande Depressão.

Data	(1) PIB nominal (US$ atuais, bilhões)	(2) Número índice de preços (deflator do PIB, 1929 = 1)	(3) PIB real (US$, bilhões, preços de 1929) 3 = (1)/(2)
1929	104	1,00	$\frac{104}{1,00} = 104$
1933	56	0,74	$\frac{56}{0,74} = 76$

TABELA 20-4 O PIB real (ou corrigido da inflação) obtém-se dividindo o PIB nominal pelo deflator do PIB.

Usando o índice de preços da coluna (2), deflacionamos a coluna (1) para obter o PIB real na coluna (3).
(*Problema*: Você pode demonstrar que o PIB real de 1929 foi de US$ 77 bilhões em termos dos preços de 1933? *Dica*: Sendo 1933 a base 1, o índice de preços de 1929 é 1,35.)

A linha mais clara da Figura 20-2 mostra o crescimento do PIB nominal, desde 1929, expresso em dólares e preços atuais em cada um dos anos. A seguir, para comparação, o PIB, expresso em dólares de 2000, é indicado na linha mais escura. Certamente, grande parte do aumento do PIB nominal ao longo das últimas oito décadas foi decorrente da inflação nas unidades de preço da nossa "régua" monetária.

A Tabela 20-4 mostra a forma mais simples de calcular o PIB real e o deflator do PIB. Às vezes, esses cálculos dão resultados enganadores, em especial quando os preços e as quantidades de bens importantes variam rapidamente. Por exemplo, ao longo das três últimas décadas, os preços de computadores têm caído acentuadamente, enquanto as quantidades dos computadores produzidos aumentaram rapidamente (voltaremos à essa questão mais adiante na nossa discussão sobre os índices de preços).

Quando os preços relativos dos diferentes bens se alteram rapidamente, o uso dos preços de um ano fixo irá dar uma estimativa equivocada do crescimento do PIB real. Para corrigir esse desvio, os estatísticos usam uma metodologia de séries encadeadas, calculadas a partir de índices de base móvel. Em vez de manterem os pesos relativos de cada bem inalterados (usando os pesos de um dado ano, por exemplo, 1990), os pesos dos diferentes bens e serviços variam todos os anos, para refletir a mudança nos padrões de despesa na economia. Atualmente, as medidas oficiais dos Estados Unidos do PIB real e do índice de preços do PIB estão baseadas em séries de índices encadeados. Os nomes técnicos para essas construções são "série encadeada de PIB real" e "série encadeada do índice de preços do PIB". Por simplicidade, em geral, usamos PIB real e índice de preços do PIB.

Mais detalhes sobre a série de índices encadeados. Os detalhes do uso da série de índices encadeados são, de certo modo, complexos, mas podemos perceber a ideia básica com um exemplo simples. O cálculo com a série encadeada envolve a ligação entre as séries do produto, ou dos preços, multiplicando as taxas de crescimento de um período para outro. Um exemplo para uma economia de cabeleireiros ilustrará como isso funciona. Suponha que o preço dos cortes de cabelo foi US$ 300 em 2003. Além disso, suponha que a quantidade de cortes de cabelo aumentou 1% de 2003 para 2004 e 2% de 2004 para 2005. Então, o valor do PIB real (na série encadeada de dólares de 2003) seria US$ 300 em 2003, US$ 300 × 1,01 = US$ 303 em 2004 e US$ 303 × 1,02 = US$ 309,06 em 2005. Com muitos bens e serviços diferentes, adicionaríamos as taxas de crescimento das diferentes componentes de abacates, bananas, cerejas etc., e ponderaríamos as taxas de crescimento pelas participações de despesas dos diferentes bens.

Em resumo:

O PIB nominal (PQ) representa o valor monetário total dos bens e serviços finais produzidos em um dado

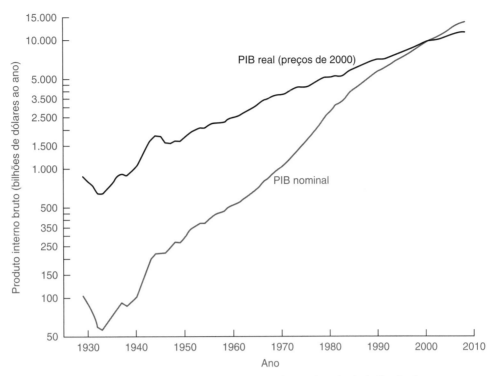

FIGURA 20-2 O PIB nominal cresce mais depressa do que o PIB real, em virtude da inflação dos preços.

O aumento do PIB nominal exagera o aumento da produção. Por quê? Porque o crescimento no PIB nominal inclui os aumentos de preços, além do crescimento da produção. Para obter uma medida precisa da produção real, temos de retirar as variações de preços do PIB nominal.

Fonte: U.S. Bureau of Economic Analysis.

ano, em que os valores são expressos em termos de preços de mercado de cada ano. O PIB real (Q) retira a variação dos preços do PIB nominal e calcula o PIB em termos das quantidades de bens e serviços. As seguintes equações dão a ligação entre o PIB nominal, o PIB real e o índice de preços do PIB:

$$Q = \text{PIB real} = \frac{\text{PIB nominal}}{\text{Deflator do PIB}} = \frac{PQ}{P}$$

Para corrigir a variação rápida dos preços relativos, as contas nacionais dos Estados Unidos usam a série encadeada no cálculo do PIB real e de índices de preços.

Consumo

A primeira parte importante do PIB é o consumo, ou "despesas de consumo pessoal". O consumo é, de longe, a maior componente do PIB norte-americano, sendo igual a 2/3 do total, nos últimos anos. A Figura 20-3 mostra a parcela do PIB dedicado ao consumo ao longo das últimas oito décadas. As despesas de consumo são divididas em três categorias: bens duráveis, como automóveis; bens não duráveis, como alimentos; e serviços, como assistência médica. O setor com crescimento mais rápido é o dos serviços.

Investimento e formação de capital

Até agora, a nossa análise tem afastado todo o capital. Na vida real, contudo, os países dedicam parte do seu produto à produção de capital – bens duráveis que aumentam a produção futura. O aumento do capital exige o sacrifício do consumo atual para aumentar o consumo futuro. Em vez de comer mais pizza no presente, as pessoas constroem novos fornos de pizza para possibilitar a produção de mais pizzas para consumo futuro.

Nas contas, o **investimento** consiste no acréscimo ao estoque de capital do país em edifícios, equipamento, softwares e estoques de matérias durante um ano. As contas nacionais incluem principalmente capital tangível (como edifícios e computadores), mas omitem a maioria do capital intangível (como pesquisa e desenvolvimento, ou despesas em educação).

> **Investimento real *versus* investimento financeiro**
>
> Os economistas definem investimento (ou, às vezes, investimento real) como a produção de bens de capital duráveis. No uso popular, "investimento", muitas vezes, significa o uso de dinheiro para comprar ações da General Motors ou para abrir uma conta de poupança.

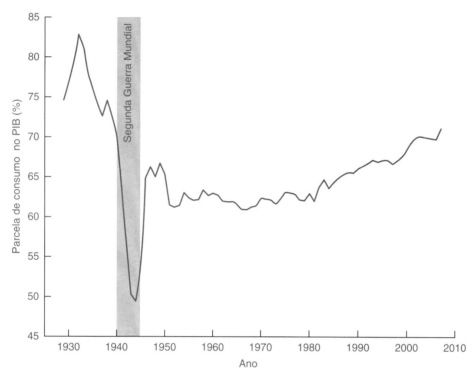

FIGURA 20-3 A parcela do consumo no produto nacional tem aumentado nos últimos anos.

A parcela do consumo no PIB total aumentou durante a Grande Depressão, quando as perspectivas de investimento caíram, depois despencaram bruscamente durante a Segunda Guerra Mundial, quando o esforço de guerra substituiu as necessidades civis. Em anos recentes, o consumo tem crescido mais rapidamente do que a produção total, à medida que a taxa de poupança nacional e as compras do governo têm diminuído.

Fonte: U.S. Bureau of Economic Analysis.

> Para tornar claro, os economistas chamam isso de *investimento financeiro*. Tente não confundir esses dois usos diferentes do termo "investimento".
>
> Se eu pegar US$ 1 mil da minha poupança e comprar algumas ações, isso não é o que os macroeconomistas chamam de investimento. Eu simplesmente troquei um ativo financeiro por outro. O investimento ocorre quando um bem de capital físico é produzido.

Como o investimento se encaixa nas contas nacionais? Se as pessoas estão usando parte da produção da sociedade para a formação de capital, em vez de a usarem para consumo, os economistas reconhecem que tais produtos devem ser incluídos no fluxo circular superior do PIB. Os investimentos representam acréscimos do estoque de bens de capital duráveis que aumentam as possibilidades de produção no futuro. Temos então de modificar a nossa definição inicial para o seguinte:

O produto interno bruto é a soma de todos os bens finais. Além dos bens e serviços de consumo temos de incluir também o investimento bruto.

Investimento líquido versus *bruto*. A nossa definição revista inclui "investimento bruto" juntamente com consumo. O que significa o termo "bruto" neste contexto? Indica que investimento inclui todos os bens de capital produzidos. O investimento bruto não está corrigido pela **depreciação**, a qual quantifica o montante do capital que foi consumido em um ano. Assim, o investimento bruto inclui todas as máquinas, fábricas e edifícios construídos em um ano – mesmo que alguns tenham sido produzidos simplesmente para substituir bens de capital velhos que foram destruídos ou descartados como sucata.

Se você quiser obter uma medida do aumento no capital da sociedade, o investimento bruto não é uma medida precisa. Dado que não subtrai a depreciação, o investimento bruto é amplo demais – bruto demais.

Uma analogia em relação à população tornará clara a importância de se considerar a depreciação. Se você quiser medir o crescimento populacional, não poderá contar apenas o número de nascimentos, porque, assim, iria exagerar a variação líquida da população. Para obter o crescimento da população, você também tem de subtrair o número de mortes.

A mesma ideia se verifica para o capital. Para encontrar o aumento líquido de capital, temos de partir do investimento bruto e subtrair as mortes de capital na forma de depreciação ou a quantidade de capital que foi gasto.

Assim, para estimar o aumento do estoque de capital, medimos o *investimento líquido*. O investimento líquido é sempre o capital que nasce (investimento bruto) menos as mortes de capital (depreciação do capital):

O investimento líquido é igual ao investimento bruto menos a depreciação.

Compras do governo

Parte da nossa produção nacional é comprada pelo governo em nível federal, estadual e municipal, e essas compras, é claro, fazem parte do PIB. Algumas compras do governo são de bens do tipo consumo (como alimentos para os militares), algumas são do tipo investimento (como escolas ou estradas). Ao medir a contribuição do governo para o PIB, simplesmente somamos todas essas compras do governo ao fluxo de consumo e investimento privados e, como veremos adiante, exportações líquidas.

Assim, todas as despesas do governo com salários dos seus funcionários, mais o custo dos bens que compra do setor privado (aparelhos de raio laser, estradas e aviões), são incluídas nessa terceira categoria do fluxo de produtos, chamada "despesas de consumo e investimento bruto do governo". Essa categoria é a contribuição dos governos federal, estadual e municipal para o PIB.

Exclusão das transferências. Isso significa que toda a despesa do governo é incluída no PIB? Certamente, não. O PIB inclui apenas as compras do governo; exclui as despesas com pagamentos de transferência.

As **transferências** do governo são pagamentos a pessoas que não são efetuados em troca do fornecimento de bens e serviços. Exemplos de transferências são seguro-desemprego, as pensões para veteranos de guerra e as pensões de invalidez ou velhice. Esses pagamentos satisfazem importantes propósitos sociais. Mas não são compras de bens ou serviços cotidianos, portanto são excluídos do PIB.

Assim, o salário pago pelo governo a um professor de uma escola pública, por ser um pagamento de um fator produtivo, será incluído no PIB. Um pagamento da previdência social a um trabalhador aposentado, por ser uma transferência, é excluído. Similarmente, os pagamentos de juros pelo governo são tratados como transferências e são omitidos no PIB.

Finalmente, não confunda a forma como as contas nacionais medem a despesa pública em bens e serviços (*G*) com o orçamento oficial do governo. Quando o Tesouro calcula as suas despesas, estas incluem as compras de bens e serviços (*G*) *mais* as transferências.

Impostos. Ao usar a abordagem do fluxo de produtos para calcular o PIB, não precisamos nos preocupar com a forma pela qual o governo financia a sua despesa. Não importa se o governo paga os seus bens e serviços com dinheiro dos impostos, emitindo moeda ou contraindo empréstimos. De onde quer que venha o dinheiro, o economista computa a componente governamental do PIB como o custo efetivo dos bens e serviços para o governo.

Mas, embora esteja correto que os impostos sejam ignorados na abordagem do fluxo de produtos, temos de considerar os impostos na abordagem do PIB pela renda ou pelo custo. Considere os salários, por exemplo. Parte do salário de cada um vai para o governo por meio dos impostos de renda de pessoa física. Esses impostos diretos têm de ser certamente incluídos na componente de salários das despesas das empresas e o mesmo se verifica para os impostos diretos (pessoais ou corporativos) sobre juros, aluguéis e lucros.

Considere agora os impostos sobre as vendas e outros impostos indiretos que os fabricantes e os varejistas têm de pagar por um pão (ou sobre as etapas agrícola, de moagem e panificação). Suponha que esses impostos indiretos totalizam 10 centavos por pão, e suponha que salários, lucros e outros itens do valor adicionado custam à indústria do pão 90 centavos. Quanto vale o pão na abordagem pelo produto? 90 centavos? Certamente que não. O pão será vendido por US$ 1, igual a 90 centavos dos custos dos fatores mais 10 centavos dos impostos indiretos.

Assim, a abordagem do PIB pelos custos inclui tanto os impostos indiretos como os diretos como elementos do custo de produção do produto final.

Exportações líquidas

Os Estados Unidos são uma economia aberta envolvida na importação e exportação de bens e serviços. O último componente do PIB – com uma importância crescente nos últimos anos – são as **exportações líquidas**, que são a diferença entre exportações e importações de bens e serviços.

Como estabelecemos a linha de separação entre o nosso PIB e o de outros países? O PIB dos Estados Unidos representa todos os bens e serviços produzidos dentro das fronteiras dos Estados Unidos. A produção diverge das vendas nos Estados Unidos em virtude de duas situações. Primeiro, parte de nossa produção (o trigo do Iowa e os aviões da Boeing) é adquirida por estrangeiros e expedida para o exterior, e esses itens constituem as *exportações*. Segundo, parte do que consumimos (petróleo do México e automóveis japoneses) é produzido no exterior e esses itens são as *importações* norte-americanas.

Um exemplo numérico. Podemos usar uma economia agrária simples para compreender como funcionam as contas nacionais. Suponha que a Agrovia produz 100 quilos de milho e que 7 quilos são importados. Destes, 87 quilos são consumidos (em *C*), 10 vão para compras do Governo para alimentar o exército (como *G*) e 6 vão para o investimento doméstico, como aumento dos estoques (*I*). Além disso, 4 quilos são exportados. Portanto, as exportações líquidas (*X*) são 4 − 7, ou −3.

Qual é, então, a composição do PIB da Agrovia? É a seguinte:

PIB = 87 de *C* + 10 de *G* + 6 de *I* − 3 de *X* = 100 quilos

Produto interno bruto, produto interno líquido e produto nacional bruto

Embora o PIB seja a medida do produto nacional mais amplamente usada para a produção nacional dos Estados Unidos, dois outros conceitos são frequentemente citados: o produto interno líquido e o produto nacional bruto.

Lembre-se que o PIB inclui o investimento *bruto*, que é o investimento líquido mais depreciação. Um simples raciocínio sugere que a inclusão da depreciação é como incluir tanto trigo como pão. Uma medida melhor incluiria apenas o investimento *líquido* no produto total. Ao subtrair a depreciação ao PIB, obtemos o **produto interno líquido** (PIL). Se o PIL é uma medida mais precisa do produto de um país do que o PIB, por que razão os contadores nacionais se centram no PIB? Eles fazem isso porque a depreciação é, de certa forma, difícil de estimar, enquanto o investimento bruto pode ser estimado de forma muito precisa.

Uma medida alternativa do produto nacional, amplamente utilizada até hoje, é o **produto nacional bruto** (PNB). Qual é a diferença entre o PIB e o PNB? O PNB é o produto total produzido com a mão de obra ou o capital, que é *propriedade de residentes de um dado país*, enquanto o PIB é a produção realizada com a mão de obra e o capital *localizados dentro desse país*.

Por exemplo, parte do PIB dos Estados Unidos é produzida em fábricas Honda que pertencem a empresas japonesas que operam nos Estados Unidos. Os lucros dessas fábricas são incluídos no PIB dos Estados Unidos, mas não em PNB, porque a Honda é uma empresa japonesa. Do mesmo modo, quando um economista americano vai ao Japão para dar uma palestra sobre a economia do basebol, o pagamento dessa palestra deveria ser incluído no PIB japonês e no PNB dos Estados Unidos. Para os Estados Unidos, o PIB é muito próximo do PNB, mas esses fatores podem ser muito diferentes em economias muito abertas.

Em resumo:

O produto interno líquido (PIL) é igual ao produto final total produzido dentro de um país durante um ano, em que o produto inclui o investimento líquido, ou o investimento bruto menos a depreciação:

PIL = PIB − depreciação

O produto nacional bruto (PNB) é o produto final total produzido com os fatores que pertencem aos residentes em um país durante um ano.

A Tabela 20-5 proporciona uma definição abrangente dos componentes importantes do PIB.

PIB e PIL: uma olhada nos números

Equipados com o conhecimento dos conceitos, podemos passar a observar os dados efetivos na importante Tabela 20-6.

Abordagem pelo fluxo de produção. Observe primeiro o lado esquerdo da Tabela 20-6. Nele, está a abordagem do PIB do arco superior, ou do fluxo do produto. Cada um dos quatro principais componentes está ali representado juntamente com o total monetário de cada componente para 2007. Destes, *C* e *G* e suas subclassificações óbvias não requerem uma grande análise.

O investimento doméstico privado bruto requer um comentário. O seu total (US$ 2.130 bilhões) inclui todos os novos investimentos das empresas, a construção residencial e o aumento das existências. A esse total bruto ainda não foi subtraída a depreciação do capital. Após a subtração de US$ 1.721 bilhões de amortizações ao investimento bruto, obtemos US$ 410 bilhões de investimento líquido.

Finalmente, repare no valor fortemente negativo das exportações líquidas, −708 bilhões. Esse valor negativo representa o fato de, em 2007, os Estados Unidos terem importado US$ 708 bilhões de bens e serviços a mais do que exportaram.

Somando as quatro componentes da esquerda obtemos o PIB total de US$ 13.808 bilhões. Essa é a razão pela qual temos trabalhado: a medida monetária do desempenho global da economia norte-americana em 2007.

Abordagem pelo fluxo dos custos. Passemos agora ao lado direito da tabela, que dá a abordagem do arco inferior, ou do fluxo de custos. Nele, estão todos os *custos de produção* mais os *impostos* e a *depreciação*.

As remunerações dos funcionários incluem salários, ordenados e outros benefícios salariais. Os juros líquidos são um item semelhante.

As rendas de aluguéis das pessoas incluem os aluguéis recebidos pelos proprietários de terras. Além disso, quem possuir a sua casa própria é tratado como se estivesse *pagando um aluguel a si próprio*. Essa é uma das muitas "imputações" (ou dados derivados) nas contas nacionais. Faz sentido no caso de realmente querermos medir os serviços habitacionais que os norte-americanos estão usufruindo e não quisermos que a estimativa mude quando as pessoas decidem possuir uma habitação no lugar de alugá-la.

Os impostos sobre a produção são incluídos como um item separado juntamente com alguns pequenos ajustes, incluindo as inevitáveis "discrepâncias estatísticas", que

1. **O PIB do lado do produto é a soma de quatro componentes principais:**
   - Despesa de consumo privado em bens e serviços (*C*)
   - Investimento doméstico privado bruto (*I*)
   - Despesa em consumo e investimento bruto do governo (*G*)
   - Exportações líquidas de bens e serviços (*X*) ou exportações menos importações
2. **O PIB do lado do custo é a soma das seguintes componentes principais:**
   - Remunerações (salários, ordenados e complementos)
   - Rendas da propriedade (lucros das empresas, rendas dos proprietários, juros e aluguéis)
   - Impostos sobre a produção e depreciação do capital
   (Recorde o uso da técnica do valor adicionado para evitar a dupla contabilização de bens intermediários comprados de outras empresas.)
3. **As medidas do PIB pelo produto e pelo custo são idênticas** (respeitando as regras contábeis do valor adicionado e da definição do lucro como valor residual).
4. **O produto interno líquido (PIL) é igual ao PIB menos a depreciação.**

TABELA 20-5 Conceitos-chave das contas nacionais da renda e do produto.

Produto interno bruto, 2007 (bilhões de dólares correntes)

Abordagem pelo produto		Abordagem pelas rendas, ou pelo custo	
1. Despesas em consumo pessoal	9.710	1. Remunerações dos empregados	7.812
Bens duráveis	1.083	2. Rendas dos proprietários	1.056
Bens não duráveis	2.833	3. Aluguéis	40
Serviços	5.794	4. Juros líquidos	664
2. Investimento doméstico privado bruto	2.130	5. Lucros das empresas (com ajustes)	1.642
Investimento fixo		6. Depreciação	1.721
Não residencial	1.504	7. Discrepâncias estatísticas e outros	872
Residencial	630		
Variação dos estoques	−40		
3. Exportações líquidas de bens e serviços	−708		
Exportações	1.662		
Importações	2.370		
4. Despesa de consumo e investimento bruto do governo	2.675		
Federal	979		
Estadual e local	1.696		
Produto interno bruto	**13.808**	**Produto interno bruto**	**13.808**

TABELA 20-6 As duas formas de observar as contas do PIB em valores reais.

O lado esquerdo mede o fluxo de produtos (a preços de mercado). O lado direito mede o fluxo de custos (rendas dos fatores e depreciação).
Fonte: U.S. Bureau of Economic Analysis.

refletem o fato de os funcionários nunca terem todas as informações necessárias.[1]

A depreciação dos bens de capital que foram gastos tem de aparecer como uma despesa no PIB, tal como outras despesas. O lucro é uma conta residual – é o que resta depois de todos os outros custos terem sido subtraídos das vendas. Há dois tipos de lucros: lucro das sociedades anônimas e os ganhos líquidos das sociedades não anônimas.

Os lucros (ou ganhos) das empresas de capital fechado compõem-se dos lucros de empresas em sociedade ou individuais. Grande parte corresponde aos lucros (ou ganhos) de agricultores e dos profissionais liberais.

---
[1] Os estatísticos trabalham com relatórios incompletos e preenchem os dados em falta por estimativa. Tal como as medidas em um laboratório de química diferem do ideal, assim surgem erros nas estimativas do PIB, tanto no arco superior como no inferior. Esses erros são compensados por um item designado "discrepâncias estatísticas". Juntamente com os funcionários que estão à frente de unidades encarregadas dos "Salários" ou dos "Juros" etc., existe de fato alguém com o título de "Chefe da Discrepância Estatística". Se os dados fossem perfeitos, essa pessoa ficaria sem emprego.

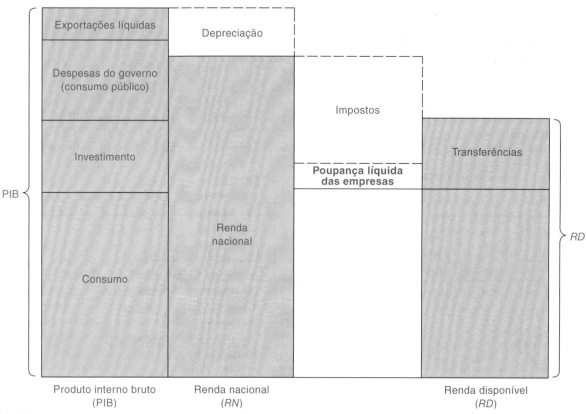

FIGURA 20-4 Partindo do PIB, podemos calcular a renda nacional (*RN*) e a renda pessoal disponível (*RD*).

Os conceitos de renda importantes são (1) o PIB, que é a renda bruta total de todos os fatores; (2) a renda nacional, que é a soma das rendas dos fatores e é obtida subtraindo a depreciação ao PIB, e (3) a renda pessoal disponível, que quantifica as rendas totais do setor das famílias, incluindo as transferências, mas menos os impostos.

Finalmente, aparecem os lucros das sociedades anônimas antes de impostos.

No lado direito, a abordagem pelo fluxo dos custos nos dá o mesmo PIB de US$ 13.808 bilhões, como a abordagem pelo fluxo do produto do PIB. Os dois lados concordam entre si.

Do PIB à renda disponível

As contas básicas do PIB são de interesse não só por si próprias, mas também em virtude de sua importância para compreender o comportamento dos consumidores e das empresas. Algumas indicações adicionais ajudarão a esclarecer a forma como as contas do país são elaboradas.

Renda nacional. Para ajudar a compreender a divisão da renda total entre os diferentes fatores de produção, construímos dados sobre a *renda nacional* (*RN*). A *RN* representa as rendas totais recebidas por trabalho, capital e terra. É obtido pela subtração da depreciação ao PIB. A renda nacional é igual ao total da remuneração do trabalho, da remuneração do tipo de renda, dos juros líquidos, da renda dos proprietários e dos lucros das empresas.

A relação entre o PIB e a renda nacional é apresentada nas duas primeiras colunas da Figura 20-4. A coluna da esquerda mostra o PIB, enquanto a segunda mostra as subtrações necessárias para obter a *RN*.

Renda disponível. Um segundo conceito importante questiona, "Quanto dinheiro as famílias têm efetivamente disponível por ano para as suas despesas?". O conceito de renda pessoal disponível (normalmente designado **renda disponível** ou *RD*) responde essa questão. Para obter a renda disponível, calculamos as rendas de mercado e as transferências recebidas pelas famílias, e subtraímos os impostos pessoais.

A Figura 20-4 mostra o cálculo da *RD*. Começamos com a renda nacional na segunda coluna. Subtraímos, a seguir, todos os impostos e, depois, a poupança líquida das empresas. (A poupança líquida das empresas é composta pelos lucros após depreciação menos os dividendos). Finalmente, voltamos a somar as transferências que as famílias recebem do governo. Isso constitui a *RD* que é mostrada na coluna do lado direito na Figura 20-4. A renda disponível é a que efetivamente fica nas mãos dos consumidores para gastarem como preferirem. (Essa análise omite alguns itens menores, como a discrepância estatística e as rendas líquidas dos fatores externos que são normalmente próximos de zero.)

Como veremos nos próximos capítulos, a *RD* é o que as pessoas dividem entre (1) a despesa de consumo e (2) a poupança pessoal.

Poupança e investimento

Como vimos, a produção tanto pode ser consumida como investida. O investimento é uma atividade econômica essencial, porque aumenta o estoque do capital disponível para a produção futura. Uma das mais importantes ideias sobre as contas nacionais é a identidade entre poupança e investimento. Demonstramos que, com base nas regras contábeis descritas atrás, *a poupança quantificada é exatamente igual ao investimento quantificado*. Essa igualdade é uma *identidade*, ou seja, por definição, precisa ser mantida.

No caso mais simples, suponha, por um momento, que não há governo nem setor externo. O investimento é a parte da produção nacional que não é consumida. A poupança é a parte da renda nacional que não é consumida. Mas como a renda e a produção nacionais são iguais, isso significa que a poupança é igual ao investimento. Em símbolos (*S* de *saving*, em inglês):

I = PIB pela abordagem do produto menos *C*
S = PIB pela abordagem da renda menos *C*

Mas ambas as abordagens resultam na mesma medida do PIB, portanto

I = *S*: a identidade entre a poupança e o investimento medidos

Esse é o caso mais simples. Precisamos também considerar o caso completo, que reúne as empresas, o governo e as exportações líquidas no mesmo quadro. No lado da poupança, a *poupança nacional*, ou total, (S^T) é composta de *poupança privada* das famílias e empresas (S^P), e *poupança do governo* (S^G). A poupança do governo é igual ao superávit orçamentário do governo, ou seja, à diferença entre as receitas dos impostos e as despesas.

No lado do investimento, o *investimento nacional* ou total (I^T) é o investimento doméstico privado bruto (*I*) mais o *investimento estrangeiro líquido*, que é aproximadamente o mesmo que exportações líquidas (*X*). Assim, a identidade poupança-investimento completa é dada por[2]

Investimento nacional	=	investimento privado	+	exportações líquidas		
	=	poupança privada	+	poupança do governo	=	poupança nacional

ou

$$I^T = I + X = S^P + S^G = S^T$$

Por definição, a poupança nacional é igual ao investimento nacional. Os componentes do investimento são o investimento doméstico privado e o investimento estrangeiro (ou as exportações líquidas). As fontes da poupança são a poupança privada (pelas famílias e empresas) e a poupança do governo (o excedente do orçamento do governo). A soma do investimento privado mais as exportações líquidas é igual à poupança privada mais o superávit do orçamento. Essas identidades precisam se manter sempre, qualquer que seja a situação do ciclo econômico.

ALÉM DAS CONTAS NACIONAIS

Os defensores do sistema econômico e social existente argumentam com frequência que as economias de mercado produziram um crescimento do produto real nunca antes observado na história da humanidade. "Vejam como o PIB tem aumentado graças às virtudes dos mercados livres", dizem os admiradores do capitalismo.

Mas os críticos apontam algumas deficiências ao PIB. O PIB inclui muitas variáveis questionáveis e omite muitas atividades econômicas com valor. Como disse um crítico, "Não me falem de todos os vossos dólares e produção, do vosso produto interno bruto. Para mim, o PIB significa poluição interna bruta!".

O que devemos pensar? Não é verdade que o PIB inclui a produção pelo governo de bombas e mísseis, juntamente com os salários pagos aos guardas das prisões? O aumento da criminalidade não faz disparar as vendas de alarmes para residências, que se somam ao PIB? O corte de florestas insubstituíveis não representa uma produção positiva nas nossas contas nacionais? O PIB não falha na consideração da degradação ambiental, como a chuva ácida e o aquecimento global?

Nos últimos anos, os economistas começaram a desenvolver novas medidas para corrigir os maiores defeitos dos valores do PIB padrão e para refletir melhor os verdadeiros resultados de satisfação e produção da nossa economia. As novas abordagens tentam expandir as fronteiras das contas tradicionais, com a inclusão de importantes atividades exteriores ao mercado, bem como no expurgo de atividades prejudiciais, que são incluídas como parte do produto nacional. Vejamos alguns dos pontos fortes e fracos omitidos.

Atividades extramercado omitidas. Recorde que as contas tradicionais incluem principalmente atividades do

---
[2] Para esta análise, consideramos apenas o investimento privado e tratamos, portanto, todas as compras do governo como consumo. Atualmente, na maioria das contas nacionais, as compras do governo são divididas entre consumo e investimentos tangíveis. Se incluirmos o investimento do governo, então esse investimento será adicionado tanto ao investimento nacional como ao superávit do governo.

mercado. Muitas atividades econômicas úteis ocorrem fora dele. Por exemplo, os estudantes universitários estão investindo em capital humano. As contas nacionais registram as mensalidades escolares, mas omitem os custos de oportunidade dos ganhos que são perdidos. Há estudos que indicam que a inclusão de investimentos que ocorrem fora do mercado, em educação e em outras áreas, duplicaria ou mais a taxa de poupança nacional.

Similarmente, muitas atividades domésticas produzem bens e serviços com valor de "quase mercado", como fazer refeições, lavar roupas e cuidar de crianças. Estimativas recentes indicam que o valor do trabalho doméstico não-remunerado poderá ser quase 50% do total do consumo de mercado. Talvez a maior omissão nas contas de mercado seja o valor do tempo de lazer. Em média, os norte-americanos gastam tanto tempo em atividades de lazer, que geram utilidade, quanto em atividades de trabalho, que geram renda. Contudo, o valor do tempo de lazer é excluído das nossas estatísticas nacionais oficiais.

É provável que você queira saber a respeito da economia subterrânea que cobre uma grande variedade de atividades de mercado e que não é relatada ao governo. Nessa economia, contam-se atividades como o jogo, a prostituição, o tráfico de drogas, o trabalho exercido por imigrantes ilegais, a troca de serviços sem o registro de todo o movimento na caixa registadora. De fato, muita da atividade subterrânea é intencionalmente excluída, porque o produto nacional exclui atividades ilegais – por consenso social estes são "males" e não "bens". Um volumoso comércio de cocaína não entra no PIB. Para outras atividades ilegais, mas apenas não declaradas, como gorjetas, o Departamento do Comércio dos Estados Unidos faz estimativas com base em pesquisas e auditorias das autoridades fiscais.

Danos ambientais omitidos. Além de omitir atividades, por vezes o PIB omite alguns dos efeitos colaterais prejudiciais da atividade econômica. Um exemplo importante é a omissão de danos ambientais. Por exemplo, suponha que os residentes da Subúrbia compram 10 milhões de kilowatt-hora (kWh) de eletricidade para o ar condicionado de suas casas, pagando à Companhia Elétrica 10 centavos por kWh. Esse US$ 1 milhão cobre os custos da mão de obra, da usina elétrica e de combustível. Mas, suponha que a empresa causa prejuízos na vizinhança com a poluição gerada no processo de produção de eletricidade. A empresa não arca quaisquer custos por essa externalidade. A nossa medida do produto deveria não só somar o valor da eletricidade (como faz o PIB), mas subtrair também os danos ambientais causados pela poluição (o que o PIB não faz).

Suponha que, para além dos 10 centavos de custos diretos, há 2 centavos por kilowatt-hora de danos ambientais para a saúde pública. Estes são os "custos externos" da poluição não pagos pela Companhia Elétrica e que totalizam US$ 200 mil. Para corrigir esse custo oculto, em um conjunto de contas alargadas, deveríamos subtrair US$ 200 mil de "males de poluição" ao fluxo de US$ 1 milhão de "bens de eletricidade". De fato, os estatísticos do governo *não* subtraem nas contas nacionais os custos da poluição.

Os economistas têm alcançado progressos consideráveis no desenvolvimento de *contas nacionais ampliadas*, que são concebidas para incluir atividades para além das definições tradicionais das contas nacionais. O princípio geral das contas ampliadas é incluir toda a atividade econômica que seja admissível, tendo ou não tendo essa atividade no mercado. Exemplos de contas ampliadas incluem estimativas do valor da pesquisa e desenvolvimento, dos investimentos fora do mercado em capital humano, da produção doméstica não remunerada, das florestas e do tempo de lazer. Os economistas estão até desenvolvendo contas para os dados da poluição do ar e do aquecimento global. Quando essas contas adicionais estiverem completas, teremos um quadro financeiro mais abrangente da economia.

Mas esteja ciente de que mesmo as contas econômicas mais refinadas medem apenas a atividade econômica. Não tentam – na verdade não podem – medir a satisfação máxima, os prazeres ou dores das pessoas em suas vidas cotidianas. Esse aspecto foi colocado eloquentemente por Robert Kennedy em um de seus últimos discursos:

> O produto nacional bruto não inclui a saúde das nossas crianças, a qualidade da sua educação, ou a alegria das suas brincadeiras. Não inclui a beleza de nossa poesia, ou a força dos nossos casamentos; a inteligência do nosso debate público ou a integridade dos nossos funcionários públicos. Não mede nem a nossa sagacidade nem a nossa coragem; nem a nossa sabedoria, nem o nosso conhecimento; nem a nossa compaixão, nem a nossa devoção ao nosso país.

ÍNDICES DE PREÇOS E INFLAÇÃO

Neste capítulo, até agora nos concentramos na quantificação da produção nacional e dos seus componentes. Mas as pessoas preocupam-se atualmente com as tendências globais dos preços, ou seja, com a inflação. O que significam esses termos?

Comecemos por uma definição minuciosa:

Um **índice de preços** (com o símbolo P) é uma medida do nível médio de preços. **Inflação** (com o símbolo π) corresponde a um aumento do nível geral dos preços. A **taxa de inflação** é a taxa de variação do nível geral de preços e é calculada do seguinte modo:

$$\text{Taxa de inflação no ano } t = \pi_t = 100 \times [(P_t - P_{t-1})/P_{t-1}]$$

A maioria dos períodos da história recente tem sido de inflação positiva. O oposto de inflação é a **deflação**, que ocorre quando o nível geral de preços diminui. As deflações têm sido raras no último meio século. Nos Estados Unidos, a última vez que os preços ao consumidor caíram de um ano para outro foi em 1955. Deflações sustentadas, em que os preços diminuem continuamente ao longo de um período de vários anos, estão associadas a depressões, como as que ocorreram nos Estados Unidos nos anos 1890 e 1930. Mais recentemente, o Japão passou por deflação durante grande parte das duas últimas décadas, quando sua economia sofreu uma recessão prolongada.

Índices de preços

Quando os jornais anunciam que "a inflação está aumentando" estão, de fato, referindo-se à evolução de um índice de preços. Um índice de preços é uma média ponderada dos preços de um conjunto de bens e serviços. Na elaboração de índices de preços, os economistas ponderam os preços individuais pela importância econômica de cada bem. Os índices de preços mais importantes são o índice de preços ao consumidor, o índice de preços do PIB e o índice de preços do produtor.

Índice de preços no consumidor (IPC). A medida mais amplamente utilizada do nível geral de preços é o índice de preços ao consumidor, também conhecido por IPC, calculado, nos Estados Unidos, pelo Bureau of Labor Statistics (BLS). O IPC é uma medida do preço pago pelos consumidores urbanos por um conjunto de bens e serviços de mercado. Todos os meses os estatísticos do governo recolhem os preços de cerca de 80 mil bens e serviços para mais de 200 categorias principais. Os preços são, depois, tratados nos oito principais grupos listados a seguir com alguns exemplos:

- Alimentos e bebidas (cereais matinais, leite e lanches).
- Habitação (aluguel da residência principal, aluguel equivalente do proprietário, mobília do quarto).
- Vestuário (camisas, blusas, bijuterias).
- Transporte (veículos novos, gasolina, seguro automotivo).
- Os cuidados médicos (medicamentos, serviços médicos, óculos).
- Lazer (televisores, equipamentos de esportes, ingressos).
- Educação e comunicação (mensalidades na universidade, softwares).
- Outros bens e serviços (cortes de cabelo, despesas de funeral).

Como os diferentes preços são ponderados no cálculo de índices de preços? Seria um disparate evidente limitarmo-nos a somar os diferentes preços ou a ponderá-los pela sua massa ou volume. Em vez disso, um índice de preços é construído por meio da *ponderação de cada preço de acordo com a importância econômica do bem em questão*.

No caso do IPC tradicional, a cada bem é atribuído uma ponderação fixa proporcional à sua importância relativa nos orçamentos de despesa do consumidor; a ponderação de cada bem é proporcional à despesa total pelos consumidores nesse bem, determinada por meio de uma pesquisa das despesas do consumidor no período de 2005-2006. A partir de 2008, os custos relacionados com a habitação eram a maior categoria isolada no IPC, tomando mais de 42% dos orçamentos de despesa do consumidor. Comparativamente, o custo de automóveis novos e outros veículos a motor contavam apenas 7% do orçamento de despesas do consumo do IPC.

Cálculo do IPC

Vale a pena conhecer a técnica exata que é usada para calcular as variações do IPC. A fórmula no texto está correta, mas precisamos explicar como a fórmula funciona quando há muitos bens e serviços. A variação do IPC geral é a média ponderada da variação dos componentes, em que

Variação % do IPC no período $t =$

$$= 100 \times \left\{ \sum_{\substack{\text{Todos} \\ \text{os itens}}} \begin{array}{l} [\text{ponderação do bem } i \text{ em } (t-1)] \\ \times [\text{variação percentual do} \\ \text{bem } i \text{ de } (t-1) \text{ a } t] \end{array} \right\}$$

Para aplicar a um exemplo concreto, a tabela a seguir mostra a variação efetiva de preços e os dados sobre a importância relativa:

Categoria	Importância relativa, dezembro 2007 (%)	% variação no último ano
Alimentação e bebidas	14,9	4,4
Moradia	42,4	3,0
Vestuário	3,7	-1,4
Transporte	17,7	8,2
Assistência médica	6,2	4,6
Lazer	5,6	1,3
Educação e comunicação	6,1	3,0
Outros bens e serviços	3,3	3,2
Todos os itens	**100,0**	**4,0**

Verifica-se que a taxa de inflação no período de março de 2007 a março de 2008 foi de 4% ao ano. (A Questão 9 no fim deste capítulo desenvolve a análise desse cálculo.)

Este exemplo capta a essência da forma como o IPC tradicional mede a inflação. A única diferença entre este cálculo simples e os reais é que o IPC inclui muitos mais bens e regiões. Quanto ao resto, o procedimento é exatamente o mesmo.

Índice de preços do PIB. Outro índice de preços amplamente usado é o *índice de preços do PIB* (às vezes também chamado de deflator do PIB), que encontramos anteriormente nesse capítulo. O índice de preços do PIB é o preço de todos os bens e serviços produzidos no país (consumo, investimento, compras do governo e exportações líquidas) e não apenas de um único componente, como o consumo. Esse índice também é diferente do IPC tradicional, porque é um índice encadeado que leva em conta as parcelas variáveis dos diferentes bens (ver a discussão sobre séries de índices encadeados na p. 348). Além disso, há índices de preços para componentes do PIB, como para bens de capital, computadores, consumo pessoal etc., que, às vezes, são usados como complemento do IPC.

Índice de preços no produtor (IPP). Este índice, que data de 1890, constitui a série estatística contínua mais antiga publicada pelo BLS. O IPP mede o nível de preços no atacado ou ao nível do produtor. Baseia-se nos preços de mais de 8 mil mercadorias, incluindo preços de alimentos, produtos manufaturados e minérios. Os pesos fixos usados para calcular o IPP são as vendas líquidas de cada bem. Em virtude de seu grande detalhamento, esse índice é amplamente utilizado pelas empresas.

Obtendo os preços corretos

A medição correta dos preços é uma das questões centrais da economia empírica. Os índices de preços não afetam apenas coisas óbvias como a taxa de inflação. Também estão embutidos em medidas do produto real e da produtividade. E, por meio das políticas governamentais, afetam a política monetária, os impostos, os programas sociais – como o da previdência social – e muitos contratos privados.

O propósito do índice de preços no consumidor é medir o custo de vida. Você poderá ficar surpreso ao saber que essa é uma tarefa difícil. Há alguns problemas intrínsecos aos índices de preços. Uma questão é o *problema dos números índices*, que consiste em qual deverá ser a ponderação, ou média, dos diferentes preços. Recorde que o IPC tradicional usa um peso fixo para cada bem. Como resultado, o custo de vida é sobrestimado quando comparado com uma situação em que os consumidores substituem bens relativamente caros por bens relativamente mais baratos.

O caso dos preços da energia pode ilustrar o problema. Quando os preços da gasolina aumentam muito, as pessoas tendem a reduzir as suas despesas de gasolina comprando automóveis menores e viajando menos. Contudo, o IPC pressupõe que continuam a comprar a mesma quantidade de gasolina, mesmo que os preços possam ter duplicado. O aumento global do custo de vida foi dessa forma exagerado. Os estatísticos desenvolveram formas de minimização de tais problemas dos números índices usando diferentes abordagens de pesos, como ajustar os pesos à variação das despesas, mas os estatísticos do governo estão iniciando recentemente a experiência com essas novas abordagens ao IPC.

Um problema mais importante ocorre em virtude da dificuldade de ajustar os índices de preços para captar a contribuição de *bens e serviços novos ou melhorados*. Um exemplo ilustrará esse problema. Nos últimos anos, os consumidores têm se beneficiado de lâmpadas fluorescentes compactas. Essas lâmpadas iluminam por, aproximadamente, 1/4 do custo das lâmpadas antigas, ou incandescentes. Contudo, nenhum dos índices de preços incorporou a melhoria da qualidade. Da mesma forma, quando os CDs e os MP3 substituíram os discos de vinil; quando a TV por satélite ou à cabo, com centenas de canais, substituiu a tecnologia antiga com um número reduzido deles; quando o transporte aéreo substituiu o transporte ferroviário ou por estrada e milhares de outros bens e serviços melhorados, os índices de preço não refletiram as melhorias de qualidade.

Estudos recentes indicam que se a variação da qualidade tivesse sido adequadamente incorporada nos índices de preços, o IPC teria crescido menos rapidamente nos últimos anos. Esse problema é especialmente agudo na assistência médica. Nesse setor, os preços registrados têm aumentado acentuadamente nas duas últimas décadas; porém, não temos uma medida da qualidade adequada para os cuidados de saúde e o IPC ignora completamente a introdução de novos produtos, como os remédios que substituíram cirurgias internas caras.

Um grupo de destacados economistas, dirigidos por Michael Boskin, da Universidade Stanford, examinou esse assunto e estimou que o viés para cima do IPC era ligeiramente superior a 1% ao ano. Esse é um número pequeno com grandes implicações. Indica que os números do nosso produto real podem estar sendo *subestimados* pelo mesmo valor. Se o viés do IPC se transfere para o deflator do PIB, então o crescimento da produção por trabalhador-hora nos Estados Unidos teria sido subestimado em 1% ao ano.

Essa descoberta implica também que os ajustes do custo de vida (que são usados nos benefícios da previdência social e nos sistemas de impostos) mais do que compensaram as pessoas pelas variações do custo de vida. O viés teria tido efeitos substanciais na totalidade dos impostos e dos benefícios em um período de muitos anos. Os números índices não são somente conceitos obscuros com interesse somente para um punhado de técnicos. A adequada construção de índices de preço e de produto afeta os orçamentos do

Governo, os programas de pensões e mesmo a forma como avaliamos o nosso desempenho econômico nacional.

Em resposta à sua própria pesquisa e à dos seus críticos, o BLS concluiu uma importante renovação do IPC. A inovação mais importante foi a publicação a partir de 2002 de um "índice encadeado de preços ao consumidor", que aumenta o índice de preços em base fixa com um sistema de base móvel (como o índice encadeado usado nas contas do PIB, discutida na p. 348), que leva em consideração a substituição no consumo. Na primeira década em que foi publicado, o IPC encadeado de fato aumentou mais lentamente do que o IPC tradicional. Parece que os críticos deste estavam corretos quando afirmavam que ele sobrestimava a inflação, embora a dimensão da superestimação seja provavelmente menor do que o estimado pela Comissão Boskin.[3]

AVALIAÇÃO DA CONTABILIDADE

Neste capítulo analisamos a forma como os economistas quantificam o produto nacional e o nível geral de preços. Tendo analisado a medição da produção nacional e as limitações do PIB, o que poderemos concluir sobre a adequação das nossas medidas? Elas refletem as principais tendências? Elas são medidas adequadas da totalidade do bem-estar social? A resposta foi dada com competência em uma análise de Arthur Okun:

> Não deve ser surpresa que a prosperidade nacional não garanta a felicidade de uma sociedade, tal como a prosperidade pessoal não garanta a felicidade de uma família. Nenhum crescimento do PIB pode ter em conta as tensões resultantes de uma guerra impopular e malsucedida, um longo conflito de consciência sobre a injustiça racial, a erupção súbita de vícios sexuais e uma afirmação sem precedentes de independência pelos jovens. Contudo, a prosperidade [...] continua a ser a condição prévia para alcançar com êxito muitas das nossas aspirações.[4]

RESUMO

1. As contas nacionais da produção e da renda contêm as principais medidas da renda e do produto de um país. O produto interno bruto (PIB) é a medida mais abrangente da produção de bens e serviços de um país. Compreende o valor monetário do consumo (C), do investimento doméstico privado bruto (I), das compras pelo governo (G) e das exportações líquidas (X) gerado em um país em um determinado ano. Recorde a fórmula:

   $$PIB = C + I + G + X$$

   Esta, às vezes, é simplificada pela combinação do investimento doméstico privado e das exportações líquidas em investimento nacional bruto total ($I^T = I + X$):

   $$PIB = C + I^T + G$$

2. Podemos igualar a medida do PIB pelo fluxo de produtos do arco superior com a do fluxo de custos do arco inferior, como é mostrado na Figura 20-1. A abordagem pelo fluxo de custos usa as rendas dos fatores de produção e calcula cuidadosamente o valor adicionado para eliminar a dupla contagem dos produtos intermediários. Após a soma da totalidade das rendas (antes de impostos) em salários, juros, rendas, depreciação e lucros, adiciona a totalidade dos custos de impostos indiretos sobre as empresas. O PIB não inclui os itens de transferências, como os benefícios da previdência social.

3. Com o uso de um índice de preços, podemos "deflacionar" o PIB nominal (PIB a preços correntes) para chegar a uma medida mais exata do PIB real (PIB expresso monetariamente com o poder de compra de um determinado ano base). O uso de tal índice de preços corrige a medida "maleável" implícita na variação do nível de preços.

4. O investimento líquido é positivo quando um país está produzindo mais bens de capital do que os que estão atualmente sendo gastos na forma de depreciação. Como é difícil estimar com exatidão a depreciação, os estatísticos têm mais confiança em suas medidas do investimento bruto do que nas do investimento líquido.

5. A renda nacional e a renda disponível são duas medidas oficiais adicionais. A renda disponível (RD) é o que as pessoas dispõem efetivamente – depois do pagamento de todos os impostos, da poupança das empresas em lucros não distribuídos e de terem sido feitos os ajustes devidos pelas transferências – para gastar em consumo ou para poupar.

6. Usando as regras das contas nacionais, a poupança quantificada tem de ser exatamente igual ao investimento quantificado. Isso é facilmente observado em uma economia hipotética que tenha apenas famílias. Em uma economia completa, *a poupança privada e o excedente do governo são iguais ao investimento doméstico mais o investimento estrangeiro líquido*. A identidade entre a poupança e o investimento é simplesmente assim: a poupança tem de ser igual ao investimento, esteja a economia em expansão ou em recessão, em guerra ou em paz. É uma consequência das definições das contas da renda nacional.

7. O produto interno bruto e mesmo o produto interno líquido são medidas imperfeitas do verdadeiro bem-estar econômico. Nos últimos anos, os estatísticos começaram a corrigir considerando atividades exteriores ao mercado, como o trabalho doméstico não-remunerado e as externalidades ambientais.

8. A inflação ocorre quando o nível geral de preços está aumentando (e a deflação quando está diminuindo).

---

[3] Ver a seção "Leituras adicionais", ao final deste capítulo, sobre um simpósio da configuração do IPC.

[4] *The Political Economy of Prosperity* (Norton, Nova York, 1970) p. 124.

Calculamos o nível geral de preços e a taxa de inflação usando índices de preços – médias ponderadas dos preços de milhares de produtos diferentes. O mais importante índice de preços é o índice de preços no consumidor (IPC) que, em geral, mede o custo de uma cesta básica fixa de bens e serviços de consumo em relação ao custo dessa cesta básica durante um ano base determinado. Estudos recentes indicam que a tendência do IPC tem um importante viés para cima em virtude dos problemas de números índices e da omissão de produtos novos e melhorados, e o governo tem tomado medidas para corrigir alguns desses desvios.

9. Lembre-se das fórmulas úteis a partir deste e do capítulo anterior:

a. Para calcular o crescimento do PIB em um único período:

Crescimento do PIB real no ano t em um único período $= 100 \times (\text{PIB}_t - \text{PIB}_{t-1})/\text{PIB}_{t-1}$

b. Para calcular a inflação com um único bem:

Taxa de inflação no ano $t = \pi_t = 100 \times (P_t - P_{t-1})/P_{t-1}$

c. Taxa de crescimento de vários anos:

Crescimento de $(t - n)$ para t:

$$g_t^{(n)} = 100 \times [(X_t/X_{t-n})^{1/n} - 1]$$

d. Para o cálculo do IPC com bens múltiplos:

$$\text{var. \% no IPC} = 100 \times \left[\sum_{\substack{\text{Todos} \\ \text{os itens}}} (\text{peso}_i) \times (\text{var. \% de } p_i) \right]$$

CONCEITOS PARA REVISÃO

- contas nacionais da renda e do produto (contas nacionais)
- PIB real e nominal
- deflator do PIB
- PIB = $C + I + G + X$
- investimento líquido = investimento bruto – depreciação
- PIB em duas perspectivas equivalentes:
  - do produto (arco superior)
  - das rendas (arco inferior)
- bens intermediários, valor adicionado
- PIL = PIB – depreciação
- transferências do governo
- renda disponível (RD)
- identidade investimento-poupança:
  - $I = S$
  - $I^T = I + X = S^P + S^G = S^T$
- inflação, deflação
- índice de preços:
  - IPC
  - índice de preços do PIB
  - IPP
- Fórmulas de taxa de crescimento

LEITURAS ADICIONAIS E SITES

Leituras adicionais

Uma magnífica compilação de dados históricos sobre os Estados Unidos está em Susan Carter et al., *Historical Statistics of the United States*: Millennial Edition (Cambridge, 2006). Disponível nos sites em <http://hsus.cambridge.org/HSUSWeb/HSUSEntryServlet>. Uma revisão dos assuntos que envolvem o cálculo do índice de preços no consumidor é apresentada em "Symposium on the CPI", *Journal of Economic Perspectives*, Winter, 1998.

As citações de Robert Kennedy são de "Recapturing America's Moral Vision", 18 de março, 1968, em *RFK*: Collected Speeches (Viking Press, New York, 1993).

Sites

O melhor site para as contas nacionais da renda e a produção dos Estados Unidos é mantido pelo Bureau of Economic Analysis (BEA), disponível em <http://www.bea.gov>. Esse site também contém questões recentes do *The Survey of Current Business*, que analisa tendências econômicas recentes.

Um repositório abrangente de dados oficiais dos Estados Unidos sobre muitos setores é o "FRED", organizado pelo Federal Reserve Bank of St. Louis em <http://research.stlouisfed.org/fred2>. A melhor fonte para dados sobre os Estados Unidos é o *The Statistical Abstract of the United States*, publicado anualmente. Está disponível em <http://www.census.gov/compendia/statab/>. Muitos conjuntos de dados importantes podem ser encontrados em <http://www.economagic.com/>.

Uma resenha recente de abordagens alternativas às contas ampliadas e do ambiente encontra-se em um relatório da National Academy of Sciences em William Nordhaus e Edward Kokkenlenberg, eds., *Nature Numbers*: Expanding the National Accounts to Include the Environment (National Academy Press, Washington, D.C., 1999), disponível em <http://www.nap.edu>.

QUESTÕES PARA DISCUSSÃO

1. Defina cuidadosamente os conceitos a seguir e dê um exemplo de cada um:
    a. Consumo
    b. Investimento doméstico privado bruto
    c. Consumo e compras de investimento pelo governo (incluído no PIB)
    d. Pagamento de transferências pelo governo (não incluído no PIB)
    e. Exportações

2. Às vezes, ouve-se que "Não se pode somar bananas com laranjas". Mostre que podemos somá-las e que o fazemos nas contas nacionais. Explique como.

3. Examine os dados do Apêndice no Capítulo 19. Localize os valores do PIB nominal e real para 2006 e 2007. Calcule o deflator do PIB. Quais foram as taxas de crescimento do PIB nominal e do PIB real para 2007? Qual foi a taxa de inflação (medida pelo deflator do PIB) para 2007? Compare a taxa de inflação usando o deflator do PIB que se obtém usando o IPC.

4. Robinson Crusoe produz um produto pelo arco superior de US$ 1 mil. Ele paga US$ 750 em salários, US$ 125 em juros e US$ 75 em aluguéis. Qual deve ser o seu lucro? Se 3/4 do produto de Crusoe forem consumidos e o resto investido, calcule o PIB da Crusolândia, tanto na abordagem do produto como na da renda, e demonstre que têm de ser exatamente iguais.

5. Eis agora alguns quebra-cabeças. Você sabe por que os seguintes acontecimentos não são contabilizados no PIB?
   a. As refeições saborosas feitas por um cozinheiro em casa.
   b. A compra de um lote de terreno.
   c. A compra de uma pintura original de Rembrandt.
   d. O valor que obtenho em 2012 ao ouvir um disco compacto de 2005.
   e. Os danos causados às residências e às colheitas pelas emissões poluentes das usinas elétricas.
   f. Os lucros da IBM com a produção em uma fábrica na Inglaterra.

6. Considere o país Agrovia, cujo PIB é analisado na subseção "Um exemplo numérico". Construa um conjunto de contas nacionais como as da Tabela 20-6, considerando que o trigo custa US$ 5 por quilo, que não há qualquer depreciação, que os salários são 3/4 do produto nacional, os impostos indiretos sobre as empresas são usados para financiar 100% da despesa do governo e o resto da renda são as rendas dos agricultores.

7. Reveja a discussão do viés no IPC. Explique por que razão a falha na consideração da melhoria da qualidade de um novo bem leva a um viés para cima da tendência do IPC. Considere um bem que lhe seja familiar. Explique como a sua qualidade tem mudado e por que pode ser difícil a um índice de preços captar o aumento da qualidade.

8. Nas últimas décadas, as mulheres têm trabalhado mais horas em empregos remunerados e menos horas em trabalho doméstico não remunerado.
   a. Como o PIB é afetado por esse aumento das horas de trabalho?
   b. Explique por que esse aumento no PIB medido irá superestimar o verdadeiro aumento da produção. Explique também como um conjunto de contas nacionais ampliadas, que inclua a produção em casa, trataria essa variação de trabalho extra mercado para trabalho de mercado.
   c. Explique a expressão: "Quando uma mulher casa com o seu jardineiro, o PIB diminui".

9. Examine os números da variação de preços mostrados na página 357.
   a. Use a fórmula para calcular o aumento do IPC de março de 2007 a março de 2008 até duas casas decimais. Verifique que o valor mostrado na tabela está correto até uma casa decimal.
   b. O nível do IPC foi de 205,1 em março de 2007. Calcule o IPC em março de 2008.

10. As observações de Robert Kennedy sobre as deficiências das medidas da produção nacional incluem também o seguinte: "O produto interno bruto inclui a poluição do ar, a propaganda de cigarro e as ambulâncias para limpar as nossas estradas da carnificina. Ele conta fechaduras especiais para as nossas portas e prisões para as pessoas que as querem arrombar. O PIB inclui a destruição das sequoias e a morte do Lago Superior". Relacione formas como as contas podem ser redesenhadas para incorporar esses efeitos.

CAPÍTULO 21

Consumo e investimento

A equação do Micawber:
Renda de 20 libras - Despesa de 19,975 libras = felicidade.
Renda de 20 libras - Despesa anual de 20,025 libras = miséria.
Charles Dickens
David Copperfield

O consumo e o investimento são as principais componentes da produção nacional. Naturalmente, os países querem altos níveis de consumo de itens como habitação, alimentação, educação e lazer. O objetivo da economia é, afinal, transformar os fatores de produção, como o trabalho e o capital, em consumo.

Mas a poupança e o investimento – a parte do produto que não é consumida – têm um papel central no desempenho econômico de um país. Os países que poupam e investem grandes parcelas de suas rendas tendem a ter um crescimento rápido da produção, da renda e dos salários; esse padrão caracterizou os Estados Unidos no século XIX, o Japão no século XX e, em especial, as economias "milagrosas" do Extremo Oriente nas décadas recentes. Pelo contrário, os países que consomem a maior parte das suas rendas, como muitos países pobres da África e da América Latina, têm capital obsoleto, níveis educacionais fracos e tecnologias defasadas; têm taxas reduzidas de crescimento da produtividade e dos salários reais. O elevado consumo em relação à renda gera um pequeno investimento e um crescimento lento; uma poupança elevada leva a um investimento elevado e ao crescimento rápido.

As interações entre a despesa e a renda desempenham um papel muito diferente durante as expansões e as contrações do ciclo econômico. Quando o consumo aumenta, isso aumenta a despesa total, ou demanda agregada, aumentando o produto e o emprego no curto prazo. A expansão econômica dos Estados Unidos no final dos anos 1990 foi muito impulsionada pelo rápido crescimento da despesa de consumo. Mas quando os consumidores americanos "apertaram os cintos" isso contribuiu para a recessão de 2007-2009.

Como são tão importantes para a macroeconomia, dedicamos este capítulo ao consumo e ao investimento.

A. CONSUMO E POUPANÇA

Esta seção aborda o comportamento do consumo e da poupança, iniciando com os padrões de despesa individual e observando, a seguir, o comportamento do consumo agregado. Recorde, do Capítulo 20, que o *consumo* (ou mais precisamente, despesas de consumo pessoais) é a despesa das famílias em bens e serviços finais. A *poupança* é a parte da renda pessoal disponível que não é despendida em consumo.

O consumo é a maior componente individual do PIB, constituindo 70% da despesa total dos Estados Unidos na última década. Quais são os principais elementos do consumo? Entre as principais categorias, encontram-se a habitação, os automóveis, a alimentação e os serviços médicos. A Tabela 21-1 apresenta os principais elementos, subdivididos nas três categorias principais de bens duráveis, bens não duráveis e serviços. Os itens, em si, são conhecidos, mas sua importância relativa, em especial a crescente importância dos serviços, merece algum tempo de estudo.

Padrões de despesa

Como os padrões de despesa com consumo das famílias nos Estados Unidos variam? Não há duas famílias que gastem a sua renda disponível exatamente da mesma forma. Contudo, as estatísticas mostram que existem regularidades previsíveis no modo como as pessoas repartem as suas despesas em alimentos, vestuário e outros

Categoria de consumo	Valor do consumo (US$, bilhões, 2007)	Percentagem do total
Bens duráveis	1.083	11,2%
Veículos motorizados e peças	440	
Móveis e equipamento doméstico	415	
Outros	227	
Bens não duráveis	2.833	29,2%
Alimentação	1.329	
Vestuário e calçado	374	
Energia	367	
Outros	763	
Serviços	5.794	59,7%
Habitação	1.461	
Serviços domésticos	526	
Transportes	357	
Serviços médicos	1.681	
Lazer	403	
Outros	1.366	
Total de despesas de consumo pessoal	9.710	100,0%

TABELA 21-1 As principais componentes do consumo.

Dividimos o consumo em três categorias: bens duráveis, bens não duráveis e serviços. A importância do setor dos serviços aumenta à medida que são satisfeitas as necessidades básicas de alimentação, mas também porque a saúde, o lazer e a educação exigem uma maior fatia dos orçamentos familiares.

Fonte: U.S. Bureau of Economic Analysis, disponível em <http://www.bea.gov>.

itens importantes. Milhares de pesquisas sobre os padrões de despesa familiares mostram coincidências observáveis em relação aos padrões gerais e qualitativos de comportamento.[1] A Figura 21-1 conta a história.

As famílias pobres gastam uma grande parte das suas rendas com as necessidades básicas: alimentação e habitação. Com o crescimento da renda, aumenta a despesa com muitos tipos de alimentos. As pessoas comem mais e melhor. Existem, contudo, limites para o dinheiro adicional que as pessoas gastam em alimentação quando aumenta a renda. Assim, a proporção da despesa total destinada à alimentação diminui, à medida que a renda aumenta.

As despesas em vestuário, lazer e automóveis aumentam mais do que proporcionalmente em relação à renda líquida – descontados os impostos –, à medida que se atingem os níveis mais elevados de renda. A despesa com bens de luxo aumenta em maior proporção do que a renda. Finalmente, e conforme observamos no conjunto das famílias, repare que a poupança aumenta muito rapidamente com o aumento da renda. A poupança é o maior de todos os luxos.

---

[1] Os padrões de despesa na Figura 21-1 são designados por "Leis de Engel", em memória ao estatístico prussiano do século XIX, Ernst Engel. O comportamento médio da despesa de consumo varia muito de acordo com a renda. Mas as médias não explicam tudo. Dentro de cada classe de renda, existe uma dispersão considerável do consumo em torno da média.

A evolução do consumo no século XX

As contínuas mudanças na tecnologia, nas rendas e nas forças sociais levaram, ao longo do tempo, a alterações significativas nos padrões de consumo nos Estados Unidos. Em 1918, as famílias norte-americanas gastavam, em média, 41% de suas rendas em alimentação e bebidas. Por comparação, as famílias gastam agora, apenas, cerca de 14% nesses itens. O que está subjacente a essa quebra tão acentuada? A principal causa é que a despesa com alimentação tende a crescer mais lentamente do que as rendas. De forma similar, a despesa com vestuário caiu de 18% da renda das famílias no princípio do século XX para apenas 4% nos dias de hoje.

Quais são os "bens de luxo" com os quais os norte-americanos mais gastam? Um grande item são os transportes. Em 1918, os norte-americanos gastavam apenas 1% de suas rendas com veículos – mas claro que Henry Ford só passou a vender o seu Modelo T em 1908. Atualmente, nos Estados Unidos, há 1,2 automóvel por motorista com habilitação. Não é de surpreender que 11% da despesa vão para gastos relacionados com o transporte via automóvel. E quanto ao entretenimento? As famílias gastam, hoje, grandes quantias com televisões, celulares e gravadores de DVD, itens que não existiam há 75 anos.

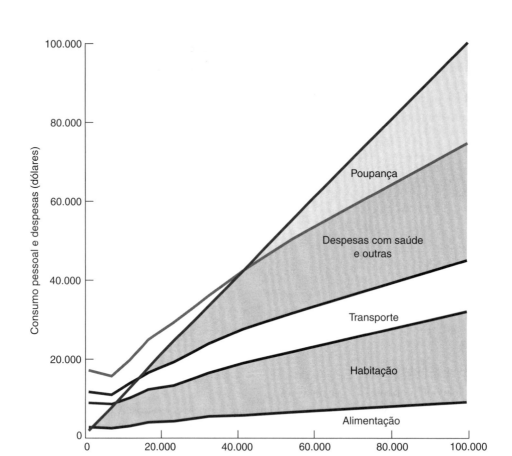

FIGURA 21-1 As despesas dos orçamentos familiares apresentam padrões regulares.

As pesquisas comprovam a importância da renda disponível como determinante das despesas de consumo. Observe a quebra percentual da alimentação relativamente à renda quando esta aumenta. Repare também que a poupança é negativa quando as rendas são baixas, mas aumenta substancialmente com rendas elevadas.

Fonte: U.S. Department of Labor, *Consumer Expenditure Surveys*: 1998, disponível na internet em <http://www.bls.gov/csxstnd.htm>.

Ao longo da última década, o maior aumento da despesa de consumo tem sido com os serviços médicos. Surpreendentemente as despesas dos consumidores para serviços médicos têm uma parcela do orçamento *familiar* aproximada da que tinham no início do século XX. O maior aumento ocorreu quando os governos assumiram parcelas cada vez maiores de gastos com saúde.

CONSUMO, RENDA E POUPANÇA

A renda, o consumo e a poupança estão estreitamente relacionados. Mais precisamente, a **poupança pessoal** é a parte da renda disponível que não é consumida; a poupança é igual à renda disponível menos o consumo.

A relação entre renda, consumo e poupança nos Estados Unidos em 2007 é indicada na Tabela 21-2. Começa com a renda pessoal (composta, como se demonstrou no Capítulo 20, por salários, remunerações complementares, juros, aluguéis, dividendos, transferências etc.). Em 2007, 12,8% da renda pessoal destinou-se a impostos sobre pessoa física. Sobraram US$ 10.171 bilhões de **renda pessoal disponível**. A despesa das famílias em consumo (incluindo juros) ascendeu a 99,4% da renda disponível, sobrando US$ 57 bilhões como poupança pessoal. O último item da tabela mostra a importante **taxa de poupança pessoal**. Esta é igual à percentagem da poupança pessoal em relação à renda disponível – um magro 0,6% em 2007.

Estudos econômicos têm demonstrado que a renda é o principal determinante do consumo e da poupança. Os ricos poupam mais do que os pobres, tanto em valor absoluto como em percentagem da renda. Os muito pobres não são capazes de poupar nada. Ao invés disso, saem gastando além da sua renda, desde que possam contrair dívidas ou reduzir a sua riqueza. Isto é, tendem a gastar mais do que ganham, reduzindo a sua poupança acumulada ou aumentando o seu endividamento.

A Tabela 21-3 contém dados ilustrativos sobre a renda disponível, a poupança e o consumo provenientes de estudos dos orçamentos das famílias norte-americanas. A primeira coluna mostra sete níveis diferentes de renda disponível. A coluna (2) indica a poupança, e a terceira a despesa com consumo para cada nível de renda.

Item	Quantia, 2007 (US$, bilhões)
Renda pessoal	11.693
Menos: impostos pessoais	1.493
Igual: renda disponível pessoal	10.171
Menos: despesas pessooais (consumo e juros)	10.113
Igual: poupança pessoal	57,4
Nota: Poupança pessoal em % da renda disponível pessoal	0,6

TABELA 21-2 A poupança é igual à renda disponível menos o consumo.
Fonte: U.S. Bureau of Economic Analysis, disponível em <http://www.bea.gov>.

	(1) Renda disponível (US$)	(2) Poupança líquida (+) ou poupança negativa (–) (US$)	(3) Consumo (US$)
A	24.000	–200	24.200
B	**25.000**	**0**	**25.000**
C	26.000	200	25.800
D	27.000	400	26.600
E	28.000	600	27.400
F	29.000	800	28.200
G	30.000	1.000	29.000

TABELA 21-3 O consumo e a poupança são determinados principalmente pela renda.

O consumo e a poupança aumentam com a renda disponível. O ponto limiar em que as pessoas têm uma poupança nula é indicado como US$ 25 mil. Qual a parcela do dinheiro adicional que as pessoas aplicam em consumo adicional nesse nível de renda? E quanto em poupança adicional? (*Resposta*: 80% e 20%, respectivamente, quando comparamos as linhas B e C.)

O *ponto limite* – em que a família típica não poupa nem recorre à poupança do passado, consumindo toda a sua renda – situa-se ao redor de US$ 25 mil. Abaixo do ponto limite, por exemplo, com US$ 24 mil, a família consome, efetivamente, mais do que a sua renda; (ver o valor de –US$ 200). Acima de US$ 25 mil começa a registrar-se um valor positivo da poupança [observe os +US$ 200 e os outros itens positivos na coluna (2)].

A coluna (3) mostra a despesa com consumo para cada nível de renda. Uma vez que cada dólar de renda se reparte entre a parte consumida e a restante que é poupada, as colunas (2) e (3) não são independentes; a sua soma deve ser sempre igual à da coluna (1).

Para compreender a forma como o consumo afeta o produto nacional, precisamos introduzir alguns novos instrumentos. Precisamos compreender como cada unidade monetária é dividida entre poupança adicional e consumo adicional. Essa relação é demonstrada por:

- A função consumo que relaciona o consumo e a renda.
- Sua contrapartida, a função poupança, que relaciona a poupança e a renda.

A função consumo

Uma das relações mais importantes de toda a macroeconomia é a **função consumo**. Ela mostra a relação entre o nível das despesas de consumo e o nível de renda pessoal disponível. Esse conceito, introduzido por Keynes, é baseado na hipótese de que existe uma relação empírica estável entre o consumo e a renda.

A função consumo pode ser apresentada de forma mais nítida na forma de gráfico. A Figura 21-2 apresenta os sete níveis de renda listados na Tabela 21-3. A renda disponível [coluna (1) da Tabela 21-3] está no eixo horizontal e o consumo [a coluna (3)] está no eixo vertical. Cada uma das combinações de renda-consumo é representada por um único ponto, sendo os pontos, depois, ligados por uma reta contínua.

A relação entre o consumo e a renda apresentada na Figura 21-2 é designada por função consumo.

Ponto limite. Para compreender a figura, é conveniente observar a reta de 45°, traçada a partir da origem com orientação nordeste. Em virtude de os eixos vertical e horizontal terem exatamente a mesma escala, a reta de 45° tem uma propriedade muito especial. Em qualquer dos pontos da reta, a distância na vertical (consumo) é exatamente igual a distância na horizontal (renda disponível). Você pode verificar esse fato com uma simples observação ou usando uma régua.

A reta de 45° nos diz imediatamente se a despesa de consumo é igual, maior ou menor do que o nível de renda disponível. O **ponto limite** da curva de consumo que intercepta a reta de 45° representa o nível de renda disponível em que as pessoas não poupam nem gastam além da sua renda.

Esse ponto limiar é, na Figura 21-2, o ponto B. Aqui, a despesa com consumo é exatamente igual à renda disponível: as famílias nem recorrem a empréstimo nem poupam. À direita do ponto B, a função consumo situa-se abaixo da reta de 45°. A relação entre a renda e o consumo pode ser observada analisando-se a linha de E′ a E, na Figura 21-2. Com uma renda de US$ 28 mil o nível de consumo é US$ 27,4 mil (ver a Tabela 21-3). Podemos ver que o consumo é menor do que a renda pelo fato de a função consumo situar-se abaixo da reta de 45° no ponto E.

O que as famílias não gastam, poupam. A reta de 45° nos permite saber o quanto as famílias poupam. A poupança líquida é medida pela distância vertical entre a função consumo e a reta de 45°, como mostra a seta da poupança EE″.

A reta de 45° nos diz que à esquerda do ponto B a família está gastando mais do que a sua renda. O excesso de consumo sobre a renda é gasto a mais e é dado pela distância vertical entre a função consumo e a reta de 45°.

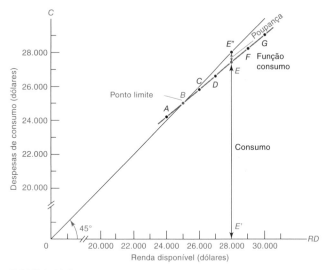

FIGURA 21-2 Representação da função consumo.

A curva que passa por A, B, C, ..., G é a função consumo. O eixo horizontal representa o nível de renda disponível (*RD*). Para cada nível de *RD* a função consumo mostra o nível monetário de consumo (*C*) da família. Note que o consumo cresce quando a *RD* aumenta. A reta de 45° ajuda a localizar o ponto limite e a nossa medida gráfica da poupança líquida.

Fonte: Tabela 21-3.

Recapitulando:

Em qualquer ponto da reta de 45°, o consumo é exatamente igual à renda e a família tem uma poupança nula. Quando a função consumo se situa acima da reta de 45°, a família está gastando além da sua renda. Quando a função consumo se situa abaixo da reta de 45°, a família tem uma poupança positiva. O montante de gasto além da renda ou de poupança é dado sempre pela distância vertical entre a função consumo e a reta de 45°.

Função poupança

A **função poupança** mostra a relação entre o nível de poupança e a renda. Ela é representada graficamente na Figura 21-3. A renda disponível é novamente representada no eixo horizontal; mas agora a poupança está no eixo vertical, seja positiva ou negativa.

Esta função poupança deduz-se diretamente da Figura 21-2. É a distância na vertical entre a reta de 45° e a função consumo. Por exemplo, no ponto *A* da Figura 21-2, vemos que a poupança da família é negativa, pois a função consumo está acima da reta de 45°. A Figura 21-3 mostra diretamente esse gasto além da renda – a função poupança está abaixo da linha de poupança nula no ponto *A*. Do mesmo modo, a poupança positiva ocorre para a direita do ponto *B*, uma vez que a função poupança está acima da linha de poupança nula.

A propensão marginal a consumir

A macroeconomia moderna atribui uma grande importância à resposta do consumo a variações da renda.

Esse conceito é chamado de propensão marginal a consumir, ou *PMC*.

A **propensão marginal a consumir** é a quantia adicional que as pessoas consomem quando recebem uma unidade monetária adicional de renda.

O termo "marginal", em economia, significa adicional ou extra. Por exemplo, "custo marginal" significa o custo adicional de produção de uma unidade extra de produto. A "propensão ao consumo" designa o nível desejado de consumo. A *PMC* é, portanto, o consumo adicional, ou extra, que resulta de uma unidade monetária adicional de renda.

A Tabela 21-4 apresenta novamente os dados da Tabela 21-3, de uma forma mais conveniente. Primeiro, verifique a sua semelhança com a Tabela 21-3. Em seguida, observe as colunas (1) e (2) e veja como as despesas em consumo crescem à medida que a renda aumenta.

A coluna (3) mostra como calculamos a propensão marginal a consumir. De *B* para *C*, a renda aumenta US$ 1 mil, passando de US$ 25 mil para US$ 26 mil. Qual o aumento do consumo? O consumo aumenta de US$ 25 mil para US$ 25,8 mil, um aumento de US$ 800. O consumo adicional é, portanto, de US$ 0,80 da renda adicional. De cada unidade monetária adicional de renda, 80% vão para consumo e 20% vão para poupança.

O exemplo aqui apresentado é uma função consumo linear – em que a *PMC* é constante. Você pode verificar que a *PMC* é sempre US$ 0,80. Na realidade, é improvável que as funções consumo sejam exatamente lineares, mas essa é uma aproximação razoável para os nossos propósitos.

Propensão marginal a consumir enquanto inclinação geométrica. Sabemos agora como calcular a *PMC* a partir dos dados sobre a renda e o consumo. A Figura 21-4 mostra como calcular a *PMC* graficamente. Foi desenhado um pequeno triângulo retângulo entre os pontos *B* e *C*. Quando a renda aumenta US$ 1 mil do ponto *B* para o ponto *C*, a quantia de consumo aumenta US$ 800. A *PMC* nesse intervalo é, portanto, de US$ 800/US$ 1.000 = US$ 0,80. Mas, como se demonstrou no apêndice do Capítulo 1, a inclinação numérica de uma curva é a variação de *Y* pela variação de *X*.[2] Podemos, portanto, ver que a inclinação da função consumo é o mesmo que a propensão marginal a consumir.

A inclinação da função consumo, que mede a variação do consumo por cada unidade monetária de variação da renda, é a propensão marginal a consumir.

Propensão marginal a poupar

Paralelamente à propensão marginal a consumir, existe o seu reverso, a propensão marginal a poupar, ou *PMP*.

---

[2] Para as curvas, calcula-se a inclinação em um dado ponto como a inclinação da reta tangente a esse ponto.

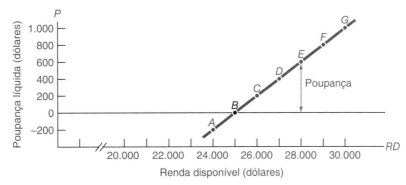

FIGURA 21-3 A função poupança é a imagem no espelho da função consumo.

A função poupança é deduzida subtraindo-se o consumo da renda. Graficamente, a função poupança é obtida subtraindo-se verticalmente a função consumo da reta de 45° na Figura 21-2. Repare que o ponto limite *B* está no mesmo nível de renda de US$ 25 mil, como na Figura 21-2.

	(1) Renda disponível (depois de impostos) (US$)	(2) Despesa de consumo (US$)	(3) Propensão marginal a consumir (*PMC*)	(4) Poupança líquida (US$) (4) = (1) − (2)	(5) Propensão marginal a poupar (*PMP*)
A	24.000	24.200		−200	
			800/1.000 = 0,80		200/1.000 = 0,20
B	25.000	25.000		0	
			800/1.000 = 0,80		200/1.000 = 0,20
C	26.000	25.800		+200	
			800/1.000 = 0,80		200/1.000 = 0,20
D	27.000	26.600		+400	
			800/1.000 = 0,80		200/1.000 = 0,20
E	28.000	27.400		+600	
			800/1.000 = 0,80		200/1.000 = 0,20
F	29.000	28.200		+800	
			800/1.000 = 0,80		200/1.000 = 0,20
G	30.000	29.000		+1.000	

TABELA 21-4 As propensões marginais a consumir e a poupar.

Cada dólar de renda disponível, que não é consumido, é poupado. Cada dólar adicional de renda disponível ou vai para consumo adicional, ou para poupança adicional. A combinação desses fatos permite-nos calcular a propensão marginal a consumir (*PMC*) e a propensão marginal a poupar (*PMP*).

A **propensão marginal a poupar** é definida como a parcela de uma unidade monetária adicional de renda disponível que se destina a poupança adicional.

Por que os conceitos de *PMC* e *PMP* se mostram como o reverso um do outro? Recorde que a renda disponível é igual ao consumo mais a poupança. Isso implica que cada unidade monetária adicional de renda deve ser dividida entre consumo e poupança adicionais. Assim, se a *PMC* é US$ 0,80, então, a *PMP* tem de ser US$ 0,20. (Quanto seria a *PMP* se a *PMC* fosse US$ 0,6? Ou US$ 0,99?) A comparação das colunas (3) e (5) da Tabela 21-4 confirma que, em qualquer nível de renda, a soma da *PMC* e da *PMP* deve ser sempre exatamente igual a 1, nem mais, nem menos. *PMP* + *PMC* = 1.

Breve revisão de definições

Façamos a revisão sumária das principais definições que já aprendemos:

1. A *função consumo* relaciona o nível de consumo com o nível de renda disponível.
2. A *função poupança* relaciona a poupança com a renda disponível. Uma vez que o que se poupa é igual ao que não se consome, as curvas da poupança e do consumo são como o reverso uma da outra.
3. A *propensão marginal a consumir* (*PMC*) é o montante de consumo adicional gerado por uma unidade monetária adicional de renda disponível. Graficamente, é dada pela inclinação da curva da função consumo.
4. A *propensão marginal a poupar* (*PMP*) é a poupança adicional gerada por uma unidade monetária adicio-

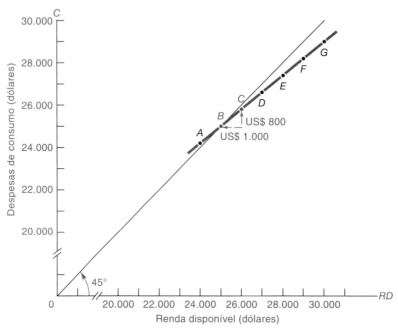

FIGURA 21-4 A inclinação da função consumo é a sua *PMC*.

Para calcular a propensão marginal a consumir (*PMC*) medimos a inclinação da função consumo, construindo um triângulo retângulo e calculando a razão entre a altura e a base. Do ponto *B* para o ponto *C* o aumento do consumo é US$ 800, enquanto a variação da renda disponível é de US$ 1 mil. A inclinação, que é igual à divisão entre a variação em *C* e a variação na *RD*, dá a *PMC*. Se a função consumo tivesse uma inclinação sempre positiva, o que significaria em termos de *PMC*? Se a linha é uma reta, com uma inclinação constante, o que isso significa quanto à *PMC*?

nal de renda disponível. Graficamente, é representada como a inclinação da curva da função poupança.

5. Como a parcela de cada unidade monetária de renda disponível que não é consumida é necessariamente poupada, $PMP \equiv 1 - PMC$.

COMPORTAMENTO DO CONSUMO NACIONAL

Até o momento, temos analisado os padrões orçamentários e de comportamento do consumo de famílias típicas com diferentes rendas. Vamos, agora, analisar o consumo de todo o país. Essa transição do comportamento das famílias para as tendências nacionais exemplifica a metodologia da macroeconomia: começamos por analisar a atividade econômica no nível individual e, em seguida, somamos, ou agregamos, a totalidade das pessoas para estudar a forma como o conjunto da economia funciona.

Por que as tendências de consumo nacional nos interessam? O comportamento do consumo é fundamental para se compreender tanto os ciclos econômicos de curto prazo como o crescimento econômico de longo prazo. No curto prazo, o consumo é um componente importante da despesa agregada. Quando o consumo muda acentuadamente, é provável que a mudança afete a produção e o emprego por meio do impacto sobre a demanda agregada. Esse mecanismo será descrito nos capítulos sobre a macroeconomia keynesiana.

Além disso, o comportamento do consumo é fundamental, porque o que não é consumido – isto é, o que é poupado – está disponível no país para investir em novos bens de capital; o capital serve como o motor do crescimento econômico de longo prazo. *Os comportamentos do consumo e da poupança são essenciais para compreender o crescimento e os ciclos econômicos.*

Determinantes do consumo

Começamos por analisar as principais forças que influenciam a despesa dos consumidores. Quais são os condicionantes na vida de um país que determinam o ritmo de suas despesas de consumo?

Renda disponível. A Figura 21-5 mostra como o consumo acompanhou de perto a renda disponível corrente ao longo do período 1970-2008. Quando a *RD* regride nas recessões, o consumo normalmente segue a regressão. Aumentos da *RD*, por exemplo, decorrentes de cortes de impostos, estimulam o crescimento do consumo. Os efeitos dos cortes grandes nos impostos pessoais em 1981-1983 puderam ser vistos no crescimento da *RD* e do *C*.

Renda permanente e o modelo de consumo do ciclo de vida. A teoria mais simples do consumo usa apenas a renda corrente anual a fim de prever as despesas de consumo. Considere os seguintes exemplos que sugerem a razão pelas quais outros condicionantes podem também ser importantes:

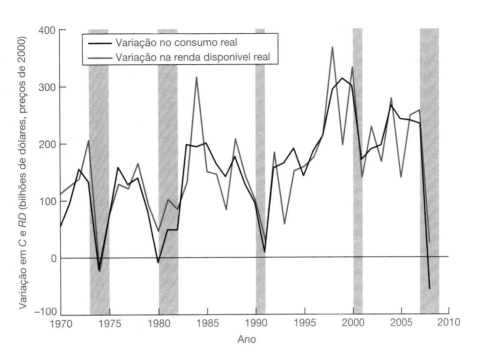

FIGURA 21-5 Variações do consumo e da renda disponível, 1970-2008.
Repare como as variações do consumo acompanham as variações da renda. Os macroeconomistas podem fazer boas previsões sobre o consumo com base na função consumo histórica. As áreas sombreadas indicam as recessões, segundo o NBER. As recessões normalmente geram reduções no consumo com a diminuição da renda.
Fonte: U.S. Bureau of Economic Analysis. A renda disponível real está calculada com o uso do índice de preços para despesas de consumo pessoais.

Se o mau tempo destruir uma colheita, os agricultores irão recorrer às suas poupanças anteriores para financiar o consumo.

Da mesma forma, os estudantes de Direito recorrem a crédito para financiar seu consumo enquanto estudam, porque pensam que as suas rendas após a formatura serão muito maiores do que as suas magras rendas enquanto estudantes.

Em ambos os casos, as pessoas estão, de fato, perguntando: considerando a minha renda atual e a futura, quanto posso consumir no presente sem fazer dívidas excessivas?

Estudos detalhados indicam que os consumidores escolhem geralmente os seus níveis de consumo tendo em conta tanto a renda atual como as perspectivas de renda no longo prazo. Para compreender como o consumo depende das tendências da renda no longo prazo, os economistas desenvolveram a teoria da renda permanente e a hipótese do ciclo de vida.

A *renda permanente* é o nível tendencial de renda – isto é, a renda após expurgo das influências temporárias ou transitórias devidas ao estado do tempo, ou às perdas ou aos lucros extraordinários. De acordo com a teoria da renda permanente, o consumo responde em primeiro lugar à renda permanente. Essa abordagem implica que os consumidores não reagem de igual forma a todas as variações de renda. Se uma variação da renda parece ser permanente (como a promoção para um emprego seguro e altamente remunerado), as pessoas irão, provavelmente, consumir uma grande parcela do aumento da renda. Por outro lado, se a variação da renda é claramente transitória (por exemplo, se resulta de um prêmio salarial excepcional ou de uma boa colheita), uma parcela significativa da renda adicional será poupada.

A *hipótese do ciclo de vida* pressupõe que as pessoas poupam com o fim de estabilizar o seu consumo ao longo da sua vida. Um objetivo importante é ter uma renda de aposentadoria adequada. Assim, as pessoas tendem a poupar enquanto trabalham de modo a construir um "pé-de-meia" para a aposentadoria e depois gastar a sua poupança acumulada nos seus últimos anos de vida. Uma consequência da hipótese do ciclo de vida é que um programa como o da previdência social, que proporciona um suplemento de renda generosa para a aposentadoria, reduzirá a poupança dos trabalhadores de meia-idade, uma vez que não necessitarão poupar tanto para a aposentadoria.

Riqueza e outras influências. Um determinante adicional importante da grandeza do consumo é a riqueza. Considere dois consumidores, ambos com uma renda anual de US$ 25 mil. Um tem US$ 200 mil no banco, enquanto o outro não tem qualquer poupança. O primeiro pode consumir parte da riqueza enquanto o segundo não tem riqueza para poder utilizar. O fato de uma maior riqueza conduzir a um maior consumo é designado por *efeito riqueza*.

Habitualmente, a riqueza varia lentamente de ano para ano. Contudo, quando a riqueza cresce ou diminui rapidamente, isso pode causar variações significativas no consumo. Um importante caso histórico foi o rombo na bolsa de valores após 1929, quando fortunas desapareceram e capitalistas, cuja riqueza estava em ações, ficaram pobres de um dia para o outro. Os historiadores econômicos pensam que a acentuada redução da riqueza após o colapso da bolsa de valores de 1929 reduziu a despesa com consumo e contribuiu para o aprofundamento da Grande Depressão.

Na última década, a subida e a descida dos preços dos imóveis teve um efeito marcante sobre o consumo. De 2000 a 2006, o valor total da propriedade imobiliária das famílias cresceu mais de US$ 7.000 bilhões (cerca de US$ 70 mil por família). Muitas famílias refinanciaram as suas casas, fizeram empréstimos, ou utilizaram as suas economias. Essa é uma das razões para o declínio na taxa de poupança nos últimos anos, como veremos em breve.

Porém, o que subiu, logo em seguida, caiu. No início de 2009, o preço médio das casas residenciais tinha declinado quase 30% desde o pico em 2006. O efeito riqueza da redução dos valores imobiliários foi um entrave à despesa dos consumidores durante aquele período.

Função consumo nacional

Após a revisão dos determinantes do consumo, podemos concluir que os determinantes são complexos, incluindo a renda disponível, a riqueza, e as expectativas de renda futura. Podemos traçar a função consumo mais simples na Figura 21-6. O diagrama de dispersão apresenta dados para o período 1970-2008 nos Estados Unidos, em que cada um dos pontos representa o nível de consumo e de renda disponível em um dado ano.

Além disso, pelos pontos assinalados na Figura 21-6, podemos traçar uma linha e chamá-la "Função consumo ajustada". Essa função consumo ajustada mostra como o consumo tem seguido de muito perto a renda disponível ao longo do último quarto de século. De fato, os historiadores econômicos descobriram que se verifica uma relação muito estreita entre a renda disponível e o consumo, desde o século XIX.

Declínio da taxa de poupança pessoal

Embora o comportamento de consumo tenda a ser estável ao longo do tempo, a taxa de poupança pessoal nos Estados Unidos caiu acentuadamente nas três últimas décadas. A taxa de poupança pessoal que se deduz das contas nacionais foi, em média, de 8% da renda disponível pessoal em grande parte do século XX. Contudo, a partir de 1980 começou a decair e é, agora, praticamente nula (ver Figura 21-7).

Essa queda alarmou muitos economistas porque, no longo prazo, o crescimento do estoque de capital de um país é determinado por sua taxa de poupança nacional. A poupança nacional é composta de poupança privada e do governo. Um país que poupa muito tem o estoque do capital aumentando rapidamente e usufrui de um crescimento rápido de sua produção potencial. Quando a taxa de poupança de um país é pequena, seus equipamentos e suas fábricas se tornam obsoletos e sua infraestrutura começa a se deteriorar.

Quais foram as razões do acentuado declínio da taxa de poupança pessoal? Essa é uma questão muito controversa, mas os economistas apontam para as seguintes causas potenciais:

- *Sistema de seguro social.* Alguns economistas argumentam que o sistema de seguro social eliminou algumas das necessidades de poupança privada. Antigamente, como sugere o modelo de consumo do ciclo de vida, uma família teria de poupar durante os anos de trabalho para possuir uma reserva para o período de aposentadoria. Quando o governo cobra impostos para a previdência social e paga os benefícios, as pessoas têm menos necessidade de poupar para o tempo de aposentadoria. Outros sis-

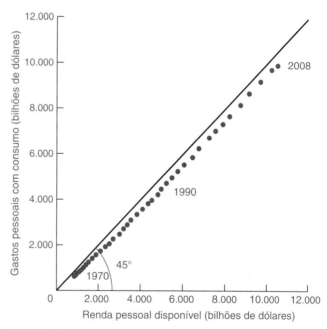

FIGURA 21-6 Uma função consumo para os Estados Unidos, 1970-2008.

A figura mostra um diagrama de dispersão da renda pessoal disponível e do consumo. Traçamos uma reta de 45° que mostra onde o consumo é exatamente igual à *RD*. Em seguida, desenhamos uma linha da função consumo através dos pontos. Certifique-se de que entende por que a inclinação da linha que desenhou é o *PMC*. Você consegue verificar que a inclinação *PMC* da reta ajustada é próxima de 0,96?

Fonte: U.S. Bureau of Economic Analysis.

temas de apoio à renda têm um efeito similar, reduzindo a necessidade de poupar para os tempos ruins. O seguro de colheita para os agricultores, o seguro-desemprego para os trabalhadores e a assistência médica para os pobres e idosos reduzem os motivos de precaução para a poupança das pessoas.
- *Mercados financeiros.* Até há pouco tempo, os mercados financeiros tinham muitas imperfeições. As pessoas tinham dificuldade em obter empréstimos para finalidades justificadas, como comprar uma casa, financiar a educação ou iniciar um negócio. Com o desenvolvimento dos mercados de capitais, muitas vezes com o apoio do governo, introduziram-se novas modalidades de empréstimo que permitiram aos particulares obter empréstimos mais facilmente. Um exemplo é a proliferação de cartões de crédito, o que estimula as pessoas a se endividarem (embora as taxas de juros sejam muito elevadas). Há uma geração, seria difícil a obtenção de um empréstimo de mais de US$ 1 mil, a menos que a pessoa tivesse um patrimônio significativo. Atualmente, as propostas de cartão de crédito chegam diariamente pelo correio. É comum receber múltiplas promoções oferecendo linhas de crédito de US$ 5 mil, ou mais, em uma única semana!

Talvez a fonte mais problemática de financiamento tenha sido as hipotecas "subprime", que proliferaram no início de 2000. Esses foram os empréstimos concedidos, até 100% do valor de uma casa, muitas vezes, a pessoas sem renda comprovada. Quando os preços dos imóveis caíram, literalmente, milhões de dólares desses empréstimos estavam em inadimplência, e os investidores em todo o mundo tiveram enormes prejuízos.
- *O rápido crescimento da riqueza.* Parte do declínio da poupança pessoal no período 1990-2007 foi causado pelo rápido aumento da riqueza pessoal. Primeiro, em virtude da expansão do mercado de capitais, e, depois, ao colapso dos preços dos imóveis. Os economistas calculam que o efeito riqueza isoladamente pode ter contribuído para uma redução da taxa de poupança pessoal em três pontos percentuais no final dos anos 2000.

Medidas alternativas da poupança

Neste ponto, você pode se perguntar: "Se as pessoas estão poupando tão pouco, por que existem por aí tantos ricos?". Essa pergunta levanta uma importante questão sobre quantificação da poupança pessoal. A poupança é diferente para a família do que é para o país, no seu conjunto. Isso se deve ao fato de a poupança medida pelas contas nacionais da renda e do produto não ser a mesma da quantificada pelos contadores nos balanços. A *medida da poupança pelas contas nacionais* é a diferença entre a renda disponível (excluindo os ganhos de capital) e o consumo. A medida da poupança pelos balanços calcula a variação do valor real do patrimônio líquido (isto é, os ativos menos as dívidas, corrigidas da inflação) de um ano para o outro; essa medida inclui os ganhos de capital reais.

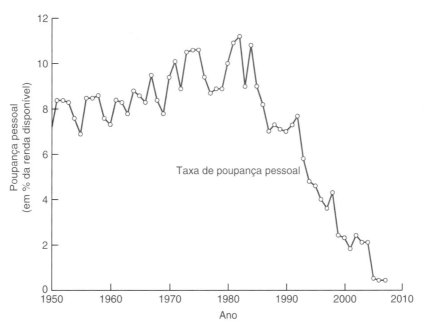

FIGURA 21-7 A taxa de poupança pessoal tem diminuído.

Após o aumento gradual no período do pós-guerra, a taxa de poupança pessoal decaiu acentuadamente após 1980.

Fonte: Bureau of Economic Analysis.

Se examinarmos a taxa de poupança dos balanços de 1997 a 2007 – o ponto de vista da mesa de jantar, por assim dizer –, a taxa de poupança foi relativamente alta. O patrimônio líquido médio dos agregados familiares ao longo desse período a preços de 2007 subiu de US$ 157 mil para US$ 191 mil. A variação no patrimônio líquido foi de 17% da renda disponível. Assim, a taxa de poupança do balanço foi de 17%, enquanto a taxa de poupança das contas nacionais mostrado na Figura 21-7 foi de 2%.

Essa visão alternativa significa que podemos respirar aliviados? Provavelmente, não. O fato é que a elevada poupança na última década foi, em grande medida, "riqueza de papel". Um aumento do preço das ações ou dos preços dos ativos existentes, como imóveis, não reflete necessariamente a produtividade ou "riqueza real" da economia. Embora as pessoas se sintam mais ricas quando os preços dos ativos aumentam nas bolhas especulativas, a economia não pode produzir mais automóveis, computadores, alimentos ou habitação. Além disso, se todos os detentores de ações decidissem vender as suas casas, descobririam que os preços cairiam e que não poderiam converter a sua riqueza de papel em consumo.

Assim, a preocupação dos economistas quanto ao declínio da taxa de poupança das contas nacionais é justificada. Embora os consumidores possam *sentir-se* mais ricos em virtude da expansão do mercado de capitais, uma economia é, *de fato*, mais rica somente quando os seus ativos de produção tangíveis e intangíveis aumentam.

B. INVESTIMENTO

O segundo maior componente dos gastos privados, depois do consumo, é o investimento. Este desempenha dois papéis na macroeconomia. Primeiro, como é um componente grande e volátil da despesa, leva com frequência a variações acentuadas da demanda agregada e afeta o ciclo econômico. Além disso, o investimento leva ao acúmulo de capital. O acúmulo de edifícios e equipamento aumenta o produto potencial de um país e promove o crescimento econômico no longo prazo.

O investimento desempenha, assim, um papel duplo, afetando o produto de curto prazo por meio do seu impacto na demanda agregada e influenciando o crescimento do produto no longo prazo por meio do impacto da formação de capital sobre o produto potencial e a oferta agregada.

> **O significado de "investimento" em economia**
>
> Lembre-se de que os macroeconomistas usam o termo "investimento" ou "investimento real" para se referirem a acréscimos ao estoque de ativos produtivos, ou bens de capital, como computadores ou caminhões. Quando a Amazon.com constrói um novo armazém ou os Silva constroem uma nova casa, essas ações representam investimento.
>
> Muitas pessoas chamam de "investimento" a ação de comprar um lote de terreno, ações de uma empresa antiga, ou qualquer título de propriedade. Em economia, essas aquisições são efetivamente transações financeiras, ou "investimentos financeiros", uma vez que aquilo que uma pessoa está comprando, outra está vendendo, e, então, o resultado líquido é zero. Há investimento somente quando se produz capital real.

DETERMINANTES DO INVESTIMENTO

Nesta discussão, centramo-nos no *investimento doméstico privado bruto*, ou I. Esse é o componente doméstico do investimento nacional. Lembre-se, contudo, que I é apenas um componente do investimento social total, que inclui também investimento estrangeiro, investimento público e investimentos intangíveis em capital humano e no desenvolvimento do conhecimento.

Os principais tipos de investimento doméstico privado bruto são a construção de edifícios para moradia; investimentos em equipamentos, softwares e imóveis pelas empresas; e aumentos de estoques. Nesta análise, vamos nos concentrar no investimento privado, mas os princípios se aplicam também aos investimentos de outros setores.

Por que as empresas investem? Em última instância, as empresas adquirem bens de capital quando esperam que essa ação lhes permita obter lucro – ou seja, alcançar receitas maiores do que os custos do investimento. Essa afirmação simples contém os três elementos essenciais para a compreensão do investimento: receitas, custos e expectativas.

Receitas

Um investimento irá trazer à empresa renda adicional se ajudar a empresa a vender mais produtos. Isso sugere que um determinante muito importante do investimento é o nível geral de produção (ou PIB). Quando as fábricas permanecem subutilizadas, as empresas têm relativamente pouca necessidade de novas fábricas, portanto, o investimento é reduzido. De forma geral, o investimento depende das rendas que são geradas pelo estado da atividade econômica global. A maioria dos estudos sugere que o investimento é muito sensível ao ciclo econômico.

Custos

Outro determinante significativo do nível de investimento são os custos de investimento. Como os bens de capital duram muitos anos, avaliar os custos de investimento é bem mais complicado do que fazê-lo para outras mercadorias como carvão ou trigo. Para os bens duráveis, o custo do capital inclui não apenas o preço do bem de capital, mas também a taxa de juros que é paga para financiar o capital, bem como os impostos que as empresas pagam sobre a sua renda.

Para compreender esse ponto, observe que os investidores, com frequência, obtêm fundos para comprar bens de capital por meio de empréstimos (por exemplo, por meio de uma hipoteca ou no mercado de títulos de dívida). Qual é o custo do empréstimo? É a *taxa de juros* dos fundos obtidos por empréstimo. Recorde que a taxa de juros é o preço pago pelo dinheiro tomado em empréstimo durante um período de tempo; por exemplo, você pode ter de pagar 8% para obter US$ 1 mil de empréstimo durante um ano. No caso de uma família que adquire uma casa, a taxa de juros é a do empréstimo hipotecário.

Além disso, os impostos podem ter um importante efeito sobre o investimento. Um imposto importante nos Estados Unidos é o imposto federal sobre a renda das empresas. Esse imposto leva até 35% de cada dólar marginal de lucros das sociedades anônimas, desencorajando, assim, o investimento no setor empresarial. Por vezes, o governo atribui reduções de impostos a determinadas atividades ou setores. Por exemplo, o governo estimula a casa própria ao permitir aos proprietários das habitações deduzirem os impostos sobre os imóveis e os juros dos empréstimos hipotecários das suas rendas tributáveis.

Expectativas

Além disso, as expectativas de lucro e a confiança empresarial são centrais para as decisões de investimento. O investimento é uma aposta no futuro. Isso significa que os investimentos empresariais exigem a ponderação de custos presentes certos com lucros futuros incertos. Se as empresas estiverem preocupadas que a situação política na Rússia seja instável, hesitarão em investir lá. Inversamente, se acreditam que o comércio na internet é a chave para a riqueza, as empresas irão investir fortemente nesse setor.

No entanto, os economistas também percebem que as emoções pesam na balança, que alguns investimentos são movidos tanto pela intuição como por folhas de cálculo. Esse aspecto foi enfatizado por JM Keynes como uma das razões para a instabilidade de uma economia de mercado:

> Mesmo para além da instabilidade devida à especulação, há a instabilidade devida à característica da natureza humana de que uma grande proporção das nossas atividades positivas depende do otimismo espontâneo, seja moral, hedonista ou econômico, em vez de expectativas matemáticas. Provavelmente, a maioria das nossas decisões de fazer algo positivo, cujas consequências somente serão conhecidas muitos dias mais tarde, só podem ser tomadas como resultado de emoções, um desejo espontâneo de agir, ao invés de ficar parado, e não como o resultado de uma média ponderada de benefícios quantitativos multiplicados pelas probabilidades quantitativas.

Assim, as decisões de investimento são muito dependentes das expectativas e das previsões. Mas a previsão rigorosa é difícil. As empresas gastam muita energia analisando os investimentos e tentando reduzir as incertezas sobre eles.

Podemos resumir da seguinte forma a nossa revisão sobre as forças que estão subjacentes às decisões de investimento:

> As empresas investem para obter lucros. Como os bens de capital duram muitos anos, as decisões de investimento dependem (1) do nível de produção resultante do novo investimento, (2) das taxas de juros e dos impostos que influenciam os custos de investimento e (3) das expectativas acerca do estado da economia.

CURVA DA DEMANDA DE INVESTIMENTO

Ao analisar os determinantes do investimento, focamos em especial a relação entre as taxas de juros e o investimento. Essa relação é fundamental, porque as taxas de juros (influenciadas pelos bancos centrais) são o principal instrumento dos governos para influenciar o investimento. Para demonstrar a relação entre as taxas de juros e o investimento, os economistas usam uma função chamada **curva da demanda de investimento**.

Considere uma economia simplificada em que as empresas podem investir em diferentes projetos: A, B, C, ... até H. Esses investimentos têm tal duração (como as usinas elétricas e edifícios) que podemos ignorar a necessidade de substituição. Além disso, geram um fluxo constante de renda líquida anual e não há inflação. A Tabela 21-5 mostra os dados financeiros de cada um dos projetos de investimento.

Considere o projeto A. Esse projeto custa US$ 1 milhão. Tem uma rentabilidade muito elevada – receitas de US$ 1,5 mil por ano por US$ 1 mil investidos (ou seja, uma taxa de rentabilidade de 150% ao ano). As colunas (4) e (5) mostram o custo do investimento. Para simplificar, admita que o investimento seja financiado exclusivamente por meio de empréstimo à taxa de juros do mercado sendo, alternadamente, de 10% ao ano, na coluna (4), e 5%, na coluna (5).

Assim, com uma taxa de juros anual de 10%, o custo do empréstimo de US$ 1 mil é de US$ 100 por ano, como se vê em todas as linhas da coluna (4); à taxa de juros de 5%, o custo do empréstimo é de US$ 50 ao ano para cada US$ 1 mil de empréstimo.

Finalmente, as duas últimas colunas mostram o *lucro líquido anual* de cada investimento. Para o projeto lucrativo A, o lucro líquido anual é US$ 1,4 mil para cada US$ 1 mil investidos à taxa de juros de 10% ao ano. No projeto H, perde-se dinheiro.

Resumindo as nossas conclusões: na escolha de projetos de investimento, as empresas comparam as receitas anuais de investimento com o custo anual do capital que depende da taxa de juros. A diferença entre a receita e o custo anuais é o lucro líquido anual. Quando o lucro líquido anual é positivo, ganha-se dinheiro com o investimento, enquanto um lucro líquido negativo indica que se perde dinheiro com ele.

(1)	(2)	(3)	(4)	(5)	(6)	(7)
	Investimento total	Receitas anuais por US$ 1 mil investidos (US$)	Custo por US$ 1 mil de projeto à taxa de juros anual de:		Lucro líquido anual por US$ 1 mil investidos à taxa de juros anual de:	
Projeto	no projeto (US$, milhões)		10% (US$)	5% (US$)	10% (US$) (6) = (3) – (4)	5% (US$) (7) = (3) – (5)
A	1	1.500	100	50	1.400	1.450
B	4	220	100	50	120	170
C	10	160	100	50	60	110
D	10	130	100	50	30	80
E	5	110	100	50	10	60
F	15	90	100	50	–10	40
G	10	60	100	50	–40	10
H	20	40	100	50	–60	–10

TABELA 21-5 A lucratividade do investimento depende da taxa de juros.

A economia tem oito projetos de investimento, ordenados por ordem de rentabilidade. A coluna (2) mostra o investimento em cada projeto. A coluna (3) calcula a rentabilidade perpétua anual por US$ 1 mil investidos. As colunas (4) e (5) mostram o custo do projeto, admitindo que todos os fundos sejam obtidos por empréstimo, a taxas de juros de 10 e 5%; isto é mostrado por US$ 1 mil do projeto.

As duas últimas colunas calculam o lucro líquido anual por US$ 1 mil investidos no projeto. Se o lucro líquido for positivo, as empresas que maximizam o lucro realizarão o investimento; se for negativo, o projeto de investimento será rejeitado.

Observe como a separação entre investimentos lucrativos e não lucrativos varia com o aumento da taxa de juros. (Onde ocorreria a separação se a taxa de juros aumentasse para 15% ao ano?)

Observe de novo a Tabela 21-5 e examine a última coluna, que mostra o lucro líquido à taxa de juros de 5%. Repare que com essa taxa de juros, os projetos de investimento de A a G seriam lucrativos. Deveríamos, então, esperar que as empresas maximizadoras de lucro investissem em todos os sete projetos que ascendem [a partir da coluna (2)] a um investimento total de US$ 55 milhões. Assim, com uma taxa de juros de 5%, a demanda de investimento seria de US$ 55 milhões.

Suponha, porém, que a taxa de juros aumenta para 10%. Então, o custo do financiamento desses projetos duplicaria. Vemos na coluna (6) que os projetos F e G se tornariam não lucrativos com uma taxa de juros de 10%; a demanda de investimento a reduziria para US$ 30 milhões.

Apresentamos os resultados dessa análise na Figura 21-8. Essa figura mostra a *função demanda de investimento*, que, nesse caso, é uma função da taxa de juros aos degraus e com inclinação descendente. Tal figura mostra o volume de investimento que seria realizado para cada taxa de juros; ela é obtida pela soma de todos os investimentos que seriam lucrativos em cada nível de taxa de juros.

Assim, se a taxa de juros de mercado for 5%, o nível desejado de investimento ocorrerá no ponto M, o que corresponde a um investimento de US$ 55 milhões. A essa taxa de juros, seriam realizados os projetos de A a G. Se as taxas de juros subissem para 10%, os projetos F e G seriam postos de lado; nessa situação, a demanda de investimento estaria no ponto M' na Figura 21-8, sendo o investimento total de US$ 30 milhões.[3]

Deslocamentos da curva de demanda do investimento

Vimos como as taxas de juros afetam o nível de investimento. O investimento também é afetado por outras forças. Por exemplo, um aumento do PIB fará a curva da demanda de investimento deslocar para fora, como é mostrado na Figura 21-9(a).

Um aumento dos impostos sobre as empresas faria diminuir o investimento. Admita que os impostos arrecadem metade da renda líquida da coluna (3) da Tabela 21-5, não sendo dedutíveis os encargos financeiros das colunas (4) e (5). Os lucros líquidos das colunas (6) e (7) sofreriam, portanto, uma redução. (Verifique que com taxa de juros de 10%, o imposto de 50% sobre a coluna (3) faria subir o separador entre os projetos para se localizar entre B e C, e a demanda de investimento se reduziria para US$ 5 milhões.) O caso do aumento de impostos sobre a renda do investimento é mostrado na Figura 21-9(b).

Também podemos ver como as expectativas entram em cena a partir de um exemplo histórico. No final dos anos 1990, os investidores ficaram encantados com a internet e a "nova economia". Injetaram dinheiro em empresas agora extintas com base em projeções agressivas. Alguns investidores experientes sucumbiram mesmo às "emoções", como, por exemplo, quando a Time Warner pagou US$ 180 bilhões pela empresa AOL. A Figura 21-9(c) ilustra como um surto de otimismo empresarial deslocaria para fora a função demanda de investimento nos anos 1990. Quando a bolha das ações de tecnologia estourou em 2000, a demanda por investi-

---

[3] Veremos mais tarde que, quando os preços se alteram, é adequado usar uma taxa de juros real, que corresponde à taxa de juros nominal, ou monetária, corrigida da inflação.

mentos em softwares, bem como a por equipamentos, caiu drasticamente, e a curva na Figura 21-9(c) se deslocou bruscamente de volta para a esquerda. Esses são apenas dois exemplos de como as expectativas podem ter efeitos poderosos sobre o investimento.

Após ter estudado os determinantes que afetam o investimento, você não ficará surpreso ao descobrir que o investimento é o componente mais volátil da despesa. O investimento se comporta imprevisivelmente, uma vez que depende de determinantes tão incertos como o sucesso, ou o insucesso, de produtos novos ainda não testados, variações de taxas de impostos e de taxas de juros, das atitudes políticas e das abordagens para estabilização da economia e acontecimentos instáveis similares da vida econômica. *Em praticamente todos os ciclos econômicos, as flutuações do investimento têm sido a força subjacente à expansão ou à contração.*

SOBRE A TEORIA DA DEMANDA AGREGADA

Concluímos a nossa apresentação dos conceitos básicos da macroeconomia, examinamos os determinantes do consumo e do investimento e vimos como podem flutuar de ano para ano, às vezes, de forma bastante acentuada.

Nesse ponto, a macroeconomia se ramifica em dois temas principais – os ciclos econômicos e o crescimento econômico. Começamos nossa análise no próximo capítulo com os ciclos econômicos, que se referem às flutuações de curto prazo na produção, no emprego e nos preços. As modernas teorias dos ciclos econômicos se baseiam principalmente na abordagem keynesiana. Essa análise mostra o impacto dos choques financeiros e de variações do investimento, da despesa e da tributação pelo estado, e do comércio exterior. Esses choques são ampliados por meio de efeitos de consumo induzido, e determinam a demanda agregada. Vamos aprender que a aplicação sábia de políticas fiscal e monetária pelo governo pode reduzir a gravidade da recessão e da inflação, mas também que políticas mal pensadas podem ampliar os choques. As teorias de consumo e investimento tratadas neste capítulo serão os atores principais no nosso drama dos ciclos econômicos.

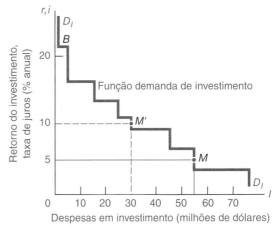

FIGURA 21-8 O investimento depende da taxa de juros.

A curva em escada descendente da demanda de investimento representa o montante que as empresas investiriam com cada nível da taxa de juros, tal como foi calculado na Tabela 21-5. Cada degrau representa um volume de investimento: o projeto A tem uma taxa tão elevada que não se encontra na figura; o degrau visível mais elevado é o projeto B, mostrado no canto superior esquerdo. Para cada taxa de juros, serão executados os investimentos que tenham um lucro líquido positivo.

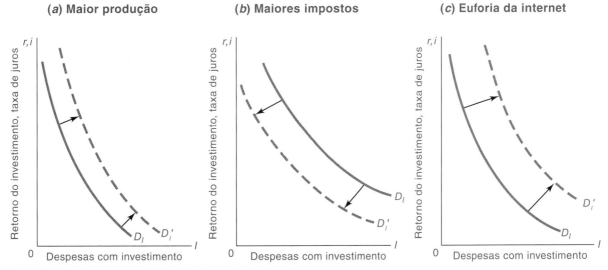

FIGURA 21-9 Deslocamentos da função demanda de investimento.

No gráfico da demanda de investimento (D_I), as setas mostram o impacto de (a) um nível mais elevado do PIB; (b) maiores impostos sobre a renda do capital; e (c) uma onda de otimismo empresarial.

RESUMO

A. Consumo e poupança

1. A renda disponível é um determinante significativo do consumo e da poupança. A função consumo estabelece a relação entre o consumo total e a renda disponível total. Como cada unidade monetária de renda disponível é poupada ou consumida, a função poupança é o reverso, ou a imagem no espelho, da função consumo.

2. Recorde os aspectos principais das funções consumo e poupança:

   a. A função consumo (ou poupança) relaciona o nível de consumo (ou poupança) com o nível da renda disponível.

   b. A propensão marginal a consumir (PMC) é a quantidade de consumo adicional gerada por uma unidade monetária adicional de renda disponível.

   c. A propensão marginal a poupar (PMP) é a quantidade de poupança adicional gerada por uma unidade monetária adicional de renda disponível.

   d. Graficamente, a PMC e a PMP são as inclinações das curvas do consumo e da poupança, respectivamente.

   e. $PMP = 1 - PMC$.

3. Da soma das funções de consumo individual, obtemos a função consumo nacional. Esta, na sua forma mais simples, mostra as despesas de consumo totais como função da renda disponível. Outras variáveis, como a renda permanente ou renda de longo prazo tendencial, assim como a riqueza, têm também um impacto significativo sobre os padrões de consumo.

4. A taxa de poupança pessoal reduziu-se acentuadamente nas três últimas décadas. Para explicar esse declínio, os economistas apontam para o seguro social e os programas públicos de assistência médica, para as mudanças nos mercados financeiros e o efeito riqueza. A redução da poupança prejudica a economia, uma vez que a poupança pessoal é um componente principal da poupança e do investimento nacionais. Embora as pessoas se sintam mais ricas em virtude da expansão do mercado de capitais, a verdadeira riqueza de um país aumenta apenas quando aumentam os seus ativos tangíveis e intangíveis.

B. Investimento

5. O segundo componente importante da despesa é o investimento interno privado bruto em habitações, fábricas e equipamento. As empresas investem para ganhar lucros. As principais forças econômicas que determinam o investimento são, portanto, as rendas produzidas pelo investimento (essencialmente influenciadas pelo estado do ciclo econômico), o custo do investimento (determinado pelas taxas de juros e pela política fiscal) e o estado das expectativas em relação ao futuro. Como as determinantes do investimento dependem de acontecimentos futuros altamente imprevisíveis, o investimento é o componente mais volátil da despesa agregada.

6. Uma importante relação é dada pela função demanda de investimento, que relaciona o nível da despesa de investimento e a taxa de juros. Como a lucratividade do investimento varia inversamente com taxa de juros, que afeta o custo do capital, podemos deduzir uma curva da demanda de investimento com inclinação negativa. Com a redução da taxa de juros, mais projetos de investimento se tornarão lucrativos.

CONCEITOS PARA REVISÃO

Consumo e poupança

- renda disponível, consumo, poupança
- funções consumo e poupança
- taxas de poupança pessoal
- propensão marginal a consumir (PMC)
- propensão marginal à poupar (PMP)
- $PMC + PMP = 1$

- ponto limite (*break even point*)
- reta de 45°
- determinantes do consumo:
  - renda disponível corrente
  - renda permanente
  - riqueza
  - efeito do ciclo de vida

Investimento

- determinantes do investimento:
  - receitas
  - custos
  - expectativas
- papel das taxas de juros em I
- função demanda de investimento
- estados de ânimo (*animal spirits*)

LEITURAS ADICIONAIS E SITES

Leituras adicionais

Os economistas estudam os padrões de despesa de consumo com a finalidade de melhorarem as previsões e a política econômica. Um dos estudos mais influentes é de Milton Friedman, *The Theory of the Consumption Function* (University of Chicago Press, 1957). Uma visão histórica por um historiador econômico é Stanley Lebergott, *Pursuing Happiness: American Consumers in the Twentieth Century* (Princeton University Press, Princeton, N.J., 1993).

As empresas dedicam muito tempo de gestão decidindo estratégias de investimento. Uma boa resenha pode ser encontrada em Richard A. Brealey e Stewart C. Myers e Franklin Allen, *Principles of Corporate Finance* (McGraw-Hill, Nova York, 2009.)

Sites

Dados sobre despesas de consumo pessoais totais para os Estados Unidos estão disponíveis no site Bureau of Economic Analysis, <http://www.bea.gov>.

Dados sobre os orçamentos familiares estão disponíveis em Bureau of Labor Statistics "Consumer Expenditures", em <http://www.bls.gov>.

Dados e análise de investimento para a economia dos Estados Unidos são disponibilizados pelo Bureau of Economic Analysis em <http://www.bea.gov>.

Milton Friedman e Franco Modigliani deram contribuições importantes para o nosso conhecimento da função consumo. Visite o site dos prêmios Nobel em <http://nobelprize.org/nobel_prizes/economics> para ler sobre a importância de suas contribuições para a macroeconomia.

QUESTÕES PARA DISCUSSÃO

1. Indique resumidamente os padrões orçamentários de alimentação, vestuário, bens de luxo e poupança.

2. Quando lidamos com a função consumo e a curva de demanda de investimento, temos de distinguir entre deslocamentos dessas curvas e movimentos em sua extensão.
   a. Defina cuidadosamente para ambas as curvas, as variações que levariam aos seus deslocamentos e as que produziriam movimentos em sua extensão.
   b. Explique verbal e graficamente se os seguintes acontecimentos correspondem a deslocamentos ou a movimentos ao longo da função consumo: aumento da renda disponível, diminuição da riqueza, quebra nos preços das ações.
   c. Explique em texto e graficamente se os seguintes acontecimentos correspondem a deslocamentos ou a movimentos ao longo da curva de demanda de investimento: expectativa da redução do produto no próximo ano, aumento das taxas de juros, aumento dos impostos sobre lucros.

3. Como foram exatamente calculadas a *PMC* e a *PMP* na Tabela 21-4? Exemplifique com o cálculo das *PMC* e *PMP* entre os pontos *A* e *B*. Demonstre por que tem sempre *PMC* + *PMP* = 1.

4. Eu consumo toda a minha renda qualquer que seja o nível de renda. Trace as minhas funções de consumo e de poupança. Quais são as minhas *PMC* e *PMP*?

5. Estime a sua renda, seu consumo, e sua poupança no último ano. Se tivesse gastado além (consumido mais do que a sua renda), como teria financiado esse gasto? Estime a composição do seu consumo em termos de cada uma das principais categorias listadas na Tabela 21-1.

6. "Ao longo da função consumo, a renda varia mais do que o consumo." O que isso significa em termos de *PMC* e *PMP*?

7. "Variações na renda disponível levam a movimentos ao longo da função consumo; variações da riqueza e de outros condicionantes levam a um deslocamento da função consumo." Explique esta afirmação com um exemplo para cada caso.

8. Quais seriam os efeitos dos seguintes acontecimentos sobre a função demanda de investimento exemplificada na Tabela 21-5 e na Figura 21-8?
   a. A duplicação das receitas anuais para cada US$ 1 mil de investimento mostradas na coluna (3).
   b. Um aumento das taxas de juros para 15% ao ano.
   c. A inclusão de um nono projeto com os seguintes dados para as três primeiras colunas: (J, 10, 70).
   d. Um imposto de 50% sobre os lucros líquidos mostrados nas colunas (6) e (7).

9. Utilizando a função demanda de investimento aumentada na Questão 8 (c) e admitindo que a taxa de juros seja 10%, calcule o nível de investimento para os casos de (a) a (d) na Questão 8.

10. *Problema avançado*: De acordo com o modelo do ciclo de vida, as pessoas consomem, em cada ano, um montante que depende da sua renda *ao longo da vida* e não da sua renda corrente. Suponha que você espere receber rendas futuras (a preços constantes), de acordo com o esquema da Tabela 21-6.
    a. Suponha que não há qualquer juros de remuneração para a poupança e você não dispõe de poupança inicial. Admita ainda que quer nivelar o seu consumo (usufruir de igual consumo todos os anos) em virtude da diminuição da satisfação adicional com o consumo adicional. Deduza a sua melhor trajetória de consumo para os cinco anos e escreva os valores na coluna (3). Calcule, a seguir, a sua poupança e introduza os valores na coluna (4). Coloque a sua riqueza do final do período, ou poupança acumulada em cada ano, na coluna (5). Qual será a sua taxa de poupança média nos primeiros 4 anos?
    b. Admita, a seguir, que um programa de seguro social do governo lhe cobre US$ 2 mil de imposto, em todos os anos de trabalho, e conceda-lhe uma pensão de US$ 8 mil no ano 5. Se continuar desejando nivelar o consumo, calcule o seu plano previsto de poupança. De que forma o programa de seguro social afetou o seu consumo? Qual é o efeito na sua taxa de poupança média nos primeiros 4 anos? Você consegue perceber por que alguns economistas afirmam que o seguro social pode reduzir a poupança?

(1) Ano	(2) Renda (US$)	(3) Consumo (US$)	(4) Poupança (US$)	(5) Poupança acumulada (no final do ano) (US$)
1	30.000	-----	-----	-----
2	30.000	-----	-----	-----
3	25.000	-----	-----	-----
4	15.000	-----	-----	-----
5*	0	-----	-----	0

* Aposentado.

TABELA 21-6

CAPÍTULO

22 Ciclos econômicos e a demanda agregada

A culpa, caro Brutus, não está em nossas estrelas – mas em nós mesmos.
William Shakespeare
Júlio César

A economia americana tem estado sujeita a ciclos econômicos desde os primeiros dias da República. Às vezes, as condições econômicas são saudáveis, com o emprego aumentando rapidamente, as fábricas funcionando com horas extras e tendo lucros elevados. Os "fabulosos anos 1990" foram um desses períodos para a economia americana. A economia cresceu rapidamente; o emprego e a utilização da capacidade produtiva eram excepcionalmente elevados e o desemprego era reduzido. Contudo, ao contrário de outras expansões prolongadas anteriores, a inflação permaneceu reduzida ao longo dos anos 1990.

Tais períodos de prosperidade, muitas vezes, chegam a um final infeliz. No século XIX e início do século XX, e novamente em 2007-2009, as crises financeiras transformam-se em ondas de pessimismo contagioso, em que empresas foram à falência, as condições de crédito ficaram restritas e a desaceleração no setor bancário e financeiro se alastrou para o resto da economia. Durante as recessões econômicas é difícil encontrar emprego, as fábricas ficam paradas, e os lucros são reduzidos. Essas retrações são geralmente curtas e suaves, como foi o caso da recessão que começou em março de 2001 e terminou em novembro do mesmo ano. De tempos em tempos, a contração pode persistir durante uma década e causar dificuldades econômicas disseminadas, como durante a década de 1930, na Grande Depressão, ou no Japão, na década de 1990.

Essas flutuações de curto prazo da atividade econômica, conhecidas como *ciclos econômicos*, são o tema central deste capítulo. A compreensão dos ciclos econômicos tem sido um dos problemas mais persistentes de toda a macroeconomia. O que causa as flutuações econômicas? Como as políticas governamentais podem reduzir seu contágio? Os economistas eram, em grande medida, incapazes de responder a essas questões até os anos 1930, quando as teorias macroeconômicas revolucionárias de John Maynard Keynes esclareceram a importância das forças da demanda agregada na determinação dos ciclos econômicos. A economia keynesiana salienta que as *variações na demanda agregada podem ter um impacto poderoso sobre os níveis gerais de produção, do emprego e dos preços no curto prazo.*

Este capítulo descreve as características básicas do ciclo econômico e apresenta as teorias mais simples da determinação da produção. A sua estrutura é a seguinte:

- Começamos com uma descrição dos elementos-chave do ciclo econômico.
- Em seguida, resumimos os fundamentos da demanda agregada e mostramos como o ciclo econômico moderno se encaixa nesse enquadramento.
- A seguir, desenvolvemos o modelo do multiplicador – exemplo keynesiano mais simples de um modelo de demanda agregada.
- Concluímos com uma aplicação do modelo do multiplicador à questão do impacto da política fiscal sobre a produção.

A. O QUE SÃO OS CICLOS ECONÔMICOS?

A história econômica mostra que nenhuma economia cresce segundo um padrão contínuo e constante. Um país pode desfrutar de vários anos de expansão e prosperidade econômicas, com o rápido aumento dos preços das ações (como nos anos 1990) ou dos preços de imóveis (como no início dos anos 2000). A seguir, a exuberância irracional pode inverter-se para o pessimismo irracional, como no período de 2007-2009, em que as fontes de financiamento interrompem a concessão de créditos hipotecários ou de créditos em condições favoráveis para aquisição de automóveis, os bancos reduzem seus empréstimos às empresas e a despesa regride. Consequentemente, a produção nacional cai, o desemprego aumenta, os lucros e as rendas reais encolhem.

Ao chegar ao ponto mais baixo, inicia-se a recuperação. A recuperação pode ser incompleta, ou ser tão forte que conduza a uma nova expansão. A prosperidade pode significar um longo período sustentado de demanda vigorosa, de pleno emprego e de elevação dos padrões de vida. Ou pode ser caracterizada por uma subida rápida e inflacionária dos preços e da especulação, sendo seguida de uma nova estagnação.

Os movimentos ascendentes e descendentes da produção, da inflação, das taxas de juros e do emprego constituem o ciclo econômico que caracteriza todas as economias de mercado.

ASPECTOS DO CICLO ECONÔMICO

O que entendemos exatamente por "ciclo econômico"?

Os **ciclos econômicos** são flutuações com amplos efeitos por toda a economia da produção, da renda e do emprego nacionais totais, com uma duração habitual de 2 a 10 anos, caracterizada pela expansão ou contração generalizadas na maioria dos setores da economia.

Os economistas, em geral, dividem os ciclos econômicos em duas fases principais, a *recessão* e a *expansão*. Os picos e os vales marcam os pontos de virada dos ciclos. A Figura 22-1 mostra as sucessivas fases do ciclo econômico. O movimento descendente de um ciclo econômico é chamado de recessão. Uma **recessão** é um período contínuo de declínio da produção, da renda e do emprego totais, normalmente perdurando de seis meses a um ano e caracterizado pela contração de muitos setores da economia. Uma **depressão** é uma recessão com maior duração e maior intensidade.

O juiz semioficial da marcação das contrações e expansões nos Estados Unidos é o National Bureau of Economic Research (NBER), uma organização de pesquisa privada. O NBER define recessão como "uma redução significativa da atividade econômica disseminada pela economia, durante mais do que alguns meses, normalmente visível no PIB e na renda real, no emprego, na produção industrial e nas vendas no atacado e no varejo (ver a seção "Sites" ao final deste capítulo para informações adicionais sobre a datação das recessões).

Uma definição alternativa, utilizada às vezes, é que uma recessão ocorre quando o PIB real cai por dois trimestres consecutivos. A Questão 12 ao final do capítulo analisa a diferença entre as duas definições.

Embora chamemos essas flutuações de curto prazo de "ciclos", o padrão real é irregular. Não há dois ciclos econômicos totalmente iguais. Não há fórmulas exatas – como as que se aplicam às translações dos planetas, ou ao movimento de um pêndulo – que possam ser usadas para prever a duração e o momento de ocorrência dos ciclos econômicos. Em vez disso, os ciclos econômicos assemelham-se muito mais às variações irregulares da meteorologia. A Figura 22-2 mostra os ciclos econômicos norte-americanos na história recente. Você observará que os ciclos são como cordilheiras de montanhas, com alguns vales muito profundos e amplos, como na Grande Depressão e outros que são suaves e estreitos, como na recessão de 1991.

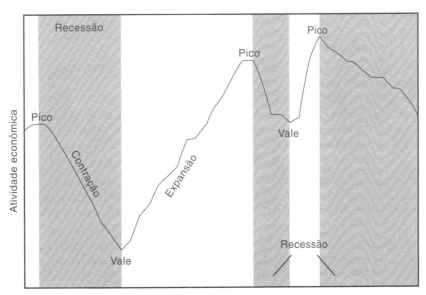

FIGURA 22-1 Um ciclo econômico, tal como um ano, tem as suas estações.

Os ciclos econômicos são as expansões e contrações irregulares da atividade econômica. (Estes são os dados mensais reais da produção industrial durante um recente período do ciclo econômico.)

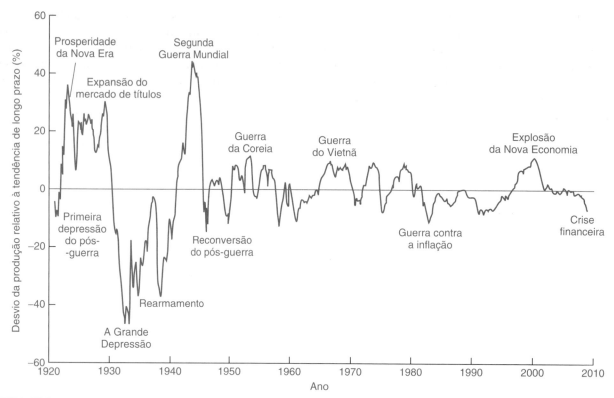

FIGURA 22-2 Atividade econômica desde 1919.

A produção industrial tem oscilado irregularmente em torno de sua tendência de longo prazo. Você consegue detectar uma economia mais estável nos últimos anos?

Fonte: Federal Reserve Board, cálculo da tendência realizado pelos autores.

Embora não sejam idênticos, muitas vezes os ciclos econômicos possuem diversas semelhanças entre si. Se uma instituição de renome anunciar que está prestes a ocorrer uma recessão, quais são os fenômenos típicos que podem ser esperados? Algumas das *características comuns* de uma recessão são:

- O investimento, em geral, cai acentuadamente nas recessões. A habitação tem sido geralmente o primeiro item a cair, seja por causa de uma crise financeira, seja porque o Banco Central aumentou as taxas de juros para segurar a inflação. Com frequência, as compras dos consumidores também são reduzidas acentuadamente. À medida que as empresas freiam as linhas de produção, o PIB real cai.

- O nível de emprego, em geral, cai acentuadamente no início de uma recessão. Às vezes, sua recuperação é lenta, no que é conhecida frequentemente como "retomadas sem geração de emprego".

- Com a queda na produção, a inflação diminui, a demanda de matérias-primas sofre uma queda e seus preços também caem. A redução dos salários e dos preços dos serviços é menos provável, mas esses itens tendem a aumentar menos rapidamente nos períodos de retração econômica.

- Nas recessões, os lucros das empresas caem acentuadamente. Em antecipação, os preços das ações normalmente entram em queda quando os investidores sentem o cheiro de uma retração econômica.

- Em geral, quando as condições empresariais se deterioram e o emprego cai, o banco central começa a baixar as taxas de juros de curto prazo para estimular o investimento e as demais taxas de juros acompanham essa redução.

TEORIAS DOS CICLOS ECONÔMICOS

Ciclos exógenos versus endógenos. Ao longo dos anos, os macroeconomistas têm tido debates intensos sobre as raízes dos ciclos econômicos. Alguns pensam que eles são causados por flutuações monetárias, outros, por choques de produtividade, e outros, ainda, por variações na despesa exógena.

Existe um sem-número de explicações possíveis, mas é conveniente classificar as diferentes teorias em duas categorias: as exógenas e as endógenas. As teorias *exógenas* encontram a raiz do ciclo econômico nas flutuações de determinantes exteriores ao sistema econômico – nas guerras, revoluções e eleições; nos preços do petróleo, nas descobertas de ouro e nas migrações; nas descobertas de novas terras e recursos; nas descobertas científicas e nas inovações tecnológicas; até mesmo nos pores do sol, na mudança climática ou no estado do tempo.

Um exemplo de um ciclo exógeno foi o desencadear da Segunda Guerra Mundial. Quando a Alemanha e o Japão iniciaram guerras na Europa e contra os Estados Unidos, isso levou a um rápido rearmamento, a grandes aumentos na despesa e uma expansão da demanda agregada, que fez com que os Estados Unidos saíssem da Grande Depressão. Vemos nesse caso um evento exógeno – uma grande guerra – que levou a um grande aumento nos gastos militares e à maior expansão econômica do século XX. Vamos examinar esse episódio mais tarde, neste capítulo.

Em contrapartida, as teorias *endógenas* procuram mecanismos do interior do próprio sistema econômico. Nessa abordagem, todas as expansões geram recessões e contrações e todas as contrações geram recrudescimento e expansão. Muitos ciclos econômicos na história dos Estados Unidos foram ciclos endógenos originados no setor financeiro. É por essa razão que dedicamos muito da atenção à economia monetária e às finanças.

Crises financeiras e ciclos econômicos

O capitalismo em todo o mundo tem como características comuns as expansões e as estagnações, que ocorreram com frequência no século XIX, eclodindo a Grande Depressão e reaparecendo nos Estados Unidos diversas vezes durante as últimas duas décadas. A seguir são apresentados alguns exemplos importantes.

Pânicos do capitalismo primitivo. O século XIX assistiu a episódios de especulação desenfreada de investimento, notavelmente com canais, terra e ferrovias. O estado emocional acabou se impondo inevitavelmente: linhas ferroviárias desnecessárias, preços das terras nas alturas e elevado nível de endividamento das pessoas. As falências fecharam bancos, e estabeleceram uma crise bancária. A produção e os preços caíram acentuadamente com o pânico. Após os piores excessos serem ultrapassados a economia começou a expandir-se novamente.

Hiperinflação. Às vezes, uma economia superaquecida gera inflação elevada, ou mesmo hiperinflação. A hiperinflação ocorre quando os preços sobem a 100% ou mais por mês. A mais famosa hiperinflação da história ocorreu na Alemanha em 1923. O governo foi incapaz de cumprir as suas obrigações financeiras por meio da tributação e do endividamento e passou a imprimir moeda. Até o final de 1923, as notas eram impressas com cada vez mais dígitos, sendo as maiores notas em circulação de 25 bilhões de marcos! Os bancos centrais atualmente são vigilantes na defesa mesmo contra a mais moderada inflação.

A bolha da nova economia. O padrão clássico da expansão especulativa foi observado de novo no final dos anos 1990. O padrão extraordinário de crescimento e inovação nos setores da "Nova Economia" – incluindo a programação de computadores, internet e as empresas ponto.com inventadas – produziu uma explosão especulativa nas ações das empresas da nova economia. As empresas vendiam serviços online de encontros entre pessoas, enviavam cartões de aniversário eletrônicos e emitiam ações para a Flooz.com que eram vendidos em moeda digital sem valor. Os estudantes abandonavam as universidades para se tornar milionários em um instante (ou, pelo menos, sonhavam). Tudo isso impulsionou investimentos reais em computadores, programação e telecomunicações. O investimento em equipamento de processamento de dados aumentou 70% de 1995 a 2000, representando 1/5 do aumento total do PIB real nesse período.

Os investidores acabaram ficando céticos quanto ao valor real de muitas dessas empresas. Os prejuízos se acumularam sucessivamente. A ânsia de comprar ações antes que aumentassem ainda mais foi substituída pelo desejo, em pânico, de vender antes que caíssem ainda mais. O preço das ações de uma empresa típica da nova economia caiu de US$ 100 por ação para centavos em 2003. Muitas dessas empresas foram à falência. Os estudantes que tinham saído da universidade voltaram mais sábios, mas raramente mais ricos.

A mudança de expectativas em relação à nova economia e a queda resultante do mercado de ações contribuiu para a recessão e o crescimento lento no período 2000-2002. O investimento em equipamento de processamento de dados caiu 10% e o investimento em computadores caiu duas vezes essa taxa. As inovações extraordinárias da nova economia espalharam-se por toda a vida econômica, mas, com poucas exceções, os investidores conseguiram lucros reduzidos ou nulos por seu esforço.

A bolha imobiliária. Menos de uma década depois, explodiu outra crise financeira e essa foi, mais uma vez, o resultado de inovação rápida. Nesse caso, a inovação foi o processo de "securitização" financeira. Isso ocorre quando um instrumento financeiro, como uma simples hipoteca de casa, é subdividido sucessivamente, reembalado e depois vendido nos mercados de valores mobiliários. Apesar da securitização em si não ser um fenômeno novo, a amplitude da embalagem e reembalagem cresceu acentuadamente. As agências de avaliação não forneceram avaliações precisas do grau de risco desses novos valores mobiliários e muitas pessoas os compraram pensando que eram tão bons quanto o ouro. Os piores exemplos foram as "hipotecas subprime", concedidas às pessoas pelo valor total de uma casa com base em pouca ou nenhuma documentação sobre a sua renda e situação no emprego. No início de 2007, o valor total desses novos títulos era mais de US$ 1 bilhão.

Tudo corria bem enquanto os preços das casas estavam subindo, como aconteceu a partir de 1995. Mas depois, em 2006, a bolha imobiliária estourou, fazendo eco do fim da bolha especulativa das ponto.com do mercado de ações de uma década antes. Muitos dos novos títulos perderam seu valor. Verificou-se que não eram títulos de primeira classe AAA, mas títulos podres (*junk bonds*). Quando sofreram grandes perdas, os bancos e outras instituições financeiras começaram a restringir o crédito, a reduzir os empréstimos e a reduzir drasticamente os novos financiamentos. Os adicionais pelo risco cresceram acentuadamente.

O banco central norte-americano (Fed) tomou medidas para facilitar as condições monetárias, reduzindo as taxas de juros e concedendo mais crédito, mas estava nadando contra águas poderosas. À medida que o valor das ações caía mais acentuadamente do que em qualquer momento em um século, muitas instituições financeiras ficaram à beira da falência. Muitos dos grandes bancos de investimento desapareceram. O Fed e o Tesouro dos Estados Unidos emprestaram enormes quantidades de dinheiro federal e socorreram várias empresas financeiras. No entanto, mesmo com as fortes ações contracíclicas, a economia entrou em uma profunda recessão no final de 2007.

Começamos a observar o tema que atravessa todos esses acontecimentos. Nos próximos capítulos, pesquisamos as teorias econômicas que os explicam.

B. DEMANDA AGREGADA E CICLOS ECONÔMICOS

Começamos, agora, a compreender as variações de curto prazo da produção, do emprego e dos preços, que caracterizam as flutuações econômicas nas economias de mercado. Muitas explicações dos ciclos econômicos se baseiam na teoria da demanda agregada (*AD*). A seguir explicamos a teoria da demanda agregada com detalhe.

TEORIA DA DEMANDA AGREGADA

Quais são as principais componentes da demanda agregada? Como interagem com a oferta agregada para determinar a produção e os preços? De que forma exatamente as flutuações de curto prazo da *AD* afetam o PIB? Analisamos primeiro a demanda agregada mais detalhadamente, de modo a compreender melhor as forças que dirigem a economia. Depois, nas seções seguintes, deduzimos o modelo mais simples da demanda agregada – o modelo do multiplicador.

A **demanda agregada** (*AD, Aggregate Demand*) é a quantidade total, ou agregada, da produção que há à disposição para se adquirir com um determinado nível de preços, mantendo-se tudo o mais constante. A *AD* é a despesa desejada em todos os setores produtivos: consumo, investimento doméstico privado, compra de bens e serviços pelo governo e as exportações líquidas. A demanda agregada tem quatro componentes:

1. *Consumo.* Como vimos no último capítulo, o consumo (*C*) é determinado principalmente pela renda disponível, que é a renda pessoal líquida, após os impostos. Outros determinantes que afetam o consumo são as tendências da renda no longo prazo, a riqueza das famílias e o nível geral de preços. A análise da demanda agregada se concentra nas determinantes do consumo *real*, ou seja, o consumo nominal ou monetário, dividido pelo índice de preços ao consumidor.

2. *Investimento.* A despesa de investimento (*I*) inclui as compras de edifícios, software, equipamento e armazenamento de estoques. A nossa análise no Capítulo 21 demonstrou que os principais determinantes do investimento são o nível de produção, o custo do capital (determinado pelas políticas fiscais, juntamente com as taxas de juros e outras condições financeiras) e as expectativas em relação ao futuro. O principal canal pelo qual a política econômica pode afetar o investimento é a política monetária.

3. *Compras do governo.* Um terceiro componente da demanda agregada são as compras de bens e serviços realizadas pelo governo (*G*). Isso inclui compras de bens como um novo avião de combate, livros para as escolas, ou equipamento para a construção de estradas, assim como os serviços dos juízes e dos professores das escolas públicas. Ao contrário do consumo e do investimento privados, esse componente da demanda agregada é determinado diretamente pelas

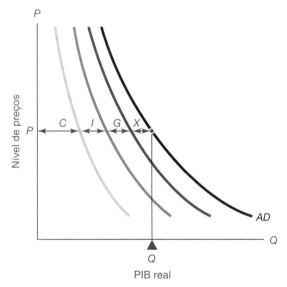

FIGURA 22-3 Componentes da demanda agregada.

A demanda agregada (*AD*) consiste em quatro componentes – consumo (*C*), investimento privado doméstico (*I*), compras do governo em bens e serviços (*G*) e exportações líquidas (*X*).

A demanda agregada se desloca quando há mudanças nas políticas macroeconômicas (como mudanças nas políticas monetárias, nas despesas do governo ou nas taxas dos impostos) ou quando acontecimentos exógenos alteram a despesa (caso de variações da produção estrangeira, que afetam *X* ou da confiança dos empresários, que afeta *I*).

decisões de despesa do governo; quando o Pentágono compra um novo avião de combate, essa produção adiciona-se diretamente ao PIB.

4. *Exportações líquidas.* Um componente final da demanda agregada são as exportações líquidas (X) que são iguais ao valor das exportações menos o valor das importações. As importações são determinadas pela renda e pela produção interna, pela razão entre os preços internos e externos e pela taxa de câmbio do país. As exportações (que são importações de outros países) são a contraface das importações e são determinadas pelas rendas e produtos externos, pelos preços relativos e pelas taxas de câmbio das moedas estrangeiras. As exportações líquidas serão, portanto, determinadas pelas rendas internas e externas, pelos preços relativos e pelas taxas de câmbio.

A Figura 22-3 mostra a curva AD e os seus quatro principais componentes. No nível de preços P, podemos ler os níveis de consumo, de investimento, das compras do governo e de exportações líquidas, os quais totalizam o PIB, ou Q. A soma dos quatro fluxos de despesa a esse nível de preços é a despesa agregada ou demanda agregada, a esse nível de preços.

CURVA DA DEMANDA AGREGADA COM INCLINAÇÃO NEGATIVA

Um importante ponto a reter é que a curva da demanda agregada na Figura 22-3 tem uma inclinação negativa. Isso significa que, mantendo tudo o mais constante, o nível da despesa real diminui quando o nível geral de preços na economia aumenta.

Qual a razão para a inclinação negativa? A razão básica é que existem alguns elementos da renda ou da riqueza, que não aumentam quando o nível de preços aumenta. Por exemplo, alguns itens da renda pessoal podem estar fixados em termos monetários nominais – como alguns subsídios do governo, o salário mínimo e as aposentadorias. Portanto, quando o nível de preços sobe, a renda disponível real cai, levando a um declínio nas despesas de consumo reais.

Além disso, alguns elementos da riqueza podem estar fixados em termos nominais. Os exemplos nesse caso seriam o que se tem na carteira, em moeda ou em títulos, os quais correspondem à promessa de pagamento de certa quantidade de dinheiro em dado momento. Se o nível de preços aumenta, o valor real da riqueza diminui e isso levaria, novamente, a níveis menores do consumo real.

Ilustramos graficamente o impacto de um maior nível de preços na Figura 22-4(a). Suponha que a economia esteja em equilíbrio no ponto B, com um nível de preços de 100 e um PIB real de US$ 3.000 bilhões. Suponha, depois, que os preços aumentem 50%, portanto, o índice de preços P aumenta de 100 para 150. Suponha que, a esse nível de preços mais elevado, a despesa real diminuiu, em virtude de uma menor renda disponível. A despesa real total diminuiu para US$ 2.000 bilhões, representado pelo ponto C. Verificamos como preços mais elevados levaram à redução da despesa real.

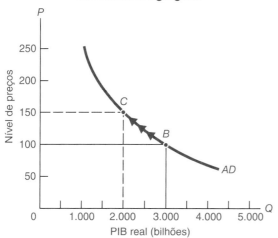
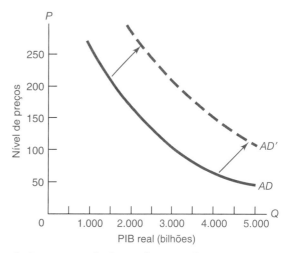

FIGURA 22-4 Movimentos ao longo da demanda agregada *versus* deslocamentos da demanda agregada.

Em (a), um nível de preços mais elevado, sendo dadas as rendas monetárias nominais, reduz a renda disponível real; isso leva a taxas de juros mais elevadas e a uma diminuição da despesa em investimento e consumo sensíveis aos juros. Isso ilustra um *movimento ao longo* da curva AD, de B para C, quando o restante se mantém constante.

Em (b), o restante já não permanece constante. Variações nas variáveis subjacentes à AD – como a oferta de moeda, a política fiscal ou a despesa militar – levam a variações na despesa total, em um dado nível de preços. Isso leva a um *deslocamento* da curva AD.

Em resumo:

A curva *AD* tem uma inclinação negativa. Essa inclinação negativa implica que a despesa real diminui quando o nível dos preços aumenta, mantendo-se o restante constante. A despesa real cai com um nível de preços superior, principalmente, em virtude do efeito de preços mais elevados sobre as rendas reais e a riqueza real.

Deslocamentos da demanda agregada

Vimos que a despesa total na economia tende a diminuir quando o nível de preços aumenta, mantendo o restante constante. Mas esse restante tende de fato a se alterar produzindo, assim, variações na demanda agregada. Quais são os determinantes principais das variações na demanda agregada?

Podemos separar os determinantes da *AD* em duas categorias, como é mostrado na Tabela 22-1. Um conjunto inclui as *variáveis de política* macroeconômica que estão sob o controle do governo. São a política monetária (medidas pelas quais o banco central pode afetar as taxas de juros e outras condições financeiras) e a política fiscal (impostos e compras do governo). A Tabela 22-1 ilustra a forma como essas políticas governamentais podem afetar os diferentes componentes da demanda agregada.

O segundo conjunto inclui as *variáveis exógenas* ou variáveis que são determinadas fora do esquema AD-AS. Como a Tabela 22-1 que mostra, algumas dessas variáveis (como as guerras ou as revoluções) estão fora do âmbito da adequada análise macroeconômica, outras (como a atividade econômica externa) estão fora do controle da política interna, e outras (como o mercado de ações) têm um comportamento significativamente independente.

Quais serão os efeitos de alterações nas variáveis que estão subjacentes à curva *AD*? Considere os efeitos econômicos de um aumento acentuado da despesa militar, como o que ocorreu na Segunda Guerra Mundial. Os custos adicionais da guerra incluíram o pagamento das tropas, compras de munição e equipamento, além de custos de transporte. O efeito dessas compras foi um aumento de *G*. A não ser que outros componentes da despesa diminuíssem para compensar o aumento de *G*, a curva *AD* total se deslocaria para fora e para a direita com o aumento de *G*. De forma similar, um aumento da oferta de moeda, uma inovação radical que aumentasse a rentabilidade de um novo investimento ou um aumento do valor da riqueza dos consumidores devido ao aumento do valor dos imóveis, levariam a um aumento da demanda agregada e a um deslocamento da curva *AD* para fora.

A Figura 22-4(*b*) mostra como as alterações das variáveis listadas na Tabela 22-1 afetariam a curva *AD*. Para testar o seu conhecimento, construa uma tabela similar que mostre as forças que tendem a reduzir a demanda agregada (ver a Questão 2 no final do capítulo).

Variável	Impacto na demanda agregada
Variáveis de política	
Política monetária	A expansão monetária pode baixar as taxas de juros e facilitar as condições de crédito, induzindo níveis mais elevados de investimento e de consumo de bens duráveis. Em uma economia aberta, a política monetária também afeta a taxa de câmbio e as exportações líquidas.
Política fiscal	O aumento das compras de bens e serviços pelo governo aumenta diretamente a despesa; as reduções dos impostos, ou maiores transferências aumentam a renda disponível e induzem um consumo mais elevado. Os incentivos fiscais, como um crédito fiscal pelo investimento, podem induzir uma despesa mais elevada em um setor específico.
Variáveis exógenas	
Produção no exterior	O aumento da produção no exterior leva ao aumento das exportações líquidas.
Valor dos ativos	O aumento do mercado de capitais aumenta a riqueza das famílias e aumenta o consumo; ações mais valorizadas também reduzem o custo de capital e aumentam o investimento das empresas.
Progresso tecnológico	O progresso tecnológico pode criar novas oportunidades de investimentos nas empresas. Exemplos importantes foram a ferrovia, o automóvel e o computador.
Outras	A derrota de um governo socialista estimula o investimento estrangeiro; a paz se instala com um aumento da produção mundial de petróleo e sua consequente redução de preços; o clima estável leva a menores preços dos alimentos.

TABELA 22-1 Muitos determinantes podem aumentar a demanda agregada e deslocar a curva *AD* para fora.

A curva da demanda agregada relaciona a despesa total e o nível de preços. Muitos outros determinantes afetam a demanda agregada – alguns são variáveis de política econômica outros são exógenos. Na tabela estão listadas mudanças que tendem a aumentar a demanda agregada e a deslocar a curva *AD* para fora.

Dois lembretes

Fazemos uma pausa para dois lembretes importantes.
1. Primeiro, salientamos a diferença entre curvas de demanda microeconômica e macroeconômica. Lembre-se do nosso estudo da oferta e demanda em que a curva de demanda microeconômica tem o preço de uma mercadoria individual no eixo vertical e a produção dessa mercadoria no eixo horizontal, com todos os outros preços e rendas totais dos consumidores mantidos constantes.

   Na curva de demanda agregada, o nível geral de preços está no eixo vertical, enquanto a produção e as rendas totais variam ao longo do eixo horizontal. Ao contrário, as rendas e a produção total são mantidas constantes para a curva de demanda microeconômica. Finalmente, a inclinação negativa da curva de demanda microeconômica ocorre porque os consumidores substituem o bem em questão por outros bens, quando o preço desse bem sobe. Se o preço da carne sobe, a quantidade demandada cai, porque os consumidores tendem a substituir a carne por pão e batatas, adotando as mercadorias mais baratas e menos das mais cara.

   A curva de demanda agregada tem inclinação negativa por razões completamente diferentes: a despesa total cai quando o nível geral de preços aumenta porque a renda e a riqueza real dos consumidores diminuem, reduzindo o consumo, e as taxas de juros aumentam, reduzindo a despesa com investimento.

2. Lembre-se também da importante distinção entre o *movimento ao longo* de uma curva e o *deslocamento* de uma curva. A Figura 22-4(a) mostra um caso de movimento ao longo da curva de demanda agregada. Isso pode ocorrer quando preços do petróleo mais elevados reduzem a renda real disponível. A Figura 22-4(b) mostra um deslocamento da curva de demanda agregada. Isso pode ocorrer em decorrência de um forte aumento nos gastos com guerra. Mantenha sempre essa distinção em mente quando analisar uma determinada política ou choque.

Ciclos econômicos e demanda agregada

Uma importante fonte das flutuações econômicas são os choques na demanda agregada. Um caso típico é ilustrado na Figura 22-5, que mostra como uma redução da demanda agregada provoca a redução da produção. Suponha que a economia parte do equilíbrio de curto prazo, no ponto B. A seguir, talvez em função de um pânico financeiro ou de um aumento de impostos, a curva da despesa agregada se desloca para a esquerda, para AD'. Se não houver qualquer alteração na oferta agregada, a economia atingirá um novo equilíbrio no ponto C. Repare que a produção é reduzida de Q para Q'. Além disso, os preços agora são menores do que eram no equilíbrio anterior e a taxa de inflação diminui.

No caso de uma expansão econômica, ocorre o oposto. Suponha que uma guerra leve a um forte aumento da despesa do governo. Como resultado, a curva AD se desloca para a direita, a produção e o emprego aumentam, os preços sobem e a inflação aumenta.

As flutuações do ciclo econômico na produção, no emprego e nos preços são causadas por deslocamentos da demanda agregada. Esses deslocamentos ocorrem quando os consumidores, as empresas ou o governo alteram a despesa total em relação à capacidade produtiva da economia. Quando esses deslocamentos na demanda agregada levam a grandes recaídas econômicas, a economia sofre recessões ou mesmo depressões. Um crescimento acentuado da atividade econômica pode conduzir à inflação.

O ciclo econômico é evitável?

A história dos ciclos econômicos nos Estados Unidos mostra uma tendência notável de maior estabilidade no último quarto de século (reveja a Figura 22-2). No período até 1940, verificaram-se numerosas crises e depressões – estagnações prolongadas e sucessivas como as dos anos 1870, 1890 e 1930. A partir de 1945, os ciclos econômicos tornaram-se menos frequentes e mais suaves, havendo muitos norte-americanos que nunca passaram por uma verdadeira depressão.

Quais foram as causas da moderação? Alguns pensam que o capitalismo é intrinsecamente mais estável agora do que foi nos primeiros tempos. Parte dessa estabilidade provém de um setor público maior e mais previsível. Igualmente importante é a melhor

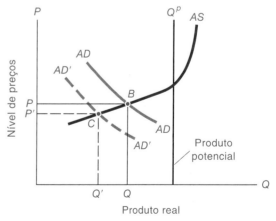

FIGURA 22-5 Uma redução da demanda agregada leva a uma retração econômica.

Um deslocamento para baixo na curva AD juntamente com uma curva AS relativamente horizontal e inalterável leva a níveis inferiores de produto. Note que, em resultado do deslocamento para a esquerda da curva AD, a produção real diminui em relação à produção potencial, o que grava a recessão.

compreensão da macroeconomia que permite atualmente aos governos conduzir suas políticas monetárias e fiscais de forma a evitar que os choques se transformem em recessões e que as recessões se transformem, como uma bola de neve, em depressões.

Durante os períodos tranquilos, com frequência há quem declare que o ciclo econômico foi vencido. Essa é uma possibilidade real? Embora, no último quarto de século, os ciclos tenham sido moderados nos Estados Unidos, eles estiveram, de fato, *mais presentes* em outras economias. Por isso, observem com atenção as seguintes palavras proféticas de um grande macroeconomista, Arthur Okun, que foram especialmente apropriadas quando a economia mundial entrava na recessão de 2007-2009:

> Atualmente, em geral, considera-se que as recessões são fundamentalmente evitáveis, tal como os choques de aviões, mas não como os furacões. Mas não conseguimos banir a totalidade dos choques de aviões e não é claro que tenhamos a sabedoria, ou a capacidade, para acabar com as recessões. O perigo não desapareceu. As forças que produzem as recessões cíclicas continuam a pairar, simplesmente à espera da sua oportunidade.

C. MODELO DO MULTIPLICADOR

A teoria macroeconômica básica dos ciclos econômicos sustenta que deslocamentos da demanda agregada produzem flutuações frequentes e imprevisíveis na produção, nos preços e no emprego, conhecidas como ciclos econômicos. Os economistas tentam compreender o *mecanismo* pelo qual as variações na despesa são traduzidas em variações na produção e no emprego. A abordagem mais simples para compreender os ciclos econômicos é conhecida como o *modelo do multiplicador keynesiano.*

Quando os economistas tentam compreender a razão pela qual aumentos significativos da despesa militar levam a aumentos rápidos do PIB, ou por que os cortes dos impostos dos anos 1960 ou 1980 resultaram em longos períodos de expansão do ciclo econômico, ou por que a expansão do investimento do final dos anos 1990 gerou a mais longa expansão americana, olham, com frequência, para o modelo keynesiano do multiplicador como a explicação mais simples.

O que é exatamente o **modelo do multiplicador**? É uma teoria macroeconômica usada para explicar a forma como a produção é determinada no curto prazo. O nome de "multiplicador" deriva da descoberta de que a variação de cada unidade monetária em despesas exógenas (como o investimento) leva a uma variação superior a uma unidade monetária (ou uma variação multiplicada) do PIB. Os pressupostos básicos subjacentes ao modelo do multiplicador são de que os salários e os preços são fixos e que existem recursos não utilizados na economia. Além disso, estamos, por enquanto, admitindo que não haja comércio internacional e finanças. Essas considerações serão tratadas mais adiante.

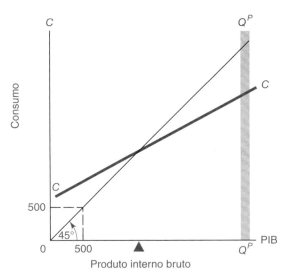

FIGURA 22-6 A renda nacional determina o nível de consumo.

Recorde a função do consumo, *CC*, descrita no Capítulo 21. Ela representa o nível das despesas de consumo correspondente a qualquer nível de renda (sendo a renda igual ao PIB neste exemplo simples). Os dois pontos em (a) marcados "500" sublinham a importante propriedade da reta de 45°: qualquer um dos seus pontos tem uma distância vertical igual à distância horizontal. A faixa designada por Q^pQ^p representa o nível de PIB potencial.

DETERMINAÇÃO DA PRODUÇÃO PELA DESPESA TOTAL

A nossa discussão do modelo do multiplicador analisa como o investimento e o consumo interagem com as rendas para determinar a produção nacional. Esta é designada a *abordagem pela despesa total* para a determinação da produção.

Recorde a figura da função de consumo nacional do Capítulo 21, que apresentamos na Figura 22-6, em que a função do consumo é a linha *CC*. Recorde que a função do consumo representa o consumo desejado, ou planejado, para cada nível de renda. Omitimos impostos, transferências e outros itens de modo que a renda pessoal é igual à renda nacional e a renda nacional é igual ao PIB.

Agora apresentamos na Figura 22-7 um gráfico novo e importante que mostra a relação despesa total-produção. Às vezes, este gráfico é chamado de "cruz keynesiana", porque mostra como a produção é igual à despesa quando a curva de despesa cruza a reta de 45°. Caso não tenha certeza quanto ao significado da reta de 45° reveja a explicação do Capítulo 21.

Começamos por desenhar a função do consumo *CC*. Em seguida, juntamos o investimento total ao consumo.

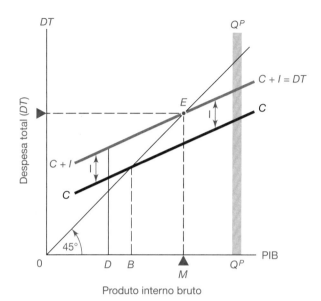

FIGURA 22-7 O nível de equilíbrio da produção nacional é determinado quando a despesa total (DT) é igual à produção.

A reta CC representa a função de produção (mostrada na Figura 22-6): As setas II representam o investimento constante. Juntando II à CC obtemos a curva DT do investimento desejado total mais a despesa de consumo. Ao longo da reta de 45°, as despesas são exatamente iguais ao PIB. O PIB de equilíbrio ocorre no ponto no E, que é a interseção da linha DT com a reta de 45°. Este é o único nível de PIB em que a despesa desejada em $C + I$ é exatamente igual à produção.

Normalmente, o investimento depende da taxa de juros, da política fiscal e da confiança empresarial. Para simplificar, tratamos o investimento como uma variável *exógena*, cujo nível é determinado fora do modelo. Suponhamos que as oportunidades de investimento fossem exatamente US$ 200 bilhões por ano, independentemente do nível do PIB. A função do investimento é adicionada ao topo da função do consumo na Figura 22-7. Note que a curva $C + I$ é maior do que a curva C exatamente pela quantidade constante de I. Estas paralelas indicam que o investimento é constante.

Esta curva $C + I$ representa a despesa total (DT), que é igual ao investimento desejado (que está em um nível fixo I) mais o consumo. O consumo é desenhado na Figura 22-7 como a curva $C + I$ ou DT.

Finalmente, desenhamos uma reta de 45° ao longo da qual a despesa, no eixo vertical, é exatamente igual à produção, no eixo horizontal. Em qualquer ponto da reta de 45°, a despesa desejada total (medida verticalmente) é exatamente igual ao nível total de produção (medido horizontalmente).

Podemos agora calcular o nível de equilíbrio da produção na Figura 22-7. A economia encontra-se em equilíbrio onde a despesa, representada pela curva DT, é igual à produção total.

A curva da despesa total (DT) mostra o nível da despesa desejada, ou planejada, pelos consumidores e pelas empresas, correspondente a cada nível de produção. A economia está em equilíbrio no ponto em que a curva $DT = C + I$ cruza a reta de 45° – o ponto E na Figura 22-7. O ponto E é o equilíbrio macroeconômico porque, nesse nível, a despesa desejada em consumo e em investimento é exatamente igual ao nível de produção total.

Recorde o significado de equilíbrio

Com frequência procuramos um "equilíbrio" macroeconômico quando analisamos os ciclos ou o crescimento econômicos. O que significa exatamente esse termo neste caso? Um **equilíbrio** é uma situação em que as diferentes forças em ação estão equiparadas. Por exemplo, se uma bola está rolando sobre uma rampa, ela não está em equilíbrio, porque as forças em ação estão empurrando a bola para baixo. Há, portanto, um **desequilíbrio**. Quando a bola acaba por parar em um vale no fundo da rampa, as forças que atuam sobre a bola estão equiparadas. Há, portanto, um equilíbrio.

Da mesma forma, em macroeconomia, um nível de equilíbrio da produção ocorre quando as diferentes forças da despesa e da poupança estão equiparadas; em equilíbrio, o nível da produção tende a persistir até que haja variações nas forças que afetam a economia.

Aplicando o conceito de equilíbrio à Figura 22-7, vemos que o ponto E é um equilíbrio. No ponto E, e somente no ponto E, a despesa desejada em $C + I$ é igual à produção. Em qualquer outro nível de produção, a despesa desejada seria diferente da produção. Em outro nível qualquer, que não E, as empresas descobririam que estariam produzindo a mais ou a menos, e desejariam regressar ao nível de equilíbrio.

Mecanismo de ajuste

Não basta dizer que o ponto E é um equilíbrio. Necessitamos compreender por que há equilíbrio com determinado nível de produção e o que aconteceria se a produção se desviasse desse equilíbrio. Consideremos três casos: a despesa planejada está acima da produção, a despesa planejada está abaixo da produção e a despesa planejada é igual à produção.

No primeiro caso, suponha que a despesa está acima da produção. Isso é representado pelo ponto D na Figura 22-7. Nesse nível de produção, a linha da despesa $C + I$ está acima da reta de 45°, portanto a despesa planejada $C + I$ seria maior do que a produção. Isso significa que os consumidores estariam comprando mais bens do que os que as empresas tinham planejado. Os vendedores de automóveis se depaparariam com os seus pátios vazios e as encomendas de computadores se acumulariam.

Nessa situação de desequilíbrio, os vendedores de automóveis e de computador responderiam com o aumento das suas encomendas. Os fabricantes de automóveis

(1) Níveis de PIB e de RD	(2) Consumo planejado	(3) Poupança planejada (3) = (1) − (2)	(4) Investimento planejado	(5) Nível do PIB (5) = (1)		(6) Total do consumo e do investimento planejados, DT (6) = (2) + (4)		(7) Tendência resultante da produção
\multicolumn{9}{c}{Determinação do PIB quando a produção é igual à poupança planejada (bilhões de dólares)}
4.200	3.800	400	200	4.200	>	4.000	↓	Contração
3.900	3.600	300	200	3.900	>	3.800	↓	Contração
3.600	**3.400**	**200**	**200**	**3.600**	**=**	**3.600**		**Equilíbrio**
3.300	3.200	100	200	3.300	<	3.400	↑	Expansão
3.000	3.000	0	200	3.000	<	3.200	↑	Expansão
2.700	2.800	−100	200	2.700	<	3.000		Expansão

TABELA 22-2 A produção de equilíbrio pode ser encontrada aritmeticamente no nível em que a despesa planejada é igual ao PIB. A linha mais escura indica o nível de equilíbrio do PIB, em que os US$ 3.600 bilhões que estão a ser produzidos são exatamente iguais aos US$ 3.600 bilhões que as famílias planejam consumir e que as empresas planejam investir. Nas linhas de cima, as empresas serão forçadas a investimento não desejado em estoques e responderão com o corte da produção até que o PIB de equilíbrio seja atingido. Interprete a tendência das linhas de baixo de expansão do PIB até ao equilíbrio.

chamariam de novo os trabalhadores dispensados temporariamente e aumentariam o ritmo das suas linhas de produção enquanto os montadores de computador teriam de abrir novos turnos. Como resultado desse aumento de produção, a oferta aumentaria. *Portanto, a discrepância entre a despesa planejada e a produção leva a um ajuste da produção.*

Trabalhe sobre o que acontece no segundo caso, em que a produção está abaixo do equilíbrio.

Por fim, tomemos o terceiro caso, em que a despesa planejada é exatamente igual à produção. As empresas vão descobrir que as suas vendas são iguais às suas previsões em equilíbrio. Os estoques estarão nos níveis planejados. Não haverá quaisquer encomendas inesperadas. As empresas não podem melhorar os lucros alterando a produção porque as necessidades de consumo planejadas foram satisfeitas. Assim, a produção, o emprego, a renda e a despesa permanecerão os mesmos. Nesse caso, o PIB fica no ponto *E*, ao qual podemos chamar justamente de *equilíbrio*.

O nível de equilíbrio do PIB ocorre no ponto *E*, em que os gastos planejados se igualam à produção planejada. Em qualquer outra saída, a despesa total desejada de consumo e investimento difere da produção planejada. Qualquer desvio dos planos de níveis reais fará com que as empresas alterem sua produção e os níveis de emprego, retornando o sistema, assim, para o PIB de equilíbrio.

Análise aritmética

Um exemplo pode ajudar a mostrar por que o nível de equilíbrio da produção ocorre quando a despesa planejada e a produção planejada são iguais.

A Tabela 22-2 mostra um exemplo simples de consumo, poupança e produto. O nível limite da renda, em que o consumo é igual à renda é US$ 3 bilhões. Admite-se que cada variação de US$ 300 bilhões na renda leva a uma variação de US$ 100 bilhões na poupança e a uma variação de US$ 200 bilhões no consumo; em outras palavras, admite-se que a *PMC* é constante e exatamente igual a 2/3.

Admitimos que o investimento seja exógeno e que seja sustentável sempre em US$ 200 bilhões, como se indica na coluna (4) da Tabela 22-2.

As colunas (5) e (6) são fundamentais. A coluna (5) mostra o PIB total. É simplesmente a coluna (1) copiada de novo para a coluna (5). Os valores na coluna (6) representam as despesas planejadas para cada nível do PIB; ou seja, iguala a despesa planejada em consumo mais o investimento planejado. É a curva *C* + *I* da Figura 22-7, em números.

Quando as empresas, no conjunto, estão produzindo demais (mais do que a soma do que os consumidores e as empresas querem comprar), então estarão acumulando estoques de bens não vendidos.

Ao lermos a linha do topo da Tabela 22-2, vemos que, se as empresas estão produzindo inicialmente US$ 4.200 bilhões de PIB, a despesa planejada, ou desejada, [mostrada na coluna (6)] é apenas de US$ 4.000 bilhões. Nessa situação, são acumulados estoques em excesso. As empresas responderão com a contração da sua atividade e o PIB será reduzido. No caso oposto, representado pela última linha da Tabela 22-2, a despesa total é US$ 3.000 bilhões, mas a produção é apenas US$ 2.700 bilhões. Os estoques estão sendo reduzidos e as empresas irão expandir a atividade, aumentando a produção.

Quando as empresas no conjunto estão temporariamente produzindo mais do que venderão lucrativamente, reduzirão sua atividade e o PIB diminuirá. Quando venderem mais do que a sua produção contínua, aumentarão a sua produção e o PIB aumentará.

Somente quando o nível de produção real na coluna (5) é exatamente igual à despesa planejada (*DT*) na coluna (6) a economia estará em equilíbrio. Em equilíbrio, e apenas em equilíbrio, as vendas das empresas serão exatamente suficientes para justificar o nível contínuo da produção agregada. Em equilíbrio o PIB não irá nem expandir-se nem contrair-se.

MULTIPLICADOR

Onde está o multiplicador em tudo isso? Para responder a essa questão, precisamos examinar como uma variação na despesa exógena de investimento afeta o PIB. É lógico que um aumento no investimento aumente o nível de produção e do emprego. Mas em quanto? O modelo do multiplicador mostra que um aumento no investimento aumentará o PIB em um montante ampliado, ou multiplicado – em um montante superior ao próprio aumento.

O **multiplicador** é o impacto da variação de 1 unidade monetária de despesas exógenas sobre a produção total. No modelo simples *C + I*, o multiplicador é a razão entre a variação na produção total e a variação no investimento.

Repare que a definição de multiplicador se refere à variação da produção por unidade de variação das *despesas exógenas*. Isso indica que estamos tomando certos componentes da despesa como dados exteriores ao modelo. No caso em questão, o componente exterior é o investimento. Mais tarde, veremos que a mesma abordagem pode ser usada para determinar o efeito de variações nas despesas do governo, das exportações e de outros itens na produção total.

Por exemplo, suponha que o investimento aumente US$ 100 bilhões. Se isso causar um aumento da produção de US$ 300 bilhões, o multiplicador é 3. Se o aumento da produção resultante fosse US$ 400 bilhões, o multiplicador seria 4.

Barracões e carpinteiros. Por que o multiplicador é maior do que 1? Vamos supor que contratássemos trabalhadores desempregados para construir um barracão de US$ 1 mil. Os carpinteiros e os lenhadores obterão uma renda adicional de US$ 1 mil. Mas a história não fica por aqui. Se todos eles tiverem uma propensão marginal a consumir de 2/3, irão agora gastar US$ 666,67 em novos bens de consumo. Os produtores desses bens terão agora rendas adicionais de US$ 666,67. Se a sua *PMC* é também 2/3, irão, por seu turno, gastar US$ 444,44, ou 2/3 de US$ 666,67 (ou 2/3 de 2/3 de US$ 1.000). O processo continuará, sendo cada nova etapa de despesa igual a 2/3 da etapa anterior.

Assim, uma cadeia sem fim de *despesa secundária de consumo* é posta em movimento pelo investimento *primário* de US$ 1 mil. Mas, embora sem fim, trata-se de uma cadeia sempre decrescente. Ao final, totalizará uma quantidade finita.

Recorrendo a uma aritmética linear, podemos obter o aumento total de despesa da seguinte forma:

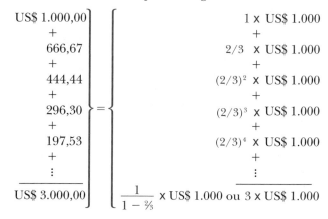

Isso mostra que, com uma *PMC* de 2/3, o multiplicador é 3; consiste em 1 de investimento inicial mais 2 adicionais de despesa de consumo secundária.

A mesma aritmética daria um multiplicador de 4 com uma *PMC* de 3/4, dado que $1 + 3/4 + (3/4)^2 + (3/4)^3 + \ldots$ acaba por somar 4. Para uma *PMC* de 1/2 o multiplicador seria 2.[1]

A dimensão do multiplicador depende, portanto, da grandeza da *PMC*. Isso pode ser expresso em termos do conceito gêmeo, a *PMP*. Para uma *PMP* de 1/4, a *PMC* é 3/4 e o multiplicador seria 4. Para uma *PMP* de 1/3 o multiplicador seria 3. Se a *PMP* fosse $1/x$, o multiplicador seria x.

A esta altura, deve estar claro que o multiplicador simples é sempre o inverso, ou o recíproco, da propensão marginal à poupar. É, portanto, igual a $1/(1 - PMC)$. A fórmula do nosso multiplicador simples é:

variação da produção = $1/PMP \times$ variação no investimento

$\qquad = [1/(1 - PMC)] \times$ variação no investimento

Modelo do multiplicador comparado com o modelo AS-AD

Ao estudar o modelo do multiplicador, você poderá desejar saber se este modelo se encaixa no modelo *AS-AD* do Capítulo 19. Não são, de fato, abordagens diferentes. O modelo do multiplicador é um caso especial do modelo da oferta e demanda agregadas. Ele explica como a *AD* é afetada pela despesa de consumo e investimento sob alguns pressupostos precisos.

Um dos pressupostos básicos na análise do multiplicador é que os preços e os salários são fixos no curto prazo; essa é uma grande simplificação, pois muitos preços ajustam-se rapidamente no mundo real. Mas

---

[1] A fórmula de uma progressão geométrica infinita é:

$1 + r + r^2 + r^3 + \ldots + r^n + \ldots = 1/1 - r$

desde que a *PMC* (r) seja menor do que 1, em valor absoluto.

esse pressuposto capta a ideia de que se alguns salários e preços são fixos – o que é definitivamente a maioria dos casos – então parte do ajuste a deslocamentos da AD ocorre por meio de ajustes da produção. Regressaremos a essa importante ideia em capítulos posteriores.

Podemos mostrar a relação entre a análise do multiplicador e a abordagem AS-AD na Figura 22-8. A parte (b) apresenta uma curva AS que se torna completamente vertical no nível do produto potencial. Quando há recursos não utilizados – para a esquerda do produto potencial no gráfico – a produção será determinada principalmente pela força da demanda agregada. Com o aumento do investimento, este faz a AD aumentar, e a produção de equilíbrio aumenta.

A mesma economia pode ser descrita pelo gráfico do multiplicador no gráfico de cima da Figura 22-8. O equilíbrio do multiplicador resulta no mesmo nível de produto do equilíbrio AS-AD – ambos levam a um PIB real de Q. Apenas sublinham aspectos diferentes da determinação da produção.

Essa análise aponta, de novo, para um aspecto importante do modelo do multiplicador. Embora possa ser uma abordagem muito útil para descrever depressões, ou até mesmo recessões, o modelo não pode ser aplicado a períodos de pleno emprego. Desde que as fábricas estejam funcionando em plena capacidade e os trabalhadores estejam todos empregados, a economia não pode gerar uma produção maior.

D. POLÍTICA FISCAL NO MODELO DO MULTIPLICADOR

Há séculos que os economistas compreenderam o papel de *alocação* de recursos da política fiscal (políticas de impostos e despesa do governo). Já há muito que se sabe que as políticas fiscais são instrumentos para decidir como a produção de um país deve ser dividida entre consumo privado e coletivo e como o peso do pagamento de bens coletivos deve ser repartido entre a população.

Apenas com o desenvolvimento da moderna teoria macroeconômica foi descoberto um fato adicional surpreendente: os poderes fiscais do governo também têm um impacto *macroeconômico* importante sobre os movimentos de curto prazo da produção, do emprego e dos preços. O conhecimento de que a política fiscal tem efeitos poderosos sobre a atividade econômica conduziu à *abordagem keynesiana da política macroeconômica*, que é a utilização ativa da ação do governo para moderar os ciclos econômicos. Essa abordagem foi descrita pelo macroeconomista e Prêmio Nobel James Tobin, como se segue:

> As políticas keynesianas são, primeiro, a dedicação explícita dos instrumentos da política macroeconômica aos objetivos econômicos reais, em especial ao pleno emprego e ao crescimento real da renda nacional. Segundo, a gestão keynesiana da demanda é ativista. Terceiro,

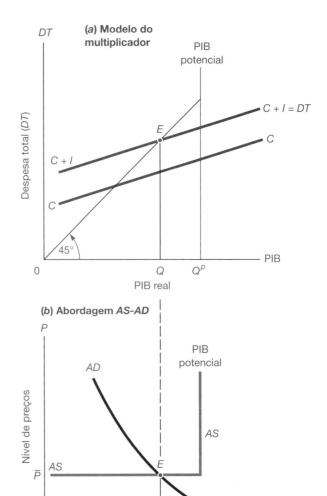

FIGURA 22-8 Como o modelo do multiplicador se relaciona com a abordagem AS-AD.

O modelo do multiplicador é uma forma de compreender o funcionamento do equilíbrio AS-AD.
(a) O gráfico de cima mostra o equilíbrio produção-despesa no modelo do multiplicador. No ponto E, a linha da despesa cruza a reta de 45° levando à produção de equilíbrio Q.
(b) O equilíbrio também pode ser observado no gráfico de baixo, onde a curva AD cruza a curva AS no ponto E. No modelo mais simples do multiplicador, pressupõe-se que os salários e os preços são fixos. Portanto a curva AS é horizontal até que o pleno emprego seja alcançado. Ambas as abordagens conduzem exatamente à mesma produção de equilíbrio, Q.

os keynesianos têm procurado harmonizar, de forma consistente e coordenada, a política fiscal e a monetária na condução dos objetivos macroeconômicos.

Nesta seção usamos o modelo do multiplicador para mostrar como a as compras do governo afetam a produção.

COMO AS POLÍTICAS FISCAIS DO GOVERNO AFETAM A PRODUÇÃO

Para compreender o papel do governo na atividade econômica, necessitamos analisar as compras governamentais e a tributação, juntamente com os efeitos dessas atividades na despesa do setor privado. Modificamos agora a nossa análise inicial com a adição de G a $C + I$ para obter uma nova curva da despesa total $DT = C + I + G$. Essa nova função pode descrever o equilíbrio macroeconômico quando o governo, com a sua despesa e impostos, entra em cena.

Nossa tarefa se analisarmos os efeitos das compras do governo será mais simples, mantendo constante a totalidade dos impostos cobrados (os impostos que não variam com a renda, ou com outras variáveis econômicas, são designados impostos fixos – *lump-sum*). Mas mesmo com um valor monetário fixo dos impostos, não podemos continuar ignorando a distinção entre renda disponível e produto interno bruto. Sob condições simplificadas (incluindo a inexistência de comércio internacional, de transferências e de amortizações), sabemos, do Capítulo 20, que o PIB é igual à renda disponível (RD) mais os impostos. Mantendo constante a receita dos impostos, a diferença entre o PIB e a RD será sempre a mesma; assim, após ter em conta tais impostos, podemos continuar confrontando a curva do consumo CC com o PIB, em vez de com a RD.

A Figura 22-9 mostra como a função do consumo varia quando há impostos. Nesta figura, traçamos a linha CC como a função do consumo original sem impostos. Nesse caso, o PIB é igual à renda disponível. Usamos a mesma função do consumo da Tabela 22-2. Portanto, o consumo é 3 quando o PIB (e a RD) é 3, e assim sucessivamente.

Introduzimos, agora, impostos no montante de 300. Com mil RD de 3.000, o PIB tem de ser igual a 3.300 = 3.000 + 300. O consumo continua a ser 3 mil quando o PIB é 3,3 mil porque a RD é 3 mil, quando o PIB é 3.300. Podemos então desenhar o consumo em função do PIB deslocando a função do consumo para a direita até à curva $C'C'$; o montante do deslocamento para a direita é UV, que é exatamente igual ao montante dos impostos, 300.

Como alternativa, podemos desenhar a nova função do consumo como um deslocamento paralelo *para baixo* de 200. Como a Figura 22-9 mostra, 200 é o resultado da multiplicação do decréscimo, de 300, da renda pela *PMC*, de 2/3.

Em seguida, para os diferentes componentes da demanda agregada, recorde, do Capítulo 20, que o PIB consiste em quatro elementos:

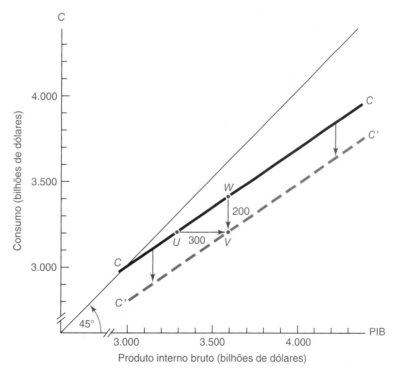

FIGURA 22-9 Os impostos reduzem a renda disponível e deslocam a curva CC para a direita e para baixo.

Cada unidade monetária de imposto faz deslocar a curva CC para a direita pelo montante do imposto. Um deslocamento para a direita de CC também significa a seu deslocamento para baixo, mas o deslocamento para baixo é inferior ao deslocamento para a direita. Por quê? Porque o deslocamento para baixo de CC é igual ao deslocamento para a direita vezes a *PMC*. Assim, se a *PMC* é 2/3, o deslocamento para baixo é 2/3 × US$ 300 bilhões = US$ 200 bilhões. Verifique que $WV = 2/3\ UV$.

PIB = despesa em consumo
+ investimento interno privado bruto
+ compras do governo em bens e serviços
+ exportações líquidas
= C + I + G + X

Por enquanto, consideramos uma economia fechada em que não há comércio exterior, portanto o PIB é composto pelos três primeiros componentes, C + I + G. Juntaremos o componente final das exportações líquidas quando analisarmos a (macroeconomia da) economia aberta.

A Figura 22-10 mostra o efeito da inclusão das compras do governo. Este gráfico é muito parecido ao usado anteriormente neste capítulo (ver a Figura 22-7). Aqui, acrescentamos um novo fluxo de despesa, G, aos volumes de consumo e investimento. Graficamente, colocamos a nova variável, G (compras de bens e serviços pelo governo), acima da função do consumo e do montante fixo de investimento. A distância vertical entre a linha C + I e a linha nova DT = C + I + G é apenas o montante de G.

Por que adicionamos simplesmente G a C + I? Porque a despesa em edifícios públicos (G) tem o mesmo impacto macroeconômico que a despesa em edifícios privados (I); a despesa coletiva envolvida na compra de uma viatura para o governo (G) tem o mesmo efeito no emprego da despesa de consumo privado em automóveis (C).

Temos um bolo de três camadas, DT = C + I + G, ao calcular o montante da despesa total que ocorre para cada nível de PIB. Agora localize o ponto de interseção da DT com a reta de 45° para encontrar o PIB de equilíbrio. Nesse nível de PIB de equilíbrio, designado pelo ponto E na Figura 22-10, a despesa planejada total é exatamente igual à produção total planejada. O ponto E indica, portanto, o nível de equilíbrio do produto quando as compras do governo são acrescentadas ao modelo do multiplicador.

Impacto da tributação sobre a demanda agregada

De que forma os impostos tendem a reduzir a demanda agregada e o nível do PIB? Impostos adicionais diminuem as nossas rendas disponíveis, e rendas disponíveis menores tendem a reduzir a nossa despesa em consumo. Se o investimento e as compras do governo se mantêm os mesmos, a redução da despesa de consumo tenderá a reduzir o PIB e o emprego. Assim, no modelo do multiplicador, maiores impostos, sem que haja aumento das compras do governo, tenderão a reduzir o PIB real.[2]

Uma nova observação da Figura 22-9 confirma este raciocínio. Nesta figura, a curva CC em cima representa o nível da função do consumo sem impostos. Mas a curva de cima não pode ser a função do consumo, uma vez que os consumidores têm, sem dúvida, de pagar impostos sobre suas rendas. Suponha que os consumidores pagam US$ 300 bilhões de impostos, qualquer que seja a renda; assim, a RD é inferior ao PIB exatamente em US$ 300 bilhões para qualquer nível de produto.

Como é mostrado na Figura 22-9, esse nível de impostos pode ser representado pelo deslocamento para a direita na função do consumo de US$ 300 bilhões. Esse deslocamento para a direita também aparecerá como um deslocamento para baixo; se a PMC é 2/3, o deslocamento para a direita de US$ 300 bilhões corresponde a um deslocamento para baixo de US$ 200 bilhões.

Sem dúvida, no nosso modelo do multiplicador, os impostos fazem baixar a produção, e a Figura 22-10 mostra o porquê. Quando os impostos aumentam, I + G não se altera, mas o aumento nos impostos reduzirá a renda disponível e, assim, irá deslocar a curva de consumo CC para baixo. Portanto, a curva C + I + G desloca-se para baixo. O leitor pode traçar na Figura 22-10 uma nova curva C + I + G mais abaixo. Confirme que sua nova interseção com a reta de 45° corresponde a um nível mais baixo de equilíbrio do PIB.

Mantenha em mente que G corresponde às compras do governo em bens e serviços. Dessas compras, excluem-se a despesa com as transferências, como o seguro desemprego ou pagamentos da previdência social. Essas transferências são tratadas como impostos negativos, portanto os impostos (T, de *taxes*, em inglês) considerados aqui devem ser pensados como impostos menos transferências. Assim, se os impostos diretos e indiretos somam US$ 400 bilhões, enquanto todas as transferências totalizam US$ 100 bilhões, então os impostos líquidos, T, são iguais a US$ 400 – US$ 100 = US$ 300 bilhões.

Você consegue compreender por que um aumento dos benefícios da previdência social reduz T, aumenta a RD, desloca a curva C + I + G para cima e aumenta o PIB de equilíbrio?

Exemplo numérico

As ideias apresentadas até agora são ilustradas na Tabela 22-3. Essa tabela é muito semelhante à Tabela 22-2, que ilustrou a determinação da produção no modelo do multiplicador mais simples. A primeira coluna mostra o nível de PIB de referência, enquanto a segunda mostra um nível fixo de impostos, US$ 300 bilhões. A renda disponível na coluna (3) é o PIB menos os impostos. O consumo planejado, considerado como função da RD, é mostrado na coluna (4). A coluna (5) mostra o nível fixo de investimento planejado, enquanto a coluna (6) apresenta o nível das compras do Estado. Para calcular as despesas planejadas totais, DT, na coluna (7), adicionamos C, I e G das colunas (4) a (6).

Por fim, comparamos as despesas totais desejadas na coluna (7) com o nível inicial de PIB na coluna (1). Se

---

[2] Estritamente falando neste capítulo, por "impostos" queremos dizer impostos líquidos, ou impostos menos os pagamentos de transferências.

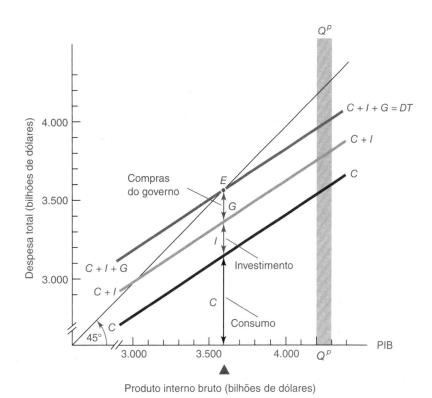

FIGURA 22-10 Acrescentam-se as compras do governo tal como o investimento para determinar o PIB de equilíbrio.

Acrescentamos agora as compras do governo às despesas em consumo e investimento. Isso nos dá a nova função da despesa planejada total $DT = C + I + G$. É em E, onde a função DT intercepta a reta de 45°, que encontramos o nível de equilíbrio do PIB.

Determinação da produção com a despesa do governo (bilhões de dólares)							
(1) Nível inicial de PIB	(2) Impostos (T)	(3) Renda disponível (RD)	(4) Consumo planejado (C)	(5) Investimento planejado (I)	(6) Despesa governamental (G)	(7) Despesa total planejada, DT ($C + I + G$)	(8) Tendência resultante da economia
4.200	300	3.900	3.600	200	200	4.000	Contração
3.900	300	3.600	3.400	200	200	3.800	Contração
3.600	**300**	**3.300**	**3.200**	**200**	**200**	**3.600**	**Equilíbrio**
3.300	300	3.000	3.000	200	200	3.400	Expansão
3.000	300	2.700	2.800	200	200	3.200	Expansão

TABELA 22-3 As compras do governo, os impostos e o investimento também determinam o PIB de equilíbrio.

Esta tabela mostra como a produção é determinada quando as compras do governo em bens e serviços são acrescentadas ao modelo do multiplicador. Neste exemplo, os impostos são *lump sum* ou independentes do nível da renda. A renda disponível é, assim, o PIB menos US$ 300 bilhões. A despesa total é $I + G$ mais o consumo determinado pela função do consumo.

Para níveis de produto inferiores a US$ 3.600 bilhões, a despesa planejada é maior do que a produção, pelo que a produção aumenta. Níveis de produto maiores do que US$ 3.600 bilhões são insustentáveis e levam à contração. Somente a produção de US$ 3.600 bilhões é de equilíbrio – isto é, a despesa planeada é igual à produção.

a despesa desejada é superior ao PIB, as empresas aumentam a produção para satisfazer o nível de despesa, e, em consequência, a produção aumenta; se a despesa desejada é inferior ao PIB, a produção é reduzida. Essa tendência, mostrada na última coluna, nos assegura que a produção tenderá para o nível de equilíbrio de US$ 3.600 bilhões.

MULTIPLICADORES DE POLÍTICA FISCAL

A análise do multiplicador mostra que a política fiscal do governo é uma despesa muito poderosa e muito parecida com o investimento. O paralelismo sugere que a política fiscal também tem efeitos multiplicadores sobre a produção. E é efetivamente o que ocorre.

O **multiplicador da despesa pública** é o acréscimo do PIB resultante de um acréscimo de uma unidade monetária nas compras do governo em bens e serviços. Uma compra inicial do governo de um bem, ou de um serviço, vai pôr em movimento uma cadeia de despesas: se o governo constrói uma estrada, os construtores da estrada gastarão parte das suas rendas em bens de consumo, o que, por sua vez, gerará rendas adicionais, algumas das quais serão gastas. No modelo simples aqui examinado, o efeito final sobre o PIB de um dólar adicional de G será igual ao de um dólar adicional de I: ambos os multiplicadores são iguais a $1/(1 - PMC)$. A Figura 22-11 mostra como uma variação em G resultará em um maior nível de PIB, sendo o aumento um múltiplo do aumento das compras do governo.

Para mostrar os efeitos de US$ 100 bilhões adicionais de G, a curva $C + I + G$ na Figura 22-11 foi deslocada para cima em US$ 100 bilhões. O aumento total final no PIB é igual à despesa primária de US$ 100 bilhões vezes o multiplicador da despesa. Neste caso, dado que a PMC é 2/3, o multiplicador é 3, pelo que o nível de equilíbrio do PIB aumenta em US$ 300 bilhões.

Este exemplo, bem como o bom-senso, nos diz que o multiplicador da despesa pública é exatamente o mesmo que o multiplicador do investimento. São ambos chamados de **multiplicadores de despesa**.

Repare, também, que o multiplicador pode tomar as duas direções. Se as compras do governo se reduzem, mantendo-se constantes os impostos e outros fatores, o PIB será reduzido no montante da variação de G vezes o multiplicador.

O efeito de G sobre a produção também pode ser observado no exemplo numérico da Tabela 22-3. Você pode introduzir um nível diferente de G – por exemplo, de US$ 300 bilhões – e encontrar o nível de PIB de equilíbrio. Você dará a mesma resposta da Figura 22-11.

Podemos resumir:

As despesas públicas em bens e serviços (G) são uma força importante na determinação da produção e do emprego. No modelo do multiplicador, se G aumentar, a produção aumentará, sendo o seu aumento igual ao aumento de G vezes o multiplicador da despesa. Portanto, as compras do governo têm o potencial para aumentar, ou diminuir, a produção ao longo do ciclo econômico.

As guerras são necessárias para que haja pleno emprego?

Historicamente, as expansões econômicas foram sempre companheiras da guerra. Como constatado na Tabela 22-4, as principais guerras do passado foram acompanhadas por grandes aumentos na despesa militar. Na Segunda Guerra Mundial, por exemplo, as despesas com a defesa aumentaram quase 10% do total do

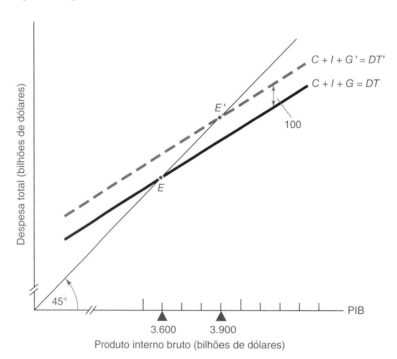

FIGURA 22-11 O efeito sobre a produção de um G maior.

Suponha que o governo aumente a despesa com a defesa em US$ 100 bilhões, em resposta a uma ameaça contra os poços de petróleo do Oriente Médio. Isso fará a linha $C + I + G$ deslocar para cima em US$ 100 bilhões para $C + I + G'$.

O novo nível de equilíbrio do PIB é lido na reta de 45°, em E', em vez de em E. Como a PMC é 2/3, o novo nível de produção é maior em US$ 300 bilhões. Isto é, o multiplicador da despesa pública é 3 = $[1/(1 - 2/3)]$. (Qual seria o multiplicador das compras do governo se a PMC fosse 3/4? 9/10?)

	Estímulo econômico pela despesa em defesa		
Guerra	Período da guerra ou de rearmamento	Aumento nas despesas de defesa em percentagem do PIB	Crescimento do PIB real durante o período de rearmamento (%)
Primeira Guerra Mundial	1916-1918	10,2	13,0
Segunda Guerra Mundial			
Antes de Pearl Harbor	1939-1941	9,7	26,7
Todo o período	1939-1944	41,4	69,1
Guerra da Coreia	1950:3-1951:3	8,0	10,5
Guerra do Vietnã	1965:3-1967:1	1,9	9,7
Guerra do Golfo Pérsico	1990:3-1991:1	0,3	-1,3
Guerra do Iraque	2003:1-2003:2	0,1	0,5

TABELA 22-4 Os períodos de expansão econômica acompanham os grandes aumentos das despesas militares.

Esta tabela mostra o período da guerra ou de rearmamento, a dimensão do rearmamento e o aumento resultante no PIB real. As guerras mais importantes têm produzido expansões sustentadas da economia, mas as duas últimas guerras, em função de um crescimento relativamente pequeno na despesa militar, tiveram apenas um pequeno impacto macroeconômico.

Fonte: Department of Commerce, National Income and Product Accounts, disponíveis em <http://www.bea.gov> e estimativas dos autores. As datas são dos anos e dos trimestres. Assim, 1950:3 corresponde ao 3º trimestre de 1950.

PIB antes de Pearl Harbour ter sido bombardeado em dezembro de 1941. Muitos pesquisadores pensam que os Estados Unidos saíram da Grande Depressão, muito em decorrência do rearmamento para a Segunda Guerra Mundial. Rearmamentos similares, mas menores, acompanharam as expansões econômicas nas guerras da Coreia e do Vietnã.

Pelo contrário, a guerra do Golfo Pérsico, do início dos anos 1990, desencadeou uma recessão. A razão para essa anomalia foi ter havido apenas um pequeno aumento na despesa militar e os aspectos psicológicos desencadeados pela guerra mais do que neutralizaram o aumento de G.

Quais foram esses aspectos psicológicos? Após o Iraque ter invadido o Kuwait em agosto de 1990, os consumidores e os investidores ficaram receosos e reduziram a despesa. Além disso, os preços do petróleo aumentaram, o que reduziu as rendas reais. Esses aspectos se inverteram após a vitória dos Estados Unidos em fevereiro de 1991.

Qual foi o impacto da guerra no Iraque no início de 2003? Essa guerra assemelhou-se mais à guerra do Golfo Pérsico do que às principais guerras. Houve um aumento pequeno da despesa militar, enquanto a cautela dos consumidores e das empresas, juntamente com preços elevados do petróleo, gerou fortes ventos contrários que retardaram a economia.

O papel da despesa em tempo de guerra nas expansões econômicas é um dos exemplos mais diretos e persuasivos do funcionamento do modelo do multiplicador. Assegure-se de que compreende o mecanismo subjacente, bem como os motivos pelos quais as dimensões das expansões econômicas, apresentadas na Tabela 22-4, variaram tanto.

Impacto dos impostos

Os impostos também têm um impacto sobre o PIB de equilíbrio, embora a dimensão dos multiplicadores dos impostos seja menor do que a dos multiplicadores da despesa. Considere o exemplo a seguir: suponha que a economia esteja no seu PIB potencial e que o país aumente a despesa com a defesa em US$ 200 bilhões. Aumentos assim inesperados ocorreram em muitos momentos na história dos Estados Unidos: no início dos anos 1940, para a Segunda Guerra Mundial; em 1951, para a guerra da Coreia; em meados dos anos 1960, para a guerra do Vietnã; e no início dos anos 1980 com o rearmamento pela administração Reagan. Além disso, suponha que no planejamento econômico haja aumento dos impostos pelo montante necessário para compensar o efeito sobre o PIB do aumento de US$ 200 bilhões em G. Em quanto os impostos devem ser aumentados?

Teremos uma surpresa. Para anular o aumento de US$ 200 bilhões em G, precisamos aumentar a cobrança de impostos em mais do que US$ 200 bilhões. No nosso exemplo numérico, podemos encontrar a dimensão exata do aumento de impostos, ou de T, a partir da Figura 22-9. Essa figura mostra que um aumento de US$ 300 bilhões em T reduz a renda disponível precisamente o suficiente para gerar uma redução do consumo de US$ 200 bilhões quando a PMC é 2/3. Dito de outra forma, um aumento de impostos de US$ 300 bilhões fará a curva CC deslocar para baixo em US$ 200 bilhões. Assim, enquanto um aumento de US$ 1 bilhão na despesa com a defesa faz a linha C + I + G deslocar para cima em US$ 1 bilhão, um aumento de US$ 1 bilhão dos impostos faz a linha C + I + G deslocar para baixo em apenas US$ 2/3 bilhão (quando a PMC é 2/3). Assim, para anular um acréscimo das compras do governo, exige-se um acréscimo de T superior ao acréscimo de G.

As variações dos impostos são uma arma poderosa para influenciar a produção. Mas o multiplicador dos impostos é menor que o multiplicador da despesa, sendo igual à produção deste pela PMC:

Multiplicador dos impostos = PMC × multiplicador da despesa

A razão pela qual o multiplicador dos impostos é menor que o multiplicador da despesa é clara. Quando o governo gasta US$ 1 em G, esse US$ 1 é gasto diretamente no PIB. Por outro lado, quando o governo reduz os impostos em US$ 1, apenas parte desse dinheiro é gasto em C, pois uma parcela dessa redução de impostos de US$ 1 é poupada. A diferença das respostas a US$ 1 de G e a US$ 1 de T é suficiente para tornar o multiplicador dos impostos inferior ao multiplicador da despesa.[3]

Modelo do multiplicador e o ciclo econômico

O modelo do multiplicador é o modelo mais simples do ciclo econômico. Pode mostrar como mudanças nos investimentos em virtude de inovação ou de pessimismo, ou a variações na despesa do governo em decorrência da guerra, podem levar a variações bruscas na produção. Suponha que rebente uma guerra e que o país aumente os gastos militares (como ilustrado pelos muitos casos da Tabela 22-4). G aumenta, e isso leva a um aumento multiplicado da produção, como vimos na Figura 22-11. Observe mais uma vez a Figura 22-2 e veja como as grandes guerras foram acompanhadas por grandes aumentos da produção em relação à produção potencial. Da mesma forma, suponha que um surto de inovação leve a um crescimento rápido do investimento, como ocorreu com a expansão da nova economia dos anos 1990. Isso levaria a um deslocamento para cima da curva $C + I + G$ e a um produto maior. Analise novamente os resultados na Figura 22-2 e tenha certeza que consegue representar graficamente cada um dos exemplos, usando o dispositivo $C + I + G$. Procure também explicar por que uma revolução em um país, que leve a queda brusca do investimento, pode conduzir a uma recessão.

Os economistas geralmente combinam o modelo do multiplicador com o princípio do acelerador do investimento como uma teoria endógena do ciclo econômico. Nessa abordagem, cada expansão gera recessão e contração, e cada contração gera revitalização e expansão em uma cadeia de repetição quase regular. De acordo com o princípio do acelerador, o crescimento rápido da produção estimula o investimento, que é ampliado pelo multiplicador do investimento. Um investimento elevado, por sua vez, estimula mais o crescimento da produção, e o processo continua até que a capacidade da economia seja alcançada, ponto em que a taxa de crescimento econômico diminui. O crescimento mais lento, por sua vez, reduz a despesa com investimento, e isso, por meio do multiplicador, tende a conduzir a economia para uma recessão. O processo funciona, então, em sentido inverso até que o fundo é atingido, quando a economia se estabiliza e começa a crescer novamente. Essa teoria endógena do ciclo econômico mostra um mecanismo, como a subida e a descida das marés, em que um choque exógeno tende a propagar-se por meio da economia de uma forma cíclica. Ver a questão 11, ao final do capítulo, para um exemplo numérico.

O modelo do multiplicador, funcionando em conjunto com a dinâmica do investimento, mostra como a alternância de surtos de otimismo e de pessimismo para investimento, juntamente com mudanças em outras despesas exógenas, pode levar às flutuações a que chamamos ciclos econômicos.

Modelo do multiplicador em perspectiva

Completamos o nosso estudo introdutório do modelo do multiplicador keynesiano. Será útil colocar tudo isso em perspectiva e ver como o modelo do multiplicador se encaixa em uma visão mais ampla da macroeconomia. Nosso objetivo é entender o que determina o nível da produção nacional em um país. No longo prazo, o produto e os padrões de vida de um país são determinados pelo seu produto potencial. Mas, no curto prazo, as condições empresariais impulsionarão a economia para cima ou para baixo de sua tendência de longo prazo. É esse desvio da produção e do emprego da tendência de longo prazo que analisamos com o modelo do multiplicador.

O modelo do multiplicador tem influenciado muito na teoria do ciclo econômico ao longo do último meio século. Mas dá uma imagem ultrassimplificada da economia. Uma das mais importantes omissões é o impacto dos mercados financeiros e da política monetária na economia. Variações na produção tendem a afetar as taxas de juros, que, por sua vez, afetam a economia. Além disso, o modelo mais simples do multiplicador omite as interações entre a economia doméstica e o resto do mundo. Finalmente, o modelo omite o lado da oferta da economia, representada pela interação da despesa com a oferta agregada e os preços. Todas essas limitações serão analisadas em capítulos posteriores e

---

[3] Por simplicidade, consideramos o valor absoluto do multiplicador dos impostos (dado que o multiplicador é, de fato, negativo). Os vários multiplicadores podem ser conhecidos usando-se o dispositivo das "despesas sucessivas", mostrado na página 389. Seja r a PMC. Então se G aumenta uma unidade, o acréscimo total na despesa é a soma das despesas secundárias sucessivas:

$$1 + r + r^2 + r^3 + \ldots = 1/1 - r$$

Mas se os impostos forem reduzidos em US$ 1, os consumidores poupam $(1 - r)$ da renda disponível que aumentou e gastam r no primeiro estágio (rodada). Incluindo toda a sequência de estágios (rodadas) de gastos subsequentes, a despesa total é, portanto:

$$r + r^2 + r^3 + \ldots = r/1 - r$$

Assim, o multiplicador dos impostos é r vezes o multiplicador da despesa, em que r é a PMC.

é útil ter em mente que este primeiro modelo é simplesmente um primeiro passo para compreender a Economia em toda a sua fascinante complexidade.

A análise do multiplicador centra-se principalmente sobre as variações da despesa como os determinantes subjacentes aos movimentos de curto prazo da produção. Nessa abordagem, a política fiscal é, muitas vezes, usada como um instrumento para estabilizar a economia. Mas o governo tem outra arma igualmente poderosa na política monetária. Embora funcione de forma bastante diferente, a política monetária tem muitas vantagens como um meio de combate ao desemprego e à inflação.

Os próximos dois capítulos tratam uma das partes mais fascinantes de toda a Economia: o dinheiro e os mercados financeiros. Uma vez compreendida a forma como o banco central ajuda a determinar as taxas de juros e as condições de crédito, estaremos na posse de um conhecimento exaustivo da forma como os governos podem domar os ciclos econômicos, que evoluíram de uma forma selvagem durante uma grande parte da história do capitalismo.

RESUMO

A. O que são os ciclos econômicos?

1. Os ciclos, ou flutuações, econômicos são oscilações da produção, da renda e do emprego nacionais totais, caracterizados pela expansão ou contração disseminada por muitos setores da economia. Acontecem em todas as economias de mercado avançadas. Distinguimos as fases de expansão como pico, recessão e fundo.

2. Muitos ciclos econômicos ocorrem quando deslocamentos da demanda agregada causam variações profundas na produção, no emprego e nos preços. A demanda agregada desloca-se quando alterações da despesa dos consumidores, das empresas ou do governo alteram a despesa total em relação à capacidade produtiva da economia. Uma redução da demanda agregada leva a recessões ou depressões. Um crescimento da atividade econômica pode levar à inflação.

3. As teorias dos ciclos econômicos diferem na ênfase colocada sobre os determinantes exógenos ou endógenos. É frequentemente atribuída importância às flutuações em determinantes exógenos, como a tecnologia, eleições, guerras, movimentos da taxa de câmbio e choques do preço do petróleo. A maioria das teorias salienta que esses choques externos interagem com os mecanismos internos, como as bolhas ou os colapsos dos mercados financeiros.

B. Demanda agregada e ciclos econômicos

4. As sociedades antigas sofriam quando a perda de colheitas gerava a fome. A economia de mercado moderna pode gerar pobreza no meio da abundância quando a demanda agregada insuficiente conduz à deterioração das condições empresariais e ao aumento do desemprego. Em outras épocas, a despesa excessiva do governo e a confiança excessiva nas impressoras de notas conduziram a inflações descontroladas. O conhecimento das forças que afetam a demanda agregada, incluindo as políticas fiscais e monetárias do governo, ajudam os economistas e as autoridades econômicas a elaborar medidas para suavizar as explosões e depressões cíclicas.

5. A demanda agregada representa a quantidade total da produção que se quer comprar a um determinado nível de preços, mantendo-se tudo o mais constante. Os componentes da despesa incluem (a) o consumo, que depende principalmente da renda disponível; (b) o investimento, que depende da produção atual e do futuro esperado e das taxas de juros e impostos; (c) as compras do governo em bens e serviços; e (d) as exportações líquidas que dependem dos produtos e dos preços externos e internos e das taxas de câmbio.

6. As curvas da demanda agregada são diferentes das curvas da demanda usadas na análise microeconômica. As curvas AD estabelecem a relação entre a despesa global em todos os componentes da produção e o nível geral de preços, mantendo-se a política e as variáveis exógenas constantes. A curva da demanda agregada tem uma inclinação negativa, porque um maior nível de preços reduz a renda e a riqueza real.

7. Nos determinantes que modificam a demanda agregada incluem-se (a) as políticas macroeconômicas, como as políticas monetária e fiscal, e (b) variáveis exógenas, como a atividade econômica externa, os progressos tecnológicos e as variações nos mercados de ativos. A curva AD se desloca quando essas variáveis se modificam.

C. Modelo do multiplicador

8. O modelo do multiplicador proporciona uma forma simples para compreender o impacto da demanda agregada sobre o nível da produção. Na abordagem mais simples, o consumo das famílias é uma função da renda disponível, enquanto o investimento é considerado fixo. O desejo de consumo das pessoas e a vontade das empresas de investir são equilibrados por meio de ajustes na produção. O nível de equilíbrio da produção nacional ocorre quando a despesa planejada é igual à produção planejada. Usando a abordagem produto-despesa, a produção de equilíbrio ocorre na interseção da curva da despesa total (DT) do consumo mais o investimento com a reta 45°.

9. Se a produção está temporariamente acima do seu nível de equilíbrio, as empresas descobrem que a produção é maior do que as vendas, com os estoques se acumulando de uma forma involuntária e os lucros diminuindo. As empresas, portanto, reduzem a produção e o emprego de volta ao nível de equilíbrio. O único nível de produção que é sustentável ocorre quando os consumidores compram, espontaneamente, exatamente o que as empresas desejam produzir. Assim, para o modelo keynesiano simplificado, o investimento "toca a música" e o consumo "dança segundo ela".

10. O investimento tem um *efeito multiplicador* sobre a produção. Quando o investimento varia, a produção, inicialmente, aumentará em igual montante. Mas esse aumento da produção também é um aumento da renda dos consumidores. Quando os consumidores gastam parte de sua renda adicional, põem em marcha toda uma cadeia de despesa de consumo secundário adicional e de emprego.

11. Se as pessoas gastam sempre em consumo r para cada unidade monetária adicional de renda, o total da cadeia multiplicadora será

$$1 + r = r^2 + \ldots = \frac{1}{1-r} = \frac{1}{1-PMC} = \frac{1}{PMP}$$

O multiplicador mais simples é igual numericamente a $1/(1 - PMC)$.

12. Os pontos centrais a se ter em mente são: (a) o modelo básico do multiplicador enfatiza a importância das variações da demanda agregada no impacto sobre a produção e a renda e (b) é principalmente aplicável a situações com recursos não utilizados.

D. Política fiscal no modelo do multiplicador

13. A análise da política fiscal desenvolve o modelo do multiplicador keynesiano. Mostra que um aumento das compras do governo – tomadas isoladamente e mantendo-se inalterados os impostos e o investimento – tem um efeito expansionista sobre a produção nacional muito semelhante ao do investimento. A curva $DT = C + I + G$ da despesa total desloca-se para cima, para uma interseção de equilíbrio com a reta de 45° em um patamar mais elevado.

14. Uma redução nos impostos – tomados isoladamente e mantendo-se constantes o investimento e as compras do governo – aumenta o nível de equilíbrio da produção nacional. A função do consumo CC, traçada em função do PIB, desloca-se para cima e para a esquerda, em virtude de um corte dos impostos. Mas, como uma parte do dinheiro adicional de renda disponível vai para poupança, o aumento monetário do consumo não será tão grande quanto o aumento do valor da nova renda disponível. Portanto, o multiplicador dos impostos é inferior ao multiplicador das compras do governo.

CONCEITOS PARA REVISÃO

Flutuações ou ciclos econômicos

- flutuação econômica ou ciclo econômico
- fases do ciclo econômico: pico, vale, expansão, contração
- recessão
- teorias do ciclo exógenas e endógenas

Demanda agregada

- deslocamentos da demanda agregada e ciclos econômicos
- demanda agregada, curva AD

- principais componentes da demanda agregada: C, I, G, X
- curva AD com inclinação negativa
- determinantes subjacentes que deslocam a curva AD

Modelo básico do multiplicador

- função $DT = C + I + G$
- produto e despesa: níveis planejados *versus* efetivos
- efeito multiplicador do investimento

$$= 1 + PMC + (PMC)^2 + \ldots$$
$$= \frac{1}{1-PMC} = \frac{1}{PMP}$$

Compras do governo e impostos

- política fiscal:
    - efeito de G sobre o PIB de equilíbrio
    - efeito de T sobre CC e sobre o PIB
- efeitos multiplicadores das compras do governo (G) e dos impostos (T)
- curva $C + I + G$ para uma economia fechada

LEITURAS ADICIONAIS E SITES

Leituras adicionais

A citação de Okun is Arthur M. Okun, *The Political Economy of Prosperity* (Norton, New York, 1970), p. 33 ff. É um livro fascinante sobre a história econômica dos anos 1960, escrita por um dos grandes macroeconomistas americanos.

O estudo clássico dos ciclos econômicos por pesquisadores de topo do National Bureau of Economic Research (NBER) é Arthur F. Burns e Wesley Clair Mitchell, *Measuring Business Cycles* (Columbia University Press, New York, 1946). Está disponível em <http://www.nber.org/books/burn46-1>. O modelo do multiplicador foi desenvolvido por John Maynard Keynes em *The General Theory of Employment, Interest and Money* (Harcourt, New York, publicado em 1935). Enfoques avançados podem ser encontrados em livros intermediários listados na seção "Leituras adicionais" do Capítulo 19. Um dos livros mais influentes de Keynes, *The Economic Consequences of the Peace* (1919), previu, com precisão fantástica, que o Tratado de Versalhes levaria a consequências desastrosas para a Europa.

Sites

Um grupo de macroeconomistas participa no programa NBER sobre flutuações e crescimento. Você pode escolher os artigos e dados em <http://www.nber.org/programs/efg/efg.html>. O NBER também estabelece as datas dos ciclos econômicos nos Estados Unidos. Podem ser observadas as recessões e expansões em <http://www.nber.org/cycles.html>.

Dados e análise sobre ciclos econômicos podem ser encontrados no site do Bureau of Economic Analysis <http://www.bea.gov>. As primeiras páginas do *Survey of Current Business*, disponível em <http://www.bea.gov/bea/pubs.html>, apresentam uma análise dos desenvolvimentos recentes dos ciclos econômicos.

QUESTÕES PARA DISCUSSÃO

1. Defina a diferença entre movimentos ao longo da curva *AD* e deslocamentos da curva *AD*. Explique por que um aumento na produção potencial deslocaria a curva *AS* para fora e levaria a um movimento ao longo da curva *AD*. Explique por que um corte nos impostos deslocaria a curva *AD* para fora (aumento da demanda agregada).

2. Construa uma tabela paralela à Tabela 22-1 e liste os acontecimentos que possam levar a uma *diminuição* da demanda agregada. A sua tabela deve dar exemplos diferentes e não uma simples modificação do sentido dos fatores mencionados na Tabela 22-1.

3. Nos últimos anos, tem sido proposta uma nova teoria conhecida como ciclos econômicos reais (RBC, *Real Business Cycles*). Essa abordagem será analisada no Capítulo 31. Essa teoria sugere que as flutuações econômicas são causadas por choques de produtividade que, depois, propagam-se à economia.
    a. Demonstre a teoria CER no esquema *AS-AD*.
    b. Discuta se a teoria CER pode explicar as características habituais das flutuações econômicas descritas nas p. 380-381.

4. No modelo do multiplicador simples, suponha que o investimento seja sempre igual a zero. Mostre que a produção de equilíbrio, nesse caso especial, ocorreria no ponto limite da função do consumo. Por que a produção de equilíbrio ocorreria *acima* do ponto limite quando o investimento é positivo?

5. Defina cuidadosamente o que se entende por equilíbrio no modelo do multiplicador. Para cada uma das seguintes afirmações, escreva por que a situação *não* é um equilíbrio. Descreva, também, como a economia reagiria a cada uma das situações para repor o equilíbrio.
    a. Na Tabela 22-2, o PIB é US$ 3.300 bilhões.
    b. Na Figura 22-7, o investimento efetivo é zero e a produção está em *M*.
    c. Os vendedores de automóveis constatam que a existência de automóveis novos estão aumentando inesperadamente.

6. Reconstrua a Tabela 22-2, considerando que o investimento planejado é igual a (a) US$ 300 bilhões, e (b) US$ 400 bilhões. Qual a diferença resultante no PIB? Essa alteração é maior ou menor do que a variação em *I*? Por quê?
    Qual terá de ser a redução do PIB quando *I* cair de US$ 200 bilhões para US$ 100 bilhões?

7. Dê a explicação (a) pelo bom-senso, (b) pela aritmética e (c) pela geometria do multiplicador. Quais são os multiplicadores quando a *PMC* = 0,9? 0,8? 0,5?

8. Explique em palavras e usando a noção de sequências de despesas por que o multiplicador dos impostos é menor do que o multiplicador da despesa.

9. "Mesmo que o governo gaste bilhões em armamentos inúteis, essa ação pode criar empregos durante uma recessão". Analise.

10. **Problema avançado.** O crescimento dos países depende essencialmente da poupança e do investimento. Desde crianças, ouvimos que a poupança é importante e que "um tostão poupado é um tostão ganho". Mas uma poupança mais elevada é, necessariamente, sempre benéfica para a economia? Em um argumento chocante, chamado de "paradoxo da poupança", Keynes apontava que, quando as pessoas tentavam poupar mais, isso não resultava necessariamente em mais poupança para o país, no seu conjunto.
    Para ver essa ideia, suponha que as pessoas decidissem poupar mais. Uma poupança desejada maior reduz o consumo desejado e desloca para baixo a função do consumo. Ilustre de que modo um aumento da poupança desejada desloca para baixo a curva *DT* no modelo do multiplicador da Figura 22-7. Explique a razão pela qual isso faria *a produção diminuir, sem qualquer aumento da poupança!* Explique a razão pela qual, neste caso, se as pessoas aumentam a sua poupança e reduzem o seu consumo, em um dado nível de investimento das empresas, as vendas diminuirão e as empresas reduzirão a produção. Explique a dimensão da diminuição da produção.
    Eis, então, o paradoxo da poupança: quando a comunidade deseja poupar mais, o efeito pode ser, na realidade, uma redução da renda e da produção sem qualquer aumento da poupança.

11. **Problema avançado que ilustra o mecanismo do multiplicador.** Arranje dois dados e use a seguinte técnica para verificar se você pode gerar algo que se assemelhe a um ciclo econômico. Registre os números de 20, ou mais, lançamentos dos dados. Calcule as médias móveis de cinco períodos de números sucessivos. Depois as coloque em um gráfico. Deverão parecer-se muito com os movimentos do PIB, do desemprego ou da inflação.
    Uma sequência assim obtida foi 7, 4, 10, 3, 7, 11, 7, 2, 9, 10... As médias foram $(7 + 4 + 10 + 3 + 7)/5 = 6,2$, $(11 + 7 + 2 + 9 + 10)/5 = 7$... etc.
    Por que isso se parece com um ciclo econômico?
    Dica: os números aleatórios gerados pelos dados são como choques exógenos de investimento ou de guerras. A média móvel é como o multiplicador interno do sistema econômico (ou uma cadeira giratória), ou mecanismo nivelador. Juntos, produzem o que se parece com um ciclo.

12. **Problema de dados.** Alguns economistas preferem uma definição objetiva e quantitativa de uma recessão em vez da abordagem mais subjetiva utilizada pelo NBER. Esses economistas definem uma recessão como um período durante o qual o PIB real cai durante pelo menos dois trimestres seguidos. Observe, a partir do texto, que essa não é a forma como o NBER define uma recessão.
    a. Obtenha os dados trimestrais sobre o PIB real dos Estados Unidos a partir de 1948. Isso pode ser obtido a partir do site do Bureau of Economic Analysis, <http://www.bea.gov>. Coloque os trimestres em uma coluna de uma folha de cálculo, juntamente com os dados correspondentes em outra coluna.
    b. Encontre na folha de cálculo a taxa de crescimento percentual do PIB real para cada trimestre a uma taxa anual. Este é calculado da seguinte forma:
    $$g_t = 400 \times \frac{x_t - x_{t-1}}{x_{t-1}}$$
    c. Segundo essa definição alternativa, quais períodos você identificaria como recessões? Para quais anos esse procedimento objetivo alternativo chegaria a uma conclusão diferente da do NBER?

CAPÍTULO

23 Moeda e o sistema financeiro

Ao longo da história, o dinheiro tem oprimido os povos em uma de duas formas: ou tem sido abundante e pouco confiável, ou confiável e muito escasso.
John Kenneth Galbraith,
The Age of Uncertainty (1977)

O sistema financeiro é um dos setores mais importantes e inovadores da economia moderna. Ele forma o sistema circulatório vital que canaliza recursos dos poupadores para os investidores. Se o setor financeiro, em épocas passadas, consistia de bancos e da loja da vila, atualmente envolve um vasto sistema bancário mundial, mercados de valores mobiliários, fundos de pensões e uma grande variedade de instrumentos financeiros. Quando o sistema financeiro funciona sem problemas – como foi o caso na maior parte do período decorrido desde a Segunda Guerra Mundial –, contribui grandemente para o crescimento econômico saudável. No entanto, quando os bancos falham e as pessoas perdem a confiança no sistema financeiro – como aconteceu na crise mundial de 2007-2009 –, o crédito torna-se escasso, o investimento é restringido e o crescimento econômico diminui.

Panorama do mecanismo de transmissão monetária

Um dos temas mais importantes na macroeconomia é o *mecanismo de transmissão monetária*. Isso diz respeito ao processo pelo qual a política monetária realizada pelo banco central (no caso dos Estados Unidos é o Federal Reserve) interage com os bancos e o restante da economia para determinar as taxas de juros, as condições financeiras, a demanda agregada, a produção e a inflação.

Podemos dar uma visão geral do mecanismo de transmissão monetária como uma série de cinco etapas lógicas:

1. O banco central anuncia uma meta para a taxa de juros de curto prazo que depende dos seus objetivos e do estado da economia.

2. O banco central realiza diariamente operações de mercado aberto para atingir a sua meta de taxa de juros.

3. A nova meta de taxa de juros do banco central e as expectativas de mercado sobre as futuras condições financeiras ajudam a determinar o leque completo das taxas de juros de curto e longo prazos, os preços dos ativos e as taxas de câmbio.

4. As mudanças nas taxas de juros, nas condições de crédito, nos preços dos ativos e nas taxas de câmbio afetam o investimento, o consumo e as exportações líquidas.

5. As mudanças no investimento, no consumo e nas exportações líquidas afetam o caminho da produção e da inflação por meio do mecanismo *AS-AD*.

Examinamos os vários elementos desse mecanismo nos três capítulos sobre moeda, finanças e banco central. O Capítulo 15 examinou os principais elementos das taxas de juros e do capital. O presente capítulo centra-se no setor financeiro privado, incluindo a estrutura do sistema financeiro (seção A), na demanda de moeda (seção B), nos bancos (seção C), e no mercado de ações (seção D). O próximo capítulo analisa o banco central, bem como a forma pela qual os mercados financeiros interagem com a economia real para determinar a produção e a inflação. Quando tiver completado esses capítulos, você vai entender as diferentes etapas no mecanismo de transmissão monetária. É uma das partes mais importantes de toda a macroeconomia

A. SISTEMA FINANCEIRO MODERNO

Papel do sistema financeiro

O setor financeiro de uma economia é o sistema circulatório que liga bens, serviços e finanças no mercado interno e no internacional. É por meio da moeda e das finanças que as famílias e as empresas emprestam e obtêm empréstimo uns dos outros para consumir e investir. As pessoas podem pedir emprestado, ou emprestar, porque as suas rendas monetárias nem sempre coincidem com a sua despesa desejada. Por exemplo, os estudantes geralmente têm necessidades de despesa para subsistir e em mensalidades escolares que excedem suas rendas atuais. Eles financiam, com frequência, o excesso da sua despesa com empréstimos estudantis. Similarmente, os casais trabalhadores, em geral, poupam parte de suas rendas para a aposentadoria, comprando, por exemplo, ações ou títulos de dívida. Estão, assim, financiando sua aposentadoria.

As atividades financeiras são realizadas no **sistema financeiro**. Este engloba mercados, empresas e outras instituições que tratam as decisões financeiras das famílias, das empresas e do governo. São partes importantes do sistema financeiro os mercados monetários (analisados mais tarde neste capítulo); os mercados de ativos, com taxa de juros fixa, como títulos de dívida ou empréstimos hipotecários; os mercados de capitais, relativos à propriedade de empresas; e os mercados cambiais que transacionam as moedas dos vários países. Grande parte do sistema financeiro dos Estados Unidos é composta por entidades orientadas para o lucro, mas entidades do governo, como o Fed e outras reguladoras, são especialmente importantes para assegurar um sistema financeiro eficiente e estável.

A atividade de emprestar e obter empréstimo acontece em **mercados financeiros** e por meio de intermediários financeiros. Esses são como os outros mercados, exceto que os seus bens e serviços consistem em instrumentos financeiros como ações e títulos de dívida. Mercados financeiros importantes são os mercados de capitais, mercados de títulos de dívida e os mercados cambiais.

As instituições que proporcionam bens e serviços financeiros são chamadas de **intermediários financeiros**. As instituições financeiras diferem das outras empresas porque os seus ativos são principalmente financeiros, em vez de ativos reais, como fábricas e equipamentos. Muitas transações financeiras do varejo (como a dos bancos ou dos seguros) são realizadas por intermediários e não diretamente em mercados financeiros.

Os mais importantes intermediários financeiros são os bancos comerciais que aceitam depósitos de fundos das famílias e de outros grupos, e que também emprestam esses fundos a empresas e a quem precisa deles; os bancos "criam" o produto especial chamado moeda. Outros intermediários financeiros importantes são as companhias de seguros e os fundos de pensões que proporcionam produtos especializados, como apólices de seguros e investimentos detidos para a aposentadoria.

Ainda um terceiro grupo de intermediários "agrega" e "subdivide" títulos; nesses intermediários incluem-se os fundos mútuos (que detêm títulos de dívidas e ações de empresas em nome de pequenos investidores), os compradores de créditos hipotecários financiados pelo governo (que compram créditos hipotecários aos bancos para os revenderem a outras instituições financeiras). E empresas de "derivativos" (que compram ativos e os subdividem em várias partes).

A Tabela 23-1 mostra o crescimento e a composição dos ativos das instituições financeiras nos Estados Unidos. Houve um crescimento e inovação substancial nessa área, de modo que a razão do total dos ativos em relação ao PIB cresceu de 1,5 em 1965 para 4,5 em 2007. Esse crescimento ocorreu por causa do aumento da intermediação financeira, que é um processo em que os ativos são comprados, reestruturados e revendidos várias vezes. O objetivo da intermediação financeira é transformar ativos ilíquidos em ativos líquidos que os pequenos investidores possam comprar. No final de 2007, os intermediários financeiros tinham ativos totais de US$ 61 bilhões, ou cerca de US$ 530 mil por família americana. Evidentemente, dados os investimentos que as pessoas têm neste setor, é importante um estudo cuidadoso não só para uma política adequada, mas também para a tomada de decisões financeiras acertadas pelas famílias.

Funções do sistema financeiro

Uma vez que corresponde a uma parcela tão importante de uma economia moderna, consideremos as principais funções do sistema financeiro:

- O sistema financeiro *transfere recursos* no tempo, entre setores e entre regiões. Essa função permite que os investimentos sejam aplicados nos seus usos mais produtivos e não sejam colocados onde são menos necessários. Demos antes o exemplo dos empréstimos a estudantes e a poupança para a aposentadoria. Encontra-se outro exemplo nas finanças internacionais. O Japão, que tem uma taxa de poupança elevada, transfere recursos para a China, que tem grandes oportunidades de investimento; essa transferência ocorre tanto por meio de empréstimos como de investimentos diretos na China.

- O sistema financeiro faz a *gestão do risco* para a economia. Em certo sentido, a gestão do risco é como a transferência de recursos: transfere, ou dispersa, o risco das pessoas, ou setores, que mais precisam reduzir os seus riscos para outros que estão mais

	1965		2007	
	Total de ativos (US$, bilhões)	% do total	Total de ativos (US$, bilhões)	% do total
Federal Reserve	112	11	2.863	5
Bancos comerciais	342	33	11.195	18
Outras instituições de crédito	198	19	2.575	4
Seguros e fundos de pensões	325	31	16.557	27
Mercado monetário e fundos mútuos	43	4	11.509	19
Empresas hipotecárias financiadas pelo governo	20	2	9.322	15
Títulos lastreados em ativos	0	0	4.221	7
Corretoras	10	1	3.095	5
Total	1.050	100	61.337	100
% do PIB	146%		450%	

TABELA 23-1 Ativos das principais instituições financeiras dos Estados Unidos.
O setor financeiro evoluiu rapidamente ao longo das últimas quatro décadas.
A tabela mostra o total de ativos de todas as instituições financeiras, o total geral que aumentou de 146 para 450% do PIB. Os bancos e outras instituições de crédito diminuíram em importância, à medida que instituições secundárias, como fundos mútuos e empresas de garantia de empréstimos patrocinadas pelo governo se expandiram acentuadamente. Algumas áreas novas importantes, como títulos lastreados em ativos, nem sequer existiam nos anos 1960.
Fonte: Federal Reserve Board Flow of Funds, disponível em <http://www.federalreserve.gov/releases/z1/, level tables>.

bem habilitados a suportá-lo. Por exemplo, o seguro de incêndio de uma residência assume o risco do proprietário poder perder um investimento de US$ 200 mil e dispersa o risco entre centenas, ou milhares, de acionistas da companhia de seguros.

- O sistema financeiro *agrupa e subdivide fundos*, dependendo das necessidades do poupador ou do investidor. Como investidor você pode querer investir US$ 10 mil em uma carteira diversificada de ações comuns. Para adquirir de maneira eficiente uma carteira de 100 empresas poderia ser necessário dispor de US$ 10 milhões de fundos. É aqui que entra um fundo de investimento mobiliário: tendo mil investidores, você poderá comprar a carteira, subdividindo-a e gerindo-a para si. Em contrapartida, um fundo mútuo bem gerido pode cobrar US$ 30 ao ano pela sua carteira de US$ 10 mil. Além disso, uma economia moderna exige empresas em larga escala que têm bilhões de dólares investidos em fábricas e equipamento. Não é provável que uma única pessoa tenha possibilidade de conseguir reunir esses fundos – e mesmo que o conseguisse, essa pessoa não iria querer ter todos os seus ovos em uma única cesta. A grande sociedade anônima moderna pode efetuar essa tarefa por sua capacidade de vender ações do seu capital a muitas pessoas e agrupar esses fundos para realizar grandes investimentos com risco.

- O sistema financeiro desenvolve uma importante *função de compensação*, que facilita as transações entre pagadores (compradores) e recebedores (vendedores). Por exemplo, quando alguém passa um cheque para comprar um novo computador, a compensação debitará o seu banco e creditará o banco da empresa vendedora do computador. Essa função permite uma rápida transferência de fundos por todo o mundo.

Fluxo de fundos

Podemos ilustrar uma tabela simplificada dos mercados financeiros por meio de um gráfico de **fluxo de fundos**, mostrado na Figura 23-1. Essa figura mostra dois conjuntos de agentes – poupadores e investidores – e exemplos representativos de poupança e investimento por meio de mercados e intermediários financeiros.

Essa imagem é simplificada, pois existem tipos muito variados de ativos ou instrumentos financeiros, como veremos na próxima seção.

MENU DE ATIVOS FINANCEIROS

Os **ativos financeiros** são direitos de uma parte sobre outra. Nos Estados Unidos consistem principalmente de *ativos denominados em dólares* (cujos pagamentos estão fixados em termos de dólares) e *participações* (*equities*), que são direitos sobre fluxos residuais como os lucros ou sobre ativos reais. A Tabela 23-2 mostra os principais instrumentos financeiros nos Estados Unidos no final de 2007. O valor total dos ativos financeiros era US$ 142 bilhões, o que totaliza um montante enorme de US$ 1,2 milhão por família americana. É claro que muitos desses ativos são itens de compensação,

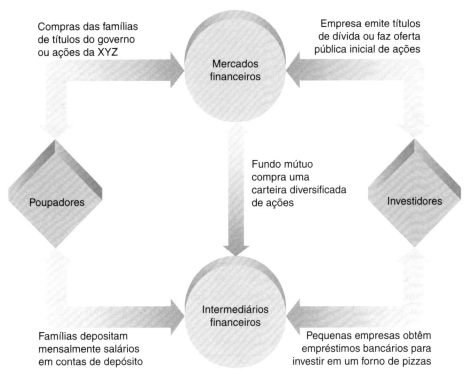

FIGURA 23-1   O fluxo de fundos segue o fluxo financeiro na economia.

Os poupadores e os investidores transferem fundos no tempo, no espaço e entre setores por meio de mercados e intermediários financeiros. Alguns fluxos (como a compra de 100 ações da XYZ) ocorrem diretamente por meio dos mercados financeiros, enquanto outros (como a compra de ações de fundos mútuos, ou o depósito à vista) ocorrem por intermediários financeiros.

mas esses números mostram a grandeza que o sistema financeiro atingiu.

Eis, a seguir, os principais instrumentos financeiros, ou ativos:

- *Moeda* e os seus componentes são um ativo muito especial que será definido pormenorizadamente mais tarde neste capítulo.
- *Depósitos de poupança* são depósitos nos bancos ou em instituições de crédito, geralmente garantidos pelo governo, que têm uma quantia monetária fixa e taxas de juros determinadas pelas taxas de juros de curto prazo do mercado.
- *Instrumentos do mercado de crédito* são títulos de dívida denominados em dólares do governo ou de entidades privadas. Os títulos federais são considerados os investimentos sem risco. Outros instrumentos do mercado de crédito que têm graus de risco variado são os empréstimos hipotecários, os títulos de empresas e os títulos de risco crédito alto.
- *Ações ordinárias* (um tipo de participação) são direitos de propriedade sobre as empresas. Rendem dividendos que são pagamentos retirados dos lucros das empresas. As ações transacionadas publicamente e que são cotadas nos mercados de títulos são analisadas mais tarde, ainda neste capítulo. As participações em empresas de capital fechado são o valor de empresas em sociedade, de propriedades agrícolas e de pequenas empresas.
- *Fundos do mercado monetário* e *fundos mútuos* são fundos que detêm milhões ou bilhões de dólares em ambos os ativos de curto prazo ou ações e podem ser subdivididos em frações de ações a ser compradas por pequenos investidores.
- *Fundos de pensões* representam a posse de ativos que estão nas mãos de empresas ou de planos de pensões. Os trabalhadores e as empresas contribuem para esses fundos durante os anos de trabalho, sendo os fundos utilizados para pagar às pessoas no seu período de aposentadoria.
- *Derivativos financeiros* são incluídos nos instrumentos do mercado de crédito. Estes são novas formas de instrumentos financeiros cujos valores são baseados, ou derivados, dos valores de outros ativos. Um exemplo importante é uma opção de ações, cujo valor depende do valor da ação à qual está relacionado.

Repare que essa lista de ativos financeiros exclui o ativo mais importante que a maioria das pessoas têm: as suas casas, que são bens tangíveis, ao contrário dos ativos financeiros.

Instrumento financeiro	Total (US$, bilhões)	% do total
Moeda (M_1)		
Papel-moeda	774	0,5
Depósitos à vista	745	0,5
Depósitos de poupança	7.605	5,4
Mercado monetário e fundos mútuos	10.852	7,6
Instrumentos do mercado de crédito		
Do governo e apoiados pelo governo	12.475	8,8
Privados	38.660	27,2
Empresas de capital aberto ou fechado	29.355	20,7
Aplicações em seguros e aposentadoria	13.984	9,9
Outros tipos de créditos	27.470	19,4
Total, todos os instrumentos financeiros	**141.921**	**100,0**

TABELA 23-2 Principais ativos financeiros nos Estados Unidos, 2007.

Esta tabela mostra uma grande variedade de ativos financeiros em posse de famílias e empresas nos Estados Unidos. O valor total é maior do que o montante emitido apenas pelas instituições financeiras, porque muitos ativos são emitidos por outras entidades, como o governo.

Fonte: Federal Reserve Board, Flow of Funds, disponível em <http://www.federalreserve.gov/releases/z1/, level tables>.

Revisão das taxas de juros

O Capítulo 15 apresentou um levantamento completo das taxas de remuneração, do valor presente, e das taxas de juros. Você deve rever esses conceitos com cuidado. A seguir, estão os principais pontos.

A taxa de juros é o preço pago pelo dinheiro recebido de empréstimo. Normalmente, os juros são calculados em percentagem anual sobre o montante dos fundos emprestados. Há muitas taxas de juros, conforme o prazo, o risco, o regime fiscal e outras características do devedor.

Alguns exemplos mostrarão como funcionam os juros:

- Após se formar, você tem apenas US$ 500. Você decide mantê-lo em espécie em um cofre. Se não gastar o dinheiro, ao final de um ano continuará a ter os mesmos US$ 500, uma vez que o dinheiro tem uma taxa de juros nula.

- Um pouco mais tarde, você deposita US$ 2 mil em uma conta de poupança no seu banco local, onde a taxa de juros dos depósitos de poupança é de 4% ao ano. No final do primeiro ano, o banco terá depositado US$ 80 de juros em sua conta, portanto a conta passa a ter o valor de US$ 2,08 mil.

- Com o seu primeiro emprego, você decide comprar um pequeno apartamento que custa US$ 100 mil. Você se dirige ao banco local e verifica que um empréstimo hipotecário por 30 anos, com taxa de juros fixa, tem uma taxa de juros de 5% ao ano. Todos os meses você tem de fazer um pagamento de US$ 536,83. Repare que esse pagamento é um pouco superior ao encargo de juros proporcional mensal de 0,417 = 5/12%. Por quê? Porque o pagamento mensal inclui não só os juros, mas também a *amortização* (o pagamento do montante recebido de empréstimo). Isto é, o reembolso do valor do empréstimo. Após ter feito os seus 360 pagamentos mensais de amortização, o empréstimo terá sido totalmente pago.

B. CASO ESPECIAL DA MOEDA

Voltemos agora para o caso especial da moeda, ou dinheiro. Se você pensar por alguns momentos, verificará que a moeda é algo estranho. Estudamos durante anos para termos um bom padrão de vida, mas cada nota de moeda é apenas papel, sem qualquer valor intrínseco. A moeda não tem valor até que nos livremos dela.

Mas a moeda tem tudo, menos falta de utilidade de um ponto de vista macroeconômico. A política monetária é atualmente uma das duas mais importantes ferramentas (juntamente com a política fiscal) de que o governo dispõe para estabilizar o ciclo econômico. O banco central usa o seu controle sobre a oferta de moeda, o crédito e as taxas de juros para estimular o crescimento quando a economia abranda e para diminuir o crescimento quando existem pressões inflacionárias.

Quando o sistema financeiro é bem gerido, a produção cresce continuamente e os preços são estáveis. Mas um sistema financeiro instável, como se viu em muitos países, resultante de guerras ou revoluções, pode levar à inflação ou à depressão. Muitos dos mais devastadores traumas macroeconômicos do século XX podem ser atribuídos ao mau funcionamento dos sistemas monetários.

Faremos agora uma análise cuidadosa da definição de moeda e da sua demanda.

EVOLUÇÃO DA MOEDA

História da moeda

O que é a moeda? A moeda ou dinheiro *é qualquer coisa que serve como meio de troca com aceitação geral*. Como a moeda tem uma história longa e fascinante, iniciaremos com uma descrição dessa evolução.

Troca direta. Em um manual antigo sobre moeda, quando Stanley Jevons quis ilustrar o enorme salto à frente que ocorreu quando as sociedades a introduziram, usou a seguinte experiência:

> Alguns anos mais tarde, Mademoiselle Zélie, uma cantora do Teatro Lírico de Paris, ... deu um concerto nas Ilhas Sociedade. Em troca de uma ária da *Norma* e algumas outras canções, ela deveria receber um terço das receitas. Quando contou a sua parte, viu que consistia de três porcos, vinte e três perus, quarenta e quatro galinhas, cinco mil cocos, para além de uma quantidade considerável de bananas, limões e laranjas... Em Paris, com essa quantidade de criação e vegetais, ela poderia ter obtido cerca de quatro mil francos, o que teria sido uma boa remuneração para cinco canções. Nas Ilhas Sociedade, contudo, as moedas eram escassas; e, como a Mademoiselle não podia consumir ela própria uma parte considerável da sua receita, foi, entretanto, necessário alimentar os porcos e as aves com as frutas.

Esse exemplo descreve a troca direta, que consiste na troca de bens por outros bens. A troca direta contrasta com a troca por meio de moeda, porque porcos, perus e limões não são valores geralmente aceitos que nós, ou a Mademoiselle Zélie, possamos usar para comprar coisas. Embora seja melhor do que não haver qualquer comércio, a troca direta funciona com uma grande desvantagem, uma vez que uma divisão do trabalho desenvolvida seria impensável sem a introdução da grande invenção social que foi a moeda.

Com o desenvolvimento das economias, as pessoas deixaram de trocar produtos por produtos. Em vez disso, vendem bens por moeda, e a seguir usam a moeda para comprar outros bens que desejam ter. À primeira vista, a substituição de uma transação por duas parece complicar, em vez de simplificar. Se alguém tem maçãs e quer ter nozes, não seria mais simples trocar umas pelas outras, em vez de vender as maçãs por dinheiro e, a seguir, usar a moeda para comprar nozes?

Na verdade, o inverso é verdadeiro: duas transações monetárias são mais simples do que uma troca direta. Por exemplo, algumas pessoas podem querer comprar maçãs e outros vender nozes. Mas seria uma circunstância rara encontrar uma pessoa com finalidade de troca exatamente complementares às de outro – uma que deseje vender nozes e a outra comprar maçãs. Para usar uma frase econômica clássica, em vez de haver "uma dupla coincidência de vontades", é provável que haja "uma vontade de coincidência". Desse modo, a não ser que um alfaiate faminto encontre um agricultor maltrapilho, e que eles possuam simultaneamente alimentos e o desejo de um par de calças, com a troca direta ninguém consegue negociar nada.

As sociedades que querem ter um grande volume de comércio não podiam ultrapassar com facilidade os graves inconvenientes da troca direta. O uso de um meio de troca que fosse aceito de forma generalizada – a moeda – permite que o agricultor compre as calças do alfaiate, o qual compra os sapatos do sapateiro, que compra o couro do agricultor.

Moeda-mercadoria. A moeda como meio de troca entrou inicialmente na história da humanidade na forma de mercadorias. Uma grande variedade de mercadorias serviu como moeda em épocas distintas: gado, azeite, cerveja ou vinho, cobre, ferro, ouro, prata, anéis, diamantes e cigarros.

Qualquer uma delas tem vantagens e desvantagens. O gado não é divisível para pequenas trocas. A cerveja não melhorava com o tempo, embora com o vinho isso seja possível. O azeite proporciona uma interessante moeda líquida e pode ser dividido em qualquer porção a qualquer momento, mas a sua manipulação faz muita sujeira. E assim por diante.

No século XIX, a moeda-mercadoria estava quase confinada aos metais, como a prata e o ouro. Essas formas de moeda tinham *valor intrínseco*, ou seja, tinham valor de uso em si mesmas. Como a moeda tinha valor intrínseco, não havia necessidade de os governos garantirem o seu valor e a quantidade de moeda era regulada pelo mercado por meio da compra e da venda de ouro ou prata. Mas a moeda metálica tem desvantagens resultantes da exigência de recursos escassos para extraí-la do subsolo; além disso, ela pode tornar-se abundante apenas em virtude das descobertas acidentais de jazidas de minério.

O advento do controle monetário pelos bancos centrais levou a um sistema monetário muito mais estável. O valor intrínseco da moeda agora é o que tem menos importância.

Moeda moderna. A era da moeda-mercadoria deu lugar à era do *papel-moeda*. A essência da moeda é agora tênue. Ela é desejada não pelo próprio uso, mas pelas coisas que ela permite comprar. Não desejamos consumir a moeda diretamente; em vez disso, a usamos quando nos desfazemos dela. Mesmo quando decidimos ficar com a moeda, o seu valor deriva do fato de a podermos gastá-la mais tarde.

O uso do papel-moeda difundiu-se, uma vez que esse é um meio de troca conveniente. As notas de moeda são facilmente transportadas e guardadas. Com uma impressão cuidadosa, o valor da moeda pode ser protegido da falsificação. O fato de as pessoas não poderem produzir legalmente moeda a torna escassa. Por causa dessa limitação da oferta, a moeda tem valor. Ela pode comprar coisas. Desde que as pessoas possam pagar as suas despesas com notas, e desde que estas sejam aceitas como meios de pagamento, desempenham a função de moeda.

O papel-moeda emitido pelo governo foi gradualmente substituído pela *moeda bancária* – os depósitos à vista, que analisaremos em breve.

Há alguns anos, muitas pessoas previam que, adiante, passaríamos a uma sociedade sem moeda. Previam que o papel-moeda e as contas correntes seriam substituídos por moeda eletrônica, como os cartões com valor armazenado, que atualmente se encontram em muitas lojas. Mas, de fato, os consumidores têm sido relutantes em adotar a moeda eletrônica em quantidades substanciais. Confiam e preferem a moeda do governo e os cheques. Até certo ponto, as transferências eletrônicas, os cartões de débito e o e-banking têm substituído os cheques de papel, mas devem ser vistos como formas diferentes de *usar* uma conta corrente, não como diferentes *tipos* de moeda.

Componentes da oferta de moeda

Observemos agora, mais detalhadamente, os diferentes tipos de moeda, focando nos Estados Unidos. O principal *agregado monetário* estudado em macroeconomia é conhecido por M_1. Também é designado por *moeda para transações*. Anteriormente, os economistas examinavam outros conceitos de moeda, como o M_2. Esses conceitos incluíam ativos adicionais e, muitas vezes, eram úteis para analisar tendências ampliadas, mas são pouco usados na política monetária atualmente. Os componentes de M_1 são as seguintes:

- *Papel-moeda (e moeda metálica)*. São as notas de dinheiro, incluindo as moedas metálicas, não detidos pelo sistema bancário. A maioria das pessoas sabe a respeito de uma nota de US$ 1, ou de US$ 5, pouco além do fato de que tem a imagem de um estadista norte-americano impressa, que têm algumas assinaturas de responsáveis públicos e que tem um número indicando o seu valor. Examine uma nota de US$ 10 ou qualquer outra nota. Você descobrirá que diz "Nota do Federal Reserve". Mas o que "garante" o nosso papel-moeda? Há muitos anos, o papel-moeda era garantido por ouro ou prata. Hoje não existe tal pretensão. Atualmente, todas as moedas e notas são *moeda fiduciária*. Esse termo significa que algo é dinheiro porque o governo o determina, mesmo que não tenha valor intrínseco. O papel-moeda e as moedas têm *curso legal*, portanto têm de ser aceitas para pagamento de todas as dívidas – públicas e privadas. O papel-moeda em poder do público é aproximadamente igual à metade do total de M_1.
- *Depósitos à vista*. O outro componente de M_1 é a moeda bancária. Esta consiste em fundos depositados em bancos e em outras instituições financeiras sobre as quais podem ser sacados cheques ou levantar dinheiro sem aviso prévio. São tecnicamente conhecidos por "depósitos à vista e outros depósitos mobilizáveis por cheque". Se você tiver US$ 1 mil em sua conta de depósito à vista em uma instituição bancária, esse depósito pode ser considerado como moeda. Por quê? Pela simples razão de que pode pagar compras com cheques sacados sobre ela. O dinheiro depositado em uma conta corrente é um meio de troca e, portanto, considerado como moeda.

Muitas vezes, os estudantes querem saber se os cartões de crédito são moeda. De fato, não são. Isso porque o cartão de crédito é uma forma fácil (mas não barata!) de obter moeda emprestada. Quando pagamos com um cartão de crédito, estamos, de fato, prometendo pagar à empresa do cartão de crédito – com dinheiro – em uma data posterior.

A Figura 23-2 mostra a tendência da razão entre M_1 e o PIB. A razão tem diminuído em um fator de 3 ao longo do último meio século. Ao mesmo tempo, todos os outros ativos financeiros aumentaram acentuadamente.

Moeda é tudo o que serve como meio de troca com aceitação generalizada. Atualmente, definimos moeda para transações, como M_1, que é a soma do papel-moeda em poder do público mais os depósitos à vista.

DEMANDA DE MOEDA

A demanda de moeda é diferente da demanda de sorvetes ou de filmes. A moeda não é desejada por si mesma; não se pode comer moedas, e raramente penduramos nas paredes notas de US$ 100 pela beleza artística da sua impressão. Em vez disso, procuramos moeda porque nos serve indiretamente como lubrificante do comércio e da troca.

Funções da moeda

Antes de analisarmos a demanda de moeda, vejamos as suas funções.

- A função central da moeda aqui salientada é a de servir como *meio de troca*. Sem moeda estaríamos constantemente andando de um lado para outro à procura de alguém para uma troca direta. Lembramo-nos frequentemente do valor da moeda quando o sistema monetário não funciona bem. Quando a Rússia abandonou o sistema de planejamento central, no início dos anos 1990, as pessoas passavam horas em filas para comprar bens e tentavam obter dólares ou outras moedas estrangeiras, uma vez que o rublo deixara de funcionar como um meio de troca aceitável.
- A moeda também é usada como *unidade de conta*, a unidade com que medimos o valor das coisas. Tal como medimos o peso em quilogramas, medimos o valor em dinheiro. O uso de uma unidade de conta comum simplifica muito a vida econômica.

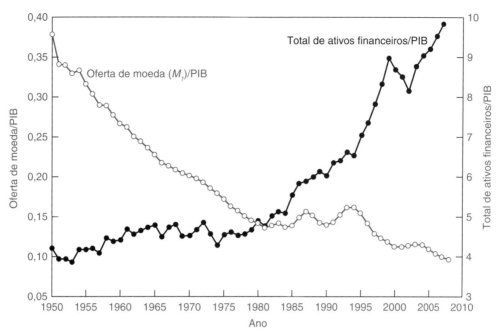

FIGURA 23-2 Moeda em circulação e ativos financeiros totais em relação ao PIB.

O total dos ativos financeiros aumentou acentuadamente em relação ao PIB, enquanto a razão da oferta de moeda em relação ao PIB diminuiu gradualmente. Observe a grande diferença de escala. O total dos ativos financeiros é definido de forma semelhante ao da Tabela 23-1.

Fonte: Dados financeiros do Federal Reserve Board; o PIB a partir do Bureau of Economic Analysis.

- A moeda é, às vezes, usada como *reserva de valor*. Em comparação com ativos de risco, como ações, imóveis ou ouro, a moeda é relativamente segura. Antigamente, as pessoas guardavam dinheiro como uma forma segura de riqueza. Atualmente, quando as pessoas procuram um lugar seguro para a sua riqueza, esta é detida predominantemente na forma de ativos não monetários, como depósitos de poupança, ações, títulos e imóveis.

Custos da posse da moeda

Qual é o custo de manter a moeda? A moeda é cara porque tem um rendimento mais baixo do que os outros ativos seguros. A moeda tem uma taxa de juros nominal de exatamente 0% ao ano. Os depósitos à vista, às vezes, têm uma taxa de juros pequena, mas essa taxa normalmente está muito abaixo, ou é muito menor do que a taxa nas contas de poupança ou contas de depósito à vista remuneradas. Por exemplo, ao longo do período 2000-2007, a moeda teve um rendimento de 0% ao ano, as contas correntes tinham um rendimento médio de cerca de 0,2% ao ano, e os fundos de curto prazo tiveram um rendimento de cerca de 4,6% ao ano. Se o rendimento ponderado da moeda (papel-moeda e contas correntes) foi de 0,1% ao ano, então o *custo de posse de moeda* foi de 4,5% = 4,6% - 0,1% ao ano. A Figura 23-3 mostra a taxa de juros da moeda quando comparada com a de ativos seguros de curto prazo.

O custo da posse da moeda são os juros perdidos, porque se deixou de possuir outros ativos. Esse custo é geralmente muito próximo da taxa de juros de curto prazo.

Duas fontes da demanda de moeda

Demanda de moeda para transações. As pessoas necessitam de moeda principalmente porque as suas rendas e despesas não ocorrem ao mesmo tempo. Por exemplo, recebemos o vencimento no último dia do mês, mas temos de pagar alimentos, contas, gasolina e roupas ao longo do mês. A necessidade de ter moeda para compras, ou transações, de bens, serviços e outros itens, constitui a *demanda de moeda para transações*.

Por exemplo, suponha que uma família ganha US$ 3 mil por mês, que mantém esse valor na forma de dinheiro e gasta de forma constante ao longo do mês. O cálculo revelará que a família deterá, em média, US$ 1,5 mil em saldo monetário.

Esse exemplo pode ajudar a compreender de que modo a demanda de moeda responde às diferentes influências econômicas. Se todos os preços e as rendas duplicarem, a demanda nominal de M duplica. Assim, a demanda de moeda para transações duplica se o PIB duplicar, não havendo variação do PIB real ou de outras variáveis reais.

Como a demanda de moeda varia em relação às taxas de juros? Se a taxa de juros subir, a família poderá

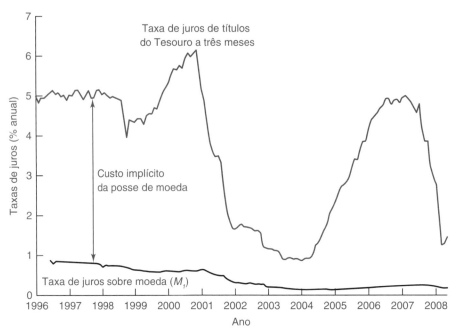

FIGURA 23-3 Taxas de juros de moeda e de ativos seguros de curto prazo.

Esta figura mostra a taxa de juros da moeda (que é a média entre a taxa nula do papel-moeda e a taxa dos depósitos à vista) em comparação com a taxa de juros de títulos do Tesouro de curto prazo. A diferença entre essas duas taxas de juros é o custo implícito da posse de moeda.

Fonte: Taxa de juros do Tesouro do Federal Reserve Board; a taxa de juros dos depósitos à vista do Informa Research Services, Inc..

pensar: "Vamos depositar à vista apenas metade do nosso dinheiro no início do mês e depositamos a outra metade em um depósito de poupança remunerado a 8% ao ano. No dia 15 vamos sacar esses US$ 1,5 mil da conta de poupança e, então, depositar à vista para pagar as contas da próxima quinzena".

Isso significa que, se as taxas de juros aumentam, e a família decide colocar metade dos seus ganhos em um depósito de poupança, o saldo monetário médio da família cai de US$ 1,5 mil para US$ 750. Isso mostra como a posse de dinheiro (ou a demanda de moeda) pode ser sensível às taxas de juros: mantendo-se tudo o mais constante, se as taxas de juros aumentam, a quantidade de moeda demandada cai.

Demanda como ativo. Além do seu uso por necessidade de transações, poderá perguntar se a moeda foi alguma vez usada como reserva de valor. A resposta é que, atualmente, muito raramente. Em uma economia moderna em tempos normais, as pessoas preferem manter seus ativos que não a moeda em aplicações seguras como contas de poupança ou contas remuneradas. Suponha que você precise de US$ 2 mil por mês na sua conta corrente para as suas transações e possui outros US$ 50 mil em poupança. Certamente, seria melhor colocar os US$ 50 mil em um fundo do mercado monetário e ganhar 4,6% ao ano do que em uma conta corrente a ganhar 0,2%. Ao fim de dez anos, esta última valeria apenas US$ 51.009, enquanto a primeira teria um valor de US$ 78.394. (Certifique-se que consegue reproduzir tais números.)

Há algumas exceções importantes, no entanto, em que a moeda em si pode ser usada como reserva de valor. A moeda pode ser um ativo atraente em primitivos sistemas financeiros onde não existem outros ativos confiáveis. A moeda dos Estados Unidos é amplamente difundida no exterior como um ativo seguro em países onde há hiperinflação, ou onde a moeda pode ser desvalorizada, ou em que o sistema financeiro não é confiável. Além disso, nos países avançados, as pessoas podem manter a moeda como um ativo quando as taxas de juros estão próximas de zero. Essa situação, conhecida como a armadilha de liquidez, aterroriza os banqueiros centrais, porque eles perdem a capacidade de influenciar as taxas de juros. Vamos rever essa síndrome no próximo capítulo.

A principal razão para determos moeda para transações (M_1) é a demanda para transações – isto é, em virtude da necessidade de um meio de troca geralmente aceito para comprar bens e pagar as nossas contas. Se a renda aumenta, o valor monetário dos bens que adquirimos sobe e, desse modo, precisamos de mais moeda para transações, aumentando a nossa demanda de moeda. Em um sistema financeiro moderno há, geralmente, pouca ou nenhuma demanda como ativo de M_1.

C. BANCOS E A OFERTA DE MOEDA

Agora que descrevemos a estrutura básica do sistema financeiro, voltamo-nos para os bancos comerciais e a oferta de moeda. Se você revir a descrição do mecanismo de transmissão monetária no início deste capítulo, verá que as atividades dos bancos são o terceiro passo crítico. Enquanto a moeda constitui uma parcela relativamente pequena de todos os ativos financeiros, a interação entre o banco central e os bancos comerciais acaba desempenhando um papel central na definição das taxas de juros e, finalmente, na influência sobre o comportamento macroeconômico.

Os bancos são, fundamentalmente, empresas organizadas para obter lucros para os seus proprietários. Um banco comercial proporciona certos serviços aos seus clientes que, em contrapartida, pagam por eles.

A Tabela 23-3 apresenta o balanço consolidado de todos os bancos comerciais dos Estados Unidos. O *balanço* é uma demonstração da posição financeira de uma empresa em um determinado momento. Enumera os *ativos* (o que a empresa possui) e o *passivo* (o que a empresa deve). Cada item no balanço é valorizado pelo seu valor presente de mercado ou pelo seu custo histórico.[1] A diferença entre o ativo e o passivo é chamada de *patrimônio líquido*.

Exceto em alguns detalhes, o balanço de um banco é muito parecido com o de qualquer outra empresa. A única diferença do balanço de um banco é um ativo chamado de reservas. Este é um termo técnico usado no banco para designar uma categoria especial de ativos bancários que são regulados pelo banco central. As reservas são iguais ao papel-moeda em caixa mais os depósitos no banco central. Antigamente, as reservas eram mantidas para pagar aos depositantes, mas atualmente servem principalmente para satisfazer as exigências legais de reservas. No próximo capítulo, analisaremos detalhadamente as reservas.

Como os bancos se desenvolveram a partir dos estabelecimentos de ourives

O banco comercial começou na Inglaterra com os ourives, que desenvolveram a prática de guardar ouro e valores de particulares para mantê-los em segurança. A princípio, esses estabelecimentos funcionavam simplesmente como armazéns seguros. Os depositantes deixavam o ouro para sua segurança e recebiam um recibo. Mais tarde apresentavam o seu recibo, pagavam uma comissão e recuperavam o seu ouro.

Como seria o balanço de um estabelecimento de ourives típico? Talvez como o da Tabela 23-4. Foi depositado nos seus cofres um total de US$ 1 milhão e todo

Balanço de todas as instituições bancárias comerciais 2008 (US$, bilhões)			
Ativo		Passivo e patrimônio líquido	
Reservas	43	Depósitos à vista	629
Empréstimos	6.250	Depósitos de poupança e a prazo	5.634
Investimentos e títulos	2.265	Outros passivos	2.643
Outros ativos	1.404	Patrimônio líquido	1.056
Total	9.961	Total	9.961

TABELA 23-3 Balanço de todos os bancos comerciais norte-americanos.

Os bancos comerciais são instituições financeiras com atividade diversificada e são os principais provedores de depósitos à vista, que é um componente importante de M_1. Os depósitos à vista são exigíveis à vista e, desse modo, podem ser usados como um meio de troca. As reservas são detidas principalmente para respeitar os requisitos legais, e não para fazer frente aos possíveis saques inesperados. (Note que os bancos têm um pequeno montante de patrimônio líquido em relação ao total dos seus ativos e passivos. A razão entre passivo e o patrimônio líquido é chamada de "índice de alavancagem". Instituições financeiras altamente alavancadas originam risco sistêmico se os valores dos seus ativos se deterioram todos ao mesmo tempo, como ocorreu em 2007-2009.)

Fonte: Federal Reserve Board, disponível em <http://www.federalreserve.gov/releases/>.

Balanço de ourives com 100% de reservas			
Ativo		Passivo	
Reservas	US$ 1.000.000	Depósitos à vista	US$ 1.000.000
Total	US$ 1.000.000	Total	US$ 1.000.000

TABELA 23-4 O primeiro banco de ourives tinha 100% de reservas de caixa, ao contrário dos depósitos.

Em um sistema bancário primitivo, com a cobertura de 100% dos depósitos, não é possível a criação de moeda a partir das reservas.

este valor será mantido como um ativo de caixa (é o item "Reservas" no balanço). Em contrapartida desse ativo, existe um depósito à vista do mesmo montante. As reservas são, portanto, 100% dos depósitos.

Na linguagem atual, os seus depósitos à vista do ourives seriam uma parte da oferta de moeda; seriam "moeda bancária". Contudo, a moeda bancária apenas substituiria o montante de moeda comum (ouro e dinheiro) colocado em segurança nos cofres do banco e retirado da circulação ativa. Não haveria lugar para qualquer criação de moeda. O processo teria tanto interesse como se o público decidisse converter as moedas menores em moedas maiores. *Um sistema bancário com 100% de reservas tem um efeito neutro sobre a moeda e a*

---
[1] Balanços, ativos e passivos são analisados detalhadamente no Capítulo 7.

macroeconomia porque não tem qualquer efeito sobre a oferta de moeda.

Podemos avançar e perguntar o que aconteceria se houvesse papel-moeda emitido sob um padrão-ouro com 100% de cobertura em ouro. Nesse caso, seria possível criar uma nova Tabela 23-4 escrevendo "notas de ouro" em vez de "depósitos à vista". As notas de ouro seriam dinheiro e parte de M_1. Mais uma vez, a oferta de moeda não era alterada porque o dinheiro tinha cobertura de 100%.

Banco de reservas parciais

Avancemos de novo em direção ao sistema bancário atual apresentando o *banco de reservas parciais*. Os bancos aprenderam depressa que não precisavam manter 100% do seu ouro ou prata como reservas contra as suas notas e depósitos. As pessoas não iriam resgatá-las todas ao mesmo tempo. Um banco pode estar seguro se mantiver apenas reservas parciais para cobertura das suas notas e depósitos. Esse foi um primeiro pequeno passo em direção ao vasto sistema financeiro da atualidade.

Vamos explorar as implicações do sistema de reservas parciais começando com uma situação em que um sistema de bancos opera com uma exigência comum ou legal de manter reservas iguais a, pelo menos, 10% dos depósitos. Suponha que o presidente do Banco do Ourives acorde e diga: "Não precisamos manter todo esse ouro estéril como reserva. De fato, podemos emprestar 90% dele e ainda ter ouro suficiente para atender às exigências dos depositantes".

E, assim, o Banco do Ourives empresta US$ 900 mil e mantém os restantes US$ 100 mil como reservas de ouro. O resultado inicial é mostrado na Tabela 23-5. O banco investiu US$ 900 mil, talvez emprestando dinheiro à Duck.com, que está construindo uma fábrica de brinquedos.

Mas isso não é o fim do processo. A Duck.com recebe de empréstimo US$ 900 mil e os deposita em sua própria conta corrente para pagar as despesas com a fábrica. Suponha, por simplicidade, que esta empresa tinha uma conta de depósitos no Banco do Ourives. O resultado interessante agora, mostrado na Tabela 23-6, é que o Banco do Ourives recuperou os US$ 900 mil de reservas. Na prática, a Duck.com recebeu o empréstimo de ouro e, a seguir, o emprestou de volta ao banco. (O processo seria exatamente o mesmo se a Duck.com fosse para outro banco: esse banco teria um excesso de reservas de US$ 900 mil.)

Mas agora o banco precisa manter apenas 10% × US$ 1.900.000 = US$ 190.000 de reservas, de modo que pode emprestar o excedente de US$ 810 mil. Em breve, os US$ 810 mil vão aparecer em um depósito bancário. Esse processo de depósito, de novo empréstimo e de consequente depósito continua em uma cadeia de expansões decrescentes.

Balanço de ourives com reservas parciais			
Ativo		Passivo	
Reservas	US$ 100.000	Depósitos à vista e notas de ouro	US$ 1.000.000
Investimentos	US$ 900.000		
Total	US$ 1.000.000	Total	US$ 1.000.000

TABELA 23-5 O banco de ourives mantém 10% de reservas contra depósitos e as notas de ouro.

Mais tarde, o Banco de Ourives aprende que não necessita manter 100% de reservas. Nesse caso, decide investir 90% e manter apenas 10% em reservas em relação aos depósitos e notas.

Balanço do Banco do Ourives após o depósito do empréstimo à Duck.com			
Ativo		Passivo	
Reservas	US$ 1.000.000	Depósitos à vista e notas de ouro	US$ 1.900.000
Investimentos	US$ 900.000		
Total	US$ 1.900.000	Total	US$ 1.900.000

TABELA 23-6 Após o depósito pela empresa do que recebeu de empréstimo, o sistema bancário tem um excedente de reservas que pode emprestar de novo.

A empresa Duck.com deposita os US$ 900 mil que recebeu de empréstimo na sua conta. Isso aumenta as reservas de ouro do Banco do Ourives de novo para US$ 1 milhão. De imediato, o excedente será emprestado de novo.

Equilíbrio final do sistema

Somemos agora o total de depósitos. Começamos com depósitos de US$ 1 milhão, depois acrescentamos US$ 900 mil, depois US$ 810 mil e assim por diante. O total é dado pela soma:

Total de depósitos
= 1.000.000 + 1.000.000 × 0,9 + 1.000.000 × $0,9^2$ + ...
= 1.000.000 × [1 + 0,9 + $0,9^2$ + ...+ $0,9^n$ + ...]
= 1.000.000 (1/1 − 0,9) = 1.000.000 (1/0,1) = 10.000.000

No final do processo, o montante total de depósitos e dinheiro é de US$ 10 milhões, que é 10 vezes o montante total das reservas. Admitindo que o Ourives seja o único banco, ou que estamos observando o sistema bancário consolidado, podemos mostrar o balanço final na Tabela 23-7. A ideia a ter em mente é que, quando os bancos exigem apenas reservas parciais, a oferta de moeda total é um múltiplo das reservas.

Isso pode ser visto de forma intuitiva. O processo cumulativo que acabamos de descrever deve chegar a

Balanço consolidado de todos os bancos em equilíbrio			
Ativo		**Passivo**	
Reservas	US$ 1.000.000	Depósitos	US$ 10.000.000
Empréstimos e investimentos	US$ 9.000.000		
Total	US$ 10.000.000	Total	US$ 10.000.000

TABELA 23-7 Balanço final de equilíbrio quando o sistema bancário não tem excesso de reservas.

Agregamos o sistema bancário no seu conjunto admitindo que haja US$ 1 milhão de reservas totais. Quando os bancos tiverem emprestado todas as reservas em excesso, de modo que as reservas sejam apenas 10% dos depósitos e notas, o total da moeda será de 1/0,1 = 10 vezes as reservas.

um fim quando todos os bancos no sistema têm reservas equivalentes a 10% dos depósitos. Por outras palavras, o equilíbrio final do sistema bancário será no ponto em que 10% dos depósitos (D) são iguais às reservas totais. Qual o nível de D que satisfaz esta condição? A resposta é D = US$ 10 milhões.

Quando mantêm reservas parciais dos seus depósitos, os bancos estão de fato criando moeda. A moeda bancária total é geralmente igual às reservas totais multiplicadas pelo inverso da razão de reserva:

Moeda bancária = Total das reservas × (1/razão de reservas)

Sistema bancário moderno

Chegou o momento de deixar a nossa fábula dos ourives. Como tudo isso se relaciona com o sistema bancário real da atualidade? A resposta surpreendente é que, com alguns detalhes adicionais, o processo que acabamos de descrever se encaixa exatamente no sistema bancário atual. Eis os elementos-chave do sistema bancário moderno:

- Os bancos são obrigados a manter, pelo menos, 10% dos seus depósitos como reservas, sob a forma de dinheiro ou de depósitos junto ao banco central (trataremos mais desse tema no próximo capítulo).
- O banco central compra e vende reservas a uma meta de taxa de juros definida pelo banco central (novamente, mais sobre isso no próximo capítulo).
- O componente de depósitos à vista de M_1 é, portanto, determinado pela quantidade de reservas, juntamente com a razão de reservas legal.

Alguns esclarecimentos precisam ser feitos antes de fecharmos esta seção. Primeiro, os bancos comerciais fazem muito mais do que fornecer simplesmente contas correntes, como vimos na Tabela 23-3. Esse fato pode complicar a tarefa das autoridades de regulação, mas não muda o funcionamento básico da política monetária.

Uma segunda complicação surge se as taxas de juros nominais se aproximam de zero. Isso é chamado de armadilha da liquidez. Vamos discutir essa síndrome no próximo capítulo.

D. MERCADO DE AÇÕES

Concluímos este capítulo com uma digressão por uma das partes mais fascinantes do sistema capitalista – o mercado de ações (de capital de sociedades anônimas). Um mercado de ações é um lugar onde as ações de sociedades possuídas pelo público – os títulos de propriedade das empresas – são compradas e vendidas. Nos Estados Unidos, em 2003, o valor desses títulos estava estimado em US$ 21 bilhões. O mercado de títulos é o centro da nossa economia empresarial.

A Bolsa de Nova York é o principal mercado de ações, com cotação de mais de mil títulos. Outro mercado importante é o Nasdaq, que teve um crescimento meteórico e um subsequente colapso dos preços das ações após 2000. Todas as grandes praças financeiras têm uma bolsa de valores. As maiores encontram-se localizadas em Tóquio, Londres, Frankfurt, Xangai e, claro, Nova York.

Risco e retorno de ativos diferentes

Antes de analisar as principais questões referentes ao mercado de ações, precisamos apresentar alguns conceitos elementares de economia financeira. Citamos antes, neste capítulo, que os vários ativos têm características diferentes. Duas características importantes são a taxa de retorno e o risco.

A *taxa de retorno* é o ganho monetário total de um título (medido em percentagem do preço no início do período). Para as contas de poupança e os títulos de curto prazo, a rentabilidade será simplesmente a taxa de juros. Para muitos outros ativos, a rentabilidade combina uma renda (como dividendos) com *ganhos* ou *perdas de capital*, que representam o aumento ou o decréscimo no valor do ativo.

Podemos ilustrar a taxa de retorno usando dados sobre ações. (Para este exemplo, ignoramos impostos e comissões.) Suponha que você comprasse uma carteira representativa no valor de US$ 10 mil de ações de empresas dos Estados Unidos em dezembro de 1996. Nos três anos seguintes, seu fundo teria tido uma rentabilidade real (incluindo dividendos e ganhos de capital e correções pela inflação) de 32% ao ano.

Contudo, antes que você fique muito entusiasmado com esses ganhos fantásticos, fique sabendo que o mercado de ações também afunda. Nos três anos após 1999 os preços reais das ações caíram 19% ao ano. Uma experiência pior ocorreu em 2008, quando os preços das ações caíram 38% em um ano.

O fato de alguns ativos terem taxas de retorno previsíveis, enquanto outros são bem arriscados, leva à outra importante característica dos investimentos. O risco refere-se à variabilidade dos retornos de um investimento. Quando alguém compra um título do Tesouro a uma rentabilidade de 6%, esse título é um investimento sem risco, porque a pessoa tem a certeza de ter o dinheiro de volta. Por outro lado, se alguém comprar US$ 10 mil de ações não terá a certeza do seu valor no final do ano.

Os economistas, com frequência, medem o risco como o desvio padrão das rentabilidades; esta é uma medida de dispersão em cujo âmbito se incluem 2/3 da variação.[2] Por exemplo, de 1908 a 2008, as ações comuns tiveram uma rentabilidade anual média real de 6% ao ano e um desvio padrão anual de rentabilidade de 16%. Isso normalmente implica que a rentabilidade foi entre 22(= 6 + 16)% e –10(= 6 –16)% em 2/3 do tempo.

As pessoas, em geral, preferem uma rentabilidade maior, mas também preferem um menor risco, pois têm *aversão ao risco*. Isso significa que elas têm de ganhar rentabilidades acrescidas para serem induzidas a deter investimentos com riscos mais elevados. Não ficaremos surpreendidos, portanto, ao saber que, no longo prazo, os investimentos seguros, como os títulos, têm menores rentabilidades do que os investimentos de risco, como as ações.

A Tabela 15-1 mostrou as rentabilidades, ou taxas de juros, históricas em uma série de investimentos importantes. Apresentamos os ativos mais importantes no *gráfico risco-rentabilidade* da Figura 23-4. Esse gráfico mostra a rentabilidade real (ou corrigida da inflação) média no eixo vertical e o risco (medido como um desvio padrão) histórico no eixo horizontal. Repare na relação positiva entre risco e rentabilidade.

Bolhas e colapsos

A história das finanças é uma das áreas mais emocionantes da ciência econômica. Às vezes, os critérios racionais são colocados à margem quando os mercados se aventuram em agitações especulativas, seguidas, frequentemente, de épocas de pessimismo e de queda de preços.

Os investidores, às vezes, são divididos nos que investem em bases sólidas e nos que tentam adivinhar a psicologia do mercado. A abordagem em base sólida sustenta que os ativos devem ser valorizados com base no seu valor intrínseco. Para as ações comuns, o valor intrínseco é o valor presente esperado dos dividendos. Se uma sociedade tem um dividendo constante de US$ 2 por ano e a taxa de juros adequada para atualizar os dividendos for 5% ao ano, o valor intrínseco seria US$ 2/0,05 = US$ 40 por ação. A abordagem em base sólida é a forma lenta, mas segura, de enriquecer.

As almas impacientes devem partilhar a visão de Keynes, que citou que os investidores estão provavelmente mais preocupados com a psicologia do mercado e em especular sobre o valor futuro dos ativos do que esperar pacientemente que as ações comprovem o seu valor intrínseco. Ele argumentou que "Não é sensato pagar 25 por um investimento que vale 30 se você pensar que o mercado irá valorizá-lo por 20 daqui a três meses". O psicólogo de mercado tenta adivinhar o que o investidor médio pensa, o que exige que se considere o que o investidor médio pensa sobre o investidor médio, e assim sucessivamente, até ao infinito.

Quando uma mania psicológica domina o mercado, ela pode conduzir a bolhas especulativas, ou a colapsos. Uma *bolha especulativa* acontece quando os preços aumentam, porque as pessoas pensam que eles irão aumentar no futuro – é o reverso da afirmação de Keynes aqui citada. Um lote de terreno pode valer apenas US$ 1 mil, mas se estiver para acontecer uma explosão dos preços de terrenos de 50% ao ano, alguém poderá comprá-lo por US$ 2 mil na esperança de poder vendê-lo a outra pessoa, no ano seguinte, por US$ 3 mil.

Uma bolha especulativa cumpre suas próprias promessas durante algum tempo. Se as pessoas compram porque pensam que as ações irão subir, o seu ato de compra faz o preço das ações subir. Isso leva outras pessoas a comprar ainda mais e faz a dança continuar sem parar. Mas, ao contrário das pessoas que jogam às cartas ou os dados, ninguém aparentemente perde aquilo que o ganhador ganhou. Claro que os preços são todos no papel e desapareceriam se alguém tentasse convertê-los em dinheiro. Mas por que alguém haveria de querer vender títulos tão lucrativos? Os preços aumentam em virtude das esperanças e dos sonhos, e não porque os lucros e os dividendos das empresas estão aumentando.

A história está marcada por bolhas em que os preços especulativos subiram muito acima do valor intrínseco do ativo. Na Holanda do século XVII, uma mania de tulipas elevou o preço de tais flores a níveis superiores ao preço de uma casa. No século XVIII, as ações da South Sea Company aumentaram para níveis fantásticos com promessas falhas do enriquecimento dos seus acionistas. Mais recentemente, bolhas semelhantes ocorreram com a biotecnologia, com terrenos no Japão, com os "mercados emergentes" e com uma empresa de limpeza a vácuo, a ZZZZ Best, cujo negócio era a lavagem de dinheiro para a Máfia.

De todas, a mais famosa bolha ocorreu no mercado de títulos norte-americano nos anos 1920. Os "agitadíssimos anos 20" assistiram a uma fabulosa expansão do mercado de ações, quando todos compravam e vendiam ações. A maioria das compras nesse mercado em

---

[2] O desvio padrão é uma medida de variabilidade que pode ser encontrada em qualquer texto elementar de estatística. É aproximadamente igual ao desvio médio absoluto de uma série relativa à sua média. A definição precisa de desvio padrão é a raiz quadrada do quadrado dos desvios de uma variável em relação à sua média. Como exemplo, se uma variável assume os valores de 1, 3, 1, 3, a média, ou valor esperado, é 2, enquanto o desvio padrão é 1.

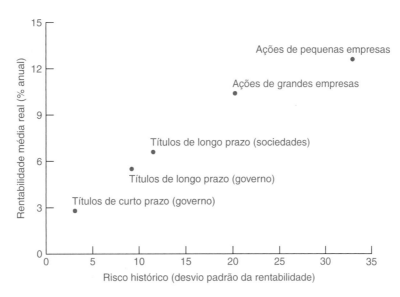

FIGURA 23-4 Risco e rentabilidade dos principais investimentos, 1926-2005.

Os investimentos variam quanto às suas rentabilidades médias e ao risco. Os títulos de dívida tendem a ser seguros e com rentabilidades reduzidas, enquanto as ações têm rentabilidades muito maiores, mas enfrentam riscos também muito maiores. Este gráfico mostra o risco *histórico* e a rentabilidade em vários ativos financeiros. Dependendo do estado de ânimo do mercado, o risco *esperado* e a rentabilidade podem ser muito diferentes da experiência histórica.

Fonte: Ibbotson Associates, 2006.

---

alta (*bull market*) selvagem era feita à margem. Isso significava que um comprador de ações no valor de US$ 10 mil só pagava em dinheiro uma parte do preço, pedindo emprestado a diferença, e dando, como garantia de pagamento, as ações compradas. Que importava se tivesse de pagar ao corretor 6, 10 ou 15% ao ano pelo empréstimo quando em um só dia a Auburn Motors ou a Bethlehem Steel podiam dar um salto de 10% no seu valor?

As bolhas especulativas produzem sempre colapsos e, às vezes, levam ao pânico econômico. A especulação dos anos 1920 foi seguida pelo pânico e desastre de 1929. Esse acontecimento desembocou na longa e dolorosa Grande Depressão dos anos 1930. No fundo da Depressão em 1933, o mercado havia perdido 85% do seu valor.

As tendências do mercado de ações são seguidas usando *índices de preços de ações*, que são médias ponderadas dos preços de um conjunto de ações de empresas. Entre as médias mais referenciadas incluem-se o Dow Jones Industrial Average (DJIA) de 30 grandes empresas; o índice Standard & Poor's de 500 sociedades (o S&P 500) que é uma média ponderada dos preços de ações das 500 maiores empresas norte-americanas; e o Nasdaq Composite Index, que inclui mais de 3 mil ações cotadas nesse mercado.

A Figura 23-5 mostra a história do índice de preços Standard & Poor's 500 ao longo do último século. A curva de baixo mostra a média dos preços nominais das ações, que corresponde à média efetiva durante um determinado mês. A linha de cima mostra o preço real das ações; este é igual ao preço nominal dividido por um índice de preços ao consumidor. Ambas as curvas são indexadas para igual a 100 em dezembro de 2008. A taxa média de crescimento das ações ao longo do período foi de 8,9% ao ano em termos nominais, mas apenas 5,9% ao ano após a correção pela inflação.

As ações provaram ser um bom investimento em longo prazo. Mas também são extremamente arriscadas no curto prazo, como se verificou quando os preços das ações caíram 52% desde o pico, em outubro de 2007, até o fundo, em novembro de 2008. Existe uma bola de cristal que possa prever o movimento dos preços das ações? Esse é o tema da teoria de finanças moderna.

Mercados eficientes e o passeio aleatório

Os economistas e os professores de finanças têm, há muito tempo, estudado os preços em mercados especulativos, como o mercado de ações e o mercado cambial. Uma hipótese importante é que os mercados especulativos tendem a ser "eficientes". Essa descoberta gerou grande controvérsia entre os economistas e os analistas financeiros.

Qual é a essência da teoria do mercado eficiente? Uma exposição resumida é a seguinte:

> Os mercados de títulos são extremamente eficientes na absorção de informação acerca de ações individuais e acerca do mercado de ações no conjunto. Quando chega nova informação, a notícia é rapidamente incorporada nos preços das ações. Os sistemas que tentam prever os preços na base do passado, ou de dados básicos, não

FIGURA 23-5 A única garantia sobre preços das ações é que elas irão oscilar.

O índice Standard & Poor's (S&P 500) aqui apresentado registra a média ponderada pelo valor dos preços das ações das 500 maiores empresas norte-americanas. O índice aqui apresentado inclui os dividendos reinvestidos. Os preços das ações em termos nominais são apresentados na linha de baixo; o seu crescimento foi em média de 8,9% ao ano de 1900 a 2008. A linha de cima mostra o S&P 500 "real", que é o S&P 500 corrigido pelas variações do índice de preços no consumidor. Este aumentou, em média, apenas 5,9% ao ano.

Fonte: Standard and Poor, Bureau of Labor Statistics.

---

podem gerar rentabilidades maiores das que poderiam ser obtidas ao constituir-se uma carteira escolhida aleatoriamente de ações individuais de risco comparável.[3]

Uma história engraçada ilustra o cerne desta mensagem. Um professor de finanças e um estudante andam pelo campus quando veem no chão o que parece ser uma nota de US$ 100. O professor diz ao aluno: "Não se preocupe em pegá-la. Se fosse, de fato, uma nota de US$ 100, ela não estaria aí". Em outras palavras, não se fica rico apenas por andar em uma rua muito movimentada.

Essa ideia paradoxal tem sido confirmada na generalidade em centenas de estudos ao longo do último meio século. A lição que deles se tira não é a de que ninguém vai ficar rico se seguir uma regra, ou fórmula, mas a de que, em média, tais regras não permitem alcançar melhores resultados do que uma carteira de ações diversificada.

Lógica da ideia do mercado eficiente. Os teóricos das finanças têm gasto muitos anos analisando os mercados das ações e de títulos de modo a compreender por que razão os mercados financeiros que funcionam bem eliminam os lucros excessivos e persistentes. A teoria dos mercados eficientes explica isso.

Um mercado financeiro eficiente é aquele em que toda a nova informação é rapidamente entendida pelos participantes do mercado e que é imediatamente incorporada nos preços deste. Por exemplo, suponha que a Companhia de Petróleo Lazy-T acabou de encontrar petróleo no Golfo do Alasca. Esse acontecimento é anunciado às 11h30 da manhã de terça-feira. Quando o preço das ações da Lazy-T irá aumentar? A teoria do mercado eficiente sustenta que os participantes do mercado reagirão de imediato elevando o preço da Lazy-T no valor adequado. Em resumo, em qualquer momento do tempo, os mercados já digeriram e incluíram nos preços das ações toda a informação disponível.

A teoria dos mercados eficientes sustenta que os preços de mercado contêm toda a informação disponível. Não é possível realizar lucros agindo com base em informação antiga, ou em padrões das variações anteriores dos preços. As rentabilidades das ações serão determinadas principalmente pelo seu risco em relação ao mercado.

Um passeio aleatório. A ideia de mercado eficiente proporciona uma forma importante de analisar os movimentos dos preços em mercados organizados. De acordo com essa abordagem, os movimentos dos preços das

---

[3] Essa definição é adotada do artigo de Malkiel de 2003; ver seção "Leituras adicionais". Repare que "eficiência" na teoria das finanças é usada de modo diferente da de outras partes da ciência econômica. Aqui, "eficiência" significa que a informação é absorvida rapidamente, e não que os recursos produzem em seu nível máximo.

ações devem parecer altamente erráticos, da mesma forma que um passeio aleatório, quando registrado ao longo de um período de tempo.

Um preço segue um passeio aleatório quando os seus movimentos ao longo do tempo são totalmente imprevisíveis. Por exemplo, atire uma moeda ao ar para ver se é cara ou coroa. Determine "+1", se sair cara, e "–1", se sair coroa. Registre depois o resultado de 100 lançamentos. Represente-os em um gráfico. Essa curva é um passeio aleatório. Agora, para comparação, represente também em um gráfico o movimento em 100 dias das cotações da Microsoft e do índice Standard & Poor's 500. Repare na semelhança das três figuras.

Por que os preços especulativos se parecem com um passeio aleatório? A reflexão dos economistas chegou às seguintes conclusões: em um mercado eficiente todas as coisas previsíveis já foram incorporadas ao preço.

É a chegada de *nova* informação que afeta os preços das ações ou das mercadorias. Além disso, as novidades têm de ser aleatórias e imprevisíveis (ou, de outro modo, seriam previsíveis e, portanto, não seriam verdadeiramente novidades).

Em resumo:

A teoria do mercado eficiente explica por que os movimentos dos preços das ações parecem tão erráticos. Os preços reagem às novidades, às surpresas. Mas as surpresas são acontecimentos imprevisíveis – como o lançamento de uma moeda, ou a tempestade do próximo mês – que podem mover-se em qualquer direção. Como reagem a acontecimentos erráticos, os preços das ações alteram-se eles próprios de uma forma errática, como em um passeio aleatório.

Limitações da ideia de mercado eficiente. Embora a ideia de mercado eficiente tenha sido o cânone das finanças na ciência econômica e nas empresas, muitos pensam que é ultrassimplificada e enganadora. Eis algumas ressalvas:

1. Os pesquisadores descobriram muitas "anomalias" nos movimentos dos preços das ações que levam a alguma previsibilidade. Por exemplo, as ações com grandes dividendos, ou ganhos relativos aos preços, parecem ter um melhor desempenho em períodos subsequentes. Do mesmo modo, movimentos acentuados para cima, ou para baixo, tendem a ser seguidos de movimentos "inversos". Para alguns, essas anomalias são indicadores convincentes das deficiências do mercado; para outros, refletem simplesmente a tendência dos analistas de passar uma lupa sobre os dados à procura de padrões que sejam, de fato, correlações ilegítimas.

2. Os economistas que observam os dados históricos questionam se é plausível que variações acentuadas dos preços das ações refletiram, de fato, a nova informação. Considere a queda de 30% do preço das ações que ocorreu de 15 a 19 de outubro de 1987. Pelas teorias do mercado eficiente essa queda foi causada por acontecimentos econômicos que diminuíram o valor esperado dos resultados ganhos das empresas. Os críticos da visão do mercado eficiente argumentam que não houve quaisquer notícias que pudessem ter gerado uma diferença de 30% nos preços das ações ao longo desses quatro dias. Os teóricos do mercado eficiente ficam silenciosos perante essa crítica.

3. Finalmente, a ideia do mercado eficiente aplica-se a ações individuais, mas não necessariamente ao mercado no seu conjunto. Há dados convincentes de longas e autorreversíveis variações nos preços do mercado das ações. Essas oscilações tendem a refletir alterações no estado de espírito geral da comunidade financeira. Em períodos como os anos 1920 e 1990, assistiu-se o otimismo dos investidores e os preços das ações subir, enquanto nos anos 1930 e 2007-2008 foram períodos de pessimismo dos investidores, com os preços das ações diminuindo drasticamente. No entanto, vamos supor que estamos convencidos que o mercado registra uma "exuberância irracional" e está supervalorizado. O que podemos fazer? Não poderíamos, individualmente, comprar ou vender o volume suficiente de ações para superar o estado de espírito global. Além disso, poderíamos ter sido expulsos se tivéssemos apostado contra o mercado um ou dois anos antes do pico. Por isso, de uma perspectiva macroeconômica, os mercados especulativos podem exibir ondas de pessimismo, ou de otimismo, não havendo forças econômicas com poder para corrigir essas flutuações nos estados de humor.

ESTRATÉGIAS FINANCEIRAS PESSOAIS

Embora um curso de economia não seja garantia para ficar rico, os princípios das finanças modernas podem, decerto, ajudá-lo a investir o seu "pé-de-meia" acertadamente e a evitar os piores erros financeiros. Que lições a ciência econômica nos dá sobre decisões de investimento pessoal? Recolhemos as cinco seguintes regras do saber dos melhores cérebros sobre o assunto:

Lição 1: Conheça os investimentos. A regra insubstituível de uma estratégia de investimento acertada é ser realista e prudente nas decisões de investimento. Para os investimentos importantes, estude os documentos e obtenha conselho especializado. Mantenha-se cético em relação a abordagens que afirmam ter encontrado o caminho rápido para o sucesso. Você pode ficar rico seguindo o que diz o barbeiro, ou consultando as estrelas (embora, incompreensivelmente, alguns consultores financeiros sugiram a astrologia aos seus clientes). Os palpites de nada servem no longo prazo. Além disso, os melhores cérebros de Wall Street, em média, não conseguem bater as médias (Dow-Jones, Standard & Poor's etc.).

Lição 2: Diversificar, diversificar – esta é a lei dos profetas de finanças. Uma das principais lições de finanças é a vantagem de diversificar os seus investimentos. Uma forma de expressar essa regra é: "Não ponha todos os seus ovos no mesmo cesto". Ao aplicar fundos em vários investimentos diferentes, você pode continuar a ter um retorno médio elevado e, ao mesmo tempo, reduzir o risco. Os cálculos mostram que, ao distribuírem sua riqueza por um leque ampliado de investimentos – ações de várias empresas, títulos de dívida convencionais e indexados à inflação, imóveis, títulos nacionais e estrangeiros –, as pessoas podem atingir uma boa rentabilidade e, ao mesmo tempo, minimizar o risco de perda.

Lição 3: Considere os fundos de índices de ações comuns. Os investidores que querem investir no mercado de ações podem alcançar uma boa rentabilidade com o menor risco possível ao deterem uma carteira de ações comuns, bastante diversificada. Um bom meio para a diversificação é um *fundo de índices*, que é uma carteira de ações de muitas empresas, em que cada uma delas tem um peso proporcional ao seu valor de mercado e que, com frequência, segue um dos principais índices, como o S&P 500. Uma das principais vantagens dos fundos de índices é que têm despesas e impostos reduzidos sobre ganhos de capital.

Lição 4: Minimize despesas e impostos desnecessários. Com frequência, descobrimos que uma parcela substancial dos ganhos dos investimentos é anulada por impostos e encargos. Por exemplo, alguns fundos mútuos cobram uma comissão inicial elevada quando se compra uma participação. Outros podem cobrar uma comissão de gestão de 1 ou até 2% dos ativos por ano. Além disso, fundos muito "geridos" podem ter muitas compras/vendas, o que pode levar a impostos elevados sobre mais-valias. Quem negocia diariamente pode ter um grande prazer a dar ordem de compra e venda em busca de uma melhor situação, mas, com *certeza*, irá pagar elevados encargos de intermediação e de investimento. Ao escolher os seus investimentos cuidadosamente, você pode evitar tais cortes desnecessários na renda do seu investimento.

Lição 5: Encaixe os seus investimentos na sua preferência de risco. Você pode aumentar sua remuneração esperada se escolher investimentos com riscos maiores (veja a Figura 23-4). Mas ponderar sempre o risco que está disposto a correr – financeira *e psicologicamente*. Como disse alguém conhecedor, os investimentos são um balancear entre comer bem e dormir bem. Se ficar com insônias, preocupado com os altos e baixos do mercado, pode maximizar o sono ao manter os seus ativos em títulos do Tesouro indexadas à inflação dos Estados Unidos. Mas, no longo prazo, poderá dormir profundamente, mas no chão! Se quiser igualmente comer bem e suporta desapontamentos, você poderá investir mais intensamente em ações, incluindo as de países estrangeiros e de mercados emergentes, e incorporar pequenas empresas mais voláteis na sua carteira, em vez de concentrar-se em títulos de curto prazo e depósitos bancários.

Essas são as lições da história e da ciência econômica. Se, depois dessa leitura, você ainda quiser tentar por si mesmo o mercado de ações, não fique receoso. Mas tenha em conta o aviso de um dos maiores financistas norte-americanos, Bernard Baruch:

> Se estiver pronto para prescindir de todo o resto – estudar a história completa e os antecedentes do mercado e todas as principais empresas cujas ações estão cotadas, tão cuidadosamente quanto um estudante de medicina estuda a anatomia –, se conseguir fazer isso, e, além disso, tiver o sangue frio de um grande jogador, o sexto sentido de uma espécie de vidente, e a coragem de um leão, você tem uma pequeníssima hipótese de ter êxito.

RESUMO

A. Sistema financeiro moderno

1. Em uma economia moderna, os sistemas financeiros transferem recursos por meio do espaço, do tempo e entre setores. O fluxo dos fundos nos sistemas financeiros ocorre por meio dos mercados e dos intermediários financeiros. As principais funções de um sistema financeiro são transferir recursos, a gestão do risco, dividir e agrupar fundos e a compensação de transações.

2. As taxas de juros são o preço pago por dinheiro recebido em empréstimo; são quantificadas pelo valor pago por ano e por cada unidade monetária obtida em empréstimo. A forma comum de indicar taxas de juros é em percentagem anual. As pessoas estão dispostas a pagar juros, dado que os fundos obtidos de empréstimo lhes permitem comprar bens e serviços para satisfazer as necessidades de consumo corrente ou para realizar investimentos lucrativos.

3. Recorde o menu de ativos financeiros, especialmente dinheiro, títulos e ações.

4. Estude o *mecanismo de transmissão monetária*. Este se refere ao processo pelo qual a política monetária, realizada pelo banco central, interage com os bancos e o resto da economia para determinar as taxas de juros, as outras condições financeiras, a demanda agregada, a produção e a inflação. Certifique-se de que compreende cada um dos cinco passos (página 400).

B. Caso especial da moeda

5. A moeda é tudo o que de forma generalizada seja aceito como meio de troca, ou meio de pagamento. Ela também funciona como unidade de conta. Ao contrário de outros bens econômicos, o valor da moeda é devido a uma convenção social. Atribuímos valor à ela indiretamente, por aquilo que ela compra e não por sua utilidade direta. Hoje, a moeda é constituída por papel-moeda e depósitos à vista, e é designada por M_1.

6. As pessoas possuem moeda principalmente porque necessitam dela para pagar suas despesas, ou comprar bens; essa necessidade é conhecida como demanda para transações. Mas as pessoas detêm apenas uma pequena parcela dos seus ativos em moeda, porque esta tem um custo de oportunidade: sacrificamos rendimento de juros quando detemos dinheiro. Portanto, a demanda de moeda como ativo é limitada.

C. Bancos e a oferta de moeda

7. Os bancos são empresas comerciais que procuram ganhar lucros para os seus proprietários. Uma das principais funções dos bancos é proporcionar contas de depósitos à vista para os seus clientes. Os bancos são legalmente obrigados a manter reservas em relação aos seus depósitos à vista. Estas podem ser feitas na forma de dinheiro em cofre ou de depósitos no banco central.

8. Com reservas de 100%, os bancos não podem criar moeda, como vimos no exemplo do banco de ourives mais simples. Para exemplificar, examinamos uma exigência de razão de reservas de 10%. Nesse caso, o conjunto do sistema bancário cria moeda bancária na proporção de 10 para 1, pelo valor das reservas. Com uma banca de reservas parciais, o valor total de depósitos à vista é um múltiplo das reservas. Recorde a fórmula:

Moeda bancária = Reservas totais × (1/razão de reservas)

D. Mercado de ações

9. As características mais importantes dos ativos são a taxa de retorno e o risco. O retorno é o ganho monetário total de um título durante um determinado período de tempo. O risco se refere à variabilidade dos retornos de um investimento, geralmente medido pelo desvio padrão. Como têm aversão ao risco, as pessoas exigem maiores retornos para induzi-las a comprar ativos com maior risco.

10. Os mercados de ações, dos quais a Bolsa de Nova York é o mais importante, são lugares onde os títulos de propriedade das grandes sociedades anônimas são comprados e vendidos. A história dos preços das ações está cheia de inflexões violentas, como o Grande Colapso de 1929 ou o mercado em baixa de 2008. As tendências são acompanhadas por meio dos índices de preços de ações, como o Standard & Poor's 500 e o Dow Jones Industrial Average.

11. As teorias econômicas modernas dos preços das ações geralmente focam a teoria dos mercados eficientes. Um mercado financeiro "eficiente" é aquele em que toda a informação é imediatamente absorvida pelos especuladores e incorporada nos preços de mercado. Nos mercados eficientes não há lucros fáceis; não adianta analisar as notícias do dia anterior, ou os padrões de preços do passado, ou os ciclos econômicos para fazer uma previsão dos movimentos futuros de preços. Assim, nos mercados eficientes, os preços respondem a surpresas. Como as surpresas são intrinsecamente aleatórias, os preços das ações e de outros preços especulativos têm um movimento errático, como em um passeio aleatório.

12. Retenha solidamente na memória as cinco regras de finanças pessoais. (a) Conheça a fundo seus investimentos. (b) Diversificar, diversificar – é a lei dos profetas de finanças. (c) Tenha em conta os fundos de índices de ações comuns. (d) Minimize despesas e impostos desnecessários. (e) Faça investimentos de acordo com sua preferência de risco.

CONCEITOS PARA REVISÃO

O sistema financeiro moderno

– sistema financeiro, mercados financeiros, intermediários financeiros
– funções do sistema financeiro
– ativos, ou instrumentos, financeiros
– juros como custo de oportunidade da posse de moeda

O caso especial da moeda

– Moeda (M_1), papel-moeda fora dos bancos mais os depósitos à vista
– Moeda mercadoria, papel-moeda, moeda bancária
– motivos para a demanda de moeda:
 – demanda para transações (atualmente)
 – demanda como ativo (em um sistema financeiro frágil)

Bancos e oferta de moeda

– reservas bancárias = dinheiro em caixa mais depósitos no banco central
– banco de reservas parciais
– moeda bancária = reservas/razão de reservas obrigatório

O mercado de ações

– ações ordinárias (capital social das sociedades anônimas)
– mercado eficiente, passeio aleatório dos preços das ações
– fundo de índices
– cinco regras para investimento pessoal

LEITURAS ADICIONAIS E SITES

Leituras adicionais

Há muitas histórias interessantes sobre a moeda. Uma boa é John Kenneth Galbraith, *Money, Whence It Came, Where It Went* (Houghton, Boston, 1975). Há muitos bons livros sobre economia monetária. A referência padrão sobre história monetária dos Estados Unidos é Milton Friedman e Anna Jacobson Schwartz, *Monetary History of the United States 1867-1960* (Princeton University Press, Princeton, N.J., 1963).

A teoria moderna do capital e das finanças são assuntos muito populares, cobertos com frequência na parte macroeconômica de um curso introdutório ou em cursos especiais. Bons livros sobre o assunto são Burton Malkiel, *A Random Walk Down Wall Street*, 6. ed. (Norton, New York, 2007). Um livro recente cobrindo a história e teoria financeira e argumentando que o mercado de ações estava extraordinariamente sobrevalorizado na alta de 1981-2000 é Robert Shiller, *Irrational Exuberance*, 2. ed. (Princeton University Press, Princeton, N.J., 2005). Um sumário de dados sobre a teoria do mercado eficiente por Burton Malkiel e Robert Shiller encontra-se em *Journal of Economic Perspectives*, Winter, 2003.

Sites

Reveja a nossa lista de blogs interessantes no Capítulo 19.

Dados básicos sobre as taxas de juros e a política monetária podem ser encontrados no site do Federal Reserve, <http://www.federalreserve.gov>. Artigos interessantes sobre a política monetária podem ser encontrados no *Federal Reserve Bulletin* em <http://www.federalreserve.gov/publications.htm>. Os melhores dados abrangentes sobre finanças são os do fluxo de fundos do Fed em <http://www.federalreserve.gov/releases/z1/>.

Uma boa fonte para os dados sobre os mercados financeiros é o <http://www.finance.yahoo.com>. Se estiver interessado nas últimas novidades sobre ações, pode visitar o Motley Fool em <http://www.fool.com>.

QUESTÕES PARA DISCUSSÃO

1. Suponha que os bancos mantêm 20% dos depósitos como reservas em vez de 10%. Admitindo que as reservas não se alterem, reelabore o balanço da Tabela 23-7. Qual é a nova razão entre os depósitos bancários e as reservas?

2. Qual seria o efeito sobre a demanda de moeda (M_1) de cada um dos seguintes acontecimentos (mantendo-se o restante constante)?
   a. Um aumento do PIB real.
   b. Um aumento do nível de preços.
   c. Um aumento da taxa de juros dos depósitos de poupança e dos títulos do Tesouro.
   d. A duplicação de todos os preços, salários e rendas. (Calcule o efeito exato sobre a demanda de moeda.)
   e. Um aumento da taxa de juros que os bancos pagam sobre os depósitos à vista.

3. O custo implícito dos depósitos à vista é igual à diferença entre o retorno de ativos sem risco de curto prazo (como os Títulos do Tesouro) e a taxa de juros dos depósitos a prazo. Qual é o impacto dos seguintes acontecimentos sobre o custo de oportunidade de posse de moeda em depósitos à vista:
   a. Antes de 1980 (quando os depósitos à vista não tinham remuneração de acordo com a lei) as taxas de juros aumentaram de 8 para 9%.
   b. Em 2007 (quando as taxas de juros da moeda eram 1/4 das taxas de juros do mercado) as taxas de juros diminuíram de 4 para 2%.
   c. Qual teria sido a resposta da demanda de depósitos à vista à variação das taxas de juros de mercado nos casos (a) e (b) se a elasticidade da demanda de moeda em relação ao seu custo implícito fosse −1?

4. Explique se pensa que cada um dos itens seguintes deve fazer parte da oferta de moeda (M_1) nos Estados Unidos: depósitos em poupança, passes de metrô, selos de correio, cartões de crédito e notas de US$ 20 usadas pelos russos em Moscou.

5. Explique por que a melhor carteira não deve conter dinheiro (use a informação da seção D deste capítulo). Como se encaixa a noção do custo de posse de moeda na sua resposta? A sua resposta mudaria se a sua conta corrente tivesse uma rentabilidade igual à dos investimentos sem risco?

6. De acordo com a teoria do mercado eficiente, qual seria o efeito dos seguintes acontecimentos sobre o preço das ações da GM?
   a. Um anúncio inesperado de que o governo iria baixar os impostos sobre as empresas no próximo dia 1º de julho.
   b. Uma redução dos impostos em 1º de julho, seis meses após o Congresso ter aprovado a respectiva legislação.
   c. Um anúncio, inesperado pelos especialistas, de que os Estados Unidos iriam impor participações de importação de automóveis chineses no próximo ano.
   d. A implementação de (c) com publicação da regulamentação em 31 de dezembro.

7. O Banco Central é obrigado a pagar juros sobre as reservas bancárias.
   a. Suponha que a taxa de juros sobre as reservas é 1 ponto percentual abaixo das taxas de mercado. Os bancos ainda desejariam minimizar o excesso de reservas? Isso afetaria a equação da moeda bancária no item 8 da seção "Resumo"?
   b. Suponha que a taxa de juros sobre as reservas é igual às taxas de mercado. Como se alteraria a sua resposta em relação ao item anterior?
   c. Usando a sua resposta a (b), você pode entender como a relação entre reservas e moeda bancária se afrouxa quando as taxas de juros de mercado são zero (a "armadilha da liquidez")?

8. Suponha que um banco gigante, o Humongos Bank of America, detivesse a totalidade dos depósitos à vista de toda a população e estivesse sujeito à exigência legal de reservas de 10%. Se as reservas aumentassem US$ 1 bilhão, aquele banco poderia emprestar mais de 90% do acréscimo de reservas, sabendo que os novos depósitos seriam constituídos no próprio banco? Isso implicaria a modificação do multiplicador final da oferta de moeda? Explique ambas as respostas.

9. **Problema avançado.** Uma *opção* é o direito de comprar, ou vender, um ativo (ações, títulos de dívida, moeda estrangeira, terra etc.) por um preço especificado até uma determinada data. Uma opção de compra é o direito de comprar o ativo, enquanto a opção de venda é o direito de vendê-lo. Suponha que você tenha uma opção de compra de 100 ações de uma sociedade altamente volátil, a Fantasia.com, em qualquer momento nos próximos três meses, a US$ 10 por ação. As ações da Fantasia.com, atualmente, são vendidas a US$ 9 cada:

   a. Explique por que o valor da opção é mais do que US$ 1 por ação.

   b. Suponha que a ação expirasse amanhã e que haveria uma probabilidade igual de subir US$ 5 ou de descer US$ 5. Qual seria o valor *presente* da opção?

   c. Substitua o valor de US$ 5 por US$ 10 em (b). O que aconteceria ao valor da opção? Explique porque um aumento da volatilidade faz aumentar o valor de uma opção (mantendo o resto constante).

10. Este problema irá ilustrar a ideia de que os preços de muitos ativos financeiros especulativos parecem evoluir como em um passeio aleatório.

    a. Lance uma moeda ao ar 100 vezes. Conte a cara com "+1" e a coroa com "–1". Faça um registo da totalidade dos resultados. Represente-o em um gráfico. Isso é um passeio aleatório. (Isso é facilmente realizado em um computador utilizando um programa como o Excel, que contém um gerador de números aleatórios e uma função de gráficos.)

    b. A seguir, registre o preço de fechamento das ações da sua empresa favorita durante algumas semanas, ou obtenha-o online. Represente graficamente o preço em relação ao tempo. Compare os números aleatórios em (a) com os preços das ações ou mostre-os a um amigo e pergunte-lhe para descobrir a diferença. Se forem semelhantes, isso significa que as ações se comportam como em um passeio aleatório?

CAPÍTULO 24
Política monetária e Economia

Houve três grandes invenções ao longo do tempo: o fogo, a roda e os bancos centrais.
Will Rogers

Onde devem ser procurados os principais decisores de política macroeconômica atual? Na Casa Branca? Ou no Congresso? Talvez na ONU ou no Banco Mundial? Surpreendentemente, a resposta é em um obscuro edifício de mármore em Washington, que abriga o Federal Reserve System. É lá que o Federal Reserve (ou "Fed", como é muitas vezes chamado) determina o nível das taxas de juros de curto prazo e empresta dinheiro às instituições financeiras, influenciando profundamente os mercados financeiros, a riqueza, a produção, o emprego e os preços. De fato, a influência do Fed alarga-se não apenas aos 50 estados norte-americanos, mas, por meio das ligações financeiras e comerciais, a qualquer ponto do mundo.

Os objetivos centrais do Federal Reserve são assegurar uma inflação reduzida, o crescimento constante da produção nacional, um desemprego reduzido e a estabilidade dos mercados financeiros. Se a produção está crescendo rapidamente e a inflação subindo, é provável que o Federal Reserve Board aumente as taxas de juros, travando a economia e reduzindo a pressão dos preços.

O período de 2007-2009 foi um período particularmente difícil para o Fed e os outros bancos centrais. Durante esse período, os investimentos doentios e a alavancagem excessiva levou à deterioração da saúde financeira dos bancos e de outras instituições financeiras. Isso, por sua vez, produziu enormes quedas dos preços das ações e dos títulos, "corridas aos bancos" e a falência de vários grandes bancos. O Fed, o Banco Central Europeu e os governos americano e estrangeiros cederam bilhões de dólares em empréstimos, garantias de empréstimos, nacionalizações e resgates. Todos tiveram como objetivo evitar o colapso dos mercados financeiros e reduzir a gravidade da recessão em curso.

Todos os países têm um banco central que é responsável pela gestão dos assuntos monetários do país. Este capítulo começa explicando os objetivos e a organização dos bancos centrais, com foco no Federal Reserve System dos Estados Unidos. Nele, é explicado como funciona o Fed e é descrito o mecanismo de transmissão monetária. Em seguida, a segunda seção do capítulo trata de algumas das principais questões importantes da política monetária.

A. BANCO CENTRAL E O FEDERAL RESERVE SYSTEM DOS ESTADOS UNIDOS

Começamos esta seção com uma visão geral sobre os bancos centrais. A próxima seção fornece os detalhes sobre os diferentes instrumentos usados pelo banco central e explica como podem ser aplicados para influenciar as taxas de juros de curto prazo.

ELEMENTOS ESSENCIAIS DO BANCO CENTRAL

Um banco central é uma entidade do governo que é a principal responsável pelos assuntos monetários de um país. Nesta seção, vamos nos concentrar sobre o Banco Central dos Estados Unidos, o Fed. Descrevemos sua história, seus objetivos e suas funções.

História

No século XIX, os Estados Unidos sofreram com a praga dos pânicos bancários. Estes ocorriam quando muitas pessoas tentavam levantar os seus depósitos bancários em dinheiro, todas ao mesmo tempo. Quando chegavam aos bancos, descobriam que estes tinham uma insuficiência de papel-moeda para dar cobertura aos depósitos de todos, por causa do sistema das reservas parciais.

Seguiram-se com frequência falências e crises econômicas. Após o grave pânico de 1907, a agitação e a discussão conduziram à Lei do Federal Reserve de 1913, que teve a finalidade de "proporcionar o estabelecimento dos bancos do Federal Reserve [e] fornecer uma moeda flexível, para proporcionar os meios de redes conto de papel comercial, estabelecer uma supervisão mais efetiva do sistema bancário nos Estados Unidos e para outros propósitos". Esse foi o princípio do Fed.

Estrutura

O **Federal Reserve System** consiste no Conselho dos Diretores (Board of Governors) na capital Washington e nas suas filiais regionais (Regional Reserve Banks). O coração do Federal Reserve é o Board of Governors do Federal Reserve System, que é constituído por sete membros designados pelo presidente e confirmados pelo Senado, com mandatos ininterruptos de 14 anos. Os membros do Conselho geralmente são banqueiros ou economistas que trabalham em tempo integral no cargo.

Além disso, há 12 bancos regionais do Federal Reserve localizados em Nova York, Chicago, Richmond, Dallas, S. Francisco e em outras grandes cidades. A estrutura regional foi concebida originalmente em uma época populista para assegurar que as diferentes regiões do país possuíssem voz sobre as questões bancárias, e para evitar uma excessiva concentração dos poderes em Washington ou dos banqueiros do leste (dos Estados Unidos). Atualmente, os bancos do Federal Reserve supervisionam os bancos em suas regiões, operam o sistema de pagamentos nacional e participam na realização da política monetária nacional.

O órgão-chave para a tomada de decisões no Federal Reserve System é o *Federal Open Market Committee* (FOMC). Os 12 membros votantes do FOMC incluem os sete diretores mais cinco dos presidentes dos bancos do Federal Reserve regionais que servem de membros votantes em uma base rotativa. Esse grupo-chave controla o instrumento mais importante usado na política monetária – a fixação das taxas de juros de curto prazo.

No topo de todo o sistema está o presidente do Board of Governors. O presidente do Fed é nomeado pelo presidente dos Estados Unidos e confirmado pelo Senado para mandatos de quatro anos. Preside ao Board of Governors e ao FOMC, é o porta-voz do Fed e exerce um enorme poder sobre a política monetária. Em 2010, o presidente do Fed era Ben Bernanke, um prestigiado economista acadêmico, professor de economia na Universidade de Princeton, bem como ex-governador do Fed antes de ter sido nomeado presidente em 2006. Bernanke sucedeu a Alan Greenspan, um economista empresarial conservador que se tornou uma figura de referência nos assuntos econômicos americanos durante seu longo mandato enquanto presidente do Fed (1987-2006).

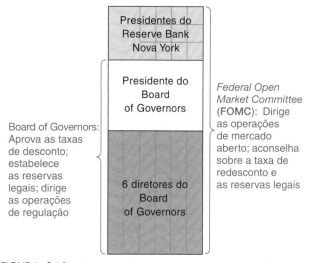

FIGURA 24-1 Os principais intervenientes na política monetária dos Estados Unidos.

Duas importantes comissões estão no centro da política monetária. Os sete membros do Board of Governors aprovam as mudanças das taxas de desconto e estabelecem as reservas legais. O FOMC dirige o estabelecimento das reservas bancárias. O presidente do Board of Governors dirige ambos os órgãos. O tamanho de cada box, na figura, indica o poder relativo das pessoas ou dos órgãos; repare no tamanho do box do presidente.

Mesmo com sua estrutura geográfica dispersa, o poder do Fed é bastante centralizado. O Federal Reserve Board, que ocorre com a reunião dos 12 presidentes dos Bancos do Federal Reserve, é dirigido pelo presidente do Fed para formular e executar a política monetária. A estrutura do Federal Reserve System é mostrada na Figura 24-1.

Objetivos dos bancos centrais

Antes de nos focarmos principalmente no sistema americano, analisaremos sucintamente os objetivos dos bancos centrais em todo o mundo. Podemos distinguir três abordagens diferentes dos bancos centrais:

- *Objetivos múltiplos*. Muitos bancos centrais têm objetivos gerais, tais como manter a estabilidade econômica. Os objetivos específicos fixados podem ser uma inflação baixa e estável, desemprego reduzido, crescimento econômico rápido, coordenação com a política fiscal, e uma taxa de câmbio estável.

- *Metas de inflação*. Nos últimos anos, muitos países têm adotado metas de inflação explícitas. Sob determinado mandato, o banco central é dirigido para executar ações de modo a assegurar que a inflação permaneça dentro de uma faixa que geralmente é reduzida, mas positiva. Por exemplo, o Banco da Inglaterra tem sido dirigido para definir a política monetária com o objetivo de manter em 2% a taxa de inflação anual.

- *Metas de taxa de câmbio.* Em uma situação em que um país tem uma taxa de câmbio fixa e mercados financeiros abertos, já não é possível conduzir uma política monetária independente, como veremos nos capítulos sobre macroeconomia aberta. Nesse caso, o banco central pode ser descrito como definindo sua política monetária para atingir uma meta de taxa de câmbio.

O Federal Reserve cai na primeira categoria, a de "múltiplos objetivos". Sob a lei do Federal Reserve, o Fed é dirigido "para promover de maneira eficaz os objetivos de pleno emprego, preços estáveis e taxas de juros de longo prazo moderadas". Atualmente, isso é interpretado como um mandato duplo que consiste em manter a inflação baixa e estável, juntamente com uma economia real saudável. É assim que o Fed vê seu papel hoje:

> Os objetivos [do Federal Reserve] incluem o crescimento econômico em consonância com a expansão do potencial da economia: um nível elevado de emprego; preços estáveis (isto é, estabilidade do poder de compra do dólar); e taxas de juros de longo prazo moderadas.[1]

Funções do banco central

O Fed tem quatro funções principais:

- Conduzir a política monetária fixando as taxas de juros de curto prazo.
- Manter a estabilidade do sistema financeiro e conter o risco sistêmico como o credor de última instância.
- Supervisionar e regular as instituições bancárias.
- Prestar serviços financeiros aos bancos e ao governo.

Vamos analisar principalmente as duas primeiras funções, porque têm um impacto importante sobre a atividade macroeconômica.

Independência dos bancos centrais

Ao examinar a estrutura do Fed, podemos perguntar: "Em qual dos três níveis do governo se situa o Fed?". A resposta é interessante. Embora, nominalmente, seja uma sociedade anônima, que pertence aos bancos comerciais que são membros do Federal Reserve System, o Federal Reserve é, de fato, um departamento público. É responsável diretamente perante o Congresso; aconselha o presidente do país; e sempre que ocorre o dilema entre a apuração de lucros e a promoção do interesse público, a sua atuação é no sentido de assegurar o interesse público.

Acima de tudo, o Federal Reserve é um departamento *independente*. Embora consulte o Congresso e o Presidente, ao final, o Fed decide a política monetária de acordo com a sua perspectiva sobre o interesse econômico do país. Por isso, o Fed, às vezes, entra em conflito com o executivo. Quase todos os presidentes têm dado conselhos ao Fed. Quando as suas políticas se chocam com os objetivos do governo, os presidentes do país, por vezes, expressam-se de modo áspero. O Fed ouve, polidamente, mas geralmente escolhe o caminho que considera o melhor para o país, pois as suas decisões não têm de ser aprovadas por ninguém.

De tempos em tempos, há críticos que argumentam que o Fed é independente demais – que é antidemocrático que um pequeno grupo de pessoas não eleitas dirija os mercados financeiros do país. Esse é um argumento de peso, pois os corpos não eleitos, às vezes, perdem o contato com as realidades sociais e econômicas.

Os defensores da independência respondem que um banco central independente é o guardião da moeda de um país e o melhor protetor contra a inflação galopante. Além disso, a independência assegura que a política monetária não seja submetida aos objetivos políticos partidários, como, às vezes, acontece em países em que o executivo controla o banco central. Estudos históricos mostram que os países com bancos centrais independentes têm sido, geralmente, mais bem-sucedidos na manutenção de uma inflação reduzida do que aqueles cujos bancos centrais estão debaixo da alçada dos representantes eleitos.

Em resumo:

> Todos os países modernos têm um banco central. O banco central dos Estados Unidos é composto pelo Federal Reserve Board, em Washington, juntamente com os 12 bancos regionais do Federal Reserve. A principal missão do Fed é conduzir a política monetária do país, influenciando as condições monetárias e de crédito e buscando uma inflação reduzida, emprego, e mercados financeiros estáveis.

COMO O BANCO CENTRAL DETERMINA AS TAXAS DE JUROS DE CURTO PRAZO

Os bancos centrais são o palco central da macroeconomia porque determinam, em grande parte, as taxas de juros de curto prazo. Vamos agora explicar essa função.

Panorama das operações do Fed

O Fed conduz a sua política por meio de mudanças na importante taxa de juros de curto prazo, chamada de **taxa dos fundos federais** (*fed funds*). Essa é a taxa de juros que os bancos cobram entre si para o empréstimo de saldos das reservas no Fed. É uma taxa de juros de curto prazo livre de risco em dólares dos Estados Unidos. O Fed controla a taxa dos *fed funds* exercendo controle sobre os seguintes instrumentos importantes da política monetária:

- *Operações de mercado aberto* – comprando e vendendo títulos de dívidas do governo no mercado aberto para influenciar o nível das reservas bancárias.

---

[1] *The Federal Reserve System:* Purposes and Functions, p. 2, indicado em "Sites", na seção "Leituras adicionais", ao final deste capítulo.

- *Operação de redesconto* – estabelecer a taxa de juros, designada por *taxa de redesconto*, e as exigências de garantia à qual os bancos comerciais e outras instituições de depósitos, e mais recentemente intermediários (*dealers*) importantes, podem obter empréstimos do Fed.
- *Política de requisitos legais de reserva* – fixar e alterar a razão de requisitos legais de reserva em relação aos depósitos nos bancos e em outras instituições financeiras.

A descrição básica da política monetária é esta: quando as condições econômicas mudam, o Fed determina se a economia está se desviando do caminho desejado de inflação, de produto, e de outros objetivos. Se assim for, o Fed anuncia uma mudança na sua meta de taxa de juros, a taxa dos *fed funds*. Para implementar essa mudança, o Fed realiza operações de mercado aberto e altera a taxa de desconto. Essas mudanças fazem-se sentir em cascata, por meio de todo o leque de taxas de juros e de preços de ativos, acabando por mudar a direção geral da economia.

Balanço dos bancos do Federal Reserve

Para entender como o Fed conduz a política monetária, primeiro precisamos descrever o balanço consolidado do Fed, mostrado na Tabela 24-1. Os títulos do governo dos Estados Unidos têm correspondido, historicamente, à maior parte dos ativos do Fed. A partir de 2007, o Fed expandiu suas operações para incluir leilões a prazo, o crédito a corretores e garantias de empréstimo, que, em 2008, constituíam uma parcela substancial dos seus ativos. A composição exata do balanço não é essencial para nossa compreensão de como o Fed normalmente determina as taxas de juros.

No seu passivo há dois únicos itens: papel-moeda e reservas. O *papel-moeda* é o principal passivo do Fed. Esse item compreende as moedas e as notas de papel que usamos diariamente. A outra responsabilidade importante são os saldos das reservas bancárias, que são os saldos mantidos em depósitos pelos bancos comerciais. Esses depósitos, juntamente com o papel-moeda que os bancos mantêm em caixa, são chamados de **reservas bancárias**.

O nosso plano para o restante dessa seção é o seguinte: Primeiro, vamos explicar mais detalhadamente os três instrumentos que o Fed usa para conduzir a política monetária. Mostraremos como a oferta de reservas é determinada por meio de uma combinação de anúncios, operações de mercado aberto e de política de redesconto. Depois, mostraremos como são determinadas as taxas de juros de curto prazo, sendo o determinante mais importante o controle do Fed sobre a oferta de reservas.

Procedimentos operacionais

O FOMC se reúne oito vezes por ano para decidir sobre política monetária e dar instruções operacionais ao Federal Reserve Bank de Nova York, que realiza diariamente operações de mercado aberto.

Atualmente, o Fed atua principalmente fixando um objetivo de curto prazo para a *taxa de fed funds*, que é a taxa de juros que os bancos pagam entre si, pelo uso, por um dia (*overnight*), de reservas bancárias. A Figura 24-2 mostra a taxa de *fed funds* em anos recentes com áreas sombreadas para indicar as recessões. Você pode ver como o Fed tende a baixar as taxas de juros antes das recessões e a aumentá-las quando a economia entra em expansão. Se você rever a Figura 15-2 poderá observar como as taxas de juros tendem a acompanhar a taxa dos *fed funds*. A ligação, porém, não é estreita. Embora o Fed fixe o nível geral e a tendência, existem muitos outros fatores em ação na determinação das taxas de juros e das condições financeiras, como é evidenciado pelo fato de as taxas de juros, por vezes, moverem-se em direções diferentes.

Balanço consolidado dos 12 bancos do Federal Reserve, setembro 2008 (bilhões de dólares)			
Ativo		**Passivo e patrimônio líquido**	
Títulos do Governo	US$ 479,8	Papel-moeda do Federal Reserve	US$ 832,4
Empréstimos, créditos por leilão e acordos de recompra	322,5	Depósitos: **Saldos de reservas dos bancos**	**47,0**
Outros ativos variados	181,0	Outros depósitos	14,4
		Outros passivos	89,5
Total	US$ 983,3	Total	US$ 983,3

TABELA 24-1 Ao fazer variar o seu balanço, o Fed determina as taxas de juros de curto prazo e as condições de crédito.

Ao comprar e vender os seus ativos (títulos do governo e acordos de recompra), o Fed controla o seu passivo (depósitos dos bancos e notas do Federal Reserve). O Fed determina a taxa de juros dos *fed funds* ao fazer variar o volume de reservas e desse modo influencia o PIB, o desemprego e a inflação.

Fonte: Federal Reserve Board, em <http://www.federalreserve.gov/releases/h41>.

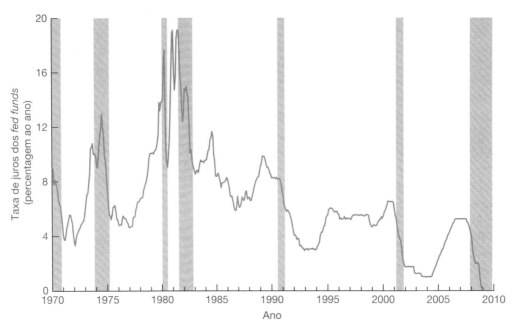

FIGURA 24-2 O Fed determina a taxa dos *fed funds*.

O Fed define uma meta para a taxa dos *fed funds*, que é a taxa de juros cobrada pelos bancos para empréstimos de reservas entre si. Essa taxa, em seguida, afeta todas as outras taxas de juros, embora a ligação seja variável, sendo afetada pelas expectativas das taxas de juros futuras, bem como pelas condições financeiras globais. (Veja a Figura 15-2 para um gráfico das outras taxas de juros importantes.) Observe como a taxa dos *fed funds* se aproximou de zero no final de 2008, quando a economia entrava na armadilha da liquidez.

Fonte: Federal Reserve Board.

COMO O FED INFLUENCIA AS RESERVAS BANCÁRIAS

O elemento mais importante da política monetária é a determinação das reservas bancárias por meio da política do Fed. Esse é um processo complexo e requer um estudo cuidadoso. Por meio da combinação da exigência de reservas, de operações de mercado aberto e da política de redesconto, o Fed, normalmente, pode determinar a quantidade de reservas bancárias dentro de limites muito estreitos. Começamos com uma revisão pormenorizada desses instrumentos importantes de política.

Operações de mercado aberto

As **operações de mercado aberto** são a principal ferramenta de um banco central para implementar a política monetária. Com essas ações, o Fed influencia as reservas bancárias ao comprar ou vender títulos do governo no mercado aberto.

Como é que o Fed decide quanto comprar ou vender? O Fed observa os determinantes subjacentes à demanda e oferta de reservas e determina se essas tendências estão de acordo com a meta para a taxa dos *fed funds*. Na base dessa previsão, o Fed irá comprar ou vender uma quantidade de títulos do governo, o que irá ajudar a manter a taxa dos fundos perto do objetivo.

Suponha que, com base nas suas previsões, o Fed deseje vender US$ 1 bilhão em títulos. O Fed realiza operações de mercado aberto com os principais agentes (chamados de *dealers*), que incluem cerca de 20 grandes bancos e corretoras de valores mobiliários, como Goldman-Sachs e JP Morgan. Os *dealers* compram os títulos, sacando sobre as contas no Fed. Após a venda, o total de depósitos no Fed cai US$ 1 bilhão. *O efeito líquido seria que o sistema bancário perderia US$ 1 bilhão em reservas.*

A Tabela 24-2(*a*) mostra o efeito de uma venda em mercado aberto de US$ 1 bilhão sobre um balanço hipotético do Fed. Os valores mais escuros mostram o balanço do Fed antes da operação de mercado aberto. Os valores mais claros mostram o efeito da venda em mercado aberto. O efeito líquido é a redução tanto do ativo como do passivo em US$ 1 bilhão. Os ativos do Fed diminuíram com a venda de US$ 1 bilhão de títulos do governo e o seu passivo foi reduzido exatamente pelo mesmo montante, com a redução de US$ 1 bilhão de reservas bancárias.

Analisemos, agora, o impacto que isso teve sobre os bancos comerciais, cujo balanço consolidado é mostrado na Tabela 24-2(*b*). Admitimos que os bancos mantenham 10% dos seus depósitos em reservas no banco central. Após a operação de mercado aberto, os bancos verificam que têm reservas a menos, porque perderam US$ 1 bilhão de reservas, mas apenas US$ 1 bilhão de

(a) Balanço do Federal Reserve (bilhões de dólares)			
Ativo		**Passivo**	
Títulos do Governo	500 – 1	Papel-moeda em poder do público	410
Empréstimos	10	Reservas bancárias	100 – 1
Total do ativo	**510 – 1**	**Total do passivo**	**510 – 1**

TABELA 24-2 (a) A venda pelo Fed em mercado aberto reduz as reservas bancárias.

(b) Balanço dos bancos comerciais (bilhões de dólares)			
Ativo		**Passivo**	
Reservas	100 – 1	Depósitos à vista	1.000 – 10
Empréstimos e investimentos	900 – 9		
Total do ativo	**1.000 – 10**	**Total do passivo**	**1.000 – 10**

TABELA 24-2 (b) A redução das reservas leva os bancos a reduzir os empréstimos e os investimentos até que a oferta de moeda seja reduzida na proporção de 10 para 1.

O banco central vende títulos para reduzir as reservas de modo a aumentar as taxas de juros na direção da sua meta.
Em (a), o Fed vende US$ 1 bilhão de títulos em mercado aberto. Quando os bancos pagam os títulos, isso reduz as reservas bancárias em US$ 1 bilhão.
A seguir, em (b), vemos o efeito da operação de mercado aberto no balanço dos bancos comerciais. Com uma razão de reservas legais de 10% dos depósitos, os bancos têm de reduzir os empréstimos e os investimentos. O efeito líquido é a contração monetária e o aumento das taxas de juros.

---

depósitos. Os bancos, então, têm de vender alguns dos seus investimentos e exigir o pagamento de alguns empréstimos de curto prazo para satisfazer as reservas obrigatórias. Isso desencadeia uma contração múltipla dos depósitos. Quando a totalidade da cadeia de impactos estiver concluída, os depósitos terão diminuído US$ 10 bilhões, com as correspondentes alterações no lado do ativo do balanço dos bancos [observe atentamente as entradas mais claras na Tabela 24-2(b)].

Essa contração de empréstimos e investimentos tende a aumentar as taxas de juros. Se o Fed previu corretamente, a taxa de juros irá alterar-se para a nova meta do Fed. Mas se fez uma previsão incorreta, o que o Fed deve fazer? Simplesmente, deve fazer outro ajuste, comprando ou vendendo reservas no dia seguinte!

Operações de redesconto: um recurso para as operações de mercado aberto

O Fed tem um segundo conjunto de instrumentos que pode usar para atingir os seus objetivos. O redesconto é uma facilidade pela qual os bancos e, mais recentemente, *dealers* primários podem pedir emprestado quando precisam de fundos adicionais. O Fed cobra uma "taxa de redesconto" sobre os fundos emprestados, embora a taxa de redesconto possa variar ligeiramente de acordo com os diferentes usos e instituições. Geralmente, a taxa de redesconto primária é 1/4 a 1/2 de ponto percentual acima da meta de taxa dos *fed funds*.

A possibilidade de redesconto serve dois propósitos. Complementa as operações de mercado aberto, tornando disponíveis as reservas quando são necessárias no curto prazo. Também serve como uma fonte de recurso de liquidez para as instituições quando as condições de crédito se restringem subitamente.

Até muito recentemente, a janela de redesconto foi raramente usada. Na crise de crédito de 2007-2009, o Fed abriu a janela de redesconto para que os bancos pudessem obter empréstimos quando os seus clientes ficavam nervosos e exigiam o levantamento de fundos. Durante esse período, a fim de proporcionar mais liquidez a um mercado financeiro nervoso, o Fed ampliou o âmbito da sua capacidade de empréstimo de vários modos. O Fed ampliou a definição de garantias admissíveis, acrescentou *dealers* primários para a lista de instituições elegíveis para tomar emprestado em operações de redesconto, colocou garantias sobre valores mobiliários instáveis para ajudar a escorar os bancos em falência, e comprou papel comercial privado de entidades não bancárias. Todas essas medidas foram destinadas a reduzir os temores de que as instituições financeiras fossem incapazes de cumprir as suas obrigações e de que o sistema financeiro iria congelar e que o crédito ficaria indisponível para as empresas e as famílias.

Emprestador de última instância. Os intermediários financeiros, como os bancos, são inerentemente instáveis, porque, como vimos, as suas responsabilidades são de curto prazo e sujeitas a retiradas imediatas, enquanto os seus ativos são, muitas vezes, de longo prazo e, até mesmo, sem liquidez. De tempos em tempos, os bancos e outras instituições financeiras não podem cumprir as suas obrigações para com seus clientes. Talvez existam necessidades sazonais de dinheiro, ou, talvez ainda mais preocupantemente, os depositantes tenham perdido a confiança nos seus bancos e retirem os seus depósitos ao mesmo tempo. Nessa situação, quando um banco fica sem ativos com liquidez e sem linhas de crédito, o banco central pode intervir para ser o emprestador de última instância. Essa função foi bem descrita pelo ex-presidente do Fed, Alan Greenspan:

> [Se] escolhermos beneficiar das vantagens de um sistema de intermediários financeiros alavancados, o fardo da gestão do risco no sistema financeiro não recai apenas no setor privado. O endividamento sempre implica a possibilidade remota de uma reação em cadeia, de uma rápida

sequência em cascata de inadimplências que culminaria na implosão financeira se prosseguisse descontrolada. Apenas um banco central, com seu poder ilimitado de criar moeda, pode, com uma alta probabilidade, inverter tal processo antes que se torne destrutivo. Assim, os bancos centrais têm, necessariamente, sido arrastados para se tornar os emprestadores de última instância.

Atualmente, a janela de redesconto é usada principalmente para garantir que os mercados monetários possam operar sem sobressaltos. Proporciona a liquidez adicional, e é também para onde os bancos podem se voltar quando precisam de um emprestador de última instância.

Papel das reservas legais

Natureza das reservas. No capítulo anterior, mostramos a relação entre reservas bancárias e moeda bancária. Em um sistema bancário de mercado livre, os banqueiros prudentes precisariam sempre ter disponíveis algumas reservas. Eles precisariam manter, em papel-moeda, uma pequena fração dos depósitos recebidos para pagar aos depositantes que desejam converter os seus depósitos em papel-moeda, ou que passam cheques sobre as suas contas.

Há muito tempo, os bancos compreenderam que, embora possam ser sacados a qualquer momento, os depósitos raramente são levantados todos ao mesmo tempo. Seria necessário que as reservas fossem iguais aos depósitos se, de repente, todos os depositantes tivessem de ser pagos ao mesmo tempo, mas isso nunca ocorreu. Qualquer que seja o dia, alguns clientes fazem levantamentos, enquanto outros fazem depósitos. Esses dois tipos de transações, em geral, equilibram-se.

Os banqueiros iniciais não precisavam manter 100% dos depósitos em reservas estéreis; as reservas não recebem qualquer juros quando estão paradas em um cofre. Os bancos se prenderam na ideia de encontrar investimentos lucrativos para o excesso de depósitos. Ao colocar a maior parte do dinheiro depositado em ativos com remuneração de juros e mantendo apenas uma parte dos depósitos em papel-moeda de reserva, os bancos podiam maximizar os seus lucros.

A transformação em bancos de reservas parciais – possuindo apenas parte, e não 100%, dos depósitos em reservas – foi um fato revolucionário. Isso levou às instituições financeiras alavancadas que dominam o nosso sistema financeiro.

Requisitos das reservas legais. No século XIX, os bancos, às vezes, tinham reservas insuficientes para satisfazer os pedidos dos depositantes e isso, ocasionalmente, desembocava em crises bancárias. Portanto, tendo tido então o seu início, sendo atualmente formalizado pelas regulações do Federal Reserve, é exigido que os bancos mantenham certa parcela dos depósitos à vista em reservas. Em uma época anterior, as reservas obrigatórias eram uma parte importante do controle da quantidade de moeda (como é discutido mais adiante neste capítulo). Na época atual, em que o Fed principalmente fixa metas de taxas de juros, as reservas legais são um instrumento com relativamente pouca importância na política monetária.

A exigência de reservas se aplica a todos os tipos de depósitos resgatáveis por cheque. De acordo com as regulações do Federal Reserve, os bancos são obrigados a manter uma determinada parcela dos depósitos à vista em reserva. Essa parcela é chamada de **razão de reservas legais**. As reservas bancárias tomam a forma de reservas em moeda e de depósitos dos bancos no Federal Reserve System.

A Tabela 24-3 mostra a atual exigência legal de reservas, bem como o poder discricionário do Fed para alterar tais exigências. O conceito-chave é o nível das razões de reservas legais. Variam entre 10% para os depósitos à vista e 0% para os depósitos de poupança individuais. Para comodidade nos nossos exemplos numéricos, usamos razões de 10%, sabendo-se que a razão efetivamente exigida pode ser, de tempos a tempos, diferente de 10%.

Em tempos normais, o nível de reservas obrigatórias é geralmente maior do que os bancos voluntariamente teriam. Esses requisitos elevados servem principalmente para garantir que a demanda de reservas seja relativamente previsível para que o Fed possa ter um controle mais preciso sobre a taxa dos *fed funds*.

O Fed começou a pagar juros sobre reservas bancárias em 2008. A ideia era a de que a taxa de juros sobre as reservas serviria como um patamar abaixo da taxa dos *fed funds*, permitindo, assim, um melhor controle sobre a taxa dos *fed funds*. Por exemplo, se a meta da taxa dos *fed funds* é de 3½%, enquanto a taxa de juros sobre as reservas é de 3% e a taxa de desconto é de 4%, então a taxa de *fed funds* será, de fato, limitada entre 3 e 4%, podendo o Fed atingir mais facilmente o seu objetivo. O ambiente financeiro tomou um rumo incomum durante a crise financeira de 2007-2009 quando a economia entrou em uma "crise de liquidez". Voltaremos a este ponto em breve, mais adiante neste capítulo.

Determinação da taxa dos fed funds

Agora que tratamos dos instrumentos básicos, podemos analisar como o Fed determina as taxas de juros de curto prazo. O funcionamento básico é mostrado na Figura 24-3. Esta mostra a demanda e a oferta de reservas bancárias.

Primeiro, considere a demanda de reservas bancárias. Como vimos no último ponto, os bancos são obrigados a manter reservas determinadas pelo valor total dos seus depósitos à vista e pela razão de reservas fixado. Porque a demanda de depósitos à vista é uma função inversa da taxa de juros, isso implica que a demanda de reservas bancárias também diminuirá se as taxas

Tipo de depósito	Razão de reservas (%)	Intervalo de variação para o Fed (%)
Depósitos à vista (para transações):		
US$ 0 a US$ 44 milhões	3	Não é permitido variação
Acima de US$ 44 milhões	10	8-14
Depósitos a prazo e de poupança:		
Pessoais	0	
Não pessoais:		
Com um prazo até 1,5 ano	0	0-9
Com um prazo superior a 1,5 ano	0	0-9

TABELA 24-3 Reservas exigidas às instituições financeiras.

A exigência de reservas é estabelecida pela lei e por regulação. A coluna da razão de reservas mostra a percentagem de depósitos, em cada categoria, que tem de manter-se na forma de depósitos sem remuneração de juros no Fed, ou em espécie. São exigidas reservas de 10% para os depósitos à vista nos grandes bancos, enquanto outros depósitos importantes não têm exigência de reservas. O Fed tem o poder de alterar a razão de reservas dentro de certo intervalo, mas só o faz nas raras ocasiões em que as condições econômicas exigem uma alteração profunda da política monetária.

Fonte: Federal Reserve Bulletin, março 2008.

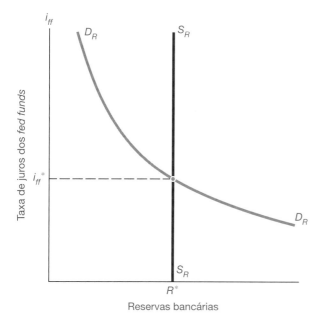

FIGURA 24-3 A oferta e a demanda de reservas bancárias determina a taxa dos *fed funds*.

A demanda de reservas bancárias se reduz com o aumento das taxas de juros, o que reflete que os depósitos à vista diminuem quando a baixa dos juros aumenta a demanda de dinheiro. O Fed tem uma taxa de juros objetivo em i_{ff}^*. Ao fornecer a quantidade adequada de reservas em R^*, por meio de operações de mercado aberto, o Fed alcança a sua meta.

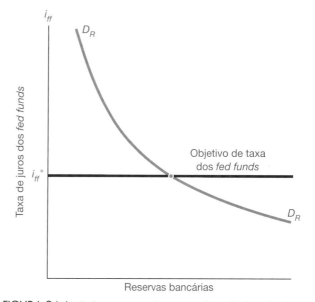

FIGURA 24-4 Pela constante intervenção, o Fed pode alcançar a sua meta de taxa de juros objetivo.

Dado que intervém diariamente realizando operações de mercado aberto, como ilustrado na Figura 24-3, o Fed pode atingir a sua meta com um desvio reduzido.

de juros sobem. Isso é o que está por trás da curva com inclinação negativa $D_R D_R$ na Figura 24-3.

A seguir, precisamos considerar a oferta de reservas. Esta é determinada por operações de mercado aberto. Por meio da compra e venda de títulos, o Fed controla o nível de reservas no sistema. A compra de títulos pelo Fed aumenta a oferta de reservas bancárias, enquanto a venda faz o oposto.

A taxa de juros dos *fed funds* de equilíbrio é determinada onde a oferta e a demanda desejadas são iguais. A importante conclusão, aqui, é que o Fed pode atingir o seu objetivo por meio da compra e venda criteriosas de títulos, isto é, por meio de operações de mercado aberto.

Mas a Figura 24-3 mostra apenas a oferta e a demanda de muito curto prazo. Como o Fed intervém no mercado diário, e pelo fato de os participantes do mercado conhecerem o objetivo de taxa de juros do Fed, este pode manter a taxa de *fed funds* próxima do seu objetivo. A Figura 24-4 mostra a oferta e a demanda no período de um mês ou mais. No fundo, o banco central proporciona uma oferta perfeitamente elástica de reservas à meta da taxa dos *fed funds*. Isso mostra como o Fed atinge seu objetivo em relação aos fundos em uma base semanal e mensal.

A taxa de *fed funds*, que é a taxa de juros de curto prazo mais importante no mercado, é determinada pela oferta e pela demanda de reservas bancárias. Acompanhando constantemente o mercado e fornecendo ou retirando reservas conforme necessário por meio de operações de mercado aberto, o Fed pode garantir que as taxas de juros de curto prazo fiquem muito perto do seu objetivo.

B. MECANISMO DE TRANSMISSÃO MONETÁRIA

Apresentação sucinta

Tendo examinado a estrutura do edifício da teoria monetária, iremos agora descrever o **mecanismo de transmissão monetária**, a via pela qual a política monetária influencia a produção, o emprego, os preços e a inflação. Esquematizamos o mecanismo no início do capítulo anterior e agora iremos descrevê-lo com mais detalhes.

1. *O banco central aumenta a meta da taxa de juros.* O banco central anuncia a meta da taxa de juros de curto prazo, escolhida à luz dos seus objetivos e do estado da economia. O Fed também pode alterar a taxa de desconto e as condições das suas facilidades de crédito. Essas decisões são baseadas nas condições correntes da economia, em especial na inflação e no crescimento da produção, do emprego e das condições financeiras.

2. *O banco central realiza operações de mercado aberto.* O banco central realiza diariamente operações de mercado aberto para atingir a sua meta de *fed funds*. Se o Fed pretende refrear a economia, irá vender títulos, reduzindo, desse modo, as reservas e aumentando as taxas de juros de curto prazo; se há ameaça de recessão, o Fed compra títulos e, assim, aumenta a oferta de reservas, baixando as taxas de juros de curto prazo. Por meio das operações de mercado aberto, o Fed mantém a taxa de juros de curto prazo, em média, perto da sua meta.

3. *Os mercados de ativos reagem às mudanças de política.* Com a variação das taxas de juros de curto prazo, e dadas as expectativas em relação às condições financeiras futuras, os bancos ajustam os seus empréstimos e investimentos, bem como as suas taxas de juros e as condições de crédito. As alterações das taxas de juros de curto prazo correntes e esperadas no futuro, juntamente com outras influências macroeconômicas e financeiras, determinam o leque completo de taxas de juros de longo prazo. Taxas de juros mais elevadas tendem a reduzir o valor dos ativos (como das ações, títulos de dívida e habitações). Taxas de juros mais elevadas também tendem a aumentar as taxas de câmbio em um sistema de taxas de câmbio flexível.

4. *O investimento e outras despesas sensíveis aos juros reagem às variações da taxa de juros.* Suponha que o Fed tivesse aumentado a taxa de juros para reduzir a inflação. A combinação de maiores taxas de juros, de restrição de crédito, de menor riqueza e de taxas de câmbio mais elevadas tenderá a reduzir o investimento, o consumo e as exportações líquidas. As empresas reduzirão os seus planos de investimento. De forma semelhante, quando as taxas de juros dos empréstimos hipotecários aumentam, as pessoas podem adiar a compra de casa, reduzindo o investimento na *habitação*. Além disso, em uma economia aberta, uma taxa de câmbio mais apreciada reduz as exportações líquidas. Desse modo, um aperto monetário fará reduzir a despesa em componentes da demanda agregada sensíveis aos juros.

5. *A política monetária acaba afetando a produção e a inflação dos preços.* A análise da oferta e da demanda agregadas (ou, de forma equivalente, a análise do multiplicador) mostraram como as variações do investimento e de outras despesas autônomas afetam a produção e o emprego. Se o Fed contrai a moeda e o crédito, o declínio da *AD* fará baixar a produção e fará com que os preços aumentem mais devagar, contendo, desse modo, as forças inflacionárias.

Podemos resumir as etapas do seguinte modo:

Variação na política monetária
→ variação das taxas de juros, dos preços dos ativos e da taxa de câmbio
→ impacto sobre *I*, *C* e *X*
→ efeito sobre a *AD*
→ efeito sobre *Q* e *P*

Assegure-se de que compreende essa importante sequência, desde a variação pelo banco central da sua taxa de juros objetivo, até o último efeito sobre a produção e os preços. Já analisamos, em profundidade, as primeiras etapas da sequência, e agora iremos explorar o efeito sobre o conjunto da economia.

O efeito das mudanças na política monetária sobre a produção

Concluímos com uma análise gráfica do mecanismo de transmissão monetária.

Taxas de juros e a demanda de investimento. Podemos acompanhar a primeira parte do mecanismo na Figura 24-5.

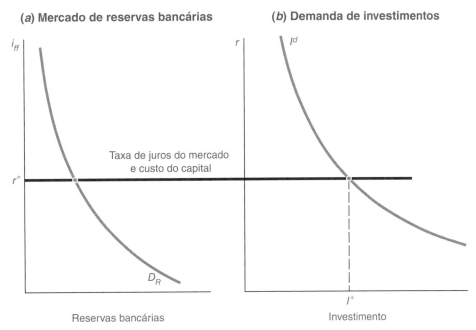

FIGURA 24-5 Taxa de juros determina investimento empresarial e residencial.

Esta figura mostra a ligação entre a política monetária e a economia real. (a) O Fed usa operações de mercado aberto para determinar as taxas de juros de curto prazo. (b) Admitindo que não haja inflação nem risco, a taxa de juros determina o custo do investimento empresarial e residencial, isto é, $r = i_{ff}$. O investimento total, que é o componente mais sensível aos juros da AD, pode ser encontrado em I^*.

Este gráfico reúne dois gráficos que encontramos antes: a oferta e a demanda de reservas em (a) e a demanda de investimento em (b). Simplificamos a nossa análise admitindo que não haja inflação, nem impostos, e nem risco, e resultando que a taxa de juros dos *fed funds* em (a) seja igual ao custo do capital pago pelos investidores empresariais e residenciais em (b). Nessa situação simplificada, a taxa de juros real (r) será igual à taxa de juros do banco central (i_{ff}). A política monetária conduz à taxa de juros r^*, que depois leva ao correspondente nível de investimento I^*.

Em seguida, considere o que acontece quando as condições econômicas mudam. Suponha que as condições econômicas se deteriorem. Isso poderia ser o resultado de um declínio nos gastos militares depois de uma guerra, ou o resultado do declínio do investimento, em decorrência do estouro de uma bolha, ou o resultado do colapso da confiança do consumidor após um ataque terrorista. O Fed iria examinar as condições econômicas e determinar que deveria baixar as taxas de juros de curto prazo por meio de compras de mercado aberto. Isso levaria ao deslocamento das taxas de juros de r^* para r^{**} para baixo, mostrado na Figura 24-6(a).

O próximo passo na sequência seria a reação do investimento, mostrado na Figura 24-6(b). Com a queda das taxas de juros e *mantendo o resto constante*, a demanda por investimento aumentaria de I^* para I^{**}. (Enfatizamos o ponto sobre manter o resto constante, porque este diagrama mostra a mudança que ocorreria se fosse de outra forma. Considerando que o resto *muda*, poderíamos ver uma queda do investimento real. No entanto, o deslocamento monetário indica que o investimento teria uma queda menor com a política monetária do que sem ela.)

Variações no investimento e na produção. O elo final no mecanismo é o impacto sobre a demanda agregada, como é mostrado na Figura 24-7. Este é o mesmo gráfico que usamos para ilustrar o mecanismo multiplicador no Capítulo 22. Mostramos a curva $C + I + G$ da despesa total como função da produção total no eixo horizontal. Com a taxa de juros original r^*, a produção está no nível deprimido Q^* antes de o banco central ter iniciado a sua política expansionista.

Em seguida, suponha que o Fed tome medidas para reduzir as taxas de juros de mercado, como é mostrado na Figura 24-6. As taxas de juros mais baixas aumentam o investimento de I^* para I^{**}. Isso é ilustrado na Figura 24-7 como um deslocamento para cima da reta da despesa total para $C + I(r^{**}) + G$. O resultado é um maior produto total em Q^{**}. Esse gráfico mostra como a sequência das medidas monetárias levou a uma maior produção, tal como o Fed desejava frente à deterioração das condições econômicas.

Esse dispositivo gráfico é muito simplificado. Ele omite muitas outras contribuições para a mudança na demanda agregada, como o impacto da política monetária sobre a riqueza e, consequentemente, no consumo, o efeito das taxas de câmbio sobre o comércio externo e o efeito direto das condições de crédito sobre a despesa. Além disso, ainda não descrevemos totalmen-

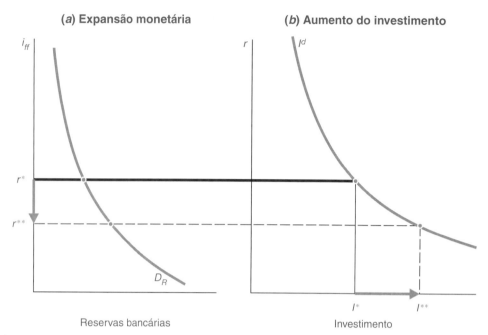

FIGURA 24-6 A expansão monetária conduz a taxas de juros menores e ao aumento do investimento.

Suponha que a economia enfraqueça, como aconteceu em 2007-2008. (*a*) O Fed compra títulos e aumenta as reservas, diminuindo a taxa de juros. (*b*) O efeito (mantendo o resto constante) é que a menor taxa de juros eleva os preços dos ativos e estimula o investimento empresarial e residencial. Veja como investimento aumenta de I^* para I^{**}.

---

te como a política monetária afeta a inflação. No entanto, esse gráfico simples ilustra a essência do mecanismo de transmissão monetária.

A política monetária utiliza operações de mercado aberto e outros instrumentos para influenciar as taxas de juros de curto prazo. Essas taxas de juros de curto prazo, então, interagem com outras variáveis econômicas para influenciar outras taxas de juros e os preços dos ativos. Ao afetar a despesa sensível aos juros, como o investimento das empresas e das famílias, a política monetária ajuda a controlar a produção, o emprego e a inflação dos preços.

Desafio de uma armadilha de liquidez

Um dos maiores desafios para um banco central surge quando as taxas de juros nominais se aproximam de zero. Isso é referido como a **armadilha de liquidez**. Tal situação ocorreu na Grande Depressão dos anos 1930 e novamente em 2008-2009 nos Estados Unidos.

Quando as taxas de juros de curto prazo seguras são zero, os títulos de curto prazo seguros são equivalentes a dinheiro. A demanda de moeda torna-se infinitamente elástica em relação à taxa de juros. Nessa situação, os bancos não têm razão para economizar as suas reservas, eles têm essencialmente as mesmas taxas de juros sobre as reservas quanto em investimentos de curto prazo sem risco. Por exemplo, no início de 2009, os bancos poderiam ganhar 0,10% ao ano sobre as reservas e 0,12% em títulos do Tesouro.

As operações de mercado aberto do banco central, portanto, têm pouco ou nenhum impacto sobre as taxas de juros e os mercados financeiros. Em vez disso, quando o Fed compra títulos, os bancos apenas aumentam as suas reservas em excesso. Essa síndrome apareceu em 2008-2009 quando o excesso de reservas subiu de um nível normal de US$ 1 bilhão para mais de US$ 900 bilhões. Em essência, os bancos estavam usando o Fed como um cofre seguro para os seus fundos! (Certifique-se de que entende a razão pela qual as operações de mercado aberto são ineficazes em uma armadilha de liquidez.) Como não pode baixar as taxas de juros de curto prazo, o Fed é incapaz de usar o mecanismo de transmissão monetária normal para estimular a economia em uma armadilha de liquidez.

Se o banco central não pode baixar as taxas de juros de curto prazo abaixo de zero, que outras medidas podem tomar para estimular uma economia deprimida? Esse foi o dilema que o Fed enfrentou no início de 2009. Uma medida seria a tentativa de baixar as *taxas de juros de longo prazo*. Isso exigiria que o banco central comprasse títulos de longo prazo ao invés de se focar em títulos de curto prazo, que é a prática habitual. Uma segunda medida seria *reduzir o prêmio de risco sobre os títulos de risco*. Agindo com o Tesouro dos Estados Unidos, o Fed tem forçadamente tomado medidas nesse sentido desde os primeiros estágios da crise de crédito 2007-2009. As medidas incluem a compra de ativos problemáticos, a abertura da janela de redesconto a instituições financeiras não bancárias, a compra de

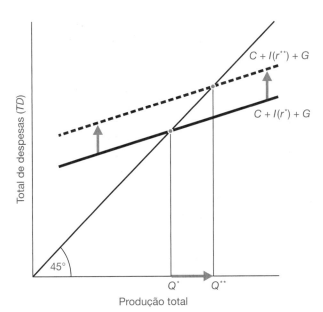

FIGURA 24-7 A expansão monetária reduz a taxa de juros e aumenta a produção.

Com a redução das taxas de juros de r^* para r^{**}, então (mantendo tudo o mais constante) o investimento aumenta de $I(r^*)$ para $I(r^{**})$. Esse aumento desloca para cima a curva da despesa total da demanda agregada $C + I + G$ e a produção aumenta de Q^* para Q^{**}. Isso completa o mecanismo de transmissão monetária.

---

papel comercial e o empréstimo com garantia de uma ampla gama de ativos financeiros privados. O objetivo dessas medidas foi o de melhorar a liquidez e aumentar a disponibilidade de crédito nos mercados financeiros. Uma excelente resenha das atividades do Fed neste período está inserida em um discurso de 2009, pelo presidente do Fed Bernanke, citada na seção "Leituras adicionais", ao final deste capítulo.

Política monetária no esquema AS-AD

As Figuras 24-5, 24-6 e 24-7 ilustram de que forma uma variação da política monetária pode levar ao aumento da demanda agregada. Podemos agora mostrar o efeito de tal aumento sobre o equilíbrio macroeconômico global usando as curvas da oferta e da demanda agregadas.

O aumento da demanda agregada produzido por uma expansão monetária é mostrado como um deslocamento para a direita da curva AD na Figura 24-8. Esse deslocamento ilustra uma expansão monetária. Havendo recursos não utilizados e com uma curva AS relativamente horizontal. A expansão monetária faz deslocar a demanda agregada de AD para AD', deslocando o equilíbrio de E para E'. Esse exemplo demonstra como a expansão monetária pode aumentar a demanda agregada e ter um impacto forte sobre a produção real.

A sequência completa de impactos, desde a política monetária expansionista, é, portanto, do seguinte modo: As operações de mercado aberto levam à redução das

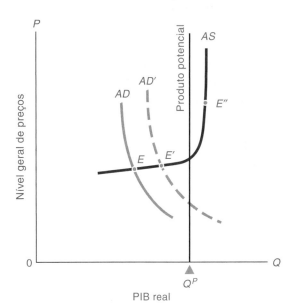

FIGURA 24-8 Uma política monetária expansionista desloca a curva AD para fora, aumentando a produção e os preços.

As Figuras 24-5 a 24-7 mostraram como uma expansão monetária levaria a um aumento do investimento e, dessa forma, a um aumento multiplicado da produção. Isso resulta em um deslocamento para a direita da curva AD.

Na região keynesiana em que a curva AS é relativamente horizontal, uma expansão monetária tem o seu principal efeito sobre a produção real e um pequeno efeito sobre os preços. Em uma economia com utilização plena de recursos, a curva AS é quase vertical (mostrada no ponto E'') e uma expansão monetária irá primordialmente aumentar os preços e o PIB nominal, tendo um reduzido efeito sobre o PIB real. Você consegue ver por que, no longo prazo, a política monetária não teria qualquer impacto sobre a produção real se a curva AS fosse vertical?

---

taxas de juros. Taxas de juros menores estimulam as despesas sensíveis aos juros em investimento pelas empresas, habitação, exportações líquidas e outras. Por meio do mecanismo do multiplicador, a demanda agregada aumenta, aumentando a produção e os preços acima dos níveis que, de outra forma, seriam atingidos. Portanto, a sequência básica é:

redução de i → aumento de I, C e X → aumento de AD → aumento de Q e de P

Para testar o seu conhecimento sobre essa sequência vital, pense no caso oposto de uma contração monetária. Admita que o Fed decida aumentar as taxas de juros, refrear a economia e reduzir a inflação. Você pode traçar essa sequência nas Figuras 24-5 a 24-7 ao inverter o sentido da política monetária inicial, e, desse modo, ver como a moeda, as taxas de juros, o investimento e a demanda agregada reagem quando há um aperto da política monetária. Veja, então, como um correspondente deslocamento para a esquerda da curva *AD* na Figura 24-8 reduziria tanto a produção como os preços.

Política monetária no longo prazo

Neste capítulo, a análise concentra-se principalmente na política monetária e nos ciclos econômicos. Ou seja, ele considera como a política monetária e as taxas de juros afetam a produção no curto prazo.

Esteja ciente, no entanto, que um conjunto diferente de forças irá operar no longo prazo. As políticas monetárias para estimular a economia não podem manter a produção crescendo continuamente acima do seu potencial por muito tempo. Se o banco central mantém as taxas de juros muito reduzidas por longos períodos de tempo, a economia irá superaquecer e as forças inflacionárias entrarão em ação. Com taxas de juros reais reduzidas, a especulação pode surgir, e as emoções podem se sobrepor aos cálculos racionais. Alguns analistas acreditam que as taxas de juros estiveram muito reduzidas por muito tempo na década de 1990, gerando a bolha do mercado de ações; algumas pessoas pensam que o mesmo mecanismo esteve por trás da bolha do mercado imobiliário dos anos 2000.

No longo prazo, portanto, a expansão monetária afeta principalmente o nível de preços, com pouco ou nenhum impacto sobre a produção real. Conforme mostrado na Figura 24-8, as mudanças monetárias afetarão a demanda agregada e o PIB real no curto prazo, quando há recursos não empregados na economia e a curva *AS* é relativamente plana. No entanto, na nossa análise da oferta agregada nos próximos capítulos, veremos que a curva *AS* tende a ser vertical, ou quase vertical, no longo prazo, com o ajustamento dos salários e dos preços. Por causa de tais ajustamentos de preços e uma curva *AS* quase vertical, os efeitos das variações da *AD* na produção vão diminuir no longo prazo, e os efeitos sobre os preços tenderão a predominar. *Isso significa que, no longo prazo, quando os preços e os salários se tornam mais flexíveis, as variações da política monetária tendem a ter um impacto relativamente menor sobre a produção e um impacto relativamente maior sobre os preços.*

Qual é a lógica por trás dessa diferença entre o curto e o longo prazos? Suponha que a política monetária reduza as taxas de juros. No início, a produção real iria aumentar fortemente e os preços subiriam modestamente. Com o passar do tempo, no entanto, os salários e os preços se ajustariam de forma mais completa ao preço mais elevado e aos níveis de produto. Uma demanda maior em ambos os mercados de trabalho e da produção aumentaria os salários e os preços; os salários seriam ajustados para refletir o custo de vida maior. Ao final, a política monetária expansionista produziria uma economia com uma produção real inalterada e preços mais elevados. Todas as variáveis monetárias (incluindo a oferta de moeda, as reservas, a dívida pública, os salários, os preços, as taxas de câmbio etc.) seriam maiores, enquanto todas as variáveis reais ficariam inalteradas. Nesse caso, dizemos que a *moeda é neutra*, ou seja, as mudanças na política monetária não têm efeito sobre variáveis reais.

Essa discussão da política monetária tem ocorrido sem referência à política fiscal. Na realidade, quaisquer que sejam as predileções filosóficas do governo, todas as economias avançadas realizam simultaneamente ambas as políticas – a fiscal e a monetária. Cada tipo de política tem pontos fortes e fracos. Nos capítulos que se seguem, voltamos a uma apreciação integrada dos papéis da política monetária e da fiscal no combate ao ciclo econômico e na promoção do crescimento econômico.

C. APLICAÇÕES DA ECONOMIA MONETÁRIA

Tendo examinado os elementos básicos da economia monetária e dos bancos centrais, voltamo-nos agora para duas aplicações importantes da moeda à macroeconomia. Começamos com uma revisão da influente abordagem monetarista, e a seguir analisamos as implicações da globalização para a política monetária.

MONETARISMO E A TEORIA QUANTITATIVA DA MOEDA E DOS PREÇOS

Os sistemas monetários e financeiros não podem gerir a si próprios. O governo, incluindo o banco central, tem de tomar decisões fundamentais sobre as normas monetárias, a oferta de moeda, a expansão ou contração da moeda e do crédito. Há, atualmente, várias filosofias sobre a melhor forma de gerir os assuntos monetários. Muitos defendem uma política ativa de "remar contra a maré", aumentando as taxas de juros quando há ameaça de inflação e reduzindo nas recessões. Outros se mostram céticos quanto à capacidade das autoridades econômicas para usar a política monetária para dirigir com precisão a economia a fim de atingir os níveis desejados de inflação e desemprego. Depois, há os monetaristas que pensam que a política monetária discricionária deveria ser substituída por uma regra fixa, relativa ao crescimento da oferta de moeda.

Tendo revisto o básico da teoria monetária da corrente principal, esta seção analisa o monetarismo e traça a história do seu desenvolvimento, a partir da antiga teoria quantitativa da moeda e dos preços. Veremos também que o monetarismo está estreitamente relacionado com a moderna teoria macroeconômica.

Raízes do monetarismo

O **monetarismo** sustenta que a oferta de moeda é o principal determinante tanto dos movimentos de curto prazo do PIB nominal como dos movimentos a longo prazo dos preços. Obviamente, a macroeconomia keynesiana também reconhece o papel central da moeda na determinação da demanda agregada. A principal diferença entre monetaristas e keynesianos está na importância dada ao papel da moeda na determinação da demanda agregada. Enquanto as teorias keynesianas sustentam que há muitas forças para além da moeda a influenciar a demanda agregada, os monetaristas acreditam que as variações da oferta de moeda são a principal causa que determina os movimentos da produção e dos preços.

Para compreender o monetarismo, precisamos compreender o conceito de *velocidade da moeda*.

Equação da troca e a velocidade da moeda

Às vezes, a moeda circula muito lentamente; estaciona em cofres ou em contas bancárias por longos períodos entre transações. Em outras épocas, especialmente quando a inflação acelera, a moeda circula rapidamente de mão em mão. A velocidade de troca da moeda é descrita pelo conceito de velocidade da moeda que foi apresentado por Alfred Marshall, da Universidade de Cambridge, e Irving Fisher, da Universidade de Yale. A velocidade da moeda mede o número de vezes por ano que, em média, os dólares, em suprimento de moeda, são gastos em bens e serviços. Quando a quantidade da moeda é grande em relação ao fluxo de despesas, a velocidade de circulação é reduzida; quando a moeda circula rapidamente, a velocidade da moeda é grande.

O conceito de velocidade é formalmente introduzido na **equação da troca**. Esta equação estabelece que:[2]

$$MV \equiv PQ \equiv (p_1 q_1 + p_2 q_2 + ...)$$

Em que M é a oferta de moeda, V é a velocidade da moeda, P é o nível de preços e Q é a produção real total. Isso pode ser reformulado como a definição da velocidade da moeda dividindo ambos os termos por M:

$$V = \frac{PQ}{M}$$

Em geral, medimos PQ como a renda, ou produto, total, e conceito de velocidade associado é o de *velocidade-renda da moeda*.

A velocidade é a taxa a que a moeda circula pela economia. A **velocidade-renda da moeda** é a razão entre o PIB nominal e a quantidade de moeda existente.

Como exemplo simples, suponha que a economia produza apenas pão. O PIB consiste em 48 milhões de pães que são vendidos a US$ 1 cada um, portanto, PIB = PQ = US$ 48 milhões por ano. Se a oferta de moeda for de US$ 4 milhões, então, por definição, V = US$ 48/US$ 4 = 12 ao ano. Isso significa que a moeda tem uma rotação de 12 vezes por ano ou de uma vez por mês, sendo as rendas usadas mensalmente para aquisição de pão.

Teoria quantitativa dos preços

Tendo definido uma variável interessante chamada velocidade, descrevemos agora como os primeiros economistas monetários usaram a velocidade para explicar os movimentos do nível geral de preços. O pressuposto central é que *a velocidade da moeda é relativamente estável e previsível*. A razão da estabilidade, de acordo com os monetaristas, é que a velocidade reflete principalmente os padrões temporais subjacentes da renda e da despesa. Se as pessoas têm uma remuneração mensal e tendem a gastar a totalidade de sua renda de uma forma contínua ao longo do mês, a velocidade-renda será 12 por ano. Se todos os preços, salários e renda duplicassem com os padrões de despesa inalterados, a velocidade-renda da moeda se manteria inalterada e a demanda de moeda duplicaria. A velocidade-renda da moeda só se altera se as pessoas, ou as empresas, modificarem os seus padrões de despesa, ou a forma como pagam as suas dívidas.

Na base desta visão sobre a estabilidade da velocidade, alguns dos primeiros escritores usaram a velocidade para explicar as variações do nível de preços. Essa abordagem, chamada de **teoria quantitativa da moeda e dos preços**, reformula a definição da velocidade da seguinte forma:

$$P \equiv \frac{MV}{Q} \equiv \left(\frac{V}{Q}\right) M \approx kM$$

Essa equação é obtida a partir da definição anterior de velocidade, substituindo V/Q pela variável k e resolvendo em relação a P. Apresentamos a equação deste modo porque muitos economistas clássicos pensavam que k seria constante, ou estável, se o padrão de transações se mantivesse estável. Além disso, eles admitiam geralmente a existência de pleno emprego, o que significava que a produção real cresceria continuamente e igualaria o PIB potencial. Juntando esses dois pressupostos, $k \approx (V/Q)$ seria quase constante no curto prazo e cairia continuamente no longo prazo.

Quais são as implicações da teoria quantitativa? Como podemos ver a partir da equação, se k fosse constante, o nível de preços, então, variaria proporcionalmente à oferta de moeda. Uma oferta de moeda estável proporcionaria a estabilidade dos preços; se a oferta de moeda aumentasse rapidamente, o mesmo se passaria com os preços. De forma similar, se a oferta de moeda fosse multiplicada por 100, ou por 1 milhão por ano, a economia iria passar por uma inflação galopante, ou hiperinflação. De fato, as demonstrações mais expressivas da teoria quantitativa da

---

[2] As equações de definição foram escritas com três barras do símbolo de identidade, ao invés das habituais duas barras do símbolo de igualdade. Serve para sublinhar que são "identidades", ou afirmações que não nos dizem nada acerca da realidade, mas que se verificariam por definição.

moeda são visíveis em períodos de hiperinflação. Observe a Figura 30-4. Repare como os preços aumentaram bilhões de vezes na Alemanha da República de Weimar após o banco central ter realizado a impressão de notas. Isso é a teoria quantitativa da moeda radical.

Para compreender a teoria quantitativa da moeda, é essencial recordar que esta é fundamentalmente diferente dos bens comuns, como pão ou automóveis. Queremos pão para comer e automóveis para viajar. Mas queremos moeda apenas porque, com ela, compramos pão e automóveis. Se os preços no Zimbabwe são hoje 100 milhões de vezes superiores aos de há poucos anos atrás, é natural que as pessoas necessitem de 100 milhões de vezes mais moeda para comprar as coisas que compravam antes. Aqui reside o coração da teoria quantitativa da moeda: a demanda de moeda aumenta proporcionalmente ao nível de preços, desde que tudo o mais se mantenha constante.

Na realidade, a velocidade tende a aumentar lentamente ao longo do tempo, de modo que a razão k pode também variar lentamente no decorrer do tempo. Além disso, em tempos normais, a teoria quantitativa é apenas uma aproximação grosseira dos fatos. A Figura 24-9 mostra um diagrama de dispersão do crescimento da moeda e da inflação no último meio século. Embora os períodos de crescimento mais rápido da moeda nos Estados Unidos sejam também períodos de maior inflação, há também, evidentemente, outros determinantes em ação, como é evidenciado pela correlação imperfeita entre a oferta de moeda e os preços.

Segundo a teoria quantitativa da moeda e dos preços, estes variam proporcionalmente à oferta de moeda. Embora seja apenas uma aproximação grosseira, a teoria quantitativa da moeda e dos preços ajuda a explicar pela qual os países com um crescimento reduzido da moeda têm inflação moderada, enquanto outros com um crescimento rápido da moeda têm preços galopando no mesmo ritmo.

Monetarismo moderno

O ramo monetário moderno da ciência econômica foi desenvolvido após a Segunda Guerra Mundial por Milton Friedman, da Universidade de Chicago, e por seus numerosos colegas e seguidores. Sob a direção de Friedman, os monetaristas desafiaram a abordagem keynesiana da macroeconomia e enfatizaram a importância da política monetária na estabilização macroeconômica. Nos anos 1970, a abordagem monetarista se dividiu em duas escolas de pensamento separadas. Uma continuou a tradição monetarista, a qual iremos descrever a seguir. O ramo mais recente tornou-se a influente "nova escola clássica", que será analisada no Capítulo 31.

Os monetaristas estritos afirmam que "o que conta é apenas a moeda". Isso significa que os preços e a produção são determinados exclusivamente pela oferta de

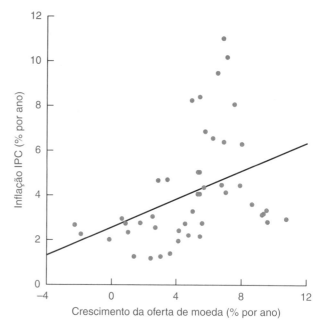

FIGURA 24-9. A teoria quantitativa nos Estados Unidos, 1962-2007.

A teoria quantitativa afirma que os preços devem variar 1% para cada variação de 1% da oferta de moeda. O gráfico de dispersão e a reta de correlação mostram como a teoria quantitativa simples é verificada para os dados do último meio século. A inflação está, de fato, relacionada com o crescimento monetário, mas a relação não é estreita. Como veremos nos capítulos sobre a inflação, outras variáveis como o desemprego e os preços dos bens e serviços também influenciam a inflação. *Questão*: Admitindo que a velocidade seja constante e a produção cresça 3% ao ano, que diagrama de dispersão resultaria se a moeda fosse neutra?

Fonte: A oferta de moeda a partir do Federal Reserve Board, e o índice de preços ao consumidor a partir do Bureau of Labor Statistics. Os dados são de médias móveis de três anos.

moeda e que outros determinantes que afetam a demanda agregada, como a política fiscal, não têm nenhum efeito sobre a produção total ou os preços. Além disso, enquanto as alterações monetárias podem afetar a produção real no curto prazo, no longo prazo a produção é determinada pela oferta dos fatores de produção, trabalho, capital e tecnologia. Essa teoria prevê que, no longo prazo, a *moeda é neutra*. Essa proposição significa que após as expectativas terem sido corrigidas e os movimentos do ciclo econômico terem sido neutralizados, (1) a produção nominal move-se proporcionalmente à oferta de moeda e (2) todas as variáveis reais (produto, emprego e desemprego) são independentes da oferta de moeda.

Plataforma monetarista: o crescimento constante da moeda

O monetarismo desempenhou um papel importante na elaboração da política macroeconômica no período após a Segunda Guerra Mundial. Os monetaristas pensam que a moeda não afeta a produção no longo prazo, embora afete a produção no curto prazo com defasagens longas e variáveis. Essa perspectiva levou ao ponto central do monetarismo, que é a regra do crescimento fixo da moeda, na qual o banco central deve estabelecer uma taxa fixa de crescimento da oferta de moeda e manter-se firme em relação a essa taxa.

Os monetaristas pensam que uma taxa fixa de crescimento da moeda eliminaria a principal fonte de instabilidade em uma economia moderna – as variações caprichosas e não confiáveis da política monetária. Eles argumentam que deveríamos substituir o banco central por um programa de computador que gerasse uma taxa fixa de crescimento da moeda. Tal política computorizada asseguraria que não haveria explosões do crescimento da moeda. Com uma velocidade estável, o PIB nominal cresceria segundo uma taxa também estável. Com um crescimento da moeda reduzido e adequado, a economia, em breve, atingiria a estabilidade dos preços. Assim pensam os monetaristas.

Experiência monetarista

Quando a inflação nos Estados Unidos passou a ser de dois dígitos no final dos anos 1970, muitos economistas e autoridades econômicas pensaram que a política monetária era a única esperança para desenvolver uma política anti-inflacionária eficaz. Em outubro de 1979, o presidente do Fed daquela época, Paul Volcker, lançou um ataque feroz contra a inflação que passou a ser chamado de *experiência monetarista*. Em uma alteração profunda dos seus procedimentos normais de funcionamento, o Fed, como alternativa, tentou estabilizar o crescimento das reservas bancárias e da oferta de moeda, em vez de estabelecer metas para as taxas de juros.

O Fed contava que a abordagem quantitativa da gestão monetária permitisse reduzir o crescimento do PIB nominal e, ao mesmo tempo, a inflação. Além disso, alguns economistas pensavam que uma política monetária disciplinada iria reduzir rapidamente as expectativas inflacionárias. Uma vez restringidas as expectativas das pessoas, a economia podia experimentar uma redução relativamente pouco penosa da taxa de inflação corrente.

A experiência monetarista teve sucesso no abrandamento do crescimento do PIB e na redução da inflação. Com a restrição monetária, as taxas de juros aumentaram acentuadamente. A inflação caiu de 13% ao ano em 1980 para 4% ao ano em 1982. Quaisquer dúvidas que subsistissem em relação à eficácia da política monetária foram desfeitas pela experiência monetarista. A moeda funciona. A moeda conta. A contração monetária pode expulsar a inflação da economia. Contudo, a redução da inflação ocorreu à custa de uma profunda depressão e de elevado desemprego no período de 1980-1983.

Declínio do monetarismo

Paradoxalmente, ao mesmo tempo em que a experiência monetarista era bem-sucedida na eliminação da inflação da economia norte-americana, ocorreram mudanças nos mercados financeiros que minaram a abordagem monetarista. Durante e após a experiência monetarista, a velocidade tornou-se extremamente instável. Há estudos econômicos detalhados que demonstram que a velocidade é afetada positivamente pelas taxas de juros e não pode ser considerada uma constante que é independente da política monetária.

A Figura 24-10 mostra as tendências na velocidade no período 1960-2007. O crescimento da velocidade de M_1 foi relativamente estável no período de 1960-1979, levando muitos economistas a pensar que a velocidade era previsível. Contudo, a velocidade tornou-se muito mais instável após 1980, quando as taxas de juros elevadas do período 1979-1982 impulsionaram as inovações financeiras, incluindo as contas do mercado monetário e as contas de depósitos à vista com juros. Alguns economistas pensam que a instabilidade da velocidade foi, de fato, *gerada* pela grande confiança na fixação de agregados monetários durante esse período.

Com o aumento da instabilidade crescente da velocidade da moeda, o Fed suspendeu gradualmente o seu uso para orientação da política monetária. No início dos anos 1990, o Fed começou a basear-se em indicadores macroeconômicos como a inflação, a produção, o emprego e o desemprego para diagnosticar o estado da economia. As taxas de juros, e não a oferta de moeda, passaram a ser os principais instrumentos de política.

Atualmente, para a maioria dos bancos centrais o monetarismo já não é uma teoria macroeconômica adequada. De fato, durante a recessão de 2007-2009, o Fed não incluiu as quantidades monetárias nos seus objetivos. Mas isso não diminui a importância da política monetária, que continua a ser uma parceira central na política macroeconômica em todo o mundo.

O monetarismo sustenta que "o que conta é a moeda" na determinação da produção e dos preços, e que a moeda é neutra no longo prazo. Embora o monetarismo já não seja um ramo dominante da macroeconomia, a política monetária continua a ser um instrumento central da política de estabilização nas grandes economias de mercado da atualidade.

POLÍTICA MONETÁRIA EM UMA ECONOMIA ABERTA[3]

Os bancos centrais são particularmente importantes nas economias abertas, nas quais gerenciam os fluxos de reservas e a taxa de câmbio e acompanham os de-

---

[3] Esta seção é relativamente avançada e pode, com proveito, ser estudada após obter-se o domínio dos capítulos sobre a macroeconomia da economia aberta (Capítulos 27 e 28).

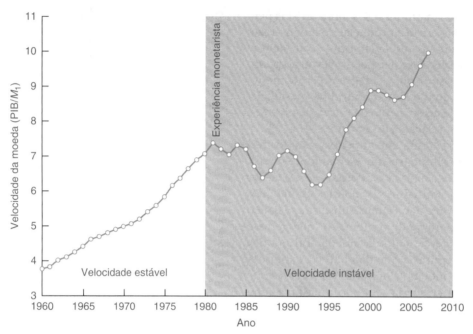

FIGURA 24-10   Velocidade-renda de M_1.

Os monetaristas consideram que a velocidade da moeda é estável e, por isso, defendem uma taxa de crescimento constante da oferta de moeda. A velocidade da moeda cresceu a uma taxa constante e previsível até perto de 1979. Com início em 1980 (a área sombreada do gráfico), uma política monetária ativa, com taxas de juros mais voláteis e inovações financeiras, levou a uma extrema instabilidade da velocidade.

Fonte: Velocidade definida com a razão entre o PIB e M_1; a oferta de moeda a partir do Federal Reserve Board e o PIB a partir do Commerce Department.

senvolvimentos financeiros internacionais. À medida que as economias se tornam cada vez mais integradas (um processo chamado de *globalização*), os bancos centrais devem aprender a gerir os fluxos externos, tal como os objetivos internos. Esta seção analisa algumas das principais questões relativas à gestão monetária de uma economia aberta.

Conexões internacionais

Nenhum país é como uma ilha isolada da economia mundial. Todas as economias estão ligadas pelo comércio internacional de bens e serviços e por meio de fluxos de capital e de ativos financeiros.

Um elemento importante na conexão financeira internacional entre dois países é a taxa de câmbio. Como veremos novamente em capítulos posteriores, o comércio internacional e as finanças envolvem o uso de diferentes moedas nacionais, as quais estão ligadas por preços relativos chamados taxas de câmbio. Assim, o preço relativo em euros para dólares dos Estados Unidos é a taxa de câmbio entre as duas moedas.

Um sistema de taxas de câmbio importante é o de taxas de câmbio flutuantes, em que a taxa de câmbio de um país é determinada pelas forças do mercado da oferta e da demanda. Atualmente, os Estados Unidos, a Europa e o Japão operam com sistemas de câmbio flutuante. Essas três regiões podem prosseguir as suas po-líticas monetárias, independentemente da de outros países. A análise deste capítulo diz respeito, principalmente, ao funcionamento da política monetária sob taxas de câmbio flutuantes.

Algumas economias, como Hong Kong e a China da atualidade, bem como praticamente todos os países em épocas anteriores, mantinham taxas de câmbio fixas. "Atrelam" (*peg*) as suas moedas a uma ou mais moedas externas. Quando tem uma taxa de câmbio fixa, um país deve alinhar a sua política monetária com a do país cuja moeda está ligada à sua. Por exemplo, se Hong Kong tem mercados financeiros abertos e uma taxa de câmbio ligada ao dólar dos Estados Unidos, então deve ter as mesmas taxas de juros deste.

O Fed atua como o braço operacional do governo no sistema financeiro internacional. Sob um sistema de taxa de câmbio flutuante, o principal objetivo do banco central é evitar condições financeiras desordenadas, como poderiam ocorrer em uma crise política. O Fed poderia comprar ou vender moeda ou trabalhar com bancos centrais estrangeiros para assegurar que as taxas de câmbio não variem de forma irregular. No entanto, ao contrário de uma época anterior de taxas de câmbio fixas, o Fed não intervém para manter uma taxa de câmbio específica.

Além disso, o Fed, com frequência, toma a iniciativa de colaborar com os países estrangeiros e as agências internacionais quando surgem as crises financeiras internacionais. O Fed teve um papel importante no pacote de empréstimo ao México em 1994-1995, trabalhou com outros países para ajudar a acalmar os mercados durante a crise asiática em 1997 e na crise de liquidez global em 1998, e ajudou a acalmar os mercados durante a crise argentina de 2001-2002. Quando as instituições financeiras em muitos países começaram a incorrer em perdas grandes em 2007-2008, o Fed uniu forças com outros bancos centrais para proporcionar liquidez e evitar que o pânico dos investidores em um país se disseminasse a outros.

TRANSMISSÃO MONETÁRIA NA ECONOMIA ABERTA

O mecanismo de transmissão monetária nos Estados Unidos tem evoluído ao longo das últimas três décadas, ao mesmo tempo em que a economia se tornava mais aberta e em que ocorriam mudanças no sistema de taxas de câmbio. A relação entre política monetária e o comércio exterior tem sido sempre uma grande preocupação para economias menores e mais abertas como o Canadá e a Grã-Bretanha. No entanto, após a introdução de taxas de câmbio flexíveis em 1973 e com o rápido crescimento das ligações transfronteiriças, o comércio e as finanças internacionais têm desempenhado um papel novo e central na política macroeconômica dos Estados Unidos.

Vejamos como a política monetária afeta a economia por meio do comércio internacional com uma taxa de câmbio flexível. Suponha que o Fed decida restringir a moeda. Isso faz aumentar as taxas de juros dos ativos denominados em dólares dos Estados Unidos. Atraídos pelas taxas de juros mais elevadas, os investidores compram títulos em dólares, fazendo subir a taxa de câmbio deste. A taxa de câmbio mais alta estimula as importações para os Estados Unidos e reduz suas exportações. Como resultado, as exportações líquidas caem, reduzindo a demanda agregada. Isso irá reduzir o PIB real e reduzir a taxa de inflação. Vamos estudar os aspectos internacionais da macroeconomia em mais detalhes nos Capítulos 27 e 28.

O comércio exterior abre outra ligação ao mecanismo de transmissão monetária. A política monetária tem um impacto sobre o comércio internacional igual ao que tem sobre o investimento doméstico: a restrição monetária reduz as exportações líquidas, reduzindo, ao mesmo tempo, a produção e os preços. O impacto da política monetária no comércio internacional reforça o seu impacto sobre a economia interna.

DA DEMANDA AGREGADA À OFERTA AGREGADA

Completamos a nossa análise introdutória dos determinantes da demanda agregada. Examinamos os fundamentos e vimos que ela é determinada por condicionantes exógenos, como o investimento e as exportações líquidas, bem como pelas políticas monetária e fiscal do governo. No curto prazo, as variações desses fatores levam a variações da despesa e a variações tanto dos preços como da produção.

No mundo volátil e globalizado da atualidade, as economias estão expostas aos choques provenientes tanto do interior como do exterior de suas fronteiras. Guerras, revoluções, colapsos dos mercados de ações, bolhas dos preços da habitação, crises financeiras e cambiais, choques de petróleo e erros de cálculo dos governos levaram a períodos de inflação elevada, ou de desemprego elevado, ou de ambos. Nenhum mecanismo de mercado proporciona um piloto automático que possa eliminar as flutuações macroeconômicas. Os governos, portanto, devem assumir a responsabilidade de moderar as oscilações do ciclo econômico.

Embora tenha experimentado recessões em 1990, 2001 e 2008, os Estados Unidos tiveram a sorte de ter evitado recaídas profundas e prolongadas. Outros países não foram tão afortunados no último quarto de século. O Japão, grande parte de Europa, a América Latina, a Rússia e países do Extremo Oriente têm sido todos apanhados em tempestades turbulentas de inflação acelerada, desemprego elevado, crises cambiais e acentuados declínios dos padrões de vida. Esses acontecimentos são um aviso de que não existe remédio universal para o desemprego e a inflação frente à todos os choques a que uma economia está exposta.

Concluímos os nossos capítulos introdutórios sobre macroeconomia do curto prazo. A próxima parte se concentra em aspectos do crescimento econômico, da economia aberta e da política econômica.

RESUMO

A. Banco central e o Federal Reserve System dos Estados Unidos

1. Todos os países modernos têm um banco central. O banco central dos Estados Unidos é composto pelo Federal Reserve Board, em Washington, juntamente com 12 bancos regionais do Federal Reserve. A sua missão principal é conduzir a política monetária do país, influenciando as condições financeiras a fim de levar a uma inflação reduzida, emprego elevado, e mercados financeiros estáveis.

2. O Federal Reserve System (Fed) foi criado em 1913 para controlar a moeda e o crédito do país e para atuar como o "emprestador de última instância". É dirigido pelo Board of Governors e pelo Federal Open Market Com-

mittee (FOMC). O Fed atua como um departamento público independente e tem um papel fortemente discricionário na determinação da política monetária.

3. O Fed tem quatro funções principais: a condução da política monetária por meio da fixação das taxas de juros de curto prazo; manutenção da estabilidade do sistema financeiro e contenção do risco sistêmico como o emprestador de última instância; a supervisão e regulação das instituições bancárias e a prestação de serviços financeiros aos bancos e ao governo.

4. O Fed possui três instrumentos de política fundamentais: (a) operações de mercado aberto, (b) janela de redesconto para empréstimos a bancos e, mais recentemente, agentes (*dealers*) importantes e (c) a exigência legal de reservas sobre as instituições que recebem depósitos.

5. O Fed conduz a sua política por meio de mudanças na chamada taxa dos *fed funds*. Esta é a taxa de juros de curto prazo que os bancos cobram entre si para negociar saldos das reservas no Fed. O Fed controla a taxa de *fed funds* ao exercer o controle sobre os seus instrumentos, principalmente por meio de operações de mercado aberto.

B. Mecanismo de transmissão monetária

6. Recorde o importante mecanismo de transmissão monetária, a via pela qual a política monetária se traduz em variações da produção, do emprego e da inflação:

   a. O banco central anuncia uma meta para a taxa de juros de curto prazo escolhido em função dos seus objetivos e do estado da economia.

   b. O banco central efetua diariamente operações de mercado aberto para alcançar a sua meta de taxa de juros.

   c. A meta de taxa de juros do banco central e as expectativas sobre as futuras condições financeiras determinam todo o leque completo de taxas de juros de curto e de longo prazos, os preços dos ativos e as taxas de câmbio.

   d. O nível das taxas de juros, as condições de crédito, os preços dos ativos e as taxas de câmbio afetam o investimento, o consumo e as exportações líquidas.

   e. O investimento, o consumo e as exportações líquidas afetam a cadência da produção e a inflação por meio do mecanismo AS-AD.

Podemos escrever o funcionamento de uma mudança de política monetária da seguinte forma:

→ mudança de política monetária
→ variação das taxas de juros, dos preços dos ativos e das taxas de câmbio
→ impacto sobre I, C, X
→ efeito sobre a AD
→ efeito sobre Q e P

7. Embora o mecanismo monetário seja frequentemente descrito em termos de "taxa de juros" e "investimento", de fato esse mecanismo é um processo extremamente rico e complexo, pelo qual as variações em todos os tipos de condições financeiras influenciam uma grande variedade de elementos de despesa. Nos setores afetados, incluem-se a habitação, afetada pela alteração das taxas de juros dos empréstimos hipotecários e dos preços das habitações; o investimento das empresas, afetado pelas taxas de juros e pelos preços das ações; a despesa em bens de consumo duráveis, influenciada pelas taxas de juros e pela disponibilidade de crédito; a despesa de capital a nível estadual e local, afetada pelas taxas de juros; e as exportações líquidas, determinadas pelos efeitos das taxas de juros sobre as taxas de câmbio.

C. Aplicações da economia monetária

8. O monetarismo sustenta que a oferta de moeda é o principal determinante dos movimentos de curto prazo tanto do PIB real como nominal, bem como é o principal determinante dos movimentos de longo prazo do PIB nominal. A velocidade-renda da moeda (V) é definida como a razão entre o fluxo do PIB monetário (PQ) e a quantidade existente de moeda (M): $V \equiv PQ/M$. Com uma velocidade constante, os preços variam proporcionalmente à oferta de moeda. Os monetaristas propõem que a oferta de moeda deve crescer a uma taxa reduzida. Estudos estatísticos indicam que a velocidade tende a estar positivamente correlacionada com as taxas de juros, uma descoberta que desmorona a receita de política dos monetaristas.

9. Em uma economia aberta, as ligações pelo comércio internacional reforça os impactos internos da política monetária. Em um regime de taxas de câmbio flexíveis, as variações na política monetária afetam a taxa de câmbio e as exportações líquidas, juntando um novo aspecto ao mecanismo monetário. A ligação comercial tende a reforçar o impacto da política monetária, que funciona sobre as exportações, no mesmo sentido que sobre o investimento doméstico.

CONCEITOS PARA REVISÃO

Banco central
- reservas bancárias
- taxa de juros dos *fed funds*
- balanço do Fed
- compras e vendas no mercado aberto
- taxa de redesconto, empréstimos do Fed
- exigência de reservas legais
- FOMC, Board of Governors

O mecanismo de transmissão monetária
- demanda e oferta de reservas
- mecanismo de transmissão monetária
- componentes da despesa sensíveis aos juros
- política monetária no esquema AS-AD
- "neutralidade" da moeda
- segunda via pela qual M afeta a produção

LEITURAS ADICIONAIS E SITES

Leituras adicionais

As memórias de Alan Greenspan, *The Age of Turbulence* (Penguin, New York, 2007) é uma valiosa história da última meia década, bem como da sua liderança do Fed.

O *Federal Reserve Bulletin* contém relatórios mensais sobre as atividades do Federal Reserve e outros desenvolvimentos financeiros importantes. O *Bulletin* está disponível na internet em <http://www.federalreserve.gov/pubs/bulletin/default.htm>.

A citação sobre o emprestador de última instância é de Alan Greenspan, "Remarks", *Lancaster House*, London, UK, 25 de setembro de 2002, disponível em <http://www.federalreserve.gov/boarddocs/speeches/2002/200209253/default.htm>.

Os diretores do Fed costumam publicar relatórios econômicos bem informados sobre questões monetárias e outras. Veja discursos em <http://www.federalreserve.gov/newsevents/>. Um discurso particularmente influente do presidente do Fed, Ben Bernanke, sobre o "excesso de poupança global" está disponível em <http://www.federalreserve.gov/boarddocs/speeches/2005/200503102/default.htm>.

Sites

The Federal Reserve System: Purposes and Functions, 9. ed. (Board of Governors of The Federal Reserve System, Washington, D.C., 2005) disponível online em <http://www.federalreserve.gov/pf/pf.htm>, proporciona uma descrição útil do funcionamento do Fed. Ver também a seção "Leituras adicionais" e "Sites" no Capítulo 25 para uma lista mais detalhada de sites sobre a política monetária. Uma excelente revisão da resposta do Federal Reserve para a crise de crédito de 2007-2009 está contida em um discurso do presidente do Fed, Ben Bernanke, "A Crise e a Resposta Política", janeiro de 2009, disponível em <http://www.federalreserve.gov/newsevents/speech/bernanke20090113a.htm>.

Se quiser conhecer as regiões de atuação dos bancos regionais do Federal Reserve, visite <http://www.federalreserve.gov/otherfrb.htm>. Por que são as regiões do leste tão pequenas?

As biografias dos membros do Board of Governors podem ser encontradas em <http://www.federal reserve.gov/bios/>. Especialmente interessantes são as transcrições e resumos dos encontros do Fed em <http://www.federalreserve.gov/fomc/>.

QUESTÕES PARA DISCUSSÃO

1. Usando as Figuras de 24-5 a 24-7, responda às questões a seguir:
   a. Como em 2007-2008, o Fed está preocupado com um declínio nos preços das casas que está reduzindo o investimento. Quais as medidas que o Fed pode tomar para estimular a economia? Qual será o impacto sobre as reservas bancárias? Qual será o impacto sobre as taxas de juros? Qual será o impacto sobre o investimento (mantendo tudo o mais constante)?
   b. Como em 1979, o Fed está preocupado com o aumento da inflação e deseja reduzir a produção. Responda às mesmas perguntas do item (a).

2. Suponha que o presidente do Board of Governors do Fed, em um momento em que a economia está iniciando uma recessão, é chamado a depor em uma comissão do Congresso. Escreva uma explicação para um senador que o interroga, salientando as medidas monetárias que tomaria para evitar a recessão.

3. Considere o balanço do Fed da Tabela 24-1. Elabore um balanço correspondente para os bancos (como o da Tabela 23-3 do capítulo anterior) admitindo que a exigência de reservas seja de 10%, para os depósitos à vista, e zero, em todos os outros.
   a. Elabore um novo conjunto de balanços, admitindo que o Fed venda US$ 1 bilhão de títulos do governo em operações de mercado aberto.
   b. Elabore um novo conjunto de balanços, admitindo que o Fed aumente a exigência de reservas de 10 para 20%.
   c. Suponha que os bancos obtenham, de empréstimo do Fed, US$ 1 bilhão de reservas. De que modo essa ação altera os balanços?

4. Suponha que os bancos comerciais tenham US$ 100 bilhões de depósitos à vista e US$ 4 bilhões de papel-moeda. Admita, ainda, que as exigências de reservas são 10% dos depósitos à vista. Por fim, suponha que o público detenha US$ 200 bilhões de papel-moeda e que é sempre fixo. Os ativos do banco central são, na totalidade, títulos do governo.
   a. Construa os balanços do banco central e do sistema bancário. Assegure-se de que inclui os depósitos bancários no banco central.
   b. Suponha, agora, que o banco central decida efetuar uma operação de mercado aberto, vendendo US$ 1 bilhão de títulos do governo ao público. Apresente os novos balanços. O que aconteceu a M_1?
   c. Finalmente, usando o esquema gráfico do mecanismo de transmissão monetária, mostre o impacto qualitativo da política sobre as taxas de juros, o investimento e a produção.

5. Nas suas memórias, Alan Greenspan, escreveu: "Lamento dizer que a independência do Fed não está grafada em pedra. A discrição do FOMC está garantida por lei e pode ser retirada por lei." (*The Age of Turbulence*, p. 478 f.) Explique por que a independência de um banco central pode afetar o modo pelo qual a política monetária é conduzida. Se um banco central não é independente, como podem mudar as suas políticas monetárias em resposta às pressões eleitorais? Você recomendaria que um novo país tivesse um banco central independente? Explique.

6. Um dos pesadelos dos banqueiros centrais é a armadilha da liquidez. Isso ocorre quando as taxas de juros nominais se aproximam ou são mesmo iguais a zero. Uma vez que a taxa de juros caiu para zero, a expansão monetária é ineficaz porque as taxas de juros dos títulos não podem ir abaixo de zero.

   a. Explique por que a taxa de juros nominal dos títulos do governo não pode ser negativa. (*Sugestão*: Qual é a taxa de juros nominal sobre a moeda? Por que deter um título cuja taxa de juros está abaixo da taxa de juros da moeda?)

   b. A armadilha da liquidez é particularmente grave quando um país simultaneamente tem os preços em queda, também chamado de deflação. Por exemplo, no início dos anos 2000, os preços ao consumidor no Japão estavam caindo 2% ao ano. Quais eram as taxas de juros reais japonesas durante esse período, se a taxa de juros nominal foi nula? Qual foi a menor taxa de juros real que o Banco do Japão poderia ter gerado durante esse período?

   c. Explique, com base no item (b), por que a armadilha de liquidez representa um problema tão sério para a política monetária em períodos de deflação e depressão.

7. Após a reunificação da Alemanha em 1990, os pagamentos para a reconstrução do leste levaram a uma importante expansão da demanda agregada no país. O banco central alemão respondeu reduzindo o crescimento da moeda e aumentando muito as taxas de juros reais alemãs. Esclareça por que seria de esperar que esse aperto monetário alemão levasse a uma depreciação do dólar. Explique por que tal depreciação estimularia a atividade econômica nos Estados Unidos. Explique também por que os países europeus que tinham ligado as suas moedas ao marco alemão viram-se mergulhados em recessões profundas à medida que as taxas de juros na Alemanha aumentaram e fizeram com que as outras taxas europeias as acompanhassem.

8. Em dezembro de 2007, o FOMC fez a seguinte declaração: "O FOMC procura as condições monetárias e financeiras que irão promover a estabilidade dos preços e promover o crescimento sustentável da produção. Para promover os seus objetivos de longo prazo, o FOMC [reduzirá] a taxa dos *fed funds* [de 4,5% para] 4,25%." A sua tarefa é explicar a justificativa macroeconômica subjacente a essa expansão monetária. Uma dica é rever a ata da reunião do FOMC em <http://www.federalreserve.gov/monetarypolicy/files/fomcminutes20071211.pdf>.

PARTE SEIS

Crescimento, desenvolvimento e a economia global

CAPÍTULO

25 Crescimento econômico

A Revolução Industrial não foi um episódio com um começo e um fim... Ela ainda está em curso.
E. J. Hobsbawm
The Age Of Revolution (1962)

Se você observar fotografias antigas, logo irá perceber como os padrões de vida da família de classe média mudaram significativamente nos últimos tempos. As residências atuais estão recheadas com produtos que dificilmente poderiam ser imaginados há um século. Basta pensar no entretenimento antes da era dos televisores de plasma, dos DVDs de alta definição e aparelhos portáteis de mídia. Da mesma forma, a internet abriu um vasto conjunto de informações que poderiam ser obtidas somente indo a uma biblioteca, e mesmo assim apenas uma pequena fração do conhecimento publicado estava disponível, na maioria delas. Ou considere os serviços de saúde disponíveis hoje, em comparação com tempos como os da Guerra Civil dos Estados Unidos, quando os soldados morriam apenas porque contraíam uma infecção.

Essas mudanças na variedade, qualidade e quantidade de bens e serviços disponíveis para o agregado familiar médio são a face humana do crescimento econômico. Na macroeconomia, o crescimento econômico corresponde ao processo pelo qual as economias acumulam grandes quantidades de equipamento de capital, alargam as fronteiras do conhecimento tecnológico e tornam-se cada vez mais produtivas. No longo prazo, no decurso de muitas gerações, os níveis de vida, medidos pela renda *per capita*, ou pelo consumo por família, são determinados principalmente pela oferta agregada e pelo nível de produtividade de um país.

Este capítulo inicia-se com uma revisão da teoria do crescimento econômico e, a seguir, revê as tendências históricas da atividade econômica com referência, em especial, aos países ricos, como os Estados Unidos. O capítulo seguinte observa o outro extremo do intervalo de renda, examinando o esforço dos países em desenvolvimento no trabalho intenso para alcançar os níveis de prosperidade de que Ocidente desfruta. Os dois capítulos seguintes analisam o papel do comércio e das finanças internacionais na macroeconomia.

Significado de longo prazo do crescimento

Uma análise cuidadosa da história econômica dos Estados Unidos revela que o PIB real cresceu 35 vezes desde 1900 e mais de mil vezes desde 1800. O rápido crescimento do produto é a característica distintiva dos tempos modernos e contrasta fortemente com a história humana nas suas origens há milhões de anos. Esse é talvez o fato econômico central do século. O crescimento econômico rápido e contínuo permitiu aos países industriais avançados proporcionar mais de tudo aos seus cidadãos: melhor alimentação e maiores habitações, mais recursos para assistência médica e controle de poluição, educação universal para as crianças, melhor equipamento para os militares e previdência social pública do governo para os aposentados.

Por ser tão importante para os padrões de vida, o crescimento econômico é um objetivo político central. Os países mais rápidos na corrida do crescimento econômico, como o Reino Unido no século XIX e os Estados Unidos no século XX, servem de modelos a serem seguidos pelos países que procuram o caminho para a prosperidade. No outro extremo, os países em declínio econômico passam frequentemente por turbulência política e social. As revoluções no Leste Europeu e na União Soviética em 1989-1991 foram desencadeadas quando os habitantes dessas regiões compararam a sua estagnação econômica sob o socialismo com o rápido crescimento dos seus vizinhos do Ocidente orientados para o mercado. O crescimento econômico é o determinante individual mais importante para o sucesso econômico dos países, no longo prazo.

A. TEORIAS DO CRESCIMENTO ECONÔMICO

Comecemos com uma definição cuidadosa do que entendemos exatamente por crescimento econômico. O **crescimento econômico** representa a expansão do PIB potencial, ou produto nacional, de um país. Dito de outro modo, o crescimento econômico ocorre quando a fronteira de possibilidades de produção (*FPP*) de um país se desloca para fora.

Um conceito estreitamente relacionado é a taxa de crescimento do *produto per capita*. Isso determina a taxa a que crescem os níveis de vida de um país. Os países estão principalmente preocupados com o crescimento do produto *per capita* porque este leva ao crescimento da renda média.

Quais são os padrões no longo prazo do crescimento econômico dos países de alta renda? A Tabela 25-1 mostra a história do crescimento econômico desde 1870 para países com renda elevada, incluindo os países mais importantes da América do Norte e da Europa Ocidental, Japão e Austrália. Observamos o crescimento constante da produção ao longo desse período. Ainda mais importante para os padrões de vida é o crescimento da produção por hora trabalhada, que se move em estreita colaboração com o aumento do nível de vida. Ao longo de todo o período, o produto por hora trabalhada cresceu, em média, 2,3% ao ano. Se aplicarmos esta taxa de forma composta ao longo dos 136 anos, o produto por pessoa no final seria 22 vezes maior do que no início (certifique-se que pode reproduzir este cálculo).

Quais são as principais forças subjacentes a este crescimento? O que os países podem fazer para acelerar a sua taxa de crescimento econômico? E quais são as perspectivas para este século? Estas são as questões que têm de ser tratadas pela análise do crescimento econômico.

O crescimento econômico envolve o crescimento do produto potencial no longo prazo. O crescimento do produto *per capita* é um objetivo importante do governo porque está associado ao crescimento das rendas médias reais e ao aumento dos níveis de vida.

QUATRO FORÇAS PROPULSORAS DO CRESCIMENTO

Qual é a fórmula para o crescimento econômico? Para começar, todos os caminhos levam a Roma. Há muitas estratégias bem-sucedidas na via para o crescimento econômico autossustentado. A Grã-Bretanha, por exemplo, tornou-se líder econômico mundial no século XIX ao se tornar pioneira na Revolução Industrial com a invenção de máquinas a vapor e de ferrovias, e dando uma grande importância à liberdade de comércio. O Japão, ao contrário, entrou na corrida do crescimento econômico mais tarde. O seu ponto de partida foi começar por imitar tecnologias estrangeiras, protegendo as indústrias nacionais das importações e, a seguir, desenvolvendo uma significante melhoria na indústria de transformação e na eletrônica.

Embora os seus percursos individuais possam ser diferentes, todos os países em crescimento rápido partilham certos traços comuns. O mesmo processo básico de crescimento e desenvolvimento econômico que ajudou a moldar a Grã-Bretanha e o Japão está ocorrendo atualmente em países como a China e a Índia. De fato, os economistas que estudam o crescimento econômico têm descoberto que a máquina do progresso econômico tem de deslocar-se sobre as mesmas forças propulsoras, seja o país rico ou pobre. Essas quatro forças, ou fatores de crescimento, são:

- recursos humanos (oferta de trabalhadores, educação, qualificação, disciplina, motivação);
- recursos naturais (terra, minerais, combustíveis, qualidade ambiental);
- capital (fábricas, máquinas, estradas, propriedade industrial);

	Taxa de crescimento anual médio (em % anual)			
Período	PIB	PIB por hora-trabalhada	Total de horas trabalhadas	Força de trabalho
1870-1913	2,5	1,6	0,9	1,2
1913-1950	1,9	1,8	0,1	0,8
1950-1973	4,8	4,5	0,3	1,0
1973-2006	2,6	2,2	0,4	1,0
Total do período	**2,8**	**2,3**	**0,5**	**1,0**

TABELA 25-1 Padrões de crescimento em países avançados.

Ao longo de mais de um século, os principais países com maior renda, como Estados Unidos, Alemanha, França e Japão, cresceram acentuadamente. O produto cresceu mais depressa do que o trabalho, o que reflete o aumento do capital e o progresso tecnológico.

Fonte: Angus Maddison, *Phases of Capitalist Development* (Oxford, University Press, Oxford, 1982), atualizado pelos autores. Os dados abrangem 16 países importantes a partir de 1870, enquanto os dados mais recentes são relativos a 31 economias avançadas.

- progresso tecnológico (ciência, engenharia, gestão, iniciativa empresarial).

Os economistas, com frequência, expressam a relação em termos de uma *Função de Produção Agregada* (ou *FPA*) que relaciona o produto nacional total com os fatores de produção e a tecnologia. Algebricamente, a *FPA* é

$$Q = AF(K, L, R)$$

onde Q = produto, K = serviços produtivos de capital, L = trabalho, R = recursos naturais, A representa o nível de tecnologia na economia e F é a função de produção. À medida que o capital, o trabalho ou os recursos naturais aumentam, é de se esperar que o produto cresça, embora o produto apresente rendimentos decrescentes com fatores de produção adicionais. Podemos pensar no papel da tecnologia como o de aumentar a produtividade dos fatores. **Produtividade** é a razão entre o produto e uma média ponderada dos fatores de produção. À medida que a tecnologia (A) se desenvolve por meio de novas invenções, ou com a adoção de tecnologias estrangeiras, esse progresso permite a um país produzir mais com o mesmo nível de fatores de produção.

Vejamos agora como cada um desses quatro fatores contribui para o crescimento.

Recursos humanos

O trabalho consiste na quantidade de trabalhadores e na qualificação da população ativa. Muitos economistas pensam que a qualidade do trabalho – a qualificação, o conhecimento e a disciplina da população ativa – é o elemento individual mais importante para o crescimento econômico. Um país pode comprar computadores rápidos, modernos aparelhos de telecomunicações, equipamentos sofisticados para geração de eletricidade ou aviões de guerra supersônicos. Contudo, esses bens de capital apenas podem ser efetivamente usados e mantidos por trabalhadores qualificados e treinados. Melhorias na educação, na saúde, na disciplina e, mais recentemente, na capacidade para usar computadores, favorecem muito a produtividade do trabalho.

Recursos naturais

O segundo fator de produção clássico corresponde aos recursos naturais. Os recursos importantes são a terra cultivável, o petróleo e o gás natural, as florestas, a água e os recursos minerais. Alguns países de renda elevada, como o Canadá e a Noruega, cresceram principalmente com base em seus amplos recursos primários, com grandes produções de petróleo e gás natural, na agricultura, na pesca e na floresta. De modo semelhante, os Estados Unidos, com suas terras agrícolas férteis, são o maior produtor e exportador mundial de grãos.

Mas a posse de recursos naturais não é necessária para o sucesso econômico no mundo moderno. A cidade de Nova York prospera principalmente com a sua rede muito densa de indústrias de serviços. Muitos países, como o Japão, praticamente não têm recursos naturais, mas desenvolveram-se ao especializarem-se em setores que dependem mais do trabalho e do capital do que de recursos naturais próprios. De fato, possuindo uma área que corresponde apenas a uma ínfima parcela da área da Nigéria, que é rica em recursos naturais, a minúscula Hong Kong tem um PIB muito maior do que aquele país africano gigantesco.

Capital

O capital inclui bens tangíveis, como estradas e usinas elétricas, equipamentos, como caminhões e computadores, bem como ativos intangíveis, como patentes, marcas e softwares. Os fatos mais marcantes da história econômica envolvem, com frequência, o acúmulo de capital. No século XIX, as ferrovias transcontinentais na América do Norte levaram o comércio ao coração da América, que até então tinha vivido no isolamento. No século XX, ondas de investimento em automóveis, estradas e usinas elétricas aumentaram a produtividade e proporcionaram as infraestruturas que criaram novas indústrias de raiz. Muitos consideram que os computadores e a tecnologia da informação farão pelo século XXI o que as ferrovias e as rodovias fizeram no passado.

O acúmulo de capital exige, como temos visto, o sacrifício do consumo imediato durante muitos anos. Os países que crescem rapidamente tendem a investir fortemente em novos bens de capital; na maioria dos países com crescimento acelerado, 10 a 20% do produto podem ser destinados à formação líquida de capital. Os Estados Unidos apresentam um contraste gritante com os países de poupança elevada. A taxa de poupança nacional nos Estados Unidos, depois de ter sido em média de 7% durante as quatro décadas posteriores à Segunda Guerra Mundial, começou a cair e foi, de fato, a quase zero em 2008. A fraca taxa de poupança foi o resultado da fraca poupança pessoal e de um grande déficit do orçamento do governo. A baixa poupança foi observada, principalmente, no grande déficit (comercial) externo. Os economistas temem que a reduzida taxa de poupança faça retardar o investimento e o crescimento econômico nas próximas décadas e que o grande endividamento externo possa exigir variações adversas nas taxas de câmbio e nos salários reais.

Quando pensamos em capital, não nos devemos concentrar apenas em computadores e fábricas. Muitos investimentos que são necessários para o funcionamento eficiente do setor privado são realizados apenas pelos governos. Esses investimentos são chamados *infraestruturas sociais* e consistem em projetos de grande dimensão que precedem o comércio e os negócios. Estradas, projetos de irrigação e de abastecimento de água e medidas de saúde pública são exemplos importantes. Todos eles envolvem grandes investimentos que tendem a ser "indivisíveis" e, às vezes, têm retornos crescentes de escala. Esses projetos envolvem geralmente economias externas que as empresas privadas não conseguem captar, portanto os governos têm de avançar para assegurar que esses investimentos em infraestruturas sejam efetivamente realizados. Alguns investimentos, como em sistemas de transportes e de comunicações, envolvem externalidades em "rede", em que a produtividade depende da parcela da população usuária ou que tem acesso a ela.

Progresso tecnológico e inovação

Além dos três fatores de produção clássicos já analisados, o progresso tecnológico tem sido um quarto ingrediente vital para o rápido crescimento dos padrões de vida. Não há dúvida que, historicamente, o crescimento não tem sido um processo de simples cópia, acrescentando linhas de siderurgias ou de usinas elétricas umas após as outras. Em vez disso, uma corrente incessante de invenções e de progresso tecnológico levou a um vasto desenvolvimento das possibilidades de produção da Europa, da América do Norte e do Japão.

Estamos atualmente presenciando uma explosão de novas tecnologias, especialmente na informática, nas comunicações (como a internet) e na biologia (como a biotecnologia). Mas esta não é a primeira vez que a sociedade americana tem sido abalada por invenções fundamentais. Eletricidade, rádio, automóvel e televisão também se difundiram rapidamente pela sociedade americana em épocas anteriores. A Figura 25-1 mostra a difusão de invenções importantes no século XX. Esse padrão em forma de S é típico da difusão de novas tecnologias.

O **progresso tecnológico** corresponde às alterações nos processos de produção ou à introdução de novos bens ou serviços. As invenções de processo que aumentaram muito a produção foram a máquina a vapor, a produção de eletricidade, os antibióticos, o motor a combustão interna, os grandes aviões a jato, o microprocessador e o fax. Entre as invenções de produto fundamentais, contam-se o telefone, o rádio, o avião, o toca-discos, a televisão, o computador e a câmera de vídeo.

Os desenvolvimentos tecnológicos mais expressivos da era moderna estão ocorrendo na tecnologia da informação. Nessa área, os notebooks conseguem ultrapassar o computador mais rápido dos anos 1960, enquanto as linhas de fibra ótica podem suportar 200 mil conversações simultâneas, que anteriormente exigiriam 200 mil linhas paralelas de fio de cobre. Essas invenções são alguns dos exemplos mais espetaculares do progresso tecnológico. Não obstante, o progresso tecnológico é, de fato, um processo contínuo de pequenos e grandes aperfeiçoamentos, como é comprovado pelo fato de nos Estados Unidos serem registadas anualmente mais de 100 mil novas patentes e de haver outros milhões de pequenos aperfeiçoamentos que fazem parte da rotina de progresso de uma economia moderna.

Os economistas ponderam há muito tempo a forma de incentivar o progresso tecnológico, dada a sua importância na melhoria dos níveis de vida. O progresso tecnológico é um processo complexo e multifacetado, não tendo sido encontrada uma fórmula única para o sucesso.

Eis alguns exemplos históricos: a Toyota conseguiu incutir uma ética de trabalho de fazer melhorias contínuas

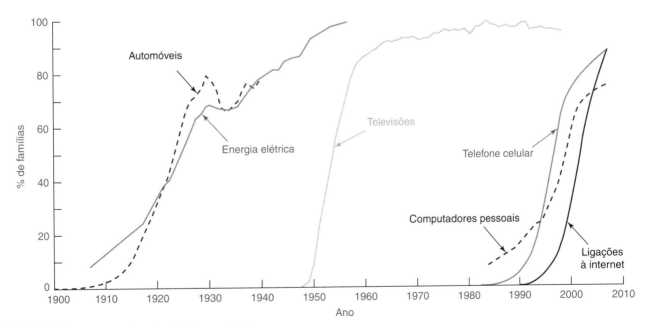

FIGURA 25-1 Difusão das principais tecnologias.

As tecnologias da informação do presente, como os celulares, os computadores e a internet, estão se difundindo rapidamente na sociedade norte-americana. Padrões de difusão similares verificaram-se com outras invenções fundamentais no passado.

Fonte: Economic Report of the President, 2000, atualizado pelos autores.

de qualidade de baixo para cima, o que impulsionou a empresa para o topo da indústria automobilística. Um padrão muito diferente surgiu nas empresas de computadores de Silicon Valley. Neste caso, o progresso tecnológico foi impulsionado por um espírito empreendedor de livre pesquisa, de pouca regulação governamental, de liberdade de comércio internacional em produtos de propriedade intelectual, e a atração por opções de ações lucrativas. Os economistas reconhecem que algumas abordagens parecem matar o espírito de inovação. Muitos setores da União Soviética, sob planejamento central, registraram estagnação tecnológica, devida à mão pesada da regulação estatal, à falta de motivação do lucro, a um mecanismo de preços ineficientes e à corrupção generalizada.

A Tabela 25-2 faz o resumo das quatro forças propulsoras do crescimento econômico.

Instituições, incentivos e inovação

No longo prazo, o crescimento da produção e da riqueza mundial deveu-se principalmente ao desenvolvimento do conhecimento. Contudo, as instituições destinadas a promover a criação e a difusão do conhecimento, e os incentivos para que o esforço humano se dedique a essa tarefa, foram desenvolvidas tardiamente na história da humanidade – lentamente, na Europa Ocidental nos últimos 500 anos. Essa ideia foi eloquentemente expressa por William Baumol:

> O museu de Alexandria foi o centro da inovação tecnológica no Império Romano. Por volta do primeiro século a.C., essa cidade conheceu praticamente todas as formas de máquinas que são usadas na atualidade, incluindo uma máquina a vapor que funcionava. Mas essas pareciam ser usadas apenas como brinquedos desenvolvidos. A máquina a vapor foi usada para abrir e fechar as portas de um templo.[1]

Baumol e o historiador econômico Joel Mokyr argumentam que a inovação depende basicamente do desenvolvimento dos incentivos e das instituições. Eles apontam em especial para o papel da propriedade privada, do sistema de patentes e de um sistema baseado em regras para a resolução de disputas, como mecanismos para o impulso da inovação.

TEORIAS DO CRESCIMENTO ECONÔMICO

Praticamente, todos são a favor do crescimento econômico. Mas há uma grande divergência em relação à melhor forma para atingir esse objetivo. Alguns economistas e autoridades econômicas salientam a necessidade de aumentar o investimento em capital. Outros advogam medidas para estimular a pesquisa e desenvolvimento e o progresso tecnológico. Um terceiro grupo, ainda, salienta o papel de uma população ativa com maior formação.

Fator de crescimento econômico	Exemplos
Recursos humanos	Dimensão da população ativa Qualidade dos trabalhadores (educação, qualificação, disciplina)
Recursos naturais	Petróleo e gás natural Solos e clima
Capital	Habitações e fábricas Maquinário Propriedade intelectual Infraestruturas
Progresso tecnológico e inovação	Qualidade do conhecimento científico e técnico Competência de gestão Prêmio pela inovação

TABELA 25-2 As quatro forças propulsoras do progresso.
O crescimento econômico se desenvolve inevitavelmente sobre as quatro forças propulsoras do trabalho, dos recursos naturais, do capital e da tecnologia. Mas as forças podem ser muito diferentes de país para país, e alguns as combinam de maneira mais eficaz do que outros.

Há muito os economistas estudam a questão da importância relativa dos diferentes fatores na determinação do crescimento. Na análise que se segue, focaremos as várias teorias do crescimento econômico que oferecem algumas respostas sobre as forças que estão na base do crescimento. Depois, na parte final desta seção, veremos o que pode ser compreendido sobre o crescimento a partir das suas tendências históricas ao longo do último século.

Dinâmica clássica de Smith e Malthus

Os primeiros economistas, como Adam Smith e T. R. Malthus, salientaram o papel fundamental da terra no crescimento econômico. Em *A Riqueza das Nações* (1776), Adam Smith proporcionou um manual do desenvolvimento econômico. Ele partiu de uma hipotética "idade do ouro": "aquele estado de coisas original que precedeu quer a apropriação da terra quer a acumulação de capital". Esse foi um tempo em que a terra estava disponível livremente para todos e antes de haver preocupação com a acumulação de capital.

Qual seria a dinâmica do crescimento econômico em tal idade do ouro? Uma vez que a terra estava disponível livremente, as pessoas se limitavam a ocupar cada vez mais hectares de terreno, à medida que a população aumentava, tal como fizeram os colonos do oeste norte-americano. Como não havia capital, o produto nacional duplicaria precisamente desde que a população dobrasse. E quanto aos salários reais? Aos salários corresponderia a totalidade da renda nacional, uma vez que nada é subtraído para aluguel da terra ou para juros

---

[1] Ver Baumol na seção "Leituras adicionais", ao final deste capítulo.

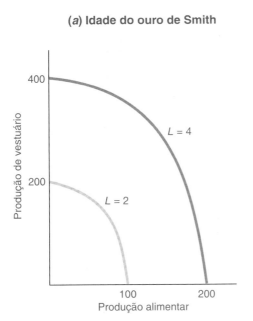
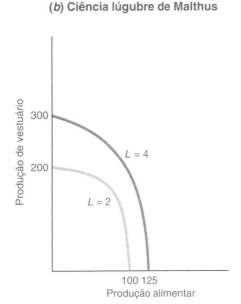

FIGURA 25-2 A dinâmica clássica de Smith e Malthus.

Em (*a*), a existência de terra ilimitada a ser desbravada significa que, quando a população duplica, os trabalhadores podem simplesmente espalhar-se e produzir duas vezes mais quantidade de qualquer combinação de alimentos e vestuário. Em (*b*), a terra é limitada e significa que quando a população cresce de 2 para 4 milhões começam a operar os rendimentos decrescentes. Repare que a produção potencial de alimentos aumenta apenas 25% com a duplicação do trabalho.

---

do capital. O produto cresce em linha com a população, portanto o salário real por trabalhador seria constante ao longo do tempo.

Mas esta idade do ouro não pode continuar para sempre. Com o crescimento da população, a terra acabaria sendo toda ocupada. Uma vez desaparecida a terra sem fronteiras, o crescimento equilibrado da terra, da mão de obra e do produto deixa de ser possível. Novos trabalhadores começam a aglomerar-se nos terrenos já cultivados. A terra torna-se escassa e os aluguéis aumentam para racioná-la entre os diferentes usos.

A população continua crescendo e o mesmo acontece com o produto nacional. Mas o produto tem de aumentar mais devagar do que a população. Por quê? Quando novos trabalhadores passam a trabalhar na mesma quantidade de terra, cada trabalhador passa a ter uma menor quantidade dela para trabalhar e a lei dos rendimentos decrescentes entra em ação. O aumento da razão trabalho/terra leva ao decréscimo do produto marginal do trabalho e, assim, à redução do nível dos salários reais.[2]

As coisas podem piorar até onde? O importante Reverendo T. R. Malthus ponderou que a pressão da população conduziria a economia a um ponto em que os trabalhadores estivessem no nível mínimo de subsistência. Malthus argumentou que a população se expandiria sempre que os salários estivessem acima do nível de subsistência; abaixo dos salários de subsistência haveria uma grande mortalidade e a população seria reduzida. Somente com níveis de subsistência poderia haver um equilíbrio estável da população. Ele considerava que a classe trabalhadora estava destinada a uma vida sub-humana, suja e curta. Essa imagem lúgubre levou Thomas Carlyle a criticar a economia como "a ciência lúgubre".

A Figura 25-2(*a*) mostra o processo de crescimento econômico da idade do ouro de Smith. Nesse caso, quando a população duplica, a fronteira das possibilidades de produção (*FPP*) desloca-se para fora, multiplicada por 2, em todas as direções, mostrando que não há restrições ao crescimento devidas a terra ou aos recursos. A Figura 25-2(*b*) mostra o caso pessimista de Malthus, em que a duplicação da população leva a um aumento inferior ao dobro dos alimentos e do vestuário, reduzindo o produto *per capita*, à medida que cada vez mais pessoas congestionam a terra, que é limitada, e os rendimentos decrescentes fazem diminuir o produto *per capita*.

Crescimento econômico com acumulação de capital: o modelo neoclássico de crescimento

A previsão de Malthus foi nitidamente exagerada, porque não reconheceu que a inovação tecnológica e o

---

[2] A teoria neste capítulo está baseada em um importante resultado de microeconomia. Na análise da determinação dos salários sob condições simplificadas, incluindo competição perfeita, mostra-se que o salário é igual ao produto marginal do último trabalhador contratado. Por exemplo, se o último trabalhador contribui com uma produção de valor igual a US$ 12,50 por hora, então, sob condições de competição perfeita, a empresa estará disposta a pagar até US$ 12,50 por hora para este trabalhador. Do mesmo modo, a renda da terra é o produto marginal da última unidade de terra, assim como a taxa de juros real será determinada pelo produto marginal da última unidade produtiva de capital.

investimento em capital podiam sobrepor-se à lei dos rendimentos decrescentes. A terra não se tornou o fator limitativo da produção. Em vez disso, a primeira Revolução Industrial deu à luz o equipamento movido a energia que aumentou a produção, as fábricas, que reuniram grupos de trabalhadores em empresas gigantes, ferrovias e navios a vapor que puseram em contato os pontos mais afastados do globo, além de ferro e aço, que tornaram possíveis máquinas mais robustas e locomotivas mais rápidas. À medida que as economias de mercado entravam no século XX, surgiu uma segunda Revolução Industrial em torno das indústrias dos telefones, do automóvel e da energia elétrica. A acumulação de capital e as novas tecnologias tornaram-se as forças dominantes que afetam o desenvolvimento econômico.

Quais serão as forças motrizes do crescimento econômico no século XXI? Talvez os avanços em computação, software e inteligência artificial estimulem o surgimento de outra revolução industrial. Talvez, como alguns pessimistas ecológicos avisam, um atual espectro malthusiano assombre os países ricos, e a mudança climática, o aumento do nível do mar e as migrações induzidas pela seca levem à instabilidade social e ao declínio econômico.

Para compreender como a acumulação de capital e o progresso tecnológico afetam a economia, devemos compreender o **modelo neoclássico do crescimento econômico**. Essa abordagem foi iniciada por Robert Solow do MIT, que recebeu o Prêmio Nobel de 1987 por essa e outras contribuições para a teoria do crescimento econômico. O modelo de crescimento neoclássico funciona como o instrumento básico para a compreensão do processo de crescimento nos países avançados, e tem sido aplicado em estudos empíricos das fontes do crescimento econômico.

Apóstolo do crescimento econômico

Robert M. Solow nasceu no Brooklyn, estudou em Harvard e depois, em 1950, foi para o Departamento de Economia do MIT. Nos anos que se seguiram, desenvolveu o modelo de crescimento neoclássico que aplicou no esquema da contabilidade do crescimento (que será analisada posteriormente neste capítulo).

Um dos principais estudos de Solow foi *A Contribution to the Theory of Economic Growth*, em 1956. Essa foi uma versão matemática do modelo de crescimento neoclássico analisado neste capítulo. A importância desse estudo foi sublinhada do seguinte modo na citação de Solow ao prêmio Nobel:

> O modelo teórico de Solow teve um impacto enorme na análise econômica. Começando por ser um simples instrumento para a análise do processo de crescimento, o modelo tem sido expandido em várias direções diferentes. Foi ampliado com a introdução de outros tipos de fatores de produção e foi reformulado para incluir dados probabilísticos. A elaboração de ligações dinâmicas em certos modelos "numéricos" usados na análise do equilíbrio geral também tem sido baseada no modelo de Solow. Mas, acima de tudo, o modelo de crescimento de Solow constitui a estrutura sobre a qual a macroeconomia moderna pode ser estruturada.
>
> O crescente interesse do governo em expandir a educação e a pesquisa e desenvolvimento foi inspirado por esses estudos. Qualquer relatório de longo prazo..., em relação a qualquer país, usou uma análise do tipo da de Solow.[3]

Solow também contribuiu para estudos empíricos do crescimento econômico, para a economia dos recursos naturais e para o desenvolvimento da teoria do capital. Além disso, serviu como conselheiro macroeconômico do governo de Kennedy.

Solow é conhecido pelo seu entusiasmo em relação à ciência econômica, como também pelo seu humor. Ele considera que a ânsia de publicidade tenha levado alguns economistas a "exagerar" à respeito de seus conhecimentos. Criticou os economistas por "uma aparentemente irresistível apetência para expandir a sua ciência para lá de onde deve situar-se, respondendo a questões mais delicadas do que o nosso conhecimento limitado de uma questão complicada pode atingir. Ninguém gosta de dizer "Não sei".

Na vivacidade da sua escrita, Solow preocupa-se com a enorme dificuldade em explicar a ciência econômica ao público. Na conferência de imprensa, dada após ter recebido o Prêmio Nobel, Solow ironizou que "o grau de atenção das pessoas para quem vocês escrevem é mais curta do que a extensão de uma verdadeira afirmação". Mesmo assim, Solow continua a trabalhar no seu ramo da ciência econômica no MIT com o mundo prestando cada vez mais atenção ao apóstolo do crescimento econômico.

Pressupostos básicos. O modelo neoclássico de crescimento descreve uma economia em que é produzido um único produto homogêneo por dois tipos de fatores de produção – capital e trabalho. Ao contrário da análise de Malthus, o crescimento dos trabalhadores é considerado como um dado. Além disso, admitimos que a economia é competitiva e funciona sempre em pleno emprego, portanto podemos analisar o crescimento do produto potencial.

Os principais novos ingredientes do modelo neoclássico de crescimento são o capital e o progresso tecnológico. Por ora, vamos supor que a tecnologia permaneça constante. O capital consiste nos bens duráveis fabricados que são usados para produzir outros bens. Nos bens de capital incluem-se estruturas como fábricas e habitações, equipamentos como computadores,

---

[3] As citações dos Comitês para os Prêmios Nobel em Economia podem encontrar-se na internet em <http://www.nobel.se/laureates>.

máquinas e ferramentas e estoques em armazém de bens acabados ou em vias de fabricação.

Por conveniência, admitiremos que exista um único tipo de bem de capital (o identificaremos por K). Quantificamos depois a reserva agregada de capital como a quantidade total de bens de capital. Nos nossos cálculos com dados reais, consideramos o valor monetário total dos bens de capital (ou seja, o valor a preços constantes do equipamento, das instalações e dos estoques) como uma aproximação ao bem de capital universal. Se L for o número de trabalhadores, então (K/L) é igual à quantidade de capital por trabalhador, ou *razão capital/trabalho*. Podemos escrever a nossa função de produção agregada para o modelo de crescimento neoclássico sem progresso tecnológico como $Q = F(K, L)$.

Analisando agora o processo de crescimento econômico, os economistas salientam a necessidade de **aprofundamento do capital**, que é o processo pelo qual a quantidade de capital por trabalhador aumenta ao longo do tempo. Vejamos alguns exemplos de intensificação do capital: um agricultor usa uma máquina para colher laranjas em vez de mão de obra manual não qualificada; uma construtora de estradas usa uma escavadeira em vez de trabalhadores munidos de picaretas; um banco substitui bancários por caixas eletrônicos. São todos exemplos de como a economia aumenta a quantidade de capital por trabalhador. Como resultado, a produção por trabalhador tem crescido muito na agricultura, nos transportes e no sistema bancário.

O que aconteceu à rentabilidade do capital no processo de aprofundamento do capital? Para um dado estado de tecnologia, uma elevada taxa de investimento em instalações industriais e equipamentos tende a reduzir a rentabilidade do capital.[4] Isso ocorre porque, em primeiro lugar, são desenvolvidos os projetos com maior valor, e os projetos seguintes são cada vez menos valiosos. Após a instalação de uma rede de ferrovias, ou de um sistema se telefones, os novos investimentos irão expandi-los para regiões com populações cada vez mais dispersas, ou duplicar as linhas existentes. As taxas de rentabilidade desses investimentos posteriores serão menores do que as elevadas rentabilidades das primeiras linhas em regiões densamente povoadas.

Além disso, o nível salarial pago aos trabalhadores tenderá a aumentar à medida que ocorre o aprofundamento do capital. Por quê? Cada trabalhador tem mais capital com que trabalhar e, portanto, o seu produto marginal aumenta. Como resultado, o nível salarial de concorrência aumenta em consonância com o produto marginal do trabalho.

Podemos resumir o impacto do aprofundamento no modelo neoclássico de crescimento da seguinte forma:

O aprofundamento do capital ocorre quando o estoque de capital cresce mais rapidamente do que a população ativa. Na ausência de progresso tecnológico, o aprofundamento do capital irá originar um crescimento do produto por trabalhador, do produto marginal do trabalho, e dos salários reais; também leva a rendimentos decrescentes do capital e, portanto, a uma diminuição da taxa de remuneração do capital.

Análise geométrica do modelo neoclássico

Podemos analisar os efeitos da acumulação de capital usando a Figura 25-3. Essa figura mostra graficamente a função de produção agregada ao representar a produção por trabalhador no eixo vertical e o capital por trabalhador no eixo horizontal. Em segundo plano, *e mantidas constantes para o momento*, estão todas as outras variáveis que foram analisadas no início desta seção – a extensão de terra, a riqueza dos recursos naturais e, a mais importante de todas, a tecnologia usada pela economia.

O que ocorre quando a sociedade acumula capital? Quando um trabalhador tem mais capital com que trabalhar, a economia se desloca para cima e para a direita, na função de produção agregada. Suponha que a razão capital/trabalho aumente de $(K/L)_0$ para $(K/L)_1$. Então, o montante de produto por trabalhador aumenta de $(Q/L)_0$ para $(Q/L)_1$.

O que ocorre com os preços do trabalho e do capital? Com o aprofundamento do capital, passam a vigorar

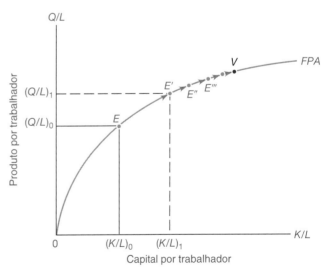

FIGURA 25-3 Crescimento econômico por meio do aprofundamento do capital.

À medida que aumenta o montante de capital por trabalhador, a produção por trabalhador também aumenta. Este gráfico mostra a importância do "aprofundamento do capital", ou do aumento do montante de capital que cada trabalhador tem ao seu dispor. Lembre-se, contudo, que são mantidos constantes os outros fatores, tais como a tecnologia, a qualificação da população ativa e os recursos naturais.

---

[4] Em concorrência perfeita e não havendo risco, impostos e inflação, a taxa de remuneração do capital é igual à taxa de juros real dos títulos e de outros ativos financeiros.

rendimentos decrescentes deste e, assim, diminuem as suas taxas de rentabilidade e a taxa de juros real. A inclinação da curva na Figura 25-3 é o produto marginal do capital, que, como vimos, diminui com o aprofundamento do capital. Do mesmo modo, como cada trabalhador pode trabalhar com mais capital, as produtividades marginais dos trabalhadores aumentam e o nível de salário real, em consequência, também aumenta.

O inverso aconteceria se o montante de capital por trabalhador diminuísse, por qualquer razão. Por exemplo, as guerras tendem a levar a maior parte do capital de um país à ruína, e a reduzir a razão capital/trabalho; após as guerras, verifica-se, portanto, uma escassez de capital e elevadas remunerações deste. Assim, a nossa análise verbal inicial do impacto do aprofundamento do capital é verificada pela análise da Figura 25-3.

Estado estacionário de longo prazo. No modelo neoclássico de crescimento econômico e não havendo progresso tecnológico, qual é o equilíbrio de longo prazo? A razão capital/trabalho acabará por deixar de aumentar. *No longo prazo, a economia entrará em um estado estacionário em que cessa o aprofundamento do capital, os salários reais deixam de aumentar e a rentabilidade do capital e as taxas de juros reais são constantes.*

Podemos mostrar como a economia se desloca para o estado estacionário na Figura 25-3. Com a acumulação de capital, a razão capital/trabalho aumenta, como é mostrado pelas setas de E' para E'' e para E''', até que finalmente a razão capital/trabalho para de aumentar em V. Nesse ponto, o produto por trabalhador (Q/L) é constante e os salários reais param de aumentar.

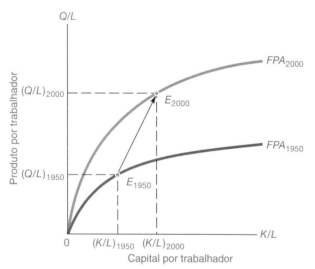

FIGURA 25-4 O progresso tecnológico desloca para cima a função de produção.

Como resultado de desenvolvimentos na tecnologia, a função de produção agregada se desloca *para cima ao longo do tempo*. Assim, os desenvolvimentos na tecnologia se combinam com a intensificação de capital para aumentar o produto por trabalhador e os salários reais.

Não havendo progresso tecnológico, o produto por trabalhador e o nível salarial ficam estagnados. Esse é, certamente, um resultado muito melhor do que o mundo de salários de subsistência previsto por Malthus. Mas o equilíbrio de longo prazo do modelo de crescimento neoclássico torna claro que, se o crescimento econômico consiste apenas na acumulação de capital, por meio da reprodução das fábricas com os métodos de produção já existentes, então o nível de vida acabará parando de aumentar.

Papel central do progresso tecnológico

Ainda que seja um bom primeiro passo no caminho do entendimento do crescimento econômico, o modelo de acumulação de capital deixa algumas questões importantes por responder. Para começar, se não há melhoria de tecnologia, o modelo prevê que os salários reais estagnarão. Mas, sem dúvida, os salários reais não estagnaram no último século. Veja a Figura 25-5(c). Esta figura mostra que os salários reais aumentaram mais de 8 vezes no último século. O modelo de acumulação de capital mais simples não pode explicar o enorme crescimento da produtividade ao longo do tempo, nem consegue explicar as enormes diferenças na renda *per capita* entre os países.

O que falta é o progresso tecnológico. Podemos representar o progresso tecnológico no nosso gráfico de crescimento como um deslocamento para cima na função de produção agregada, como é ilustrado na Figura 25-4. Neste gráfico, apresentamos a função de produção agregada para 1950 e 2000. Em decorrência do progresso tecnológico, a função de produção agregada deslocou-se para cima de FPA_{1950}, para FPA_{2000}. Esse deslocamento para cima mostra os avanços na produtividade que são gerados pelo vasto conjunto de novos processos e produtos, como a eletrônica, o comércio na internet, os avanços na metalurgia, a melhoria na tecnologia médica etc.

Portanto, além de se considerar o aprofundamento do capital descrito anteriormente, temos de levar em conta o progresso na tecnologia. O conjunto do aprofundamento do capital e do progresso tecnológico é a seta na Figura 25-4, que indica um aumento no produto por trabalhador de $(Q/L)_{1950}$ para $(Q/L)_{1995}$. Em vez de ficar em um estado estacionário, a economia usufrui do aumento do produto por trabalhador, aumentando os salários e os níveis de vida.

De interesse especial é o impacto do progresso tecnológico sobre as taxas de lucro e as taxas de juros reais. Como resultado desse progresso, a taxa de juros real não precisa diminuir. As invenções aumentam a produtividade do capital e anulam a tendência para a queda da taxa de lucro.

Progresso tecnológico como um produto econômico

Até agora, tratamos o progresso tecnológico como algo que brota misteriosamente dos cientistas e inventores, como maná do paraíso. Pesquisas recentes sobre o crescimento econômico começaram a focar as *fontes do progresso tecnológico*. Essas pesquisas, às vezes chamadas de *nova teoria do crescimento*, ou a "teoria do progresso tecnológico endógeno", procuram descobrir os processos pelos quais as forças de mercado privadas, as decisões de política pública e as instituições alternativas levam a padrões diferentes de progresso tecnológico.

Uma ideia importante é que o progresso tecnológico é um produto do sistema econômico. A lâmpada elétrica de Edison foi o resultado de anos de pesquisa em vários modelos de lâmpada; o transistor resultou dos esforços dos cientistas dos Laboratórios Bell para encontrar um processo que melhorasse os equipamentos de comutação telefônica; as empresas farmacêuticas gastam centenas de milhões de dólares em pesquisa e no teste de novos medicamentos. Quem tem talento e sorte pode ganhar lucros acima do normal, ou mesmo tornar-se multimilionário, como Bill Gates, da Microsoft, mas muitos são os inventores, ou as empresas, desiludidos que acabam com os bolsos vazios.

O outro aspecto incomum das tecnologias é que são bens públicos, ou bens "não rivais", em linguagem técnica. Isso significa que podem ser usados por muitas pessoas ao mesmo tempo sem se destruírem. Uma nova linguagem de programação, um novo medicamento milagroso, a elaboração para um novo processo de produção de aço – podem ser usados sem que seja diminuída a produtividade dos ingleses, dos japoneses ou de quem quer que seja. Além disso, a criação de invenções é dispendiosa, mas a sua reprodução é barata. Estes aspectos do progresso tecnológico podem gerar graves falhas de mercado, ou seja, os inventores, às vezes, têm grande dificuldade em lucrar com suas invenções porque outros podem copiá-las.

As falhas de mercado são relativamente maiores às formas mais básicas e fundamentais de pesquisa. As medidas políticas têm um papel importante a desempenhar nesse caso. Primeiro, os governos em geral apoiam a ciência básica por meio de concessões e de instalações de pesquisas. Sem o apoio do governo e de entidades não lucrativas, a pesquisa básica em matemática, em ciências naturais e sociais desapareceria. Além disso, os governos têm de ter o cuidado em assegurar que os inventores orientados para o lucro têm incentivos adequados para se dedicarem à pesquisa e ao desenvolvimento. Os governos dão cada vez mais atenção aos *direitos de propriedade intelectual*, como as patentes e os direitos autorais, de modo a proporcionar o prêmio adequado às atividades criativas.

Qual é a principal contribuição da nova teoria do crescimento? Ela modificou a forma como pensamos sobre o processo de crescimento e as políticas públicas. Se as diferenças tecnológicas são a principal razão para as disparidades nos níveis de vida entre os países, e se a tecnologia é um fator produzido, então a política de crescimento econômico terá de centrar-se muito mais acentuadamente na forma como os países podem melhorar o seu desempenho tecnológico. Esta é precisamente a lição a que chegou Paul Romer da Universidade de Stanford, um dos líderes da nova teoria do crescimento:

> Os economistas podem, novamente, progredir no sentido de um completo conhecimento dos determinantes do sucesso econômico no longo prazo. Em última instância, isso irá colocar-nos em uma posição de oferecer às autoridades econômicas algo mais compreensível do que as receitas neoclássicas padrão – maior poupança e mais educação. Estaremos em condições de acompanhar os debates em curso sobre políticas de incentivos fiscais para a pesquisa privada, de isenções em defesa da concorrência para empreendimentos conjuntos de pesquisa, de atividades das empresas multinacionais, dos efeitos do *outsourcing* pelos governos, da interação entre política comercial e inovação, do âmbito da proteção dos direitos de propriedade intelectual, das ligações entre empresas privadas e universidades, dos mecanismos de seleção das áreas de pesquisa que recebem o apoio público e dos custos e benefícios de uma política tecnológica explícita do Estado."[5]

Em resumo:

O progresso tecnológico – que aumenta o produto produzido com um dado conjunto de fatores – é um ingrediente fundamental no crescimento dos países. A nova teoria do crescimento procura descobrir os processos que geram o progresso tecnológico. Essa abordagem salienta que esse progresso é um produto que está sujeito a graves falhas de mercado, porque a tecnologia é um bem público que tem uma produção dispendiosa, mas uma reprodução barata. Os governos procuram, cada vez mais, proporcionar direitos de propriedade intelectual para quem desenvolve novas tecnologias.

B. PADRÕES DO CRESCIMENTO NOS ESTADOS UNIDOS

Fatos do crescimento econômico

A primeira parte deste capítulo descreveu as teorias básicas do crescimento econômico. Mas os economistas não ficaram satisfeitos ao limitarem-se a elas. Uma importante área de pesquisa, em todo o mundo, tem sido a quantificação das diferentes componentes do processo de crescimento econômico e a sua aplicação às principais teorias. A compreensão dos padrões do crescimento econômico ajudará a revelar as razões pelas quais alguns países prosperam, enquanto outros definham.

A Figura 25-5 apresenta as tendências-chave do desenvolvimento econômico nos Estados Unidos desde o

---

[5] Ver Paul Romer na seção "Leituras adicionais" deste capítulo.

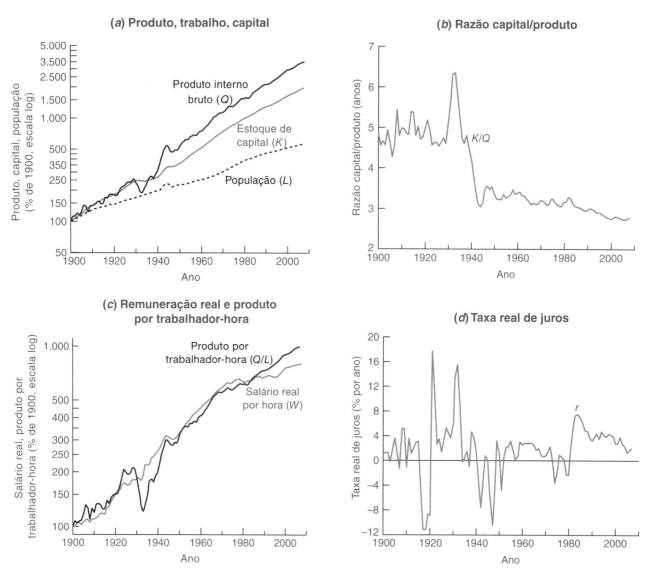

FIGURA 25-5 O crescimento econômico apresenta regularidades significativas.

(a) O estoque de capital tem crescido mais rapidamente do que a população e a oferta de trabalho. Não obstante, o produto total cresceu ainda mais rapidamente do que o capital em decorrência do desenvolvimento tecnológico. (b) A razão capital/produto reduziu-se significativamente durante a primeira metade do século XX, e reduziu-se suavemente desde então. (c) A renda real tem crescido continuamente e quase à mesma taxa do produto médio por trabalhador-hora ao longo de todo o período. (d) A taxa de juros real não apresentou qualquer tendência desde 1900, o que sugere que o progresso tecnológico tem anulado os rendimentos decrescentes da acumulação de capital.

Fonte: U.S. Departments of Commerce and Labor, Federal Reserve Board, U.S. Bureau of the Census e Susan Carter e outros, *Historical Statistics of the United States: Millennial Edition* (Cambridge University Press, Cambridge, U.K., 2006), disponível online.

início do século XX. Padrões similares têm sido encontrados na maioria dos principais países industrializados.

A Figura 25-5(a) mostra as tendências do PIB real, o estoque de capital e a população. A população e o emprego mais do que triplicaram desde 1900. Ao mesmo tempo, o estoque de capital físico aumentou mais do que 14 vezes. Assim, o montante de capital por trabalhador (a razão K/L) aumentou mais de quatro vezes. Obviamente, o aprofundamento do capital foi um importante aspecto do capitalismo dos Estados Unidos do século XX e tem sido neste início do século XXI.

E quanto ao crescimento do produto? Em um mundo sem progresso tecnológico, deveria situar-se em algum lugar entre o crescimento do trabalho e o do capital. De fato, a curva do produto, na Figura 25-5(a), não se situa entre as duas curvas, mas situa-se acima delas. Isso indica que o progresso tecnológico deve ter aumentado a produtividade do capital e do trabalho.

Para a maioria das pessoas, o desempenho de uma economia é avaliado pelos ordenados, salários e remunerações complementares. Isso é mostrado na Figura 25-5(c), em termos da remuneração real por hora (ou salários nominais corrigidos da inflação). A remuneração por hora cresceu de forma impressionante na maior parte do período pós-1900, como seria de esperar do crescimento da razão capital/trabalho e do permanente avanço tecnológico.

A taxa de juros real (que é calculada como a taxa de juros dos títulos do Tesouro de longo prazo, corrigidos pela inflação) é apresentada na Figura 25-5(d). A taxa de lucro é maior do que a de juros sem risco para refletir o risco e os impostos, mas apresenta um padrão similar. As taxas de juros reais e as de lucro flutuaram muito nos ciclos econômicos e nas guerras, mas não apresentaram uma tendência acentuada, de subida ou de descida, para a totalidade do período. Seja por coincidência, ou em virtude de algum mecanismo econômico que induziu esse padrão, o progresso tecnológico anulou, em grande parte, os rendimentos decrescentes do capital.

O produto por trabalhador-hora é a curva mais escura da Figura 25-5(c). Como seria de esperar do aprofundamento do capital e do progresso tecnológico, o produto por trabalhador tem aumentado constantemente.

O fato de os salários aumentarem à mesma taxa do produto por trabalhador não significa que o trabalho tenha se apropriado da totalidade dos frutos do aumento da produtividade. Significa antes que os trabalhadores têm mantido aproximadamente a mesma *parcela* no produto total e que o capital também ganhou aproximadamente a mesma parcela relativa ao longo do período. Uma observação atenta da Figura 25-5(c) mostra que os salários reais têm aumentado aproximadamente à mesma taxa do produto por trabalhador-hora desde 1900. Mais precisamente, a taxa de crescimento média dos salários reais foi de 1,8% ao ano, enquanto a do produto por trabalhador foi de 2,2% ao ano. Esses valores implicam que a parcela do trabalho na renda nacional (e também, portanto, a parcela dos proprietários) foi quase constante ao longo dos últimos 100 anos.

Sete tendências básicas do crescimento econômico

Os economistas, ao estudarem a história econômica dos países avançados, observaram que as seguintes tendências se aplicam na maioria dos países:

1. O estoque de capital tem crescido mais rapidamente do que a população e o emprego, resultante do aprofundamento do capital.
2. Na maior parte do período posterior a 1900 tem havido uma forte tendência de aumento da remuneração real média por hora.
3. A parcela da remuneração do trabalho na renda nacional tem sido notavelmente estável nos últimos 100 anos.
4. Verificaram-se importantes oscilações das taxas de juros reais e da taxa de lucro, em especial durante os ciclos econômicos, mas não se verificou uma forte tendência de subida ou de descida no período pós-1900.
5. Em vez de um aumento contínuo, que seria previsível segundo a lei dos rendimentos decrescentes, mantendo-se a tecnologia constante, a razão capital/produto tem efetivamente diminuído desde o início do século XX.
6. Durante a maior parte do século XX, as razões da poupança e do investimento nacionais em relação ao PIB mantiveram-se estáveis. Desde 1980, a taxa de poupança nacional diminuiu acentuadamente nos Estados Unidos.
7. Após a exclusão dos efeitos do ciclo econômico, o produto nacional tem crescido a uma taxa média próxima a 3,5% ao ano. O crescimento do produto tem sido muito superior à média ponderada do crescimento do capital, do trabalho e dos fatores de produção, o que sugere que a inovação tecnológica deve estar desempenhando um papel-chave no crescimento econômico.

Relação entre as sete tendências e as teorias do crescimento econômico

Embora as sete tendências da história econômica não sejam como as leis imutáveis da física, elas transmitem fatos fundamentais sobre o desenvolvimento econômico na era moderna. Como elas se encaixam nas nossas teorias do crescimento econômico?

As tendências 2 e 1 – maiores níveis salariais quando o capital se aprofunda – encaixam-se perfeitamente no nosso modelo de crescimento neoclássico mostrado na Figura 25-3. A tendência 3 – na qual a parcela dos salários tem sido notavelmente estável – é uma interessante coincidência que consiste com uma ampla variedade de funções de produção que relacionam Q com L e K.

As tendências 4 e 5, contudo, mostram que o progresso tecnológico deve estar exercendo a sua ação neste caso; portanto a Figura 25-4, com a representação do progresso tecnológico, é mais realista do que o estado estacionário representado na Figura 25-3. Uma taxa de lucro estável e uma razão capital/produto decrescente, ou estável, não se podem verificar se a razão K/L aumentar em um mundo em que a tecnologia não sofre alterações; considerados em conjunto, contradizem a lei básica dos rendimentos decrescentes quando há aprofundamento do capital. Temos, portanto, de reconhecer o papel-chave do progresso tecnológico na explicação das sete tendências do moderno crescimento econômico. Os nossos modelos confirmam o que a nossa intuição sugere.

As fontes do crescimento econômico

Tem-se verificado que as economias de mercado avançadas crescem por meio de aumentos do trabalho e do capital, bem como pelo progresso tecnológico. Mas quais são as contribuições relativas do trabalho, do capital e da tecnologia? Para responder a esta questão, vamos analisar os aspectos quantitativos do crescimento e da abordagem útil conhecida por contabilidade do crescimento. Essa abordagem é o primeiro passo na análise quantitativa do crescimento econômico do país.

A abordagem da contabilidade do crescimento. Estudos detalhados do crescimento econômico baseiam-se no que é designado **contabilidade do crescimento**. Essa técnica não é um balanço, ou a conta do produto nacional, do tipo que encontramos em capítulos anteriores. Em vez disso, é uma forma de distinguir as contribuições dos vários ingredientes que comandam as tendências observadas de crescimento.

A contabilidade do crescimento parte da função de produção agregada que encontramos antes neste capítulo, $Q = AF(K, L, R)$. Os recursos naturais são omitidos com frequência, uma vez que a terra é constante. Usando cálculos elementares e alguns pressupostos simplificadores, podemos expressar o crescimento do produto em termos do crescimento dos fatores de produção mais a contribuição do progresso tecnológico. O crescimento do produto (Q) pode ser decomposto em três termos separados: crescimento do trabalho (L) vezes o seu peso, crescimento do capital (K) vezes o seu peso e o próprio progresso tecnológico (P.T.).

Ignorando momentaneamente o progresso tecnológico, um pressuposto de retornos constantes à escala significa que 1% de crescimento em L, junto ao 1% de crescimento em K, conduzirá a 1% de crescimento do produto. Mas suponha que L aumenta 1% e K, 5%. É tentador, mas errado, pensar que Q aumentará 3%, a média simples entre 1 e 5. É errado, por quê? Porque os dois fatores não contribuem para o produto necessariamente de igual modo. Em vez disso, o fato de 3/4 da renda nacional ir para o trabalho e apenas 1/4 para o capital sugere que o crescimento do trabalho contribuirá para o produto mais do que o crescimento do capital.

Se a taxa de crescimento do trabalho for três vezes o peso do capital, podemos calcular a resposta da seguinte maneira: Q crescerá 2% ao ano (= 3/4 de 1% + 1/4 de 5%). Ao crescimento dos fatores de produção, adicionamos o progresso tecnológico e, dessa forma, obtemos todas as fontes do crescimento.

Assim, o crescimento anual do produto de acordo com a *equação fundamental da contabilidade do crescimento* é:

% crescimento de Q

= 3/4(% crescimento L) + 1/4(% crescimento K) (1)

+ P.T.

em que "P.T." representa o progresso tecnológico (ou a produtividade total dos fatores) que aumenta a produtividade e em que 3/4 e 1/4 são as contribuições relativas de cada fator para o crescimento econômico. Em condições de concorrência perfeita, essas frações são iguais às parcelas dos dois fatores na renda nacional; naturalmente, essas frações seriam substituídas por novas frações se as parcelas relativas dos fatores se alterassem, ou se fossem incluídos outros fatores.

Para explicar o crescimento *per capita*, podemos eliminar L como uma fonte separada de crescimento. Assim, considerando que o capital obtém 1/4 do produto, podemos obter da equação (1):

% crescimento de Q/L

= % crescimento de Q – % crescimento de L (2)

= 1/4 (% crescimento de K/L) + P.T.

Esta relação mostra claramente como o aprofundamento do capital afetaria o produto *per capita* se o progresso tecnológico fosse nulo. O produto por trabalhador cresceria somente 1/4, tanto quanto o capital por trabalhador, o que reflete rendimentos decrescentes.

Subsiste uma questão final: podemos medir o crescimento de Q, de K, e de L, bem como as parcelas de K e de L. Mas como podemos medir o P.T. (progresso tecnológico)? Não podemos. Em vez disso, temos de *inferir* o P.T. como o valor residual após os outros componentes do produto e dos fatores terem sido calculados. Podemos, portanto, calcular o progresso tecnológico (ou produtividade total dos fatores) alterando os termos da equação (1), assim:

P.T. = % crescimento de Q – 3/4 (% crescimento L)

– 1/4 (% crescimento K) (3)

Essa equação permite-nos responder a questões importantíssimas acerca do crescimento econômico. Que parte do crescimento do produto *per capita* é devida ao aprofundamento do capital e que parte é devida ao progresso tecnológico? É o progresso da sociedade determinado principalmente pela parcimônia e pela contração do consumo no presente? Ou o aumento do nosso nível de vida será o prêmio pelo engenho dos inventores e da ousadia dos empresários inovadores?

Exemplo numérico. Para determinar as contribuições do trabalho, do capital e de outros fatores para o crescimento do produto, substituímos na equação anterior (2) as variáveis pelos valores correspondentes ao período 1900-2008 para obter o crescimento de Q/L. Desde 1900, as horas trabalhadas aumentaram 1,4% ao ano, e K aumentou 2,6% no mesmo período, enquanto Q cresceu a 3,3%. Efetuando o cálculo, concluímos que

% crescimento de Q/L
= 1/4(% crescimento de K/L) + P.T.

transforma-se em

1,9 = 1/4(1,2) + P.T. = 0,3 + 1,6

Contribuição dos diferentes elementos para o crescimento do PIB real, Estados Unidos, 1948-2007		
	Em % anual	% do total
Crescimento do PIB real (setor empresarial privado)	3,52	100
Contribuição dos fatores de produção	2,14	61
Capital	1,21	34
Trabalho	0,94	27
Crescimento da produtividade do total dos fatores (pesquisa e desenvolvimento, educação, avanço no conhecimento e outras fontes)	1,39	39

TABELA 25-3 Os avanços no conhecimento ultrapassam o capital na contribuição para o crescimento econômico. Estudos utilizando as técnicas da contabilidade do crescimento subdividem o crescimento do PIB no setor privado pelos fatores que para ele contribuíram. Estudos abrangentes recentes concluem que o crescimento do capital corresponde a 34% do crescimento do produto. A educação, a pesquisa, o desenvolvimento e outros avanços do conhecimento somam 39% do total do crescimento do produto e mais de metade do crescimento do produto por unidade de trabalho.

Fonte: U.S. Department of Labor, em "Historical Multifactor Productivity Measures (SIC 1948–87 Linked to NAICS 1987–2007)", em <http://www.bls.gov/mfp/home.htm>.

Assim, do aumento de 1,9% ao ano do produto por trabalhador, cerca de 0,3 ponto percentual é devido ao aprofundamento do capital enquanto a maior parte, 1,6% ao ano, deriva do P.T. (progresso tecnológico).

Estudos detalhados. Estudos mais aprofundados desenvolvem estes cálculos simplificados, mas chegam a conclusões muito semelhantes. A Tabela 25-3 apresenta os resultados de estudos pelo Department of Labor para o período de 1948-2007. Durante esse tempo, o produto (medido como o produto bruto do setor empresarial privado) cresceu a uma taxa média de 3,5% ao ano, enquanto o crescimento dos fatores de produção (do capital, do trabalho e da terra) contribuiu com 2,1 pontos percentuais por ano. Assim, a **produtividade total dos fatores** – o crescimento do produto menos o crescimento da soma ponderada de todos os fatores ou o que temos chamado P.T. – foi em média de 1,4% ao ano.

Cerca de 60% do crescimento do produto nos Estados Unidos pode ser atribuído ao crescimento do trabalho e do capital. Os 40% restantes são um fator residual que pode ser atribuído à educação, à pesquisa e ao desenvolvimento, à inovação, às economias de escala, ao avanço no conhecimento e a outros fatores.

Outros países apresentam padrões de crescimento diferentes. Por exemplo, os pesquisadores têm usado a contabilidade do crescimento para estudar a União Soviética, que cresceu rapidamente no período de 1930 até meados dos anos 1960. Parece, contudo, que a taxa de crescimento elevada derivou principalmente do aumento forçado de capital e trabalho. Nos últimos anos de existência da URSS, a produtividade de fato *diminuiu* com a perda de funcionalidade pelo aparelho de planejamento central, com a disseminação da corrupção e a redução dos incentivos econômicos. O crescimento estimado da produtividade total dos fatores na União Soviética, no meio século que antecedeu o seu colapso, foi inferior ao verificado nos Estados Unidos e nas principais economias de mercado. Apenas a capacidade do governo central de transferir de forma forçada produtos para investimento (deixando menos para o consumo) anulou a ineficiência do sistema.

TENDÊNCIAS RECENTES DA PRODUTIVIDADE

Uma observação atenta das tendências da produtividade indica que há movimentos acentuados de ano para ano, bem como inflexões prolongadas. O crescimento da produtividade é mostrado na Figura 25-6. A produtividade cresceu notavelmente desde a Segunda Guerra Mundial até o final dos anos 1960.

Depois, a partir de 1973, houve vários anos de desempenho fraco e mesmo de declínio. Estudos desse período indicam que o registo da fraca produtividade derivou dos aumentos acentuados dos preços do petróleo, do acréscimo da rigidez das regulações e dos impactos dos controles de preço e salários e dos persistentes controles nas indústrias da energia, bem como de um abrandamento na despesa com pesquisa e desenvolvimento.

Os economistas preocupam-se com a produtividade em virtude de sua estreita ligação com o crescimento dos salários reais e dos níveis de vida. A Figura 25-5(*c*) mostrou como o crescimento dos salários reais acompanhou a produtividade por hora trabalhada desde 1900. Essa ideia é apresentada quantitativamente na Tabela 25-4. Um cálculo simples mostra que se a parcela do trabalho na renda nacional for constante, isso implica que os salários reais crescerão à taxa de crescimento da produtividade do trabalho.[6]

---

[6] Para ver esta relação, escreva a parcela do trabalho como $W \times L = s \times P \times Q$, em que s é a parcela do trabalho, W = nível salarial nominal, L = horas de trabalho, P = índice de preços e Q = produto. Dividindo ambos os lados por L e P, obtém-se $(W/P) = s \times (Q/L)$, o que significa que o salário real é igual à parcela do trabalho vezes a produtividade do trabalho. Assim, se a parcela do trabalho na renda nacional é constante, os salários reais aumentarão à mesma taxa da produtividade do trabalho.

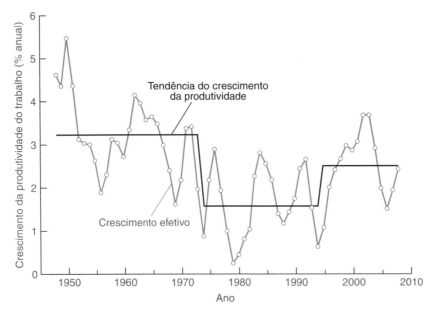

FIGURA 25-6 Crescimento da produtividade do trabalho nas empresas dos Estados Unidos, 1948-2008.

A produtividade do trabalho cresceu rapidamente até os problemáticos anos 1970 e depois diminuiu. Impulsionada por ganhos significativos na tecnologia da informação, especialmente de computadores, a produtividade voltou a crescer na última década.

Fonte: Bureau of Labor Statistics. Os dados foram recolhidos da base de dados do St. Louis Fed em <http://research.stlouisfed.org/fred2>.

	Produtividade e salários reais	
	Percentagem anual média de crescimento de:	
Período	**Produtividade do trabalho**	**Salários reais**
1948-1973	3,1	3,3
1973-1995	1,3	1,5
1995-2008	2,6	2,6

TABELA 25-4 Os salários reais são o espelho do crescimento da produtividade.

No longo prazo, os salários reais tendem a variar de acordo com as tendências da produtividade do trabalho. Após a diminuição da produtividade em 1973, o crescimento dos salários reais abrandou acentuadamente.

Fonte: U.S. Department of Labor. A produtividade refere-se ao setor empresarial nos Estados Unidos; a remuneração nominal está deflacionada, usando o índice de preços para as empresas privadas.

Inflexão da produtividade

Os economistas aguardam um novo aumento da produtividade, esperando que a revolução na tecnologia da informação possa espalhar o rápido crescimento por toda a economia. De fato, as inovações na tecnologia da informação (o componente física dos computadores, a programação e as comunicações) têm produzido melhorias significativas em todos os setores da economia. Os preços dos computadores caíram mais de mil vezes nas três últimas décadas. O correio eletrônico e a internet estão mudando a face do comércio no varejo. Os computadores são o sistema nervoso das empresas – os sistemas de reservas e preços de gestão das companhias aéreas, a procura por preços e quantidades em armazéns, a transmissão de eletricidade, a compensação de cheques, a declaração de impostos e o envio aos estudantes das suas mensalidades escolares. Alguns economistas pensam que os computadores são como um novo quarto fator de produção.

O impacto da revolução dos computadores tornou-se evidente nas estatísticas da produtividade a partir de 1995, tendo crescido devagar no período de 1973-1995; a produtividade voltou a aumentar para 2,6% ao ano de 1995 a 2008.

Tal como foi previsto pelo modelo com parcelas na renda constantes, a remuneração real acompanhou a produtividade do trabalho (ver Tabela 25-4). Os salários reais cresceram a uma taxa média de 3,3% de 1948 a 1973, caíram para 1,5% ao ano, de 1973 a 1995, e depois aumentaram acentuadamente para 2,6% de 1995 a 2008.

Os entusiastas falam de uma "nova era" e do "grande mundo novo do capitalismo americano". O presidente do Fed, Alan Greenspan, conhecido principalmente pelas suas declarações proféticas, juntou-se aos entusiastas da tecnologia argumentando que "um perceptível aumento do ritmo a que as inovações são aplicadas favorece a hipótese de que a recente aceleração na produtividade do trabalho não é apenas um fenômeno cíclico, ou uma aberração estatística, mas reflete, pelo menos em parte, uma mais profunda e estável, e ainda a decorrer, mudança da nossa paisagem econômica".

Os economistas que analisam os números pelo microscópio estatístico descobriram alguns fatos interessantes acerca da inflexão da produtividade. Entre as causas mais importantes contam-se as seguintes:

- *Produtividade enorme nos computadores.* A explosão na produtividade (e consequente queda dos preços) dos computadores tem sido extraordinária. Os economistas que estudaram o setor da tecnologia da informação estimam que o crescimento da produtividade nesse setor tenha sido entre 20 e 30% ao ano. Isso tornou-se economicamente importante à medida que os computadores penetram cada vez mais na economia dos Estados Unidos. No final dos anos 1990, a produção de tecnologia da informação contribuía com quase metade de todo o crescimento da produtividade, embora tenha diminuído drasticamente após o estouro da bolha tecnológica em 2000.
- *Aprofundamento do capital.* Tem havido um aumento muito pronunciado do investimento desde 1995. As empresas investiram fortemente em computadores e programação para tirar vantagem dos preços em queda e da capacidade crescente da nova programação.
- *Produto não quantificado.* Muitos dos avanços da nova economia não têm sido captados pelas estatísticas da produtividade. Os progressos fenomenais da internet, do correio eletrônico e celulares são em grande medida esquecidos nas estatísticas da produtividade. Alguns economistas descobriram que a produtividade é significativamente subestimada em relação à programação e ao equipamento de comunicações (ver a análise da quantificação dos preços no Capítulo 20). Considere o tempo que os consumidores poupam ao comprarem pela internet, a diminuição do tempo e do preço do selo com a substituição do correio tradicional pelo e-mail, ou a comodidade dos celulares – nenhum dos quais aparece na produtividade quantificada. Outros pensam que os verdadeiros ganhos dos computadores surgirão no futuro. O historiador de economia de Stanford, Paul David, que estudou as invenções do passado, pensa que a economia levará décadas para extrair de invenções básicas todos os benefícios.

Seja, ou não, o crescimento mais rápido da produtividade um aspecto permanente da nossa economia, é claro que os computadores continuam a moldá-la, bem como as nossas vidas, de forma surpreendente.

Com isso concluímos a nossa introdução aos princípios do crescimento econômico. O próximo capítulo aplica estes princípios à luta dos países pobres na melhoria dos seus níveis de vida. Nos demais capítulos desta Parte, iniciamos o nosso estudo do comércio e das finanças internacionais.

RESUMO

A. Teorias do crescimento econômico

1. A análise do crescimento econômico examina os determinantes que levam ao crescimento, no longo prazo, do produto potencial. O crescimento do produto *per capita* é um objetivo importante do governo porque está associado ao aumento das rendas médias reais e dos níveis de vida.

2. Revendo a experiência dos países, no espaço e no tempo, vemos que a economia se move sobre as quatro forças propulsoras do crescimento econômico: (a) a quantidade e a qualidade da sua força de trabalho; (b) a abundância da sua terra e dos outros recursos naturais; (c) o estoque de capital acumulado; e, talvez a mais importante, (d) o progresso tecnológico e a inovação que permitem a geração de um produto maior com os mesmos fatores de produção. Não existe, contudo, uma combinação única desses quatro ingredientes; os Estados Unidos, a Europa e os países da Ásia têm seguido percursos diferentes para o sucesso econômico.

3. Os modelos clássicos de Smith e Malthus descrevem o desenvolvimento econômico em termos de terra e população. Na ausência de progresso tecnológico, a crescente população conduz à exaustão da oferta de terra livre. O aumento resultante da densidade populacional desencadeia a lei dos rendimentos decrescentes, de modo que o crescimento gera maiores aluguéis da terra e menores salários de concorrência. O equilíbrio malthusiano é atingido quando o nível salarial cai para o nível de subsistência, abaixo do qual a população não consegue se sustentar. Na realidade, contudo, o progresso tecnológico tem permitido o crescimento no longo prazo dos salários e da produtividade por trabalhador na maioria dos países por meio do contínuo deslocamento para cima da curva da produtividade do trabalho.

4. A acumulação de capital com a complementaridade do trabalho forma o cerne da moderna teoria do crescimento no modelo neoclássico. Essa abordagem usa um instrumento conhecido por função de produção agregada que relaciona os fatores produtivos e a tecnologia com o PIB potencial total. Na ausência de progresso tecnológico e de inovação, um aumento do capital por trabalhador (aprofundamento do capital) não seria acompanhado por um aumento proporcional do produto por trabalhador devido aos rendimentos decrescentes do capital. Assim, o aprofundamento do capital reduziria a taxa de remuneração do capital (igual à taxa de juros real de concorrência sem risco) enquanto aumentaria os salários reais.

5. O progresso tecnológico aumenta o produto que se pode obter com um dado conjunto de fatores de produção. Isso empurra para cima a função de produção agregada, gerando mais produto com os mesmos fatores de trabalho e de capital. Análises recentes na "nova teoria do crescimento" tentam descobrir os processos que geram o progresso tecnológico. Essa abordagem salienta (a) que o

progresso tecnológico é um produto do sistema econômico, (b) que a tecnologia é um bem público, ou não rival, que pode ser usado simultaneamente por muitas pessoas e (c) que as novas invenções têm uma criação dispendiosa, mas uma reprodução barata. Esses aspectos significam que os governos devem prestar muita atenção para assegurar que os inventores tenham incentivos adequados, por meio de fortes direitos de propriedade intelectual, para se dedicarem a pesquisa e desenvolvimento.

B. Padrões do crescimento nos Estados Unidos

6. São visíveis numerosas tendências do crescimento econômico nos dados referentes ao século XX e ao início do XXI. Entre as descobertas-chave contam-se que os salários reais e o produto por hora trabalhada aumentaram continuamente; a taxa de juros real não apresentou qualquer tendência significativa; e que a razão capital/produto diminuiu. As principais tendências são consistentes com o modelo de crescimento neoclássico que inclui o progresso tecnológico. Assim, a teoria econômica confirma o que a história econômica nos diz – que o progresso tecnológico aumenta a produtividade dos fatores e aumenta os salários e os níveis de vida.

7. A última tendência, a do crescimento contínuo do produto potencial desde 1900, levanta a questão importante das fontes do crescimento econômico. Aplicando técnicas quantitativas, os economistas têm usado a contabilidade do crescimento para determinar que fontes "residuais" – como o progresso tecnológico e a educação – ultrapassam o aprofundamento do capital no seu impacto sobre o crescimento do PIB ou da produtividade do trabalho.

8. Após 1970, o crescimento da produtividade abrandou sob o peso dos aumentos do preço da energia, do crescimento da regulação ambiental e de outras mudanças estruturais. No final dos anos 1990, porém, a explosão da produtividade e do investimento em computadores e em outras tecnologias da informação levaram a um acentuado aumento do crescimento medido da produtividade.

CONCEITOS PARA REVISÃO

- quatro forças do crescimento
  - recursos humanos
  - recursos naturais
  - capital
  - progresso tecnológico
- função de produção agregada
- idade de ouro de Smith
- razão capital/produto

- salário de subsistência de Malthus
- modelo de crescimento neoclássico
- K/L aumenta com o aprofundamento do capital
- nova teoria do crescimento
- tecnologia como um bem produzido
- sete tendências do crescimento econômico

- contabilidade do crescimento
- % crescimento Q = 3/4
  (% crescimento de L) + 1/4
  (% crescimento de K)
- % crescimento Q/L = 1/4
  (% crescimento de K/L) + P.T.

LEITURAS ADICIONAIS E SITES

Leituras adicionais

Uma das melhores resenhas sobre crescimento econômico é a de Robert Solow, *Economic Growth* (Oxford University Press, Oxford, R.U., 1970). Ver o seu artigo pioneiro "A Contribution to the theory of Economic Growth", *Quaterly Journal of Economics*, 1956. O texto de referência é William Baumol, "Entreprenuership: Productive, Unproductive, and Destructive", *Journal of Political Economy*, outubro de 1990, p. 893-921.

Para ler alguns excelentes livros sobre o crescimento econômico. David N. Weil, *Economic Growth* (Pearson, Addison-Wesley, New York, 2006) é uma pesquisa avançada sobre o assunto. David Warsh é um excelente jornalista econômico; o seu *Knowledge and the Wealth of Nations* (Norton, New York, 2006) explora as origens da nova teoria do crescimento. Benjamin Friedman, *The Moral Consequences of Economic Growth* (Knopf, New York, 2006) explora as dimensões moral e histórica do crescimento econômico, com algumas conclusões surpreendentes.

Sites

Um site dedicado ao crescimento econômico é mantido por Jonathan Temple de Oxford, disponível em <http://www.bris.ac.uk/Depts/Economics/growth/> e contém muitas referências e links. Os artigos de Solow e Baumol estão disponíveis em <http://www.jstor.org>.

O progresso tecnológico muitas vezes é associado a invenções específicas. As vidas e as patentes de grandes inventores podem ser encontradas em <http://www.invent.org/hall_of_fame/1_0_0_Hall_of_fame.asp>.

QUESTÕES PARA DISCUSSÃO

1. Lembrete sobre cálculo do crescimento: tal como a economia financeira, a teoria e a quantificação do crescimento econômico dependem de cálculos sobre as taxas de crescimento. A taxa de crescimento de um período em percentagem ao ano (a.a) é dada por:

$$g_t = 100 \times (x_t/x_{t-1} - 1)$$

De modo semelhante, a taxa de crescimento de n períodos em % a.a. é calculado como

$$g_t^{(n)} = 100 \times \left[\left(\frac{x_t}{x_{t-1}} \right)^{1/n} - 1 \right]$$

a. Reveja a tabela de dados macroeconômicos no Apêndice do Capítulo 19. Calcule a taxa de crescimento anual do PIB real para 1980-1981 e 1980-1982.

b. Em seguida, calcule o crescimento da produtividade do trabalho de 1995 a 2000, admitindo que os seguintes são os índices do produto real e do trabalho:

Ano	Trabalho	Produto
1995	100,00	100,00
2000	110,29	126,16

2. "Se o governo reforçasse os direitos de propriedade intelectual, subsidiasse a ciência básica e controlasse os ciclos econômicos, veríamos um crescimento econômico que espantaria os economistas clássicos". Explique o que o escritor quis dizer com essa afirmação.

3. "Sem crescimento da população e sem progresso tecnológico, a acumulação persistente do capital acabaria destruindo a classe capitalista". Explique por que tal cenário levaria a uma taxa de juros real nula e ao desaparecimento dos lucros.

4. Recorde a equação da contabilidade do crescimento [equação (1) da p. 454]. Calcule o crescimento do produto se o trabalho aumentar 1% ao ano, o capital aumentar 4% ao ano e o progresso tecnológico for 1,5% ao ano.

Qual seria a sua resposta se:

a. O crescimento do trabalho se reduzisse para 0% ao ano?

b. O crescimento do capital aumentasse para 5% ao ano?

c. O trabalho e o capital tivessem parcelas idênticas no PIB?

Calcule, também, para cada uma destas condições, a taxa de crescimento do produto por hora trabalhada.

5. Use a *FPP* para ilustrar a previsão de Malthus e explicar a razão por que falhou. Coloque a produção de alimentos *per capita* em um dos eixos e a produção industrial *per capita* no outro. Admita que há rendimentos decrescentes do trabalho na produção de alimentos, mas que o setor tem rendimentos constantes do trabalho.

6. **Problema avançado com foco em álgebra**: Quem domina a álgebra pode facilmente alcançar o essencial do quadro da contabilidade do crescimento deste capítulo. Baseamo-nos, para este problema, na importante função de produção de Cobb-Douglas. Esta é uma fórmula algébrica específica que é escrita como $Q_t = A_t K_t^\alpha L_t^{(1-\alpha)}$. Ela é amplamente utilizada em estudos empíricos.

a. Mostre que a taxa de crescimento do produto é dada por

$$g(Q_t) = g(A_t) + \alpha g(K_t) + (1 - \alpha) g(L_t)$$

onde $g(x_t)$ é a taxa de crescimento dessa variável.

b. Cursos avançados demonstram que, em concorrência perfeita, α = a parcela do capital no renda nacional e (1 - α) = parcela do trabalho. Se a parcela do trabalho na renda nacional é de 75%, derive a equação da contabilidade do crescimento do texto.

7. **Problema avançado.** Muitos receiam que os computadores façam aos humanos o que os tratores e os automóveis fizeram aos cavalos – a queda abrupta da população equina no início do século XX após o progresso tecnológico ter tornado obsoletos os cavalos. Se tratarmos os computadores como um tipo particularmente produtivo de *K*, qual seria o efeito da sua introdução sobre a razão capital/trabalho na Figura 25-3? O produto total pode diminuir com uma população ativa fixa? Sob que condições o salário real diminuiria? Você compreende por que não se aplica a analogia com os cavalos?

CAPÍTULO 26

Desafio do desenvolvimento econômico

Acredito no materialismo. Acredito em todos os frutos de um materialismo saudável – boa cozinha, casas sem umidade, pés enxutos, esgotos, água encanada, água quente, banheiros, lâmpadas elétricas, automóveis, boas estradas, ruas iluminadas, férias longas longe do chafariz da vila, ideias novas, cavalos de corrida, conversa inteligente, teatros, óperas, orquestras, bandas – acredito em todos eles e para todos. O homem que morrer sem conhecer todas essas coisas poderá ser tão perfeito como um santo e tão rico quanto um poeta; mas o será apesar da sua privação e não por ter sido privado delas.

Francis Hacket

O planeta Terra abriga atualmente pessoas com níveis de vida muito diferentes. Em um dos extremos, estão as ricas América do Norte e Europa Ocidental, em que 1% das pessoas mais ricas usufrui cerca de 20% da renda e do consumo mundiais. No outro extremo, estão os desprotegidos da África e Ásia, cerca de bilhões de pessoas que vivem na pobreza absoluta, com pouco conforto e raramente sabendo quando terão a próxima refeição.

Quais são as causas das grandes diferenças na riqueza dos países? O mundo pode sobreviver pacificamente com a pobreza misturada com grande abundância? Que medidas os países pobres podem adotar para melhorar os seus níveis de vida? Quais são as responsabilidades dos países ricos?

Essas questões, que dizem respeito aos obstáculos com que se defrontam os países em desenvolvimento, estão entre os principais desafios da ciência econômica moderna. É aqui que as ferramentas da ciência econômica podem influir enormemente sobre a vida das pessoas. É aqui que a ciência econômica pode, literalmente, fazer a diferença entre a vida e a morte. Começamos com a análise da população e descrevemos, a seguir, as características dos países em desenvolvimento. A segunda parte deste capítulo examina as abordagens alternativas ao crescimento econômico nos países em desenvolvimento, em especial, os modelos mais bem-sucedidos na Ásia, bem como a experiência fracassada do comunismo na Rússia.

A. CRESCIMENTO DA POPULAÇÃO E DESENVOLVIMENTO

MALTHUS E A CIÊNCIA LÚGUBRE

A tecnologia pode manter o mesmo ritmo do crescimento da população nos países pobres? A África está condenada a viver no limiar instável da subsistência em virtude de sua alta taxa de natalidade e ao fardo de doenças como a Aids? Tais perguntas têm constituído uma parcela importante da ciência econômica há quase dois séculos.

A análise econômica da população remonta ao reverendo T. R. Malthus, que encontramos no contexto da análise do crescimento econômico no último capítulo. Malthus desenvolveu as suas ideias enquanto argumentava contra a ideia perfeccionista de seu pai de que a raça humana estava sempre melhorando. O filho acabou por se preocupar tanto que escreveu *An Essay on The Principle of Population* (1798), que foi um campeão de vendas e, desde então, influenciou, em todo o mundo, o pensamento das pessoas sobre a população e o crescimento econômico.

Malthus partiu da observação de Benjamin Franklin de que nas colônias norte-americanas em que os recursos eram abundantes, a população tendia a duplicar a cada 25 anos. Malthus postulou, então, uma tendência universal da população – exceto quando barrada pela oferta limitada de alimentos – para crescer exponencialmente, ou por meio de uma progressão geométrica. Uma população que duplica a cada geração – 1, 2, 4, 8, 16, 32, 64, 128, 256, 512, 1024, ... – acaba por ser tão grande que deixa de haver espaço suficiente para todos no mundo.

Após invocar o crescimento exponencial, Malthus ainda tinha mais um argumento. Nesse ponto, revelou o demônio dos rendimentos decrescentes. Argumentou que, uma vez que a quantidade de terra é fixa, os alimentos tenderiam a crescer apenas segundo uma progressão aritmética. Não poderiam acompanhar o crescimento exponencial (ou em progressão geométrica) do trabalho. (Compare 1, 2, 3, 4, ... com 1, 2, 4, 8, ...) Citamos a conclusões sombrias de Malthus:

> À medida que a população duplica, e volta a duplicar, ocorre como se o globo estivesse encolhendo pela metade, e novamente pela metade – até finalmente ter encolhido tanto que a produção de alimentos houvesse encolhido abaixo do nível necessário para suprir as necessidades da população.

Quando a lei dos rendimentos decrescentes se aplica a uma oferta fixa de terra, a produção de alimentos tende a não acompanhar a taxa de crescimento em progressão geométrica da população.

De fato, Malthus não disse que a população cresceria *necessariamente* segundo uma taxa geométrica. Isso seria apenas a tendência se não houvesse limitações. Ele descreveu as limitações que operam, em todos os lugares e em todos os tempos, para manter a população reduzida. Na primeira edição, ele salientou as limitações "positivas" que aumentam a taxa de mortalidade: doenças, fome e guerra. Mais tarde, Malthus manifestou esperança de que o crescimento da população pudesse ser refreado com "restrições morais", como a abstinência e o adiamento de casamentos.

Essa aplicação importante dos rendimentos decrescentes ilustra os efeitos profundos que uma simples teoria pode ter. As ideias de Malthus tiveram uma grande repercussão. O seu livro foi utilizado para fundamentar uma profunda revisão das leis inglesas sobre a pobreza. Sob a influência das ideias de Malthus, as pessoas argumentavam que a pobreza devia se tornar tão insuportável quanto possível. Nessa perspectiva, o governo não poderia melhorar o bem-estar da população pobre – uma vez que qualquer aumento das rendas dos pobres apenas levaria os trabalhadores a se reproduzirem até que todos se vissem reduzidos a uma situação de mera subsistência.

Juros compostos e crescimento exponencial

Façamos uma pausa para recordar o crescimento exponencial e os juros compostos que são instrumentos importantes em Economia. O crescimento exponencial (ou geométrico) ocorre quando uma variável aumenta a uma taxa proporcional constante, em todos os períodos. Assim, se uma população de 200 está crescendo 3% ao ano, será de 200 no ano 0; 200 × (1,03) no ano 1; 200 × (1,03) × (1,03) no ano 2, ..., será de 200 × (1,03)^{10} no ano 10, e assim sucessivamente.

Quando é reinvestido continuamente, o dinheiro ganha juros compostos, o que significa que há juros dos juros ganhos no passado. O dinheiro a render juros compostos cresce de forma geométrica. Um cálculo intrigante é o de determinar quanto valeriam, no presente, os US$ 26 recebidos pelos índios pela ilha de Manhattan se fossem depositados a juros compostos. Admita que esse valor tivesse sido colocado em um depósito que rendesse 6% ao ano desde 1626. Em 2010 ele valeria US$ 136 bilhões.

Uma regra prática sobre os juros compostos é a **regra dos 70**, segundo a qual uma grandeza que cresce a uma taxa de g por ano, duplicará em $(70/g)$ anos. Por exemplo, uma população que cresce a 2% ao ano, duplicará em 35 anos, enquanto, se investir os seus recursos a 7% ao ano, os valores duplicarão em 10 anos.

Previsões equivocadas de Malthus. Apesar dos seus estudos estatísticos cuidadosos, atualmente os demógrafos pensam que as ideias de Malthus eram simplistas demais. Na sua análise dos rendimentos decrescentes, Malthus não antecipou o milagre tecnológico da Revolução Industrial. Nem compreendeu que o movimento pelo controle da natalidade e as novas tecnologias permitiriam às famílias a redução da taxa de natalidade. De fato, o crescimento da população na maioria dos países do Ocidente começou a diminuir após 1870, à medida que os padrões de vida e os salários reais aumentavam mais rapidamente.

No século posterior a Malthus, o progresso tecnológico ampliou as fronteiras das possibilidades de produção dos países da Europa e da América do Norte. De fato, o progresso tecnológico ultrapassou em muito a população, o que resultou em um aumento rápido dos salários reais. Todavia, os germes de verdade das doutrinas de Malthus continuam a ser importantes para compreender as tendências da população em alguns países pobres, onde a corrida entre a população e a disponibilidade de alimentos continua.

Implosão da população? Antes de nos voltarmos para as questões que os países pobres enfrentam, é importante reconhecer que o problema que muitos países ricos enfrentam é o do *declínio do crescimento da população*, e não o da explosão populacional. Praticamente, todos os países ricos do mundo na atualidade têm um crescimento da população zero ou negativa, ou seja, o número médio de filhos adultos por mulher é de 2 ou menos. Na maioria dos países avançados de hoje, a população apenas cresce por causa da imigração. Uma população estável ou em declínio com uma esperança de vida aumentando coloca uma grande pressão sobre as condições fiscais dos países por causa da necessidade de financiar os cuidados de saúde e as aposentadorias públicas.

Limites ao crescimento e o neo-malthusianismo

Com frequência, ideias antigas emergem de novo à luz de novas tendências sociais ou de descobertas científicas. Repetidamente, as ideias malthusianas têm vindo à tona, à medida que muitos defensores do anticrescimento e ambientalistas argumentam que o crescimento econômico é limitado pelo caráter finito dos nossos recursos naturais e pelas restrições ambientais.

As preocupações em relação à viabilidade do crescimento ganharam destaque no início dos anos 1970 com uma série de estudos pelo agourento "Clube de Roma". A análise dessa escola apareceu em um estudo de computador famoso chamado *The Limits to Growth* e a sua sequência, em 1992, *Beyond the Limits*. As previsões dos neo-malthusianos eram ainda mais sombrias do que as do próprio Malthus:

> Se as tendências atuais de crescimento da população, da industrialização, da poluição, dos problemas de alimentação e da dilapidação dos recursos mundiais não se alterarem, os limites de crescimento neste planeta serão atingidos nos próximos 100 anos. O resultado mais provável será um declínio súbito e descontrolado, tanto da população como da capacidade industrial.

Tais críticos do crescimento encontraram uma audiência receptiva em decorrência do alarme crescente em relação ao crescimento rápido da população nos países em desenvolvimento e, nos anos 1970, do aumento em espiral dos preços do petróleo e do declínio acentuado do crescimento da produtividade. Uma segunda onda do pessimismo sobre o crescimento emergiu na última década em virtude das preocupações com as restrições ambientais ao crescimento econômico no longo prazo. Entre as preocupações atuais está o aquecimento global, em que o uso de combustíveis fósseis está aquecendo o clima; as provas muito disseminadas de chuva ácida; o aparecimento do "buraco da camada de ozônio" na Antártida, juntamente com a destruição do ozônio nas regiões temperadas; o desflorestamento, especialmente das florestas tropicais úmidas, que podem romper o equilíbrio ecológico global; a erosão dos solos, que ameaça a viabilidade da agricultura no longo prazo; a acidificação dos oceanos, decorrente do aumento do dióxido de carbono na atmosfera e a extinção de espécies, que ameaça limitar, no futuro, o potencial da medicina e de outras tecnologias.

A análise econômica que está subjacente à análise neo-malthusiana está estreitamente relacionada com a teoria malthusiana. Onde Malthus sustentava que a produção seria limitada pelos rendimentos decrescentes na produção de alimentos, os pessimistas do crescimento atuais argumentam que o crescimento será limitado pela capacidade limitada de absorção do nosso ambiente. Podemos, dizem alguns, queimar apenas uma quantidade limitada de combustíveis fósseis antes de enfrentar a ameaça da mudança climática perigosa. A necessidade de redução do uso de combustíveis fósseis pode muito bem retardar o nosso crescimento econômico de longo prazo.

No entanto, há uma diferença fundamental. A análise anterior respeitava a *bens e serviços de mercado*, tais como terra, alimentos e petróleo. Muitas das preocupações de hoje são relacionadas às *externalidades* e aos *bens públicos*, para os quais os preços de mercado não regulado fornecem sinais distorcidos.

Quais são as evidências empíricas sobre o efeito da exaustão de recursos e dos limites ambientais sobre o crescimento econômico? Os fatos são que os preços da maioria dos produtos básicos, como cereais, energia e madeira têm aumentado *mais lentamente* do que o nível geral de preços. No entanto, muitos economistas estão preocupados com as externalidades, particularmente de bens públicos globais, como o aquecimento global. Os países não encontraram um modo fácil de negociar acordos de cooperação para diminuir o aquecimento global. Podemos olhar para a história conturbada da proliferação nuclear, como outro exemplo em que tem sido difícil alcançar a cooperação mundial. O futuro da economia global pode depender de encontrar soluções para esses novos dilemas malthusianos.

B. CRESCIMENTO ECONÔMICO NOS PAÍSES POBRES

CARACTERÍSTICAS DE UM PAÍS EM DESENVOLVIMENTO

O que é exatamente um **país em desenvolvimento**? A característica mais importante de um país em desenvolvimento é ter uma reduzida renda *per capita*. Além disso, a população nos países em desenvolvimento têm uma saúde deficiente, baixos índices de alfabetização, alimentação muito deficiente e pouco capital com que trabalhar. Muitos países pobres têm instituições de mercado e de governo fracas, corrupção e guerra civil. Esses países têm, frequentemente, um crescimento elevado da população nativa, mas também sofrem com a emigração, particularmente entre os trabalhadores qualificados.

A Tabela 26-1 é uma importante fonte de dados para compreender os principais participantes na economia mundial, bem como os indicadores relevantes do subdesenvolvimento. Os países de renda baixa ou média estão agrupados em seis regiões importantes do mundo.

Região	População			PIB per capita		Educação	Migração líquida
	Número, 2006 (milhões)	Taxa de crescimento, 2000-2006 (%)	Esperança de vida no nascimento (anos)	2006 Dólares	Crescimento 2000-2006 (% anual)	Analfabetismo de adultos (% idades 15 e mais)	Taxa de migração (por mil pessoas)
Extremo Oriente e Pacífico (China, Indonésia, ...)	1.900	0,9	71	6.820	7,6	9	-2,0
Europa Oriental e Ásia Central (Rússia, Polônia, ...)	460	0,0	69	9.660	5,7	2	-0,4
América Latina e Caribe (Brasil, México, ...)	556	1,3	73	8.800	1,8	10	-1,2
Médio Oriente e Norte da África (Egito, Irã, ...)	311	1,8	70	6.450	2,3	27	-0,9
Ásia do Sul (Índia, Paquistão, ...)	1493	1,7	63	3.440	5,1	42	-0,2
África Subsaariana (Nigéria, Etiópia, ...)	770	2,3	47	2.030	2,3	41	-0,1

TABELA 26-1   Indicadores importantes para diferentes grupos de países.

O Banco Mundial agrupa os países em desenvolvimento em seis regiões. Para cada grupo é apresentado um conjunto de importantes indicadores do desenvolvimento econômico. Repare que os países de baixa renda tendem a ter um fraco grau de alfabetização e elevada emigração. Alguns países de baixa renda têm esperança de vida próxima da dos países ricos.
Fonte: Banco Mundial, *World Development Report* e dados em <www.worldbank.org>.

Da tabela são retirados alguns aspectos interessantes. De uma forma clara, os países de baixa renda são muito mais pobres do que os países avançados, como os Estados Unidos. Os habitantes dos países mais pobres ganham apenas cerca de 1/20 do que ganham os habitantes dos países de renda elevada. Para os dados da tabela foram usados cálculos de *paridade de poder de compra* (*PPC*) para quantificar as rendas. As taxas de câmbio de mercado tendem a subavaliar as rendas dos países pobres com menores salários. (O uso de taxas de câmbio de paridade de poder de compra para avaliar níveis de vida é analisado no Capítulo 27.) Note também que o início dos anos 2000 foi um período de forte crescimento na economia mundial, e que também se repercutiu nas regiões mais pobres.

Além disso, muitos indicadores sociais e de saúde mostram os efeitos da pobreza nos países de baixa renda. A esperança de vida é menor do que nos países de renda elevada e a escolaridade e a alfabetização às vezes são mínimas.

Existe uma grande diversidade entre os países em desenvolvimento. Alguns permanecem no limiar da sobrevivência – são os países mais pobres como Congo, Etiópia e Libéria. Outros que estavam nessa categoria, há duas ou três décadas, subiram ao grupo dos países com renda média. Os mais bem-sucedidos – Eslovênia, Cingapura e Coreia do Sul – afastaram-se do grupo em desenvolvimento e os mais bem-sucedidos têm rendas *per capita* que atingiram os níveis dos países de renda alta. Os que foram anteriormente países em desenvolvimento bem-sucedidos serão os países de renda alta do futuro.

A vida nos países de baixa renda

Para desvendar os contrastes entre as economias avançadas e as economias em desenvolvimento, imagine-se como um jovem de 21 anos em um país de baixa renda, como o Mali, a Índia ou o Bangladesh. Você é pobre. Mesmo atribuindo valor aos bens que produz e consome, sua renda anual média é apenas de US$ 2 mil. O seu homólogo na América do Norte poderá ter uma renda anual média de mais de US$ 30 mil. É pouco reconfortante saber que apenas 1 pessoa em 4 no mundo tem em média uma renda anual superior a US$ 5 mil.

Para cada um dos seus concidadãos que sabe ler, existe um, igual a você, que não sabe. A sua esperança de vida é 4/5 da média dos habitantes nos países avançados; dois dos seus irmãos já morreram antes de atingir a idade adulta. As taxas de natalidade são elevadas, em especial nas famílias em que as mulheres não recebem educação, mas as taxas de mortalidade também são muito maiores aqui do que nos países com bons sistemas de saúde.

A maior parte das pessoas no seu país trabalha na agricultura. Poucos podem ser retirados da produção de alimentos para trabalhar em fábricas. Você trabalha com apenas 1/60 da energia de um trabalhador próspero norte-americano. Sabe pouco sobre ciência, mas muito sobre as tradições da sua aldeia.

Você frequentemente sente fome e os alimentos que consome são, principalmente, cereais grosseiros ou arroz. Embora esteja entre aqueles que têm alguma escolaridade básica, tal como a maioria dos seus amigos, você não irá para o ensino secundário e apenas os mais ricos vão para a universidade. Você trabalha muitas horas no campo sem o apoio de maquinário. À noite, você dorme em uma esteira. Tem poucos móveis em casa, talvez uma mesa e um rádio. O seu único meio de transporte é um velho par de botas.

Desenvolvimento humano

Esse panorama da vida nos países mais pobres do mundo nos recorda a importância de rendas adequadas para satisfazer as necessidades básicas, bem como o fato de a vida envolver mais do que as rendas do mercado. Economistas e grandes pensadores, como o prêmio Nobel Amartya Sen e Gustav Ranis de Yale, salientam que devem ser considerados outros elementos na avaliação do progresso de um país. Aspectos como a saúde e a esperança de vida, o nível de escolaridade, a alfabetização dos adultos e a independência das mulheres são objetivos importantes para os países em desenvolvimento, além do aumento do consumo de mercado *per capita*.

A Figura 26-1 mostra a relação entre a esperança de vida e o PIB *per capita*. A correlação é forte, mas há exceções à relação positiva geral. Alguns países, como Botswana, Guiné Equatorial e África do Sul, têm esperanças de vida curtas em relação à renda, em virtude da incidência da Aids. Nenhum país pobre tem uma esperança de vida elevada, mas países como a Grécia e a Costa Rica têm esperanças de vida tão, ou mais elevadas do que as dos Estados Unidos, em decorrência do deficientemente estruturado sistema de assistência de saúde dos Estados Unidos.

OS QUATRO ELEMENTOS DO DESENVOLVIMENTO

Tendo visto o que significa ser um país em desenvolvimento, analisemos agora o processo pelo qual os países de baixa renda melhoram o seu nível de vida. Vimos no Capítulo 25 que o crescimento econômico nos Estados Unidos – crescimento do seu produto potencial – decorre de quatro forças propulsoras. São elas (1) os recursos humanos, (2) os recursos naturais, (3) o capital e (4) a tecnologia. Essas quatro forças funcionam nos países ricos e nos pobres, embora a mistura e a estratégia para a sua combinação sejam diferentes e dependam do estágio de desenvolvimento. Vejamos como cada uma dessas quatro forças funciona nos países em desenvolvimento e como a decisão pública pode dirigir o processo de crescimento nas direções convenientes.

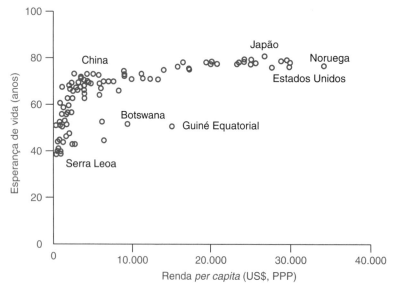

FIGURA 26-1   Esperança de vida e renda, 2000.

As esperanças de vida estão altamente correlacionadas com as rendas *per capita*. Rendas maiores permitem maiores investimentos em cuidados de saúde, mas uma população mais saudável é também mais produtiva. Repare que alguns países africanos de renda média têm sido duramente atingidos pela epidemia da Aids, ameaçando tanto a saúde como o desenvolvimento econômico.

Fonte: United Nations Development Programme, *Human Development Report*, 2002.

Recursos humanos

Explosão populacional: a herança de Malthus. Muitos países pobres continuam trabalhando arduamente, mas não saem do lugar. Mesmo que o PIB de um país pobre aumente, o mesmo acontece com a sua população. Recorde a nossa análise da armadilha da população segundo Malthus, em que a população aumenta tão rapidamente que as rendas se mantêm em um nível de subsistência. Enquanto os países de renda elevada já deixaram Malthus para trás há muito tempo, a África está ainda presa nas amarras malthusianas das elevadas taxas de natalidade e das rendas estagnadas. E a expansão da população ainda não parou – os demógrafos estimam que os países pobres cresçam cerca de 1 bilhão de pessoas nos próximos 25 anos.

É difícil para os países pobres ultrapassar a pobreza com taxas de natalidade tão elevadas. Mas há escapatórias para o excesso de população. Uma estratégia é ter um papel ativo na redução do crescimento demográfico, mesmo que essas ações sejam contrárias às normas religiosas dominantes. Muitos países desenvolveram campanhas de educação e subsidiaram o controle da natalidade.

E para os países que procuram aumentar suas rendas *per capita*, existe a perspectiva de fazerem a *transição demográfica* que ocorre quando uma população estabiliza com reduzidas taxas de natalidade e reduzidas taxas de mortalidade. Assim que os países passam a ser suficientemente ricos e a mortalidade infantil diminui, as pessoas reduzem voluntariamente suas taxas de natalidade. Quando recebem formação e acabam com a subserviência, as mulheres normalmente decidem gastar menos tempo das suas vidas tomando conta de crianças. As famílias substituem a quantidade pela qualidade – dedicando tempo e recursos em uma melhor educação para um número menor de filhos. O México, a Coreia do Sul e o Taiwan viram as taxas de natalidade cair bruscamente quando as suas rendas aumentaram e as suas populações receberam mais educação.

Lentamente, os resultados do desenvolvimento econômico e do controle da natalidade começam a ser observados. A taxa de natalidade nos países pobres caiu de 44 por mil, em 1960, para 27 por mil, em 2005, mas ainda está muito acima da taxa de natalidade de 11 por mil nos países de renda elevada. A luta contra a pobreza induzida pelo crescimento demográfico excessivo continua.

Contudo, a transição demográfica não foi atingida em todos os cantos do mundo. A fertilidade continua com uma taxa elevada em grande parte da África tropical, embora a epidemia da Aids se alastre e reduza a esperança de uma forma que já não era sentida desde as grandes pragas de séculos passados. O fantasma de Malthus paira sobre grande parte da África central.

Capital humano. Além de lidarem com um crescimento excessivo da população, os países em desenvolvimento têm também de se preocupar com a qualidade dos seus recursos humanos. Os planejadores econômicos nos países em desenvolvimento salientam as seguintes estratégias:

1. *Controle das doenças e melhoria das condições de saúde e de nutrição.* O aumento dos níveis de saúde da população não só faz as pessoas mais felizes como as tornam trabalhadores mais produtivos. A assistência médica e a disponibilidade de água potável são estruturas úteis e vitais.

2. *Melhoria do ensino, redução do analfabetismo e formação profissional.* As pessoas instruídas são trabalhadores mais produtivos porque podem usar o capital de forma mais eficaz, adotar novas tecnologias e aprender com os próprios erros. Ao possibilitarem uma aprendizagem avançada em ciência, engenharia, medicina e gestão, os países saem beneficiados se enviarem os seus melhores cérebros para o exterior para regressarem, depois, com as últimas novidades. Mas os países têm de se precaver contra a fuga de cérebros, que consiste em os mais capacitados serem atraídos pelos países de salários mais elevados.

3. *Acima de tudo, não subestime a importância dos recursos humanos.* A maioria dos outros fatores de produção pode ser comprada no mercado internacional. A maioria da mão de obra tem base local, embora, às vezes, possa ser ampliada por meio da imigração. O papel fundamental da mão de obra qualificada tem sido sucessivamente demonstrado quando algum equipamento sofisticado de minas, de defesa ou industrial deixa de funcionar e deixa de ser usado porque a população ativa dos países em desenvolvimento ainda não adquiriu as necessárias qualificações para o seu manuseamento e manutenção.

Recursos naturais

Alguns países pobres da África e da Ásia têm recursos naturais fracos e a terra e os minerais que possuem têm de ser divididos por populações enormes. O recurso natural mais valioso dos países em desenvolvimento talvez seja a terra arável. A maior parte da população ativa nos países em desenvolvimento está empregada na agricultura. Assim, o uso produtivo da terra – com uma conservação, fertilização e cultivo apropriados – contribui significativamente para o aumento do produto de um país pobre.

Além disso, a estrutura da propriedade é essencial para dar aos agricultores fortes incentivos a investir em capital e em tecnologias que aumentem a rentabilidade de sua terra. Quando possuem a terra em que trabalham, os agricultores têm um maior incentivo para fazer melhorias, como instalar sistemas de irrigação e desenvolver práticas adequadas de conservação.

Alguns economistas pensam que a riqueza natural do petróleo, ou de minérios, não é uma dádiva abençoada.

Países como os Estados Unidos, o Canadá e a Noruega têm usado a sua riqueza natural para criar a base sólida da expansão industrial. Em outros países, a riqueza tem estado sujeita a saque ou à *disputa de renda* (*rent seeking*) pelos dirigentes corruptos e grupos militares. Países como a Nigéria e o Congo (antigo Zaire), que são fabulosamente ricos em termos de recursos minerais, têm falhado na conversão dos seus ativos do subsolo em capital humano ou recursos produtivos por causa dos dirigentes corruptos que drenam essa riqueza para as suas contas bancárias pessoais e em consumo supérfluo.

Capital

Uma economia moderna exige um vasto conjunto de bens de capital. Para se dedicarem à produção indireta lucrativa, os países têm de sacrificar o consumo presente. Mas esse é o ponto central, pois os países mais pobres encontram-se muito perto do nível de subsistência. Quando se é pobre inicialmente, a redução do consumo presente para permitir o consumo futuro parece impossível.

Os primeiros na corrida do crescimento investem pelo menos 20% do produto na formação de capital. Ao contrário, os países agrícolas mais pobres, com frequência, podem poupar apenas 5% da renda nacional. Além disso, a maior parte do reduzido nível de poupança destina-se a proporcionar, à população em crescimento, as habitações e os utensílios mais simples. Resta pouco para o desenvolvimento.

Mas admitamos que um país tenha sucesso no aumento da sua taxa de poupança. Mesmo assim, são necessárias muitas décadas para acumular rodovias, sistemas de comunicação, hospitais, centrais geradoras de eletricidade e outros bens de capital que estão na base de uma estrutura econômica produtiva.

Todavia, mesmo antes de adquirir os computadores mais sofisticados, os países em desenvolvimento têm de construir primeiro a sua *infraestrutura*, que consiste em projetos de grande dimensão dos quais depende uma economia de mercado. Por exemplo, um consultor agrícola regional ajuda os agricultores na área a conhecer novas sementes e colheitas; um sistema de estradas liga os diferentes mercados; um programa de saúde pública vacina as pessoas contra o tifo, ou a difteria, e protege a população que não é vacinada. Em cada um desses casos seria impossível a uma empresa privada apropriar-se dos benefícios sociais derivados, uma vez que a empresa não pode cobrar comissões dos milhares, ou mesmo milhões, de beneficiários. Em virtude das enormes indivisibilidades e dos efeitos externos das infraestruturas, o governo deve avançar e fazer, ou promover, os investimentos necessários.

Em muitos países em desenvolvimento, o problema mais premente é o reduzido nível de poupança. Especialmente nas regiões mais pobres, o inadiável consumo presente é o adversário do investimento na disputa pelos recursos escassos. O resultado é um reduzido investimento em capital produtivo, que é tão indispensável para o rápido progresso econômico.

Endividamento externo e crises da dívida

Se existem tantos obstáculos para realizar a poupança interna para a formação de capital, porque não obter empréstimos externos? A teoria econômica nos diz que um país rico, que já tenha realizado os seus próprios projetos com elevada rentabilidade, pode beneficiar a si próprio, e ao país receptor, se investir em projetos com elevada rentabilidade no exterior.

Mas os riscos são os companheiros obrigatórios da remuneração dos empréstimos ao exterior. A história dos empréstimos das regiões ricas às regiões pobres mostra um ciclo de oportunidade, empréstimo, lucros, grande expansão, especulação, crise e drenagem de fundos, seguido por uma nova rodada de empréstimo por outro grupo de investidores de olhar guloso. Assim que uma crise é esquecida, logo outra aparece.

É instrutivo rever a saga dos *mercados emergentes*, que é o nome dado, com frequência, aos países de renda média ou baixa e em rápido crescimento, que são áreas promissoras para o investimento estrangeiro. Nos anos 1990, os investidores dos países ricos enviavam os seus fundos para o exterior em busca de rentabilidades mais elevadas; os países pobres, famintos de fundos, receberam de braços abertos esse fluxo de fundos do exterior. Da Tailândia à África do Sul, tanto os empréstimos como o investimento em capital de empresas cresceu rapidamente nos anos 1990.

A Figura 26-2 mostra o diferencial (*spread*) de taxa de juros sobre títulos de mercados emergentes. Isso representa o prêmio de risco que os devedores dos países de mercados emergentes teriam de pagar para atrair fundos. Quando o risco percebido é baixo, o diferencial também o é. Quando os investidores temem que os países não paguem as suas dívidas, ou durante períodos em que o preço do risco aumenta, o diferencial dispara.

Desde que o crescimento nos mercados emergentes continuasse, tudo estaria calmo e as rentabilidades sólidas. Mas um abrandamento do crescimento, conjugado com uma série de crises bancárias, levou a um refluxo maciço de fundos de curto prazo da Tailândia, Indonésia e Coreia do Sul. Os banqueiros que haviam investido fortemente exigiram o reembolso dos empréstimos. Isso levou a um aumento acentuado da oferta da moeda desses países. Muitos países estavam com sistemas de taxa de câmbio fixas e a venda de moeda desprotegeu as suas reservas cambiais. Uma após a outra, as moedas dos países do Extremo Oriente depreciaram-se muito. Muitos pediram ao FMI que disponibilizasse fundos de curto prazo, mas o FMI exigiu medidas monetárias e fiscais recessivas. O conjunto de todos esses fatores gerou recessões cíclicas profundas no Extremo Oriente. Quando a Rússia entrou em inadimplência da sua dívida, em 1998, o mercado de países emergentes entrou em pânico e os diferenciais de taxa de juros dispararam.

Em três anos, a maioria desses países havia recuperado da crise após um período de *ajuste* – lento crescimento da produção, redução dos salários reais, reescalonamento da dívida e superávits comerciais. O crescimento econômico foi reiniciado. O mundo sobreviveu a outra crise financeira. Como mostra a Figura 26-2, o prêmio de risco diminuiu gradualmente ao longo da década seguinte – até que a crise seguinte irrompeu no sistema financeiro dos Estados Unidos em 2007.

Progresso tecnológico e inovações

A última e mais importante roda é o progresso tecnológico. Nesse caso, os países em desenvolvimento têm uma vantagem importante: podem ter a esperança de se beneficiar do progresso tecnológico dos países mais avançados.

Imitação da tecnologia. Os países pobres não necessitam encontrar Newtons modernos para descobrir a lei da gravidade; podem aprendê-la nos manuais de física. Não precisam repetir a lenta e tortuosa caminhada da Revolução Industrial; podem comprar tratores, computadores e teares automáticos inimaginados pelos grandes comerciantes do passado.

O desenvolvimento histórico do Japão e dos Estados Unidos é uma ilustração clara de tudo isso. Os Estados Unidos são um exemplo estimulante para o resto do mundo. As invenções-chave ligadas ao automóvel tiveram origem quase exclusivamente no exterior. Não obstante, a Ford e a General Motors aplicaram as invenções estrangeiras e rapidamente se tornaram os primeiros da indústria automobilística mundial.

O Japão uniu-se, mais tarde, à corrida industrial, e só no final do século XIX enviou estudantes para o exterior para estudar a tecnologia ocidental. O governo japonês desempenhou um papel ativo no estímulo do ritmo do desenvolvimento e na construção de ferrovias e de outras redes públicas. Ao adotar tecnologias produtivas estrangeiras, o Japão subiu à posição de uma das maiores economias industrializadas do mundo. Os exemplos dos Estados Unidos e do Japão mostram como os países podem prosperar com a adaptação da ciência e da tecnologia estrangeiras às condições locais de mercado.

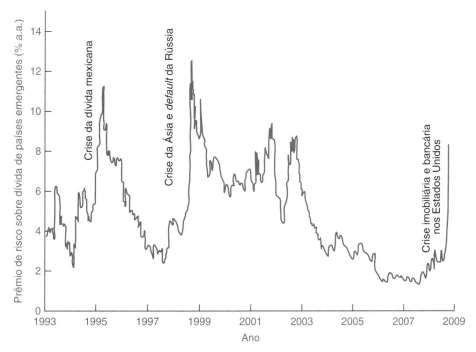

FIGURA 26-2 Diferencial de taxa (*spread*) em títulos de países emergentes, 1993-2008.

O diferencial de taxa mostra o prêmio de risco que os devedores de países emergentes pagam. É o diferencial acima dos títulos seguros em dólares dos Estados Unidos. Note como o diferencial disparou durante a crise do México em 1995 e na crise dos mercados emergentes e da inadimplência da Rússia em 1998. Depois, os participantes do mercado ficaram otimistas durante a longa expansão do mercado dos anos 2000. Tudo isso chegou ao fim com a crise de crédito de 2007-2009, tendo o diferencial aumentado.

Fonte: Fundo Monetário Internacional.

Iniciativa empresarial e inovação. Das histórias do Japão e dos Estados Unidos, pode parecer que a adaptação da tecnologia estrangeira é uma receita fácil para o desenvolvimento. Você poderá dizer: "Basta ir ao exterior, copiar métodos mais eficientes, aplicá-los no próprio país e, depois, basta ficar à espera de que a produção adicional apareça".

Na realidade, a aplicação do progresso tecnológico não é assim tão simples. Pode-se enviar um manual sobre engenharia química para a Pobrelândia, mas sem cientistas, engenheiros, empresários qualificados e sem capital adequado, a Pobrelândia não poderá sequer sonhar em construir uma refinaria petroquímica que funcione. A tecnologia avançada foi ela própria desenvolvida para satisfazer as condições especiais dos países avançados – que incluem muitos engenheiros e trabalhadores qualificados, uma rede elétrica confiável e disponibilidade rápida de peças sobressalentes e serviços de manutenção. Essas condições não se verificam nos países mais pobres.

Uma das tarefas-chave do desenvolvimento econômico é o fomento do espírito empresarial. Um país não pode prosperar sem um grupo de proprietários, ou de gerentes, que estejam dispostos a correr riscos, a pôr para funcionar novas empresas, a adotar novas tecnologias e a importar novas formas de fazer negócio. No nível mais básico, a inovação e a iniciativa empresarial desenvolvem-se quando os direitos de propriedade são claros e completos e os impostos e outras quebras dos lucros (como a corrupção) são reduzidos e previsíveis. O governo pode também impulsionar a iniciativa empresarial por meio de investimentos específicos: ao criar serviços de extensão rural para os agricultores, instruindo e dando formação profissional à população ativa e estabelecendo escolas de administração.

Os países pobres muitas vezes padecem de uma corrupção insidiosa. A seguinte análise do especialista do desenvolvimento econômico, Robert Klitgaard, explica como a corrupção influencia a economia:

> No sentido mais amplo, a corrupção é o uso de um cargo público para fins não públicos. O catálogo de atos de corrupção inclui suborno, extorsão, tráfico de influências, nepotismo, fraude, antecipação de verbas, peculato e outras.
>
> A corrupção que destrói as regras do jogo – por exemplo, o sistema de justiça, os direitos de propriedade, ou o banco e o crédito – é devastadora para o desenvolvimento político e econômico. A corrupção que permite aos poluidores sujar os rios, ou aos hospitais extorquir verbas aos pacientes, pode ser ambiental e socialmente corrosiva. Mas, quando a corrupção se torna a norma, os seus efeitos são paralisantes. De modo que, embora haja corrupção em todos os países, as variedades e a dimensão são diferentes. O pior é a corrupção sistemática que destrói as regras do jogo. Essa é uma das principais razões pela qual a maioria das regiões subdesenvolvidas do nosso planeta se encontra nessa situação.

O combate à corrupção é particularmente difícil porque o Estado, que é o instrumento da justiça, é ele próprio frequentemente corrupto.

Dos ciclos viciosos aos círculos virtuosos

Já salientamos que os países pobres se defrontam com grandes obstáculos na conjugação dos quatro elementos do progresso – trabalho, capital, recursos e tecnologia. Além disso, os países descobrem que as dificuldades se reforçam umas às outras em um *ciclo vicioso de pobreza*.

A Figura 26-3 ilustra como um obstáculo gera outros. Rendas reduzidas levam a poupança reduzida; uma poupança reduzida retarda o crescimento do capital; um capital insuficiente impede a introdução de equipamentos novos e o crescimento rápido da produtividade; uma pequena produtividade leva a rendas reduzidas. Há outros elementos da pobreza que se reforçam mutuamente. A pobreza é acompanhada por baixos níveis de educação, de alfabetização e de qualificação; estes, por seu turno, impedem a adoção de tecnologias novas e melhores, e levam ao rápido crescimento da população, que consome as melhorias no produto e na produção de alimentos.

Os países que sofrem de um ciclo vicioso podem ser apanhados em uma *armadilha da pobreza*. Essa síndrome ocorre quando há múltiplos equilíbrios, e um deles pode ser particularmente pernicioso. Armadilhas do nível inferior são encontradas em muitas áreas das ciências sociais e naturais e estão ilustradas na Figura 26-4. Este gráfico mostra a renda média no período t no eixo horizontal e renda média no período $(t+1)$ no eixo vertical. A curva de crescimento não linear $y_{t+1} = f(y_t)$ mostra como as rendas variam ao longo do tempo. A reta de 45° mostra a linha divisória entre o crescimento positivo e o negativo. Quando um ponto na curva de crescimento está acima da reta de 45°, a renda em $(t+1)$ é maior do que a renda em t e, então, a renda é crescente. Quando a curva de crescimento cruza a reta de 45°, a renda é constante e temos um equilíbrio econômico.

O aspecto incomum da curva de crescimento em forma de S é que ele leva a equilíbrios múltiplos. O cruzamento de baixo representa uma armadilha do nível inferior sendo o equilíbrio ruinoso Y^*, enquanto o de cima é um equilíbrio de nível superior benigno em Y^{***}. A teoria moderna do desenvolvimento econômico aponta para armadilhas do nível inferior vindas do rápido crescimento populacional, da baixa produtividade, ou da fraca "conectividade".

A ultrapassagem das armadilhas da pobreza requer frequentemente um esforço conjugado em muitas frentes, e alguns economistas do desenvolvimento recomendam um "grande salto" para frente para romper o ciclo vicioso. Se um país for bem-sucedido, a tomada simultânea de medidas para o aumento do investimento, para melhoria da saúde e da educação, para desenvolver

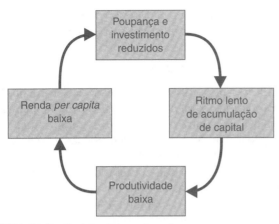

FIGURA 26-3 O ciclo vicioso da pobreza.

Muitos obstáculos ao desenvolvimento reforçam-se mutuamente. Níveis reduzidos de renda impedem a poupança, retardam o crescimento do capital, limitam o crescimento da produtividade e mantêm a renda reduzida. O sucesso do desenvolvimento pode exigir a tomada de medidas que rompam a cadeia em muitos elos.

qualificações e para cortar com o crescimento demográfico, poderá romper o ciclo vicioso da pobreza e estimular um círculo virtuoso de rápido desenvolvimento econômico. Se um país puder elevar-se para a direita de Y^{***} na Figura 26-4, então dará uma arrancada para o desenvolvimento sustentado.

ESTRATÉGIAS DO DESENVOLVIMENTO ECONÔMICO

Sabemos como os países têm de combinar o trabalho, os recursos, o capital e a tecnologia de modo a crescerem rapidamente. Mas isso não é nenhuma fórmula concreta; é o equivalente a dizer que um atleta olímpico tem de correr como o vento. Por que certos países conseguem correr com mais rapidez do que outros? Como países pobres conseguirão iniciar a caminhada do desenvolvimento econômico?

Os historiadores e os cientistas sociais há muito que se sentem fascinados pelas diferenças no ritmo do crescimento econômico entre os países. Algumas das primeiras teorias salientavam o clima, fazendo notar que todos os países avançados se encontravam na zona temperada da Terra. Outros têm apontado para os costumes, a cultura ou a religião como um determinante fundamental. Max Weber salientou a "ética protestante" como a força motriz subjacente ao capitalismo. Mais recentemente, Mancur Olson tem argumentado que os países iniciam o declínio quando a sua estrutura de decisão se torna rígida e os grupos de interesses ou oligarquias impedem o progresso social e econômico.

Não há dúvida de que cada uma dessas teorias tem alguma validade em um determinado momento e lugar. Mas não são válidas como explicações universais do desenvolvimento econômico. A teoria de Weber não

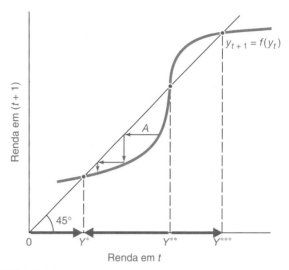

FIGURA 26-4 Países podem ficar presos nas armadilhas da pobreza.

Quando os ciclos viciosos levam a uma espiral descendente, os países podem ficar presos em armadilhas de baixo nível, tais como Y^*. Note como um país que começa entre 0 e Y^{**} irá gravitar de volta para a armadilha do nível inferior. Siga as setas a partir de A e veja como elas levam a Y^*. No entanto, se um país fizer um grande esforço para sair da armadilha, saltando para além de Y^{**}, então, o país goza de um ciclo virtuoso de crescimento que o leva para o nível elevado de renda em Y^{***}. Armadilhas do nível inferior podem surgir por causa da interação de renda reduzida, saúde precária, baixa poupança, baixo investimento e baixa produtividade.

explica por que o Oriente Médio e a Grécia foram o berço da civilização, enquanto os europeus que mais tarde viriam a ser dominantes viviam em cavernas, adoravam gnomos e usavam peles de urso. E onde poderá ser encontrada a ética protestante na urgência da China? Como podemos explicar que um país como o Japão, com uma estrutura social rígida e com grupos de pressão poderosos, tenha se tornado uma das economias mais produtivas do mundo?

Mesmo na era moderna, as pessoas ficam apegadas a explicações simples e genéricas do desenvolvimento econômico. Há algum tempo, as pessoas consideravam a substituição de importações (por bens produzidos internamente) como a estratégia de desenvolvimento mais segura. Depois, nos anos 1970, foi considerado vantajoso ter, como base, técnicas intensivas de mão de obra. Atualmente, como veremos, os economistas tendem a salientar a confiança nas forças de mercado com uma orientação para o exterior. Essa história deve servir de aviso para evitar abordagens simples demais para processos complexos.

Não obstante, os historiadores e os economistas do desenvolvimento aprenderam muito com o estudo das variedades do crescimento econômico. Quais são algumas das lições? A compilação seguinte representa uma súmula das ideias importantes desenvolvidas nos últimos anos.

Cada abordagem descreve a forma como os países podem romper o ciclo vicioso da pobreza e começar a mover as quatro rodas do desenvolvimento econômico.

Hipótese do atraso

Uma abordagem destaca o contexto internacional do desenvolvimento. Vimos antes que os países pobres desfrutam de importantes vantagens que não estavam ao dispor dos pioneiros da industrialização. Os países em desenvolvimento podem agora recorrer ao capital, aos especialistas e à tecnologia dos países mais avançados. A hipótese avançada por Alexander Gerschenkron, da Universidade de Harvard, refere que o *atraso relativo* pode, por si próprio, ajudar o desenvolvimento. Os países podem adquirir equipamentos têxteis modernos, sistemas eficientes de bombagem, sementes milagrosas, adubos químicos e medicamentos. Como podem recorrer às tecnologias dos países avançados, os países atualmente em desenvolvimento podem crescer mais rapidamente do que a Inglaterra ou a Europa Ocidental no período de 1780-1850. À medida que os países de baixa renda obtêm tecnologias mais produtivas dos países avançados, é de se esperar que ocorra a *convergência* dos países em direção à fronteira tecnológica. A convergência ocorre quando esses países, ou regiões, que inicialmente tinham rendas reduzidas, tendem a crescer mais rapidamente do que os de rendas elevadas.

Industrialização versus agricultura

Na maioria dos países, as rendas das zonas urbanas são quase o dobro das zonas rurais. E nos países ricos uma grande parte da economia encontra-se na indústria e nos serviços. Desse modo, muitos países chegam à conclusão de que a industrialização é a causa e não o efeito da abundância.

Devemos ter cuidado com essas deduções, que confundem a associação de duas características com a causalidade. Diz-se, por vezes, que "Os ricos andam de BMW, mas andar de BMW não faz de você um rico". Do mesmo modo, não existe justificativa econômica para um país pobre insistir em ter a sua própria companhia aérea nacional e uma grande siderurgia. Essas não são as necessidades fundamentais do crescimento econômico.

A lição de décadas de tentativas para acelerar a industrialização à custa da agricultura tem levado muitos analistas a repensar o papel desta última. A industrialização é intensiva de capital, atrai os trabalhadores para cidades apinhadas de gente e, muitas vezes, origina níveis elevados de desemprego. O aumento da produtividade nas atividades agrícolas pode exigir menos capital, ao mesmo tempo em que proporciona emprego produtivo para os trabalhadores excedentes. De fato, se Bangladesh pudesse aumentar a produtividade do setor agrícola em 20%, esse progresso contribuiria mais para liberar recursos para a produção de bens de primeira necessidade do que tentar construir uma siderurgia nacional que substituísse a importação de aço.

Governo versus mercado

As culturas de muitos países em desenvolvimento são hostis ao funcionamento de mercados. Frequentemente, a concorrência entre empresas ou o comportamento de busca de lucros são contrários a tradições, a crenças religiosas ou a interesses instalados. Contudo, décadas de experiência sugerem que, sobretudo, confiar nos mercados proporciona a forma mais eficaz de gerir uma economia e de promover o rápido crescimento econômico.

Quais são os elementos importantes de uma política orientada para o mercado? Nos aspectos mais importantes, incluem-se a predominância da propriedade privada, uma orientação para o exterior na política de comércio, impostos de importação reduzidos, assim como poucas restrições quantitativas, o apoio às pequenas empresas e o estímulo da concorrência. Além disso, os mercados funcionam melhor em um ambiente macroeconômico estável – em que os impostos sejam previsíveis e a inflação reduzida.

Crescimento e orientação para o exterior

Uma questão fundamental do desenvolvimento econômico diz respeito à posição do país em relação ao comércio internacional. Os países em desenvolvimento devem tentar ser autossuficientes e substituir a maior parte das importações pela produção interna? (Isso é conhecido como uma estratégia de *substituição de importações*.) Ou um país deve se esforçar para pagar as importações de que necessita com a melhoria da eficiência e da competitividade, com o desenvolvimento de mercados externos e mantendo reduzidas as barreiras ao comércio? (Isso é chamado de estratégia de *orientação para o exterior*, ou de *abertura*.)

Uma política de abertura mantém as barreiras comerciais tão baixas quanto possível, baseando-se, principalmente, em tarifas aduaneiras e não em participações ou outras barreiras não tarifárias. Isso minimiza a interferência sobre o fluxo de capitais e permite à oferta e à demanda funcionarem nos mercados financeiros. Evita o monopólio estatal sobre as exportações e importações. Restringe a regulação estatal ao mínimo necessário para manter uma economia de mercado organizada. Acima de tudo, baseia-se, principalmente, em um sistema de mercado privado de lucros e prejuízos para orientar a produção, em vez de depender da propriedade ou do controle estatal ou do comando de um sistema de planejamento central.

O sucesso das políticas viradas para o exterior é bem ilustrado pelos países bem-sucedidos do Extremo Oriente. Há uma geração, países como Taiwan, Coreia do Sul e Cingapura tinham rendas *per capita* correspondentes a 1/4 ou 1/3 das rendas dos países latino-

-americanos mais ricos. Contudo, por meio da poupança de uma grande parcela de suas rendas nacionais, e canalizando-a para setores exportadores de elevada rentabilidade, os países do Extremo Oriente ultrapassaram todos os países latino-americanos no final dos anos 1980. O segredo do sucesso não foi uma política estrita de *laissez-faire*, pois os governos dedicaram-se, de fato, a planejar e a intervenções seletivas. Antes disso, foi a abertura e a orientação para o exterior que permitiu aos países alcançar economias de escala e os benefícios da especialização internacional e, assim, aumentar o emprego, o uso eficaz dos recursos internos, usufruir de um crescimento rápido da produtividade e proporcionar enormes ganhos nos níveis de vida.

Ainda que proporcione muitos benefícios em excesso, a abertura em especial para fluxos financeiros de curto prazo é um convite a um ataque especulativo. O que os investidores emprestam pode ser retirado por eles. Essa atuação pode causar crises financeiras e bancárias, como referimos para as economias do Extremo Oriente na nossa análise anterior, ainda neste capítulo.

Avaliação sumária

Décadas de experiência em dezenas de países têm levado muitos economistas do desenvolvimento à seguinte visão sintética sobre a melhor forma de o governo promover um desenvolvimento econômico rápido.

O governo tem um papel vital na estabilização e na manutenção de um ambiente econômico saudável. Deve assegurar o respeito pelas leis, o cumprimento dos contratos, combater a corrupção e orientar as suas políticas no sentido da concorrência e da inovação. O governo deve desempenhar um papel de liderança no investimento em infraestrutura de capital, em educação, saúde, comunicações, energia e transporte, mas deve atribuir ao setor privado as atividades em que não têm vantagem comparativa. O governo deve resistir à tentação de produzir de tudo no país. Um firme compromisso de abertura ao comércio e investimento estrangeiro ajudará a assegurar que um país caminhe rapidamente em direção às melhores práticas mundiais nos vários setores.

C. MODELOS ALTERNATIVOS PARA O DESENVOLVIMENTO

As pessoas procuram continuamente formas de melhorar os seus padrões de vida. A melhoria da situação econômica é especialmente urgente nos países pobres que procuram o caminho para subir à posição dos países ricos que estão perto de si. Esse livro fez uma análise aprofundada da economia mista dos Estados Unidos, que combina mercados livres na sua essência com um setor estatal apreciável. Que alternativas há disponíveis?

BUQUÊ DE "ISMOS"

Em um dos extremos está o *absolutismo da liberdade de mercado*, segundo o qual o melhor governo é o governo mínimo. No outro extremo está o comunismo absoluto, com o Governo dirigindo uma ordem econômica coletiva, na qual praticamente não existe a primeira pessoa do singular. Entre os extremos do *laissez-faire* e do comunismo, situam-se o capitalismo misto, os mercados dirigidos, o socialismo e muitas combinações desses modelos. Nesta seção, descrevemos brevemente algumas das mais influentes estratégias alternativas para o crescimento e para o desenvolvimento:

1. *A abordagem asiática de mercado dirigido.* Coreia do Sul, Taiwan, Cingapura e outros países do Extremo Oriente criaram os seus próprios tipos de economia, que combinam uma supervisão apertada do governo com forças de mercado poderosas.

2. *Socialismo.* O pensamento socialista engloba uma grande variedade de abordagens. Na Europa Ocidental, após a Segunda Guerra Mundial, os governos socialistas atuando em um ambiente democrático expandiram o estado-social, nacionalizaram indústrias e planejaram suas economias. Nos últimos anos, contudo, esses países recuaram para um enquadramento de mercado livre com desregulação e privatizações extensas.

3. *Comunismo de estilo soviético.* Durante muitos anos, existiu na União Soviética a alternativa mais clara à economia de mercado. Sob o modelo soviético, o governo possuía a totalidade da terra e a maior parte do capital, estabelecia os salários e a maior parte dos preços e dirigia o funcionamento microeconômico da economia.

Dilema central: mercado versus comando

Uma resenha dos sistemas econômicos alternativos pode parecer um apanhado bastante diversificado de diferentes "ismos" econômicos. E, de fato, existe uma grande variedade na forma como os países organizam as suas economias.

Uma questão avança em todos os grandes debates sobre os sistemas econômicos alternativos: as decisões econômicas devem ser tomadas principalmente no mercado privado ou pelo comando do governo?

Em um dos extremos do leque está a *economia de mercado*. Em um sistema de mercado, as pessoas agem voluntariamente e essencialmente pelo ganho financeiro ou pela satisfação pessoal. As empresas compram fatores de produção e produzem bens, selecionam os insumos e os produtos de forma a maximizar os seus lucros. Os consumidores fornecem fatores de produção e adquirem bens de consumo para maximizar a sua satisfação. Os acordos de produção e de consumo são feitos voluntariamente e efetivam-se por meio do uso de dinheiro, dos preços determinados nos mercados livres e na base de acordos entre compradores e vendedores. Embora as pessoas se diferenciem muito em termos de poder econômico, as relações entre pessoas e empresas são, por natureza, horizontais, essencialmente voluntárias e não hierarquizadas.

No outro extremo do leque está a *economia de comando*, em que as decisões são tomadas pela burocracia estatal. Nessa abordagem, as pessoas estão ligadas por uma relação vertical e o controle é exercido por uma hierarquia de níveis múltiplos. A burocracia do planejamento determina *que* bens são produzidos, *como* são produzidos e *para quem* é produzido. O nível mais elevado da pirâmide toma as decisões mais importantes e desenvolve os elementos do planejamento para a economia. O plano é subdividido e transmitido para baixo na escada burocrática, com os níveis inferiores da hierarquia executando o plano com uma atenção crescente para o detalhe. As pessoas são motivadas pela coerção e por sanções legais; as organizações compelem as pessoas a aceitar as ordens de cima. As transações e ordens podem usar, ou não, o dinheiro; as trocas podem, ou não, ter lugar para os preços estabelecidos.

No meio, estão as economias socialistas e as economias de mercado dirigido. Em ambos os casos, o governo desempenha um importante papel na orientação e direção da economia, embora em muito menor grau do que em uma economia de comando. A tensão entre mercados e comando atravessa todas as discussões sobre modelos econômicos alternativos. Vejamos mais detalhadamente algumas das alternativas às economias de mercado mistas.

MODELOS ASIÁTICOS

Tigres Asiáticos

Os especialistas do desenvolvimento, às vezes, olham para os países do Extremo Oriente como exemplos de estratégias bem-sucedidas de desenvolvimento. O rápido crescimento econômico no último meio século na Coreia do Sul, em Cingapura, em Hong Kong e em Taiwan é, às vezes, chamado de *milagre asiático*. Na Tabela 26-2 é comparado o desempenho dos "tigres asiáticos" com o de outras áreas importantes. A América Latina e a África subsaariana têm crescido a uma taxa positiva. Contudo, observe a região do Extremo Oriente e do Pacífico, e especialmente a China. Os países nessa região têm tido uma taxa de crescimento fenomenal, em especial nas últimas três décadas.

Um estudo do Banco Mundial analisou as políticas econômicas das diferentes regiões para verificar a existência de padrões.[1] Os resultados confirmaram ideias correntes, mas também a descoberta de algumas surpresas. Eis as principais ideias:

[1] Ver, na seção "Leituras adicionais" deste capítulo, o estudo do Banco Mundial sobre o milagre do Extremo Oriente.

Região	Crescimento médio do PIB *per capita* real		
	1962-1973	1973-1995	1995-2006
Extremo Oriente e Pacífico	3,6	4,8	6,4
China	4,0	4,7	8,2
Sul da Ásia	2,0	2,5	4,4
Índia	2,2	2,3	4,9
América Latina e Caribe	4,0	1,7	1,5
África subsaariana	2,8	0,7	1,7

TABELA 26-2 A atenção ao principal impulsionou o crescimento dos tigres asiáticos.

Fonte: World Development Indicators (2000), disponível em <http://em www.worldbank.org/>.

- *Taxas de investimento*. Os tigres asiáticos seguiram a receita clássica de elevadas taxas de investimento para assegurar que as suas economias usufruíssem de tecnologia de ponta e pudessem construir as necessárias infraestruturas. As taxas de investimento entre os tigres asiáticos foram quase 20 pontos percentuais maiores do que as de outras regiões.

- *Bases macroeconômicas*. Os países bem-sucedidos têm uma mão firme nas políticas macroeconômicas, mantendo a inflação reduzida e elevadas taxas de poupança. Investiram fortemente em capital humano, bem como em capital físico, e fizeram mais pela promoção da educação do que qualquer outra região em desenvolvimento. Os sistemas financeiros foram geridos de modo a assegurar a estabilidade monetária e uma moeda forte.

- *Orientação para o exterior*. Os tigres asiáticos estiveram orientados para o exterior, mantendo, com frequência, as suas taxas de câmbio subvalorizadas para incentivar as exportações, apoiando-as com incentivos fiscais e promovendo o progresso tecnológico com a adoção das melhores práticas produtivas dos países de renda elevada.

O surgimento da China

Uma das maiores surpresas no desenvolvimento econômico durante as últimas décadas foi o crescimento rápido da economia chinesa. Após a revolução chinesa de 1949, a China adotou inicialmente um sistema de planejamento central ao estilo soviético. O ponto mais alto da centralização ocorreu com a Revolução Cultural de 1966-1969, que levou a um retrocesso econômico da China. Após a morte do dirigente revolucionário Mao Tse-Tung, uma nova geração concluiu que era necessária uma reforma econômica para a sobrevivência do Partido Comunista. Sob a liderança de Deng Xiaoping (1977-1997), a China descentralizou grande parte do poder econômico e permitiu a concorrência. A reforma econômica não foi, contudo, acompanhada das reformas políticas; o movimento democrático foi asperamente reprimido na Praça da Paz Celestial, em 1989, e o Partido Comunista continuou a monopolizar o processo político.

Para impulsionar o crescimento econômico, a liderança chinesa tem tomado medidas espetaculares, como a criação de "zonas econômicas especiais", que permitiram o funcionamento de empresas estrangeiras e o capitalismo. As regiões da China com crescimento mais rápido têm sido as costeiras, como a região sul próxima de Hong Kong e a grande Xangai. Essas regiões têm-se integrado cada vez mais com outros países e têm atraído um investimento estrangeiro considerável. Além disso, a China tem permitido a empresas privadas e estrangeiras, livres do planejamento, ou controle central, funcionarem paralelamente a empresas de propriedade do governo. Essas formas de propriedade mais inovadoras cresceram rapidamente e, no final dos anos 2000, estavam produzindo mais de metade do PIB da China.

O crescimento rápido continuado da economia chinesa tem surpreendido os observadores, tanto quanto o colapso da economia soviética. Como se mostra na Tabela 26-2, o crescimento do PIB *per capita* acelerou de 4% ao ano em 1962-1973 para 8,2% ao ano em 1995-2006. As exportações da China para os Estados Unidos cresceram mais de 17% ao ano durante a última década. Em 2008, a China tinha exportações anuais de quase US$ 2 trilhões e tinha acumulado reservas cambiais de US$ 1,5 trilhão.

O futuro do modelo econômico chinês está sendo observado de perto em todo o mundo. O sucesso indubitável da orientação para o exterior, em especial do investimento estrangeiro, é um aspecto especialmente marcante da política econômica chinesa.

SOCIALISMO

Enquanto doutrina, o socialismo desenvolveu-se a partir das ideias de Karl Marx e de outros pensadores radicais do século XIX. O socialismo é um terreno intermediário entre o capitalismo de *laissez-faire* e o modelo de planejamento central que analisaremos nesta subseção. Alguns elementos caracterizam a maioria das filosofias socialistas:

- *A propriedade dos recursos produtivos pelo Estado.* Os socialistas geralmente acreditam que o papel da propriedade privada deve ser reduzido. Setores-chave, como as ferrovias e os bancos, devem ser nacionalizados (isto é, possuídos e explorados pelo Estado). Recentemente, em decorrência do fraco desempenho de muitas empresas pertencentes ao Estado, o entusiasmo pela nacionalização esfriou na maioria das democracias avançadas.

- *Planejamento.* Os socialistas receiam o "caos" do mercado e questionam a eficiência da alocação de recursos pela mão invisível. Insistem que é necessário um mecanismo de planejamento para coordenar os vários setores. Nos últimos anos, os planejadores têm destacado os subsídios como forma de promover o desenvolvimento rápido de setores de alta tecnologia, tais como o de microeletrônica, a indústria aeronáutica e a biotecnologia. Essas políticas são, às vezes, chamadas de "políticas industriais".

- *Redistribuição da renda.* A riqueza herdada e as rendas mais elevadas devem ser reduzidas pelo uso intensivo dos poderes tributários do Estado; em alguns países da Europa Ocidental, as taxas marginais de imposto chegaram a 98%. Os benefícios da previdência social do estado, da assistência médica gratuita e dos serviços sociais do nascimento até à morte, pagos por meio de impostos progressivos, aumentam o bem-estar dos mais desfavorecidos e garantem padrões de vida mínimos.

- *Evolução democrática e pacífica.* Frequentemente, os socialistas defendem a expansão pacífica e gradual da propriedade estatal – uma evolução pelas urnas em vez da revolução pelas armas.

As abordagens socialistas perderam atração com o colapso do comunismo, a estagnação na Europa e o sucesso de economias orientadas para o mercado. Os socialistas ponderados estão passando pente fino nos restos do naufrágio para encontrar o papel futuro desse ramo do pensamento econômico.

MODELO FALIDO: ECONOMIAS PLANEJADAS CENTRALMENTE

Durante muitos anos, os países em desenvolvimento olhavam para a União Soviética e outros países comunistas como modelos para a industrialização. O comunismo oferecia ora uma crítica teórica do capitalismo ocidental ora uma estratégia funcional verossímil para o desenvolvimento econômico. Começamos revendo os fundamentos teóricos do marxismo e do comunismo e examinaremos, a seguir, como a economia de comando ao estilo soviético funcionou na prática.

Karl Marx: economista e revolucionário

À primeira vista, Karl Marx (1818-1883) viveu uma vida sossegada, estudando cuidadosamente os livros do Museu Britânico, escrevendo artigos de jornal e trabalhando nos seus estudos especializados sobre o capitalismo. Embora originalmente atraído pelas universidades alemãs, o seu ateísmo, pró-constitucionalismo e ideias radicais levaram-no ao jornalismo. Acabou exilado em Paris e Londres, onde escreveu a sua densa crítica do capitalismo, *O Capital* (1867, 1885, 1894).

O núcleo central do trabalho de Marx é uma análise incisiva das forças e das fraquezas do capitalismo. Marx argumentou que todo o valor das mercadorias é determinado pelo conteúdo de trabalho – tanto do trabalho direto como do trabalho indireto incorporado no capital. Por exemplo, o valor de uma camisa vem do esforço dos trabalhadores têxteis que a fizeram, mais os esforços dos trabalhadores que fizeram os teares. Ao atribuir todo o valor do produto ao trabalho, Marx tentava demonstrar que os lucros – a parte do produto que é produzida pelos trabalhadores, mas é apropriada pelos capitalistas – constitui uma "renda não paga".

Na visão de Marx, a injustiça dos capitalistas receberem rendas não produzidas justifica a transferência de propriedade das fábricas e de outros meios de produção dos capitalistas para os trabalhadores. Ele proclamou a sua mensagem em O Manifesto Comunista (1848). "Que as classes dirigentes tremam com a revolução comunista. Os proletários nada têm a perder, exceto as suas correntes". E as classes capitalistas dirigentes tremeram com o marxismo durante mais de um século!

Tal como muitos grandes economistas, mas com mais paixão do que a maioria, Marx foi profundamente movido pela luta dos trabalhadores e esperava melhorar as suas vidas. Ele escreveu as palavras que estão inscritas em sua lápide. "Até agora, os filósofos têm apenas interpretado o mundo de vários modos. A questão, porém, é transformá-lo!". O nosso epitáfio para Marx poderia fazer eco da avaliação do distinto intelectual e historiador, Sir Isaiah Berlin: "Nenhum pensador do século XIX teve uma influência tão direta, deliberada e poderosa no pensamento humano como Karl Marx."

Profecias catastróficas

Marx viu como inevitável a transição do capitalismo para o socialismo. No mundo de Marx, o progresso tecnológico permitia aos capitalistas substituir os trabalhadores por maquinário como meio de ganhar maiores lucros. Mas essa crescente acumulação de capital tem duas consequências contraditórias. Com o aumento da oferta do capital disponível, a taxa de lucro do capital se reduz. Ao mesmo tempo, com menos empregos, a taxa de desemprego aumenta e os salários diminuem. Nas palavras de Marx, o "exército de reserva de desempregados" aumentaria e a classe trabalhadora ficaria cada vez mais "na miséria" – com o que queria dizer que as condições de trabalho se deteriorariam e os trabalhadores seriam, cada vez mais, alienados dos seus empregos.

Com a redução dos lucros e a exaustão das oportunidades de investimento no país, as classes capitalistas dominantes iriam recorrer ao imperialismo. O capital tenderia a procurar taxas de lucro mais elevadas no exterior. E, de acordo com essa teoria (em especial, como foi mais tarde ampliada por Lênin), as políticas externas dos países imperialistas tentam, cada vez mais, conquistar colônias e, em seguida, extrair-lhes mais-valias sem quaisquer escrúpulos.

Marx pensava que o sistema capitalista não podia continuar esse crescimento desequilibrado para sempre. Marx previu a desigualdade crescente no capitalismo, juntamente com o gradual surgimento de consciência de classe entre o explorado proletariado. Os ciclos econômicos se tornariam cada vez mais violentos à medida que a pobreza em massa se convertia em subconsumo macroeconômico. Finalmente, uma depressão catastrófica significaria o toque de finados do capitalismo. Tal como foi anteriormente o feudalismo, o capitalismo continha as sementes da sua própria destruição.

A *interpretação econômica da história* é uma das últimas contribuições de Marx para o pensamento ocidental. Marx argumentou que os interesses econômicos estão subjacentes e determinam os nossos valores. Por que os gerentes das empresas votam nos candidatos conservadores, enquanto os dirigentes dos trabalhadores apoiam os que advogam o aumento do salário mínimo, ou o aumento do seguro-desemprego? A razão, sustentou Marx, é que as convicções e ideologias das pessoas refletem os interesses materiais da sua classe social e econômica. A abordagem de Marx, de fato, dificilmente se afasta da corrente econômica principal. Ele generalizou a análise de Adam Smith do interesse próprio dos votos monetários do mercado para os votos nas urnas eleitorais e para os votos das armas das revoluções.

Dos manuais para a tática: economia de comando de estilo soviético

Marx escreveu muito sobre as falhas do capitalismo, mas não deixou qualquer projeto do prometido país socialista. Os seus argumentos sugeriam que o comunismo nasceria nos países industriais mais desenvolvidos. Em vez disso, foi a Rússia feudal que adotou a visão marxista. Examinemos este capítulo fascinante e aterrador da história econômica.

Raízes históricas. Uma análise do comunismo soviético é de grande importância para a Economia, uma vez que a União Soviética serviu como laboratório de teorias sobre o funcionamento de uma economia de comando. Alguns economistas afirmavam que o socialismo não podia funcionar. A experiência soviética provou que estavam errados. Os seus defensores argumentavam que o comunismo ultrapassaria o capitalismo; a história soviética também desmente essa tese.

Embora tivesse crescido rapidamente de 1880 a 1914, a Rússia czarista era consideravelmente menos desenvolvida do que países industrializados, como os Estados

Unidos e a Inglaterra. A Primeira Guerra Mundial criou uma grande penúria na Rússia e permitiu aos comunistas tomarem o poder. De 1917 a 1933, a URSS experimentou diferentes modelos socialistas antes de implantar o planejamento central. Mas não satisfeito com a marcha da industrialização, Stalin implantou um novo projeto radical por volta de 1928 – a coletivização da agricultura, a industrialização forçada e o planejamento central da economia.

Com a coletivização da agricultura entre 1929 e 1935, 94% dos camponeses soviéticos foram obrigados a se juntarem em fazendas coletivas. No processo, muitos camponeses ricos foram deportados e as condições se deterioraram, tanto que milhões de pessoas morreram. A outra parte do "grande salto à frente" soviético resultou da introdução do planejamento econômico para a rápida industrialização. Os planejadores criaram o primeiro plano quinquenal para cobrir o período de 1928-1933. O primeiro plano estabeleceu as prioridades do planejamento soviético: a indústria pesada foi favorecida em relação à indústria ligeira e os bens de consumo seriam o setor residual depois de estarem satisfeitas todas as outras prioridades. Embora tenha havido muitas reformas e mudanças de ênfase, o modelo stalinista de economia de comando foi aplicado na União Soviética e nos países do Leste Europeu até a queda do comunismo soviético, no fim dos anos 1980.

Como funcionou a economia de comando. Na economia de comando ao estilo soviético, as categorias genéricas da produção eram determinadas pelas decisões políticas. A despesa militar na União Soviética recebeu sempre uma fatia substancial do produto e dos recursos científicos, enquanto a outra prioridade principal foi o investimento. O consumo recebia o produto residual após as participações dos setores de prioridade mais elevada terem sido satisfeitas.

Em larga medida, as decisões sobre como seriam os bens produzidos eram tomadas pelas autoridades de planejamento. Os planejadores decidiam, primeiro, as quantidades do produto final (o *quê*). Depois, faziam o sentido inverso, da produção para os fatores de produção exigidos, e os fluxos entre as diferentes empresas. As decisões de investimento eram especificadas com grande detalhamento pelos planejadores, enquanto as empresas tinham uma considerável flexibilidade na decisão de combinação dos fatores de produção.

É evidente que nenhum sistema de planejamento podia especificar todas as atividades de todas as empresas – isso exigiria bilhões de ordens anuais. Muitos detalhes eram deixados aos gerentes de cada uma das fábricas. Era aqui, no que era designado *problema do agente-principal*, que a economia de comando passava pelas suas mais profundas dificuldades.

O problema do agente-principal ocorre porque a pessoa no topo da hierarquia (o "principal") deseja dar incentivos apropriados para as pessoas abaixo de si na hierarquia (os "agentes") se comportarem de acordo com os desejos do principal. Em uma economia de mercado, os lucros e os preços servem de mecanismo para coordenar os consumidores e os produtores. Uma economia de comando está contagiada por uma incapacidade de encontrar um substituto eficiente dos lucros e preços como forma de motivar os agentes.

Um exemplo adequado da falha em resolver o problema do agente-principal encontra-se na publicação de livros soviéticos. Em uma economia de mercado, as decisões comerciais sobre livros são tomadas fundamentalmente na base de lucro e prejuízo. Na União Soviética, como os lucros eram tabu, os planejadores usavam objetivos quantitativos. Uma primeira abordagem era premiar as empresas de acordo com o número de livros produzidos, de modo que os editores publicavam milhares de volumes finos que não eram lidos. Confrontado com o problema de um incentivo claro, o centro (principal) alterou o sistema, de modo que os produtores (agentes) eram recompensados pelo número de páginas impressas, e o resultado se traduziu em livros grossos com folhas finíssimas e letras grandes. Os planejadores mudaram o critério, então, para o número de palavras, ao que os editores responderam com a publicação de enormes volumes com letra minúscula. Nenhum desses mecanismos era adequado para assinalar o que os consumidores efetivamente queriam.

O problema do principal-agente surge nas organizações de todos os países, mas o modelo soviético tinha poucos mecanismos (como a falência nos mercados e as eleições para os bens públicos) para efetivar um controle definitivo sobre o desperdício.

Desempenho econômico comparado. Desde a Segunda Guerra Mundial até meados dos anos 1980, os Estados Unidos e a URSS envolveram-se em uma competição de superpotências pela opinião pública, pela superioridade militar e pelo domínio econômico. Como foi o desempenho das economias de comando na corrida do crescimento econômico? Qualquer tentativa de resposta a essa questão é torpedeada pela ausência de estatísticas confiáveis. A maioria dos economistas, até há pouco tempo, pensava que a União Soviética crescera rapidamente desde 1928 até meados dos anos 1960, com taxas de crescimento que talvez ultrapassassem as da América do Norte e da Europa Ocidental. Após meados dos anos 1960, o crescimento na União Soviética estagnou e a produção começou a diminuir de fato.

Uma comparação reveladora do desempenho das economias de comando e de mercado pode fazer-se contrastando a experiência da Alemanha Ocidental e Oriental. Esses países iniciaram com níveis de produtividade e de estruturas industriais aproximadamente similares no fim da Segunda Guerra Mundial. Após quatro décadas de capitalismo no Ocidente e de socialismo de estilo soviético no Oriente, a produtividade na Alemanha Oriental tinha caído para um nível estimado entre 1/4 e 1/3 do da Alemanha Ocidental. Além disso, o crescimento da Alemanha Oriental tendia a favorecer a produção de bens e mercadorias intermediários de pouco valor para os consumidores. O objetivo era a quantidade, não a qualidade.

Balanço. Podemos fazer um balanço final do planejamento central soviético? O modelo soviético demonstrou que uma economia de comando pode funcionar – consegue mobilizar capital e mão de obra e produzir armas e manteiga. Mas com o passar do tempo, com fronteiras fechadas ao comércio, às tecnologias e às pessoas, a economia soviética tornou-se cada vez mais obsoleta. A inovação decaiu em decorrência dos fracos incentivos. Em competição com as economias abertas de mercado, em especial quando o mundo se virou para bens e serviços de qualidade cada vez maiores, a Rússia não podia exportar praticamente nada, exceto matérias-primas e equipamento militar.

O crescimento caiu e a renda *per capita* diminuiu no último período do planejamento central. Seus dirigentes abandonaram finalmente o planejamento central soviético quando se viu a sua falência moral, política e econômica.

De Marx para o mercado

A partir de 1989, os países da Europa Oriental e da antiga União Soviética rejeitaram a experiência comunista e introduziram economias de mercado. Uma anedota cruel ouvida na Europa Oriental dizia assim: "Questão: o que é o comunismo? Resposta: o caminho mais longo do capitalismo para o capitalismo".

O caminho de regresso ao capitalismo revelou-se sinuoso para muitos países. Entre os desafios contam-se os seguintes: (1) a liberalização dos preços para permitir sua determinação pela oferta e demanda, (2) a imposição de duras restrições orçamentárias sobre as empresas subsidiadas, (3) a privatização de empresas para que as decisões sobre comprar e vender, preços, produção, emprestar e receber emprestado, seria feita por agentes privados, e (4) o estabelecimento de instituições do mercado, como um sistema bancário moderno, o quadro jurídico para o comércio e os instrumentos para a política monetária e fiscal.

Alguns países, como a Eslovênia e a República Checa, fizeram a transição de forma relativamente rápida e estão, agora, cada vez mais integrados na União Europeia, funcionando como democracias de mercado. A Rússia renacionalizou grande parte de seu setor de energia e tornou-se uma potência energética. Outros países, especialmente nas antigas repúblicas soviéticas da Ásia, ainda estão atolados na autocracia, na corrupção e em rígidas estruturas econômicas. As lições, nesse caso, são úteis para qualquer país que tente estabelecer as instituições de uma economia de mercado.

Nota final cautelosa

Este capítulo descreveu os problemas e as perspectivas dos países pobres que lutam para ser ricos e livres – para proporcionar as habitações confortáveis, a educação, a luz elétrica, as corridas de cavalos, os automóveis e as longas férias da citação que abriu este capítulo. Quais são as perspectivas de atingir esses objetivos?

Concluímos com uma avaliação de Jeffrey Sachs, da Universidade de Columbia e do Earth Institute, um dos destacados economistas do desenvolvimento da atualidade, e de seu coautor, Andrew Warner:

> A economia mundial no fim do século XX assemelha-se muito à economia mundial no final do século XIX. Um sistema capitalista global está tomando forma, levando quase todas as regiões do mundo a ajustes de abertura ao comércio e harmonização das instituições econômicas. Tal como no século XIX, essa nova ronda de globalização promete levar a convergência econômica aos países que se juntem ao sistema...
>
> E, no entanto, há igualmente riscos pronunciados para a consolidação das reformas de mercado na Rússia, na China e na África, bem como para a manutenção dos acordos internacionais entre os países avançados... A expansão do capitalismo nos [últimos] 25 anos é um acontecimento histórico de grandes promessas e significado, mas se [daqui a 25 anos] estivermos celebrando a consolidação de um sistema mundial democrático e baseado no mercado, isso dependerá de nossa visão e das decisões acertadas nos próximos anos.

RESUMO

A. Crescimento da população e desenvolvimento

1. A teoria da população de Malthus baseia-se na lei dos rendimentos decrescentes. Ele sustentou que a população, se não for controlada, tenderia a crescer em uma progressão geométrica (ou exponencial), dobrando (ou mais) a cada geração. Mas cada membro da crescente população teria cada vez menos terra e recursos naturais para trabalhar. Em virtude dos rendimentos decrescentes, a renda poderia crescer quanto muito em uma progressão aritmética; a produção *per capita* tenderia a cair até o ponto da população estabilizar em um nível de mera subsistência.

2. Ao longo dos últimos dois séculos, Malthus e os seus seguidores foram criticados em vários aspectos. Entre as principais críticas estão que os malthusianos ignoram a possibilidade do progresso tecnológico e que esqueceram a importância do controle de natalidade como uma força na redução do crescimento populacional. Os neo-

-malthusianos vêm limites ao crescimento pelas restrições ambientais, especialmente do aquecimento global, em relação às quais os mercados dão sinais distorcidos.

B. Crescimento econômico em países pobres

3. A maior parte da população mundial vive em países em desenvolvimento que têm rendas *per capita* relativamente pequenas. Nesses países, é frequente verificar-se um crescimento rápido da população, um baixo nível de alfabetização, saúde deficiente e uma grande parcela da população vivendo e trabalhando na agricultura.

4. A chave do desenvolvimento reside em quatro fatores fundamentais: recursos humanos, recursos naturais, capital e tecnologia. A explosão da população coloca problemas conforme a previsão malthusiana dos rendimentos decrescentes pairarem sobre os países mais pobres. Na programação de ações, a melhoria da saúde, do nível de instrução e da formação técnica da população têm uma prioridade elevada.

5. As taxas de poupança e investimento nos países pobres são reduzidas, porque as rendas são tão pequenas que pouco pode ser poupado para o futuro. O financiamento internacional do investimento nos países pobres tem passado por muitas crises nos dois últimos séculos.

6. O progresso tecnológico está frequentemente associado ao investimento e a novos equipamentos. Isso constitui uma grande esperança para os países em desenvolvimento, porque estes podem adotar as tecnologias produtivas dos países avançados. Isso exige iniciativa empresarial. Uma das tarefas do desenvolvimento é impulsionar o crescimento do escasso espírito empresarial interno.

7. Numerosas teorias do desenvolvimento econômico ajudam a explicar as razões da presença, ou da ausência, em determinado momento, dos quatro elementos do desenvolvimento. Os economistas do desenvolvimento enfatizam atualmente a vantagem para o crescimento do atraso relativo, a necessidade de respeitar o papel da agricultura e a arte de encontrar a fronteira adequada entre governo e mercado. O consenso mais recente é sobre as vantagens da abertura ao exterior.

8. Os países deveriam preocupar-se em não cair na armadilha da pobreza, em que um ciclo vicioso de miséria leva a um mau desempenho e mantém um país na continuação da pobreza.

9. Lembre-se do nosso resumido julgamento sobre o papel das políticas de governo: (a) Promover o Estado de Direito; (b) executar os investimentos fundamentais em infraestruturas sociais e de capital humano; (c) limitar o setor público a áreas de clara vantagem comparativa e (d) manter a economia aberta ao comércio e ao investimento estrangeiro.

C. Modelos alternativos para o desenvolvimento

10. Muitos "ismos" têm competido com a economia de mercado mista como modelos para o desenvolvimento econômico. Nas estratégias alternativas, incluem-se a abordagem pelo mercado controlado dos países do Leste Asiático, o socialismo e a economia de comando ao estilo soviético.

11. A abordagem pelo mercado controlado do Japão e dos tigres asiáticos, como a Coreia do Sul, Hong Kong, Taiwan e Cingapura, tem provado ser notavelmente bem-sucedida no último quarto de século. Entre os aspectos fundamentais estiveram a estabilidade macroeconômica, elevadas taxas de investimento, um sistema financeiro sólido, melhorias rápidas na educação e uma orientação das políticas comerciais e tecnológicas para o exterior.

12. O socialismo é um estágio intermediário entre o capitalismo e o comunismo, colocando a ênfase na propriedade pelo Estado dos meios de produção, no planejamento pelo Estado, na redistribuição da renda e na transição pacífica para um mundo mais igualitário.

13. Historicamente, o marxismo ganhou as suas raízes econômicas mais profundas na Rússia semifeudal, e, depois, foi imposto no resto da União Soviética e na Europa Oriental. Estudos sobre a alocação de recursos nesses países mostram que os recursos eram alocados pelo planejamento central, com graves distorções dos preços e dos produtos. A economia soviética dependia principalmente da indústria pesada intensiva em energia e dos militares nas suas primeiras décadas. A estagnação e os fracos incentivos à inovação deixaram a Rússia e os outros países de planejamento central com níveis de renda muito inferiores aos da América do Norte, Japão e Europa Ocidental. Todos esses países trocaram a economia de comando centralizado por uma das variantes de economia de mercado mista.

CONCEITOS PARA REVISÃO

Teoria da população
- Teoria da população de Malthus
- Crescimento aritmético *versus* geométrico

Desenvolvimento econômico
- país em desenvolvimento
- indicadores de desenvolvimento
- quatro elementos no desenvolvimento
- ciclos viciosos, círculos virtuosos, armadilha da pobreza
- hipótese do atraso

Modelos alternativos para o desenvolvimento
- dilema central de mercado *versus* comando
- socialismo, comunismo
- o problema do agente-principal
- economia de comando

LEITURAS ADICIONAIS E SITES

Leituras adicionais

Um dos livros mais influentes de todos os tempos é T. R. Malthus, *Essay on Population* (1798, muitos editores). Uma versão online pode ser encontrada em <http://www.ac.wwu.edu/~stephan/malthus/malthus.0.html>. Livros influentes pelos neo-Malthusianos Donella H. Meadows, Dennis L. Meadows, e Jorgen Randers são "The Limits to Growth" (Potomac, Washington, D.C., 1972) e "Beyond the Limits" (Chelsea Green, Post Mills, Vt., 1992).

O estudo sobre o milagre do Extremo Oriente está em "World Bank, The East Asia Miracle: Economic Growth and Government Policies" (World Bank, Washington, D.C., 1993). A citação no final é de Jeffrey Sachs e Andrew Warner, "Economic Reform and the Process of Global Integration", *Brookings Papers on Economic Activity*, n. 1, 1995, p. 63–64.

Uma resenha de fácil leitura dos acontecimentos da história econômica soviética encontra-se em Alec Nove, *An Economic History of the USSR*, 3. ed. (Penguin, Baltimore, 1990). Um estudo cuidadoso do sistema econômico soviético é proporcionado por Paul R. Gregory e Robert C. Stuart, *Russian and Soviet Economic Structure and Performance*, 6. ed. (Harper & Row, New York, 1997).

Sites

O Banco Mundial tem informações sobre os seus programas e publicações no seu site, <http://www.worldbank.org>; o Fundo Monetário Internacional proporciona informação similar em <http://www.imf.org>. O site das Nações Unidas tem ligações com a maioria das instituições internacionais e das suas bases de dados em <http://www.unsystem.org>. Uma boa fonte de informação sobre os países de renda elevada é o site da Organização para a Cooperação e Desenvolvimento Econômico (OCDE), <http://www.oecd.org>. Os dados de comércio dos Estados Unidos estão disponíveis em <http://www.census.gov>. Pode-se obter informação sobre muitos países por meio dos seus organismos de estatística. Um compêndio das agências nacionais está disponível em <http://www.census.gov/main/>.

Dados sobre a população estão disponíveis nas Nações Unidas em <http://www.un.org/popin/>. Uma das melhores fontes para estudos dos países em desenvolvimento é o Banco Mundial, especialmente a *World Development Review*, disponível em <http://www.worldbank.org>.

A citação de Klitgaard foi publicada em *Finance and Development*, março 1998, e pode ser encontrada em <http://www.gwdg. de/~uwww/icr.htm>.

QUESTÕES PARA DISCUSSÃO

1. Uma progressão geométrica é uma sequência de termos $(g_1, g_2, ..., g_t, g_{t+1}, ...)$, em que cada termo é sempre o mesmo múltiplo do anterior:

    $$g_2/g_1 = g_3/g_2 = ... = g_{t+1}/g_t = \beta$$

    Se $\beta = 1 + i > 1$, os termos crescem exponencialmente como a taxa de juros composta, em que i é a taxa de juros. Uma progressão geométrica é uma sequência $(a_1, a_2, a_3, ..., a_t, a_{t+1}, ...)$, em que a diferença entre cada termo e o seu predecessor é uma constante:

    $$a_2 - a_1 = a_3 - a_2 = ... = a_{t+1} - a_t = ... = \lambda$$

    Dê exemplos de cada uma. Saiba que qualquer progressão geométrica com $\beta > 1$ tem de acabar por superar qualquer progressão aritmética. Relacione isso com a teoria de Malthus.

2. Lembre-se que Malthus afirmou que a população, se não fosse controlada, cresceria geometricamente, enquanto a oferta de comida – restringida pelos rendimentos decrescentes – cresceria apenas aritmeticamente. Use um exemplo numérico para mostrar por que razão a produção de alimentos *per capita* deve diminuir se a população não for controlada e se os rendimentos decrescentes levarem a produção de alimentos a crescer mais lentamente do que os acréscimos do trabalho.

3. Você concorda com o elogio ao bem-estar material expresso na citação inicial deste capítulo? O que você acrescentaria à lista dos benefícios do desenvolvimento econômico?

4. Descreva cada um dos quatro elementos importantes que conduzem ao desenvolvimento econômico. Em relação a eles, como os países exportadores de petróleo de alta renda conseguiram ficar ricos? Existe esperança para um país como o Mali, que tem recursos *per capita* muito reduzidos em capital, terra e tecnologia?

5. Alguns receiam o "ciclo vicioso do subdesenvolvimento". Em um país pobre, o rápido crescimento da população anula quaisquer melhorias que ocorram na tecnologia e faz baixar os níveis de vida. Com uma renda *per capita* reduzida, o país não pode poupar e investir e ocupa-se principalmente da agricultura de subsistência. Com a maior parte da população na agricultura, existe uma reduzida esperança para a educação, o decréscimo da fertilidade ou a industrialização. Se fosse consultor de um país como este, como conseguiria romper o ciclo vicioso?

6. Compare a situação que um país em desenvolvimento enfrenta atualmente com a que teria enfrentado (com uma renda *per capita* equivalente) há 200 anos. Considerando as quatro forças propulsoras do desenvolvimento econômico, explique as vantagens e desvantagens que um país em desenvolvimento tem atualmente.

7. Alguns economistas questionam atualmente se é razoável permitir uma completa abertura, tanto nas contas financeiras como nas correntes. Argumentam que permitir o livre fluxo de movimentos financeiros de curto prazo aumenta a vulnerabilidade a ataques especulativos. Enuncie os prós e os contras da limitação dos movimentos financeiros de curto prazo. Você desejará usar um imposto sobre fluxos de curto prazo, em vez de restrições quantitativas?

8. Analise de que forma as questões básicas da economia (*o quê, como* e *para quem*) são resolvidas em uma economia de comando de estilo soviético e compare a sua análise com a solução das três questões centrais em uma economia de mercado.

9. **Problema avançado** (com base na contabilidade do crescimento do Capítulo 25). Podemos expandir a nossa equação da contabilidade do crescimento de forma a incluir três fatores e apresentá-la do seguinte modo:

$$g_Q = s_L g_L + s_K g_K + s_R g_R + \text{P.T.}$$

em que g_Q = taxa de crescimento do produto, g_i = taxa de crescimento do fator de produção i ($i = L$, K ou R; onde L para trabalho, K para capital e R para terra e outros recursos naturais) e s_i = a contribuição de cada fator para o crescimento do produto, medido pela sua parcela da renda nacional ($0 \leq s_i \leq 1$ e $s_L + s_K + s_R = 1$). P.T. quantifica o progresso tecnológico.

   a. Nos países em desenvolvimento mais pobres, a parcela de capital é próxima de zero, o principal recurso é a terra arável (que é constante) e existe um progresso tecnológico reduzido. Você pode usá-la para explicar a hipótese malthusiana de que o produto *per capita* irá provavelmente manter-se estagnado, ou mesmo diminuir (ou seja, $g_Q < g_L$)?

   b. Nas economias avançadas, a parcela dos recursos da terra diminui quase até zero. Por que isso leva à equação da contabilidade do crescimento estudada no capítulo anterior? Você consegue usá-la para explicar como os países podem evitar a armadilha malthusiana dos rendimentos decrescentes?

   c. De acordo com os economistas que estão pessimistas em relação às perspectivas futuras (incluindo um grupo de *neomalthusianos* do Clube de Roma), o P.T. é quase nulo, a oferta disponível de recursos naturais está diminuindo e a parcela dos recursos é grande e está a aumentar. Isso explica a razão pela qual o futuro das sociedades industrializadas pode ser de estagnação? Quais os pressupostos dos neomalthusianos que podem ser postos em dúvida?

CAPÍTULO

27 Taxas de câmbio e o sistema financeiro internacional

O benefício do comércio internacional – a utilização mais eficiente das forças produtivas mundiais.
John Stuart Mill

Economicamente, nenhum país é como uma ilha isolada. Quando o sino dobra para anunciar a recessão ou a crise financeira, o eco ressoa pelo mundo inteiro.

Vemos essa ideia ilustrada expressivamente no século XX, que pode ser dividido em dois períodos distintos. O período de 1914 a 1945 foi caracterizado por concorrência destruidora, redução do comércio mundial, isolamento financeiro crescente, guerras militares e comerciais, ditaduras e depressão. Em contrapartida, após a Segunda Guerra Mundial, a maior parte do mundo tem usufruído de crescente cooperação econômica, da ampliação dos laços comerciais, da integração crescente dos mercados financeiros, da expansão da democracia e de um crescimento econômico rápido. Esse contraste acentuado salienta a importância de uma gestão esclarecida das nossas economias, nacional e global.

Quais são as ligações econômicas entre os países? Os conceitos econômicos importantes envolvem o comércio e as finanças internacionais. O comércio internacional de bens e serviços permite aos países aumentar os seus padrões de vida especializando-se em áreas com vantagem comparativa, exportando bens e serviços em que sejam relativamente eficientes e importando aqueles em que sejam relativamente ineficientes. Em uma economia moderna, o comércio tem lugar usando diferentes moedas. O sistema financeiro internacional é o lubrificante que facilita a troca e as finanças ao permitir às pessoas usar e trocar as várias moedas.

O comércio internacional, às vezes, parece um conflito darwiniano de ganho nulo. Essa visão, na melhor das hipóteses, é enganadora; e errada, na pior. O comércio internacional e as finanças, como todas as trocas voluntárias, pode melhorar o bem-estar de todos os participantes nas operações. Quando os Estados Unidos vendem trigo ao Japão e dele importam carros, por meio de dólares e ienes, essas transações baixam os preços e elevam os padrões de vida em ambos os países.

Mas a integração econômica (por vezes chamada de *globalização*) não está isenta de perigos. Alguns períodos, como o início dos anos 2000, foram relativamente tranquilos, enquanto outros assistiram a sucessivas crises. Os anos 1930 viram o colapso do padrão-ouro e do regime internacional de comércio. Os anos 1970 viram o fracasso do sistema de câmbio de taxa fixa, embargos de petróleo e um aumento acentuado da inflação. Nos anos 1990, verificou-se uma sucessão de crises financeiras – uma crise de confiança no regime de taxa de câmbio na Europa em 1991-1992, a fuga de capitais do México em 1994-1995, pânicos bancários e de moeda no Leste Asiático em 1997, uma quebra de pagamento da dívida pela Rússia e a falta de liquidez global em 1998, e uma série de problemas de moeda na América Latina.

Após um período de relativa tranquilidade, o mundo foi atingido em 2007-2009 pelo estouro de uma bolha dos preços dos imóveis, por execução de créditos hipotecários, e falhas financeiras na economia mais sofisticada do mundo – a dos Estados Unidos. Constatou-se a natureza global do sistema econômico em 2007-2009, quando a crise financeira nos Estados Unidos se disseminou pelo mundo. Todas essas crises exigiram uma gestão cuidadosa por parte das autoridades fiscais e monetárias dos principais países envolvidos.

Este capítulo e o próximo analisam a macroeconomia internacional. Neste tópico incluem-se os princípios que presidem ao sistema monetário internacional, que é o foco principal deste capítulo, bem como o impacto do comércio internacional sobre a produção, o emprego e os preços, que será tratado no próximo.

A macroeconomia internacional envolve muitas das questões mais controversas da atualidade: o comércio internacional aumenta ou diminui a produção e o

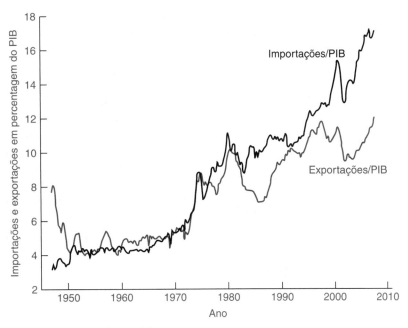

FIGURA 27-1   Abertura crescente dos Estados Unidos.

Tal como todas as principais economias de mercado, os Estados Unidos têm, de forma crescente, aberto as suas fronteiras ao comércio exterior desde a Segunda Guerra Mundial. Isso tem levado ao crescimento da parcela do produto e do consumo envolvido no comércio internacional. Desde os anos 1980, as importações ultrapassaram largamente as exportações, o que fez que os Estados Unidos passassem a ser o maior devedor do mundo.

Fonte: U.S. Bureau of Economic Analysis.

emprego? Qual é a ligação entre poupança interna, investimento doméstico e balança comercial? Quais são as causas das crises financeiras ocasionais que se espalham por contágio de país para país? Qual tem sido o efeito da União Monetária Europeia (Zona do Euro) no desempenho macroeconômico da Europa? E por que os Estados Unidos se tornaram o maior devedor mundial na última década? Encontrar respostas adequadas a essas questões representa um enorme desafio econômico.

TENDÊNCIAS DO COMÉRCIO EXTERIOR

A economia que se envolve em comércio internacional é chamada de **economia aberta**. Uma medida útil do grau de abertura é a razão entre as exportações ou as importações de um país e o seu PIB. A Figura 27-1 revela a tendência das parcelas de importação e exportação dos Estados Unidos ao longo do último meio século. Mostra os grandes excedentes de exportações nos primeiros anos após a Segunda Guerra Mundial, quando os Estados Unidos financiaram a reconstrução da Europa. Mas a parcela de importações e exportações foi reduzida nos anos 1950 e 1960. Com o crescimento no exterior e a redução das barreiras comerciais, a parcela do comércio cresceu continuamente e atingiu uma média de 13% do PIB em 2008.

Você ficará surpreso ao saber que os Estados Unidos são uma economia relativamente autossuficiente. A Figura 27-2 mostra as proporções do comércio de uma

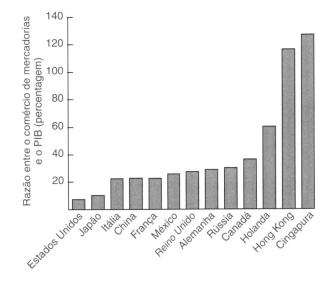

FIGURA 27-2   A abertura varia muito entre as regiões.

Grandes países, como os Estados Unidos, têm pequenas parcelas comerciais, enquanto países muito pequenos, como Cingapura, comercializam mais do que produzem.

Fonte: Organização Mundial do Comércio. As parcelas são a razão entre o comércio de mercadorias e o PIB para o período 2002-2005.

seleção de países. Os pequenos países e os que se encontram em regiões fortemente integradas, como a Europa Ocidental, são mais abertos que os Estados Unidos.

Além disso, o grau de abertura em muitas indústrias dos Estados Unidos é muito maior que a globalidade da economia, em especial em indústrias transformadoras, como aço, têxteis, eletrônica de consumo e automóveis. Alguns setores, como educação e assistência médica, estão muito isolados do comércio exterior.

A. BALANÇO DE PAGAMENTOS INTERNACIONAL

CONTAS DO BALANÇO DE PAGAMENTOS

Iniciamos este capítulo com uma revisão da forma como os países mantêm suas contas internacionais. Os economistas acompanham a evolução por meio de contas de resultados e balanços. Na área da economia internacional, as contas-chave são o **balanço de pagamentos internacional** de um país. Essas contas proporcionam uma demonstração sistemática de todas as transações econômicas entre esse país e o resto do mundo. As suas principais componentes são a conta corrente e a conta financeira. A estrutura básica do balanço de pagamentos é apresentada na Tabela 27-1, cujos elementos serão analisados a seguir.

Débitos e créditos

Tal como outras contas, o balanço de pagamentos registra cada transação como valor positivo ou negativo. A regra geral da contabilidade do balanço de pagamentos é a seguinte:

Se uma transação permite ao país ganhar moeda estrangeira, é chamada de *crédito* e é contabilizada como um valor positivo. Se há gasto de moeda estrangeira, a transação é um *débito* e é registada como um valor negativo. Em geral, as exportações são créditos e as importações são débitos.

Com as exportações ganha-se moeda estrangeira, portanto são créditos. As importações exigem o gasto de moeda estrangeira, portanto são débitos. Como a importação de uma máquina fotográfica japonesa é registrada pelos Estados Unidos? Como a pagaremos em ienes japoneses, é claramente um débito. Como devemos tratar os juros e os dividendos dos investimentos recebidos pelos norte-americanos do exterior? São, evidentemente, créditos, assim como as exportações, porque proporcionam moeda estrangeira.

Detalhes do balanço de pagamentos

Saldo da conta corrente. A totalidade dos itens da seção I da Tabela 27-1 é o **saldo da conta corrente**. Ele inclui todos os itens de renda e de pagamentos – importações e exportações de bens e serviços, renda de investimento e transferências. O saldo de conta corrente é o mesmo que a renda líquida de um país. É conceitualmente similar às exportações líquidas das contas do produto nacional. No passado, muitos analistas concentraram-se na **balança comercial**, que consiste na importação e exportação de mercadorias. A composição das importações e das exportações de mercadorias é formada principalmente de bens primários (como alimentos e combustíveis) e de produtos manufaturados. Em outra época, os mercantilistas se empenhavam pela obtenção de um excedente comercial (um excesso de exportações sobre as importações) chamado de "balança comercial favorável". Eles esperavam evitar uma "balança comercial desfavorável", o que para eles significava um déficit comercial (um excesso de importações sobre as exportações). Ainda encontramos na atualidade traços de mercantilismo quando há países que procuram manter excedentes comerciais.

Atualmente, os economistas evitam essa linguagem porque um déficit comercial nem sempre é prejudicial. Como veremos, o déficit comercial é realmente um reflexo do desequilíbrio entre o investimento doméstico e a poupança interna. Com frequência, um país tem um déficit comercial porque tem uma taxa de poupança reduzida (talvez por causa de um déficit público). O país também pode ter um déficit comercial, porque tem usos produtivos para o investimento doméstico (como é para os Estados Unidos). Um caso oposto de um excedente comercial surge quando um país tem uma poupança elevada e poucos investimentos produtivos internos para a sua poupança (por exemplo, a Arábia Saudita, com imensas receitas do petróleo, mas com reduzidas oportunidades de investimento).

Além disso, o setor de *serviços* é cada vez mais importante no comércio internacional. Os serviços consistem itens como o transporte marítimo, os serviços financeiros e as viagens ao exterior. Um terceiro item na conta

---

I. Conta corrente
  Bens (ou "balança comercial")
  Serviços
  Renda de investimento
  Transferências unilaterais

II. Conta financeira
  Privada
  Governamental
    Variações das reservas oficiais
    Outros

TABELA 27-1 Elementos básicos do balanço de pagamentos.

O balanço de pagamentos tem duas partes fundamentais. A *conta corrente* representa a despesa e as receitas em bens e serviços, juntamente com as transferências. A *conta financeira* inclui as compras e vendas de ativos e passivos financeiros. Um princípio importante é que as duas têm de somar resultando sempre zero:

Conta corrente + Conta financeira = I + II = 0

corrente é a *renda de investimento*, que inclui os ganhos de investimentos no exterior (como as receitas de ativos dos Estados Unidos no exterior). Uma das principais evoluções das duas últimas décadas tem sido o crescimento dos serviços e da renda dos investimentos. Um elemento final são as transferências, que representam pagamentos que não são em contrapartida de bens ou serviços.

A Tabela 27-2 apresenta um resumo do balanço de pagamentos internacional dos Estados Unidos para 2007. Observe as suas duas principais componentes: conta corrente e conta financeira. Cada item é listado pelo nome na coluna (a). Os créditos são apresentados na coluna (b), enquanto na coluna (c) estão indicados os débitos. Por fim, na coluna (d), são indicados os saldos líquidos de débito, ou de crédito; apresenta um crédito, se o saldo do item fez aumentar as nossas reservas de divisas, ou um débito, se o saldo implicar a diminuição.

Em 2007, as exportações de mercadorias nos Estados Unidos proporcionaram créditos no valor de US$ 1.149 bilhões. Mas ao mesmo tempo as importações de mercadorias apresentaram débitos de US$ 1.965 bilhões. A diferença *líquida* foi um déficit comercial de US$ 815 bilhões. Esse déficit comercial é apresentado na coluna (d). (Certifique-se de que compreende por que o sinal é indicado como "–" em vez de "+".) A partir da tabela, vemos que a renda líquida dos serviços e do investimento foi positiva. O déficit total da conta corrente, incluindo o comércio de mercadorias, os serviços, a renda de investimento e as transferências unilaterais, foi US$ 739 bilhões em 2007.

(Omitimos um item adicional das contas chamado de conta de capital, que envolve transferências de capitais. Esse item é extremamente pequeno e pode ser ignorado na maioria das circunstâncias).

Conta financeira. Completamos a nossa análise da conta corrente. Mas como os Estados Unidos "financiaram" o seu déficit de conta corrente de US$ 739 bilhões em 2007? O país teve de recorrer a empréstimos ou reduziu suas reservas cambiais, uma vez que, por definição, temos de pagar, ou pedir emprestado para pagar, o que compramos. Essa identidade significa que *o balanço de pagamentos internacional, no seu conjunto, deve, por definição, ter um saldo final nulo.*

Os movimentos da conta financeira são transações de ativos entre norte-americanos e estrangeiros. Ocorrem, por exemplo, quando um fundo de pensões japonês compra títulos do Governo dos Estados Unidos, ou quando um norte-americano compra ações de uma sociedade anônima alemã.

Os créditos e débitos são, de certa forma, mais complicados nas contas financeiras. A regra, obtida do método contábil das partidas dobradas, é: aumentos nos ativos de um país e reduções dos seus passivos são registrados como débitos; inversamente, reduções nos ativos de um país e aumentos nos seus passivos são registrados como créditos. Um débito é representado por um sinal negativo (–) e um crédito, por um sinal positivo (+).

Normalmente, obtém-se a resposta correta de um modo mais fácil obedecendo a seguinte regra: pense no seu país como exportador ou importador de ações,

Balanço de pagamentos dos Estados Unidos, 2007 (bilhões de dólares)				
(a) Itens		(b) Créditos (+)	(c) Débitos (–)	(d) Créditos (+) ou débitos (–) líquidos
I.	Conta corrente			–739
	a. Saldo do comércio de mercadorias	1.149	–1.965	–815
	b. Serviços	479	–372	107
	c. Renda do investimento	782	–708	74
	d. Transferências unilaterais			–104
II.	Conta financeira [emprestar (–) ou tomar empréstimo (+)]			739
	a. Setor privado	1.451	–1.183	268
	b. Governo			
	Ativos de reservas oficiais dos Estados Unidos, variações			–24
	Ativos oficiais estrangeiros nos Estados Unidos, variações			413
	c. Discrepância estatística			83
III.	Soma da conta corrente e da conta financeira			0

TABELA 27-2 Elementos básicos do balanço de pagamentos, 2007.

Fonte: U.S. Bureau of Economic Analysis. Repare que os totais podem não ser iguais à soma dos componentes em virtude do arredondamento.

títulos da dívida ou de outros instrumentos financeiros. Você pode, então, tratar essas exportações e importações de ativos como quaisquer outras exportações e importações. Quando tomamos empréstimos no exterior, estamos enviando títulos de dívida (na forma de títulos do Tesouro ou ações de sociedades anônimas) para o exterior, obtendo moeda estrangeira. Isso é um crédito ou um débito? É claramente um crédito, porque trouxe moeda estrangeira para os Estados Unidos.

De forma similar, se os bancos dos Estados Unidos fazem empréstimos para o exterior para financiar uma linha de montagem de computadores no México, os bancos norte-americanos estão importando títulos de dívida dos mexicanos e os Estados Unidos estão perdendo divisas; isso é claramente um débito no balanço de pagamentos dos Estados Unidos.

O item II mostra que, em 2007, os Estados Unidos foram um *devedor* líquido: obtiveram de empréstimo do exterior mais do que emprestaram do exterior. Os Estados Unidos foram um exportador líquido de títulos de dívida (um devedor líquido) no montante de US$ 739 bilhões de dólares.[1]

Saldo em transações correntes (bilhões de dólares)	
Região	2007
Rica com baixa poupança	
Estados Unidos	– 739
Rica com alta poupança	
Japão	211
Outros países ricos	160
Rica em recursos naturais à procura de diversificação	
OPEP/Oriente Médio	257
Rússia	76
Pobre com alta poupança	
China	372
Pobre com baixa poupança	
África Subsaariana	– 25
Outros	– 45

TABELA 27-3 Padrões das contas correntes ao redor do mundo em 2007.

Os Estados Unidos são o maior devedor do mundo, com a sua taxa de poupança baixa e um clima de investimento estável. Os países que mais poupam são países ricos e com poupança elevada (como o Japão), países ricos em recursos naturais à procura de diversificação (como a Rússia e países da Opep), e países pobres, mas com poupança elevada (como a China, que tem uma taxa de poupança superior à sua elevada taxa de investimento). Os países mais pobres obtêm alguns influxos líquidos.

Fonte: Fundo Monetário Internacional, *World Economic Outlook*, disponível em <http://www.imf.gov>.

O paradoxo dos devedores ricos

Qual é o padrão típico dos países em termos de superávits e de déficits? Você poderia pensar que os países pobres têm maior produtividade do capital e, portanto, receberiam empréstimos dos países ricos, enquanto os países ricos já teriam usado as suas oportunidades de investimento e deveriam, portanto, emprestar aos países pobres.

De fato, esse padrão vigorou na maior parte da história dos Estados Unidos. Durante o século XIX, os Estados Unidos importaram mais que exportaram. A Europa emprestou a diferença, o que permitiu ao país acumular o seu estoque de capital. Os Estados Unidos foram um país jovem típico com uma dívida crescente. De aproximadamente 1873 a 1914, o saldo do comércio dos Estados Unidos tornou-se superavitário. Depois, durante a Primeira Guerra Mundial e a Segunda Guerra Mundial, os Estados Unidos emprestaram dinheiro aos seus aliados, Inglaterra e França, para armamento e para as necessidades de reconstrução do pós-guerra. Os Estados Unidos emergiram da guerra como um país credor, com um superávit de renda de investimentos no exterior igualado por um déficit no comércio de mercadorias.

Atualmente, por todo o mundo, o padrão é bem diferente, em virtude da globalização financeira. Em um mundo de abertura financeira, o padrão de superávits e déficits comerciais é largamente determinado pelo saldo da poupança e do investimento. A Tabela 27-3 mostra um resumo das principais regiões atuais. Essa tabela mostra que o padrão de empréstimo e dívida não tem praticamente nenhuma relação com os níveis de desenvolvimento econômico, mas é principalmente determinado pelos padrões de poupança e de investimento. A situação mais interessante da lista é a dos Estados Unidos, que é um país rico que recebe empréstimos do exterior. Vamos explorar as razões para esse paradoxo dos devedores ricos no próximo capítulo.

B. DETERMINAÇÃO DAS TAXAS DE CÂMBIO

TAXAS DE CÂMBIO

Todos nós estamos familiarizados com o comércio interno. Quando compramos laranjas da Flórida, ou computadores da Califórnia, naturalmente compramos com dólares. Felizmente o produtor de laranjas e o montador de computadores querem o pagamento em moeda

---

[1] Como em todas as estatísticas econômicas, as contas do balanço de pagamentos contêm necessariamente erros estatísticos (chamados de "discrepâncias estatísticas"). Esses erros refletem o fato de que muitos fluxos de bens e financeiros (desde pequenas transações de moeda até o tráfico de drogas) não são registrados. Incluímos a discrepância estatística no item II (c) da Tabela 27-2.

americana, portanto todo o comércio pode ser efetuado em dólares. As transações econômicas dentro de um país podem ser relativamente simples.

Mas suponha que o seu negócio era a venda de bicicletas japonesas. Nesse caso, a transação torna-se mais complicada. O fabricante de bicicletas quer ser pago na moeda japonesa, e não em dólares americanos. Portanto, para importar bicicletas japonesas é preciso primeiro comprar ienes japoneses (¥) e usar esses ienes para pagar ao fabricante japonês. De forma similar, se os japoneses querem comprar mercadoria norte-americana, têm de obter, primeiro, dólares dos americanos. Essa nova complicação implica o câmbio de moedas.

O comércio internacional envolve o uso de diferentes moedas nacionais. A **taxa de câmbio** é o preço de uma moeda expresso em outra moeda. Essa taxa é determinada no **mercado cambial**, que é o mercado em que as diferentes moedas são comercializadas.

Começamos com o fato de a maioria dos principais países terem a sua própria moeda – o dólar dos Estados Unidos, o iene japonês, o peso mexicano etc. (Os países europeus são uma exceção, pois têm uma moeda comum, o euro.) Adotamos a convenção de quantificar as taxas de câmbio, que designamos pelo símbolo e, como o montante de moeda estrangeira que pode ser comprada com 1 unidade da moeda do país. Por exemplo, a taxa de câmbio do dólar pode ser 100 ienes por dólar dos Estados Unidos (¥ 100/US$).

Quando queremos trocar moeda de um país pela de outro, fazemos uso de determinada taxa de câmbio. Por exemplo, se você tivesse viajado para o México no verão de 2008 teria recebido cerca de 11 pesos mexicanos por 1 dólar americano. Existe uma taxa de câmbio entre o dólar americano e a moeda de qualquer outro país. Em 2008, a taxa de câmbio do dólar era de 0,68 euros, 0,54 libras britânicas e 103 ienes japoneses.

Com taxa de câmbio, agora é possível comprar uma bicicleta japonesa. Suponha que o seu preço seja 20 mil ienes. Você pode procurar em um jornal a taxa de câmbio para o iene. Suponha que ela seja ¥ 100/US$. Pode-se ir a um banco e converter US$ 200 em 20 mil ienes. Com essa moeda japonesa o pagamento ao exportador de sua bicicleta pode ser feito na moeda que ele quer.

Deve-se ser capaz de mostrar o que os importadores japoneses de caminhões norte-americanos têm de fazer se quiserem comprar, por exemplo, um caminhão por US$ 36 mil de um exportador norte-americano. Nesse caso, os ienes têm de ser convertidos em dólares. Você verá que, se a taxa de câmbio é de 100 ienes por dólar, o caminhão, portanto custa ¥ 3 milhões.

As empresas e os turistas não precisam saber mais que isso para realizar suas transações de importação e de exportação. Mas, para dominarmos a economia das taxas de câmbio, precisamos analisar as forças que estão subjacentes à oferta e à demanda de moedas estrangeiras e o funcionamento do mercado cambial.

A taxa de câmbio é o preço de uma moeda em termos de outra moeda. Quantificamos essa taxa (e) como o montante de moeda estrangeira que pode ser comprada com 1 unidade da moeda doméstica.

$$e = \frac{\text{moeda estrangeira}}{\text{moeda doméstica}} = \frac{\text{iene}}{\text{US\$}} = \frac{\text{euros}}{\text{US\$}} = \dots$$

MERCADO DE CÂMBIO

Tal como a maioria dos outros preços, as taxas de câmbio variam de semana para semana e de mês para mês, de acordo com as forças da oferta e da demanda. O *mercado de câmbio* é o mercado em que as moedas dos diferentes países são comercializadas e no qual as taxas de câmbio são determinadas. A moeda estrangeira é comercializada, em nível de varejo, em muitos bancos e empresas especializadas nesse negócio. Os mercados organizados em Nova York, Tóquio, Londres e Zurique comercializam diariamente moedas no valor de centenas de bilhões de dólares.

Podemos utilizar as nossas conhecidas curvas de oferta e de demanda para ilustrar a forma como os mercados determinam o preço das moedas estrangeiras. A Figura 27-3 mostra a oferta e a demanda de dólares americanos que decorrem dos negócios com o Japão.[2] A *oferta* de dólares americanos é a das pessoas que precisam de ienes para comprar bens, serviços e ativos financeiros japoneses nos Estados Unidos; a *demanda* de dólares é das pessoas que compram bens, serviços ou investimentos dos Estados Unidos e que, assim, necessitam de dólares para pagamento desses itens no Japão. O preço de câmbio – a taxa de câmbio – é estabelecido quando a oferta e a demanda estão em equilíbrio.

Consideremos primeiro o lado da oferta. A oferta de dólares no mercado cambial é originada quando os norte-americanos necessitam de ienes para comprar automóveis, vídeos ou outras mercadorias japonesas, para passar férias em Tóquio etc. Além disso, a moeda estrangeira é necessária se os norte-americanos pretendem comprar ativos japoneses, como ações de sociedades japonesas. Em resumo, *os norte-americanos oferecem dólares quando compram bens, serviços e ativos estrangeiros*.

Na Figura 27-3, o eixo vertical é a taxa de câmbio, (e), medida em unidades da moeda estrangeira por unidade da moeda doméstica – isto é, em ienes por dólar, em pesos mexicanos por dólar etc. Tenha a certeza de que compreende quais são as unidades neste caso. O eixo horizontal representa a quantidade de dólares comprados e vendidos no mercado de câmbio.

A oferta de dólares dos Estados Unidos é representada pela curva SS com inclinação positiva. Essa inclinação significa que, quando a taxa de câmbio aumenta, o número de ienes que podem ser comprados por dólares também aumenta. Isso significa que, mantendo-se

---

[2] Esse é um exemplo simplificado em que consideramos apenas o comércio bilateral entre o Japão e os Estados Unidos.

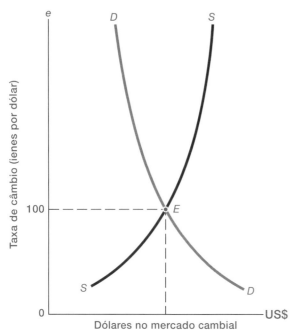

FIGURA 27-3 Determinação da taxa de câmbio.

Subjacentes às ofertas e demandas de moeda estrangeira estão as compras de bens, serviços e ativos financeiros. Subjacente à demanda de dólares está o desejo japonês de bens e investimentos norte-americanos. A oferta de dólares vem dos norte-americanos que desejam bens e ativos japoneses. O equilíbrio ocorre em E. Se a taxa de câmbio estivesse acima de E, haveria um excesso de oferta de dólares. A menos que o governo comprasse esse excesso de oferta com reservas oficiais, as forças de mercado forçariam a descida da taxa de câmbio para E, para o equilíbrio entre a oferta e a demanda.

o remanescente constante, os preços dos bens japoneses diminuem relativamente aos dos bens norte-americanos. Desse modo, os norte-americanos tendem a comprar mais bens japoneses, e a oferta de dólares, portanto, aumenta.

Para compreender por que a curva da oferta tem uma inclinação positiva, considere o exemplo das bicicletas. Se a taxa de câmbio aumentasse de ¥ 100/US$ para ¥ 200/US$, a bicicleta que custa ¥ 20 mil teria o preço reduzido de US$ 200 para US$ 100. Mantendo-se tudo o mais constante, as bicicletas japonesas seriam mais atrativas e os norte-americanos venderiam mais dólares no mercado cambial para comprar mais bicicletas. Assim, com maior taxa de câmbio a quantidade ofertada de dólares seria maior.

O que está subjacente à curva da demanda de dólares (representada na Figura 27-3 pela curva da demanda DD)? Os estrangeiros demandam dólares americanos quando compram bens, serviços e ativos norte-americanos. Por exemplo, suponha que uma estudante japonesa compre um manual de economia norte-americano, ou faça uma viagem aos Estados Unidos. Ela precisará de dólares americanos para pagá-los. Ou quando

a Japan Airlines compra um Boeing 787 para a sua frota, essa transação aumenta a demanda de dólares americanos. Se os fundos de pensões japoneses investem em ações de empresas americanas, isso exigirá a aquisição de dólares. *Os estrangeiros demandam dólares dos Estados Unidos para pagar as suas compras de bens, serviços e ativos norte-americanos.*

A curva da demanda, na Figura 27-3, tem uma inclinação negativa para indicar que quando o valor do dólar diminui (e o iene se torna, portanto, mais caro) os residentes no Japão querem comprar mais bens, serviços e investimentos estrangeiros. Demandarão, portanto, mais dólares americanos no mercado cambial. Considere o que acontece quando a taxa de câmbio do dólar cai de ¥ 100/US$ para ¥ 50/US$. Os computadores norte-americanos que eram vendidos por US$ 2.000 × (¥ 100/US$) = ¥ 200.000 são vendidos, agora, por apenas US$ 2.000 × (¥ 50/US$) = ¥ 100.000. Os compradores japoneses tenderão, portanto, a comprar mais computadores norte-americanos e a quantidade demandada da moeda dos Estados Unidos tenderá a aumentar.

As forças de mercado fazem variar a taxa de câmbio para cima, ou para baixo, para equilibrar a oferta e a demanda. O preço é estabelecido na *taxa de câmbio de equilíbrio*, que é a taxa à qual os dólares que se pretendem comprar são exatamente iguais aos dólares que se pretendem vender.

O equilíbrio da oferta e da demanda de moeda estrangeira determina a taxa de câmbio de uma moeda. A taxa de câmbio de mercado de 100 ienes por dólar, mostrado pelo ponto E, na Figura 27-3, está em equilíbrio e não há tendência para subir, ou para cair.

Analisamos o mercado cambial em termos de oferta e demanda de dólares. Mas nesse mercado há duas moedas envolvidas, de modo que poderíamos analisar de maneira igualmente fácil a oferta e a demanda de ienes japoneses. Para observar isso, você deve elaborar um gráfico da oferta-demanda com a moeda iene no eixo horizontal e a taxa de câmbio do iene (US$ por ¥) no eixo vertical. Se ¥ 100/US$ é o equilíbrio visto do ponto de vista do dólar, então US$ 0,01/¥ é a *taxa de câmbio recíproca*. Como exercício, acompanhe a análise desta seção para o mercado recíproco. Você verá que, nesse mundo bilateral simples, para qualquer afirmação relativa a dólares existe exata contrapartida em ienes: a oferta de dólares é a demanda de ienes; a demanda de dólares é a oferta de ienes.

Existe ainda uma extensão adicional necessária para chegarmos aos mercados cambiais reais. Na realidade, há muitas moedas. Precisamos, portanto, encontrar as ofertas e as demandas de cada uma e de todas as moedas. São as muitas relações comerciais e trocas multilaterais, com demandas e ofertas vindas de todos os pontos do mundo, que determinam o conjunto completo de taxas de câmbio.

Terminologia das taxas de câmbio

Os mercados de câmbios têm um vocabulário específico. Por definição, a queda do preço de uma moeda em relação à outra, ou de todas as outras, é chamada de *depreciação*. Um aumento do preço de uma moeda em relação à outra é chamado de *apreciação*. No nosso exemplo anterior, quando o preço do dólar aumentou de ¥ 100/US$ para ¥ 200/US$ o dólar teve uma apreciação. E sabemos também que o iene teve uma depreciação.

No gráfico de oferta e demanda de dólares americanos, uma redução da taxa de câmbio (E) é uma depreciação do dólar, e um aumento de (E) representa uma apreciação.

Um conjunto diferente de termos é usado quando uma moeda tem uma taxa de câmbio fixa. Quando um país baixa o preço oficial da sua moeda no mercado, isso é chamado de *desvalorização*. Uma *revalorização* ocorre quando a taxa de câmbio oficial é aumentada.

Por exemplo, em dezembro 1994, o México desvalorizou a sua moeda quando baixou o preço oficial ou paridade do peso, de 3,5 para 3,8 pesos por dólar. O México logo concluiu que não podia defender a nova paridade e permitiu a "flutuação" de sua taxa de câmbio. Nesse ponto, o peso caiu, ou depreciou-se, ainda mais.

Quando a moeda de um país perde valor em relação à de outro país, dizemos que a moeda doméstica sofreu uma **depreciação**, enquanto a moeda estrangeira teve uma **apreciação**.

Quando a taxa de câmbio oficial de um país é reduzida, dizemos que a moeda sofreu uma **desvalorização**. Um aumento da taxa de câmbio oficial é designado por **revalorização**.

Efeitos de variações no comércio

O que aconteceria se houvesse variações na demanda de moeda externa? Por exemplo, se o Japão tem uma recessão, sua demanda de importações diminui. Em resultado, a demanda de dólares americanos diminuiria. O resultado é mostrado na Figura 27-4. A redução das compras de bens, serviços e investimentos americanos faz a demanda de dólares no mercado diminuir. Essa alteração é representada por um deslocamento para a esquerda da curva da demanda. O resultado será uma taxa de câmbio menor, isto é, o dólar vai se depreciar e o iene vai se apreciar. Com a taxa de câmbio menor, a quantidade de dólares oferecidos pelos norte-americanos ao mercado diminuirá, uma vez que os bens japoneses estão agora mais caros. Além disso, a quantidade de dólares demandada pelos japoneses irá diminuir em decorrência da recessão. Qual será a amplitude da variação das taxas de câmbio? A suficiente para que a oferta e a demanda estejam novamente em equilíbrio. No exemplo mostrado na Figura 27-4, o dólar depreciou-se de ¥ 100/US$ para ¥ 75/US$.

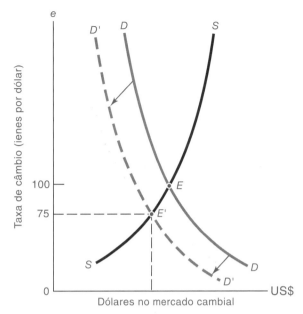

FIGURA 27-4 Uma queda na demanda de dólares leva a uma depreciação dessa moeda.

Suponha que uma recessão, ou uma deflação, no Japão reduza a demanda japonesa de dólares. Isso faria a demanda de dólares se deslocar para a esquerda, de DD para D'D'. A taxa de câmbio do dólar tem uma depreciação, enquanto o iene tem uma valorização. Por que a nova taxa de câmbio desencorajaria as compras norte-americanas de bens japoneses?

No mundo atual, as taxas de câmbio reagem com frequência a variações que envolvem a conta financeira. Suponha que o Fed aumente as taxas de juros nos Estados Unidos. Isso tornaria os ativos americanos mais atrativos que os ativos estrangeiros, quando as taxas de juros do dólar aumentam relativamente às taxas de juros dos títulos estrangeiros. Em resultado, a demanda de dólares aumenta e o dólar é valorizado. Essa sequência é apresentada na Figura 27-5.

Taxas de câmbio e o balanço de pagamentos

Qual é a conexão entre taxas de câmbio e os ajustes no balanço de pagamentos? Em um exemplo mais simples, suponha que as taxas de câmbio sejam determinadas pela oferta e pela demanda privadas, sem qualquer intervenção do governo. Considere o que aconteceu em 1990, após a unificação da Alemanha, quando o banco central alemão decidiu aumentar as taxas de juros para reduzir a inflação. Após o aperto monetário, os estrangeiros transferiram alguns dos seus ativos para marcos alemães, para se beneficiarem das taxas de juros alemãs elevadas. Isso produziu um excesso de demanda de marcos alemães, à taxa de câmbio antiga. Em outras palavras, para a taxa de câmbio anterior, as pessoas estavam, em equilíbrio, comprando marcos alemães e vendendo outras moedas. (Você pode redesenhar a Figura 27-5 para mostrar essa situação.)

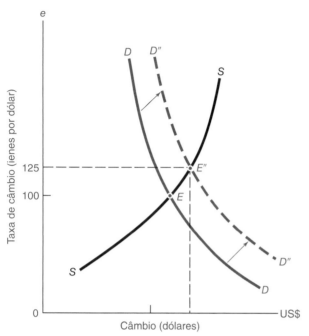

FIGURA 27-5 O aperto monetário aumenta a demanda de dólares e produz uma valorização dessa moeda.

A política monetária pode afetar a taxa de câmbio por meio da conta financeira. Se o banco central aumenta as taxas de juros do dólar, induz os investidores para títulos em dólares e aumenta a demanda de dólares no mercado cambial. O resultado é uma apreciação do dólar. (Explique por que isso leva à depreciação do euro.)

É aqui que a taxa de câmbio desempenha o seu papel de equilibrador. Como a demanda de marcos alemães aumentou, isso levou a uma apreciação do marco alemão e a uma depreciação das outras moedas, como o dólar americano. O movimento da taxa de câmbio continuou até que a conta financeira e a conta corrente voltassem ao equilíbrio.

Tal variação da taxa de câmbio tem um efeito importante nos fluxos comerciais. Com a apreciação do marco, os bens alemães ficaram mais caros nos mercados externos e os bens estrangeiros ficaram mais baratos na Alemanha. Isso levou a um declínio das exportações e a um aumento das importações alemãs. Como resultado, a balança comercial moveu-se em direção ao déficit. O déficit da conta corrente foi a contrapartida do excedente da conta financeira induzido pelas taxas de juros mais elevadas.

Os movimentos da taxa de câmbio servem como niveladores para eliminar os desequilíbrios no balanço de pagamentos.

Paridade do poder de compra e taxas de câmbio

No curto prazo, as taxas de câmbio determinadas pelo mercado são altamente voláteis, em resposta à política monetária, a acontecimentos políticos e a mudanças nas expectativas. Mas, a longo prazo, as taxas de câmbio são determinadas principalmente pelos preços relativos dos bens dos vários países. Uma consequência importante é a *teoria da paridade do poder de compra (PPC) das taxas de câmbio*. De acordo com essa teoria, a taxa de câmbio de um país tenderá a igualar o custo de compra de bens comercializados no país com o custo de comprar esses bens no exterior.

A teoria da *PPC* pode ser ilustrada com um exemplo simples. Suponha que o preço de um conjunto de bens (automóveis, joalharia, petróleo, alimentos etc.) custe US$ 1 mil nos Estados Unidos e 10 mil pesos no México. A uma taxa de câmbio de 100 pesos por dólar, esse conjunto custaria US$ 100 no México. Dados esses preços relativos e havendo comércio livre entre os dois países, seria de esperar que as empresas e os consumidores dos Estados Unidos cruzassem a fronteira para tirar vantagem dos preços mais baixos do México. O resultado seria o aumento das importações do México e aumento da demanda por pesos mexicanos. Isso iria causar a apreciação do peso mexicano em relação ao dólar americano, de modo que seriam necessários mais dólares para comprar o mesmo número de pesos. Como resultado, os preços dos bens mexicanos, *em termos de dólares*, subiriam, mesmo que os preços em pesos não tivessem sido alterados.

Onde acabaria esse processo? Supondo que os preços internos não se alterassem, acabaria quando a taxa de câmbio do peso caísse para 10 pesos por dólar. Apenas a essa taxa de câmbio o preço do conjunto de bens de mercado seria igual nos dois países. A 10 pesos por dólar, dizemos que as duas moedas têm o mesmo poder de compra, em termos dos bens transacionados. (Você pode confirmar se compreendeu essa análise calculando o preço do conjunto de mercado, tanto em pesos mexicanos como em dólares americanos, antes e depois da apreciação do peso.)

A doutrina da *PPC* também estabelece que os países com taxas de inflação elevadas tendem a ter depreciação da moeda. Por exemplo, se a taxa de inflação do país A é 10%, enquanto a inflação do país B é 2%, a moeda do país A tenderá a depreciar em relação à do país B pela diferença das taxas de inflação, isto é, 8% ao ano. Alternativamente, admitamos que a inflação galopante na Rússia leve a um aumento de preços de 100% no decurso de um ano, enquanto os preços nos Estados Unidos permanecem inalterados. De acordo com a teoria da *PPC*, o rublo russo deve depreciar em 99%, de modo a trazer de volta ao equilíbrio os preços dos bens dos Estados Unidos e da Rússia.

Precisamos ter cautela, pois a teoria da *PPC* é apenas uma aproximação e não pode prever os movimentos exatos da taxa de câmbio. Uma razão para que não seja exata é o fato de muitos dos bens e serviços abrangidos em índices de preços não serem comercializados. Por exemplo, se a *PPC* utiliza o índice de preços ao consumidor, então temos de levar em conta que a habitação não é um serviço comercializado e que os preços da habitação de qualidade comparável podem variar muito no espaço. Além disso, mesmo para os bens transacionados, não existe nenhuma "lei do preço único" que se aplique uniformemente a todos os bens. Se você observar o preço do mesmo artigo na Amazon.com e na Amazon.co.uk, verificará que (mesmo após a aplicação da taxa de câmbio atual) o preço é geralmente diferente. Diferenças de preço para o mesmo bem podem ocorrer por causa de tarifas, impostos e custos de transporte. Além disso, no curto prazo, os fluxos financeiros podem sobrepor-se aos fluxos comerciais. Portanto, embora a teoria da *PPC* seja um guia útil para as taxas de câmbio no longo prazo, as taxas de câmbio podem divergir do seu nível de *PPC* durante muitos anos.

PPC e o tamanho dos países

Qualquer que seja a medida, os Estados Unidos continuam a ter a maior economia mundial. Mas qual é a segunda maior? É o Japão, a Alemanha, a Rússia, ou qualquer outro país? Você poderia pensar que essa era uma questão de fácil resposta, tal como medir a altura, ou o peso. Porém, o problema é que o Japão calcula o seu produto nacional em ienes, enquanto o produto nacional da Rússia é dado em rublos e o dos Estados Unidos, em dólares. Para serem comparáveis, todos têm de ser convertidos na mesma moeda.

A abordagem habitual é usar a taxa de câmbio de mercado para converter cada moeda em dólares, e, com essa medida, o Japão é a segunda maior economia. Contudo, há duas dificuldades com o uso de taxas de mercado. Na primeira, como as taxas de mercado podem aumentar ou diminuir acentuadamente, a economia dos países pode variar 10 ou 20% de um dia para o outro. Na segunda, o uso das taxas de câmbio de mercado tende a subestimar o produto nacional dos países de baixa renda.

Atualmente, os economistas, em geral, preferem usar as taxas de câmbio *PPC* para comparar os níveis de vida dos diferentes países. A diferença entre taxas de câmbio de mercado e as taxas de câmbio *PPC* podem ser acentuadas, como mostra a Figura 27-6. Quando se usam as taxas de câmbio de mercado, as rendas e os produtos de países de baixa renda, como a China e a Índia, tendem a ser subavaliados. Essa subavaliação ocorre porque uma parte substancial da produção de tais países deriva de serviços intensivos em trabalho, que são normalmente muito baratos nos países de baixa renda. Desse modo, quando calculamos as taxas de câmbio *PPC*, incluindo os preços de bens não transacionados, o PIB dos países de baixa renda aumenta relativamente ao dos países com renda elevada. Por exemplo, quando são usadas as taxas de câmbio *PPC*, o PIB da China é 2,3 vezes o nível calculado usando as taxas de câmbio de mercado.

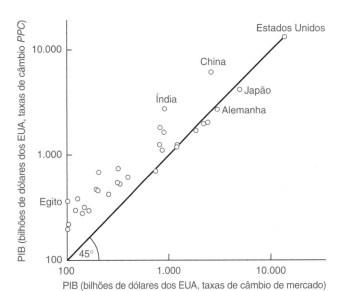

FIGURA 27-6 Os cálculos da *PPC* alteram a grandeza relativa dos países, 2006.

O uso de taxas de câmbio *PPC* altera a ordenação econômica dos países. Após a correção pelo poder de compra das rendas, a China passa de 4º para o 2º maior. Repare que, nos pontos ao longo da reta de 45º, obtém-se o mesmo PIB usando as duas taxas de câmbio. Nos pontos acima da linha, como a China, a estimativa do PIB pela *PPC* é superior à que se obtém usando as taxas de câmbio de mercado. O Japão está abaixo da linha, porque os preços relativos nesse país são elevados em decorrência das rendas elevadas e das barreiras comerciais.

Fonte: Banco Mundial. Repare que os resultados são apresentados em uma escala geométrica.

C. SISTEMA MONETÁRIO INTERNACIONAL

Ainda que expliquem os principais determinantes, os gráficos simples de oferta e demanda do mercado de câmbio não captam a ação nem a importância central do sistema monetário internacional. Nós testemunhamos crises sucessivas nas finanças internacionais – na Europa em 1991-92, no México e na América Latina em 1994-95, no Extremo Oriente e na Rússia em 1997-98 e de novo na América Latina em 1998-2002.

O que é o **sistema monetário internacional**? Essa expressão refere-se às instituições por meio das quais são feitos os pagamentos das transações que cruzam as fronteiras nacionais. Em especial, o sistema monetário internacional determina a forma como são estabelecidas e a forma como os governos podem influenciar as taxas de câmbio.

A importância do sistema monetário internacional foi descrita de maneira adequada pelo economista Robert Solomon:

> Tal como os semáforos em uma cidade, o sistema monetário internacional é considerado confiável até que começa a funcionar mal e a perturbar a vida das pessoas...

Um sistema monetário funcionando bem facilitará o comércio e o investimento internacionais e suavizará a adaptação às mudanças. Um sistema monetário que funcione mal pode não só desestimular o desenvolvimento do comércio e do investimento entre os países como sujeitar as suas economias a choques perturbadores quando se impedem ou adiam os necessários ajustamentos às mudanças.

O elemento central do sistema monetário internacional envolve os acordos para a determinação das taxas de câmbio. Nos últimos anos, os países têm usado um dos três principais sistemas cambiais:

- de taxas de câmbio fixas;
- de taxas de câmbio flexíveis, ou flutuantes, em que as taxas de câmbio são determinadas pelas forças de mercado;
- de taxas de câmbio "geridas", em que os países intervêm para atenuar as flutuações das taxas de câmbio, ou para variar a sua moeda em um intervalo fixado como objetivo.

TAXAS DE CÂMBIO FIXAS: O PADRÃO-OURO CLÁSSICO

Em um dos extremos está o sistema de **taxas de câmbio fixas**, em que os governos indicam a taxa exata a que os dólares serão convertidos em pesos, ienes e outras moedas. Historicamente, o mais importante sistema de taxa de câmbio fixa foi o **padrão-ouro**, que funcionou intermitentemente de 1717 a 1933. Nesse sistema, cada país define o valor da sua moeda em termos de uma quantidade fixa de ouro, sendo desse modo estabelecidas taxas de câmbio fixas entre os países no padrão-ouro.[3]

O funcionamento do padrão-ouro pode ser facilmente observado em um exemplo simples. Suponha que as pessoas queiram, em todos os lugares, ser pagas com certa quantidade de ouro puro. Então, a compra de uma bicicleta na Inglaterra exigiria meramente o pagamento em ouro, a um preço expresso em onças de ouro. Por definição, não haveria qualquer problema de taxa de câmbio. O ouro seria a moeda corrente em todo o mundo.

Esse exemplo mostra a essência do padrão-ouro. Desde que o ouro fosse o meio de troca, ou moeda, o comércio exterior não seria diferente do comércio interno; tudo poderia ser pago com ouro. A única diferença seria que os países poderiam escolher diferentes *unidades* para as suas moedas de ouro; assim, a Rainha Vitória decidiu que as moedas inglesas deveriam ter 1/4 de onça de ouro (a libra) e o Presidente McKinley decidiu que a unidade dos Estados Unidos fosse 1/20 de onça de ouro (o dólar). Nesse caso, e sendo 5 vezes mais pesada que o dólar, a libra inglesa tinha uma taxa de câmbio de US$ 5 por £ 1.

Era essa a essência do padrão-ouro. Na prática, havia a tendência para os países usarem as suas próprias moedas. Mas todos eram livres para fundi-las e vendê-las ao preço corrente do ouro. Desse modo, no padrão-ouro, as taxas de câmbio eram fixas para todos os países. As taxas de câmbio (também chamadas de "paridades") das várias moedas eram determinadas pelo conteúdo de ouro das suas unidades monetárias.

Mecanismo de ajuste de Hume

O propósito de um sistema de taxa de câmbio é promover o comércio e as finanças internacionais e facilitar os ajustes aos choques; como funciona exatamente o *mecanismo de ajustamento internacional*. O que acontece se os preços e salários de um país aumentarem tão acentuadamente de modo que os seus bens deixem de ser competitivos no mercado mundial? Com taxas de câmbio flexíveis, a taxa de câmbio do país depreciaria para compensar a inflação interna. Mas com taxas de câmbio fixas, o equilíbrio tem de ser reposto pela deflação interna ou pela inflação no exterior.

Vamos examinar o mecanismo de ajuste internacional sob um sistema de taxa de câmbio fixa entre dois países, os Estados Unidos e a Inglaterra. Suponha que a inflação no primeiro país torne os bens norte-americanos não competitivos. Consequentemente, as suas importações aumentariam e as suas exportações diminuiriam. Haveria, portanto, um déficit comercial com a Inglaterra. Para pagar o seu déficit, os Estados Unidos teriam de enviar ouro para a Inglaterra. Se não houvesse ajustes, nem nos Estados Unidos, nem na Inglaterra, os Estados Unidos acabariam perdendo todo o seu ouro.

De fato, existe um mecanismo de ajuste automático, como foi apresentado pelo filósofo inglês David Hume em 1752. Ele demonstrou que a saída de ouro fazia parte de um mecanismo que tendia a manter equilibrados os pagamentos internacionais. O seu argumento, apesar de ter quase 250 anos, oferece uma importante contribuição para a compreensão da forma como os fluxos de comércio se equilibram na economia atual.

A explicação de Hume baseava-se, em parte, na teoria quantitativa dos preços, que é uma teoria do nível geral de preços analisada em macroeconomia. Essa teoria sustenta que o nível geral de preços em uma economia é proporcional à oferta de moeda. No padrão-ouro, o ouro era uma parte importante da oferta de moeda – quer diretamente, na forma de moedas de ouro, quer indiretamente, quando o governo usava ouro para garantir o papel-moeda.

---

[3] Por que o ouro foi usado como o padrão de câmbio e meio de pagamento, em vez de qualquer outra mercadoria? Outros materiais podiam certamente ter sido utilizados, mas o ouro tinha a vantagem de ter uma oferta limitada, ser relativamente indestrutível e ter poucos usos industriais. Você consegue perceber por que o vinho, o trigo ou o gado não seriam um meio útil de pagamento entre países?

Qual seria o impacto da perda de ouro por um país? Primeiro, a oferta de moeda do país seria reduzida, ou porque as moedas de ouro seriam exportadas, ou porque parte do ouro que garantiria o papel-moeda sairia do país. Conjugando essas duas consequências, a perda de ouro leva a uma redução da oferta de moeda. O passo seguinte, de acordo com a teoria quantitativa, é a variação dos preços e dos custos proporcional à variação da oferta de moeda. Se os Estados Unidos perdessem 10% do seu ouro para pagar um déficit comercial, a teoria quantitativa prevê que os preços, custos e rendas nesse país seriam reduzidos em 10%. Em outras palavras, a economia sofreria uma deflação.

O mecanismo a quatro tempos. Vejamos agora a teoria do equilíbrio de pagamentos internacional de Hume. Suponha que os Estados Unidos tenham um grande déficit comercial e comecem a perder ouro. De acordo com a teoria quantitativa dos preços, essa perda de ouro reduz a oferta de moeda nos Estados Unidos, o que leva à diminuição dos preços e dos custos no país. Como resultado, (1) os Estados Unidos diminuem as suas importações de bens ingleses e de outras origens estrangeiras, que se tornaram relativamente caros; e (2) como os bens produzidos internamente nos Estados Unidos se tornaram relativamente baratos nos mercados mundiais, as exportações dos Estados Unidos aumentaram.

O efeito oposto ocorre na Inglaterra e em outros países estrangeiros. Como as suas exportações estão aumentando rapidamente, a Inglaterra recebe, em contrapartida, ouro. Aumenta, portanto, a oferta de moeda na Inglaterra, o que faz aumentar os preços e os custos nesse país, de acordo com a teoria quantitativa. Nesse ponto, entram em ação dois novos tempos do mecanismo de Hume: (3) as exportações inglesas e de outros países tornaram-se mais caras, portanto diminuiu o volume de bens exportados para os Estados Unidos e para outros países; e (4) os cidadãos ingleses, em face de um nível de preços internos mais elevado, importam agora mais produtos norte-americanos, que têm preços mais baixos.

A Figura 27-7 ilustra a lógica do mecanismo de Hume. Certifique-se de que consegue seguir a cadeia lógica desde o déficit original, na parte superior, até o ajuste do novo equilíbrio, na parte inferior.

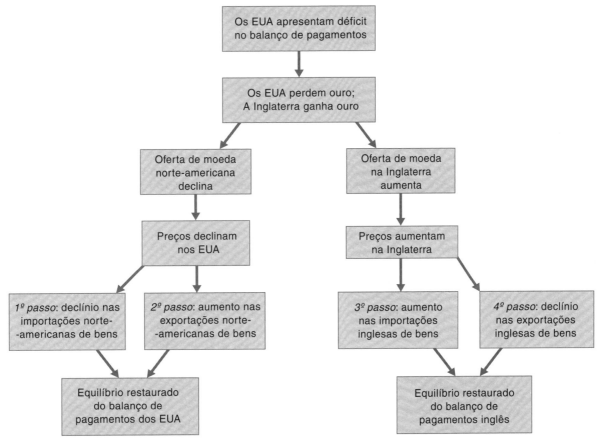

FIGURA 27-7 O mecanismo de ajuste internacional a quatro tempos de Hume.

Hume explicou como um desequilíbrio do balanço de pagamentos produziria automaticamente um ajuste de equilíbrio sob o padrão-ouro. Siga as setas, desde o desequilíbrio original, na parte superior, passando pelas variações de preço, até o restabelecimento do equilíbrio, na parte inferior. Esse mecanismo funciona em uma forma modificada sob qualquer sistema de taxa de câmbio fixa. A ciência econômica moderna alarga o mecanismo, substituindo a quarta linha por "Diminuição dos preços, produto e emprego nos Estados Unidos" e "Aumento dos preços, produto e emprego na Inglaterra".

O resultado do mecanismo em quatro tempos do fluxo de ouro de Hume é uma melhoria no balanço de pagamentos do país que perde ouro e na deterioração do balanço do país que ganha ouro. Ao final, é restabelecido um equilíbrio do comércio e das finanças internacionais com novos preços relativos, que mantêm o comércio e os empréstimos internacionais em equilíbrio sem haver qualquer fluxo de ouro. Esse equilíbrio é estável e não exige impostos de importação, nem qualquer outro tipo de intervenção do governo.

Atualização de Hume à macroeconomia moderna

As teorias de Hume já não são completamente relevantes atualmente. Não temos um padrão-ouro e a teoria quantitativa dos preços já não é usada para explicar os movimentos de preços. No entanto, a base da teoria de Hume pode ser reinterpretada à luz da macroeconomia moderna. A essência do argumento de Hume é explicar o mecanismo de ajuste dos desequilíbrios entre países com uma taxa de câmbio fixa, que pode ser o padrão-ouro (como existia antes de 1936), o padrão dólar (como no sistema de Bretton Woods de 1945 a 1971), ou o padrão euro (entre os países da União Europeia da atualidade).

Se as taxas de câmbio não são livres para variar quando os preços ou as rendas dos vários países ficam desalinhados, *então o produto e os preços internos devem ser ajustados para restaurar o equilíbrio*. Se, sob uma taxa de câmbio fixa, os preços internos ficam muito elevados em relação aos preços de importação, o ajuste total só pode ocorrer quando os preços internos diminuírem. Isso ocorrerá quando o produto nacional cair o suficiente para que o nível de preços do país diminua em relação aos preços mundiais. Nesse ponto, o balanço de pagamentos vai voltar ao equilíbrio. Suponha que os preços da Grécia aumentem muito acima dos do resto da União Europeia e o país deixe de ser competitivo no mercado. A Grécia irá constatar a diminuição das exportações e o aumento das importações, reduzindo as exportações líquidas. Com a diminuição dos salários e dos preços na Grécia, em relação aos do resto da Europa, o país acabará sendo novamente competitivo e capaz de restaurar o pleno emprego.

Quando adota uma taxa de câmbio fixa, um país enfrenta um fato inevitável: o produto real e o emprego internos devem ser ajustados para garantir que os preços relativos do país estejam alinhados com os dos seus parceiros comerciais.

INSTITUIÇÕES MONETÁRIAS INTERNACIONAIS APÓS A SEGUNDA GUERRA MUNDIAL

Na primeira metade do século XX, mesmo os países que estavam declaradamente em paz envolviam-se em guerras comerciais e em desvalorizações competitivas desgastantes. Após a Segunda Guerra Mundial, foram criadas instituições internacionais para desenvolver a cooperação econômica entre países. Essas instituições continuam a ser o meio pelo qual os países coordenam as suas políticas econômicas e procuram soluções para os seus problemas comuns.

Os Estados Unidos emergiram da Segunda Guerra Mundial com a sua economia intacta – com capacidade e vontade de ajudar a reconstrução dos países aliados e também dos inimigos. O sistema político internacional do pós-guerra respondeu às necessidades dos países destruídos com o estabelecimento de instituições duráveis que facilitaram a rápida recuperação da economia internacional. As principais instituições econômicas internacionais do período do pós-guerra foram o GATT (transformado em Organização Mundial de Comércio em 1995), o sistema de taxas de câmbio de Bretton Woods, o Fundo Monetário Internacional e o Banco Mundial. Essas quatro instituições ajudaram as democracias industriais a reconstruírem-se e a crescerem rapidamente após a devastação da Segunda Guerra Mundial, continuando a ser as principais instituições internacionais da atualidade.

O Fundo Monetário Internacional

Uma parte integrante do sistema de Bretton Woods foi a criação do Fundo Monetário Internacional (ou FMI) que ainda administra o sistema monetário internacional e funciona como banco central dos bancos centrais. Os países-membros subscreveram o capital emprestando as suas moedas ao FMI, que volta a emprestar esses fundos para ajudar os países com dificuldades no balanço de pagamentos. A principal função do FMI é conceder empréstimos temporários aos países que têm problemas no balanço de pagamentos, ou que estão sob um ataque especulativo nos mercados internacionais.

O Banco Mundial

Outra instituição financeira internacional criada após a Segunda Guerra Mundial foi o Banco Mundial. O capital do Banco foi subscrito pelos países ricos na proporção da sua importância econômica em termos de PIB e de outros fatores. O Banco concede empréstimos de longo prazo com taxa de juros reduzida a países para projetos que são economicamente sólidos, mas que não conseguem obter financiamento do setor privado. Como resultado desses empréstimos de longo prazo, os bens e os serviços fluem dos países avançados para os países em desenvolvimento.

O Sistema de Bretton Woods

Após a Segunda Guerra Mundial, os governos decidiram substituir o padrão-ouro por um sistema mais flexível. Criaram o **sistema de Bretton Woods**, que era um sistema de taxas de câmbio fixas. A inovação era que as taxas de câmbio mantinham-se *fixas, mas ajustáveis.* Quando uma moeda se afastava muito do seu valor adequado, ou "fundamental", a paridade pode ser ajustada.

O sistema de Bretton Woods funcionou de maneira eficaz no quarto de século que se seguiu à Segunda Guerra Mundial. Porém, deixou de funcionar quando o dólar sofreu uma grande apreciação. Os Estados Unidos abandonaram o sistema de Bretton Woods em 1973, e o mundo passou a uma nova era.

**Como garantir credibilidade
a uma taxa de câmbio fixa
por meio de uma "ancoragem firme"**

Embora o colapso do sistema de Bretton Woods tenha marcado o fim de um sistema de taxa de câmbio predominantemente fixa, muitos países continuam a optar por taxas de câmbio fixas. Um problema recorrente dos sistemas de taxa de câmbio fixa é que elas são suscetíveis a ataques especulativos quando o país fica com poucas reservas cambiais. (Voltaremos a esse problema no próximo capítulo.) Como os países podem aumentar a credibilidade dos seus sistemas de taxa de câmbio fixa? Existem sistemas de taxa de câmbio fixa "rígida" que resistam melhor a ataques especulativos?

Os especialistas nessa área salientam a importância de estabelecer credibilidade. Nesse caso, a credibilidade pode ser sustentada criando um sistema que *dificulte* ao país alterar a sua taxa de câmbio. Essa abordagem é similar a uma estratégia militar de destruição das pontes na retaguarda do exército, de modo que não haja possibilidade de retirada e os soldados terem de lutar até à morte. De fato, o presidente da Argentina tentou reforçar a credibilidade do sistema de seu país ao proclamar que escolheria "antes a morte que a desvalorização".

Uma solução é criar um **conselho da moeda** (*currency board*), uma instituição monetária que apenas emite moeda que esteja garantida totalmente por ativos estrangeiros em uma moeda estrangeira importante, normalmente o dólar americano ou o euro. Um *currency board* defende uma taxa de câmbio fixa por lei, e não apenas pela política seguida, sendo o conselho da moeda normalmente independente e, às vezes, até privado. Existindo um *currency board*, um déficit de pagamentos desencadeará, em geral, o mecanismo de ajuste automático de Hume. Isto é, um déficit do balanço de pagamentos reduzirá a oferta de moeda, o que levará a uma contração econômica, que acabará por reduzir os preços internos e repor o equilíbrio. Um sistema de *currency board* tem funcionado de maneira eficaz em Hong Kong, mas o sistema na Argentina foi incapaz de resistir à perturbação econômica e política e entrou em colapso em 2002.

Uma taxa de câmbio fixa é ainda mais confiável quando os países adotam uma **moeda comum** por meio da união monetária. Os Estados Unidos têm tido uma moeda comum desde 1789. O exemplo recente mais importante é o euro, que foi adotado por 15 países da União Europeia. Esse é um acordo muito raro, porque a moeda une muitos países independentes poderosos. Do ponto de vista macroeconômico, uma moeda comum é o câmbio mais rígido, porque as moedas dos vários países estão todas definidas como a mesma. Uma variante dessa abordagem é a chamada "dolarização", que ocorre quando um país (geralmente pequeno) adota uma moeda importante como a sua própria moeda. Cerca de uma dúzia de países pequenos, como El Salvador, seguiram essa via.

As taxas de câmbio fixas caíram em desuso entre os grandes países. Apenas a China continua a utilizar uma taxa de câmbio fixa, mas está sob intensa pressão dos outros países para permitir que o yuan flutue. Além da China, em todas as grandes regiões do mundo foi adotada alguma variante de taxas de câmbio flexíveis, o que iremos analisar em breve.

Intervenção

Quando fixa a sua taxa de câmbio, um governo tem de "intervir" nos mercados cambiais para mantê-la. A **intervenção** na taxa de câmbio ocorre quando o governo compra ou vende moeda estrangeira para influenciar as taxas de câmbio. Por exemplo, o governo japonês, em certo dia, pode comprar ienes japoneses no valor de US$ 1 bilhão com dólares dos Estados Unidos. Isso causaria um aumento do valor ou uma valorização do iene.

Vejamos o caso da China, que é o último grande país operando com uma taxa de câmbio fixa. A taxa de câmbio oficial em 2008 era de US$ 0,144 por yuan. No entanto, a essa taxa de câmbio, o país teve um enorme excedente da conta corrente, como mostra a Tabela 27-3. A China tem usado uma estratégia de crescimento induzido pelas exportações, e isso requer uma taxa de câmbio abaixo do mercado para tornar as suas exportações competitivas. Assim, enquanto as autoridades norte-americanas e europeias têm instado a China para revalorizar a sua moeda, ela tem insistido que continuará com a sua política atual de taxa de câmbio fixa.

Como a China mantém esse sistema? A Figura 27-8 ilustra o mecanismo. Vamos supor que as forças da oferta e da demanda levariam a um equilíbrio no ponto *E*, com um taxa de câmbio determinada pelo mercado de US$ 0,25 por yuan. À taxa de câmbio fixa de US$ 0,15 por yuan, essa moeda está "subvalorizada" em

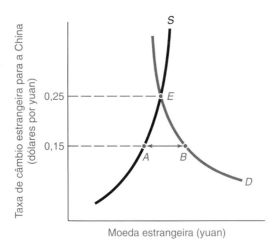

FIGURA 27-8 O governo chinês intervém para manter a taxa de câmbio fixa.

Como a China estabeleceu uma taxa de câmbio fixa, o país precisa intervir no mercado cambial para defender a taxa que fixou. Admita que o equilíbrio de mercado sem intervenção fosse de US$ 0,25 por yuan, mostrado como o ponto *E* na interseção da oferta e da demanda de mercado. Contudo, o governo estabeleceu uma taxa de câmbio oficial de US$ 0,15 por yuan. A essa taxa reduzida, há um excesso de demanda de yuan, mostrado pelo segmento *AB*. (Certifique-se de que compreende por que isso é um excesso de demanda.) O governo chinês, portanto, vende uma quantidade de yuan, mostrado pelo segmento *AB*, para evitar a apreciação da taxa de câmbio.

relação à taxa determinada pelo mercado. O que o governo chinês pode fazer para manter o yuan abaixo do seu valor de mercado?

- Uma abordagem é intervir, *comprando dólares e vendendo yuan*. Nessa abordagem, se o banco central da China vende uma quantidade de yuan mostrada pelo segmento *AB*, isso aumentará a oferta de yuan para igualar a quantidade demandada e manter a taxa de câmbio oficial.

- Uma alternativa seria usar a política monetária. A China podia *induzir o setor privado a aumentar a sua oferta de yuan*, diminuindo as taxas de juros. Menores taxas de juros tornariam os investimentos em dólares relativamente mais atraentes e os investimentos em yuan relativamente menos atraentes. Isso levaria os investidores a vender yuan e a deslocar a curva de oferta de yuans para a direita, de modo que passasse pelo ponto *B* e produzisse a taxa de câmbio desejada. (Você pode desenhar a lápis uma nova curva *S'* que leve ao equilíbrio induzido.)

Essas duas operações não são realmente tão diferentes como parecem. Em um caso, o governo chinês vende yuan e compra dólares; em outro caso, o setor privado faz o mesmo. Ambas as abordagens envolvem expansão monetária. Veremos que, de fato, uma das complicações da gestão de uma economia aberta com uma taxa de câmbio fixa é que a necessidade de usar a política monetária para gerir a taxa de câmbio pode colidir com o desejo de usar tal política para estabilizar o ciclo econômico interno.

TAXAS DE CÂMBIO FLEXÍVEIS

O sistema monetário internacional dos principais países baseia-se principalmente em **taxas de câmbio flexíveis**. (Outro termo usado com frequência é **taxas de câmbio flutuantes**, que tem o mesmo significado.) Neste sistema, as taxas de câmbio são determinadas pela oferta e pela demanda. Nele, o governo nem anuncia uma taxa de câmbio oficial nem toma medidas para mantê-la, sendo as variações das taxas de câmbio determinadas principalmente pela oferta e demanda privada de bens, serviços e investimentos.

Como referimos antes, praticamente todos os países de grande e de médio porte, com exceção da China, baseiam-se em taxas de câmbio flexíveis. Podemos usar o exemplo do México para ilustrar como funciona esse sistema. Em 1994, o peso mexicano estava sendo atacado nos mercados de câmbio, e o México permitiu que o peso flutuasse. À taxa de câmbio original de aproximadamente 4 pesos por dólar, havia um excesso de oferta de pesos. Isso significava que, a essa taxa de câmbio, a oferta de pesos pelos mexicanos que queriam comprar bens e ativos americanos e de outros países ultrapassava a demanda de pesos por norte-americanos e outros que queriam comprar bens e ativos mexicanos.

Qual foi o resultado? Como efeito do excesso de oferta, o peso depreciou-se em relação ao dólar. Até onde variou a taxa de câmbio? Até o suficiente para que – à taxa de câmbio depreciada de cerca de 6 pesos por dólar – as quantidades oferecidas e demandadas estivessem em equilíbrio.

O que está subjacente ao equilíbrio da oferta e da demanda? Estão em ação duas forças principais. (1) Com o dólar mais caro, custa mais aos mexicanos comprar bens, serviços e investimentos norte-americanos, o que causa a redução da oferta de pesos da forma habitual. (2) Com a depreciação do peso, os bens e ativos mexicanos tornam-se mais baratos para os estrangeiros. Isso aumenta a demanda por pesos no mercado. (Note que esta análise simplificada pressupõe que todas as transações ocorrem apenas entre os dois países; uma análise mais completa envolveria as demandas e ofertas das moedas de todos os países.)

SISTEMA HÍBRIDO ATUAL

Ao contrário da uniformidade anterior, quer sob o padrão-ouro, quer sob o sistema de Bretton Woods, o atual sistema de taxas de câmbio não se enquadra em um modelo rígido. Sem que alguém o tivesse planejado, o mundo mudou para um sistema híbrido de taxas de câmbio. Os principais aspectos são os seguintes:

- Alguns países permitem que as suas moedas *flutuem livremente*. Nessa abordagem, um país permite que os mercados determinem o valor da sua moeda e raramente intervém. Os Estados Unidos enquadraram-se nesse padrão na maior parte das últimas três décadas. Ainda que o euro seja recente enquanto moeda corrente, a Europa está claramente no grupo da flutuação livre.
- Determinados países importantes têm taxas de câmbio *administradas, mas flexíveis*. Atualmente, nesse grupo, incluem-se o Canadá, o Japão e muitos países em desenvolvimento. Com esse sistema, um país compra ou vende a sua moeda para reduzir a volatilidade diária das flutuações da moeda. Além disso, um país decide, às vezes, intervir sistematicamente para que o valor da moeda se fixe em um nível que considera mais adequado.
- Alguns países pequenos e a China "colam" a sua moeda a uma moeda importante ou a uma "cesta" de moedas em uma *taxa de câmbio fixa*. Por vezes, permite-se que essa paridade deslize continuamente para cima, ou para baixo, em um sistema conhecido por valorização ou desvalorização deslizante (*crawling peg*). Alguns países têm uma fixação rígida por meio de um *currency board* e outros estabelecem que a sua moeda seja o dólar em um processo designado de dolarização.
- Além disso, quase todos os países tendem a intervir ou quando os mercados se tornam "instáveis", ou quando as taxas de câmbio parecem estar afastadas dos "valores de base" – isto é, quando as taxas de câmbio estão altamente desajustadas dos níveis de preços e fluxos comerciais existentes.

Ideias conclusivas

O mundo fez uma transição importante no seu sistema financeiro internacional ao longo das últimas três décadas. Em períodos anteriores, na sua maioria as moedas estavam ligadas por um sistema de taxas de câmbio fixas, com paridades ligadas ou ao ouro ou ao dólar. Atualmente, com exceção da China, todos os principais países têm taxas de câmbio flexíveis. Este novo sistema tem a desvantagem de que as taxas de câmbio são voláteis e podem desviar-se muito dos fundamentos econômicos subjacentes, mas também tem a vantagem de reduzir os perigos da especulação que minou os sistemas anteriores de taxa fixa. Ainda mais importante, em um mundo de mercados financeiros cada vez mais abertos, é que as taxas de câmbio flexíveis permitem aos países seguir as políticas monetárias destinadas a estabilizar os ciclos econômicos internos. É essa vantagem macroeconômica que a maioria dos economistas considera mais importante sobre o novo regime.

RESUMO

A. Balanço de pagamentos internacional

1. O balanço de pagamentos internacional é o conjunto de contas que quantifica todas as transações econômicas entre um país e o resto do mundo. Inclui as exportações e as importações de bens, serviços e instrumentos financeiros. As exportações são itens de crédito, enquanto as importações são débitos. Mais genericamente, os itens de crédito são as transações que aumentam a disponibilidade de moeda estrangeira do país; os itens de débito são as que reduzem as suas reservas de moeda estrangeira.

2. As principais componentes do balanço de pagamentos são:
   I. Conta corrente (comércio de mercadorias, serviços, renda do investimento, transferências).
   II. Conta financeira (privada, governamental e variações das reservas oficiais).

   A regra fundamental da contabilidade do balanço de pagamentos é que a soma de todos os itens tem de ser igual a zero: I + II = 0.

B. Determinação das taxas de câmbio

3. O comércio e as finanças internacionais envolvem o novo elemento, que são as várias moedas nacionais que estão relacionadas por preços relativos designados taxas de câmbio. Quando importam bens japoneses, os norte-americanos precisam de ienes japoneses. No mercado cambial, o iene japonês pode ser comercializado a ¥ 100/US$ (ou reciprocamente, ¥ 1 seria transacionado a US$ 0,01). Esse preço é chamado de taxa de câmbio.

4. Em um mercado de câmbios que envolva apenas dois países, a oferta de dólares dos Estados Unidos vem dos norte-americanos que querem comprar bens, serviços e investimentos do Japão; a demanda de dólares dos Estados Unidos vem dos japoneses que querem importar mercadorias ou ativos financeiros dos Estados Unidos. A interação dessas ofertas e demandas determina a taxa de câmbio. De uma forma geral, as taxas de câmbio são determinadas pela complexa interação de muitos países que compram e vendem uns aos outros. Quando os fluxos comerciais, ou de capital, alteram-se, a oferta e a demanda se deslocam e a taxa de câmbio de equilíbrio se altera.

5. A redução do preço de mercado de uma moeda é uma depreciação; um aumento do valor de uma moeda é chamado de apreciação. Em um sistema em que os governos anunciam as taxas de câmbio oficiais, uma redução da taxa de câmbio oficial é chamada de desvalorização, enquanto um aumento é uma revalorização.

6. De acordo com a teoria da paridade de poder de compra (*PPC*) das taxas de câmbio, as taxas de câmbio tendem a variar com as variações dos preços relativos dos vários países. A teoria da *PPC* se aplica melhor no longo prazo que no curto prazo. Quando é aplicada para medir o

poder de compra das rendas dos diferentes países, essa teoria aumenta os produtos *per capita* dos países de baixa renda.

C. Sistema monetário internacional

7. Uma economia internacional que opere bem exige o funcionamento contínuo de um sistema cambial que corresponda às instituições que dirigem as transações financeiras entre os países. Há dois importantes sistemas de taxa de câmbio: (a) taxas de câmbio flexíveis, em que a taxa de câmbio de um país é determinada pelas forças de mercado da oferta e da demanda; e (b) taxas de câmbio fixas, como o padrão-ouro, ou o sistema de Bretton Woods, em que os países definem e defendem dada estrutura de taxas de câmbio.

8. Os economistas clássicos, como David Hume, explicaram os ajustes internacionais dos desequilíbrios comerciais pelo mecanismo do fluxo de ouro. Com esse processo, os movimentos do ouro modificariam a oferta de moeda e o nível de preços. Por exemplo, um déficit comercial levaria a uma saída de ouro e a um declínio dos preços internos que (a) aumentaria as exportações e (b) reduziria as importações do país que perdesse ouro, enquanto (c) reduziria as exportações e (d) aumentaria as importações do país que tivesse ganhado ouro. Esse mecanismo mostra que, sob taxas de câmbio fixas, os países que têm problemas no balanço de pagamentos têm de ajustar-se por meio de variações dos níveis de preços e do produto internos.

9. Após a Segunda Guerra Mundial, os países criaram um conjunto de instituições econômicas internacionais para organizar o comércio e as finanças internacionais. Sob o sistema de Bretton Woods, os países "colaram" as suas moedas ao dólar e ao ouro, proporcionando taxas de câmbio fixas, mas ajustáveis. Após o colapso em 1973, o sistema de Bretton Woods foi substituído pelo atual sistema híbrido. Hoje, praticamente todos os grandes e médios países (exceto a China) têm taxas de câmbio flexíveis.

CONCEITOS PARA REVISÃO

Balanço de pagamentos
- balanço de pagamentos
  - I. conta corrente
  - II. conta financeira
- identidade do balanço de pagamentos:
  - I + II = 0
- débitos e créditos

Taxas de câmbio
- taxa de câmbio, mercado cambial
- oferta e demanda de moeda estrangeira
- terminologias da taxa de câmbio:
  - apreciação e depreciação
  - revalorização e desvalorização

Sistema monetário internacional
- sistemas de taxa de câmbio:
  - flexível
  - taxas fixas (padrão-ouro, Bretton Woods, *currency board*)
  - moeda comum
  - mecanismo de ajuste internacional
  - mecanismo de Hume do fluxo do ouro em quatro tempos

LEITURAS ADICIONAIS E SITES

Leituras adicionais

Uma coleção fascinante de ensaios sobre macroeconomia internacional é de Paul Krugman, *Pop Internationalism* (MIT Press, Cambridge, Mass., 1997). A citação sobre o sistema monetário internacional é de Robert Solomon, *The International Monetary System, 1945-1981*: An Insider's View (Harper & Row, Nova York, 1982), p. 1, 7.

Sites

Dados sobre o comércio e as finanças para vários países podem ser encontrados nos sites listados no Capítulo 26.

Alguns dos melhores textos sobre ciência econômica internacional encontram-se em *The Economist*, que está disponível em <http://www.economist.com>. Uma das melhores fontes para textos sobre políticas de economia internacional está em <http://www.iie.com/homepage.htm>, o site do Peterson Institute for International Economics. Um dos principais acadêmicos que escreve em jornais na atualidade é Paul Krugman, da Universidade de Princeton. O seu blog: <http://krugman.blogs.nytimes.com> contém muitos textos interessantes sobre economia internacional.

QUESTÕES PARA DISCUSSÃO

1. A Tabela 27-4 mostra algumas taxas de câmbio (em unidades da moeda estrangeira por dólar) no final de 2008. Preencha a última coluna da tabela com o preço recíproco do dólar, em termos de cada moeda estrangeira, tendo o especial cuidado de escrever as unidades relevantes entre parênteses.

2. A Figura 27-3 mostra a demanda e a oferta de dólares americanos em um exemplo em que o Japão e os Estados Unidos apenas comercializam entre si.
   a. Descreva e desenhe as curvas da oferta e da demanda recíprocas do iene japonês. Explique por que a oferta de ienes é equivalente à demanda de dólares.

Explique também e desenhe a curva que corresponde à oferta de dólares. Procure o preço de equilíbrio do iene nesse novo diagrama e relacione-o com o equilíbrio da Figura 27-3.

b. Admita que os norte-americanos desenvolvem o gosto por bens japoneses. Mostre o que aconteceria à oferta e demanda de ienes. O iene apreciar-se-ia, ou depreciar-se-ia, em relação ao dólar? Explique.

3. Elabore uma lista de itens que pertençam ao lado do crédito do balanço de pagamentos internacionais e outra lista de itens que pertençam ao lado do débito. O que significa um superávit comercial? E saldo da balança de conta corrente?

4. Suponha que a China opere com um sistema de taxa de câmbio fixa e está tendo um enorme excedente na conta corrente, com apoio do governo ao sistema por meio da compra de grandes quantidades de dólares no mercado cambial.

Suponha que o aumento resultante da oferta de yuans leve a um aumento nas reservas bancárias.

a. Explique por que isso levaria a uma expansão monetária e a menores taxas de juros na China. Explique também por que isso levaria a uma expansão da demanda agregada, a um maior produto e um maior nível de preços. (Essa resposta depende da análise apresentada nos Capítulos 23 e 24.)

b. Explique por que, à medida que os preços sobem por causa dos efeitos que descreveu em (a), o mecanismo em quatro tempos de Hume reduz o excedente da conta corrente chinesa. Elabore a sua resposta com base na versão moderna e atualizada do mecanismo de Hume.

5. Considere a situação da Alemanha descrita na p. 487. Usando uma representação como a Figura 27-3, mostre a oferta e demanda de marcos alemães antes e depois do choque. Identifique na sua figura o excesso de demanda de marcos *antes* da valorização dessa moeda. Demonstre, a seguir, como uma valorização do marco eliminaria o excesso de demanda.

6. Um país do Oriente Médio descobre inesperadamente grandes reservas de petróleo. Demonstre como a sua balança comercial e a sua conta corrente passam, de repente, a ser superavitárias. Mostre como você pode adquirir ativos em Nova York como compensação pela conta financeira. Depois, quando usar os ativos para o investimento em capital interno, demonstre como os itens da sua conta corrente e da sua conta financeira invertem os seus papéis.

7. Considere a seguinte citação do *Economic Report of the President* de 1984:

No longo prazo, a taxa de câmbio tende a seguir a tendência do diferencial entre o nível de preços interno e externo. Se o nível de preços de um país se desalinha demasiado dos preços dos outros países, acabará ocorrendo uma queda da demanda dos seus bens, o que levará a uma depreciação real da sua moeda.

Explique como a primeira afirmação se relaciona com a teoria da *PPC* das taxas de câmbio. Explique o raciocínio subjacente à teoria da *PPC*. Além disso, usando um diagrama de oferta e de demanda, como o da Figura 27-3, justifique a sequência de acontecimentos descrita na segunda frase da citação, que se o nível de preços em um país é relativamente elevado será verificada a depreciação da sua taxa de câmbio.

8. Um país regista os seguintes dados para 2008: exportações de automóveis (US$ 100) e de milho (US$ 150); importações de petróleo (US$ 150) e de aço (US$ 75); despesas de turistas no exterior (US$ 25); empréstimo privado a países estrangeiros (US$ 50); endividamento privado obtido de países estrangeiros (US$ 40); variação das reservas oficiais (US$ 30 de moeda estrangeira adquirida pelo banco central do país). Calcule a discrepância estatística e a inclua no empréstimo privado a países estrangeiros. Elabore um balanço de pagamentos como a da Tabela 27-2.

9. Considere os três seguintes sistemas de taxa de câmbio: o padrão-ouro clássico, taxas de câmbio com flutuação livre e o sistema de Bretton Woods. Compare e apresente as diferenças entre os três sistemas no que diz respeito às seguintes características:

a. Papel do governo *versus* do mercado na determinação das taxas de câmbio.

b. Grau da volatilidade das taxas de câmbio.

c. Método de ajuste dos preços relativos entre os países.

d. Necessidade da cooperação e de consultas internacionais para a determinação das taxas de câmbio.

e. Possibilidade de ocorrência e permanência de graves desalinhamentos cambiais.

10. Considere a União Monetária Europeia. Liste os prós e os contras. Como você responderia à questão do aconselhamento da união monetária? A sua resposta seria alterada se a questão dissesse respeito aos Estados Unidos?

	Preço	
Moeda	Unidades de moeda estrangeira por dólar	Dólares por unidade de moeda estrangeira
Dólar (Canadá)	0,9861	1.014 (US$/Dólar canadense)
Real (Brasil)	1,656	____ (_____)
Yuan (China)	6,942	____ (_____)
Peso (México)	10,38	____ (_____)
Libra (RU)	0,5054	____ (_____)
Euro	0,6368	____ (_____)
Dólar (Zimbabwe)	255.771.415	____ (_____)

TABELA 27-4

CAPÍTULO

28 Macroeconomia aberta

*Antes de construir paredes tive de perguntar para saber
O que ficaria dentro e o que ficaria fora ...*
Robert Frost

O ciclo econômico internacional tem um grande impacto sobre todos os países. Alterações em uma região podem ter efeito que repercute por todo o mundo. As perturbações políticas no Oriente Médio podem iniciar uma espiral dos preços do petróleo que desencadeie inflação e desemprego. As inadimplências podem perturbar os mercados de capitais e abalar a confiança econômica em regiões distantes. A interligação entre os países foi ilustrada de forma expressiva pela crise financeira de 2007-2009. Quando as instituições financeiras dos Estados Unidos registraram perdas enormes, os mercados de capitais por todo o mundo também caíram e uma crise bancária sobreveio inesperadamente na Europa, quase simultaneamente com a dos Estados Unidos.

No capítulo anterior analisamos os principais conceitos de macroeconomia internacional – o balanço de pagamentos, a determinação das taxas de câmbio e o sistema monetário internacional. Neste capítulo, continuamos com o tema, mostrando como os choques macroeconômicos em um país se propagam sobre a produção e a inflação de outros países. Exploramos a descoberta paradoxal de que os equilíbrios comerciais são, em grande parte, determinados pelos equilíbrios entre a poupança e o investimento domésticos. Concluímos o capítulo com a revisão de algumas das questões internacionais fundamentais da atualidade.

A. COMÉRCIO EXTERIOR E ATIVIDADE ECONÔMICA

EXPORTAÇÕES LÍQUIDAS E PRODUÇÃO NA ECONOMIA ABERTA

A macroeconomia aberta é o estudo de como as economias se comportam quando se consideram as ligações comerciais e financeiras entre os países. O capítulo anterior descreveu os conceitos básicos do balanço de pagamentos. Podemos voltar a apresentá-los, em termos das contas da renda e da produção nacionais.

O comércio exterior envolve importações e exportações. Embora os Estados Unidos produzam a maior parte do que consomem, no entanto, têm uma grande quantidade de **importações** que são constituídas por bens e serviços produzidos no exterior e consumidos domesticamente. As **exportações** são constituídas por bens e serviços produzidos domesticamente e comprados por estrangeiros.

As **exportações líquidas** são definidas como as exportações de bens e serviços menos as importações de bens e serviços. Em 2007, as exportações líquidas dos Estados Unidos foram *negativas* e no valor de 708 bilhões de dólares, resultante de US$ 1.662 bilhões de exportações menos US$ 2.370 bilhões de importações. Quando um país tem exportações líquidas positivas, está acumulando ativos estrangeiros. A contrapartida das exportações líquidas é o **investimento estrangeiro líquido** que corresponde à poupança líquida dos Estados Unidos que vai para o exterior e é aproximadamente igual ao valor das exportações líquidas. Como os Estados Unidos tiveram exportações líquidas negativas, o seu investimento estrangeiro líquido foi negativo, o que implicou no crescimento da dívida externa dos Estados Unidos.

Em outras palavras, *os estrangeiros contribuíram significativamente para o investimento dos Estados Unidos.* Por que os Estados Unidos, um país rico, se endividaram tanto com o exterior? Como veremos mais à frente neste capítulo, este fenômeno paradoxal é explicado por uma relativamente fraca taxa de poupança nos Estados Unidos, uma elevada taxa de poupança externa e um clima de investimento atrativo nos Estados Unidos.

Em uma economia aberta, as despesas de um país podem ser diferentes da sua produção. A *despesa doméstica* total (às vezes, chamada de *demanda doméstica*) é igual ao consumo mais o investimento doméstico mais as compras do governo. Essa grandeza é diferente do *produto interno bruto* (ou PIB) por duas razões. A primeira, porque uma parte da despesa doméstica será em bens produzidos no exterior, sendo esses itens as importações (designadas por *Im*), como petróleo do México e automóveis japoneses. Além disso, uma parte da produção doméstica norte-americana será vendida no exterior como exportações (designadas por *Ex*) – artigos como trigo do Iowa ou aviões da Boeing. A diferença entre o produto nacional e a despesa doméstica são as exportações menos as importações, ou seja, $Ex - Im = X$, onde X são as exportações líquidas.

Para calcular a *produção total* de bens e serviços norte-americanos, precisamos adicionar o comércio à demanda doméstica. Isto é, necessitamos conhecer a produção total para os cidadãos norte-americanos bem como a produção líquida para o exterior. Este total inclui a despesa doméstica ($C + I + G$) mais as vendas ao exterior (Ex) menos as compras domésticas do exterior (Im). O produto total, ou PIB, é igual ao consumo, mais o investimento doméstico, mais as compras do governo e mais as exportações líquidas:

Produto interno bruto total = PIB = $C + I + G + X$

DETERMINANTES DO COMÉRCIO E DAS EXPORTAÇÕES LÍQUIDAS

O que determina os níveis das exportações e das importações e, portanto, das exportações líquidas? É melhor pensar separadamente nos componentes de importação e de exportação das exportações líquidas.

As importações dos Estados Unidos estão relacionadas positivamente com a renda e o produto norte-americanos. Quando o PIB dos Estados Unidos aumenta, as importações norte-americanas aumentam (1) porque alguma da despesa acrescida de $C + I + G$ (como automóveis e sapatos) vêm da produção estrangeira e também (2) porque os Estados Unidos usam fatores de produção do exterior (como petróleo ou madeira) na produção dos seus próprios bens. A demanda de importações depende dos preços relativos dos bens estrangeiros e domésticos. Se o preço dos automóveis do país aumenta relativamente ao dos automóveis japoneses em virtude, por exemplo, da apreciação da taxa de câmbio do dólar, os americanos comprarão mais automóveis japoneses e menos automóveis norte-americanos. Desse modo, *o volume e o valor das importações serão afetados pelo produto interno e pelos preços relativos dos bens internos e estrangeiros.*

As exportações são o simétrico das importações: as exportações dos Estados Unidos são as importações dos outros países. Portanto, as exportações americanas dependem principalmente do produto estrangeiro, bem como dos preços das exportações dos Estados Unidos em relação aos preços dos bens estrangeiros. Quando a produção estrangeira aumenta, ou quando o dólar se deprecia, o volume e o valor das exportações norte-americanas tendem a subir.

A Figura 28-1 mostra a razão entre as exportações líquidas e o PIB dos Estados Unidos. Na maior parte do período após a Segunda Guerra Mundial, as contas externas dos Estados Unidos estiveram superavitárias, ou equilibradas. A partir do início da década de 1980, um declínio na poupança norte-americana, impulsionado por grandes déficits fiscais federais, levou a uma forte valorização do dólar. As economias externas cresceram menos rapidamente do que a economia dos Estados Unidos, que contraiu as exportações. O efeito líquido foi um enorme déficit comercial e o crescimento da dívida externa. Isso foi bom ou ruim? A seguinte análise pelo Conselho de Consultores Econômicos do Presidente coloca o déficit comercial dos Estados Unidos em um contexto econômico:

> Os déficits do comércio externo e das transações correntes não são intrinsecamente bons ou maus. O que conta são as razões dos déficits. A principal razão dos déficits atuais parece ser a força da expansão econômica dos Estados Unidos em relação ao crescimento lento, ou negativo, em muitos outros países... Estes déficits são, essencialmente, um fenômeno macroeconômico que refletem uma taxa de investimento doméstico maior que a poupança nacional. O crescimento do déficit... reflete o crescimento do investimento em vez da queda da poupança.

IMPACTO DE CURTO PRAZO DO COMÉRCIO SOBRE O PIB

De que forma as variações dos fluxos comerciais de um país afetam o seu PIB e o emprego? Analisamos esta questão pela primeira vez, no contexto do nosso modelo de curto prazo de determinação do produto, o modelo do multiplicador do Capítulo 22. O modelo do multiplicador mostra como, no curto prazo, em que há recursos não utilizados, as variações no comércio afetarão a demanda agregada, o produto e o emprego.

Há dois elementos macroeconômicos novos importantes, havendo comércio internacional: primeiro, temos um quarto componente da despesa, as exportações líquidas, que se junta à demanda agregada. Segundo, uma economia aberta tem multiplicadores diferentes para o investimento privado e para a despesa pública doméstica, uma vez que parte da despesa escapa para o resto do mundo.

A Tabela 28-1 mostra como a introdução das exportações líquidas afeta a determinação da produção. Esta

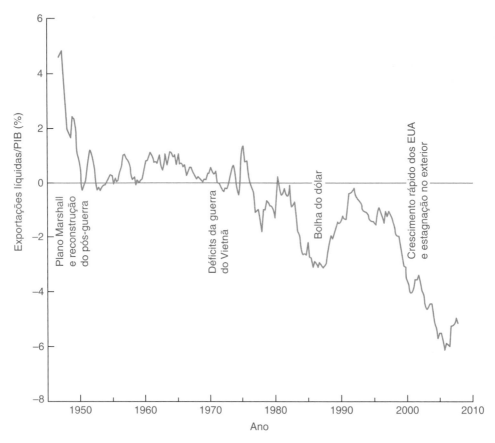

FIGURA 28-1 As exportações líquidas dos Estados Unidos têm sido negativas em muitos anos.

Os Estados Unidos tiveram um grande excedente comercial após a Segunda Guerra Mundial, quando ajudaram a reconstruir a Europa. Repare como as exportações líquidas se tornaram acentuadamente negativas no início dos anos 1980 quando a poupança americana diminuiu. As exportações líquidas tornaram-se ainda mais negativas na última década com a abundância de poupança global.
Fonte: U.S. Bureau of Economic Analysis.

			Determinação da produção com o comércio internacional (bilhões de dólares)			
(1) Nível inicial do PIB	(2) Demanda doméstica (C + I + G)	(3) Exportações (Ex)	(4) Importações (Im)	(5) Exportações líquidas (X = Ex − Im)	(6) Despesa total (C + I + G + X)	(7) Tendência resultante da economia
4.100	4.000	250	410	−160	3.840	Contração
3.800	3.800	250	380	−130	3.670	Contração
3.500	**3.600**	**250**	**350**	**−100**	**3.500**	**Equilíbrio**
3.200	3.400	250	320	−70	3.330	Expansão
2.900	3.200	250	290	−40	3.160	Expansão

TABELA 28-1 As exportações líquidas somam-se à demanda agregada da economia.

À demanda doméstica de $C + I + G$ temos de adicionar as exportações líquidas de $X = Ex - Im$ para obter a demanda agregada total do produto de um país. A demanda agregada é afetada pelas exportações líquidas mais elevadas, como o investimento e a despesa pública.

tabela começa com os mesmos componentes de uma economia fechada (reveja a Tabela 22-2 na página 388 para refrescar a sua memória sobre as principais componentes e a forma como se adicionam na despesa total). A demanda doméstica total na coluna (2) é composta pelo consumo, pelo investimento e pelas compras do governo que analisamos anteriormente. A coluna (3) soma depois as exportações de bens e serviços. Como foi descrito antes, as exportações dependem das rendas e das produções externas, dos preços e das taxas de câmbio, os quais também são considerados como um dado para essa análise. Considera-se que as exportações estão a um nível constante de US$ 250 bilhões de despesa externa em bens e serviços internos.

O elemento novo e interessante deriva das importações, mostradas na coluna (4). Tal como as exportações, as importações dependem de variáveis exógenas, como os preços e as taxas de câmbio. Mas, além disso, as importações dependem da renda e do produto domésticos, que claramente variam nas diferentes linhas da Tabela 28-1. Para simplificar, admitimos que o país importe sempre 10% do seu produto total, portanto as importações na coluna (4) são 10% da coluna (1).

Subtraindo a coluna (4) da coluna (3), obtêm-se as exportações líquidas da coluna (5). As exportações líquidas têm um valor negativo quando as importações são maiores do que as exportações e positivo quando as exportações são maiores do que as importações. As exportações líquidas na coluna (5) são a contribuição líquida do comércio exterior para o fluxo da despesa. A despesa total no produto interno na coluna (6) é igual à demanda doméstica, na coluna (2), mais as exportações líquidas, na coluna (5). O produto de equilíbrio, em uma economia aberta, ocorre no ponto em que a despesa doméstica e externa líquida total da coluna (6) é exatamente igual ao produto interno total na coluna (1). Neste caso, o equilíbrio ocorre com exportações líquidas de –100, o que indica que o país está importando mais do que exporta. Repare também que, nesse equilíbrio, a demanda doméstica é maior do que a produção.

A Figura 28-2 mostra graficamente o equilíbrio em economia aberta. A reta com inclinação positiva designada $C + I + G$ é a mesma usada na Figura 22-10. A esta reta precisamos somar o nível de exportações líquidas, que acompanha cada nível do PIB. As exportações líquidas da coluna (5) da Tabela 28-1 são adicionadas para obter a reta $C + I + G + X$ da demanda agregada total, ou despesa total. Quando esta está abaixo daquela, as importações ultrapassam as exportações e as exportações líquidas são negativas. Quando a reta da de-

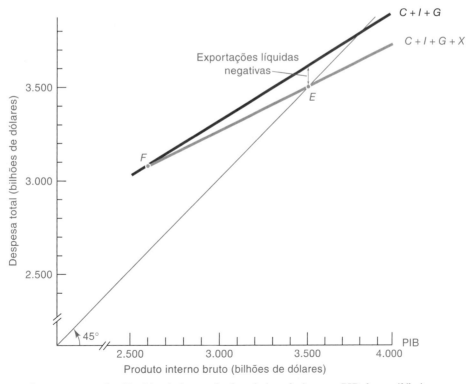

FIGURA 28-2 Somando as exportações líquidas à demanda doméstica obtém-se o PIB de equilíbrio em economia aberta.

A reta $C + I + G$ representa a demanda doméstica, que são as compras pelos consumidores, empresas e governo. A estas devemos somar a despesa externa. As exportações líquidas mais a demanda doméstica dão a reta $C + I + G + X$ da despesa total. O equilíbrio ocorre no ponto E, em que o PIB total é igual à despesa total em bens e serviços produzidos no país. Note que a inclinação da curva da demanda total é menor do que a da demanda doméstica, para refletir o vazamento da despesa para as importações.

manda total está acima da reta da demanda doméstica, o país tem um excedente de exportações líquidas, e a produção é maior do que a demanda doméstica.

O PIB de equilíbrio ocorre onde a reta da despesa total intercepta a reta de 45°. Essa interseção ocorre exatamente no mesmo ponto, em US$ 3.500 bilhões, que é mostrado como o PIB de equilíbrio na Tabela 28-1. Somente para o valor de US$ 3.500 bilhões, o PIB será exatamente igual ao que os consumidores, as empresas, o governo e os estrangeiros pretendem gastar em bens e serviços produzidos na economia doméstica.

Propensão marginal a importar e a reta da despesa

Note que a curva da demanda agregada, a reta $C + I + G + X$ na Figura 28-2, tem uma inclinação ligeiramente menor do que a reta da demanda doméstica. A razão é que há *um vazamento adicional da despesa para as importações*. Esse novo vazamento deriva do nosso pressuposto de que 10% de cada unidade monetária da renda é gasta em importações. Para analisar esse fenômeno, exige-se a introdução de um novo conceito, a **propensão marginal a importar**. A propensão marginal a importar, que designaremos por *PMm*, é o aumento do valor monetário das importações por cada unidade monetária de aumento do PIB.

A propensão marginal a importar está estreitamente relacionada com a propensão marginal a poupar (*PMP*). Recorde que a *PMP* nos diz qual a parcela de uma unidade adicional de renda que não é consumida e que vai para a poupança. A propensão marginal a importar nos diz quanto da produção e da renda adicionais vai ser aplicado em importações. No nosso exemplo, a *PMm* é 0,10, pois cada aumento de US$ 300 bilhões na renda leva ao aumento de US$ 30 bilhões das importações. (Qual é a propensão marginal a importar em uma economia sem qualquer comércio externo? Zero.)

Examine agora a inclinação da reta da despesa total, na Figura 28-2 – essa reta representa a despesa total como $C + I + G + X$. Note que a inclinação da reta da despesa total é menor do que a inclinação da reta da demanda doméstica $C + I + G$. Com o aumento de US$ 300 do PIB e das rendas totais, a despesa em consumo aumenta tanto quanto a variação da renda vezes a *PMC* (que se admite que seja 2/3), ou em US$ 200. Ao mesmo tempo, a despesa em importações, ou em bens estrangeiros, também aumenta em US$ 30. Assim, a despesa em bens domésticos aumenta apenas US$ 170 (= US$ 200 − US$ 30) e a inclinação da linha da despesa total reduz-se de 0,667, na nossa economia fechada, para US$ 170/US$ 300 = 0,567, na nossa economia aberta.

Multiplicador em economia aberta

Surpreendentemente, a abertura da economia reduz o multiplicador da despesa.

Uma forma de compreender o multiplicador da despesa em uma economia aberta é calcular etapas ou iterações de despesa e de despesa secundária gerada por uma unidade monetária adicional de despesa pública, investimento ou exportações. Suponha que a Alemanha precise adquirir computadores norte-americanos para modernizar os serviços da ex-Alemanha Oriental. Cada dólar adicional de computadores dos Estados Unidos gera US$ 1 de renda nos Estados Unidos, dos quais 2/3 = US$ 0,667 serão gastos pelos norte-americanos em consumo. Contudo, como a propensão marginal a importar é 0,10, um décimo de cada dólar adicional de renda, ou US$ 0,10, será gasto em bens e serviços estrangeiros, restando apenas US$ 0,567 para despesa em bens produzidos internamente. Esses US$ 0,567 de despesa interna irão gerar US$ 0,567 de renda nos Estados Unidos, dos quais 0,567 x US$ 0,567 = US$ 0,321 serão gastos em consumo de bens e serviços domésticos no período seguinte. Assim, o aumento total na produção, ou multiplicador da economia aberta, será

$$\begin{aligned}
\text{Multiplicador} &= 1 + 0{,}567 + (0{,}567)^2 + \ldots \\
\text{em economia} &= 1 + (2/3 - 1/10) + (2/3 - 1/10)^2 + \ldots \\
\text{aberta} &= \frac{1}{1 - 2/3 + 1/10} = \frac{1}{13/30} = 2{,}3
\end{aligned}$$

Compare com o multiplicador em economia fechada que é $1/(1 - 0{,}667) = 3$.

Outra forma de calcular o multiplicador é a seguinte: recorde que o multiplicador, no nosso modelo mais simples, era $1/PMP$, em que *PMP* é o "vazamento" para a poupança. Como observamos antes, as importações são outro vazamento. O vazamento total é o dinheiro que vai para a poupança (*PMP*) mais o dinheiro que vai para as importações (*PMm*). Assim, o multiplicador da economia aberta deve ser $1/(PMP + PMm) = 1/(0{,}333 + 0{,}1) = 1/0{,}433 = 2{,}3$. Repare que tanto a análise pelo vazamento como a análise pelas iterações sucessivas dão exatamente a mesma resposta.

Em resumo:

Como, em uma economia aberta, uma parcela de qualquer aumento de renda vaza para as importações, o **multiplicador em economia aberta** é menor do que o de uma economia fechada. A relação exata é

$$\text{Multiplicador em economia aberta} = \frac{1}{PMP + PMm}$$

em que *PMP* = propensão marginal à poupar e *PMm* = propensão marginal a importar.

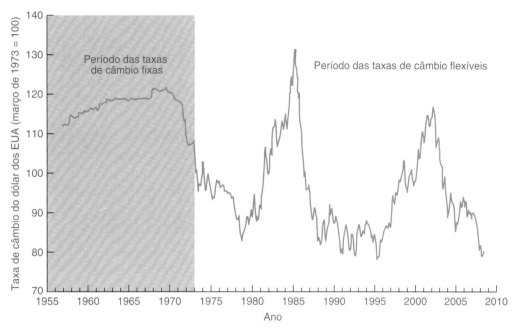

FIGURA 28-3   A taxa de câmbio do dólar.

No período de taxas de câmbio fixas (Bretton Woods), o valor do dólar foi estável nos mercados cambiais. Após os Estados Unidos terem passado para taxas de câmbio flexíveis em 1973, o valor do dólar tornou-se mais volátil. Quando os Estados Unidos prosseguiram em suas políticas monetárias restritivas no início dos anos 1980, as taxas de juros elevadas valorizaram o dólar. Após 2000, com grandes déficits de transações correntes e com a acumulação pelos estrangeiros de ativos em dólares, o dólar começou a depreciar-se.
Fonte: Federal Reserve, em <http://www.federalreserve.gov/releases/h10/summary/>.

COMÉRCIO E FINANÇAS NOS ESTADOS UNIDOS COM TAXAS DE CÂMBIO FLEXÍVEIS

Começamos com uma revisão das principais tendências do comércio e das finanças para os Estados Unidos durante o período de taxas de câmbio flexíveis, que começou após o abandono do sistema de Bretton Woods, em 1973 (recorde a análise do capítulo anterior).

Primeiro, analise os movimentos da taxa de câmbio do dólar, mostrados na Figura 28-3. Este é um índice da *taxa de câmbio real* do dólar dos Estados Unidos em vista de outras moedas importantes. A taxa de câmbio real corrige os movimentos dos níveis de preços em diferentes países. Note como a taxa de câmbio foi bastante estável durante o período de taxas fixas. Depois, como os preços de todos os ativos determinados pelo mercado, as taxas de câmbio tornaram-se voláteis no período da taxa flexível.

A Figura 28-4 mostra o componente *real* das exportações líquidas. Esta é a razão entre as exportações líquidas reais e o PIB real. Vimos, antes, que um aumento das exportações líquidas reais tende a ser expansionista, enquanto uma diminuição tende a reduzir a produção. Descrevemos dois períodos na história dos Estados Unidos para ajudar a compreender o papel do comércio internacional na produção interna.

Movimentos do comércio reforçam a contração monetária dos anos 1980. Na década de 1980, ocorreu um ciclo claro de apreciação e de depreciação do dólar. O aumento do valor do dólar iniciou-se em 1980 após uma política de restrição monetária e de uma política fiscal expansionista nos Estados Unidos, que levou a um aumento acentuado das taxas de juros. As elevadas taxas de juros internamente e a perturbação econômica no exterior atraíram fundos de investimentos em dólares. A Figura 28-3 mostra que, durante o período de 1979 até ao início de 1985, a taxa de câmbio do dólar aumentou 80%. Muitos economistas consideravam que o dólar estava sobrevalorizado em 1985 – uma *moeda sobrevalorizada* é uma moeda cujo valor está elevado em relação ao seu nível de longo prazo ou sustentável.

Quando o dólar subiu, aumentaram os preços das exportações norte-americanas e diminuíram os preços dos bens importados pelos Estados Unidos. A Figura 28-5 mostra a importante relação entre as taxas de câmbio reais e o déficit comercial. Ela ilustra o efeito significativo da apreciação do dólar sobre os fluxos comerciais. Desde a queda, em 1980, até ao pico, em 1986, com a apreciação do dólar, o déficit norte-americano aumentou em 3% do PIB.

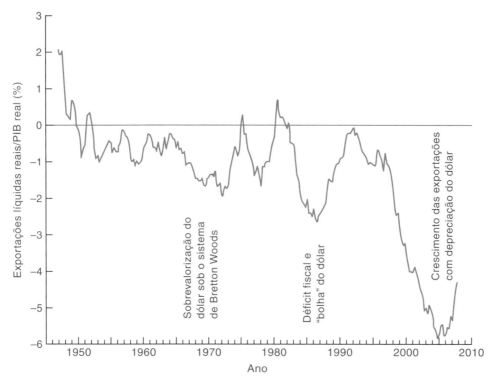

FIGURA 28-4 As exportações líquidas reais têm sido uma importante componente da demanda.

As exportações líquidas reais dos Estados Unidos tornaram-se acentuadamente negativas no início dos anos 1980, com um forte aumento da taxa de câmbio do dólar e um fraco crescimento econômico no exterior. Essa alteração produziu uma contração maciça na despesa agregada, na equação $C + I + G + X$ e gerou a profunda recessão de 1982. O crescente déficit após 1990 moderou o crescimento da produção. Repare como as exportações líquidas aumentaram após a depreciação do dólar no final dos anos 2000.

Fonte: U.S. Bureau of Economic Analysis.

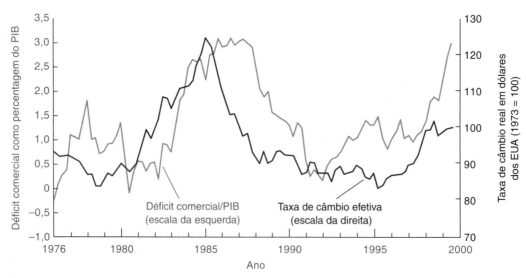

FIGURA 28-5 Comércio e taxas de câmbio.

Os fluxos comerciais reagem às variações das taxas de câmbio, mas com uma defasagem temporal. A apreciação real do dólar no início dos anos 1980 aumentou os preços das exportações dos Estados Unidos e reduziu os preços dos bens importados pelo país. Como resultado, o déficit comercial aumentou acentuadamente. Quando o dólar se depreciou após 1985, o déficit comercial começou a diminuir. O aumento recente do déficit de transações correntes norte-americano resultou da apreciação do dólar e do crescimento lento no exterior dos Estados Unidos.

Fonte: Council of Economic Advisers, *Economic Report of the President*, 2000.

Considerado isoladamente, o aumento acentuado do déficit comercial seria recessivo. A queda das exportações líquidas reforçou o declínio da demanda doméstica induzida pela política monetária restritiva e o resultado foi a recessão mais profunda em 50 anos.

Exportações líquidas contracíclicas no período 1995-2000. No final dos anos 1990 ocorreu justamente o contrário do período anterior. Após 1995, a combinação de taxas de juros reais baixas e de um mercado bolsista em expansão levou ao rápido crescimento da demanda doméstica nos Estados Unidos, especialmente do investimento privado. O desemprego caiu acentuadamente. Um aumento rápido da demanda estrangeira de ativos dos Estados Unidos levou a uma forte apreciação do dólar.

Contrastando com o início dos anos 1980, o impacto macroeconômico da apreciação do dólar nesse período foi adequado. À medida que a economia dos Estados Unidos se aproximava do pleno emprego, os preços de importação aumentaram, as exportações líquidas diminuíram, e o setor externo arrastou a economia. Caso o dólar tivesse depreciado, em vez de apreciado, o setor externo teria sido expansionista, a economia dos Estados Unidos teria passado por inflação crescente e o Fed teria concluído pela restrição a moeda para combater a expansão. No final dos anos 1990, portanto, uma apreciação do dólar e a diminuição das exportações líquidas foram exatamente o que o médico de macroeconomia teria receitado.

MECANISMO DE TRANSMISSÃO MONETÁRIA EM ECONOMIA ABERTA

A nossa análise anterior do multiplicador dos ciclos econômicos e do crescimento econômico centrou-se em políticas em uma economia fechada. Analisamos de que forma as políticas monetárias e fiscais podem estabilizar o ciclo econômico. Como se alteram os impactos das políticas macroeconômicas em uma economia aberta? De que modo o mecanismo de transmissão monetária é diferente nessa situação? Surpreendentemente, a resposta a esta questão depende fundamentalmente de o país ter taxa de câmbio fixa ou flexível.

Agora analisaremos países com níveis elevados de renda nos quais os mercados financeiros estão estreitamente relacionados entre si: Estados Unidos, Canadá, Japão e os países da União Europeia.

Quando os investimentos financeiros circulam facilmente entre os países, e as barreiras reguladoras aos investimentos financeiros são pequenas, dizemos que esses países têm uma *grande mobilidade de capital financeiro.*

Taxas de câmbio fixas. O aspecto central dos países com taxas de câmbio fixas e grande mobilidade de capitais é que as suas taxas de juros estão estreitamente alinhadas. Qualquer divergência de taxa de juros entre dois desses países atrairá os especuladores que venderão uma moeda e comprarão outra até que as taxas de juros sejam igualadas.

Considere um pequeno país cuja taxa de câmbio é atrelada à moeda de um país maior. *Dado que as taxas de juros do país pequeno são determinadas pela política monetária do país maior, o país pequeno deixa de poder conduzir uma política monetária independente.* A política monetária do país pequeno deve ser destinada a assegurar que as suas taxas de juros estejam alinhadas com as do parceiro.

A política macroeconômica nessa situação é, portanto, exatamente o caso descrito no nosso modelo do multiplicador analisado anteriormente. Do ponto de vista do país pequeno, o investimento é exógeno porque é determinado pelas taxas de juros mundiais. A política fiscal será muito eficaz porque não haverá reação monetária a variações na despesa pública ou nos impostos.

Taxas de câmbio flexíveis. Uma ideia importante nessa área é que a política macroeconômica com taxas de câmbio flexíveis funciona de modo substancialmente diferente de quando a taxa de câmbio é fixa. A taxa de câmbio flexível tem um efeito reforçado sobre a política monetária.

Nos Estados Unidos, o mecanismo de transmissão monetária modificou-se significativamente nas últimas décadas, como resultado da abertura crescente e da mudança para uma taxa de câmbio flexível, e, nos últimos tempos, o comércio e as finanças internacionais passaram a ter um papel de crescente importância na política macroeconômica.

A Figura 28-6 mostra o mecanismo de transmissão monetária com taxas de câmbio flexíveis. O painel (*a*) mostra a relação entre as exportações líquidas e a taxa de câmbio, cuja história real vimos na Figura 28-5. Essa é uma relação inversa, pois uma depreciação estimula as exportações e desincentiva as importações. Suponha que o Fed decida reduzir as taxas de juros para estimular a economia. A queda das taxas de juros levaria a uma depreciação do dólar, à medida que os investidores financeiros deixariam de investir em títulos em dólares para investir em títulos de outras moedas. A depreciação é mostrada na Figura 28-6 como um movimento de e^* para e^{**}. Essa depreciação transforma um déficit nas exportações líquidas em X^* em um excedente de exportações líquidas em X^{**}. A redução das taxas de juros tenderia também a aumentar o investimento doméstico, mas omitimos esse efeito em nossa análise.

Mostramos o resultado dessa expansão das exportações líquidas na Figura 28-6(*b*). Nela, pressupomos, como em todas as nossas análises do multiplicador, uma situação em que há recursos não utilizados. O aumento das exportações líquidas desloca a curva da despesa total de

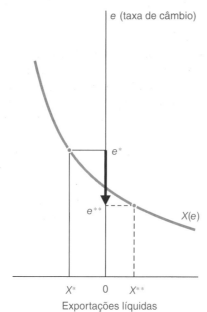
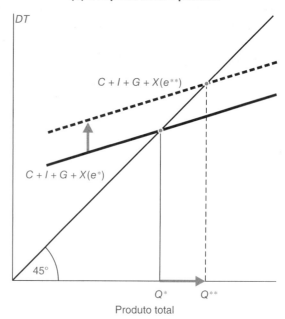

(a) Exportações líquidas e taxa de câmbio

(b) Despesa total e produto

FIGURA 28-6 O mecanismo de transmissão monetária é reforçado com taxas de câmbio flexíveis.

Suponha que o banco central reduza as taxas de juros. Isso tenderá a reduzir a taxa de câmbio de e^* para e^{**}, em um sistema de taxas de câmbio flexíveis. Essa depreciação estimulará as exportações líquidas, deslocando-se para baixo ao longo da curva das exportações líquidas. Esse aumento das exportações líquidas de $X(e^*)$ para $X(e^{**})$ faz deslocar para cima a curva da despesa total, aumentando o produto total de Q^* para Q^{**}.

$C + I + G + X(e^*)$ para cima para $C + I + G + X(e^{**})$. O resultado é um aumento na despesa total e um aumento na produção de Q^* para Q^{**}. Todas as mudanças apresentadas na Figura 28-6 ilustram as políticas e as reações durante o período 1995-2000 discutido na seção anterior.

Alternativamente, considere o caso oposto. Suponha que o Fed decida acalmar a economia, como fez após 1979. A contração monetária elevou as taxas de juros nos Estados Unidos, o que fez atrair fundos para títulos em dólares. Esse aumento da demanda por dólares levou a uma apreciação da moeda. A taxa de câmbio do dólar mais elevada diminuiu as exportações líquidas e contribuiu para a recessão de 1981-1983, como descrevemos anteriormente. O impacto sobre as exportações líquidas nessa situação seria o oposto do apresentado na Figura 28-6.

O comércio exterior gera um elo novo e forte no mecanismo de transmissão monetária quando um país tem taxas de câmbio flexíveis. Quando a política monetária altera as taxas de juros, isso afeta as taxas de câmbio e as exportações líquidas, bem como o investimento doméstico. A contração monetária leva a uma apreciação da taxa de câmbio e a uma correspondente redução das exportações líquidas; a distensão ou expansão monetária faz o oposto. O impacto das variações da taxa de juros sobre as exportações líquidas reforça o impacto sobre o investimento doméstico.

B. INTERDEPENDÊNCIA NA ECONOMIA GLOBAL

CRESCIMENTO ECONÔMICO EM ECONOMIA ABERTA

A primeira seção descreveu o impacto de curto prazo do comércio internacional e de variações de política na economia aberta. Esses assuntos são fundamentais para as economias abertas que combatem o desemprego e a inflação. Mas os países precisam estar atentos às implicações das suas políticas no crescimento econômico de longo prazo. Em especial para os países pequenos, o uso eficaz do comércio internacional e das finanças internacionais é central para promover o crescimento econômico.

O crescimento econômico envolve uma grande variedade de questões, como vimos no Capítulo 25. Talvez a abordagem individual mais importante para a promoção do rápido crescimento econômico seja assegurar elevados níveis de poupança e investimento.

Mas o crescimento econômico não envolve apenas capital. Exige caminhar em direção à fronteira tecnológica, com a adoção das melhores práticas tecnológicas. Exige o desenvolvimento de instituições que alimentem o investimento e o espírito empresarial. Outros aspectos – políticas comerciais, direitos de propriedade intelectual, políticas dirigidas diretamente ao investimento e o clima macroeconômico global – são ingredientes essenciais no crescimento das economias abertas.

POUPANÇA E INVESTIMENTO EM UMA ECONOMIA ABERTA

Em uma economia fechada, o investimento total é igual à poupança doméstica. Nas economias abertas, porém, podem obter-se fundos de investimento dos mercados financeiros mundiais e os outros países podem constituir aplicações para a poupança nacional. Recorde a Tabela 27-3 que mostra a poupança líquida por grupos de países/regiões. Reveja, primeiro, a relação investimento/poupança e, a seguir, examine o mecanismo de alocação da poupança entre os vários países.

A relação entre poupança e investimento em uma economia aberta

Façamos uma pausa para recordar as identidades, poupança e investimento, do Capítulo 20:

$$I_T = I + X = S + (T - G)$$

Essa equação significa que o investimento nacional total (I_T) consiste no investimento em capital doméstico (I) mais o investimento externo líquido, ou exportações líquidas (X). Isso tem de ser igual à poupança privada total (S) pelas famílias e pelas empresas mais a poupança pública total, que é dada pelo superávit do governo ou superávit fiscal ($T - G$).

Para enfatizar os componentes das exportações líquidas, podemos escrever de novo a identidade como se segue:

$$X = S + (T - G) - I$$

ou,

exportações líquidas = poupança privada + poupança pública – investimento doméstico

Essa importante equação mostra que as exportações líquidas são a diferença entre a poupança doméstica e o investimento doméstico. Os componentes do investimento nacional total dos Estados Unidos, em décadas recentes, são apresentados na Tabela 28-2.

Determinação da poupança e do investimento em pleno emprego

Vamos além das identidades para compreender o *mecanismo* pelo qual a poupança e o investimento são igualados em economia aberta. A análise centra-se primeiro no longo prazo, em que há pleno emprego e o produto está igual ao seu nível potencial. Isto é, consideramos como a poupança e o investimento são alocados no longo prazo em uma economia "clássica".

Economia fechada. Começamos com uma economia fechada, em que não há inflação, nem incerteza. Nesta situação, o investimento tem de ser igual à poupança privada mais o excedente do governo. O preço de equilíbrio é a taxa de juros real, que se ajusta para equilibrar os níveis de poupança e de investimento.

A Figura 28-7 mostra como a poupança e o investimento nacionais estão em equilíbrio em uma economia fechada com pleno emprego. A curva $S + T - G$ mostra a poupança nacional que se admite que aumente ligeiramente com a taxa de juros real. Além disso, como aprendemos no Capítulo 21, há uma relação inversa entre o investimento e a taxa de juros. Taxas de juros mais elevadas reduzem a despesa em moradias, assim como em fábricas e equipamentos das empresas. Portanto, escrevemos a função de investimento como $I(r)$ para indicar que o investimento depende da taxa de juros real, r.

Poupança e investimento em percentagem do PNL			
	1959-1981	1982-2001	2002-2007
Poupança doméstica líquida	11,5	6,4	1,7
Poupança privada líquida	11,6	8,8	4,6
Poupança pública líquida	– 0,1	– 2,5	– 2,8
Investimento doméstico líquido (em capital)	11,1	8,5	7,7
Investimento estrangeiro líquido	0,4	– 2,1	– 6,0

TABELA 28-2 Declínio da taxa de poupança dos Estados Unidos.

Esta tabela mostra a mudança na estrutura da poupança dos Estados Unidos ao longo do último meio século. Durante a maior parte do período de 1959-1981, a poupança e o investimento foram aproximadamente iguais e de nível elevado. Após 1981, a poupança pública diminuiu à medida que o orçamento federal se tornava deficitário. Esse declínio foi reforçado nos anos 2000 quando as poupanças pessoais e outras privadas caíram de forma acentuada. No período 2002-2007, a maior parte do investimento em capital dos Estados Unidos foi financiada por poupança externa, que é a contrapartida do grande déficit em transações correntes.

Fonte: Bureau of Economic Analysis.

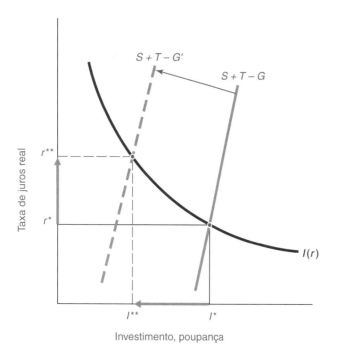

FIGURA 28-7 Poupança e investimento em economia fechada

O investimento está inversamente relacionado com a taxa de juros real, enquanto a poupança privada e a poupança pública são relativamente independentes da taxa de juros. A poupança e o investimento de equilíbrio ocorrem em r^*. Suponha que aumentam as despesas públicas militares. Isso faz aumentar o déficit público e, portanto, reduz a poupança pública. O resultado é um deslocamento da curva da poupança nacional para a esquerda, para $S + T + G'$, aumentando a taxa de juros do mercado para r^{**} e reduzindo a poupança e o investimento nacionais para I^{**}.

As funções de poupança e investimento interceptam-se na Figura 28-7 para determinar uma taxa de juros em r^* com níveis elevados de poupança e investimento.

Suponha agora que o governo aumente suas compras sem aumentar os impostos, em função de um aumento da despesa militar devido a uma guerra no exterior. Isso faz a função poupança ser deslocada para a esquerda para $S + T - G'$. Como resultado, a taxa de juros real aumenta para equilibrar a poupança e o investimento, e o nível de investimento diminui. Um resultado similar ocorreria se o governo baixasse os impostos ou se o setor privado reduzisse a sua poupança desejada.

Em uma economia fechada com pleno emprego (mantendo o resto constante, ou seja, *ceteris paribus*) uma maior despesa do governo, menores impostos ou uma menor poupança privada desejada aumentarão a taxa de juros real e reduzirão a poupança e o investimento de equilíbrio.

Equilíbrio em economia aberta. Considere agora a situação de uma economia aberta em que os mercados financeiros estão integrados nos mercados mundiais.

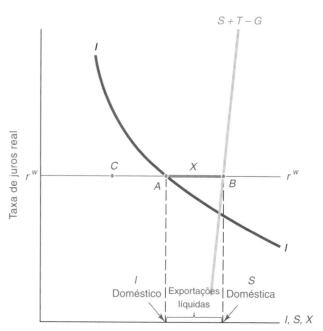

FIGURA 28-8 Poupança e investimento em uma pequena economia aberta.

O investimento e a poupança internos são determinados pelo rendimento, pelas taxas de juros e pela política fiscal pública, como na Figura 28-7. Mas a pequena economia aberta, com mobilidade de capital financeiro, tem suas taxas de juros reais determinadas nos mercados financeiros mundiais. À taxa de juros real relativamente elevada r^W, a poupança interna excede o investimento doméstico e o excesso de poupança é escoado para oportunidades de investimento mais lucrativas no exterior. A diferença entre a poupança nacional e o investimento doméstico são as exportações líquidas (também igual ao investimento externo líquido), mostrado como X, na figura. Um excedente comercial, como o observado no Japão e na China, é causado pela interação de poupança doméstica elevada e de investimento doméstico reduzido.

Uma economia aberta tem fontes alternativas de investimento e aplicações alternativas de poupança. Simplificamos a tabela ao admitir que a economia seja pequena e não possa afetar as taxas de juros mundiais. Apresentamos essa situação na Figura 28-8 para uma pequena economia aberta com um elevado grau de mobilidade do capital financeiro. Uma pequena economia aberta tem de igualar a sua taxa de juros real interna com a taxa de juros real mundial, r^W. Como os mercados financeiros são abertos, o capital financeiro desloca-se para equilibrar as taxas de juros internamente e no exterior.

A Figura 28-8 explica a determinação da poupança, do investimento e das exportações líquidas em economia aberta. À taxa de juros prevalecente no mundo, o investimento doméstico é mostrado no ponto A, que é a interseção da função do investimento e da taxa de juros. A poupança nacional total é dada no ponto B, na

Alterações na política ou em variáveis exógenas	Variação da taxa de câmbio	Variação do investimento	Variação das exportações líquidas
Aumento de G ou decréscimo de T	$e \uparrow$	0	$X \downarrow$
Aumento da S privada	$e \downarrow$	0	$X \uparrow$
Aumento da demanda para investimento	$e \uparrow$	$I \uparrow$	$X \downarrow$
Aumento das taxas de juros internacionais	$e \downarrow$	$I \downarrow$	$X \uparrow$

TABELA 28-3. Principais conclusões do modelo poupança-investimento em uma pequena economia aberta. Assegure-se que compreendeu o mecanismo que origina cada uma destas variações.

função de poupança total, $S + T - G$. A diferença entre elas – dada pelo segmento de reta AB – são as exportações líquidas. Essa igualdade é mostrada pela relação entre poupança e investimento vista na p. 507.

Deste modo, as exportações líquidas são determinadas pela diferença entre a poupança nacional e o investimento nacional, que é determinado por fatores domésticos, e também pela taxa de juros mundial.

Este estudo nos leva à origem do mecanismo pelo qual um país ajusta o comércio, a poupança e o investimento próprios. É aqui que a taxa de câmbio desempenha o papel fundamental de equilíbrio. *As variações nas taxas de câmbio são o mecanismo pelo qual a poupança e o investimento se ajustam.* Isto é, as taxas de câmbio variam para assegurar que o nível de exportações líquidas equilibre a diferença entre a poupança e o investimento domésticos.

Esta análise ajuda a explicar as tendências da poupança, do investimento e dos padrões comerciais nos países mais importantes nos últimos anos. A Figura 28-8 descreve bem o papel do Japão na economia mundial em que tem tido tradicionalmente uma elevada taxa de poupança doméstica. Contudo, em anos recentes – em decorrência dos elevados custos de produção no país e das condições competitivas nos novos países vizinhos industrializados – a rentabilidade do capital no Japão tem diminuído. A poupança japonesa procurou, portanto, aplicações no exterior, com a consequência de o Japão ter tido grandes excedentes comerciais e elevadas exportações líquidas.

Os Estados Unidos têm observado uma interessante oscilação na sua posição de poupança e investimento, como é mostrado na Tabela 28-2. Até 1980, os Estados Unidos tiveram uma posição positiva modesta nas exportações líquidas. Mas no início dos anos 1980, a posição fiscal dos Estados Unidos alterou-se acentuadamente em direção ao déficit. Este fato pode ser representado desenhando uma nova reta $S + T' - G'$ na Figura 28-8 que intercepte a reta da taxa de juros real no ponto C. Verifique que a poupança nacional total diminuiria com um maior déficit público. O investimento doméstico se manteria inalterado. As exportações líquidas passariam a negativas e seriam dadas pelo segmento CA.

Podemos usar também esta análise para explicar o mecanismo pelo qual as exportações líquidas se ajustam para proporcionar o investimento necessário quando há um déficit fiscal do governo. Considere um país com um excedente de exportações líquidas, como é mostrado na Figura 28-8. Suponha que o governo, subitamente, comece a gerar um grande déficit fiscal. Esta variação levará a um desequilíbrio no mercado poupança–investimento, o que tenderá a aumentar as taxas de juros internas em relação às taxas de juros mundiais. O aumento das taxas de juros internas atrairá fundos do exterior e levará a uma apreciação da taxa de câmbio do país que apresenta déficit público. A apreciação levará à queda das exportações e ao aumento das importações, ou a uma redução das exportações líquidas. Essa tendência continuará até que as exportações líquidas tenham diminuído o suficiente para anular a diferença entre poupança e investimento.

Outros exemplos importantes da teoria da poupança-investimento em uma pequena economia aberta são:

- Um aumento na poupança privada, ou uma menor despesa pública, aumentará a poupança nacional, o que é representado pelo deslocamento para a direita na função de poupança nacional na Figura 28-8. Isso levará a uma depreciação da taxa de câmbio até que as exportações líquidas tenham aumentado o suficiente para equilibrar o aumento na poupança doméstica.

- Um aumento do investimento doméstico, devido, por exemplo, a uma melhoria do ambiente empresarial, ou a um surto de inovações, levará a um deslocamento da função de investimento. Isso levará a uma apreciação da taxa de câmbio até que as exportações líquidas diminuam o suficiente para equilibrar a poupança e o investimento. Neste caso, o investimento doméstico expulsa o investimento externo.

- Um aumento das taxas de juros mundiais reduzirá o nível de investimento. Isso levará a um aumento na diferença entre poupança e investimento, a uma depreciação da taxa de câmbio e a um aumento nas exportações líquidas e do investimento externo. Isso corresponderia a um deslocamento ao longo da curva do investimento.

A Tabela 28-3 resume os principais resultados relativos a uma pequena economia aberta. Trabalhe os casos de decréscimos do déficit fiscal público, da poupança privada, do investimento e das taxas de juros mundiais. Esta tabela sintética e as suas explicações merecem um estudo cuidadoso.[1]

A integração de um país na economia mundial adiciona uma nova e importante dimensão ao desempenho macroeconômico e às políticas econômicas. As conclusões essenciais são:

- O setor externo proporciona uma fonte importante para o investimento doméstico e uma aplicação potencial para a poupança doméstica.
- Uma poupança maior no país – seja na forma de maior poupança privada ou de maior poupança pública – levará a maiores exportações líquidas, bem como a um maior investimento doméstico.
- A balança comercial de um país é mais um reflexo do equilíbrio entre a poupança e o investimento nacionais próprios do que da sua produtividade absoluta ou da sua riqueza.
- Os ajustes nas contas comerciais de um país exigem uma variação na poupança ou investimento domésticos.
- No longo prazo, os ajustes nas contas comerciais decorrerão de movimentos nos preços relativos do país, frequentemente por meio de variações da taxa de câmbio.

PROMOÇÃO DO CRESCIMENTO EM ECONOMIA ABERTA

O aumento do crescimento do produto em economias abertas envolve mais do que agitar uma varinha mágica que atraia investidores ou detentores de poupança. Um clima favorável para a poupança e o investimento envolve uma grande variedade de políticas, incluindo um ambiente macroeconômico estável, direitos de propriedade assegurados e, acima de tudo, um retorno previsível e atrativo para o investimento. Revemos nesta seção algumas das formas pelas quais as economias abertas podem melhorar as suas taxas de crescimento tirando partido do mercado global.

No longo prazo, a forma isolada mais importante de aumentar o produto *per capita* e os níveis de vida é assegurar que o país adote *as melhores práticas tecnológicas* nos seus processos de produção. De pouco adianta ter uma elevada taxa de investimento, se os investimentos forem em tecnologias erradas. Esse ponto foi amplamente demonstrado nos últimos anos do planejamento central soviético (discutido no Capítulo 26), quando a taxa de investimento foi extremamente elevada, mas grande parte dos investimentos foram mal concebidos, ficaram inacabados ou realizados em setores não produtivos. Além disso, os pequenos países individualmente não precisam começar do nada para desenhar as suas próprias turbinas, seu maquinário, seus computadores e sistemas de gestão. Atingir a fronteira tecnológica envolve, frequentemente, a associação em empreendimentos com empresas estrangeiras, o que, por sua vez, exige que a estrutura institucional seja acolhedora para o capital externo.

Outro conjunto importante de políticas é o das *políticas comerciais*. Os dados provam que um sistema de comércio aberto promove a competitividade e a adoção das melhores práticas tecnológicas. Ao manter reduzidas as tarifas aduaneiras e outras barreiras ao comércio, os países podem assegurar que as empresas nacionais sintam o estímulo da concorrência e que é permitido às empresas estrangeiras entrar nos mercados nacionais se os produtores domésticos fixam preços ineficientemente elevados ou monopolizam setores específicos.

Quando analisam a poupança e o investimento próprios, os países não devem concentrar-se exclusivamente no capital físico. O *capital intangível* é também muito importante. Há estudos que mostram que os países que investem em capital humano por meio da educação tendem a ter melhor desempenho e a ter melhor resistência quando enfrentam choques adversos. Muitos países têm reservas valiosas de recursos naturais – florestas, minérios, petróleo e gás natural, recursos pesqueiros e terra cultivável – que precisam ser cuidadosamente geridos, para assegurar que proporcionem a máxima renda para o país.

Um dos fatores mais complexos no crescimento de um país envolve a *imigração* ou *emigração*. Historicamente, os Estados Unidos têm atraído grandes fluxos de imigrantes que não só aumentaram o tamanho da sua população ativa como também aumentaram a qualidade de sua cultura e de sua pesquisa científica. Mais recentemente, contudo, os imigrantes registram menor formação e menores qualificações do que a população ativa interna. Como resultado, de acordo com alguns estudos, a imigração nos Estados Unidos diminuiu os salários relativos dos trabalhadores com baixos salários. Os países que "exportam" trabalhadores, como o México, têm, com frequência, um fluxo contínuo de rendas que são enviadas pelos emigrantes para os seus familiares nos países de origem, o que constitui um bom suplemento às receitas de exportação.

Uma das influências mais importantes e sutis diz respeito às *instituições do mercado*. As economias abertas mais bem-sucedidas – como Holanda e Luxemburgo na

---

[1] Essa análise trata de "pequenas" economias abertas que não podem influenciar a taxa de juros mundial. Para "grandes" economias abertas, como a dos Estados Unidos, o impacto seria em algum lugar entre os casos da pequena economia aberta e da economia fechada. Esse caso mais complexo é tratado em manuais de nível intermediário (ver a seção "Leituras adicionais" do Capítulo 19).

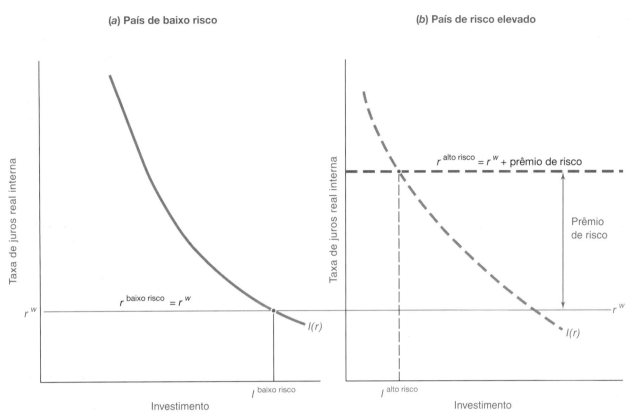

FIGURA 28-9 O ambiente empresarial afeta a taxa de juros e o nível de investimento.

No país de baixo risco, em (*a*), um ambiente econômico estável leva a uma taxa de juros interna baixa, r^W, e a um nível elevado de investimento $I^{\text{baixo risco}}$. No país de risco elevado, atingido por instabilidade política, corrupção e incerteza econômica, os investidores exigem um grande prêmio de risco nos seus investimentos, de modo que a taxa de juros interna está muito acima da taxa de juros mundial. O resultado é um nível de investimento reduzido, pois os investidores estrangeiros demandam terrenos mais seguros.

Europa, além de Taiwan e Hong Kong, na Ásia – têm proporcionado um ambiente seguro para o investimento e a atividade empresarial. Isso envolveu o estabelecimento de um conjunto seguro de direitos de propriedade, obrigatórios pela força da lei. O desenvolvimento de direitos de propriedade intelectual é cada vez mais importante, de modo a garantir que os inventores e os artistas poderão lucrar com suas atividades. Os países lutam contra a corrupção, que é uma espécie de sistema de imposto privado que faz uma pilhagem às empresas mais lucrativas, cria incerteza quanto aos direitos de propriedade, aumenta os custos e tem um efeito negativo sobre o investimento.

Um *ambiente macroeconômico estável* significa que os impostos são razoáveis e previsíveis e a que inflação é reduzida, de modo que quem empresta fundos não se preocupe com o confisco dos seus investimentos pela inflação. É fundamental que as taxas de câmbio sejam relativamente estáveis, com uma convertibilidade que permita uma entrada e saída fácil e barata da moeda do país. Os países que proporcionam uma estrutura institucional favorável atraem grandes fluxos de capital financeiro externo, enquanto os países que têm instituições instáveis atraem relativamente poucos fundos estrangeiros e sofrem a "fuga de capitais", quando os residentes locais transferem os seus fundos para o estrangeiro para evitar impostos, expropriação ou perda de valor.

A Figura 28-9 ilustra o impacto do ambiente de investimento sobre o investimento nacional. O gráfico da esquerda representa um país com um ambiente favorável ao investimento, de modo que a taxa de juros interna é igual à taxa de juros mundial. O nível global de investimento é elevado, e o país pode atrair fundos externos para financiar o investimento doméstico.

O painel (*b*) mostra um país de risco elevado. Reveja a Figura 26-2, que mostra o prêmio de risco nos títulos de mercados emergentes. Em períodos de crise, esses países podem pagar taxas de juros com 8, 10 ou 12 pontos percentuais acima da taxa paga pelos investidores em países avançados. O elevado prêmio de risco pode derivar de inflação elevada, impostos imprevisíveis, nacionalizações, inadimplência, corrupção e taxa de câmbio instável, ou apenas de pânico e contágio. O custo real do capital seria, portanto, elevado. No país de risco elevado, as taxas de juros internas têm um "prêmio de risco" sobre as taxas de juros mundiais, de modo que o custo real do capital pode ser 10%, ou 20%, ou 30% por ano, o que se compara com os 5% do país de risco baixo. O país de risco elevado terá dificuldades em atrair tanto investimento doméstico *como* externo, e o nível de investimento resultante será reduzido.

A promoção do crescimento econômico em uma economia aberta exige que se assegure que os negócios sejam atrativos para os investidores externos e internos, que têm uma grande variedade de oportunidades de investimento na economia mundial. Os objetivos finais de política são ter taxas elevadas de poupança e investimento em canais produtivos e assegurar que as empresas usem as melhores práticas tecnológicas. Alcançar esses objetivos envolve a criação de um ambiente macroeconômico estável, a garantia de direitos de propriedade confiáveis, tanto para investimentos tangíveis como para propriedade intelectual, proporcionar a convertibilidade cambial que permita aos investidores levar para casa os seus lucros e manter a confiança na estabilidade política e econômica do país.

C. QUESTÕES ECONÔMICAS INTERNACIONAIS

Nesta seção final, aplicamos os instrumentos da economia internacional para examinarmos duas das questões centrais que recentemente têm preocupado os países. Na primeira parte, examinamos a questão da diferença entre competitividade e produtividade. Na segunda, examinaremos o nascimento da União Monetária Europeia.

COMPETITIVIDADE E PRODUTIVIDADE

"A desindustrialização dos Estados Unidos"

Com frequência, quando o déficit comercial aumenta acentuadamente, as pessoas ficam preocupadas em relação a produtividade e competitividade de um país. Essa situação ocorreu nos Estados Unidos nos anos 1980 e ressurgiu nos anos 2000. A análise desta ocorrência serve para recordar os determinantes dos fluxos comerciais.

A apreciação do dólar nos anos 1980 produziu sérias dificuldades econômicas em muitos setores dos Estados Unidos expostos ao comércio internacional. Indústrias como as de automóveis, siderurgia e têxteis sentiram a contração da demanda das produções à medida que a apreciação da taxa de câmbio provocou o aumento dos seus preços em relação aos dos seus concorrentes estrangeiros. O desemprego aumentou acentuadamente na indústria de transformação, as fábricas fechavam e a zona do Meio-Oeste passou a ser conhecida por "cinturão enferrujado (*rust belt**)".

---

* N. de T.: Trocadilho que faz menção ao fato de que o Meio-Oeste americano é uma região agrícola importante conhecida por abrigar o *corn belt* – cinturão do milho.

Muitos não economistas interpretaram os problemas comerciais dos Estados Unidos como sinais do "declínio dos Estados Unidos". Temiam que a liderança tecnológica norte-americana estivesse se desvanecendo em virtude do que consideravam práticas comerciais desleais, excessiva regulação, falta de inovação e inércia de administração. Alguns exigiam a anulação de acordos comerciais como o *North American Free Trade* (Nafta). Os Estados Unidos foram retratados como condenados a servir batatas fritas (*chips*, em inglês) enquanto os outros produziam os *chips* dos computadores norte-americanos.

Os economistas viram uma síndrome diferente em ação – a doença clássica da taxa de câmbio sobrevalorizada. Para compreender as razões, temos de distinguir a competitividade de um país da sua produtividade. A *competitividade* refere-se ao grau a que os bens de um país podem competir no mercado; isso depende principalmente dos preços relativos dos produtos internos e estrangeiros. A competitividade deve distinguir-se da *produtividade*, que é medida pelo produto por unidade de fator produtivo. A produtividade é fundamental para o crescimento dos níveis de vida de um país; em uma primeira aproximação que a renda real de um país cresce à medida do crescimento da sua produtividade.

É verdade que a competitividade dos Estados Unidos caiu acentuadamente nos anos 1980 e no início dos anos 2000. Contudo, essas mudanças não foram causadas pela deterioração do crescimento da produtividade. De fato, o crescimento da produtividade acompanhou o aumento do déficit comercial. Os macroeconomistas pensam que a deterioração da competitividade nos anos 1980 ocorreu porque o declínio da poupança nacional levou à apreciação do dólar e aumentou os preços americanos em relação aos dos seus parceiros comerciais.

Tendências na produtividade

A verdadeira história da renda real dos Estados Unidos não é sobre a competitividade, mas sobre a produtividade. Recorde que a produtividade quantifica o produto por unidade de fator produtivo (como homens-hora). O nosso capítulo sobre crescimento econômico mostrou que os aumentos nos salários reais dependem principalmente do crescimento da produtividade do trabalho no país.

A competitividade é importante para o comércio, mas não tem uma relação intrínseca com o nível ou o crescimento das rendas reais. A China tem usufruído de um grande excedente comercial nos anos 2000, ao mesmo tempo em que os Estados Unidos têm tido um grande déficit comercial. Mas os norte-americanos trocariam os seus níveis de vida pelos dos chineses, com empregos remunerados a US$ 1 a hora? A perda de competitividade nos mercados internacionais resulta dos *preços* de um país ficarem desalinhados dos preços dos seus parceiros comerciais; não há necessariamente uma ligação com a comparação da produtividade desse país com a dos outros países.

Os estudos das diferenças de produtividade entre os países salientam a importância da *concorrência* e da *orientação para o exterior*. Um aspecto essencial da política destinada a aumentar a produtividade é forçar as indústrias domésticas a competir com as empresas estrangeiras que têm frequentemente tecnologias de ponta. O investimento direto estrangeiro pelos países mais produtivos (como as fábricas de automóveis japonesas funcionando nos Estados Unidos) tem contribuído para melhorias enormes da produtividade por meio quer de tecnologias de ponta quer do estímulo da concorrência.

Conclusão sobre produtividade e competitividade: Como demonstra a teoria da vantagem comparativa, os países não são intrinsecamente não competitivos. Em vez disso, perdem competitividade quando os seus preços ficam desalinhados dos preços dos seus parceiros comerciais. O caminho mais seguro para uma elevada produtividade e para níveis de vida elevados é a exposição das indústrias domésticas aos mercados mundiais e o incentivo à concorrência interna com as empresas estrangeiras que adotaram as tecnologias mais avançadas.

UNIÃO MONETÁRIA EUROPEIA

Um sistema ideal de taxa de câmbio é aquele que permite níveis elevados de previsibilidade dos preços relativos enquanto estabiliza a economia em face de choques econômicos. Em um sistema que funcione bem, as pessoas podem negociar e investir em outros países sem recear que as taxas de câmbio variem repentinamente e tornem os seus investimentos não lucrativos.

A partir do início dos anos 1990, contudo, os sistemas de taxa de câmbio fixa foram frequentemente *desestabilizadores*, em vez de estabilizadoras. Sucessivamente, os sistemas de taxa de câmbio fixa sofreram ataques especulativos intensos que, por contágio, propagaram-se a outros países. Isso ocorreu na Europa em 1991-1992, no México em 1994-1995, na Rússia e no Leste Asiático em 1997-1998 e na América Latina de 1998 a 2002.

Em nenhum lugar os problemas do sistema de taxa de câmbio foram tão persistentes e profundos como na Europa Ocidental. Como resultado, os países da União Europeia deram um passo de gigante ao associarem os seus destinos econômicos por meio da União Monetária Europeia que lançou uma moeda comum, o Euro.

> **O trilema fundamental das taxas de câmbio fixas**
>
> "Não se pode ter tudo" é uma das ideias centrais da ciência econômica. Isso foi verificado em questões macroeconômicas em várias ocasiões durante os anos 1990. Os países com taxas de câmbio fixas, quando liberalizaram os seus mercados financeiros, se deparavam com um trilema *fundamental das taxas de câmbio fixas*: um país só pode adotar duas das três seguintes: (a) uma taxa de câmbio fixa, mas ajustável, (b) movimentos de capital e financeiros livres e (c) uma política monetária interna independente.
>
> Esse conflito entre os três objetivos foi explicado por Paul Krugman do seguinte modo:
>
>> A questão é que não se pode ter tudo: um país tem de escolher dois, entre três. Você pode fixar a sua taxa de câmbio sem enfraquecer o seu banco central, mas apenas mantendo controles sobre os fluxos de capital (como a China na atualidade); pode deixar livre o movimento de capitais e manter a autonomia monetária, mas apenas se deixar a taxa de câmbio flutuar (como o Reino Unido ou o Canadá); ou pode decidir deixar livre o capital e estabilizar a moeda, mas apenas com o abandono de qualquer possibilidade de ajustar as taxas de juros para combater a inflação, ou a recessão (como a Argentina atualmente, ou, para esse efeito, a maior parte da Europa).[2]

Rumo a uma moeda comum: o euro

Desde a Segunda Guerra Mundial, os países democráticos da Europa Ocidental perseguem uma integração econômica cada vez mais estreita, principalmente para promover a estabilidade política após duas guerras devastadoras. Paz e comércio vão de braço dado, de acordo com muitos cientistas políticos. Esse movimento começou em 1957 com um acordo de comércio livre, a Europa Ocidental eliminou gradualmente todas as barreiras ao comércio de bens, serviços e finanças. O passo final na integração econômica foi a adoção de uma moeda comum. Isso não só impulsionou o estreitamento dos laços econômicos como resolveu o problema de moedas instáveis que afligiam os sistemas de taxa de câmbio fixa anteriores.

Onze países europeus juntaram-se na União Monetária Europeia (UME) em 1º de janeiro de 1999.[*] Estes países, por vezes designados por Zona do Euro, adotaram o "euro" como a sua unidade de conta e meio de troca. O primeiro passo foi iniciar as transações em euros. O passo mais difícil ocorreu em 1º de janeiro de 2002, quando os países da Zona do Euro substituíram suas moedas nacionais por moedas e notas de euro, dizendo, de fato, "*Adeus* escudo[**], *bom dia* euro". O euro foi lançado sem sobressaltos, e estabeleceu lugar entre as principais moedas do mundo.

---

[2] Ver a seção "Leituras adicionais" deste capítulo.

[*] N. de RT.: Os participantes iniciais foram a Bélgica, Alemanha, Espanha, França, Irlanda, Itália, Luxemburgo, Países Baixos, Áustria, Portugal e a Finlândia. Para conhecer as fases da criação da União Econômica e Monetária visite: <http://www.ecb.int/ecb/history/emu/html/index.pt.html#stage1>.

[**] N. de T.: Moeda portuguesa antes da introdução do euro.

A estrutura monetária na União Monetária Europeia assemelha-se à dos Estados Unidos. O controle da política monetária europeia é exercido pelo *Banco Central Europeu* (BCE) que conduz a política monetária para os países do acordo. O BCE efetua operações de mercado aberto e, assim, determina as taxas de juros do euro.

Uma das principais questões da política monetária envolve os objetivos do banco central. O BCE é obrigado pelo seu estatuto a velar pela "estabilidade dos preços" como objetivo principal, embora possa se dedicar a outros objetivos globais, desde que não comprometam a estabilidade dos preços. O BCE define estabilidade dos preços como um aumento dos preços para o consumidor na Zona do Euro abaixo de 2% ao ano no médio prazo.

Custos e benefícios da união monetária europeia

Quais são os custos e os benefícios da união monetária europeia? Os apologistas da união monetária anteveem importantes *benefícios*. Com uma moeda comum, a volatilidade da taxa de câmbio no interior da Europa será reduzida a zero, de modo que o comércio e as finanças não têm mais de se confrontar com as incertezas em relação aos preços induzidas pela variação das taxas de câmbio. O principal resultado será a redução dos custos de transação entre os países. Dependendo do grau em que os mercados de capitais nacionais estejam segmentados, a passagem para uma moeda comum pode permitir uma alocação mais eficiente do capital entre os países. Alguns pensam que uma disciplina macroeconômica firme será preservada tendo um banco central europeu independente comprometido com objetivos estritos sobre inflação. Talvez o benefício mais importante possa ser a integração política e a estabilidade da Europa Ocidental – uma região que tem estado em paz há meio século, após ter estado em guerra durante a maior parte da história.

Alguns economistas permanecem céticos acerca do valor da união monetária na Europa e apontam *custos* significativos dessa união. A preocupação dominante é que os países individualmente perderão a possibilidade de usar tanto a política monetária como a taxa de câmbio como instrumentos de ajuste macroeconômico. Essa questão diz respeito à área monetária ótima, um conceito proposto pela primeira vez por Robert Mundell, da Universidade de Columbia, que ganhou o prémio Nobel em 1999 por suas contribuições neste campo. Uma **área monetária ótima** é aquela cujas regiões têm uma elevada mobilidade do trabalho ou têm choques da oferta, ou da demanda, comuns e sincronizados. Em uma área monetária ótima, não são necessárias variações significativas nas taxas de câmbio para assegurar o rápido ajuste macroeconômico.

A maioria dos economistas pensa que os Estados Unidos são uma área monetária ótima. Quando o país enfrenta um choque que afeta as várias regiões assimetricamente, a migração de trabalhadores tende a restabelecer o equilíbrio. Por exemplo, os trabalhadores deixaram os estados do norte muito afetados e migraram para os estados do sul ricos em petróleo após os choques do petróleo dos anos 1970.

A Europa é uma área monetária ótima? Alguns economistas pensam que não, em virtude da rigidez da sua estrutura salarial e do baixo grau de mobilidade do trabalho entre os vários países. Quando ocorre um choque – por exemplo, após a reunificação alemã em 1990 – a inflexibilidade dos salários e dos preços leva ao aumento da inflação, nas regiões com aumento da demanda, e ao aumento do desemprego nas regiões deprimidas. A união monetária poderá, portanto, condenar as regiões desafortunadas a um crescimento lento e a um desemprego elevado.

Qual é o balanço inicial da união monetária europeia? A criação do euro eliminou uma das principais fontes de instabilidade na economia europeia – os movimentos intraeuropeus da taxa de câmbio. Além disso, tem levado a uma convergência das taxas de juros e das taxas de inflação entre os países europeus. Por outro lado, a Europa continua a registar taxas de desemprego elevadas desde a introdução do euro. A crise financeira de 2007-2009 foi o primeiro teste importante ao Sistema Monetário Europeu e os economistas estudarão a forma como essa nova instituição multinacional lidou com a tempestade.

A união monetária europeia é uma das grandes experiências econômicas da história. Nunca antes um grupo tão amplo de países poderosos tinha colocado a sua sorte econômica em uma instituição multinacional como o Banco Central Europeu. Nunca antes um banco central havia sido encarregado do destino macroeconômico de um grupo grande de países com 325 milhões de habitantes que produzem US$ 16 trilhões de bens e serviços. Enquanto os otimistas apontam para os benefícios microeconômicos de um mercado ampliado e de menores custos de transação, os pessimistas temem as ameaças de estagnação e desemprego da união monetária em decorrência da falta de flexibilidade dos preços e dos salários e a uma insuficiente mobilidade de trabalhadores entre os países. A crise financeira de 2007-2009 é o primeiro teste importante a esse novo sistema monetário.

AVALIAÇÃO FINAL

Essa revisão de economia internacional proporciona uma imagem mista, com sucessos e fracassos. É verdade que as economias de mercado passaram ocasionalmente por inflação e recessão. Além disso, na recessão mais recente de 2007-2009, o desemprego aumentou acentuadamente e muitos gigantes financeiros oscilaram à beira da falência. Não obstante, se olharmos para trás, um júri imparcial de historiadores classificaria certamente o último meio século como sem paralelo para os países da América do Norte e da Europa Ocidental:

- *Desempenho econômico forte.* Nesse período verificou-se o mais rápido e sustentado crescimento econômico de que há memória na história. É o único período, desde a Revolução Industrial, em que esses países evitaram uma profunda depressão e a hiperinflação.
- *O sistema monetário emergente.* O sistema monetário internacional continua a ser uma fonte de turbulência, com frequentes crises quando os países defrontam dificuldades de balança de pagamentos, ou de moeda. Podemos ver um sistema emergindo, em que as principais regiões econômicas – Estados Unidos, Europa e Japão – possuem políticas monetárias independentes, com taxas de câmbio flexíveis, enquanto os países pequenos ou flexibilizam ou têm taxa de câmbio fixa "rígida" atrelada a um dos principais blocos. No futuro, um desafio importante será a integração dos gigantes asiáticos China e Índia nos sistemas financeiros e comerciais mundiais.
- *A reemergência dos mercados livres.* Escuta-se, com frequência, que a imitação é a prova mais sincera de adulação. Em economia, a imitação ocorre quando um país adota a estrutura econômica de outro, na esperança de que isso dê origem a crescimento e estabilidade. Nas últimas duas décadas, os países, uns após os outros, livraram-se das correntes do comunismo e do planejamento central asfixiante. Isso ocorreu não porque os manuais de economia tenham explicado o milagre do mercado livre, mas principalmente porque as pessoas podiam ver com os seus próprios olhos como os países ocidentais orientados para o mercado prosperavam, enquanto as economias de comando do Leste entravam em colapso. *Pela primeira vez, um império entrou em colapso porque não conseguia produzir suficiente manteiga e armas.*[3]

RESUMO

A. Comércio exterior e atividade econômica

1. Uma economia aberta é aquela que se envolve no comércio internacional de bens, serviços e investimentos. As exportações são bens e serviços vendidos a compradores no exterior do país, enquanto as importações são os comprados do estrangeiro. A diferença entre exportações e importações de bens e serviços é chamada de exportações líquidas.

2. Quando se considera o comércio internacional, a demanda doméstica pode ser diferente do produto nacional. A demanda doméstica compreende o consumo, o investimento e a despesa pública ($C + I + G$). Para obter o PIB, têm de ser adicionadas as exportações (Ex) e subtraídas as importações (Im), portanto

$$PIB = C + I + G + X$$

em que X = exportações líquidas = $Ex - Im$. As importações são determinadas pela renda e produto internos juntamente com os preços dos bens internos relativos aos dos produtos estrangeiros; as exportações são simétricas às importações, sendo determinadas pela renda e produto externos, juntamente com os preços relativos. O aumento do valor das importações por cada unidade monetária de aumento do PIB é designado por propensão marginal a importar (PMm).

3. O comércio internacional tem um efeito sobre o PIB similar ao do investimento ou da despesa pública. Quando as exportações líquidas aumentam, há um aumento na demanda agregada do produto interno. As exportações líquidas têm, portanto, um efeito multiplicador sobre o produto. Mas o multiplicador da despesa em uma economia aberta será menor que o de uma economia fechada, em virtude da fuga de despesa para as importações. O multiplicador é

$$\text{multiplicador de economia aberta} = \frac{1}{PMP + PMm}$$

É claro que, mantendo-se tudo o mais constante, o multiplicador de economia aberta é menor que o multiplicador de economia fechada, em que $PMm = 0$.

4. A aplicação da política monetária em uma economia aberta tem novas implicações. Um exemplo importante envolve a aplicação de política monetária em uma pequena economia aberta com um elevado grau de mobilidade de capitais. Um país com tais características deve alinhar sua taxa de juros com a do país ao qual seu câmbio está atrelado. Isso significa que os países que funcionam com taxa de câmbio fixa, na essência, perdem a política monetária como instrumento independente de política macroeconômica. A política fiscal, pelo contrário, torna-se um elemento poderoso de política, dado que o estímulo fiscal não é anulado pela variação das taxas de juros.

---

[3] N. de T.: No Capítulo 1, o *trade-off* entre a produção de manteiga e armas ilustra as opções quando os recursos são escassos.

5. Uma economia aberta funcionando com taxas de câmbio flexíveis pode usar a política monetária para a estabilização macroeconômica que ocorre independentemente de outros países. Nesse caso, a ligação internacional junta um canal novo e forte ao mecanismo interno de transmissão monetária. Uma contração monetária leva a taxas de juros mais elevadas, o que atrai o capital financeiro internacional e leva a um aumento (ou apreciação) da taxa de câmbio. A apreciação da taxa de câmbio tende a diminuir as exportações líquidas, de modo que este impacto reforça o impacto contracionista de taxas de juros mais elevadas sobre o investimento doméstico.

B. Interdependência na economia global

6. No longo prazo, operar no mercado global proporciona aos países novas restrições e oportunidades para melhorar o seu crescimento econômico. O elemento mais importante talvez se refira à poupança e ao investimento, que possuem elevada mobilidade e respondem a incentivos e ao ambiente para investimento nos vários países.

7. O setor externo proporciona outra fonte de fundos para o investimento e outro destino para a poupança. Uma poupança interna maior – seja por meio da poupança privada ou de excedentes fiscais do governo – fará aumentar o total de investimento doméstico e de exportações líquidas. Recorde a identidade:

$$X = S + (T - G) - I$$

ou

Exportações líquidas = poupança privada
+ poupança do governo
− investimento doméstico

No longo prazo, a posição comercial de um país reflete em primeiro lugar suas taxas de poupança e de investimento nacionais. A redução do déficit comercial exige alterar a poupança e o investimento domésticos. Um mecanismo importante para alinhar os fluxos comerciais com a poupança e o investimento domésticos é a taxa de câmbio.

8. Além de promover uma poupança e um investimento elevados, os países aumentam seu crescimento por meio de uma grande variedade de políticas e instrumentos. Aspectos importantes são um ambiente macroeconômico estável, direitos de propriedade sólidos tanto para os investimentos tangíveis como para a propriedade intelectual, uma moeda conversível com reduzidas restrições aos fluxos financeiros e estabilidade política e econômica.

C. Questões econômicas internacionais

9. A análise pouco rigorosa observa os grandes déficits comerciais e vê nisso a "desindustrialização". Mas esta análise esquece a distinção importante entre produtividade e competitividade. A competitividade refere-se a de que modo os bens de um país podem competir no mercado global e é determinada principalmente pelos preços relativos. A produtividade indica o nível de produção por unidade de fator produtivo. As rendas reais e os níveis de vida dependem principalmente da produtividade, enquanto o comércio e as transações correntes dependem da competitividade. Não existe uma ligação estreita entre competitividade e produtividade.

10. As taxas de câmbio fixas são uma fonte de instabilidade em um mundo de capital financeiro com elevada mobilidade. Recorde o dilema fundamental das taxas de câmbio fixas: um país não pode ter simultaneamente uma taxa de câmbio fixa, mas ajustável, liberdade de movimentos de capital e financeiros e uma política monetária interna independente.

11. Em 1999, alguns países europeus decidiram por uma moeda comum e um banco central comum. Uma moeda comum é adequada quando uma região forma uma área monetária ótima. Os defensores da união monetária europeia apontam para a melhoria da previsibilidade, para menores custos de transação e uma potencial melhoria da alocação do capital. Os céticos temem que uma moeda comum – tal como qualquer sistema irrevogável de taxa de câmbio fixa – exigirá salários e preços flexíveis para promover o ajuste a choques macroeconômicos.

CONCEITOS PARA REVISÃO

– curva $C + I + G + X$ em economia aberta
– exportações líquidas = $X = Ex - Im$
– demanda *versus* despesa doméstica em relação ao PIB
– propensão marginal a importar (PMm)
– multiplicador da despesa:
  – em economia fechada = $1/PMP$
  – em economia aberta = $1/(PMP + PMm)$

– impacto dos fluxos comerciais e das taxas de câmbio sobre o PIB
– identidade poupança – investimento em economias abertas $X = S + (T - G) - I$
– equilíbrio no mercado poupança-investimento em economias fechadas e abertas
– políticas de crescimento em economias abertas
– competitividade *versus* produtividade

LEITURAS ADICIONAIS E SITES

Leituras adicionais

A citação do *Economic Report of the President, 2000*, (Government Printing Office, Washington, D.C., 2000) pode também ser encontrada em <http://fraser.stlouisfed.org/publications/ERP> p. 231–235.

Sites

Dados sobre o comércio e finanças para vários países podem ser encontrado nos sites indicados no Capítulo 26.

Robert Mundell recebeu o Prêmio Nobel em 1999 pela sua contribuição para a macroeconomia internacional. Visite <http://www.nobel.se/laureates> para ler sobre a sua contribuição.

O site na rede do Banco Central Europeu em <http://www.ecb.int/ecb/html/index.en.html> explica algumas das questões envolvidas na gestão do euro. Ver também os sites listados no Capítulo 26.

QUESTÕES PARA DISCUSSÃO

1. Admita que uma política monetária expansionista leva, no curto prazo, à diminuição do valor, ou depreciação, do dólar dos Estados Unidos, em relação às moedas dos parceiros comerciais norte-americanos, havendo recursos não utilizados. Explique o mecanismo pelo qual essa situação produzirá uma expansão econômica nos Estados Unidos. Explique como é que o impacto comercial reforça o impacto sobre o investimento doméstico.

2. Explique o impacto de curto prazo sobre as exportações líquidas e o PIB dos seguintes acontecimentos no modelo do multiplicador, usando a Tabela 28-1, quando possível:
   a. Um aumento no investimento (I) de US$ 100 bilhões.
   b. Uma diminuição da despesa pública (G) de US$ 50 bilhões.
   c. Um aumento da produção externa que levou ao aumento das exportações de US$ 10 bilhões.
   d. Uma depreciação da taxa de câmbio que aumentou as exportações em US$ 30 bilhões e diminuiu as importações em US$ 20 bilhões, para cada nível de PIB.

3. Qual seria o multiplicador da despesa, em uma economia sem despesa pública e sem impostos, em que a *PMC* fosse 0,80 e a *PMm* fosse 0? E em que a *PMm* fosse 0,1? E em que a *PMm* fosse 0,9? Explique por que o multiplicador pode mesmo ser menor do que 1.

4. Considere a Tabela 28-3.
   a. Explique cada uma das entradas da tabela.
   b. Acrescente uma outra coluna com o título "Variação das taxas de juros". A seguir, com base no gráfico da Figura 28-7, preencha a tabela para uma economia fechada.

5. Um eminente macroeconomista escreveu recentemente: "Passar a uma união monetária e adotar uma moeda comum não é, de fato, um problema sobre a moeda. O fator mais importante é que os países da União têm de concordar quanto a uma política monetária comum para toda a região". Explique essa declaração. Por que a adoção de uma política monetária comum pode causar problemas?

6. Considere a cidade de Novo Paraíso, que é uma economia muito aberta. A cidade exporta relicários e não tem qualquer investimento ou impostos. Os residentes na cidade consomem 50% das suas rendas disponíveis e 90% de todas as compras são importações do resto do país. O presidente da Câmara propõe lançar um imposto de US$ 100 milhões para aplicar em um programa de obras públicas. O presidente argumenta que o produto e a renda aumentarão muito na cidade em decorrência de algo chamado "multiplicador". Estime o impacto do programa de obras públicas sobre a renda e o produto de Novo Paraíso. Você concorda com a afirmação do presidente?

7. Reveja a lista das três interações da poupança, investimento e comércio na p. 509. Elabore um gráfico como o da Figura 28-8 para ilustrar cada um dos impactos. Certifique-se que sabe explicar os casos inversos mencionados na expressão que se segue à referida lista.

8. Os políticos criticam com frequência o déficit comercial elevado dos Estados Unidos. Os economistas respondem que a redução do déficit comercial exigiria um aumento de impostos, ou um corte nas despesas públicas. Explique a visão dos economistas usando a análise do equilíbrio poupança–investimento da Figura 28-8. Explique, também, a citação do *Economic Report 2000*, da p. 499.

9. Examine novamente a Figura 26-2 e certifique-se que a entendeu. Agora, considere um país com um mercado emergente, como o Brasil ou a Argentina.
   a. Desenhe um diagrama semelhante ao da Figura 28-9 (*b*) para o país em um período favorável, quando o prêmio de risco nos seus pedidos de empréstimo é baixo. Chame essa figura de A.
   b. Em seguida, considere um choque adverso que aumente consideravelmente o prêmio de risco. Desenhe uma nova figura com o prêmio elevado e o novo equilíbrio. Chame essa figura de B.
   c. Agora compare os equilíbrios nas figuras A e B. Especificamente, explique a diferença de (i) taxa de juros real interna de equilíbrio, (ii) investimento doméstico, (iii) taxa de câmbio e (iv) exportações líquidas.

10. Considere o exemplo de uma pequena economia aberta que possui capital financeiro com grande mobilidade e

taxas de câmbio fixas, mas também elevados déficits públicos. Suponha que esta economia se defronta com condições econômicas depressivas, com um produto em queda e um desemprego elevado. Explique por que razão não pode usar a política monetária para estimular a sua economia. Por que razão a expansão orçamentária seria eficaz se pudesse suportar déficits públicos ainda maiores?

11. **Problema avançado.** Após a reunificação da Alemanha, as transferências para reconstruir a Alemanha Oriental levaram a uma expansão importante da demanda agregada no país. O banco central alemão respondeu com o aumento das taxas de juros reais alemãs. Estas ações tiveram lugar no contexto do Sistema Monetário Europeu em que a maioria dos países tinha taxas de câmbio fixas e onde o banco central alemão ditava a política monetária.

   a. Explique por que os países europeus, tendo taxas de câmbio fixas e seguindo a liderança do banco central alemão veriam as suas taxas de juros aumentar juntamente com as taxas de juros alemãs. Explique por que outros países europeus seriam por essa via mergulhados em profundas recessões.

   b. Explique por que os países preferem a União Monetária Europeia ao anterior sistema.

   c. Esclareça por que seria de se esperar que o aperto monetário alemão levasse a uma depreciação do dólar. Explique por que a depreciação estimularia a atividade econômica nos Estados Unidos.

12. **Problema avançado.** Releia a definição de dilema fundamental, bem como da análise de Paul Krugman na p. 513. Explique por que os três elementos não podem coexistir. Por que não existe um dilema fundamental no sistema de taxa de câmbio fixa entre os "dólares da Califórnia" e os "dólares do Texas"? Explique de que modo o trilema se aplicaria atualmente à China. Explique os argumentos a favor e contra cada uma das três possíveis escolhas no trilema descrito por Krugman.

PARTE SETE

Desemprego, inflação e política econômica

CAPÍTULO

29 Desemprego e os fundamentos da oferta agregada

Seja simpático para as pessoas quando está progredindo, pois irá encontrá-las quando estiver na sua via descendente.
Wilson Mizner

Entre as características persistentes de uma economia de mercado estão as recessões cíclicas, durante as quais o emprego e a produção caem e o desemprego aumenta. Na maior parte do período após a Segunda Guerra Mundial, os Estados Unidos evitaram recessões prolongadas e profundas. No entanto, mesmo durante as contrações cíclicas suaves, o desemprego aumentou e a renda caiu drasticamente.

Ocasionalmente, e muitas vezes inesperadamente, os países sofrem recessões graves, ou mesmo depressões que duram uma década, e o desemprego elevado persiste por vários anos. Essa situação foi observada nos Estados Unidos durante os anos 1930, quando a taxa de desemprego foi superior a 10% da população ativa durante dez anos.

As economias mais ricas do mundo entraram em recessão em 2007, o que se agravou em 2008-2009. Em decorrência de uma bolha imobiliária, de bancos em falência, da perda de confiança na economia, de investimento fraco e da armadilha de liquidez, a taxa de desemprego aumentou acentuadamente no período de 2007-2009. Apesar de um melhor entendimento da macroeconomia ter permitido à maioria dos países tomar medidas anticíclicas, as perspectivas de uma forte recuperação da produção e do emprego têm sido fracas.

Esse capítulo apresenta uma análise da macroeconomia do desemprego. O texto começa com a análise dos fundamentos da oferta agregada. Essa análise mostra como o aumento do desemprego é o resultado do crescimento lento da demanda agregada em relação ao produto potencial. Examinamos a seguir as principais questões de política que dizem respeito ao desemprego.

A. FUNDAMENTOS DA OFERTA AGREGADA

Os capítulos anteriores focaram a demanda agregada e o crescimento econômico. Esta seção descreve os fatores que determinam a oferta agregada. No curto prazo, a natureza do processo inflacionário e a eficácia das políticas governamentais contracíclicas dependem da demanda agregada. No longo prazo de uma década, ou mais, o crescimento econômico e a elevação do padrão de vida estão estreitamente ligados aos aumentos da oferta agregada.

Esta distinção entre oferta agregada de curto e de longo prazo é fundamental para a macroeconomia moderna. No curto prazo, é a interação entre a oferta e a demanda agregadas que determina as flutuações cíclicas, a inflação, o desemprego, as recessões e as expansões. Mas, no longo prazo, é o crescimento do produto potencial por meio da oferta agregada que explica a tendência da produto e dos padrões de vida.

Será útil resumir os pontos-chave já no início:

- A **oferta agregada** descreve o comportamento do lado da produção da economia. A **curva da oferta agregada**, ou curva AS, é a função que mostra o nível do produto nacional total que será produzido para cada nível de preços possível, mantendo-se o resto constante.

- Na análise da oferta agregada, faremos a distinção central entre o longo prazo e o curto prazo. No curto prazo, correspondente ao comportamento em períodos de alguns meses a poucos anos, temos a **curva da oferta agregada de curto prazo**. No curto prazo, os preços e os salários têm elementos de inflexibilidade. Como resultado, preços mais elevados estão associados a aumentos da produção de bens e serviços. Isto é representado por uma curva *AS* com inclinação positiva.

- O longo prazo refere-se a períodos associados ao crescimento econômico, após a maioria dos elementos dos ciclos econômicos terem desaparecido; refere-se a um período de vários anos ou décadas. No longo prazo, os preços e os salários são perfeitamente flexíveis. O produto é determinado pelo produto potencial e é independente do nível de preços. Representamos a **curva da oferta agregada de longo prazo** como *vertical*.

Esta seção é dedicada à explicação desses pontos centrais.

DETERMINANTES DA OFERTA AGREGADA

A oferta agregada depende fundamentalmente de dois conjuntos distintos de forças: o produto potencial e os custos dos fatores. Analisemos cada uma destas influências.

Produto potencial

O conceito fundamental para compreender a oferta agregada é o *produto potencial* ou *PIB potencial*. O **produto potencial** é o produto sustentável máximo que pode ser produzido sem que se desencadeiem pressões inflacionárias crescentes.

No longo prazo, a oferta agregada depende principalmente do produto potencial. Assim, a *AS* de longo prazo é determinada pelos mesmos aspectos que influenciam o crescimento no longo prazo: a dimensão e a qualidade do trabalho, a oferta de capital e de recursos naturais e o nível da tecnologia.

Os macroeconomistas usam, em geral, a seguinte definição de produto potencial:

O PIB potencial é o nível máximo sustentável de produto nacional. É o nível de produto que seria produzido se removermos as influências do ciclo econômico. Como medida operacional, quantificamos o PIB potencial como o produto que seria produzido, estando a taxa de desemprego em um nível de referência chamado de *taxa de desemprego não aceleradora de inflação TDNAI* (ou *NAIRU, NonAccelerating Inflation Rate of Unemployment*).

O produto potencial é um objetivo de crescimento. À medida que a economia cresce, o produto potencial também aumenta e a curva da oferta agregada desloca-se para a direita. A Tabela 29-1 mostra os determinantes-chave da oferta agregada, subdivididos em aspectos que afetam o produto potencial e os custos de produção. A partir da nossa análise do crescimento econômico, sabemos que os principais fatores determinantes do crescimento do produto potencial são o crescimento dos fatores de produção e o progresso tecnológico.

Produto potencial não é produto máximo

Devemos sublinhar um ponto sutil sobre o produto potencial: o produto potencial é o produto máximo sustentável, mas não o produto máximo absoluto que uma economia pode produzir. A economia pode funcionar com níveis de produto acima do produto potencial durante um curto período de tempo. As fábricas e os trabalhadores podem trabalhar horas extras durante algum tempo, mas a produção acima do potencial não é indefinidamente sustentável. Se a econos-

---

Variável	Impacto sobre a oferta agregada
Produto potencial	
Fatores de produção	As quantidades ofertadas de capital, de trabalho e de recursos naturais são os fatores produtivos importantes. O produto potencial ocorre quando o emprego do trabalho e de outros fatores de produção se situa no nível máximo aceitável. O crescimento dos fatores produtivos aumenta o produto potencial e a oferta agregada.
Tecnologia e eficiência	A inovação, o progresso tecnológico e o aumento da eficiência aumentam o nível de produto potencial e aumentam a oferta agregada.
Custos de produção	
Salários	Salários mais baixos levam a menores custos de produção. Custos inferiores para um dado produto potencial significam que a quantidade ofertada será maior para cada nível de preços.
Preços de importação	Uma redução dos preços externos, ou uma apreciação da taxa de câmbio, reduz os preços das importações. Isso leva a custos de produção inferiores e ao aumento da oferta agregada.
Outros custos de produção	Preços inferiores do petróleo ou regulação reduzem os custos de produção e, desse modo, aumentam a oferta agregada.

TABELA 29-1 A oferta agregada depende do produto potencial e dos custos de produção.

A oferta agregada estabelece a relação entre o produto total ofertado e o nível de preços. A curva *AS* depende de fatores fundamentais como o produto potencial e os custos de produção. Os elementos listados na tabela aumentariam a oferta agregada, deslocando a curva *AS* para baixo, ou para a direita.

mia produz mais do que o seu produto potencial durante muito tempo, a inflação tende a subir à medida que o desemprego cai, as fábricas operam intensivamente e os trabalhadores e as empresas tentam ganhar salários e lucros mais elevados.

Uma analogia interessante é alguém a correr a maratona. Pense no produto potencial como a velocidade máxima a que o maratonista pode correr sem ficar "sobreaquecido" e desistir por exaustão. Claro que o corredor pode correr mais rápido do que o ritmo sustentável durante algum tempo, tal como a economia dos Estados Unidos cresceu mais rápido do que a sua taxa de crescimento potencial durante os anos 1990. Mas na totalidade da corrida, a economia, como o maratonista, pode produzir apenas à "velocidade" sustentável máxima e essa velocidade de produto sustentável é o que chamamos de produto potencial.

Custos dos insumos

Não é surpreendente que um produto potencial mais elevado leve a uma oferta agregada mais elevada. O papel dos custos na AS é menos evidente. Veremos, no entanto, que a oferta agregada *no curto prazo* é afetada pelos custos de produção.

A intuição subjacente a este ponto é a seguinte: as empresas têm certos custos que são inflexíveis no curto prazo. Por exemplo, considere uma companhia aérea que tem um contrato de aluguel de longo prazo e um contrato de trabalho de vários anos. Se a demanda por viagens aéreas aumenta, a companhia aérea verá que é rentável fazer mais voos e aumentar os seus preços de passagem. Em outras palavras, tanto os preços como a produção aumentam com o aumento da demanda no curto prazo.

Também podemos ver que as variações nos custos de produção afetam a oferta agregada no curto prazo. Por exemplo, considere o que aconteceu no início dos anos 2000 quando os preços do petróleo subiram acentuadamente, aumentando o preço do combustível de aviação. As companhias aéreas não foram capazes de ajustar as suas operações e os preços das passagens de modo suficiente para compensar os custos mais elevados. Estavam registrando perdas recordes, portanto, cortaram algumas das suas operações, abandonaram rotas, cortaram as refeições oferecidas e desativaram um número substancial de aviões. Este exemplo mostra como os custos dos insumos podem afetar o comportamento da oferta.

A Tabela 29-1 mostra parte dos custos dos insumos que afetam a oferta agregada. Estes são exemplos em que custos mais baixos aumentarão a AS, que se desloca para baixo.

Deslocamentos da AS. Podemos ilustrar o efeito de variações dos custos e do produto potencial na Figura 29-1. O gráfico da esquerda mostra que um aumento do produto potencial, sem qualquer variação nos custos de produção, deslocaria a curva da oferta agregada para

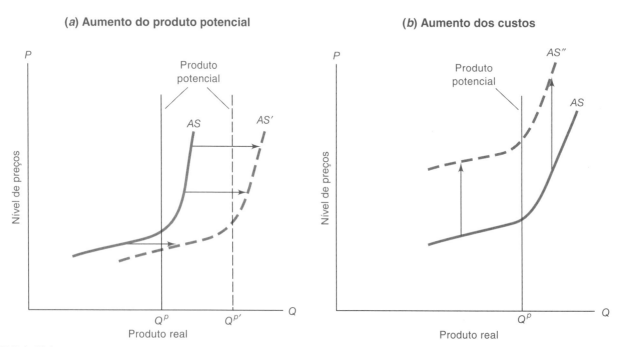

FIGURA 29-1 De que forma o crescimento do produto potencial e o aumento dos custos afetam a oferta agregada?

Em (*a*), o crescimento do produto potencial sem alteração dos custos de produção faz deslocar a curva AS para a direita, de AS para AS'. Quando os custos de produção aumentam, por exemplo, em virtude de maiores salários ou de custo maior do petróleo, mas sem alteração do produto potencial, a curva da oferta agregada desloca-se verticalmente, de AS para AS'', como em (*b*).

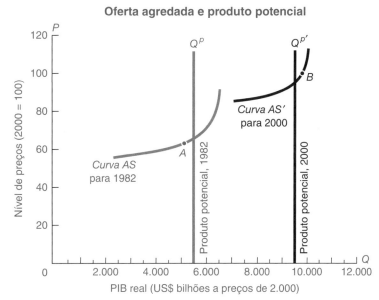

FIGURA 29-2 Na realidade, os deslocamentos da oferta agregada conjugam os aumentos dos custos e o crescimento do produto potencial.

Entre 1982 e 2000, o produto potencial cresceu em decorrência de aumentos do capital e do trabalho conjuntamente com o desenvolvimento tecnológico, deslocando a AS para fora. Ao mesmo tempo, o aumento dos custos de produção fez deslocar a AS para cima. O efeito líquido foi o deslocamento da AS para cima e para a direita.

fora, de AS para AS'. Se os custos de produção aumentassem sem qualquer alteração do produto potencial, a curva se deslocaria na vertical, de AS para AS'', como é mostrado na Figura 29-1(b).

O deslocamento real da curva AS é apresentado na Figura 29-2. As curvas são estimativas empíricas reais para dois anos diferentes, o ano de recessão de 1982 e o ano de pico de 2000. As linhas verticais indicam os níveis de produto potencial nos dois anos. De acordo com os estudos efetuados, o produto potencial real cresceu cerca de 72% nesse período.

A figura mostra como a curva AS se deslocou para fora e para cima ao longo do período. O deslocamento *para fora* foi causado pelo aumento do produto potencial, que derivou do aumento da população ativa e do capital, bem como do desenvolvimento tecnológico. O deslocamento *para cima* foi causado por aumentos do custo de produção, por meio do aumento dos salários, dos preços do petróleo e de outros custos de produção. Da conjugação do aumento dos custos e do crescimento do produto potencial resulta o deslocamento da oferta agregada, como é mostrado na Figura 29-2.

OFERTA AGREGADA NO CURTO E NO LONGO PRAZOS

De que forma os deslocamentos da demanda agregada afetam o produto e o emprego? A resposta a essa pergunta é diferente para o curto prazo (que se aplica aos ciclos econômicos) e para o longo prazo (que se aplica a análises de longo prazo por país ou comparações entre um conjunto de países). As duas abordagens estão ilustradas na Figura 29-3.

A curva da oferta agregada de curto prazo com inclinação positiva é associada à análise chamada **macroeconomia keynesiana.** Nessa situação, as variações da demanda agregada têm um efeito significativo sobre o produto. Em outras palavras, se a demanda agregada cai em decorrência de um aperto monetário, ou a uma queda da despesa de consumo, tal levará a uma queda do produto e dos preços. Em termos das nossas curvas, isso significa que a curva AS tem inclinação positiva de modo que um declínio na AD levará ao declínio tanto dos preços como do produto.

A abordagem de longo prazo, às vezes chamada de **macroeconomia clássica**, sustenta que as variações na AD afetam os preços, mas não têm nenhum efeito sobre o produto real. No longo prazo, os preços e os salários ajustam-se perfeitamente às variações da demanda agregada. A curva AS clássica ou de longo prazo é vertical; as variações da demanda agregada não têm, portanto, qualquer efeito sobre o produto.

Podemos resumir as razões da diferença da seguinte forma. A curva AS de curto prazo da Figura 29-3(a) indica que as empresas estão dispostas a aumentar os seus níveis de produto, em resposta a variações da demanda agregada. Certamente, deve haver recursos subaproveitados na economia. Mas a expansão do produto não pode continuar indefinidamente. Com o aumento do produto, surge a escassez de trabalhadores e as fábricas funcionam próximas do limite da capacidade. Os salários e os preços começam a aumentar mais rapidamente.

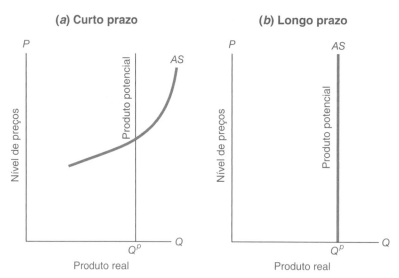

FIGURA 29-3 A curva AS tem inclinação positiva no curto prazo, mas torna-se vertical no longo prazo.

A curva AS de curto prazo, em (a), tem uma inclinação positiva porque muitos custos são inflexíveis no curto prazo. Mas, com o passar do tempo, os preços e os salários perdem a rigidez, portanto, a curva AS de longo prazo, em (b), é vertical e o produto é determinado pelo produto potencial. Consegue perceber porque razão um economista keynesiano, em (a), desejará estabilizar a economia por meio de políticas que alterem a demanda agregada, e um economista clássico, em (b), estaria concentrado principalmente no aumento do produto potencial?

Uma parcela maior da resposta ao aumento da demanda agregada ocorre na forma de aumentos de preço e uma parcela menor ocorre na forma de aumento do produto.

A Figura 29-3(b) mostra o que acontece no longo prazo após os salários e os preços terem tempo de reagir totalmente. Quando todos os ajustes tiverem lugar, a curva AS de longo prazo torna-se vertical, ou clássica. No longo prazo, o nível do produto oferecido é independente da demanda agregada.

Salários e preços rígidos e a curva AS com inclinação positiva

Os economistas em geral concordam que a curva AS tem inclinação positiva no curto prazo, isto é, tanto a produção como os preços respondem aos deslocamentos da demanda. Tem-se revelado como muito difícil o desenvolvimento de uma teoria completa para explicar essa relação, e as controvérsias sobre a oferta agregada estão entre as mais acirradas de toda a economia. Iremos descrever uma das teorias importantes e que perduram – a que envolve os salários e os preços rígidos, mas não se surpreenda se encontrar outras também.

O enigma é em relação ao porquê de as empresas aumentarem ora os preços ora o produto no curto prazo, enquanto no longo prazo os aumentos na demanda levam principalmente a variações de preços. A chave para esse enigma reside no comportamento dos salários e dos preços em uma economia de mercado moderna. Alguns elementos dos custos das empresas são *inflexíveis*, ou *rígidos*, no curto prazo. Como resultado dessa inflexibilidade, as empresas podem lucrar com níveis mais elevados de demanda agregada produzindo mais.

Por exemplo, suponha que uma emergência em decorrência da guerra leva ao aumento da despesa militar. As empresas sabem que, no curto prazo, muitos dos seus custos de produção são fixos em termos nominais – os trabalhadores são pagos a US$ 15 por hora, a renda é de US$ 1,5 mil por mês etc. Em resposta ao aumento da demanda, as empresas, em geral, aumentam os seus preços e sua produção. Esta associação positiva entre preços e produto observa-se na curva AS com inclinação positiva da Figura 29-3(a).

Citamos repetidamente custos "rígidos", ou "inflexíveis". Que exemplos podemos apresentar? O mais significativo são os salários. Considere os trabalhadores sindicalizados como exemplo. São pagos habitualmente de acordo com um contrato de longo prazo com os sindicatos que fixa o salário nominal. Enquanto vigorar o acordo de trabalho, o nível salarial suportado pelas empresas será, em grande medida, fixo em termos nominais. É bastante raro os salários serem aumentados mais do que uma vez por ano, mesmo para os trabalhadores não sindicalizados. É ainda mais incomum os salários nominais serem, de fato, objeto de redução, exceto quando uma empresa se defronta claramente com a ameaça de falência.

Outros preços e custos são igualmente rígidos no curto prazo. Quando uma empresa arrenda um edifício, com frequência a renda irá manter-se durante um ano, ou mais, e a renda é normalmente fixada em termos nominais. Além disso, as empresas assinam, com frequência, contratos com os seus fornecedores que especificam os preços a pagar pelos materiais ou componentes.

Juntando todos esses casos, pode-se ver como existe certa rigidez de curto prazo dos salários e dos preços em uma economia de mercado moderna.

O que acontece no longo prazo? Os elementos inflexíveis, ou rígidos, do custo – contratos salariais, acordos de arrendamento, preços regulados etc. – acabam por perder a rigidez e tornam-se negociáveis. As empresas não podem tirar vantagem indefinidamente dos níveis salariais nominais fixos dos seus acordos de trabalho; os trabalhadores, em breve, perceberão que os preços subiram e insistirão em aumentos compensatórios de salários. Em última instância, todos os custos se ajustarão ao preço mais elevado do produto. Se o nível geral de preços aumenta x por cento, em virtude do aumento da demanda, então os salários nominais, os aluguéis, os preços regulamentados e outros custos acabarão por responder aumentando cerca de x por cento também.

Logo que os custos se tenham ajustado para cima tanto quanto os preços, as empresas serão incapazes de lucrar com o nível superior de demanda agregada. No longo prazo, após todos os elementos de custo ajustarem-se totalmente, as empresas depararão com a mesma razão entre o preço e os custos, igual ao anterior à variação da demanda. Não haverá qualquer incentivo para que as empresas aumentem o seu produto. A curva AS de longo prazo tende, portanto, a ser vertical, ou seja, o produto oferecido é independente do nível de preços e dos custos.

A oferta agregada será diferente dependendo do período. No curto prazo, os elementos inflexíveis dos salários e preços levam as empresas a responder a uma demanda maior aumentando ora a produção ora os preços. No longo prazo, logo que os custos respondam completamente, a totalidade da resposta à demanda maior toma a forma de aumento de preços. Enquanto a curva AS de curto prazo tem inclinação positiva, a curva AS de longo prazo é vertical, uma vez que, com tempo suficiente, todos os preços e custos se ajustam completamente.

B. DESEMPREGO

Durante a recessão que começou em 2007, o número de pessoas desempregadas nos Estados Unidos aumentou em mais de 4 milhões. Dos 11 milhões de pessoas desempregadas no fim de 2008, metade era de pessoas que tinham perdido o emprego involuntariamente. Em épocas anteriores, como na Grande Depressão, ou no início dos anos 1980, a taxa de desemprego aumentou muito mais, atingindo um máximo de 25% em 1933.

A presença de desemprego involuntário em uma economia de mercado levanta questões importantes. Como milhões de pessoas podem estar desempregadas quando há tanto trabalho útil para ser feito? Qual o defeito do mecanismo de mercado que força tantas pessoas que querem trabalhar a ficar desocupadas? Ou o desemprego estará elevado principalmente em decorrência de programas deficientes do governo (como o seguro-desemprego) que reduzem os incentivos ao trabalho; ou em decorrência de propriedades inerentes a uma economia de mercado? A parte final deste capítulo proporciona um panorama sobre o significado do desemprego e algumas respostas a essas importantes questões.

MEDIDA DO DESEMPREGO

As variações da taxa de desemprego estão mensalmente nas manchetes dos noticiários. Reveja a Figura 29-3 para refrescar a memória sobre a tendência de longo prazo. O que está subjacente aos números? As estatísticas sobre o desemprego e a população ativa estão entre os mais cuidadosamente projetados e abrangentes dados econômicos que o país coleta. Os dados são recolhidos mensalmente em um procedimento estatístico chamado de *amostragem aleatória* da população. Nos Estados Unidos, todos os meses cerca de 60 mil famílias são entrevistadas sobre a sua situação recente de trabalho.

O inquérito divide a população com 16 ou mais anos em quatro grupos:

- **Empregado**. São as pessoas que desempenham qualquer trabalho remunerado, bem como aquelas que têm emprego, mas estão ausentes por motivo de doença, greve ou férias.
- **Desempregado**. As pessoas são classificadas como desempregadas se não têm um emprego, que procuraram ativamente um emprego nas últimas quatro semanas e estão atualmente disponíveis para trabalhar. Um ponto importante a registar é que o desemprego exige mais do que estar sem emprego – exige esforçar-se para encontrar um.
- **Não pertencem à população ativa**. Neles se incluem os 34% da população adulta que são trabalhadores domésticos, aposentados, muito doentes para trabalhar ou simplesmente que não procuram emprego.
- **População ativa**. Inclui todos os que estão empregados ou desempregados.

A Figura 29-4 mostra como a população dos Estados Unidos está dividida pelas categorias de empregados, desempregados e não pertencendo à população ativa. (A situação de estudante é examinada na Questão 6 ao final do capítulo.)

A definição oficial do estatuto de população ativa é o seguinte:

As pessoas que têm emprego estão empregadas; as pessoas que não estão empregadas, mas que estão à procura de emprego, estão desempregadas; as pessoas sem emprego e que não estão à procura de emprego

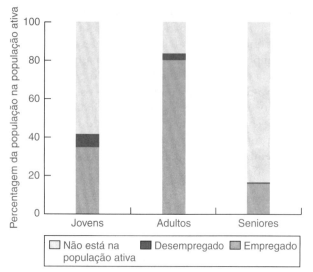

FIGURA 29-4 Situação da população em termos de população ativa, 2007.

Como os norte-americanos aplicam o seu tempo? Essa figura mostra como os jovens (dos 16 aos 19), os adultos (25-54) e seniores (65 e mais velhos) dividem o seu tempo em empregado, desempregado e não pertencendo à população ativa. Muitos jovens trabalhadores estão fora da população ativa e na escola, enquanto muitos trabalhadores idosos estão aposentados.

Fonte: Bureau of Labor Statistics.

não fazem parte da população ativa. A **taxa de desemprego** é o número de desempregados dividido pelo total da população ativa.

IMPACTO DO DESEMPREGO

O desemprego elevado é tanto um problema econômico como social. Ele é um problema econômico porque representa um desperdício de recursos valiosos e é um problema social importante porque causa enormes sofrimentos aos desempregados que se debatem com rendas reduzidas. Durante os períodos de desemprego elevado, a retração econômica espalha os seus efeitos e afeta o estado de ânimo das pessoas e a vida das famílias.

Impacto econômico

Quando a taxa de desemprego aumenta, a economia está de fato desperdiçando os bens e os serviços que os trabalhadores desempregados podiam ter produzido.

Qual a quantidade de desperdício que resulta de um desemprego elevado? Qual é o custo de oportunidade das recessões? A Tabela 29-2 proporciona um cálculo de quanto o PIB efetivo dista do potencial durante três períodos de desemprego elevado ao longo de mais de meio século nos Estados Unidos. A maior perda econômica ocorreu durante a Grande Depressão, mas as crises do petróleo e da inflação dos anos 1970 e 1980 também geraram perda de produto de mais de US$ 3 bilhões.

As perdas econômicas durante os períodos de desemprego elevado são os principais desperdícios documentados em uma economia moderna. São muitas vezes superiores às ineficiências estimadas do desperdício microeconômico em decorrência do monopólio ou das perdas induzidas por tarifas ou cotas de importação.

Impacto social

O custo econômico do desemprego é certamente elevado, mas não há valor monetário que possa traduzir adequadamente o custo humano e psicológico de longos períodos de desemprego involuntário persistente. A tragédia pessoal do desemprego tem sido demonstrada repetidamente. Podemos apreender a inutilidade da procura de emprego em S. Francisco durante a Grande Depressão:

> Levantei-me às cinco da manhã e saí na chuva. No exterior da Refinaria de Açúcar Spreckles, por fora dos portões, deveria haver uns mil homens. Você sabe muito bem que só haverá três ou quatro empregos. O homem vinha à rua acompanhado de dois pequenos seguranças:

	Taxa média de desemprego (%)	Perda de produto	
		Perda de PIB (US$ bilhões a preços de 2008)	Em percentagem do PIB durante o período
Grande Depressão (1930-1939)	18,2	2.796	30,0
Crises do petróleo e da inflação (1975-1984)	7,7	1.694	2,7
Marasmo após o colapso das "ponto.com" (2001-2003)	5,5	509	1,4

TABELA 29-2 Custos econômicos dos períodos de desemprego elevado.

Os dois principais períodos de desemprego elevado desde 1929 ocorreram durante a Grande Depressão e durante os choques do petróleo e de inflação elevada de 1975-1984. O produto perdido é calculado como a diferença acumulada entre o PIB potencial e o PIB efetivo. Repare que durante a Grande Depressão as perdas relativas ao PIB foram dez vezes superiores às perdas do marasmo do petróleo-inflação. O abrandamento do início dos anos 2000 foi suave em comparação a recessões anteriores.

Fonte: Estimativas dos autores com base nos dados oficiais do PIB e do desemprego.

"Preciso de dois homens para enfrentar o touro. E dois para irem para o buraco". Mil homens lutariam como uma matilha de cães do Alasca para passar. Apenas quatro conseguem entrar.

Ou podemos ouvir um relato de um trabalhador desempregado da construção:

> Telefonei aos instaladores de telhados, mas não precisavam de mim, pois tinham homens que já trabalhavam para eles há cinco ou seis anos. Não havia muitas oportunidades. Teria de ter o curso secundário para a maioria delas. E eu andava à procura de qualquer coisa, desde lavar carros até qualquer outra coisa.
>   Por isso, o que fazer durante todo o dia? Você vai para casa e fica sentado. E começa a ficar frustrado de estar sentado em casa. Na família, todos começam a ficar irritados. Começam a discutir uns com os outros sobre coisas estúpidas porque estão apertados nesse espaço continuamente. Toda a família acaba ficando dominada por isso.

O desemprego não está confinado aos não qualificados, como aprenderam muitos administradores, técnicos e outros trabalhadores dos escritórios bem remunerados no emagrecimento das empresas das duas últimas décadas. Para eles, o choque de ficar desempregado foi grave. Ouça a história de um gerente de empresa de meia-idade que perdeu o seu emprego em 1988 e que continuava sem emprego permanente em 1992:

> Perdi a batalha para ir na onda da economia atual... Estava determinado a encontrar trabalho, mas os meses e os anos iam passando e a depressão instalou-se. Quando uma pessoa é rejeitada tantas vezes começa a duvidar do próprio valor.

LEI DE OKUN

A consequência mais penosa de uma recessão é o aumento consequente do desemprego. Quando o produto diminui, as empresas necessitam de menos quantidade de trabalho, de modo que não são contratados novos trabalhadores e os atuais são dispensados. Verifica-se que a taxa de desemprego varia inversamente ao produto ao longo do ciclo econômico. Este movimento conjunto é conhecido por Lei de Okun.

Segundo a **Lei de Okun**, para cada 2% de queda do PIB em relação ao PIB potencial, a taxa de desemprego aumenta cerca de 1 ponto percentual.

Isso significa que se o PIB começa a 100% do seu potencial e diminui para 98%, a taxa de desemprego aumenta 1 ponto percentual, por exemplo, de 6 para 7%. A Figura 29-5 mostra como o produto e o desemprego têm evoluído conjuntamente ao longo do tempo.

Podemos ilustrar a Lei de Okun examinando as tendências do produto e do desemprego nos anos 1990. No fundo da recessão de 1991, a taxa de desemprego aumentou para 7%. Nesse momento, foi estimado que o PIB efetivo estivesse 2,5% abaixo do produto potencial. A seguir, nos oito anos seguintes, o produto cresceu 5% mais rápido do que o produto potencial, de modo que em 1999 foi estimado que o PIB efetivo estivesse 2% acima do produto potencial. De acordo com a Lei de Okun, a taxa de desemprego deveria ter caído 2,5% (5/2) para 4,5% (7 – 2,5). De fato, a taxa de desemprego em 1999 foi 4,25% – uma previsão notavelmente acertada. Isso mostra como a Lei de Okun pode ser usada para relacionar as variações da taxa de desemprego ao crescimento do produto.

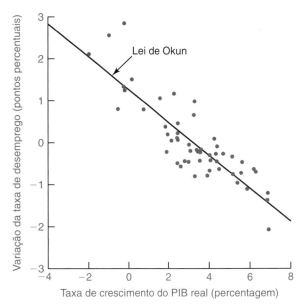

FIGURA 29-5 Ilustração da Lei de Okun, 1955-2007.

De acordo com a Lei de Okun, sempre que o produto aumenta 2% mais rápido que o PIB potencial, a taxa de desemprego diminui 1 ponto percentual. Este gráfico mostra que se pode fazer uma boa previsão da taxa de desemprego com a taxa de crescimento do PIB. Qual seria o crescimento do PIB que não conduziria a qualquer variação no desemprego de acordo com esta reta?

Fonte: U.S. Departments of Commerce and Labor.

Uma consequência importante da Lei de Okun é que o PIB efetivo tem de crescer tão rapidamente quanto o PIB potencial para que a taxa de desemprego não aumente. De certo modo, o PIB tem de continuar a correr para que o desemprego fique parado. Mais ainda, caso se queira baixar a taxa de desemprego, o PIB efetivo tem de crescer mais rapidamente do que o PIB potencial.

A Lei de Okun proporciona a ligação essencial entre o mercado do produto e o mercado de trabalho. Descreve a associação entre os movimentos de curto prazo do PIB real e as variações do desemprego.

INTERPRETAÇÃO ECONÔMICA DO DESEMPREGO

Perante uma situação de desemprego, a sua causa parece clara: muitos trabalhadores à procura de um número reduzido de empregos. E, no entanto, este fenômeno simples tem colocado dificuldades tremendas aos economistas há muito tempo. A experiência mostra que os preços sobem ou descem para equilibrar os mercados competitivos. Ao preço de equilíbrio de mercado, os compradores desejam comprar o que os vendedores desejam vender. Mas algo emperra o mecanismo do mercado de trabalho, quando há muitos hospitais à procura de enfermeiras, e não conseguem encontrar, enquanto milhares de mineiros do carvão querem trabalhar pelo salário atual, e não conseguem encontrar emprego. Sintomas similares de falhas dos mercados de trabalho encontram-se em todas as economias de mercado.

Voltemo-nos agora para a análise econômica do desemprego. Tal como com outros fenômenos econômicos, gostaríamos de conhecer as razões do desemprego. Podemos compreender por que o desemprego varia acentuadamente durante o ciclo econômico, e também por que alguns grupos têm taxas de desemprego mais elevadas do que outros grupos? Veremos que uma combinação de imperfeições no mercado de trabalho, bem como a dinâmica pessoal na busca de emprego, está na base do comportamento observado.

Desemprego de equilíbrio

Começamos pela análise do desemprego no esquema da oferta e da demanda. Consideramos primeiro o desemprego de equilíbrio. O **desemprego de equilíbrio** ocorre quando as pessoas ficam desempregadas voluntariamente ao irem de um emprego para outro, ou quando entram e saem da população ativa. Isso, às vezes é também chamado de *desemprego friccional*, porque as pessoas não podem passar de um emprego para outro instantaneamente. Vejamos alguns exemplos. Alguém que está trabalhando em uma lanchonete local pode considerar que o salário é muito baixo, ou que o horário não lhe é conveniente, e abandona o emprego à procura de um melhor. Outros podem decidir parar por algum tempo entre a conclusão da faculdade e o primeiro emprego. Uma mãe que teve um filho há pouco tempo pode optar por uma licença maternidade por três meses sem salário. Esses trabalhadores escolhem estar desempregados ao comparar as suas preferências em relação à renda, a características do emprego, a lazer e em relação a responsabilidades familiares.

Esse tipo de desemprego é de equilíbrio porque as empresas e os trabalhadores estão nas suas curvas de oferta e de demanda. O mercado está apropriadamente em equilíbrio no sentido em que todos os trabalhadores que desejam empregos, com os salários e as condições de trabalho correntes, conseguem, e todas as empresas que desejam contratar trabalhadores com as remunerações correntes conseguem encontrá-los. Alguns economistas chamam esse tipo de desemprego de *desemprego de equilíbrio* para referir que as pessoas estão desempregadas porque preferem essa situação em relação a outras situações de mercado de trabalho.

O desemprego de equilíbrio é mostrado na Figura 29-6. Os trabalhadores têm uma função oferta de trabalho representada por *SS*. O gráfico da esquerda mostra o aspecto habitual da demanda e oferta competitivas, com o equilíbrio de mercado no ponto *E* e um salário de *W**. No equilíbrio competitivo de mercado, as empresas estão dispostas a contratar todos os trabalhadores qualificados que desejam trabalhar ao salário de mercado. O número de empregados é representado pela linha de *A* a *E*.

Contudo, ainda que o mercado esteja em equilíbrio, algumas pessoas desejariam trabalhar, mas apenas com um nível salarial superior. Esses trabalhadores desempregados, representados pelo segmento *EF*, estão desempregados pois decidiram não trabalhar pelo nível salarial corrente. Mas isso é desemprego de equilíbrio, uma vez que não estão trabalhando em virtude de sua escolha entre trabalhar e não trabalhar, dados os salários de mercado.

A existência de desemprego de equilíbrio leva a uma ideia muitas vezes mal compreendida. *O desemprego pode ser um resultado eficiente, em uma situação em que trabalhadores de várias profissões estejam à procura, ou testando, novas profissões.* Os trabalhadores voluntariamente desempregados podem preferir o lazer ou outras atividades, em vez de trabalhar com o nível salarial corrente. Ou podem estar na situação de desemprego friccional, talvez à procura do primeiro emprego. Ou podem ser trabalhadores de fraca produtividade que prefiram a aposentadoria ou o seguro-desemprego a trabalhos com baixa remuneração. Existem inúmeras razões para que as pessoas possam escolher voluntariamente não trabalhar no nível salarial corrente e, contudo, essas pessoas podem ser consideradas como desempregadas nas estatísticas oficiais.

Desemprego de desequilíbrio

Volte e leia de novo os parágrafos sobre a experiência dos três trabalhadores desempregados. A situação no exterior da Refinaria Spreckles dificilmente se parece com condições de equilíbrio. Os trabalhadores desempregados não se assemelham nada a pessoas que estejam avaliando cuidadosamente o valor do trabalho e o do lazer. Nem parecem ser pessoas que optaram pelo desemprego enquanto procuram um emprego melhor. Em vez disso, esses trabalhadores estão em uma situação de desemprego de desequilíbrio. Isso ocorre quando o mercado de trabalho, ou a macroeconomia, não está a funcionar adequadamente e alguns trabalhadores qualificados que desejam trabalhar com o salário corrente não conseguem encontrar empregos. Dois exemplos de desequilíbrio são o desemprego estrutural e o desemprego cíclico.

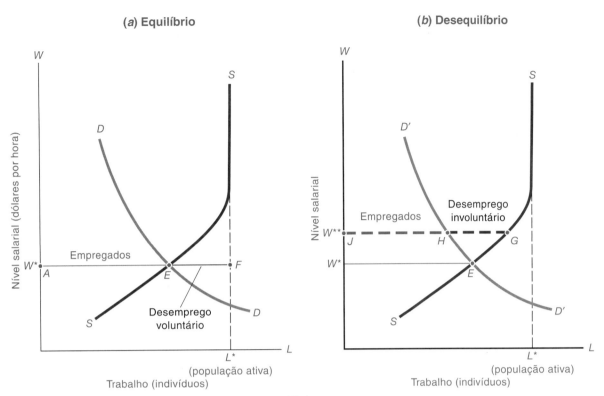

FIGURA 29-6 Desemprego de equilíbrio *versus* de desequilíbrio.

Podemos representar os diferentes tipos de desemprego usando o esquema microeconômico da oferta e da demanda.

O painel (*a*) mostra um equilíbrio de mercado típico com salários flexíveis. Neste caso, os salários variam para W^* a fim de equilibrar o mercado de trabalho, e a oferta e a demanda. Todo o desemprego é voluntário.

O painel (*b*) mostra o desemprego de desequilíbrio com os salários rígidos que não se ajustam para equilibrar o mercado de trabalho. A um nível de salário W^{**} muito elevado, há *JH* trabalhadores empregados, mas *HG* trabalhadores são desempregados involuntários.

O **desemprego estrutural** significa um desencontro entre a oferta e a demanda de trabalhadores. Os desajustes podem ocorrer porque a demanda para um tipo de trabalho está aumentando, enquanto a demanda para outro tipo está diminuindo e os mercados não se ajustam rapidamente. Vemos, com frequência, desequilíbrios estruturais em profissões, ou regiões, quando uns setores crescem e outros definham. Por exemplo, recentemente, uma falta acentuada de enfermeiras ocorreu quando o número de enfermeiras especializadas aumentou lentamente e a demanda por cuidados de enfermagem cresceu rapidamente em decorrência do envelhecimento da população. A falta estrutural de enfermeiras só diminuiu quando os seus salários aumentaram rapidamente e a oferta se ajustou. Em vez disso, a demanda de mineiros de carvão esteve comprimida ao longo de décadas em virtude da falta de mobilidade do trabalho e do capital; as taxas de desemprego nas comunidades de mineiros permanecem elevadas atualmente.

O **desemprego cíclico** existe quando a demanda global de trabalhadores diminuiu nas recessões cíclicas, como foi descrito na teoria keynesiana do ciclo econômico. Por exemplo, na importante recessão de 2007- -2009, a demanda de trabalhadores caiu e o desemprego aumentou praticamente em todos os setores e regiões. De modo similar, na longa expansão dos anos 2000, a taxa de desemprego caiu em praticamente todos os estados norte-americanos. As consequências dos ciclos econômicos no mercado de trabalho variam em cada caso, desde suaves reduções do crescimento do emprego até perdas de empregos que afetam uma parcela significativa da população.

A chave para compreender o desemprego de desequilíbrio é ver que os mercados de trabalho não estão no seu equilíbrio de oferta e demanda, como é mostrado na Figura 29-6(*b*). Nesse caso, vamos admitir que os salários sejam rígidos no curto prazo com um nível inicial de W^{**}.

Assim, quando há uma redução na demanda de trabalhadores, e a demanda de trabalhadores cai para a curva $D'D'$ em (*b*), o salário de mercado em W^{**} está acima do salário de equilíbrio de mercado, W^*.

Com um nível salarial muito elevado, existem mais trabalhadores qualificados à procura de trabalho do que vagas de emprego. O número de trabalhadores que querem trabalhar com o salário W^{**} corresponde ao ponto *G* da curva da oferta, mas as empresas apenas querem contratar *H* trabalhadores, como se mostra pela curva da demanda. Como o salário é maior do que o nível de equilíbrio de mercado, existe excesso de trabalhadores. Os trabalhadores desempregados, representados pelo segmento de reta tracejado *HG*, constituem o *desemprego de desequilíbrio*. Alternativamente, podemos chamá-los de "desemprego involuntário", ou seja, são trabalhadores qualificados que querem trabalhar com os salários correntes, mas não conseguem encontrar empregos.

O caso oposto ocorre quando o salário está abaixo do nível de equilíbrio. Neste caso, em uma economia com falta de trabalhadores, os empregadores não conseguem encontrar trabalhadores suficientes para preencher os lugares vagos. As empresas colocam letreiros nas janelas, anunciam nos jornais ou na internet e chegam a recrutar pessoas de outras cidades.

A Figura 29-7 mostra a taxa de vagas de emprego, juntamente com a taxa de desemprego na última década. As duas curvas movem-se inversamente, como previsto pela teoria de salários rígidos mostrada na Figura 29-6.

A analogia das admissões nas universidades. O exemplo da admissão nas universidades ilustra o tipo de ajustes envolvidos quando ocorrem carências ou excessos porque os preços não se ajustam. Muitas universidades tiveram muitos candidatos nos últimos anos. Como reagiram? Aumentaram as taxas o suficiente para eliminar o excesso de demanda? Não. Em vez disso, aumentaram os requisitos para a admissão, exigindo melhores classificações no ensino secundário e pontuações médias superiores no exame. Elevar as exigências, em vez de alterar os salários e os preços, é exatamente o que acontece no curto prazo quando as empresas experimentam o excesso de oferta de trabalhadores.

Fundamentos microeconômicos da inflexibilidade dos salários

Os economistas desenvolvem muitas abordagens para compreender os fundamentos microeconômicos do desemprego. Essa questão constitui um dos mistérios mais profundos e não resolvidos pela ciência econômica moderna. A nossa análise salienta a importância da inflexibilidade dos salários e dos preços. Mas isso levanta outra questão: por que os salários e os preços são inflexíveis? Porque os salários não sobem, ou descem, para equilibrar o mercado?

Essas são questões controversas. Poucos economistas atualmente argumentariam que os salários se alteram rapidamente para eliminar as carências, ou os excessos, de trabalhadores. E, contudo, ninguém compreende completamente as razões do comportamento arrastado dos salários e ordenados. Não podemos, portanto, proporcionar mais do que uma tentativa de avaliação das fontes da inflexibilidade dos salários.

Mercados de leilão versus de tutela administrativa. Uma distinção útil é entre mercados de leilão e mercados sob tutela administrativa. Um mercado de leilão é um mer-

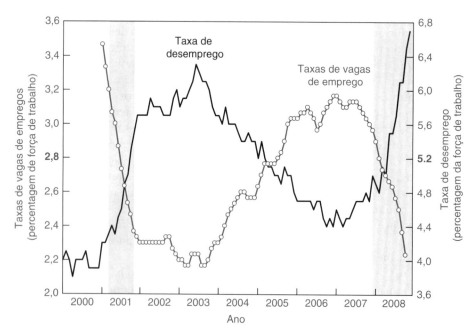

FIGURA 29-7 Taxa de vagas de emprego e taxa de desemprego.

As taxas de desemprego e de vagas de emprego variam inversamente ao logo do ciclo econômico. Essa é uma importante previsão da teoria do desemprego keynesiana sobre os salários rígidos. As áreas sombreadas são recessões, segundo o NBER.
Fonte: Bureau of Labor Statistics.

cado altamente organizado e competitivo, em que o preço flutua para cima, ou para baixo, para equilibrar a oferta e a demanda. No Chicago Board of Trade*, por exemplo, os preços do "trigo duro vermelho número 2 entregue em Kansas City" ou dos "frangos para grelhar do tipo A entregues em Nova York" variam a cada minuto para refletir as condições de mercado.

Os mercados de leilão são uma exceção. A maioria dos bens e todo o trabalho são comercializados em mercados sob tutela administrativa. Ninguém classifica o trabalho em "criativo de tipo B de páginas na internet" ou "professor assistente de economia classe AAA". Nenhum especialista de mercado garante que cada emprego esteja ocupado e cada trabalhador arranje ocupação rapidamente com o salário de equilíbrio.

Em vez disso, a maior parte das empresas *administra* os seus salários e ordenados, fixando níveis de pagamento e contratando pessoas com um nível salarial de entrada. Estes níveis salariais são geralmente fixados por um ano, ou pouco mais, e quando são ajustados, a remuneração aumenta em todas as categorias. Por exemplo, em um dado ano, em um hospital, todas as categorias recebem um aumento de 4%. Por vezes, a empresa pode decidir aumentar uma categoria acima, ou abaixo, da média. Em circunstâncias normais, as empresas farão apenas ajustes parciais quando há escassez ou excedentes em alguma área.

Para os mercados de trabalho dominados por sindicatos, os padrões de salário são ainda mais rígidos. Nos Estados Unidos, os níveis salariais são normalmente fixados para um período contratual de três anos; durante esse período não há ajustes nos salários se houver excesso de oferta ou de demanda em áreas específicas.

Custos de menu do ajuste de salários e preços. Qual a razão econômica para a inflexibilidade dos salários e ordenados? Muitos economistas pensam que a inflexibilidade deriva dos custos administrativos da compensação (chamados de "custos de menu"). Para tomar o exemplo dos salários dos sindicalizados, a negociação de um contrato é um processo longo que exige muito tempo aos trabalhadores e às administrações e que não gera qualquer produto. É pelo fato de a negociação coletiva ter um custo tão elevado que esses acordos são, em geral, negociados apenas de três em três anos.

Fixar a remuneração para os trabalhadores não sindicalizados implica menos custos, mas, ainda assim, exige tempo escasso da administração e tem uma influência importante no ânimo dos trabalhadores. Cada vez que os salários, ou os ordenados, são estabelecidos, e os complementos salariais são alterados, os acordos anteriores de remuneração também são alterados. Alguns trabalhadores pensarão que as alterações são injustas, outros reclamarão sobre os procedimentos injustos e poderão ser desencadeados conflitos.

Os gerentes de pessoal preferem, portanto, um sistema em que os salários não sejam ajustados com frequência e que a maioria dos trabalhadores de uma empresa obtenha o mesmo aumento da remuneração, independentemente das condições de mercado para as diferentes qualificações e categorias. Esse sistema pode parecer ineficiente, uma vez que não permite um perfeito ajuste dos salários para refletir a oferta e a demanda de mercado. Mas poupa tempo escasso de administração e ajuda a promover um sentimento de boa conduta e equidade na empresa. Ao final, pode ser mais barato recrutar trabalhadores mais ativamente, ou alterar as qualificações exigidas, do que alterar a totalidade da estrutura salarial de uma empresa, apenas para contratar um número reduzido de novos trabalhadores.

Podemos resumir os fundamentos microeconômicos assim:

A maioria dos salários nos Estados Unidos e em outras economias de mercado são administrados pelas empresas, ou por contratos. Os salários e os ordenados não são atualizados com frequência em virtude dos custos de negociação e da fixação de salários. Quando a oferta ou a demanda de trabalhadores varia, por causa da rigidez dos salários, a reação ocorre principalmente nas quantidades dos trabalhadores empregados em vez de nos salários.

QUESTÕES DO MERCADO DE TRABALHO

Tendo analisado as causas do desemprego, veremos as principais questões do mercado de trabalho da atualidade. Quais os grupos com maior probabilidade de estarem no desemprego? Por quanto tempo irão permanecer desempregados? O que justifica as diferenças no desemprego entre países?

Quem são os desempregados?

Podemos diagnosticar as condições do mercado de trabalho comparando os anos em que o produto está acima do seu potencial (dos quais 1999-2000 foi um período recente) com os de profundas recessões (como ocorreu em 1982). As diferenças entre esses anos mostram como os ciclos econômicos afetam a grandeza, as fontes, a duração e a distribuição do desemprego.

A Tabela 29-3 mostra as estatísticas do desemprego para os anos de pico e de fundo. As duas primeiras colunas de dados são as taxas de desemprego por idade, raça e gênero. Esses dados mostram que a taxa de desemprego de todos os grupos tende a aumentar durante a recessão. As duas últimas colunas mostram como o total de desemprego é distribuído entre os diferentes grupos; observe que a distribuição de desemprego pelos grupos varia relativamente pouco ao longo do ciclo econômico.

Repare também que os trabalhadores não brancos tendem a ter taxas de desemprego mais de duas vezes superiores às dos brancos, tanto nos períodos do fundo como do pico cíclicos. Até aos anos 1980, as mulheres tendiam a ter maiores taxas de desemprego do que os

---

* N. de RT.: Bolsa de Mercadorias de Chicago.

	Taxa de desemprego de vários grupos (% da população ativa)		Distribuição do desemprego total entre os vários grupos (% do total de desempregados)	
Grupo do mercado de trabalho	Vale (1982)	Pico (Março, 2000)	Vale (1982)	Pico (Março, 2000)
Por idade:				
16-19 anos	23,2	13,3	18,5	20,2
20 anos e mais	8,6	3,3	81,5	80,0
Por raça:				
Brancos	8,6	3,6	77,2	77,6
Negros e outros	17,3	7,3	22,8	22,4
Por sexo (apenas adultos)				
Homens	8,8	3,8	58,5	50,5
Mulheres	8,3	4,3	41,5	49,5
Todos os trabalhadores	**9,7**	**4,1**	**100,0**	**100,0**

TABELA 29-3 Desemprego por grupos demográficos.

Esta tabela mostra como o desemprego varia entre os vários grupos demográficos nos anos de pico e de vale cíclicos. O primeiro conjunto de dados mostra a taxa de desemprego para cada grupo em 1982 e durante o período de pico de 2000. As duas últimas colunas mostram a percentagem do total de desempregados que existe em cada grupo.
Fonte: U.S. Department of Labor, *Employment and Earnings*.

homens, mas nas últimas duas décadas as taxas de desemprego variam pouco por gênero. Os jovens que têm elevado desemprego friccional têm geralmente taxas de desemprego muito maiores do que os adultos.

Duração do desemprego

Outra questão-chave diz respeito à duração. Qual a parcela do desemprego que é de longa duração, o que constitui uma preocupação social importante, e qual é a parcela de curto prazo, quando as pessoas mudam rapidamente de empregos?

A Figura 29-8 mostra a duração do desemprego em 2000-2007. Um aspecto surpreendente dos mercados de trabalho dos Estados Unidos é que uma grande parcela do desemprego é de curta duração. Em 2003, 1/3 dos trabalhadores desempregados estiveram sem emprego durante menos de cinco semanas e o desemprego de longa duração era relativamente raro.

Na Europa, com uma menor mobilidade e maiores obstáculos legais à mudança econômica, o desemprego de longa duração em meados dos anos 1990 atingiu 50% dos desempregados. O desemprego de longa duração coloca um sério problema social, pois os recursos que as famílias têm disponíveis – a sua poupança, o seguro-desemprego e a ajuda humanitária – começam a perder-se ao fim de alguns meses.

Fontes da falta de empregos

Por que há pessoas desempregadas? A Figura 29-9 mostra como as pessoas responderam quando lhes perguntaram

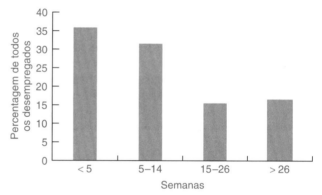

FIGURA 29-8 A maior parte do desemprego nos Estados Unidos é de curto prazo.

A maior parte do desemprego é de curta duração nos Estados Unidos. Isso sugere uma interpretação friccional, em que as pessoas mudam rapidamente de empregos.
Fonte: Bureau of Labor Statistics.

a origem do seu desemprego, com referência ao ano de recessão de 1982 e ao ano de pleno emprego de 2000.

Há sempre algum desemprego de equilíbrio que resulta de mudança de residência das pessoas ou do ciclo de vida – mudança de emprego, procura do primeiro emprego etc. As principais variações na taxa de desemprego ao longo do ciclo econômico ocorrem em decorrência do aumento do número dos que perdem o emprego. Essa causa aumenta muito durante as recessões por dois motivos: primeiro, porque aumenta o número de pessoas que perde os seus empregos; segundo, porque leva mais tempo para encontrar um novo emprego.

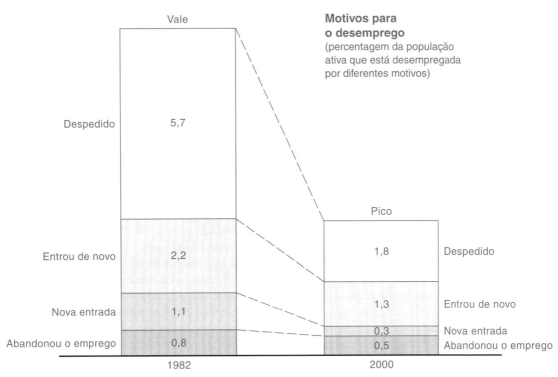

FIGURA 29-9 Distribuição do desemprego por motivo, Estados Unidos 1982 e 2000.

Por que as pessoas ficam desempregadas? No ano de pleno emprego de 2000, poucos estavam desempregados porque tinham abandonado os seus empregos, e cerca de 1,6% ou estavam entrando pela primeira vez na população ativa (por exemplo, porque eram recém-formados), ou estavam reentrando (pessoas que anteriormente tinham saído da população ativa e estavam novamente à procura de emprego). A principal variação no desemprego do pico para o vale, contudo, encontra-se no número dos que perderam o emprego. De 1982 para 2000, a parcela dos trabalhadores que ficaram desempregados em virtude da perda de emprego caiu de 5,7% para 1,8%.

Fonte: Bureau of Labor Statistics, em <http://www.bls.gov/data>.

Desemprego por idade

Como varia o emprego ao longo do ciclo de vida? De todos os grupos demográficos, os jovens têm geralmente a taxa de desemprego mais elevada e os jovens não brancos têm, nos últimos anos, tido taxas de desemprego entre 30 e 50%. Esse é desemprego de equilíbrio, estrutural ou cíclico?

Dados recentes indicam que, especialmente em relação aos brancos, o desemprego dos jovens tem uma grande componente de equilíbrio. Os jovens entram e saem da população ativa com muita frequência, obtêm empregos muito rapidamente e mudam de emprego frequentemente. A duração média do desemprego dos jovens é apenas metade da dos adultos; pelo contrário, a duração média de um emprego típico dos adultos é 12 vezes maior do que para os jovens. Na maioria dos anos, metade dos jovens desempregados estão "à procura do primeiro emprego", pois não tiveram antes qualquer emprego remunerado. Todos esses fatores sugerem que o desemprego jovem é largamente de equilíbrio; isto é, representa a procura de emprego ou a mudança necessária para os jovens descobrirem as suas próprias aptidões e aprenderem o que é trabalhar.

Mas os jovens aprendem as qualificações e os hábitos de trabalho dos trabalhadores experientes. A aquisição de experiência e treino, juntamente com um maior desejo e necessidade de trabalho em período integral, é a razão pela qual os trabalhadores de meia-idade têm menores taxas de desemprego do que os jovens.

Desemprego dos jovens de grupos minoritários. Embora a maioria dos dados sugira que o desemprego dos jovens brancos é, em grande parte, friccional, o mercado de trabalho para os jovens trabalhadores afro-americanos comporta-se de modo bastante diferente. Na primeira década após a Segunda Guerra Mundial, as taxas de participação na população ativa e as taxas de desemprego dos jovens negros e brancos eram praticamente idênticas. A partir desse momento, contudo, as taxas de desemprego dos jovens negros aumentaram acentuadamente em relação às de outros grupos, enquanto as suas taxas de participação na população ativa têm diminuído. Em 2008, apenas 20% dos jovens negros (dos 16 aos 19 anos) estavam empregados, o que se compara com os 35% dos jovens brancos.

Qual a causa dessa divergência extraordinária na experiência dos jovens minoritários em relação a outros grupos? Uma explicação pode ser que as forças do mercado de trabalho (como a composição, ou a localização dos empregos) tenham agido contra os trabalhadores negros de um modo real. Essa explicação não cobre toda a realidade. Embora os trabalhadores negros adultos tenham sofrido sempre com maiores taxas de desemprego do que os adultos brancos – em virtude de níveis inferiores de ensino, menores contatos com pessoas que podem proporcionar empregos, menor formação profissional e discriminação racial –, a razão entre as taxas de desemprego dos adultos brancos e as dos negros não aumentou desde a Segunda Guerra Mundial.

Numerosos estudos sobre as fontes do aumento da taxa de desemprego dos jovens negros não têm apresentado explicações claras para a tendência. Uma possível fonte é a discriminação, mas um aumento do diferencial do desemprego entre brancos e negros exigiria um aumento da discriminação racial – mesmo tendo presente a proteção legal para os trabalhadores minoritários. Outra teoria sustenta que um salário mínimo elevado, juntamente com o crescimento dos custos com remunerações complementares, tende a levar os jovens negros com fraca produtividade para o desemprego.

O elevado desemprego entre os jovens poderá levar a um dano persistente em termos do mercado de trabalho, com baixos níveis permanentes de qualificação e de salário? Essa questão é um dos temas objeto de intensa pesquisa e a resposta provisória é afirmativa, em especial para os jovens de minorias. Parece que, quando são incapazes de desenvolver qualificações no emprego, os jovens recebem baixos salários e passam mais tempo desempregados quando ficam mais velhos. Esse resultado sugere que a política governamental tem uma grande importância na criação de programas para a redução do desemprego jovem nos grupos minoritários.

Tendências para o desemprego nos Estados Unidos e na Europa

As taxas de desemprego nos Estados Unidos e na Europa apresentam tendências diferentes nos últimos anos. O desemprego na Europa foi reduzido até os choques da oferta dos anos 1970. As taxas de desemprego americano foram, em geral, mais baixas do que as da Europa no último quarto de século. A Figura 29-10 mostra a história da taxa do desemprego nas duas regiões.

Como se explicam as diferenças nos mercados de trabalho dessas duas regiões? Provavelmente parte da razão está nas diferenças das políticas macroeconômicas. Os Estados Unidos têm quase há um século um único banco central, o Federal Reserve, que mantém uma observação cuidadosa sobre a economia norte-americana. Quando o desemprego começa a aumentar, o Fed reduz as taxas de juros para estimular a demanda agregada, aumentar o produto e estancar o aumento do desemprego.

O banco central na Europa era fragmentado até muito recentemente. Até 1999 a Europa era uma confederação de países cujas políticas monetárias foram dominadas pelo banco central alemão, o Bundesbank. O Bundesbank é extremamente independente e aspira

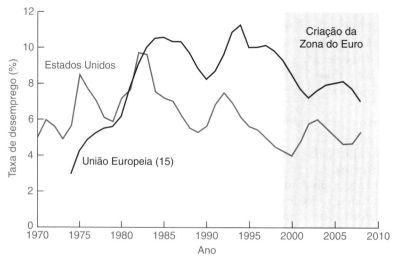

FIGURA 29-10 Desemprego nos Estados Unidos e na Europa.

Enquanto nos Estados Unidos o desemprego tem permanecido reduzido, na Europa o desemprego tem aumentado acentuadamente ao longo das duas últimas décadas. Muitos pensam que o aumento do desemprego foi decorrente da rigidez do mercado de trabalho, enquanto outros pensam que a causadora foi uma política monetária fragmentada. Com a introdução do euro e a integração do Banco Central Europeu em 1999, o desemprego europeu diminuiu gradualmente até o início da crise atual.
Fonte: U.S. Department of Labor, OCDE e Eurostat. Os dados referem-se à UE com 15 membros.

principalmente a manter a estabilidade dos preços *na Alemanha*. Quando o desemprego aumentou no resto da Europa e a inflação aumentou na Alemanha – como aconteceu após a reunificação do país em 1990 – o Bundesbank aumentou as taxas de juros. Isso levou à redução do produto e ao aumento do desemprego em países cujas políticas monetárias estavam ligadas às da Alemanha. Você pode observar essa evolução no aumento do desemprego na Europa após 1990.

Um segundo aspecto do desemprego europeu relaciona-se com o aumento do desemprego estrutural. A Europa foi o berço do estado do bem-estar social e países como Alemanha, França e Suécia têm legislações generosas sobre benefícios sociais, seguro-desemprego, salário mínimo e proteção do emprego para os trabalhadores. Essas políticas tendem a aumentar os salários reais porque os trabalhadores possuem um poder de negociação maior e têm alternativas mais atrativas para o uso do seu tempo. As pessoas que estão recebendo apoios da previdência social, ou seguro-desemprego, podem estar voluntariamente desempregadas, mas, em geral, são consideradas desempregados nas atuais estatísticas. Os Estados Unidos têm sido menos generosos nos seus programas de apoio aos desempregados e de previdência social.

Qual é o remédio para o nível elevado de desemprego na Europa? Alguns economistas salientam a redução das barreiras no mercado de trabalho e dos benefícios sociais. Outros economistas acreditam que o novo Banco Central Europeu pode manter um melhor equilíbrio entre a oferta e a demanda agregadas nessa região. (Recorde a nossa análise da União Monetária Europeia, no Capítulo 28.) Parece que o desemprego na Europa tem diminuído desde a introdução do euro em 1999, embora ainda seja superior ao dos Estados Unidos.

RESUMO

A. Fundamentos da oferta agregada

1. A oferta agregada descreve a relação entre o produto que as empresas estão dispostas a produzir e o nível geral de preços, mantendo-se tudo o mais constante. Os determinantes subjacentes à oferta agregada são (a) o produto potencial, determinado pelos fatores de produção trabalho, capital e recursos naturais disponíveis em uma economia, juntamente com a tecnologia ou eficiência com que esses fatores são utilizados, e (b) os custos dos fatores, como salários e preços do petróleo. As variações destes determinantes subjacentes farão a curva *AS* se deslocar.

2. Na análise da *AS* é essencial a distinção entre curto prazo e longo prazo, O curto prazo, correspondente ao comportamento nos ciclos econômicos de poucos meses a alguns anos, envolve a curva da oferta agregada de curto prazo. Nele, os preços e os salários têm elementos de inflexibilidade. Em resultado, preços mais elevados estão associados a aumentos da produção de bens e serviços. Isso é representado em uma curva *AS* com inclinação positiva. As análises *AS* e *AD* de curto prazo são usadas na análise keynesiana do ciclo econômico.

3. No longo prazo, os preços e os salários são perfeitamente flexíveis; o produto é determinado pelo produto potencial e é independente do nível dos preços. A curva da oferta agregada de longo prazo é *vertical*. As análises da *AS* e da *AD* de longo prazo são usadas na análise clássica do crescimento econômico.

B. Desemprego

4. O governo recolhe mensalmente estatísticas sobre o desemprego, o emprego e a população ativa em uma pesquisa por amostragem. As pessoas que têm emprego estão na categoria de empregados; as pessoas que não têm trabalho e que estão à procura de emprego são consideradas desempregadas; as pessoas que não têm emprego e que não estão à procura de trabalho são consideradas como não pertencendo à população ativa.

5. Existe uma relação clara entre os movimentos do produto e a taxa de desemprego ao longo do ciclo econômico. De acordo com a Lei de Okun, para cada 2% de redução do PIB efetivo, relativo ao PIB potencial, a taxa de desemprego aumenta 1 ponto percentual. Essa regra é útil para traduzir os movimentos cíclicos do PIB nos seus efeitos de desemprego.

6. Os economistas distinguem o desemprego de equilíbrio do desemprego de desequilíbrio. O desemprego de equilíbrio ocorre quando as pessoas ficam desempregadas voluntariamente ao mudarem de emprego e entram e saem da população ativa. Também é chamado de desemprego friccional.

7. O desemprego de desequilíbrio ocorre quando o mercado de trabalho, ou a macroeconomia, não está funcionando adequadamente e algumas pessoas qualificadas que queriam trabalhar com os salários correntes não encontram empregos. Dois exemplos de desequilíbrio são o desemprego estrutural e o desemprego cíclico. O desemprego estrutural ocorre com os trabalhadores que estão em regiões, ou em ramos de atividade, que estão persistentemente em estagnação, em virtude de desequilíbrios do mercado de trabalho ou a salários reais elevados. O desemprego cíclico corresponde a uma situação em que os trabalhadores são dispensados quando a economia como um todo sofre uma contração.

8. A compreensão das causas do desemprego constitui um dos maiores desafios da macroeconomia moderna. A análise, neste caso, salienta que o desemprego involuntário ocorre em virtude de a lentidão do ajuste dos salários produzir excedentes (desemprego) ou escassez (vagas por preencher) em mercados de trabalho específicos. Se os salários inflexíveis estão acima dos níveis de equilíbrio de mercado, alguns trabalhadores estão empregados,

mas outros trabalhadores também qualificados não conseguem encontrar emprego.

9. Os salários são inflexíveis em virtude dos custos envolvidos na gestão do sistema de remuneração. Ajustes frequentes da remuneração, em face das condições de mercado, consumiriam uma fatia excessiva de tempo de administração, iriam prejudicar a noção de justiça pelos trabalhadores e minariam a motivação e a produtividade dos trabalhadores.

10. Uma observação cuidadosa das estatísticas do desemprego revela várias regularidades:

a. As recessões atingem todos os segmentos da população ativa, desde os não qualificados aos mais qualificados e com escolaridade.

b. Uma parte muito substancial do desemprego nos Estados Unidos é de curto prazo. A duração média do desemprego aumenta acentuadamente durante as recessões profundas e prolongadas.

c. Na maioria dos anos, uma quantidade substancial do desemprego é devida a simples mudanças, ou causas friccionais, quando as pessoas entram na população ativa pela primeira vez ou entram nela de novo. Somente durante as recessões, o conjunto dos desempregados é composto principalmente pelos que perdem o emprego.

d. A diferença nas taxas de desemprego na Europa e nos Estados Unidos reflete tanto as estruturas políticas como a efetividade da gestão monetária.

CONCEITOS PARA REVISÃO

Fundamentos da oferta agregada
– oferta agregada, curva AS
– determinantes subjacentes e que deslocam a curva da oferta agregada
– oferta agregada: papel do produto potencial e dos custos de produção

– AS de curto prazo *versus* de longo prazo

Desemprego
– situação da população
  – desempregado
  – empregado
  – população ativa
  – fora da população ativa

– taxa de desemprego
– Lei de Okun
– desemprego de equilíbrio *versus* desemprego de desequilíbrio
– salários inflexíveis, desemprego, vagas de emprego

LEITURAS ADICIONAIS E SITES

Leituras adicionais

As citações no texto são de Studs Terkel, *Hard Times*: An Oral History of the Great Depression in América (Pantheon, Nova York, 1970) para a Grande Depressão; Harry Maurer, *Not Working*: An Oral History of the Unemployed (Holt; Nova York, 1979) para o trabalhador da construção civil; e *Business Week*, março 23, 1992, para o gerente de empresa.

Sites

A análise do emprego e do desemprego nos Estados Unidos obtém-se no Bureau of Labor Statistics, em <http://www.bls. gov>. As estatísticas do desemprego na Europa e de outros países da OCDE podem encontrar-se em <http://www.oecd. org>. O site do BLS também tem uma versão em linha do *The Monthly Labor Review* em <http://www.bls.gov/opub/mlr/mlrhome.htm>, que é uma excelente fonte para estudos acerca de desemprego, questões do trabalho e remunerações. Contém artigos sobre tudo, desde "The Sandwich Generation" <http://www.bls.govopub/mlr/2006/09/contents.htm> a uma análise do efeito do alistamento para a guerra no desempenho no mercado de trabalho <http://www.bls.gov/opub/mlr/2007/12/contents.htm>.

QUESTÕES PARA DISCUSSÃO

1. Explique cuidadosamente o que se entende por curva da oferta agregada. Faça a distinção entre movimentos ao longo da curva e deslocamentos da curva. O que poderá aumentar o produto com um movimento ao longo da curva AS? O que poderá aumentar o produto deslocando a curva AS?

2. Construa uma tabela idêntica à Tabela 29-1, com acontecimentos que possam levar a uma diminuição da oferta agregada. (Seja criativo ao invés de dar apenas os mesmos exemplos.)

3. Qual será o efeito, caso exista, de cada um dos seguintes acontecimentos sobre a curva AS, tanto no curto como no longo prazo, mantendo-se o restante constante:

a. O produto potencial aumenta 25%.

b. Os preços do petróleo duplicam em decorrência do acréscimo da demanda pela China e Índia, mantendo-se fixa a oferta de petróleo.

c. Os consumidores ficam pessimistas e aumentam a sua taxa de poupança.

4. Admita que a taxa de desemprego é 7% e o PIB é US$ 4.000 bilhões. Qual é a estimativa grosseira do PIB potencial se a NAIRU for de 5%? Admita que o PIB potencial está crescendo a 3% ao ano. Qual será o PIB potencial dentro de dois anos? Quanto o PIB terá de crescer para atingir o PIB potencial em dois anos?

5. Qual é a situação na população ativa de cada uma das seguintes pessoas:
   a. Um jovem que envia *CVs* à procura do primeiro emprego.
   b. Um trabalhador da indústria automobilística que foi dispensado e que gostaria de trabalhar, mas perdeu a esperança de encontrar trabalho, ou de voltar a ser chamado.
   c. Um aposentado que foi para a Flórida e responde a anúncios para trabalhos em meio período.
   d. Um pai que trabalha em meio período, que pretende um emprego em período integral, mas que não tem tempo para o procurar.
   e. Um professor que tem um emprego, mas que está muito doente para trabalhar.

6. Na explicação dos seus procedimentos, o Departamento do Trabalho dá os seguintes exemplos:
   a. "Joana disse ao entrevistador que tinha se candidatado a vagas em três empresas para trabalhos de verão. Contudo, estamos em abril e ela não deseja começar a trabalhar, pelo menos, antes de 15 de junho, porque está frequentando a escola. Embora tenha dedicado algum esforço para encontrar um emprego, Joana é classificada como população inativa porque não está, no momento, disponível para trabalhar."
   b. "João e Elisa frequentam a Escola Secundária Ferreira Dias. O João trabalha à noite no Café Estrela do Norte e Elisa está procurando um emprego de meio período no mesmo estabelecimento (também depois das aulas). O trabalho de João tem prioridade em relação à sua atividade de estudante, assim como tem a busca de Elisa por trabalho. Portanto, o João é considerado empregado e Elisa é considerada desempregada."

   Explique cada um desses exemplos. Faça uma pesquisa com seus colegas de turma. Usando os exemplos citados, classifique as pessoas em termos da sua situação na população ativa como empregado, desempregado e não fazendo parte da população ativa.

7. Suponha que o Congresso esteja estudando uma lei que fixa o salário mínimo acima do salário de equilíbrio de mercado para os jovens, mas abaixo do correspondente aos adultos. Usando os gráficos da oferta e demanda, mostre o impacto do salário mínimo sobre o emprego, o desemprego e as rendas de ambos os conjuntos de trabalhadores. Há algum desemprego voluntário ou involuntário? O que recomendaria ao Congresso se você fosse chamado a depor sobre a validade dessa medida?

8. Os custos econômicos e o desânimo pessoal de um jovem desempregado durante um mês de verão podem ser maiores, ou menores, do que os de um chefe de família desempregado há mais de um ano? Isso sugere que as políticas públicas devem ter uma abordagem diferente em relação a esses dois grupos?

CAPÍTULO 30

Inflação

Dizem que Lênin declarou que a melhor maneira de destruir o sistema capitalista seria pela destruição da moeda. Por meio de um processo contínuo de inflação, os governos podem confiscar, de uma forma secreta e não visível, uma parte importante da riqueza dos seus cidadãos.

J. M. Keynes

Nos últimos 25 anos, os Estados Unidos têm tido sucesso em manter a inflação reduzida e estável. Essa evolução foi devida principalmente ao sucesso das políticas monetária e fiscal em manter o produto em um corredor estreito entre os excessos inflacionários e as recaídas depressivas, mas a evolução favorável dos preços das matérias-primas, bem como a moderação dos salários, ajudou a reforçar as políticas.

Um novo elemento na equação da inflação foi a crescente "globalização" da produção. À medida que avança a integração dos Estados Unidos nos mercados mundiais, as empresas internamente descobrem que os seus preços são restringidos pelos preços dos concorrentes internacionais. Mesmo quando as vendas internas de vestuário e produtos eletrônicos estavam em expansão, os fabricantes domésticos não podiam aumentar muito os seus preços, com receio de perda de participação de mercado para os fabricantes estrangeiros.

Os anos 2000 foram um período turbulento quanto a preços. Na primeira parte da década, a inflação acordou do seu longo adormecimento. Especialmente sob o ímpeto da subida dos preços do petróleo e dos alimentos, os preços subiram rapidamente. A seguir, uma recessão profunda com início em 2007 levou à queda abrupta dos preços das mercadorias, e os países viram-se perante o perigo de deflação.

Qual é dinâmica macroeconômica da inflação? Por que a inflação coloca um desafio tão grande às autoridades econômicas? O presente capítulo examina o significado e os determinantes da inflação e descreve as importantes questões que surgem nesse campo.

A. NATUREZA E IMPACTOS DA INFLAÇÃO

O QUE É A INFLAÇÃO?

Descrevemos os principais índices de preços e definimos inflação no Capítulo 20, mas será útil reiterar as principais definições aqui:

A inflação ocorre quando o nível geral de preços está aumentando. Atualmente, calculamos a inflação recorrendo a índices de preços – médias ponderadas dos preços de milhares de produtos individuais. O índice de preços ao consumidor (IPC) quantifica o custo de uma cesta de bens e serviços de mercado em relação ao custo desse conjunto em determinado ano-base. O deflator do PIB é o preço de todos os seus vários componentes.

A taxa de inflação é a variação percentual do nível de preços:

$$\text{taxa de inflação ano } t = 100 \times \frac{P_t - P_{t-1}}{P_{t-1}}$$

Se tiver dúvidas quanto às definições, refresque a memória consultando o Capítulo 20.

História da inflação

A inflação é tão velha quanto as economias de mercado. A Figura 30-1 apresenta a história dos preços na Inglaterra desde o século XIII. Ao longo de todo esse tempo, em geral os preços aumentaram como indica a

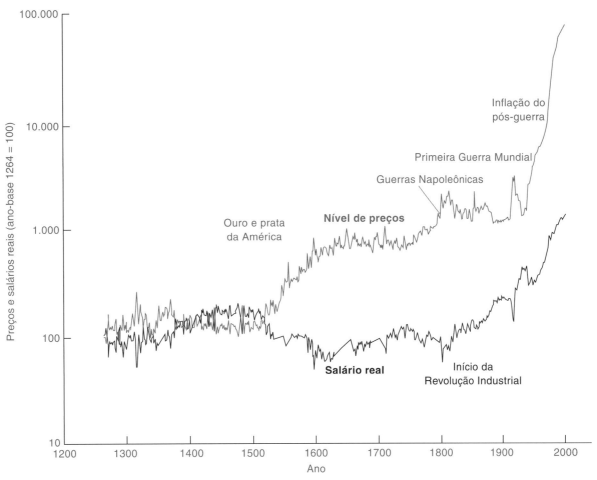

FIGURA 30-1 Nível de preços e salário real na Inglaterra, 1264-2007.

O gráfico mostra a história dos preços e do salário real na Inglaterra desde a Idade Média. Nos primeiros anos, o aumento de preços esteve associado ao aumento da oferta de moeda, como as descobertas dos tesouros do Novo Mundo e a impressão de notas durante as Guerras Napoleônicas. Repare nas oscilações do salário real antes da Revolução Industrial. Desde então, os salários reais cresceram acentuada e continuamente.
Fonte: E. H. Phelps Brown e S. V. Hopkins, *Economica*, 1956, atualizado pelos autores.

linha mais clara. Mas examine também a linha mais escura, que representa o trajeto dos *salários reais* (o salário dividido pelos preços ao consumidor). Os salários reais ziguezaguearam até a Revolução Industrial. A comparação das duas linhas mostra que a inflação não é necessariamente acompanhada por uma redução da renda real. Você pode observar, também, que os salários reais progrediram continuamente desde 1800, tendo aumentado mais de 10 vezes.

A Figura 30-2 tem foco no comportamento dos preços ao consumidor nos Estados Unidos desde a Guerra da Independência. Até à Segunda Guerra Mundial, houve, em geral, uma combinação dos padrões ouro e prata, e o padrão das variações de preço foi regular: os preços aumentavam em tempo de guerra e depois baixavam nos períodos de estagnação do pós-guerra. Mas o padrão alterou-se significativamente após a Segunda Guerra Mundial. Os preços e os salários seguem agora em uma via de sentido único ascendente. Sobem rapidamente em períodos de expansão econômica e sobem menos em períodos de recessão.

A Figura 30-3 mostra a inflação do IPC no último meio século. Observe que a inflação nos últimos anos variou em um intervalo estreito, flutuando principalmente em decorrência da volatilidade dos preços dos alimentos e da energia.

Três graus de inflação

Tal como as doenças, as inflações apresentam diferentes níveis de gravidade. É útil classificá-las em três categorias: inflação baixa, inflação galopante e hiperinflação.

Inflação baixa. A inflação baixa é caracterizada pelo aumento lento e previsível dos preços. Podemos defini-la como uma inflação anual de um só dígito. Quando os preços são relativamente estáveis, *as pessoas confiam na moeda*, porque ela mantém o seu valor de mês para mês e de ano para ano. As pessoas estão dispostas a assinar

540 CAPÍTULO 30 • Inflação

FIGURA 30-2 Preços ao consumidor nos Estados Unidos, 1776-2008.

Até à Segunda Guerra Mundial os preços flutuaram sem tendência – aumentando rapidamente em todas as guerras e descendo a seguir. Mas desde então, a tendência tem sido de subida, tanto aqui como no exterior.
Fonte: U.S. Department of Labor, Bureau of Labor Statistics para os dados desde 1919.

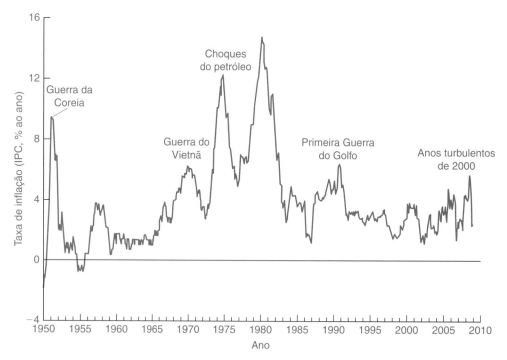

FIGURA 30-3 A inflação nos Estados Unidos tem-se mantido reduzida e estável nos últimos anos.

Historicamente, a inflação nos Estados Unidos foi variável, mas atingiu taxas elevadas inaceitáveis no início dos anos 1980. Na última década, uma gestão monetária qualificada do Federal Reserve e os choques da oferta favoráveis mantiveram a inflação reduzida e em um intervalo estreito.
Fonte: Bureau of Labor Statistics, disponível em: <www.bls.gov>. Este gráfico apresenta a inflação do índice de preços ao consumidor. O gráfico mostra a taxa de inflação em relação aos 12 meses anteriores.

contratos de longo prazo em termos nominais porque esperam que os preços relativos dos bens que compram ou vendem não se alterem. A maioria dos países industrializados teve inflação baixa na última década.

Inflação galopante. Uma inflação de dois ou três dígitos de 20, 100 ou 200% ao ano é chamada de **inflação galopante**, ou "inflação muito alta". A inflação galopante é relativamente comum, em especial em países penalizados por governos fracos, guerra ou revolução. Muitos países latino-americanos, como a Argentina, o Chile e o Brasil, tiveram taxas de inflação de 50 até 700% ao ano nas décadas de 1970 e 1980.

Uma vez instalada a inflação galopante, começam a surgir distorções econômicas graves. De forma geral, a maior parte dos contratos fica indexada a um índice de preços, ou a uma moeda estrangeira, como o dólar. Nessas condições, a moeda perde o valor muito rapidamente, portanto as pessoas detêm apenas o montante mínimo de moeda necessária para as transações diárias. Os mercados financeiros esvaziam-se com a fuga de capitais para o exterior. As pessoas armazenam bens, compram casas e nunca, mas nunca, emprestam dinheiro a taxas de juros nominais reduzidas.

Hiperinflação. Embora as economias pareçam sobreviver com uma inflação galopante, uma terceira e mortal forma de inflação ocorre quando surge a doença da hiperinflação. Nada de positivo se pode dizer sobre uma economia em que os preços estão aumentando um milhão, ou até um bilhão, por cento ao ano.

As hiperinflações são particularmente interessantes para os estudantes de inflação por evidenciarem os seus efeitos desastrosos. Considere esta descrição de hiperinflação na Confederação durante a Guerra Civil:

> Costumávamos ir às lojas com dinheiro no bolso e regressávamos com alimentos nos nossos cestos. Agora vamos com dinheiro nos cestos e regressamos com alimentos nos bolsos. Tudo é escasso, exceto o dinheiro. Os preços estão caóticos e a produção desorganizada. Uma refeição que costumava custar o mesmo que um bilhete para a ópera custa agora 20 vezes mais. Todos tendem a armazenar "coisas" e tentam se ver livres do papel-moeda "ruim", o que faz expulsar a moeda metálica "boa" da circulação. O resultado é o regresso parcial à inconveniente troca direta.

O caso mais profusamente documentado de hiperinflação aconteceu na República Alemã de Weimar nos anos 1920. A Figura 30-4 mostra como o governo impulsionou a impressão de notas, fazendo com que a moeda e os preços aumentassem para níveis astronômicos. De janeiro de 1922 a novembro de 1923, o índice de preços aumentou de 1 para 10 bilhões. Se alguém possuísse títulos da dívida alemã no montante de 300 milhões de marcos no início de 1922, com a mesma quantia não conseguiria sequer comprar um bombom dois anos mais tarde.

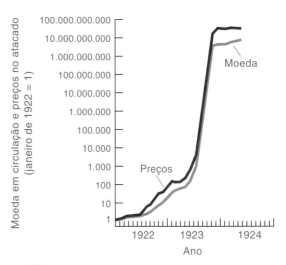

FIGURA 30-4 Moeda e hiperinflação na Alemanha, 1922-1924.

No início dos anos 1920, a jovem Alemanha não podia aumentar suficientemente os impostos, portanto usou as impressoras de notas para pagar a despesa pública. A quantidade de moeda aumentou astronomicamente do início de 1922 até dezembro de 1923, e os preços subiram em espiral, à medida que as pessoas tentavam freneticamente gastar antes que o dinheiro perdesse todo o valor.

Os estudos revelaram vários aspectos comuns das hiperinflações. Primeiro, a quantidade real de moeda (medida pela quantidade de moeda dividida pelo nível de preços) é reduzida drasticamente. No final da hiperinflação alemã, a demanda real de moeda foi somente 1/30 do seu nível de dois anos antes. Viam-se as pessoas de loja em loja, desfazendo-se de seu dinheiro como se fossem batatas quentes que se queimariam com a perda de valor da moeda. Segundo, os preços relativos tornam-se altamente instáveis. Em condições normais, o salário real de uma pessoa variam em uma pequena percentagem, ou não variam, de um mês para outro. Em 1923, os salários reais alemães variavam em média 1/3 (para mais ou para menos) todos os meses. Essa enorme variação nos preços relativos e nos salários reais – e as desigualdades e as distorções causadas por essas flutuações – tem um custo enorme para os trabalhadores e para as empresas, sendo um dos principais custos da inflação.

O impacto da inflação foi expresso com eloquência por J. M. Keynes:

> À medida que a inflação avança e o valor real da moeda varia de modo indomável, de mês para mês, todas as relações permanentes entre devedores e credores que constituem o fundamento último do capitalismo ficam de tal modo desordenadas que perdem quase o significado; e o processo de procura da riqueza degenera em um jogo e em uma loteria.

Inflação antecipada versus não antecipada

Na análise da inflação, uma importante distinção é se os aumentos de preços estão, ou não, antecipados. Suponha que os preços estejam aumentando 3% a cada ano e todos esperam que esta tendência se mantenha. Haverá alguma razão para ficar inquieto em relação à inflação? Faria alguma diferença se as taxas de inflação, efetiva e esperada, fossem 1, ou 3 ou 5% por ano? Os economistas, em geral, pensam que a inflação antecipada, com taxas moderadas, tem um efeito pequeno sobre a eficiência econômica, ou sobre a distribuição da renda e da riqueza. As pessoas simplesmente ajustariam o seu comportamento a uma medida variável.

Mas a realidade é que a inflação, geralmente, é não antecipada. Por exemplo, o povo russo viveu acostumado a preços estáveis durante muitas décadas. Quando os preços saíram do controle do planejamento central em 1992, ninguém, nem os economistas profissionais, previu que os preços subiriam 400.000% ao longo de cinco anos seguintes. As pessoas que inocentemente aplicaram o seu dinheiro em contas de poupança em rublos viram as suas poupanças se evaporarem. Aqueles que foram mais sofisticados manipularam o sistema e alguns se tornaram "oligarcas" fabulosamente ricos.

Em países economicamente mais estáveis, como os Estados Unidos, o impacto da inflação não antecipada é menos significativo, mas se verifica a questão geral. Um salto inesperado nos preços irá empobrecer alguns e enriquecer outros. Qual é o custo da redistribuição? Talvez "custo" não descreva o problema. Os efeitos podem ser mais sociais que econômicos. Uma epidemia de assaltos noturnos pode não diminuir o PIB, mas causará muita preocupação. De modo similar, a redistribuição ao acaso da riqueza pela inflação é como forçar as pessoas a apostar em uma loteria, uma vez que elas não são obrigadas a jogar.

O dilema da deflação

Se a inflação é tão ruim, os países deveriam promover a *deflação* – uma situação em que os preços estão, de fato, caindo, ao invés de subirem? A experiência histórica e a análise macroeconômica sugerem que a deflação, combinada com taxas de juros reduzidas, pode gerar sérias dificuldades macroeconômicas.

Uma deflação suave, por si só, não é especialmente prejudicial. Mas as deflações, em geral, desencadeiam problemas econômicos, uma vez que podem conduzir a uma situação em que a política monetária se torna impotente.

Normalmente, se os preços começam a cair em decorrência de uma recessão; o banco central pode estimular a economia, aumentando as reservas bancárias e reduzindo as taxas de juros. Mas, se os preços estão diminuindo de maneira rápida, então as taxas de juros reais podem ser relativamente elevadas. Por exemplo, se a taxa de juros nominal é 0,25% e os preços estão diminuindo a 3,75% ao ano, a taxa de juros real é de 4% ao ano. Com essa taxa tão elevada, o investimento pode ser banido, com consequências recessivas.

O banco central pode decidir diminuir as taxas de juros. *Mas o limite mínimo das taxas de juros nominais é zero.* Por quê? Porque quando essas taxas são zero, os títulos de dívida são, na essência, moeda e as pessoas dificilmente irão querer deter os títulos de dívida que rendam juros negativos quando a moeda tem uma taxa de juros zero. Assim, quando o banco central reduz as taxas de juros para zero, no nosso exemplo, as taxas de juros reais continuariam a ser 3,75% ao ano, o que deveria ser ainda muito alto para estimular a economia. O banco central está perante um dilema – chamado de *armadilha da liquidez* – em que não pode baixar mais as taxas de juros de curto prazo, pois ficaria sem munição.

A deflação ocorreu com frequência no século XIX e no início do século XX, mas quase desapareceu no final deste. Contudo, no final dos anos 1990, o Japão entrou em um período de deflação sustentada. Isso foi causado, em parte, não só por grande queda dos preços dos ativos, em especial dos terrenos e das ações das sociedades anônimas, mas também em decorrência de uma recessão prolongada. As taxas de juros de curto prazo passaram a ser praticamente nulas após o ano 2000. Por exemplo, o rendimento de um depósito bancário era de 0,032% ao ano em meados de 2003. O Banco do Japão estava impotente perante a deflação e as taxas de juros eram nulas.

Os Estados Unidos entraram no território da armadilha da liquidez no final de 2008. Os títulos sem risco em dólares de curto prazo (como os títulos do Tesouro de 90 dias) caíram para menos de 1/10 de 1% no final de 2008 e início de 2009. Naquele momento, muitos economistas acreditaram que o Fed tinha "ficado sem munição", isto é, não havia mais espaço para baixar as taxas de juros de curto prazo.

Existem alguns remédios para a deflação e a armadilha da liquidez? Uma solução é usar a política fiscal, como foi enfatizado pela nova administração Obama, ao programar um enorme plano de estímulo fiscal no início de 2009. Tal estímulo aumenta a demanda agregada, e o faz sem perda de investimento que decorre de taxas de juros mais elevadas.

A política monetária poderia também expandir a sua gama de instrumentos, como foi analisado no Capítulo 24. Por exemplo, o Fed poderia tentar baixar as taxas de juros de longo prazo ou reduzir o prêmio de risco sobre ativos de risco, mas se tem provado ser difícil alcançar o pretendido com essas medidas. Muitos economistas acreditam que a melhor defesa contra uma armadilha de liquidez é um bom ataque. As autoridades econômicas devem assegurar que a economia

> permanece seguramente longe da deflação e da armadilha da liquidez, mantendo o pleno emprego, assegurando um aumento gradual do nível de preços e evitando as explosões e colapsos dos preços de ativos que se fizeram sentir na última década.

IMPACTOS ECONÔMICOS DA INFLAÇÃO

Os banqueiros centrais estão unidos no propósito de dominarem a inflação. Durante os períodos de inflação alta, com frequência, das pesquisas de opinião, pode-se deduzir que a inflação é o inimigo público número um. O que tem ela de tão perigoso e com um custo tão elevado? Já dissemos que durante os períodos de inflação os preços e os salários não variam todos à mesma taxa; isto é, ocorrem variações nos *preços relativos*. Em resultado da divergência dos preços relativos, há dois efeitos claros da inflação:

- *redistribuição* da renda e da riqueza entre os diferentes grupos;
- *distorções* nos preços relativos e nas quantidades produzidas dos diferentes bens, ou, por vezes, no produto e no emprego da economia como um todo.

Impactos sobre a distribuição da renda e da riqueza

O principal impacto da inflação sobre a distribuição da renda e da riqueza deriva das diferenças dos ativos e das responsabilidades que as pessoas detêm. Quando as pessoas devem dinheiro, um aumento acentuado dos preços é, para elas, um lucro caído do céu. Suponha que você obtenha um empréstimo de US$ 100 mil para comprar uma casa e os pagamentos anuais do empréstimo com taxa de juros fixa são US$ 10 mil. Subitamente, uma grande inflação duplica todos os salários e preços. O seu pagamento *nominal* do empréstimo continua a ser US$ 10 mil por ano, mas o seu custo real diminuiu pela metade. Você precisa trabalhar apenas metade do tempo anterior para pagar a prestação do empréstimo. A inflação elevada aumentou a sua riqueza ao reduzir pela metade o valor real da sua dívida hipotecária.

Ocorrerá o contrário se você for credor e tiver ativos em hipotecas com taxa de juros fixa ou em obrigações de longo prazo. Um aumento súbito dos preços o deixará mais pobre, uma vez que o valor nominal que irá receber valerá muito menos que a quantia que tinha emprestado.

Se a inflação persistir durante um longo período, as pessoas começarão a prevê-la e os mercados, a adaptar-se. Na taxa de juros de mercado, será gradualmente incorporada uma dotação para a inflação. Suponha que a economia parta de uma situação com taxas de juros de 3% e preços estáveis. Desde que as pessoas esperem que os preços aumentem 9% ao ano, as taxas de juros de mercado e os empréstimos hipotecários tenderão a ser a 12%, em vez de 3%. A taxa de juros nominal de 12% reflete a taxa de juros real de 3% mais um prêmio pela inflação de 9%. Não haverá redistribuições adicionais importantes de renda e de riqueza, uma vez que as taxas de juros se ajustarão à nova taxa de inflação. Esse tipo de ajuste à inflação crônica foi observado em todos os países com uma longa história de aumento dos preços.

Em decorrência de mudanças institucionais, alguns mitos antigos deixaram de ter validade. Costumava pensar-se que as ações eram também uma boa proteção para a inflação, mas atualmente aquelas variam inversamente a estas. Costumava dizer-se que as viúvas e os órfãos eram prejudicados pela inflação; atualmente estão protegidos por ela porque os benefícios da previdência social estão indexados aos preços no consumidor. A inflação não prevista não beneficia os devedores nem prejudica os credores tanto quanto anteriormente, porque muitos tipos de dívida (como os empréstimos hipotecários com "taxa flutuante") têm taxas de juros que aumentam, ou diminuem, com as taxas de juros de mercado.

O principal impacto redistributivo da inflação ocorre por meio de seu efeito sobre o valor real da riqueza das pessoas. Em geral, a inflação não prevista redistribui a riqueza dos credores para os devedores, ajudando o devedor e prejudicando quem emprestou. Uma deflação não prevista tem o efeito oposto. Mas a inflação afeta principalmente a renda e os ativos, redistribuindo aleatoriamente a riqueza pela população com um impacto reduzido sobre qualquer grupo em particular.

Impactos sobre a eficiência econômica

Além da redistribuição das rendas, a inflação afeta a economia real em duas áreas específicas: ela pode prejudicar a eficiência econômica e pode afetar o produto total. Comecemos com os impactos sobre a eficiência.

A inflação prejudica a eficiência econômica porque *distorce os preços e os sinais dos preços*. Em uma economia com inflação reduzida, se o preço de mercado de um bem sobe, tanto os compradores como os vendedores sabem que houve uma variação efetiva nas condições da oferta e/ou da demanda desse bem, e podem reagir adequadamente. Por exemplo, se todos os supermercados da região aumentarem o preço da carne em 50%, os consumidores atentos saberão que chegou o momento de começar a comer mais frango. De forma semelhante, se os preços dos novos computadores caírem 90%, será o momento oportuno para substituir o seu computador velho.

Ao contrário, em uma economia com inflação elevada, é muito mais difícil distinguir entre variações nos preços relativos e variações no nível geral de preços. Se a inflação está em 20 ou 30% ao mês, as variações dos preços são tão frequentes que as variações nos preços relativos se perdem na confusão.

A inflação também *distorce o uso da moeda*, ela é um ativo que rende taxa de juros nominal nula. Se a taxa de inflação aumenta de 0 para 10% por ano, a taxa de juros real da moeda cai de 0 para –10% ao ano. Não existe forma alguma de corrigir essa distorção.

Como resultado da taxa de juros real negativa sobre a moeda, as pessoas gastam recursos reais reduzindo a posse de moeda durante os períodos de inflação. Elas vão ao banco com mais frequência – gastando as "solas dos sapatos" e o tempo precioso. As empresas põem em funcionamento esquemas sofisticados de gestão financeira. Os recursos reais são, portanto, consumidos apenas para a adaptação a uma providência monetária à medida que ela se modifica, ao invés de serem aplicados em investimentos produtivos.

Os economistas apontam para o *efeito de distorção da inflação sobre os impostos*. Parte do código tributário está baseada em termos de dólares correntes. Quando os preços sobem, o valor real dos impostos pagos sobe apesar de os rendimentos reais não terem variado. Por exemplo, suponha que você fosse tributado a uma taxa de 30% sobre a sua renda. Suponha ainda que a taxa de juros nominal tenha sido de 6% e a taxa de inflação, de 3%. Na realidade, você pagaria uma taxa de imposto de 60% sobre os rendimentos reais de 3%. Muitas distorções semelhantes encontram-se atualmente presentes no código fiscal norte-americano.

Mas esses não são os únicos custos. Alguns economistas salientam os *custos de menu* da inflação. A ideia é que quando os preços se alteram, as empresas têm de gastar recursos reais para ajustar os seus preços. Por exemplo, os restaurantes têm de reimprimir os seus menus (cardápios), as empresas de venda por mala direta têm de reimprimir os seus catálogos, as empresas de táxis têm de modificar os seus taxímetros, as cidades têm de alterar os parquímetros e os armazéns têm de trocar as etiquetas dos bens. Às vezes, os custos são intangíveis, como aqueles relacionados a reunir pessoas para tomarem novas decisões de preços.

Impactos macroeconômicos

Quais são os efeitos macroeconômicos da inflação? Essa questão é tratada na próxima seção, portanto agora iremos apenas ter como foco os principais pontos. Até os anos 1970, a inflação elevada nos Estados Unidos andava de mãos dadas com expansões econômicas; a inflação tinha tendência para subir quando o investimento estava forte e havia muitos empregos. Períodos de deflação, ou de redução da inflação – os anos 1890, 1930, e parte dos anos 1950 – foram tempos de elevado desemprego do trabalho e subutilização do capital.

Mas uma análise mais atenta dos dados históricos revelou um fato interessante: a associação positiva entre o produto e a inflação parece ser apenas uma relação temporária. No longo prazo, parece haver uma relação em forma de "U" invertido entre a inflação e o crescimento do produto. A Tabela 30-1 mostra os resultados de um estudo de vários países da associação entre a inflação e o crescimento. Esse estudo indica que o crescimento econômico é mais forte nos países com inflação reduzida, enquanto os países com maior inflação, ou deflação, tendem a crescer mais devagar. (Mas, nesse caso, esteja atento à falácia *ex post*, tal como é explorada na Questão 7, ao final do capítulo.)

Qual é a taxa ótima de inflação?

A maioria dos países procura um crescimento econômico rápido, pleno emprego e a estabilidade dos preços. Mas o que se entende por "estabilidade dos preços"? É por inflação zero? Ao longo de que período? Ou será talvez inflação baixa?

Uma escola de pensamento sustenta que a política deve almejar preços absolutamente estáveis, ou inflação zero. Se estiverem seguras de que o nível de preços no prazo de 20 anos será muito próximo do nível de preços atual, as pessoas poderão tomar melhores decisões de longo prazo de investimento e poupança.

Muitos macroeconomistas pensam que, se um objetivo de inflação zero puder ser simples em uma economia ideal, não viveremos em um sistema isento de fricção. Uma fricção surge da resistência dos trabalhadores à queda dos salários nominais. Quando a inflação é literalmente zero, os mercados de trabalho eficientes exigiriam que os salários nominais em alguns setores fossem reduzidos, enquanto os salários em outros setores seriam

Taxa de inflação (% anual)	Crescimento do PIB *per capita* (% anual)
– 20-0	0,7
0-10	2,4
10-20	1,8
20-40	0,4
100-200	– 1,7
1.000+	– 6,5

TABELA 30-1 Inflação e crescimento econômico.

A experiência conjunta de 127 países mostra que o crescimento mais rápido está associado a taxas de inflação reduzidas. A deflação e a inflação moderada acompanham um crescimento lento, enquanto as hiperinflações estão associadas a recessões fortes.

Fonte: Michael Bruno e William Easterly, "Inflation Crises and Long Run Growth", *Journal of Monetary Economics*, 1998.

aumentados. No entanto, os trabalhadores e as empresas são extremamente avessos a cortar os salários nominais. Alguns economistas acreditam que, no contexto da rigidez da redução dos salários nominais, uma taxa zero de inflação levaria, em geral, ao aumento do desemprego.

Uma preocupação adicional e mais séria em relação à inflação zero é que as economias poderiam encontrar-se na armadilha da liquidez discutida antes. Se, em uma situação de inflação zero, um país se deparasse com um choque recessivo, precisaria de taxas de juros reais negativas para sair da recessão por meio da política monetária. E ainda que a política fiscal pudesse ser eficaz, a maioria dos macroeconomistas acredita que a melhor solução é almejar uma taxa de inflação positiva para que a ameaça da armadilha da liquidez seja minimizada.

Podemos resumir a nossa análise do seguinte modo:

A maioria dos economistas concorda que um aumento suave e previsível do nível de preços proporciona o melhor ambiente para um crescimento econômico saudável. Um exame minucioso dos dados sugere que uma inflação reduzida tem um impacto pequeno sobre a produtividade ou o produto real. Ao contrário, a inflação galopante ou a hiperinflação podem prejudicar a produtividade e redistribuir a venda e a riqueza de uma forma arbitrária. Um aumento gradual dos preços ajudará a evitar a mortal armadilha da liquidez.

B. MODERNA TEORIA DA INFLAÇÃO

Quais são as forças econômicas que causam a inflação? Qual é a relação entre desemprego e inflação no curto e no longo prazos? Como os países podem reduzir uma inflação inaceitavelmente elevada? Qual é o papel do objetivo de inflação nas políticas do banco central?

Questões, questões, questões. E, no entanto, as respostas para elas são fundamentais para a saúde econômica das modernas economias mistas. Ao final deste capítulo, exploramos a moderna teoria da inflação e analisamos os custos de redução da inflação.

PREÇOS NO ESQUEMA AS-AD

Não existe uma única fonte de inflação. Tal como as doenças, as inflações ocorrem por muitas razões. Algumas inflações ocorrem do lado da demanda; outras, do lado da oferta. Mas um determinante-chave acerca das inflações modernas é que elas desenvolvem uma inércia própria e são difíceis de parar uma vez postas em movimento.

Inflação esperada

Nas economias modernas, como nos Estados Unidos, a inflação tem um grande impulso e tende a persistir à mesma taxa. A inflação esperada é como um cão velho preguiçoso. Se não sofrer o "choque" de um pontapé, ou do salto de um gato, o cão permanecerá no mesmo lugar. Uma vez perturbado, o cão pode iniciar a caça ao gato, mas acaba parando em um novo lugar e aí permanece até o próximo choque.

Nas últimas três décadas, os preços nos Estados Unidos aumentaram em média 3% ao ano e a maioria das pessoas passou a esperar essa taxa de inflação, que foi assumida pelas instituições econômicas. Os acordos salariais entre trabalhadores e administrações foram estabelecidos considerando uma taxa de inflação ao redor de 3%. Os planos monetários e fiscais do governo também consideraram essa percentagem. Durante esse período, a *taxa esperada da inflação* foi de 3% ao ano.

Outro conceito relacionado é o de *núcleo da inflação*, que é um termo usado com frequência na política monetária. Essa é a taxa de inflação sem elementos voláteis como os preços dos alimentos e da energia.

Embora a inflação possa persistir na mesma taxa durante algum tempo, a história mostra que os choques sobre a economia tendem a empurrar a inflação para cima, ou para baixo. A economia está constantemente sujeita a variações da demanda agregada, variações acentuadas dos preços do petróleo e de mercadorias, colheitas ruins, movimentos da taxa de câmbio, variações da produtividade e outros inúmeros acontecimentos econômicos que desviam a inflação da sua taxa esperada.

Em uma economia moderna, a inflação tem um elevado grau de inércia. As pessoas estabelecem uma **taxa de inflação esperada** e ela é incorporada em contratos de trabalho e outros acordos. A taxa de inflação esperada tende a persistir até que um choque cause a sua subida, ou descida.

Inflação de demanda

Um dos principais choques para a inflação é uma variação na demanda agregada. Vimos, em capítulos anteriores, que variações do investimento, da despesa pública ou das exportações líquidas podem fazer variar a demanda agregada e impulsionar o produto para além do seu potencial. Também vimos como o banco central de um país pode influenciar a atividade econômica. Qualquer que seja a razão, a **inflação de demanda** ocorre quando a demanda agregada aumenta mais rapidamente que o potencial produtivo da economia, fazendo os preços subirem para equilibrar a oferta e a demanda agregadas. De fato, os dólares da demanda estão competindo pela limitada oferta de mercadorias, o que faz aumentar os preços. Quando o desemprego diminui e se verifica escassez de trabalhadores, os salários sobem e o processo inflacionário acelera.

Uma forma especialmente prejudicial de inflação de demanda ocorre quando os governos se lançam em despesa geradora de déficit fiscal e se baseiam nas

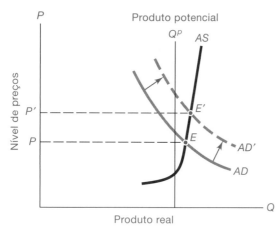

FIGURA 30-5 A inflação de demanda ocorre quando um excesso de dispêndio corre atrás de um número pequeno de bens. Quando a demanda agregada aumenta, a despesa acrescida está em competição por produtos em quantidade limitada. Os preços aumentam de P para P' com a inflação de demanda.

máquinas de impressão de notas para financiar os seus déficits. Os grandes déficits e o rápido aumento da oferta de moeda fazem aumentar a demanda agregada, o que, por sua vez, eleva o nível de preços. Assim, quando o governo alemão financiou a sua despesa em 1922-1923 mandando imprimir bilhões de notas de marcos, os quais foram para o mercado para ajudar na procura de pão e de alojamento, não é de se admirar que o nível de preços na Alemanha tenha aumentado bilhões de vezes. Foi a inflação de demanda na máxima força. Essa cena repetiu-se no início dos anos 1990 quando o governo russo financiou o seu déficit fiscal ao mandar imprimir notas de rublos. O resultado foi uma taxa média de inflação de 25% *ao mês*, ou 1.355% ao ano. (Confirme que sabe como uma taxa de 25% ao mês se transforma em 1.355% por ano.)

A Figura 30-5 ilustra o processo de inflação pela demanda, em termos de oferta e demanda agregadas. Partindo de um equilíbrio inicial no ponto E, suponha que haja uma expansão da despesa que empurre a curva AD para cima e para a direita. O equilíbrio da economia deslocar-se-á de E para E'. Neste nível mais elevado de demanda, os preços aumentarão de P para P'. Ocorrerá, então, a inflação de demanda.

Inflação de custos e "estagflação"

Os economistas clássicos compreendiam os princípios da inflação de demanda e usaram essa teoria para explicar os movimentos de preços históricos. Mas um novo fenômeno emergiu no último meio século. Vemos atualmente que a inflação, às vezes, eleva-se em virtude de aumentos nos custos em vez de serem decorrentes de elevações da demanda. Esse fenômeno é conhecido por *inflação de custos* ou pelo *choque da oferta*.

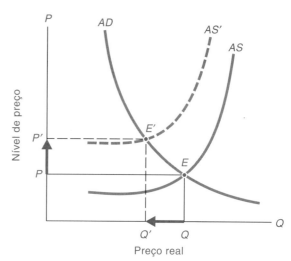

FIGURA 30-6 Aumentos nos custos de produção podem causar estagflação, com o produto em queda e o aumento dos preços.

Em períodos marcados por um rápido aumento nos custos de produção, como nos choques dos preços do petróleo, os países podem experimentar o dilema de aumento da inflação, juntamente com a queda da produção, cuja combinação é chamada estagflação. As políticas para influenciar a demanda agregada podem curar um problema ou outro, mas não os dois simultaneamente.

Leva, muitas vezes, a um abrandamento econômico e a uma situação chamada de estagflação ou *estag*nação com in*flação*.

A Figura 30-6 mostra o funcionamento da inflação de custos. Em 1973, 1978, 1999, e de novo no final dos anos 2000, os países estavam cuidando das suas atividades macroeconômicas quando ocorreu uma escassez grave nos mercados de petróleo. Os preços do petróleo aumentaram fortemente, os custos da produção das empresas elevaram-se, seguindo-se uma forte explosão de inflação de custos. Essas situações podem ser vistas como um deslocamento para cima na curva de AS. A produção de equilíbrio cai enquanto os preços e a inflação aumentam.

A estagflação insere um importante dilema às autoridades econômicas. Eles podem usar a política monetária e a fiscal para influenciar a demanda agregada. No entanto, os deslocamentos da AD não podem, simultaneamente, aumentar a produção *e* baixar os preços e a inflação. Um deslocamento para fora da curva AD na Figura 30-6 por meio da expansão monetária compensaria o declínio na produção, mas aumentaria os preços ainda mais. Ou uma tentativa de conter a inflação apertando a política monetária apenas reduziria a produção ainda mais. Os economistas explicam essa situação dizendo que as autoridades econômicas têm dois alvos ou objetivos (de inflação baixa e de desemprego reduzido), mas apenas um instrumento (demanda agregada).

Esse dilema é frequentemente enfrentado por quem implementa a política monetária. Quando a inflação e o desemprego estão aumentando ao mesmo tempo, qual deve ser a postura do Fed ou do Banco Central Europeu? Eles devem restringir a moeda para reduzir a inflação? Ou devem se concentrar principalmente na redução do desemprego? Ou obter um meio-termo entre os dois? A ciência econômica não pode oferecer uma resposta definitiva para esse dilema, pois dependerá dos valores da sociedade, bem como pelos mandatos impostos pelas legislaturas nacionais (tais como metas de inflação para o BCE em comparação com um mandato duplo do Fed).

A inflação que resulta da subida dos custos durante períodos de desemprego elevado e subutilização de recursos é chamada de **inflação causada por choque da oferta**. Ela pode levar ao dilema da estagflação quando o produto diminui, ao mesmo tempo em que a inflação aumenta.

Expectativas e inflação

Você poderia perguntar: por que a inflação tem uma inércia tão forte? A resposta é que a maioria dos preços e dos salários é fixada tendo em vista as condições econômicas futuras. Quando os preços e os salários estão aumentando rapidamente e se espera que assim continuem, as empresas e os trabalhadores tendem a incorporar nas suas decisões sobre preços e salários a rápida taxa de inflação. As expectativas de descida, ou de subida, da inflação tendem a ser profecias autoconfirmadas.

Podemos usar um exemplo hipotético para ilustrar o papel das expectativas na inflação esperada. Suponha que, em 2009, a Central Tejo S.A., uma empresa com trabalhadores não sindicalizados, estivesse estudando a decisão anual sobre os salários e ordenados para 2010. As suas vendas estariam crescendo bem. O economista-chefe da Central Tejo informou que não se previam choques importantes inflacionários, ou deflacionários, e que os principais serviços de previsão estavam prevendo um crescimento dos salários em nível nacional de 4% em 2010. A Central Tejo realizou uma pesquisa em relação às empresas locais e concluiu que a maioria dos empregadores estava planejando um aumento das remunerações de 3 a 5% para o próximo ano. Todos os sinais, portanto, apontavam para aumentos salariais por volta de 4% de 2009 para 2010.

Ao examinar o seu próprio mercado de trabalho interno, a Central Tejo estabeleceu que os seus salários estavam alinhados com o mercado de trabalho local. Como os gerentes não queriam ficar abaixo dos salários locais, a Central Tejo decidiu que devia tentar igualar o aumento local dos salários. Estabeleceu, portanto, o aumento dos salários de acordo com o aumento esperado de mercado, cerca de 4% para 2005.

O processo de fixação de salários e ordenados em função das condições econômicas futuras esperadas pode ser ampliado a praticamente todos os empregadores. Esse tipo de raciocínio também se aplica a muitos preços de produtos – como as mensalidades das universidades, os preços dos automóveis e das tarifas telefônicas a longa distância – que não podem ser facilmente alterados após terem sido fixados. Em virtude do tempo que leva para modificar as expectativas de inflação e para ajustar a maior parte dos salários e dos preços, a inflação esperada apenas responderá se há choques ou alterações importantes da política econômica.

A Figura 30-7 ilustra o processo de inflação esperada. Suponha que o produto potencial é constante e que não há choques de oferta, ou de demanda. Se todos esperam que os custos e os preços médios aumentem em média 3% todos os anos, a curva AS se deslocará para cima 3% ao ano. Se não houver choques da demanda, a curva AD também subirá a essa taxa. A interseção das curvas AS e AD ocorrerá a um preço que é 3% maior. Assim, o equilíbrio macroeconômico desloca-se de E para E' e para E''. Os preços aumentam 3% todos os anos: a inflação esperada fixou-se em 3%.

A inflação constante ocorre quando as curvas AS e AD se deslocam de forma constante para cima e com mesma taxa.

Níveis de preços versus inflação

Usando a Figura 30-7, podemos fazer a distinção entre movimentos do nível de preços e movimentos da inflação. Em geral, um aumento da demanda agregada fará os preços subirem, mantendo-se tudo o mais constante. De forma similar, um deslocamento para cima da curva AS, resultante de um aumento dos salários e de outros custos, fará os preços subirem, mantendo-se tudo o mais constante.

Mas, é claro que tudo mais se modifica; em especial, as curvas AD e AS nunca ficam paradas. A Figura 30-7 mostra, por exemplo, as curvas AS e AD deslocando-se para cima, em conjunto.

E se houver um deslocamento inesperado das curvas AS ou AD no terceiro período? Como os preços e a inflação seriam afetados? Suponha, por exemplo, que no terceiro período a curva AD'' se deslocava para a esquerda, para AD''', em decorrência de uma contração monetária. Isso poderia causar uma recessão, com o novo equilíbrio em E''' da curva AS'''. Nesse ponto, o produto estaria abaixo do seu potencial; os preços e a taxa de inflação seriam inferiores aos de E'', mas na economia continuaria a haver inflação, uma vez que o nível de preços em E''' ainda está acima do equilíbrio E' e do preço P' do período anterior.

Esse exemplo nos lembra que os choques de oferta e demanda podem reduzir o nível de preços abaixo do nível que, de outra forma, seria atingido. Contudo, por causa da inércia da inflação, a economia pode continuar a ter inflação.

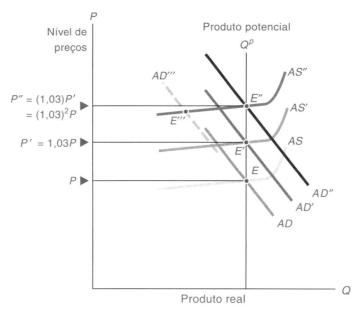

FIGURA 30-7 Uma espiral ascendente dos preços e dos salários ocorre quando a oferta e a demanda agregadas se deslocam juntas para cima.

Suponha que os custos de produção e a AD aumentem 3% ao ano. As curvas AS e AD se deslocariam para cima 3% ao ano. Como o equilíbrio se desloca de E para E' e para E", os preços aumentam continuamente em decorrência da inflação esperada.

CURVA DE PHILLIPS

O principal instrumento macroeconômico usado para compreender a inflação é a **curva de Phillips**. Essa curva mostra a relação inversa entre o desemprego e a inflação. A ideia básica é que, quando a produção é elevada e o desemprego reduzido, os salários e os preços tendem a aumentar mais rapidamente. Isso ocorre porque os trabalhadores e os sindicatos podem pressionar mais fortemente por aumentos salariais quando há muitos empregos, e as empresas podem aumentar os preços mais facilmente quando as vendas estão crescendo. O inverso também ocorre – um desemprego elevado tende a reduzir a inflação.

Curva de Phillips de curto prazo

Os macroeconomistas fazem a distinção entre curva de Phillips de curto prazo e curva de Phillips de longo prazo. A primeira típica é apresentada na Figura 30-8. No eixo horizontal do gráfico está a taxa de desemprego. Na escala vertical da esquerda está a taxa anual da inflação dos preços. A escala vertical da direita mostra a taxa da inflação dos salários nominais. Quando nos deslocamos para a esquerda na curva de Phillips, reduzindo o desemprego, a taxa do crescimento dos preços e dos salários indicada pela curva torna-se maior.

Uma parte importante da aritmética da inflação está subjacente a essa curva. Suponha que a produtividade do trabalho (produto por trabalhador) aumente a uma taxa constante de 1% ao ano. Além disso, suponha que

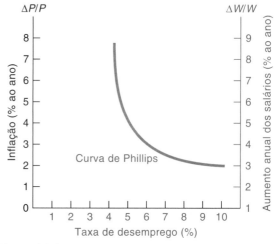

FIGURA 30-8 A curva de Phillips de curto prazo representa o antagonismo entre a inflação e o desemprego.

A curva de Phillips de curto prazo mostra a relação inversa entre inflação e desemprego. A escala da variação dos salários, no eixo vertical da direita, é maior do que a escala da inflação, no lado esquerdo, em 1%, que é a taxa admitida de crescimento da produtividade média do trabalho.

as empresas estabeleçam os preços na base dos custos médios do trabalho, portanto os preços variam sempre tanto quanto a média dos custos do trabalho por unidade de produto. Se os salários estão aumentando 4%, e a produtividade, 1%, então os custos médios do trabalho aumentarão 3%. Consequentemente, os preços também aumentarão 3%.

Usando essa aritmética da inflação, podemos ver a relação entre o crescimento dos salários e dos preços na Figura 30-8. As duas escalas no gráfico são diferentes apenas pela taxa admitida de crescimento da produtividade (portanto, a variação dos preços de 4% ao ano corresponderia a uma variação dos salários de 5% ao ano se a produtividade crescesse 1% ao ano e se os preços aumentassem sempre tão rapidamente quanto os custos médios do trabalho).

A lógica da aritmética salário–preço

Essa relação entre preços, salários e produtividade pode ser formalizada da seguinte forma: o fato de os preços se basearem nos custos médios de trabalho por unidade de produto implica que P é sempre proporcional a WL/Q, em que P é o nível de preços, W é o nível salarial, L são homens-hora e Q é o produto. Suponha que a produtividade média do trabalho (Q/L) está acrescendo continuamente a 1% ao ano. Assim, se os salários estiverem crescendo 4% ao ano, os preços cresceriam 3% no mesmo período (= 4% de crescimento dos salários menos 1% de crescimento da produtividade). De uma forma genérica,

$$\text{Taxa de inflação} = \text{Taxa de crescimento dos salários} - \text{Taxa de crescimento da produtividade}$$

Isso mostra a relação entre a inflação dos preços e a inflação dos salários.

Podemos ilustrar quão estreita é essa relação com valores reais de um período de inflação elevada e de outro de inflação reduzida. A tabela seguinte mostra que os principais determinantes da inflação no longo prazo são o aumento dos salários e a variação da produtividade. Do primeiro para o segundo período, a inflação cresceu, porque o nível dos salários aumentou ligeiramente, enquanto a produtividade caiu de maneira acentuada. No terceiro período, a inflação foi muito reduzida, porque o aumento dos salários foi restringido, enquanto o crescimento da produtividade voltou a crescer.

	Taxa de inflação do IPC (%)	Taxa de crescimento dos salários (%)	Taxa de crescimento da produtividade (%)
1958-1973	2,9	5,4	3,1
1973-1995	5,6	5,9	1,5
1995-2007	2,6	4,3	2,6

Fonte: Dados do Bureau of Labor Statistics sobre o setor empresarial, disponível em: <http://www.bls.gov>.

Taxa de desemprego não aceleradora de inflação

Os economistas que analisaram cuidadosamente os períodos inflacionários repararam que a curva de Phillips simples com duas variáveis representada na Figura 30-8 era instável. Com base na teoria dos macroeconomistas Edmund Phelps e Milton Friedman, juntamente com testes estatísticos de dados históricos, foi desenvolvida a moderna teoria da inflação, que faz a distinção entre longo e curto prazos. A curva de Phillips com inclinação negativa da Figura 30-8 é verificada apenas no curto prazo. No longo prazo, a curva de Phillips é *vertical*, não tendo inclinação negativa. Essa abordagem implica que, no longo prazo, há uma taxa de desemprego mínima consistente com a inflação constante. Essa é *a Taxa de Desemprego Não Aceleradora de Inflação*, TDNAI ou NAIRU (do inglês, *de Nonaccelerating Inflation Rate of Unemployment*).[1]

A **taxa de desemprego não aceleradora de inflação ou TDNAI** é a taxa de desemprego consistente com uma taxa de inflação constante. Com a TDNAI, as forças para a subida e descida dos preços estão em equilíbrio, portanto não há tendência para a inflação variar. A TDNAI é a mais baixa taxa de desemprego que pode ser sustentada sem pressão para o aumento da inflação.

A ideia subjacente à TDNAI é que o estado da economia pode ser dividido em três situações:

- *Excesso de demanda.* Quando os mercados estão extremamente tensos, com desemprego reduzido e elevada utilização de capacidade, os preços e os salários serão sujeitos à inflação puxada pela demanda.
- *Excesso de oferta.* Em situações de recessão, com elevado desemprego e fábricas desocupadas, as empresas tendem a vender com desconto no preço e os trabalhadores exigem aumentos dos salários com menor pressão. A inflação dos salários e dos preços tende a ser moderada.
- *Pressões neutralizadas.* Às vezes, a economia está operando "no ponto neutro". As pressões para aumento dos salários pelos postos de trabalho não ocupados são equivalentes às pressões para a redução pelo desemprego. Não há choques de oferta do petróleo e de outras fontes externas. Nesse caos, a economia está na TDNAI e a inflação nem aumenta nem desce.

Do curto para o longo prazo

Como se desloca a economia do curto para o longo prazo? A ideia básica é que, quando as variações de preços são antecipadas, a curva de Phillips de curto prazo tende a se deslocar para cima, ou para baixo. Essa ideia é ilustrada pela seguinte sequência de passos de um "ciclo de expansão" e pela Figura 30-9.

---

[1] Às vezes, poderão ser encontrados outros termos. O nome original da TDNAI é "taxa natural de desemprego". Tal termo é insatisfatório, porque não há nada de natural na TDNAI.

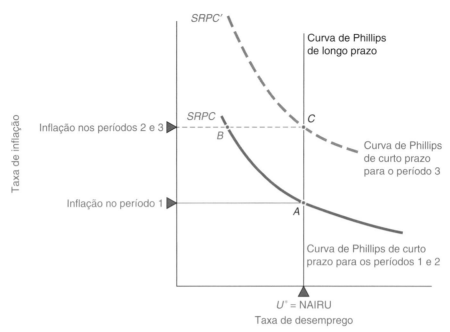

FIGURA 30-9 O deslocamento da curva de Phillips.

Essa figura mostra como uma expansão econômica leva a uma surpresa inflacionária e a um deslocamento para cima da curva de Phillips de curto prazo. Os passos do deslocamento são explicados abaixo. Note que, se você ligar os pontos A, B e C, a curva em deslocamento produz um arco no sentido dos ponteiros do relógio.

- *Período 1*. Nesse período, o desemprego está na TD-NAI. Não há surpresas de demanda e de oferta e a economia está no ponto A da curva de Phillips de curto prazo (*CPCP*), embaixo na Figura 30-9.
- *Período 2*. A seguir, suponha que exista uma expansão econômica que faz a taxa de desemprego cair. Com a redução do desemprego, as empresas contratam mais trabalhadores e aumentam a remuneração salarial mais que anteriormente. Quando a produção se aproxima do limite da capacidade, aumenta a remarcação de preços. Os salários e os preços começam a acelerar. Em termos da nossa curva de Phillips, a economia se desloca para cima e para a esquerda, para o ponto B da curva de Phillips de curto prazo (ao longo da *CPCP* na Figura 30-9). Como é mostrado na figura, as expectativas sobre a inflação ainda não se alteraram, portanto a economia se situa sobre a curva de Phillips original, a *CPCP*. Uma menor taxa de desemprego aumenta a inflação no segundo período.
- *Período 3*. Como a inflação aumentou, as empresas e os trabalhadores ficam surpresos e reveem as suas expectativas de inflação para cima. Eles começam a incorporar uma taxa de inflação esperada maior nas suas decisões sobre salários e preços. O resultado é um *deslocamento da curva de Phillips de curto prazo*. Podemos ver a nova curva como *CPCP'*, na Figura 30-9. A nova curva de Phillips de curto prazo fica por cima da curva de Phillips original, o que reflete uma taxa de inflação esperada mais elevada. Desenhamos a curva de modo que a nova taxa de inflação esperada para o período 3 é igual à taxa de inflação efetiva no período 2. Se uma desaceleração da economia traz de volta a taxa de desemprego à TDNAI no período 3, a economia move-se para o ponto C. Embora a taxa de desemprego seja a mesma do período 1, a inflação efetiva será mais elevada, o que provoca o deslocamento na curva de Phillips de curto prazo para cima.

Repare no resultado surpreendente. Como a taxa de inflação esperada aumentou, a taxa de inflação é maior no período 3 que durante o período 1, embora a taxa de desemprego seja a mesma. A economia no período 3 terá o mesmo PIB *real* e a mesma taxa de desemprego do período 1, embora as grandezas *nominais* (preços e PIB nominal) aumentem agora mais rapidamente do que acontecia antes de a expansão ter aumentado a taxa esperada de inflação.

Podemos também seguir um "ciclo de recessão", que ocorre quando o desemprego aumenta e a taxa de inflação efetiva cai para baixo da taxa esperada. A taxa de inflação esperada cai nas recessões e a economia se beneficia de uma taxa de inflação inferior quando regressa à TDNAI. Esse penoso ciclo de austeridade ocorreu durante as guerras de Carter-Volcker-Reagan contra a inflação no período 1979-1984.

Curva de Phillips vertical de longo prazo

Quando a taxa de desemprego se afasta da TDNAI, a taxa da inflação tenderá a modificar-se. O que acontece se o hiato entre a taxa efetiva de desemprego e a TDNAI persistir? Por exemplo, suponha que a TDNAI é 5% enquanto a taxa efetiva de desemprego é 3%. Por causa do hiato, a inflação tende a aumentar de ano para ano. A inflação pode ser 3% no primeiro ano, 4% no segundo ano, 5% no terceiro ano e pode aumentar no futuro. Quando acabaria essa espiral ascendente? Somente quando o desemprego regressar à TDNAI. Dito de outro modo, desde que o desemprego esteja abaixo da TDNAI, a inflação dos salários tenderá a subir.

O comportamento oposto será observado com desemprego elevado. Nesse caso, a inflação tenderá a cair, enquanto o desemprego estiver acima da TDNAI.

A inflação só irá estabilizar-se quando o desemprego estiver *na* TDNAI; somente assim os deslocamentos da oferta e da demanda nos diferentes mercados de trabalho estarão em equilíbrio: apenas dessa forma a inflação – qualquer que seja a sua inflação esperada – não tenderá a aumentar nem a diminuir.

A moderna teoria da inflação tem implicações importantes para a política econômica. Ela implica que existe um nível mínimo de desemprego que a economia pode usufruir no longo prazo. Se a economia é empurrada para níveis muito elevados de produto e desemprego, irá disparar uma espiral ascendente inflacionária de salários e de preços. Essa teoria também proporciona uma fórmula para reduzir a inflação. Quando a taxa de inflação é muito elevada, um país pode fazer um aperto monetário, desencadear uma recessão, aumentar a taxa de desemprego acima da TDNAI e, assim, reduzir a inflação.

A TDNAI define a zona neutra entre o excesso de contenção/aumento de inflação e de elevado desemprego/inflação em queda. No curto prazo, a inflação pode ser reduzida, aumentando o desemprego acima da TDNAI, mas, no longo prazo, a TDNAI é a menor taxa de desemprego sustentável.

Estimativas quantitativas

Embora a TDNAI seja um conceito macroeconômico fundamental, provou-se que as estimativas numéricas precisas da TDNAI são ilusórias. Muitos macroeconomistas têm usado técnicas avançadas para estimar a TDNAI. Para este texto, adotamos as estimativas preparadas pelo Congressional Budget Office (CBO). De acordo com o CBO, a TDNAI aumentou gradualmente desde os anos 1950, atingiu um pico de 6,3% da população ativa por volta de 1980 e caiu para 4,8% em 2008. As estimativas da CBO, juntamente com a taxa efetiva de desemprego até ao fim de 2008, são apresentadas na Figura 30-10.

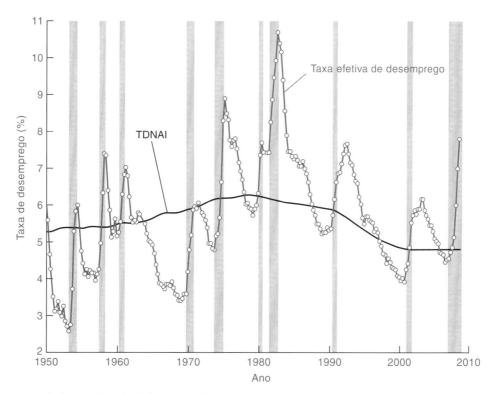

As áreas sombreadas indicam recessões de acordo com o NBER.

FIGURA 30-10 A taxa efetiva de desemprego e a TDNAI para os Estados Unidos.

A TDNAI é a taxa de desemprego com a qual as forças que atuam sobre a inflação estão em equilíbrio.
Fonte: A taxa de desemprego efetiva a partir do Bureau of Labor Satistics; a TDNAI a partir do Congressional Budget Office.

Dúvidas em relação à TDNAI

O conceito de taxa de desemprego não aceleradora de inflação, juntamente com sua contraface de produto, o PIB potencial, é fundamental para a compreensão da inflação e da ligação entre o curto e o longo prazos em macroeconomia. Mas a controvérsia sobre a visão da corrente principal se mantém.

Os críticos questionam se a TDNAI é um conceito estável e confiável. A experiência de inflação dos Estados Unidos tem levado os economistas a questionar se existe uma TDNAI estável para o país. Outra questão é quanto a um período prolongado de desemprego elevado poder conduzir a uma deterioração das qualificações dos trabalhadores, à perda de formação e experiência profissional e, desse modo, a uma TDNAI mais elevada. Um crescimento lento do PIB real não poderá reduzir o investimento e fazer o país ficar com um menor estoque de capital? Essa escassez de capacidade não poderá gerar o aumento da inflação mesmo com taxas de desemprego acima da TDNAI?

A experiência da Europa ao longo das duas últimas décadas confirma algumas dessas preocupações (recorde a nossa discussão do enigma do desemprego europeu ao final do capítulo anterior). No início dos anos 1960, os mercados de trabalho na Alemanha, na França e na Inglaterra pareciam estar em equilíbrio com taxas de desemprego entre 1 e 2%. Mas no final dos anos 1990, após uma década de estagnação e de lento crescimento do emprego, o mercado de trabalho parecia estar em equilíbrio com taxas de desemprego no intervalo de 6 a 12%. Com base na experiência europeia recente, muitos macroeconomistas estão à procura de formas para explicar a instabilidade da TDNAI e a sua dependência em relação ao desemprego efetivo, bem como às instituições do mercado de trabalho.

Revisão

Os principais pontos são os seguintes:

- No curto prazo, um aumento da demanda agregada que faça baixar a taxa de desemprego abaixo da TDNAI tenderá a elevar a taxa de inflação. Recessões e desemprego elevado tenderão a baixar a inflação. E também nesse prazo, há um *trade-off* entre inflação e desemprego.

- Quando a inflação é maior, ou menor, do que as pessoas esperam, as expectativas da inflação se ajustam. As diferentes expectativas de inflação, em geral, deslocarão a curva de Phillips de curto prazo para cima ou para baixo.

- A curva de Phillips de longo prazo é vertical na menor taxa de desemprego não aceleradora de inflação; um desemprego acima (abaixo) da TDNAI, tende a reduzir (aumentar) a inflação.

C. DILEMAS DA POLÍTICA ANTI-INFLACIONÁRIA

A economia evolui em resposta às forças políticas e ao progresso tecnológico. As nossas teorias econômicas, destinadas a explicar questões, como a inflação e o desemprego, também têm de se adaptar. Nesta seção final sobre a teoria da inflação, discutiremos as questões prementes que surgem no combate à inflação.

Qual a duração do longo prazo?

Segundo a teoria da TDNAI, a curva de Phillips é vertical no longo prazo. Para esse efeito, qual é exatamente a duração do longo prazo? O período que a economia leva para se ajustar completamente a um choque não é conhecido com precisão. Estudos recentes sugerem que o ajuste completo leva pelo menos cinco anos ou, até mesmo, uma década. A razão para o demorado processo é que as expectativas levam anos a ajustar-se, para que os contratos de trabalho e outros contratos de longo prazo sejam renegociados e para que todos esses efeitos se repercutam na economia. No longo prazo, uma economia de mercado se ajusta a choques da demanda ou da oferta agregadas e tende a repor o pleno emprego, mas o processo de ajuste é lento.

Quanto custa a redução da inflação?

A nossa análise sugere que um país pode reduzir a taxa de inflação esperada por meio da redução temporária da produção e do aumento do desemprego. Mas as autoridades econômicas podem querer saber quanto custa exatamente expurgar a inflação da economia. Qual o custo da *desinflação* – que é a política de redução da inflação?

Os estudos sobre essa questão concluem que o custo de redução da inflação varia em função do país, da taxa inicial de inflação e da política usada. As análises efetuadas para os Estados Unidos dão uma resposta razoavelmente consistente: a redução da taxa de inflação esperada em 1 ponto percentual custa ao país cerca de 4% do PIB de um ano. Em termos do nível corrente do PIB, a redução da taxa de inflação em 1 ponto percentual corresponde a uma perda de produto de cerca de 400 bilhões de dólares (aos preços de 2003).

Para compreender o custo da desinflação, considere a curva de Phillips. Se essa curva é relativamente horizontal, a redução da inflação exigirá grande aumento do desemprego e grande perda de produto; se a curva de Phillips é vertical, um pequeno aumento do desemprego fará diminuir rapidamente a inflação e sem grandes custos. As análises estatísticas indicam que, quando a taxa de desemprego aumenta 1 ponto percentual acima da TDNAI durante 1 ano, e depois regressa à TDNAI, a taxa de inflação irá diminuir cerca de 0,5 ponto percentual. Portanto, para reduzir a inflação em um ponto percentual, o desemprego tem de fixar-se 2 pontos percentuais acima da TDNAI durante 1 ano.

A perda associada a políticas de desinflação é designada de **razão de sacrifício**. Mais precisamente, a razão de sacrifício é a perda acumulada no produto, medida em percentagem do PIB de 1 ano, associada a uma redução de 1 ponto percentual permanente na inflação.

Podemos ilustrar a razão de sacrifício com o período de desinflação após 1979. O diagrama de dispersão da inflação e do desemprego durante esse período é mostrado na Figura 30-11. Esse é um *ciclo de austeridade* ou *ciclo de desinflação*, que é o oposto do ciclo de expansão ilustrado na Figura 30-9. Durante esses anos, o Fed tomou medidas enérgicas para reduzir a inflação. O aperto monetário elevou a taxa de desemprego acima de 10% em 2 anos, e o produto esteve abaixo do seu potencial durante 7 anos. Representamos a TDNAI média como a linha vertical, a qual também seria a curva de Phillips de longo prazo para esse período.

A restrição monetária reduziu o núcleo da inflação de cerca de 8 para 3% ao ano durante esse período. A perda acumulada do produto associada a essa desinflação é estimada em cerca de 20% do PIB. Isso dá uma estimativa da razão de sacrifício para esse período de 4% [= (20% do PIB)/(5 pontos percentuais de redução da inflação)]. Na economia norte-americana atual, isso implica que reduzir o núcleo da inflação em 1 ponto percentual custaria cerca de US$ 600 bilhões, ou cerca de US$ 6 mil por família norte-americana.

A teoria da curva Phillips ilustra como a política pode reduzir a inflação por meio do aumento do desemprego acima da TDNAI durante algum tempo. As estimativas, em geral, indicam que o custo da desinflação é de cerca de 4% do PIB de um ano para cada ponto percentual de desinflação. Esse cálculo mostra por que a contenção da inflação é uma política onerosa que não deve ser executada de modo irresponsável.

Credibilidade e inflação

Uma das mais importantes questões na política anti-inflacionária diz respeito ao papel da credibilidade da política. Muitos economistas argumentam que a abordagem pela curva de Phillips é muito pessimista. Os discordantes sustentam que políticas *críveis* e publicamente anunciadas – por exemplo, a adoção de regras monetárias fixas ou a fixação de um objetivo para o PIB nominal – permitiriam que as políticas anti-inflacionárias reduzissem a inflação com menores custos de produto e desemprego.

A ideia se baseia no fato de a inflação ser um processo que depende das expectativas das pessoas em relação à

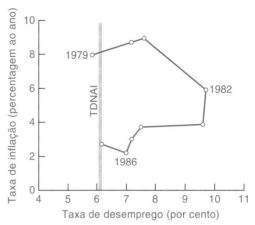

FIGURA 30-11 Os custos da desinflação, 1979-1987.

Este gráfico mostra um ciclo de desinflação. Taxas de juros elevadas levaram à desaceleração do crescimento econômico e a desemprego elevado no início dos anos 1980. O resultado foi um desemprego acima da TDNAI e um produto abaixo do potencial. O núcleo da inflação diminuiu cerca de 5 pontos percentuais, enquanto a perda acumulada de produção foi de cerca de 20% do PIB, o que leva a uma razão de sacrifício de 4%.

inflação futura. Uma política monetária confiável – como uma que tenha por objetivo alcançar lentamente uma taxa de inflação fixa e reduzida – deve levar as pessoas a esperar que a inflação seja menor no futuro e que essa crença poderia, de certa maneira, ser uma profecia para autoconvencimento. Quem coloca a ênfase na credibilidade sustenta as suas teorias citando as alterações políticas fundamentais, como ocorreu com as reformas monetárias e fiscais que acabaram com as hiperinflações na Áustria e na Bolívia com um custo relativamente pequeno em termos de desemprego e de perda de PIB.

Muitos economistas eram céticos quanto à afirmação de que a credibilidade fizesse baixar significativamente os custos da desinflação em termos de produto. Ainda que tais políticas pudessem funcionar em países assolados por hiperinflação, guerra ou revolução, políticas anti-inflacionárias draconianas seriam menos confiáveis nos Estados Unidos. O Congresso e o Presidente com frequência perdem o ânimo na luta contra a inflação quando o desemprego aumenta acentuadamente e os agricultores ou os trabalhadores da construção se manifestam no Capitólio e cercam a Casa Branca.

A experiência dos Estados Unidos nos anos 1980, mostrada na Figura 30-11, constitui um bom laboratório para testar a crítica da credibilidade. Durante esse período, foi mantida uma política monetária restritiva de forma clara e determinada. Contudo, o preço foi ainda muito elevado, como mostram os cálculos da razão de sacrifício. O uso de políticas duras e pré-anunciadas para destacar a credibilidade não parece que tenha reduzido o custo da desinflação nos Estados Unidos.

Como os Estados Unidos têm elevado grau de estabilidade nas suas instituições econômicas e políticas, a sua experiência pode ser incomum. Os economistas têm examinado as políticas anti-inflacionárias em outros países e têm determinado que as políticas inflacionárias podem, às vezes, ser *expansionistas*. Um estudo recente de Stanley Fischer, Ratna Sahay e Carlos A. Végh concluiu o seguinte:

> Períodos de inflação alta estão associados a mau desempenho macroeconômico. Em especial, uma inflação alta é má para o crescimento. A prova é baseada em uma amostra de 18 países que passaram por períodos de inflação muito elevada. Durante tais períodos, o PIB real *per capita* caiu, em média, 1,6% por ano (comparado ao crescimento positivo de 1,4% em anos de inflação reduzida)... As estabilizações baseadas na taxa de câmbio parecem levar a uma expansão inicial do PIB real e do consumo privado real.

Políticas para reduzir o desemprego

Dados os custos de desemprego elevado, podemos perguntar: a TDNAI é o nível ótimo de desemprego? Se não é, o que podemos fazer para reduzi-la para um nível mais desejável? Alguns economistas pensam que a TDNAI (às vezes, também chamada de "taxa natural de desemprego") representa o nível de desemprego conveniente da economia. Eles sustentam que ela é o resultado de um padrão eficiente de emprego, de vagas de emprego e de procura de emprego. Na perspectiva deles, conter o desemprego abaixo da TDNAI seria como conduzir o automóvel sem estepe.

Outros economistas discordam acentuadamente, sustentando que a TDNAI está quase acima da taxa de desemprego ótima. Nessa perspectiva, o bem-estar econômico aumentaria se a TDNAI pudesse ser reduzida. Esse grupo argumenta que existem muitas externalidades no mercado de trabalho. Por exemplo, os trabalhadores que foram colocados em uma situação de dispensa temporária sofrem uma série de dificuldades sociais e econômicas. Contudo, os empregadores não pagam os custos do desemprego; a maior parte dos custos (seguro-desemprego, custos com a saúde, preocupações familiares) ocorre como custos externos e são absorvidos pelo trabalhador ou pelo governo. Além disso, podem ocorrer externalidades de congestão quando um trabalhador ficar desempregado adicional, pois torna mais difícil para os outros encontrar empregos. Na medida em que o desemprego tem custos "externos", é provável que a TDNAI seja superior à taxa de desemprego ótima. Consequentemente, a redução da taxa de desemprego fará aumentar o bem-estar econômico líquido do país.

A sociedade que descobrir como reduzir significativamente a TDNAI desfrutará de excessivo dividendo social. Quais medidas poderão reduzir a TDNAI?

- *Melhorar os serviços do mercado de trabalho*. Algum desemprego ocorre porque há vagas que não são preenchidas por trabalhadores desempregados. Por meio de informação mais eficiente, a dimensão do desemprego friccional e estrutural pode ser reduzida. Uma recente inovação são os sites de vagas de emprego, gerido pelos estados ou por empresas privadas, o que pode ajudar as pessoas a encontrar empregos e empresas a encontrar trabalhadores qualificados mais depressa.

- *Impulsionar programas de formação*. Se você ler na internet ou em anúncios de jornal, descobrirá que a maioria das ofertas de emprego exige trabalhadores qualificados. Inversamente, a maioria dos desempregados ou não são especializados, ou têm fraca qualificação, ou ainda eram trabalhadores em setores em dificuldades. Muitos economistas pensam que programas de formação do governo, ou privados, podem ajudar os trabalhadores desempregados a se qualificarem para melhores empregos nos setores em crescimento. Se forem bem-sucedidos, tais programas proporcionarão o duplo benefício de permitir às pessoas levar uma vida produtiva e reduzir o custo dos programas de subsídios governamentais.

- *Aumentar incentivos ao trabalho*. Ao proteger as pessoas das maiores carências resultantes do desemprego e da pobreza, o governo, ao mesmo tempo, removeu a dor do desemprego e reduziu os incentivos para a procura de trabalho. Alguns economistas reclamam por reforma do sistema do seguro-desemprego e da assistência médica, da incapacidade e dos programas da previdência social para melhorar os incentivos ao trabalho. Outros destacam que a falta de um sistema de seguro de saúde nacional pode aumentar o *job lock** e reduzir a mobilidade dos trabalhadores.

***

Tendo feito a revisão da história e da teoria do desemprego e da inflação, concluímos com o seguinte resumo cauteloso:

Os críticos pensam que o elevado desemprego que prevalece com frequência na América do Norte e na Europa é uma falha central do capitalismo moderno. De fato, o desemprego, algumas vezes, tem de ser mantido acima do seu nível social ótimo para assegurar a estabilidade dos preços, e a tensão entre estabilidade dos preços e o desemprego reduzido é um dos dilemas mais cruéis da sociedade moderna.

---

* N. de R.T.: Relutância do trabalhador em deixar o emprego por conta da perda de benefícios sociais.

RESUMO

A. Natureza e impactos da inflação

1. Recorde que a inflação ocorre quando o nível geral de preços está aumentando. A taxa de inflação é a variação percentual em um índice de preços de um período para o seguinte. Os principais índices de preços são o índice de preços ao consumidor (IPC) e o deflator do PIB.

2. Tal como as doenças, as inflações ocorrem em diferentes graduações. Nos Estados Unidos, observam-se geralmente inflações reduzidas (poucos pontos percentuais anualmente). Às vezes, a inflação galopante produz aumentos de preços de 50, 100 ou 200% por ano. A hiperinflação começa quando as gráficas nos inundam com papel-moeda e os preços começam a aumentar muitas vezes todos os meses. Historicamente, as hiperinflações estiveram, quase sempre, associadas a guerras e revoluções.

3. A inflação afeta a economia ao redistribuir a renda e a riqueza e pela alteração da eficiência. A inflação não prevista favorece geralmente os devedores, os que procuram o lucro e os especuladores que aceitam o risco. Ela prejudica os credores, as classes com rendas fixas e os investidores cautelosos. A inflação leva a distorções dos preços relativos, das taxas dos impostos e das taxas de juros reais. As pessoas dirigem-se mais vezes aos bancos, os impostos podem aumentar e a renda medida pode sofrer distorções.

B. Moderna teoria da inflação

4. Em qualquer momento, uma economia tem dada taxa de inflação esperada. Essa é a taxa que as pessoas esperam e que é incorporada em contratos de trabalho e em outros acordos. A taxa de inflação esperada é um equilíbrio de curto prazo e persiste até que a economia seja atingida por um choque.

5. Na realidade, a economia recebe incessantes choques de preços. Os principais tipos de choques que impulsionam a inflação para lá da sua taxa esperada são pela demanda e pelos custos. A inflação puxada pela demanda resulta de uma despesa em excesso para os bens disponíveis, o que faz a curva da demanda agregada se deslocar para cima e para a direita. Os salários e os preços são, portanto, licitados para cima nos mercados. A inflação pelos custos é um novo fenômeno das economias industriais modernas e ocorre quando os custos de produção aumentam, mesmo em períodos de desemprego elevado e de capacidade ociosa.

6. A curva de Phillips mostra a relação entre a inflação e o desemprego. No curto prazo, a redução de uma taxa significa o aumento da outra. Mas a curva de Phillips de curto prazo tende a deslocar-se ao longo do tempo com a variação da expectativa de inflação e de outros determinantes. Se as autoridades econômicas tentam manter o desemprego abaixo da TDNAI durante períodos longos, a inflação tende a subir em espiral.

7. A moderna teoria da inflação baseia-se no conceito de taxa de desemprego não aceleradora de inflação, ou TDNAI, que é a mais baixa taxa de desemprego sustentável que um país pode desfrutar sem o risco de uma espiral de aumento inflacionário. Representa o nível de desemprego de recursos com o qual os mercados de trabalho e de produtos estão em equilíbrio inflacionário. De acordo com a teoria da TDNAI, não existe um *trade-off* permanente entre desemprego e inflação e a curva de Phillips de longo prazo é vertical.

C. Dilemas da política anti-inflacionária

8. Uma preocupação central das autoridades econômicas é o custo da redução da inflação esperada. Estimativas correntes indicam que é necessária uma substancial recessão para reduzir a inflação esperada.

9. Os economistas têm apresentado muitas propostas para a redução da TDNAI; entre as mais salientes estão a melhoria da informação nos mercados de trabalho, a melhoria da instrução e dos programas de formação e a reelaboração dos programas de governo, de modo que os trabalhadores tenham maiores incentivos para trabalhar.

CONCEITOS PARA REVISÃO

História e teorias da inflação

– Taxa de inflação no ano t

$$\text{inflação}(t) = 100 \times \frac{P_t - P_{t-1}}{P_{t-1}}$$

– graus da inflação:
  – reduzida
  – galopante
  – hiperinflação

– impactos da inflação (redistributivos, sobre o produto e sobre o emprego)
– inflação prevista e não prevista
– custos da inflação:
  – "custo de sola de sapato"
  – custos de menu
  – distorções na renda e nos impostos
  – perda de informação

– curvas de Phillips de curto e de longo prazos
– taxa de desemprego não aceleradora de inflação (TDNAI – em inglês, NAIRU) e curva de Phillips de longo prazo

Política anti-inflacionária

– custos da desinflação
– medidas para reduzir a TDNAI

LEITURAS ADICIONAIS E SITES

Leituras adicionais

A citação de Stanley Fischer, Ratna Sahay e Carlos A. Végh é do seu artigo "Modern Hyper and High Inflations", *Journal of Economic Literature*, setembro de 2002, p. 837-880.

Uma análise das variáveis que influenciam a TDNAI pode ser encontrada em Congressional Budget Office, *The Effect of Changes in Labor Markets on the Natural Rate of Unemployment*, abril 2002, disponível em: <http://www.cbo.gov>.

Sites

Análises dos dados de preços no consumidor para os Estados Unidos podem ser obtidas no Bureau of Labor Statistics em: <http://www.bls.gov>. Esse site contém também análises úteis sobre as tendências da inflação em *Monthly Labor Review*, disponível em: <http://www.bls.gov/opub/mlr/mlrhome.htm>.

QUESTÕES PARA DISCUSSÃO

1. Considere os seguintes impactos da inflação: distorções dos impostos, redistribuição da renda e da riqueza, custos de tempo perdido e custos de menu. Para cada um, defina o custo e dê um exemplo.

2. "Durante os períodos de inflação, as pessoas usam recursos reais para reduzir o montante em carteira de papel-moeda. Tais atividades produzem um benefício individual sem qualquer ganho social correspondente, o que ilustra o custo social da inflação." Explique essa citação e dê um exemplo.

3. A deflação não prevista também produz custos sociais importantes. Para cada uma das seguintes alíneas, descreva a deflação e analise os custos associados:

    a. Durante a Grande Depressão, os preços das principais colheitas foram reduzidos juntamente com os preços de outras mercadorias. O que terá acontecido aos agricultores que tinham grandes dívidas hipotecárias?

    b. O Japão passou por uma deflação suave nos anos 1990. Suponha que cada estudante japonês tenha obtido empréstimo de 2 milhões de ienes (cerca de US$ 20 mil) para pagar a sua educação, na esperança de que a inflação lhes permitisse pagar os empréstimos com ienes inflacionados. O que aconteceria a esses estudantes se os preços e os salários começassem a *cair* a 5% ao ano?

4. Os dados da Tabela 30-2 descrevem a inflação e o desemprego nos Estados Unidos de 1979 a 1987. Repare que a economia partiu de uma situação próxima da TDNAI em 1979 e acabou próxima da TDNAI em 1987. Você consegue explicar a redução da inflação ao longo desses anos? Explique por meio do traçado das curvas de Phillips de curto e de longo prazos, em cada um dos anos, de 1979 a 1987.

5. Muitos economistas argumentam: "Como não existe um *trade-off* de longo prazo entre o desemprego e a inflação, não se justifica a tentativa de nivelar os picos e os vales dos ciclos econômicos". Essa perspectiva sugere que não devemos nos preocupar se a economia está estável ou com grandes oscilações, desde que o nível médio de desemprego seja o mesmo. Analise de modo crítico.

6. Um economista de referência escreveu: "Se você pensar nos custos sociais da inflação, pelo menos da inflação moderada, não será possível deixar de ficar com a impressão de que são pequenos quando comparados com os custos do desemprego e da redução da produção". Redija um pequeno ensaio que descreva a sua perspectiva sobre o assunto.

7. Considere os dados das taxas de inflação anuais e do crescimento do PIB *per capita* mostrados na Tabela 30-1. Você consegue observar que a inflação reduzida está associada com as maiores taxas de crescimento? Quais são as razões econômicas para que o crescimento possa ser menor com a deflação e com a hiperinflação. Explique por que a falácia do *ex post* pode ser aplicada aqui (veja a discussão no Capítulo 1).

8. As seguintes políticas e fenômenos afetaram os mercados de trabalho nas três últimas décadas. Explique o efeito provável de cada um sobre a TDNAI:

    a. O seguro-desemprego passou a estar sujeito a imposto.

    b. O corte foi acentuado dos fundos do governo federal para os programas de formação aos desempregados.

    c. A parcela da população ativa sindicalizada diminuiu muito.

    d. A lei de 1996 da reforma da previdência social reduziu bastante os pagamentos às famílias de baixa renda e exigiu-lhes que trabalhassem para receberem pagamentos do Estado.

Ano	Taxa de desemprego (%)	Taxa de inflação, IPC (% anual)
1979	5,8	11,3
1980	7,1	13,5
1981	7,6	10,3
1982	9,7	6,2
1983	9,6	3,2
1984	7,5	4,4
1985	7,2	3,6
1986	7,0	1,9
1987	6,2	3,6

TABELA 30-2 Dados do desemprego e da inflação nos Estados Unidos, 1979-1987.

Fronteiras da macroeconomia

CAPÍTULO 31

A tarefa da estabilização econômica exige que a economia não se afaste demais para acima, ou para abaixo, de um nível de emprego constante e elevado. De um modo, resultaria em inflação e, de outro, em recessão. A política fiscal e monetária vigilante e flexível nos permitirá seguir pelo estreito meio termo.

Presidente John F. Kennedy (1962)

A economia dos Estados Unidos tem mudado muito nos últimos 50 anos. A importância da agricultura e da indústria de transformação diminuiu. As pessoas trabalham com computadores em vez de tratores. O comércio tem uma parcela crescente da produção e do consumo. A tecnologia revolucionou a vida diária. Sistemas avançados de telecomunicações permitem às empresas controlar as suas atividades que estejam disseminadas pelo país e por todo o mundo, e computadores cada vez mais potentes eliminaram muitas das tarefas repetitivas que costumavam empregar muitas pessoas.

Contudo, com essas mudanças gigantescas na nossa estrutura econômica, os objetivos centrais da política macroeconômica não se alteraram: emprego estável, boa remuneração, desemprego reduzido, aumento da produtividade e das rendas reais e uma inflação reduzida e estável. O desafio continua a ser encontrar políticas que possam atingir esses objetivos.

Este capítulo utiliza os instrumentos da macroeconomia para examinar algumas das principais questões de política da atualidade. Começamos com uma avaliação das consequências dos déficits e da dívida do governo sobre a atividade econômica, apresentamos depois algumas das novas abordagens da macroeconomia (algumas dessas teorias situam-se na fronteira atual da nossa ciência, mas estarão presentes nas salas de aula de economia daqui a uma geração) e analisamos as controvérsias que envolvem a estabilização econômica de curto prazo, incluindo as questões atuais sobre o papel da política monetária e da política fiscal. O governo deve parar de tentar nivelar os ciclos econômicos? As autoridades econômicas devem basear-se em regras fixas em vez de decisões discricionárias? Concluímos com um epílogo sobre a importância do crescimento econômico.

A. AS CONSEQUÊNCIAS ECONÔMICAS DA DÍVIDA PÚBLICA

Ao entrar no século XXI, as políticas fiscais dos Estados Unidos eram estáveis e o governo federal tinha um superávit fiscal. Depois, como um monstro a sair das profundezas, o déficit fiscal aumentou, engolindo os recursos fiscais do país e aterrorizando a população.

O déficit fiscal aumentou mesmo nos anos mais prósperos de meados dos anos 2000 com o corte dos impostos, com novos programas de subsídios e com as guerras aparentemente sem fim no Iraque e no Afeganistão. Depois, o sistema bancário teve prejuízos enormes e a economia entrou em uma profunda recessão. As receitas fiscais caíram acentuadamente tendo sido gastos centenas de bilhões de dólares para reforçar o sistema financeiro e estimular a economia. Em 2009, o déficit do governo federal foi de US$ 2 bilhões, o que corresponde à maior percentagem do PIB desde a Segunda Guerra Mundial.

Como o déficit aumentou tanto? Quais os impactos econômicos dos déficits fiscais? Essas importantes questões serão tratadas na presente seção. Veremos que a preocupação dos cidadãos em relação aos déficits tem uma base econômica sólida. O déficit pode ser necessário para reduzir a duração e a profundidade de uma recessão, especialmente quando a economia se encontra em uma armadilha da liquidez. Um déficit e uma dívida pública elevados em períodos de pleno emprego têm consequências graves, incluindo a redução da poupança e do investimento nacionais e um menor crescimento econômico no longo prazo.

Orçamentos do governo. Os governos usam os orçamentos para planejar e controlar as suas contas de receitas e despesas. Um **orçamento** representa, para um determinado ano, as despesas planejadas dos programas governamentais e as receitas esperadas dos sistemas fiscais. O orçamento contém, geralmente, uma lista de programas específicos (educação, previdência social, defesa etc.), bem como as fontes de receita fiscal (imposto de renda da pessoa física, impostos da previdência social etc.).

Quando, em determinado ano, o total dos impostos e das outras receitas é maior do que o total das despesas do governo, ocorre um **superávit fiscal**. Verifica-se um **déficit fiscal** quando as despesas ultrapassam os impostos. Quando as receitas e as despesas são iguais durante um dado período – um acontecimento raro a nível federal – o Governo tem um **equilíbrio fiscal**.

Quando incorre em um déficit fiscal, o governo tem de pedir emprestado no mercado para pagar as suas contas. Para obter esse empréstimo, o governo emite títulos de dívida, pelos quais promete o pagamento em dinheiro no futuro. A **dívida do governo** (às vezes chamada de *dívida pública*) consiste na dívida total, ou acumulada, do governo; é o valor monetário total das obrigações do governo.

É útil distinguir a dívida total da dívida líquida. A *dívida líquida*, também chamada de *dívida detida pelo público*, exclui a dívida detida pelo próprio governo. A dívida líquida é detida pelas famílias, pelos bancos, pelas empresas, estrangeiros e por outras entidades não federais. A *dívida bruta* é igual à dívida líquida mais os títulos de dívida detidos pelo governo, principalmente pelo fundo da previdência social. O fundo da previdência social está tendo um grande superávit, portanto, atualmente, a diferença entre estes dois conceitos está aumentando rapidamente.

Dívida versus déficit

As pessoas confundem frequentemente a dívida com o déficit. Você pode memorizar a diferença do seguinte modo: a dívida é a água no tubo, enquanto o déficit é a água que entra no tubo. A dívida do governo é o *estoque* de responsabilidades do governo. O déficit é o *fluxo* de nova dívida em que o governo incorre quando gasta mais do que aquilo que coleta de impostos. Por exemplo, quando teve um déficit de US$ 640 bilhões em 2008, o governo somou este montante ao total de sua dívida. Ao contrário, quando teve um superávit de US$ 200 bilhões em 2000, o governo reduziu a sua dívida nesse valor.

HISTÓRIA FISCAL

Tal como Sísifo, as autoridades econômicas federais trabalham incessantemente empurrando a pedra do equilíbrio fiscal pela encosta acima apenas para ele rolar para baixo e os esmagar de novo. O governo aprovou leis, umas atrás das outras, nos anos 1980 e 1990, para conter o crescimento do déficit. Pouco tempo depois de ter sido debelado, o déficit reapareceu e cresceu rapidamente após 2001. Isso será o habitual ou corresponde a um aspecto novo da economia dos Estados Unidos?

Os déficits não eram uma novidade na economia norte-americana, mas déficits enormes em tempo de paz são um aspecto singular da história econômica recente. Nos dois primeiros séculos após a Revolução Americana, o governo federal dos Estados Unidos equilibrou, em geral, o seu orçamento. A enorme despesa militar em tempo de guerra foi financiada por empréstimos, portanto, a dívida do Governo crescia durante as guerras. Em tempo de paz, o Governo devia pagar parte da sua dívida e o peso da dívida deveria diminuir.

Depois, a partir de 1940, as questões fiscais do governo começaram a mudar rapidamente. A Tabela 31-1 esclarece as principais tendências. Ela lista as principais categorias do orçamento do governo federal e as suas parcelas no PIB para o período de 1940 a 2008. Os aspectos-chave subjacentes a essa variação foram os seguintes:

- As parcelas da despesa e dos impostos federais cresceram acentuadamente de 1940 a 1960, principalmente em virtude da expansão da despesa militar e civil. Esse crescimento foi financiado por um aumento significativo dos impostos sobre as pessoas e as empresas.

- O período de 1960 a 1980 foi marcado pelos programas da "Nova Economia" para a saúde, apoio à renda e expansão da previdência social. Como resultado, a parcela da despesa cresceu acentuadamente. A parcela das receitas federais no PIB estabilizou nesse período.

- A partir de 1981, ambos os partidos políticos declararam que a época do governo gordo tinha acabado. Os presidentes Ronald Reagan e George W. Bush decretaram grandes cortes nos impostos que em ambos os casos levaram a grandes déficits fiscais do governo. De 1980 a 2008, como mostrado na Tabela 31-1, a razão entre a despesa federal total e o PIB foi, em sua essência, constante. A despesa com assistência médica aumentou acentuadamente enquanto outras despesas não militares foram reduzidas.

POLÍTICA FISCAL DO ESTADO

O orçamento do governo serve a duas importantes funções econômicas. Primeiro, como instrumento com o qual o governo pode estabelecer as prioridades nacionais, ao distribuir o produto nacional entre o consumo e o investimento privado e público, e proporcionando

Componente do orçamento federal	Percentagem do PIB				
	1940	1960	1980	2000	2008
Receitas	**6,4**	**17,6**	**18,5**	**20,6**	**17,7**
Imposto de renda da pessoa física	0,9	7,7	8,8	10,2	8,1
Imposto de renda da pessoa jurídica	1,2	4,1	2,3	2,1	2,1
Receitas da previdência social	1,8	2,8	5,7	6,7	6,3
Outras	2,7	3,0	1,8	1,6	1,2
Despesas	**9,4**	**17,5**	**21,2**	**18,2**	**20,9**
Defesa nacional e assuntos internacionais	1,8	9,7	5,3	3,2	4,4
Saúde	0,1	0,2	2,0	3,6	4,7
Apoio à renda	1,5	1,4	3,1	2,6	3,0
Previdência social	0,0	2,2	4,2	4,2	4,3
Juros líquidos	0,9	1,3	1,9	2,3	1,7
Outros	5,2	2,7	4,7	2,4	2,5
Superávit ou déficit (–)	**–2,9**	**0,1**	**–2,6**	**2,4**	**-3,2**

TABELA 31-1   Tendências do orçamento federal, Estados Unidos, 1940-2008.

A parcela federal da economia cresceu acentuadamente de 1940 a 1960, quando os Estados Unidos assumiam um papel militar ativo nas guerras frias e quentes. Após 1960, a parcela federal estabilizou, mas a composição da despesa deslocou-se dos militares para a saúde e outras despesas sociais. O déficit do orçamento federal cresceu muito nos anos 2000 com o declínio acentuado das receitas por causa dos cortes no imposto de renda das pessoas físicas.

Fonte: Os dados referem-se aos anos fiscais e são do Department of the Treasury, Office of Management and Budget e Department of Commerce. Estão resumidos em Economic Indicators, disponíveis em <http://www.gpoacess.gov/indicators/origin>.

incentivos para aumentar, ou reduzir, o produto em determinados setores. Do ponto de vista macroeconômico, é por meio da política fiscal que o orçamento afeta os principais objetivos macroeconômicos. Mais precisamente, entendemos por **política fiscal** a fixação dos impostos e da despesa pública para ajudar a amortecer as oscilações do ciclo econômico e contribuir para a manutenção de uma economia em crescimento e com elevado emprego e isenta de inflação elevada, ou instável.

Alguns dos primeiros defensores da abordagem keynesiana pensavam que a política fiscal era como um botão que podiam rodar para controlar com precisão o ritmo da economia. Um déficit fiscal maior significava um estímulo maior para a demanda agregada, o que podia reduzir o desemprego e tirar a economia da recessão. Um superávit fiscal podia retardar uma economia superaquecida e barrar a ameaça de inflação.

Atualmente, poucos acreditam em tal visão idílica da política fiscal. Após décadas de aplicação, as economias continuam a passar por recessões e inflação. A política fiscal funciona melhor na teoria do que na prática. Além disso, a política monetária tornou-se o instrumento preferido para moderar as oscilações do ciclo econômico. Contudo, quando o desemprego aumenta, há sempre uma grande pressão pública para que o governo aumente a despesa. Nesta seção, iremos rever as principais formas de utilização da política fiscal pelo governo e examinaremos as dificuldades práticas que foram surgindo.

Orçamentos efetivos, estruturais e cíclicos

Nas finanças públicas modernas é feita a distinção entre déficits estruturais e déficits cíclicos. A ideia é simples. A parte *estrutural* do orçamento é ativa – determinada pelas políticas discricionárias, como as que tratam das alíquotas dos impostos, da despesa em obras públicas ou na educação, ou da dimensão da despesa com a defesa. Em contrapartida, a parte *cíclica* do orçamento é determinada de uma forma passiva pela situação do ciclo econômico, isto é, em que medida a renda e o produto nacionais estão em alta ou em baixa. As definições precisas são as seguintes:

O **orçamento efetivo** registra o valor monetário efetivo das despesas, receitas e déficits em um dado período.

O **orçamento estrutural** calcula quais as receitas, despesas e déficits do governo que ocorreriam se a economia estivesse funcionando ao nível do produto potencial.

O **orçamento cíclico** é a diferença entre o orçamento efetivo e o orçamento estrutural. Quantifica o impacto do ciclo econômico sobre o orçamento, levando em conta o efeito do ciclo sobre as receitas, despesas e o déficit.

A distinção entre o orçamento efetivo e o estrutural é importante para as autoridades econômicas que querem distinguir as alterações ou tendências de longo prazo do orçamento e as alterações de curto prazo, que são principalmente derivadas do ciclo econômico. As despesas e receitas estruturais consistem dos programas discricionários aprovados pelo poder legislativo; a despesa e déficits cíclicos consistem dos impostos e na despesa que reagem automaticamente ao estado da economia.

O saldo de poupança e investimento de um país é afetado principalmente pelo orçamento estrutural. Os esforços para alterar a poupança pública devem centrar-se no orçamento estrutural, porque nenhuma mudança sustentada deriva apenas de receitas maiores devidas a uma expansão econômica.

ECONOMIA DA DÍVIDA E DOS DÉFICITS

Nenhuma questão macroeconômica é mais controversa do que o impacto de grandes déficits do governo sobre a economia. Alguns argumentam que déficits elevados estão colocando um fardo muito pesado sobre as gerações futuras. Outros replicam que há pouca informação sobre o impacto dos déficits sobre as taxas de juros, ou o investimento. Um terceiro grupo ainda argumenta que os déficits são favoráveis para a economia, em especial em épocas recentes.

Como podemos escolher entre os pontos de vista em conflito? Em um dos extremos, temos de evitar a prática habitual de admitir que uma dívida do governo seja má porque os credores privados são penalizados. Por outro, temos de reconhecer os verdadeiros problemas que estão associados a grandes déficits do governo e às vantagens que advêm de uma menor dívida deste.

IMPACTOS DE CURTO PRAZO DOS DÉFICITS DO GOVERNO

Curto prazo versus longo prazo

É útil separar o impacto da política fiscal no curto e no longo prazos. No *curto prazo*, em macroeconomia, consideram-se situações em que não exista pleno emprego, isto é, em que o produto efetivo possa ser diferente do produto potencial. Esse é o mundo do modelo do multiplicador keynesiano. O *longo prazo* refere-se a uma situação de pleno emprego em que o produto efetivo é igual ao produto potencial. Esse é o mundo da nossa análise do crescimento econômico.

Já analisamos antes o papel da política fiscal no curto prazo, portanto, é necessário apenas breve revisão nesta seção. O impacto no longo prazo é novidade e será apresentado na próxima seção.

Política fiscal e o modelo do multiplicador

Analisamos, em capítulos anteriores, a forma como a política fiscal afeta a economia no curto prazo – ou seja, em uma economia que está abaixo do pleno emprego.

Suponha que o governo compre computadores para as suas escolas, ou mísseis para o exército. Segundo o nosso modelo do multiplicador, no curto prazo e sem alteração das taxas de juros, ou das taxas de câmbio, o PIB aumentará certo número (talvez 1,5 a 2) de vezes o aumento de G. O mesmo argumento aplica-se (com menor multiplicador) a reduções de impostos, T. Ao mesmo tempo, o déficit do governo irá aumentar, porque o déficit é igual a $T - G$ e aumenta, assim, com cortes de T e aumentos de G.

Este é, portanto, o resultado básico para o curto prazo: abaixo do pleno emprego, aumentos do déficit estrutural que decorrem de cortes discricionários de T, ou aumentos de G, tendem a produzir produto maior e desemprego menor e, talvez, inflação mais elevada.

Temos, contudo, de alargar a análise do multiplicador mais simples para incorporar a reação dos mercados financeiros e a política monetária. Quando o produto aumenta e a inflação ameaça, os bancos centrais podem aumentar as taxas de juros, desestimulando o investimento doméstico. Taxas de juros mais elevadas podem também causar a apreciação das taxas de câmbio se o país tiver uma taxa de câmbio flexível; a valorização da moeda leva à redução das exportações líquidas. Essas reações financeiras tendem a expulsar (*crowding out*) o investimento, com a resultante diminuição do multiplicador da despesa no nosso modelo mais simples.

A política fiscal tende a expandir a economia no curto prazo – isto é, quando há recursos não utilizados. Uma despesa maior e impostos menores aumentam a demanda agregada, o produto, o emprego e a inflação. Contudo, esse impacto expansionista é reduzido pelas subsequentes reações financeiras das taxas de juros e das taxas de câmbio.

DÍVIDA PÚBLICA E CRESCIMENTO ECONÔMICO

Passamos agora do curto prazo para o longo prazo – para o impacto da política fiscal e em especial de uma grande dívida pública sobre o investimento e o crescimento econômico. A análise nesse caso trata dos custos do reembolso de uma grande dívida externa, da perda de eficiência pelo aumento dos impostos para pagar os juros da dívida e do impacto da dívida sobre a acumulação de capital.

Tendências históricas

Antes de iniciarmos a nossa análise da dívida pública, é útil rever as tendências históricas. Os dados de longo prazo para os Estados Unidos estão na Figura "Dívida pública desde a independência dos Estados Unidos", após o índice remissivo, a qual mostra a razão entre a dívida federal e o PIB. Se analisarmos no longo prazo a razão entre a dívida federal e o PIB desde 1789 nos Estados Unidos, constataremos como as guerras fizeram aumentar a razão da dívida pública em relação ao PIB, enquanto o crescimento rápido do produto com

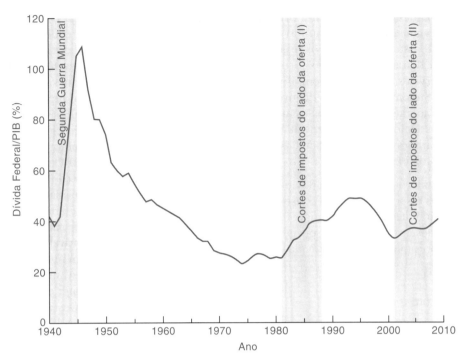

FIGURA 31-1 Razão dívida/PIB para os Estados Unidos a nível federal.

Essa figura mostra a razão da dívida líquida, ou dívida que não está em poder de entidades públicas, e o PIB. Veja o impacto da Segunda Guerra Mundial e dos dois períodos de cortes de impostos das políticas do lado da oferta sobre a razão.
Fonte: US Office of Management, disponível em <http://www.gpoacess.gov/eop/tables08/html>, Tabela B-78.

orçamentos aproximadamente equilibrados no tempo de paz reduziram essa razão.

A Figura 31-1 mostra a razão dívida/PIB para os Estados Unidos ao longo das últimas sete décadas. Você pode verificar o efeito significativo dos déficits do governo durante a Segunda Guerra Mundial, bem como durante os anos 1980 e 2000.

A maioria dos países industrializados tem, atualmente, o peso de enormes dívidas públicas. Na Tabela 31-2, comparamos os Estados Unidos com sete outros grandes países. A razão dívida/PIB do Japão tem subido acentuadamente ao longo das últimas décadas em virtude da política fiscal agressiva e da recessão prolongada. Muitos economistas temem que o Japão tenha caído em um ciclo vicioso de dívida elevada que conduza ao pagamento de juros elevados, que, por sua vez, aumente o crescimento da dívida.

Dívida externa versus dívida interna

A primeira distinção a fazer é entre dívida interna e dívida externa. A *dívida pública interna* é devida por um país aos seus próprios cidadãos. Muitos argumentam que a dívida interna não constitui qualquer fardo porque "a devemos a nós próprios". Embora seja muito simplista, essa afirmação representa um ponto de vista legítimo. Se cada cidadão possuísse US$ 10 mil de títulos da dívida do governo e se fosse responsável, por meio dos impostos pelo serviço dessa dívida, não faria sentido pensar nela como um peso muito grande que cada cidadão teria de suportar. Os cidadãos devem pura e simplesmente a dívida a si próprios.

Uma dívida externa é uma situação bem diferente. Uma *dívida externa* ocorre quando os estrangeiros possuem uma parcela dos ativos de um país. Por exemplo,

	Razão entre a dívida pública bruta e o PIB (%)			
	1980	1990	2000	2007
Japão	37	47	106	161
Itália	53	93	104	96
França	30	40	47	52
Reino Unido	51	35	43	43
Alemanha	13	20	34	39
Estados Unidos	26	41	34	36
Coreia do Sul	4	13	17	32
México	18	46	23	24

TABELA 31-2 Dívida pública central em oito países importantes.

O crescimento econômico lento e o aumento das despesas com programas de apoio levaram ao crescimento das dívidas públicas na maioria dos principais países nas três últimas décadas. A razão dívida/PIB levou a uma piora da classificação da dívida do Japão embora esse seja um dos países mais ricos do mundo.
Fonte: OCDE em <http://webnet.oecd.org/wbos/índex.aspx>.

em virtude de seus grandes déficits da conta corrente, os Estados Unidos deviam ao resto do mundo US$ 3 bilhões no fim de 2008. Isso significa que os residentes nos Estados Unidos acabarão por ter de exportar essa quantia em bens e serviços, ou vendê-la em ativos do país aos estrangeiros. Suponha que a taxa de juros real dessa dívida é de 5% ao ano. Então, todos os anos, os residentes nos Estados Unidos terão de enviar para o estrangeiro US$ 150 bilhões (cerca de US$ 500 *per capita*) para o "serviço" da dívida externa.

Assim, uma dívida externa implica, sem dúvida, uma subtração aos recursos disponíveis para o consumo no país devedor. Essa lição tem sido repetidamente aprendida pelos países em desenvolvimento – especialmente quando os seus credores querem que as dívidas sejam pagas rapidamente.

Perdas de eficiência com a tributação

Uma dívida interna exige pagamentos de juros aos detentores dos títulos da dívida, portanto, têm de ser lançados impostos com essa finalidade. Mas, ainda que fossem tributadas as mesmas pessoas para pagar o mesmo montante que recebem de juros, continuaria a haver *efeitos de distorção sobre os incentivos* que estão incontornavelmente presentes em qualquer tipo de imposto. A tributação do rendimento de juros, ou de salários, da Maria para pagar os juros à Maria introduziria distorções microeconômicas. A Maria poderia trabalhar menos e poupar menos; qualquer um desses resultados tem de ser considerado como uma distorção da eficiência e do bem-estar.

Deslocamento de capital

Talvez a consequência mais grave de uma grande dívida pública seja o deslocamento do estoque de capital de riqueza privada de um país. Como resultado, o ritmo do crescimento econômico desacelera e os padrões de vida irão cair no futuro.

Qual é o mecanismo pelo qual a dívida afeta o capital? Recorde, da nossa análise anterior, que as pessoas acumulam riqueza por vários motivos: por exemplo, para a aposentadoria, para a educação e para a moradia. Podemos dividir os ativos que as pessoas possuem em dois grupos: (1) dívida pública e (2) capital, como as casas, e ativos financeiros, como ações de sociedades que representam propriedade de capital privado.

O efeito da dívida pública é que as pessoas irão acumular dívida pública em vez de capital privado e o estoque de capital privado nacional será deslocado (substituído) por dívida pública.

Para ilustrar esse ponto, suponha que as pessoas desejam possuir exatamente mil unidades de riqueza para a aposentadoria e para outras finalidades. Com o aumento da dívida pública, o que as pessoas possuem de outros ativos será reduzido na mesma proporção. Isso ocorre porque, à medida que o governo emite títulos de dívida, os outros ativos têm de ser reduzidos, uma vez que o montante de riqueza que se deseja possuir é fixo. Mas esses outros ativos representam, em última instância, o estoque de capital privado; ações, títulos de dívida e empréstimos hipotecários são a contrapartida de fábricas, equipamento e habitações. Neste exemplo, se a dívida pública aumentasse 100 unidades, veríamos que o que as pessoas possuem de capital e de outros ativos privados diminuiria em 100 unidades. Esse é o caso de deslocamento de 100% [que é análogo no longo prazo ao efeito de expulsão (*crowding out*) de 100%].

Na prática, é pouco provável que se verifique o deslocamento completo. O aumento da dívida pública pode elevar as taxas de juros e estimular a poupança privada. Além disso, o país pode obter empréstimos no exterior, em vez de reduzir o seu investimento doméstico (como tem sido o caso dos Estados Unidos nos últimos anos). O montante exato do deslocamento de capital dependerá das condições de produção e do comportamento de poupança das famílias e dos estrangeiros.

Análise geométrica. O processo pelo qual, no longo prazo, o estoque de capital é deslocado é ilustrado na Figura 31-2. O gráfico da esquerda apresenta a oferta e a demanda de capital em função da taxa de juros real, ou rentabilidade do capital. Quando a taxa de juros aumenta, as empresas demandam menos capital enquanto as pessoas podem oferecer mais. O equilíbrio apresentado é para um estoque de capital de 4 mil unidades com uma taxa de juros real de 4%.

Suponha agora que a dívida pública aumente de 0 para mil – em virtude de guerra, recessão, políticas fiscais do lado da oferta, ou por qualquer outra razão. Podemos ver o impacto do aumento da dívida no diagrama da direita da Figura 31-2. Essa figura mostra o efeito do aumento da dívida em mil unidades como um deslocamento da curva da oferta de capital (ou *SS*). Tal como está representado, a curva de oferta de capital pelas famílias desloca-se mil unidades para a esquerda, para *S'S'*.

Representamos um aumento da dívida pública como um deslocamento para a esquerda da curva de oferta de capital pelas famílias. Repare que, uma vez que a curva *SS* representa o montante de capital privado que as pessoas estão dispostas a manter para cada taxa de juros, o montante possuído de capital é igual à totalidade da riqueza possuída menos o valor possuído da dívida pública. Uma vez que o montante da dívida pública (ou outros ativos que não capital) aumenta em mil, o montante de capital privado que as pessoas podem comprar após possuírem as mil unidades da dívida pública é, para cada taxa de juros, a riqueza total menos mil. Portanto, se *SS* representa a riqueza total possuída pelas pessoas, *S'S'* (igual a *SS* menos mil) representa o montante total

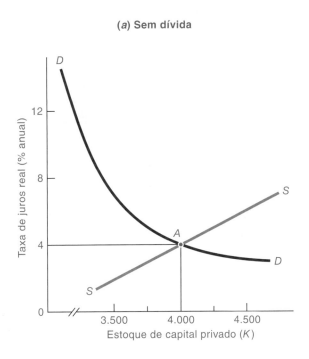 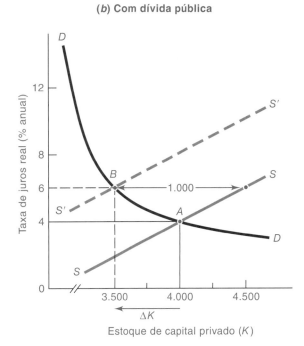

FIGURA 31-2 A dívida pública remove o capital privado.

As empresas demandam capital (K), enquanto as famílias oferecem capital, aplicando a poupança em ativos privados e públicos. A curva da demanda é a demanda com inclinação negativa pelas empresas de K, enquanto a curva da oferta é a oferta com inclinação positiva pelas famílias de K.

O caso anterior à dívida (*a*) mostra o equilíbrio sem dívida pública: K é 4 mil e a taxa de juros real é 4%.

O caso posterior à existência de dívida (*b*) mostra o impacto de mil unidades de dívida pública. A dívida desloca a oferta líquida de K para a esquerda pelas mil unidades da dívida pública. O novo equilíbrio ocorre para noroeste, ao longo da curva da demanda de K, passando do ponto A para o ponto B. A taxa de juros é maior, as empresas são desestimuladas de manter K e o estoque de capital diminui.

de capital detido pelas pessoas. Em resumo, após a venda de mil unidades de dívida pública, a nova curva de oferta de capital passa a ser $S'S'$.

Com a "secagem" da oferta do capital – sendo a poupança nacional aplicada em dívida pública em vez de em habitação, ou em ações e títulos de dívida de empresas – o equilíbrio de mercado desloca-se para noroeste ao longo da curva de demanda de K. As taxas de juros aumentam. As empresas desaceleram as suas aquisições de novas fábricas, caminhões e computadores.

No novo equilíbrio de longo prazo exemplificativo, o estoque de capital diminui de 4 mil para 3,5 mil. Assim, neste exemplo, mil unidades de dívida pública removeram 500 unidades de capital privado. Essa redução tem, obviamente, efeitos econômicos significativos. Com um capital menor, o produto potencial, os salários e a renda do país serão menores do que seriam se não houvesse aumento da dívida.

Os gráficos da Figura 31-2 são representativos. Os economistas não têm estimativas precisas do efeito de remoção. Observando as tendências históricas, os dados mais seguros sugerem que o capital interno é parcialmente removido pela dívida pública, mas que parte do impacto se reflete em uma maior dívida externa.

Dívida e crescimento

Se considerarmos todos os efeitos da dívida pública sobre a economia, é provável que uma grande dívida pública reduza o crescimento econômico no longo prazo. A Figura 31-3 ilustra essa ligação. Suponha que uma economia estivesse funcionando ao longo do tempo sem qualquer dívida pública. De acordo com os princípios do crescimento econômico apresentados no Capítulo 25, o estoque de capital e o produto potencial seguiriam o ritmo hipotético indicado pelas linhas contínuas da Figura 31-3.

Considere, a seguir, uma situação de dívida nacional crescente. Com o acúmulo da dívida ao longo do tempo, cada vez mais capital é removido, como é mostrado pela linha tracejada do estoque de capital, na parte debaixo da Figura 31-3. Quando os impostos são aumentados para pagar os juros da dívida, as ineficiências reduzem ainda mais o produto. Da mesma forma, um aumento da dívida externa reduz a renda nacional e aumenta a parcela do produto que é alocada ao serviço da dívida externa. Considerando a totalidade dos efeitos, o produto e o consumo crescerão mais lentamente do que cresceriam se não tivesse havido uma dívida pública e um déficit grandes, como se pode verificar comparando as linhas de cima da Figura 31-3.

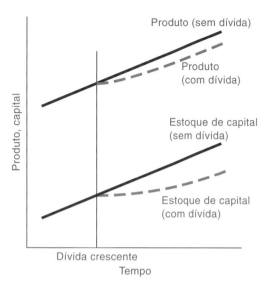

FIGURA 31-3 Impacto da dívida pública sobre o crescimento econômico.

As linhas contínuas mostram os ritmos do capital e do produto se o governo tivesse as suas contas equilibradas e não tivesse qualquer dívida. Quando o governo se endivida, o capital privado é removido. As linhas tracejadas ilustram o impacto sobre o capital e o produto de uma dívida pública maior.

Qual é o impacto de um superávit fiscal e de uma *redução* da dívida pública? Nesse caso, os argumentos vão em outra direção. Uma menor dívida pública significa que uma maior parte da riqueza nacional é aplicada em capital em vez de em títulos do estado. Um maior estoque de capital aumenta o crescimento do produto e aumenta os salários e o consumo *per capita*.

A ideia principal em relação ao impacto de longo prazo de uma grande dívida pública sobre o crescimento econômico é que uma grande dívida pública tende a reduzir o crescimento do produto potencial, pois remove capital privado, aumenta a ineficiência pela tributação e força um país a reduzir o consumo para pagar o serviço da dívida externa.

Confusões sobre os déficits esclarecidas

Tendo completado a nossa análise dos impactos econômicos dos déficits e da dívida, podemos resumir as ideias-chave ao esclarecer algumas das principais confusões nesta matéria.

O impacto da política fiscal sobre a economia é um dos aspectos mais mal compreendidos da macroeconomia. A confusão acontece porque a política fiscal funciona de modo diferente de acordo com o período de tempo:

- *No curto prazo, uma maior despesa e menores taxas de impostos tendem a aumentar a demanda agregada e, assim, a aumentar o produto e a reduzir o desemprego.* Esse é o impacto keynesiano da política fiscal, que funciona por meio do aumento do produto efetivo em relação ao produto potencial. É de se esperar que o impacto expansionista da política fiscal – o aumento na capacidade de utilização – perdure, quando muito, alguns anos. Ele pode ser anulado por um aperto monetário, especialmente se o banco central pensar que a economia está operando perto da zona de perigo de inflação.
- *No longo prazo, uma maior despesa e menores taxas de impostos tendem a reduzir a taxa de crescimento da economia.* Esse é o impacto sobre o crescimento da política fiscal. O impacto sobre o crescimento diz respeito ao impacto dos déficits do governo sobre o saldo da poupança e do investimento nacionais em uma economia em pleno emprego. Se os impostos forem menores, isso fará diminuir a poupança pública e, como é improvável que a poupança privada aumente tanto quanto a pública reduz, a poupança e o investimento totais nacionais irão diminuir. A redução do investimento levará a um crescimento mais lento do estoque de capital e, portanto, do produto potencial.

Esses dois impactos da política fiscal podem facilmente confundir as pessoas e são a fonte de muitos debates sobre a política fiscal. Considere o seguinte debate entre os senadores Falcão e Pomba:

Senador Pomba: A economia está a caminho da recessão. Não podemos nos dar ao luxo de ficar parados enquanto milhões de pessoas perdem os seus empregos. Está na hora de efetuar um grande pacote de estímulo com o corte nos impostos, e nova despesa em infraestruturas e nas necessidades públicas mais prementes. Nesse momento de recessão não há lugar para os dogmas antiquados sobre o déficit.

Senador Falcão: Um pacote enorme de estímulo no presente seria o máximo da irresponsabilidade fiscal. Com uma despesa pública maior, o déficit crescerá ainda mais, as taxas de juros aumentarão e as empresas reduzirão a sua despesa em novas fábricas, equipamentos e tecnologia de informação. Com todas as necessidades críticas com que o país se confronta, não podemos suportar um crescimento econômico mais lento na próxima década.

Certifique-se de que compreende as teorias implícitas que estão subjacentes às posições dos dois distintos senadores. Ambos estão certos e... ambos estão errados.

B. AVANÇOS NA MACROECONOMIA MODERNA

A nossa filosofia neste livro é levar em conta todas as escolas de pensamento importantes. Damos ênfase à abordagem keynesiana moderna que constitui a corrente principal, como a melhor forma de explicar o ciclo econômico nas economias de mercado. Ao mesmo tempo, as forças que estão subjacentes ao crescimento econômico de longo prazo são mais bem compreendidas com o uso do modelo de crescimento neoclássico.

Embora a nossa tarefa tenha sido a de apresentar o pensamento da corrente principal, a experiência convenceu-nos da importância de manter a abertura de espírito aos pontos de vista alternativos. Na ciência, quantas vezes as ortodoxias de um período são abaladas por novas descobertas. As escolas, como as pessoas, estão sujeitas à esclerose das artérias. Os estudantes aprendem a verdade empacotada dos seus professores e dos textos sagrados e as imperfeições nas doutrinas ortodoxas são ignoradas como não tendo importância. Por exemplo, John Stuart Mill, um dos maiores economistas e filósofos de todos os tempos, escreveu no seu clássico de 1848, *Princípios de Economia Política*: "Felizmente, não há nada nas leis do Valor que reste para um escritor do presente ou do futuro esclarecer". E, no entanto, no século e meio seguintes, verificaram-se duas importantes revoluções em economia – a revolução marginalista em microeconomia e a descoberta da macroeconomia.

Os historiadores da ciência observam que o progresso da ciência é descontínuo. Novas escolas de pensamento aparecem, espalham a sua influência e convencem os céticos. Nesta seção tratamos de algumas das novas e principais linhas de pensamento na macroeconomia moderna.

A MACROECONOMIA CLÁSSICA E A LEI DE SAY

Desde o nascimento da ciência econômica há dois séculos, os economistas têm pesquisado se uma economia de mercado tem, ou não, tendência para se deslocar espontaneamente para um equilíbrio de pleno emprego de longo prazo sem a necessidade de intervenção do governo. Usando a linguagem moderna, designamos por **clássicas** as abordagens que salientam as forças autorreguladoras de uma economia. A abordagem clássica sustenta que os preços e os salários são flexíveis e que a economia é estável, de modo que a economia se move automática e rapidamente para o seu equilíbrio de pleno emprego.

Lei dos mercados de Say

Antes de Keynes ter desenvolvido as suas teorias macroeconômicas, os principais pensadores econômicos aderiam geralmente à perspectiva clássica da economia, pelo menos nos períodos de prosperidade. Os primeiros economistas conheciam os ciclos econômicos, mas os consideravam aberrações temporárias que se autocorrigiam.

A análise clássica girava em torno da **Lei dos Mercados de Say**. Essa teoria, enunciada em 1803 pelo econo-

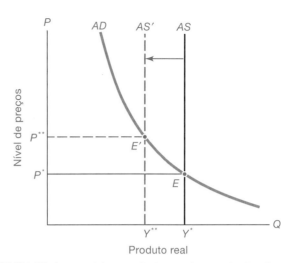

FIGURA 31-4 No ciclo econômico real, as variações do produto derivam dos choques tecnológicos.

Na abordagem clássica, bem como na do ciclo econômico real, a *AS* reflete a flexibilidade clássica dos salários e dos preços e é, portanto, vertical. As flutuações do produto ocorrem quando os choques tecnológicos se repercutem pela economia. Essa figura mostra como uma queda da produtividade pode ser a causa de uma recessão na abordagem do CER. Você percebe por que as políticas para o aumento da *AD* afetarão os preços, mas não o produto?

mista francês J. B. Say, estabelece que a superprodução é impossível pela sua própria natureza. Às vezes, isso é expresso como "a oferta cria a sua própria demanda". Essa lei se baseia em uma perspectiva de que não existe diferença essencial entre uma economia monetária e uma economia de troca direta – por outras palavras, as pessoas têm capacidade para comprar o que as fábricas podem produzir. A Lei de Say está ilustrada na Figura 31-4. No mundo clássico, o produto é determinado pela oferta agregada, que afeta apenas o nível de preços.

Uma longa lista dos mais distintos economistas, incluindo David Ricardo (1817), John Stuart Mill (1848) e Alfred Marshall (1890) subscreveu a perspectiva macroeconômica clássica de que a superprodução era impossível.

A perspectiva clássica é a de que a economia se dirige automaticamente para o seu equilíbrio de pleno emprego. Variações da oferta de moeda, da política fiscal, do investimento e de outros fatores de despesa não têm impacto duradouro sobre o produto ou o emprego. Os preços e os salários ajustam-se rápida e flexivelmente para manter o pleno emprego.

MACROECONOMIA DOS CLÁSSICOS MODERNOS

Enquanto os economistas clássicos estavam pregando a impossibilidade de desemprego persistente, os economistas ecléticos dos anos 1930 dificilmente podiam ignorar o muito exército de trabalhadores desempregados pedindo para trabalhar e vendendo lápis nas esquinas das ruas. A *Teoria Geral do Emprego, do Juro e da Moeda* (1936) de Keynes ofereceu uma teoria macroeconômica alternativa – um conjunto novo de óculos teóricos para avaliar os impactos dos choques e das políticas econômicas. A análise dos ciclos econômicos e da demanda agregada de curto prazo apresentada nesse livro reflete a síntese moderna da abordagem keynesiana.

Embora a análise do ciclo econômico da corrente principal se baseie principalmente no modelo *AS* e *AD* keynesiano, um novo ramo da escola clássica desafia a abordagem padrão. Essa teoria, chamada de **macroeconomia dos novos clássicos**, foi desenvolvida por Robert Lucas (Univ. Chicago), Thomas Sargent (Univ. Stanford e Univ. Nova York) e Robert Barro (Univ. Harvard). Essa abordagem comunga muito do espírito da abordagem clássica ao salientar o papel da flexibilidade dos salários e dos preços, e ao acrescentar um novo aspecto chamado de expetativas racionais para explicar observações como as da curva de Phillips.

Expectativas racionais

A principal inovação da economia dos novos clássicos foi a introdução das expectativas na macroeconomia. Uma síntese do fundamento das expectativas ajudará a explicar essa abordagem. Em muitas áreas da ciência econômica, especialmente as que envolvem decisões de investimento e financeiras, as expectativas são um fator central na tomada de decisões. Elas influenciam o quanto as empresas irão despender em bens de investimento e se os consumidores irão gastar no presente ou poupar para o futuro. Por exemplo, suponha que você esteja estudando quanto irá gastar em sua primeira casa. A sua decisão será influenciada por suas expectativas em relação à sua renda futura, à dimensão da família e aos futuros preços de casas.

Mas como as pessoas formam as suas expectativas? De acordo com a **hipótese das expectativas racionais**, as expectativas são não viesadas e são baseadas em toda a informação disponível.

Fazemos uma pausa para um desvio pela estatística. Uma previsão é não viesada se não contiver erros sistemáticos de previsão. Obviamente que uma previsão não pode ter sempre uma precisão total – não se pode prever qual o lado da moeda que sai com um só lançamento. Mas não se deve cometer o pecado estatístico do *viés de projeção* ao prever que com uma moeda normal se terá "cara" 25% das vezes. Você estaria fazendo uma previsão não viesada se previsse que sairia cara 50% das vezes, ou que um dos números de um dado, em média, sai 1/6 das vezes.

As pessoas têm **expectativas racionais** quando, além de evitarem o enviesamento, usam toda a informação disponível na tomada das suas decisões. Isso implica que as pessoas compreendem como funciona a economia e o que o governo está fazendo. Assim, suponha que o governo aumente sempre a despesa em anos de eleições para melhorar a possibilidade de reeleição. De acordo com as expectativas racionais, as pessoas preveem esse tipo de comportamento e agem em consonância. Recorde que esse princípio é também um pressuposto importante subjacente à hipótese do mercado eficiente tal como foi descrito no Capítulo 23.

Ciclos econômicos reais

A principal aplicação da macroeconomia clássica moderna é a **teoria do ciclo econômico real** (RBC, *Real Business Cycle*). Essa teoria foi desenvolvida principalmente por Finn Kydland e Edward C. Prescott, que ganharam o prêmio Nobel por seu trabalho nessa área. Essa abordagem sustenta que os ciclos econômicos são principalmente devidos a choques tecnológicos e não invoca quaisquer forças monetárias ou do lado da demanda.

Na abordagem do CER, os choques na tecnologia, no investimento ou na oferta de trabalho alteram o produto potencial da economia. Em outras palavras, os choques deslocam uma curva *AS vertical*. Esses choques do lado da oferta são transmitidos ao produto efetivo pelas flutuações da oferta agregada e são completamente independentes da *AD*. De modo similar, as variações da taxa de desemprego são o resultado de variações da taxa natural de desemprego (TDNAI), devidas ou a forças microeconômicas, como a intensidade de choques setoriais, ou a políticas tributárias ou reguladoras. As políticas fiscais e monetárias keynesianas padrão não têm qualquer efeito sobre o produto ou sobre o emprego nos modelos desta abordagem; afetam apenas a *AD* e o nível de preço. A Figura 31-4 mostra um exemplo de uma recessão desta abordagem causada por um declínio da produtividade.

Visão ricardiana da política fiscal

Uma das críticas mais influentes da macroeconomia keynesiana foi uma nova perspectiva do papel da política fiscal. Essa ideia, conhecida por **visão ricardiana da política fiscal**, e que foi desenvolvida por Robert Barro, de Harvard, argumenta que as variações nas taxas dos impostos não têm impacto sobre a despesa de consumo.

A ideia é uma extensão lógica do modelo do ciclo de vida do consumo, apresentada no Capítulo 21. Segundo a visão ricardiana, as pessoas têm uma visão ampliada do futuro e fazem parte de uma sucessão de membros de uma família, como uma dinastia. Os pais preocupam-se não apenas com o seu próprio consumo, mas também com o bem-estar dos seus filhos; os filhos, por sua vez, preocupam-se com o bem-estar dos seus próprios filhos etc. Essa estrutura, chamada de "preferências dinásticas", implica que o horizonte da atual geração se projeta no futuro indefinido por meio da preocupação sucessiva de cada geração com os seus descendentes.

É aqui que surge o resultado surpreendente: se o governo reduz os impostos, mas não altera as despesas, isso exigirá necessariamente o aumento do endividamento do governo. Mas, não alterando as despesas, o governo terá de aumentar os impostos para pagar os juros desse novo endividamento em algum momento no futuro. Na visão ricardiana, os consumidores têm expectativas racionais em relação à política futura, de modo que, quando ocorre um corte nos impostos, sabem que têm de se preparar para um futuro aumento deles. Por isso, irão aumentar a sua poupança na quantia da redução de impostos e o consumo se manterá inalterado. Além disso, as pessoas levam em conta o bem-estar dos seus filhos, mesmo que o futuro aumento dos impostos ocorra após a sua morte; portanto, terão poupado o suficiente para aumentar a herança para que os seus filhos possam pagar os impostos adicionais.

O resultado líquido é que na visão ricardiana as variações nos impostos não têm qualquer impacto sobre o consumo. Além disso, a dívida do governo não é uma dívida líquida do ponto de vista das famílias, porque estas anulam esses ativos nos seus cálculos mentais com o valor presente dos impostos que têm de ser pagos para o reembolso da dívida.

A visão ricardiana da dívida e dos déficits lançou enorme controvérsia entre os macroeconomistas. Os críticos apontam que isso exige que as famílias tenham uma visão ampliada do futuro, planejando deixar herança aos seus filhos, e que estejam constantemente comparando os seus próprios interesses com os dos seus descendentes. A cadeia seria quebrada quando não houvesse filhos, heranças, nenhuma preocupação com filhos, ou uma fraca visão do futuro. Os dados empíricos até a data não têm sido favoráveis à visão ricardiana, mas essa é uma útil lembrança sobre as limitações lógicas da política fiscal.

Salários de eficiência

Outro desenvolvimento recente importante, fundindo elementos da economia clássica e da keynesiana, é chamado de **teoria dos salários de eficiência**. Essa abordagem foi desenvolvida por Edmund Phelps, da Universidade de Columbia, Joseph Stiglitz, da mesma instituição, e Janet Yellen, do Federal Reserve Bank de São Francisco. Essa teoria explica a rigidez dos salários reais e a existência de desemprego involuntário em termos de tentativas das empresas aumentarem a produtividade mantendo seus salários acima do nível de equilíbrio de mercado. De acordo com essa teoria, salários mais elevados levam a uma maior produtividade, porque os trabalhadores são mais saudáveis, terão motivação maior, ou com menor probabilidade navegarão pela internet no trabalho com medo de perder os seus empregos, pois há menor probabilidade de os bons trabalhadores abandonarem o emprego à procura de novas oportunidades, e porque os salários mais elevados podem atrair trabalhadores melhores.

À medida que as empresas aumentam os seus salários para aumentar a produtividade, quem procura emprego pode querer estar pronto para esses cargos com elevada remuneração, gerando assim desemprego involuntário. A inovação dessa teoria é que o desemprego involuntário é uma característica de equilíbrio e que não desaparecerá com o tempo.

Economia do lado da oferta

No início dos anos 1980, um grupo de economistas e jornalistas desenvolveu uma escola popular, conhecida como **economia do lado da oferta** (*supply-side economics*), que colocava a ênfase nos incentivos e nos cortes nos impostos como meio para aumentar o crescimento econômico. A economia do lado da oferta foi adotada com determinação pelo Presidente Reagan, nos Estados Unidos (1981-1989), e pela Primeira-Ministra Thatcher, na Grã-Bretanha (1979-1990).

Os defensores da economia do lado da oferta argumentaram que os keynesianos, com a sua excessiva preocupação com o ciclo econômico, têm ignorado o impacto das taxas dos impostos e dos incentivos sobre o crescimento econômico. Segundo esses economistas, impostos elevados levam as pessoas a reduzir a sua oferta de trabalho e de capital. De fato, esses economistas, como Arthur Laffer, sugeriram que taxas de impostos elevadas podem, na realidade, reduzir as receitas tributárias. Essa proposta da *curva de Laffer* sustenta que as taxas de impostos elevadas reduzem a base tributável porque reduzem a atividade econômica. Para remediar o que consideram um sistema tributário imperfeito, os economistas do lado da oferta propuseram uma reestruturação radical do sistema tributário, por meio de uma abordagem às vezes chamada de "cortes nos impostos do lado da oferta".

Após terem ocupado o centro do palco nos anos 1980, as teorias do lado da oferta desapareceram após o fim do mandato de Ronald Reagan. Ao estudar esse período, os economistas descobriram que, em geral, muitas das proposições do lado da oferta não foram comprovadas pela experiência econômica. Os cortes dos impostos do lado da oferta geraram menores receitas, e não o contrário.

Muitas das políticas do lado da oferta foram de novo reavivadas quando o Presidente George W. Bush negociou, com sucesso, outra rodada de cortes no imposto de renda. Esses cortes não foram justificados com o argumento de que aumentariam as receitas, mas, em vez disso, pela teoria de que melhorariam a eficiência do sistema tributário e aumentariam a taxa de crescimento econômico de longo prazo. Tal como os seus precursores de 1981, estes cortes dos impostos levaram a menores receitas fiscais, em vez de a maiores (ver Tabela 31-1).

IMPLICAÇÕES DE POLÍTICA

Ineficácia da política

As abordagens dos novos clássicos têm várias implicações importantes para a política macroeconômica. Um dos mais importantes argumentos é o da *ineficácia das políticas fiscais e monetárias sistemáticas na redução do desemprego*. A ideia básica é que uma tentativa previsível para estimular a economia seria conhecida de antemão e não teria qualquer efeito sobre a economia.

Por exemplo, suponha que o governo estimule a economia sempre que se aproximem eleições. Após alguns episódios de política fiscal motivada pela política, as pessoas racionalmente passariam a esperar esse comportamento. Diriam para si próprias,

> As eleições estão chegando. Da experiência passada, sei que o governo sempre estimula a economia antes das eleições. Provavelmente terei um corte nos impostos neste ano de eleições, mas haverá um aumento de impostos no próximo ano. Eles não conseguem me enganar para me fazer consumir mais, trabalhar mais e votar nos que estão lá.

Esse é o **teorema da ineficácia da política** da macroeconomia clássica. Com expectativas racionais e flexibilidade de preços e salários, a política do governo, sendo prevista, não pode influenciar o produto real e o desemprego.

Conveniência de regras fixas

Descrevemos o caso monetarista de regras fixas no Capítulo 24. A macroeconomia dos novos clássicos coloca esse argumento em uma base muito mais sólida. Essa abordagem sustenta que uma política econômica pode ser dividida em duas partes, uma parte previsível (a "regra") e uma parte imprevisível (a "discrição").

Os macroeconomistas neoclássicos argumentam que a discrição é uma armadilha e um engano. As autoridades econômicas, afirmam eles, não podem fazer previsões sobre a economia melhor do que o setor privado. Portanto, enquanto as autoridades econômicas atuam com base nas notícias, os preços flexíveis, em mercados constituídos por compradores e vendedores bem informados, já se adaptaram às notícias e atingiram o seu equilíbrio de oferta e demanda de eficiência. Não há medidas *discricionárias* adicionais que o governo possa tomar para melhoria do resultado, ou que evitem o desemprego que é causado por interpretações erradas passageiras ou pelos choques dos ciclos econômicos reais.

Embora não possam melhorar as coisas, as políticas do governo podem, sem dúvida, piorá-las. O governo pode gerar políticas discricionárias imprevisíveis que transmitam sinais econômicos enganadores, confundam as pessoas, distorçam o seu comportamento econômico e causem desperdício. De acordo com os macroeconomistas neoclássicos, os governos devem evitar quaisquer políticas discricionárias macroeconômicas e não arriscar produzindo "ruído" que confunde.

Uma nova síntese?

Após três décadas de valorização da abordagem da macroeconomia pelos novos clássicos, começam a aparecer elementos de uma síntese das velhas e das novas teorias. Os economistas atualmente salientam a importância das expectativas. É útil a distinção entre a abordagem adaptativa (ou "de olhar para o passado") e a abordagem racional (ou "olhar para o futuro"). O pressuposto adaptativo sustenta que as pessoas formam as suas expectativas com base na informação do passado; a abordagem de "olhar para o futuro", ou racional, foi descrita anteriormente. A importância das expectativas de "olhar para o futuro" é fundamental para entender o comportamento, especialmente em mercados competitivos, como os do setor financeiro.

Alguns macroeconomistas começaram a fundir a visão das expectativas dos novos clássicos com a visão keynesiana dos mercados do produto e do trabalho. Essa síntese é corporizada em modelos macroeconômicos que admitem que (1) os mercados de trabalho e de bens apresentam salários e preços inflexíveis, (2) os preços nos mercados financeiros se ajustam rapidamente a choques econômicos e expectativas e (3) as expectativas em mercados financeiros são formadas na forma de olhar para o futuro.

Uma importante previsão dessas novas abordagens é que os modelos voltados para o futuro tendem a ter grandes "saltos", ou variações descontínuas, das taxas de juros, dos preços das ações, das taxas de câmbio, e dos preços do petróleo, como reação a notícias importantes. Verificam-se com frequência reações acentuadas após eleições, ou quando as guerras irrompem. Por exemplo, quando os Estados Unidos invadiram o Iraque, em março de 2003, os preços do petróleo caíram 35% e os preços das ações subiram 10% *em uma única semana*. A previsão dos neoclássicos dos preços que "saltam" reproduz um aspecto realista dos mercados financeiros e sugere, assim, uma área onde as expectativas viradas para o futuro podem ter importância no mundo real.

A abordagem da macroeconomia pelos neoclássicos trouxe muitas ideias úteis. O mais importante é recordar-nos que a economia é constituída por consumidores e investidores inteligentes que reagem e, às vezes, antecipam-se às políticas. Essa reação e contrarreação pode efetivamente modificar a forma do comportamento da economia.

C. ESTABILIZAÇÃO DA ECONOMIA

O período após a Segunda Guerra Mundial tem sido de progresso econômico notável para as economias de mercado de renda elevada. As rendas médias e o emprego cresceram rapidamente, o comércio internacional ampliou-se e muitos países pobres, em especial a Índia e a China, começaram a encurtar o fosso para os países ricos.

As economias funcionaram tão bem que alguns proclamaram a "Grande Moderação", em que os ciclos econômicos estavam desaparecendo. Alguns livros de economia "novos" ignoraram praticamente a macroeconomia dos ciclos econômicos.

Essa fantasia foi dissipada com a crise financeira e profunda recessão que começou em 2007. Palavras como "recessão" e "depressão", que tinham sido banidas dos livros de história, voltaram a ter significado na vida diária das pessoas.

É fundamental encontrar políticas que ajudem a evitar os excessos do ciclo econômico. Temos visto que o curso do produto e dos preços é determinado pela interação entre a oferta e a demanda agregadas. *Contudo, as políticas destinadas a estabilizar o ciclo econômico têm de operar principalmente por meio do seu impacto sobre a demanda agregada.* O governo pode influenciar o crescimento da demanda agregada, principalmente por meio do uso dos seus instrumentos monetários e fiscais e, desse modo, contrariar as recessões.

Essas observações deixam em aberto duas questões importantes: para estabilizar a economia, qual é a melhor combinação das políticas monetária e fiscal? Deve haver regras rígidas na decisão política, ou deve ser permitido às autoridades econômicas uma grande liberdade de decisão em suas ações?

INTERAÇÃO DAS POLÍTICAS FISCAL E MONETÁRIA

Para grandes economias, como a dos Estados Unidos, ou o grupo de países da Zona do Euro, a melhor combinação das políticas monetária e fiscal dependerá de dois fatores: a necessidade de gestão da demanda e a combinação fiscal–monetária desejada.

Gestão da demanda

A principal consideração na gestão do ciclo econômico é o estado global da economia e a necessidade de ajuste da demanda agregada. Quando a economia está em estagnação, as políticas fiscal e monetária podem ser usadas para estimular a economia e promover a recuperação econômica. Quando há ameaça de inflação, as políticas monetária e fiscal podem ajudar a refrear a economia e a apagar o fogo inflacionário. Estes são exemplos de *gestão da demanda* que se referem ao uso ativo das políticas monetária e fiscal para influenciar o nível da demanda agregada.

Suponha, por exemplo, que a economia esteja entrando em uma recessão grave. O produto está reduzido em relação ao seu potencial. O que o governo pode fazer para revigorar a economia em estagnação? Ele pode aumentar a demanda agregada por meio do aumento da expansão da moeda, ou do acréscimo da despesa pública, ou de ambos. Após a economia ter respondido aos estímulos monetário e fiscal, o produto e o emprego irão aumentar e o desemprego diminuir. (Que medidas o governo poderia tomar durante os períodos inflacionários?)

Façamos uma revisão das forças e das fraquezas relativas da política monetária e da política fiscal.

O papel da política fiscal. Nos primeiros tempos da revolução keynesiana, os macroeconomistas salientavam a política fiscal como o remédio mais poderoso e equilibrado para a gestão da demanda. Os críticos da política fiscal apontaram para as falhas que derivam da oportunidade, da política pública e da teoria macroeconômica.

Uma preocupação é o tempo que decorre entre o choque cíclico e a resposta da política. Leva tempo até se reconhecer que foi atingido um ponto de inflexão de ciclo – o atraso da política. Por exemplo, levou um ano para o NBER declarar o pico do último ciclo econômico. (O pico de dezembro de 2007 só foi anunciado em dezembro de 2008). Após um ponto de inflexão ter sido identificado, leva tempo para o Presidente decidir quais são as políticas necessárias, e ainda mais tempo para o Congresso agir. Finalmente, mesmo quando a tributação ou a despesa se alteram, há um lapso de tempo efetivo antes que a economia responda.

Os críticos argumentam também que é mais fácil cortar os impostos do que aumentá-los, e mais fácil aumentar a despesa do que reduzi-la. Nos anos 1960, o Congresso ficou entusiasmado com a aprovação de leis dos cortes nos impostos de Kennedy-Johnson. Dois anos depois, quando a expansão com a Guerra do Vietnã disparou pressões inflacionárias, foram exigidas políticas de desaceleração econômica.

Há duas situações em que as políticas fiscais contracíclicas parecem ser especialmente úteis. A primeira é a dos cortes de impostos temporários durante recessões. Os cortes de impostos temporários podem ser destinados principalmente para as famílias de renda baixa e média. A razão é que essas famílias têm uma alta propensão marginal a consumir, porque têm um pequeno superávit de poupança a que recorrer nos tempos difíceis. Estudos estatísticos indicam que essas medidas têm, de fato, sido eficazes no aumento da demanda agregada no curto prazo sem levar a déficits fiscais de longo prazo.

A segunda situação ainda mais importante é quando a economia está em uma armadilha da liquidez e o banco central não tem margem para baixar as taxas de juros de curto prazo (Recorde a nossa análise da armadilha da liquidez no Capítulo 24). Esse foi o caso durante a recessão de 2007-2009. No seu esforço de reavivar a economia, a administração Obama trabalhou com o Congresso no início de 2009 para aprovar o maior pacote de estímulo da história dos Estados Unidos. Enquanto alguns temiam o impacto de longo prazo do estímulo fiscal sobre a dívida pública, a maioria dos macroeconomistas pensava que essa política fiscal era a única forma possível de reduzir a profundidade e a gravidade do curso ascendente da economia naquelas circunstâncias.

Eficácia da política monetária. Comparada com a política fiscal, a política monetária funciona muito mais indiretamente sobre a economia. Enquanto uma política fiscal expansionista de fato compra bens e serviços, ou coloca mais renda nas mãos dos consumidores e das empresas, a política monetária afeta a despesa com a alteração das taxas de juros, das condições de crédito, das taxas de câmbio e dos preços dos ativos. Nos primeiros anos da revolução keynesiana, alguns macroeconomistas mostravam-se céticos em relação à eficácia da política monetária – dizendo alguns: "A política monetária é como empurrar um fio*". Contudo, nas duas últimas décadas, essas preocupações têm sido postas de lado, pois o Federal Reserve tem demonstrado que é suficientemente capaz para acalmar, ou estimular, a economia.

O Federal Reserve está muito mais bem colocado para conduzir a política de estabilização do que as autoridades de política fiscal. O seu quadro de economistas profissionais consegue reconhecer os movimentos cíclicos melhor do que ninguém. E pode agir rapidamente quando a necessidade surge. Por exemplo, uma cascata de inadimplências das instituições financeiras causou uma grave crise financeira quando o banco de investimentos norte-americano Bears Stearns teve problemas graves de liquidez na quinta-feira 14 de março de 2008. O Fed precisou arranjar uma solução antes dos mercados abrirem na segunda-feira seguinte. No domingo, em colaboração com o Ministério das Finanças, o Fed tinha arquitetado a compra do Bears Stearns pelo J. P. Morgan e abriu uma modalidade de crédito totalmente nova para os seus principais agentes (*dealers*). É difícil imaginar qualquer parlamento tomando medidas tão complexas em um período de tempo tão curto.

Um ingrediente-chave na política do Fed é a sua independência, e o Fed tem provado que consegue manter-se firme na tomada de decisões politicamente impopulares quando são necessárias para conter a inflação. Muito importante é que, com algumas limitações do ponto de vista da gestão da demanda, a política monetária pode fazer ou desfazer tudo o que a política fiscal pode realizar. A principal ressalva é que, se a economia é apanhada em uma armadilha da liquidez, com as taxas de juros nominais nulas ou perto de zero, então, a política monetária perde a sua capacidade de estimular a economia. Quando a economia está na armadilha da liquidez ou se aproxima dela, a política fiscal passa, portanto, a desempenhar o principal papel expansionista.

Podemos resumir o estado atual da política fiscal e monetária assim:

Em virtude de sua independência política e da rapidez da tomada de decisões, os bancos centrais estão bem posicionados para serem a linha de frente de defesa da estabilização da economia contra os choques dos ciclos econômicos. A política fiscal discricionária é útil em recessões como estímulo esporádico. Quando a economia se aproxima de uma armadilha da liquidez, a política fiscal pode ser a principal fonte de estímulo econômico.

Combinação fiscal-monetária

O segundo fator que afeta a política fiscal e monetária é a **combinação fiscal-monetária** desejada, que se refere à importância relativa das políticas fiscal e monetária e do seu efeito sobre os diferentes setores da economia. Uma *variação na combinação fiscal-monetária* é uma abordagem que restringe uma política enquanto reforça a outra de tal modo que a demanda agregada, e, portanto, o produto total, permanece constante. A ideia básica é que a política fiscal e a política monetária são substitutas na gestão da demanda. Mas, ainda que possam ser usadas combinações alternativas das políticas monetária e fiscal para estabilizar a economia, elas têm impactos diferentes sobre a *composição* do produto. Ao variar a combinação de impostos, de despesa pública e de política monetária, o governo pode modificar a parcela do PIB dedicada ao investimento das empresas, ao consumo, às exportações líquidas e à despesa pública em bens e serviços.

Efeito da alteração da combinação de políticas monetária e fiscal. Para compreender o impacto da modificação da combinação fiscal-monetária, examinemos um conjunto específico de políticas. Suponha que o governo federal reduza o déficit do orçamento federal em US$ 100 bilhões e que o Fed reduza as taxas de juros para anular exatamente o impacto recessivo das medidas fiscais.

Podemos estimar o impacto usando um modelo econômico quantitativo. A Tabela 31-3 mostra os resultados dessa experiência. Emergem dois aspectos interessantes. Primeiro, a simulação indica que uma variação na combinação fiscal-monetária modificaria de fato a composição do PIB real. Enquanto o déficit diminuiria em US$ 100 bilhões, o investimento empresarial aumentaria em US$ 30 bilhões. O investimento em habitação também aumenta, à medida que diminuem as taxas de juros. Ao mesmo tempo, o consumo pessoal iria diminuir, libertando recursos para o investimento. Essa simulação mostra como uma variação da combinação fiscal-monetária pode alterar a composição do produto.

A simulação contém um resultado especialmente interessante: as exportações líquidas aumentariam muito mais do que a habitação ou o investimento fixo das empresas. Isso acontece em virtude da forte depreciação do dólar que resulta das menores taxas de juros. Embora

---
* N. de R.T.: Metáfora usada para dizer que é fácil puxar um fio, mas é difícil empurrá-lo, ou seja, a política monetária seria pouco eficaz em atingir seu objetivo, pois estaria empurrando o fio.

Setor	Variação no produto (US$ bilhões, a preços de 2008)
Setores de investimento	**132**
Investimento interno privado bruto	48
Habitação	18
Investimento fixo das empresas	30
Exportações líquidas	83
Setores de consumo	**–106**
Compras do governo de bens e serviços	–68
Despesas de consumo pessoais	–38
Para registro:	
Variação no PIB	26
Variação no déficit federal	–100

TABELA 31-3 Variação da combinação fiscal-monetária.

Qual seria o impacto de uma variação na combinação fiscal-monetária para os Estados Unidos? Essa simulação pressupõe que o déficit federal seja cortado em US$ 100 bilhões por meio de impostos pessoais maiores e despesas federais civis menores, enquanto o Federal Reserve usa a política monetária para manter o desemprego em uma trajetória constante. A simulação toma a média das variações a partir de uma linha de base para o período 2000-2009.
Fonte: Simulação usando o modelo DRI da economia dos Estados Unidos.

mostre claramente a reação dos mercados financeiros e das taxas de câmbio ao pacote de redução do déficit, esse resultado sugere que algumas das análises popularizadas sobre o impacto de tal pacote podem ser enganadoras. Muitos analistas têm argumentado que um pacote de redução do déficit teria um impacto significativo sobre o investimento empresarial interno e sobre a produtividade. Contudo, na medida em que menores déficits ajudam principalmente a habitação e as exportações líquidas, é provável que o país experimente um aumento relativamente pequeno no crescimento da produtividade. De acordo com estimativas, o corte do déficit fiscal em US$ 100 bilhões fará aumentar a taxa de crescimento do produto potencial de 2,3% ao ano para 2,5% ao ano em um período de 10 anos. Talvez a pequena dimensão dos benefícios explique a grande dificuldade de obter a vontade política para reduzir o déficit.

Combinações alternativas na prática

A combinação fiscal-monetária tem sido muito debatida na política econômica dos Estados Unidos. Vejamos duas importantes alternativas:

- *Política de expansão fiscal–aperto monetário*. Suponha que a economia começa em uma situação inicial com inflação reduzida e o produto no seu potencial. Um novo presidente decide que é necessário aumentar acentuadamente a despesa com a defesa sem aumentar os impostos. Por si só, isso levaria ao aumento do déficit do governo e ao aumento da demanda agregada. Nessa situação, o Federal Reserve precisaria endurecer a política monetária para evitar o superaquecimento da economia. O resultado seria taxas de juros reais mais elevadas e uma apreciação da taxa de câmbio da moeda. As taxas de juros mais elevadas expulsariam o investimento enquanto a taxa de câmbio mais elevada reduziria as exportações líquidas. O resultado líquido seria, portanto, que uma despesa maior com a defesa levaria à expulsão do investimento doméstico e das exportações líquidas. Essa foi a política seguida pelos Estados Unidos no início dos anos 1980, e de novo nos anos 2000.

- *Política de aperto fiscal-relaxamento monetário*. Suponha que em um país tenha começado a haver preocupação com a reduzida taxa de poupança nacional e se deseje aumentar o investimento, de modo a ampliar o estoque de capital e a impulsionar a taxa de crescimento do produto potencial. Para implementar essa abordagem, o país poderia aumentar os impostos sobre o consumo e reduzir os subsídios, de modo a diminuir a renda disponível e, desse modo, reduzir o consumo (aperto da política fiscal). Isso seria acompanhado de uma política monetária expansionista para baixar as taxas de juros e aumentar o investimento, baixar a taxa de câmbio e expandir as exportações líquidas. Essa sequência estimularia o investimento privado por meio do aumento da poupança pública. Essa foi a filosofia econômica do Presidente Clinton concretizada na Lei do Orçamento de 1993 e que levou ao superávit fiscal do final da década.

REGRAS *VERSUS* DISCRIÇÃO

Vimos que a política fiscal e a monetária podem, *em tese*, estabilizar a economia. Muitos economistas pensam que os países devem, *na prática*, tomar medidas para nivelar os picos e os vales do ciclo econômico. Outros economistas mostram-se céticos quanto à nossa capacidade para prever os ciclos e tomar as medidas certas, no momento certo e pelas razões apropriadas; esse segundo grupo conclui que não se pode confiar que o governo desenvolva uma boa política econômica, portanto, a sua liberdade de ação deve ser bem restrita.

Por exemplo, os conservadores em relação ao orçamento preocupam-se que seja mais fácil para o Congresso aumentar a despesa e reduzir os impostos do que fazer o contrário. Isso significa que é mais fácil aumentar o déficit fiscal durante as recessões e muito mais difícil inverter a marcha e reduzir o déficit durante os períodos de expansão, como exigiria uma política fiscal contracíclica. Por essa razão, os conservadores têm feito várias tentativas para limitar a capacidade do Congresso para se apropriar de novos fundos, ou de aumentar o déficit.

Ao mesmo tempo, os conservadores monetários gostariam de atar as mãos dos bancos centrais e forçá-los a uma meta inflacionária. Tal política eliminaria a incerteza quanto à política e reforçaria a credibilidade do banco central como combatente contra a inflação.

No nível mais geral, o debate sobre "regras *versus* discrição" refere-se à possibilidade de as vantagens da flexibilidade na tomada de decisões serem suplantadas pelas incertezas e pelo abuso potencial de decisões sem qualquer constrangimento. Os que consideram que a economia é inerentemente instável e complexa e que os governos, em geral, tomam decisões acertadas, concordam que seja concedida aos decisores de política uma grande autonomia para que reajam agressivamente e estabilizem a economia. Os que pensam que o governo é a principal força desestabilizadora da economia, e que as autoridades econômicas são propensas a decisões erradas ou a se venderem, são defensores de limitar a ação das autoridades fiscais e monetárias.

Restrições orçamentais sobre o poder legislativo?

Quando os déficits começaram a aumentar nos anos 1980, muitas pessoas argumentaram que o Congresso carecia de autocontrole para cortar a despesa excessiva e a dívida pública enorme. Uma proposta lançada pelos conservadores foi uma *emenda constitucional exigindo um orçamento equilibrado*. Essa emenda foi criticada pelos economistas porque dificultaria o uso da política fiscal para combater as recessões. Até à data, nenhuma das emendas constitucionais propostas passou no Congresso.

Em vez disso, o Congresso aprovou uma série de *regras orçamentárias para limitar a despesa e os cortes de impostos*. A primeira tentativa foi a Lei Gramm-Rudman, em 1985, que exigia a redução do déficit em um determinado montante monetário todos os anos e que o orçamento estivesse equilibrado em 1991. Essa lei falhou, na tentativa de limitar a despesa, e foi abandonada.

Uma segunda abordagem foi a *regra orçamentária da defesa com fonte de financiamento definida*, que foi adotada em 1990. Isso exigia que o Congresso obtivesse as receitas necessárias para pagar qualquer novo programa de despesa. De certa maneira, essa regra impunha uma restrição orçamentária ao Congresso, exigindo que os custos dos novos programas fossem explicitamente cobertos, fosse por meio de impostos maiores, fosse por menores despesas em outras áreas.

Qual foi o impacto das restrições orçamentais ao Congresso? Estudos econômicos indicam que as regras orçamentais produziram uma grande disciplina orçamental, ajudaram a reduzir o déficit nos anos 1990 e acabaram por gerar um superávit em 1998. Contudo, quando o déficit se transformou em superávit e a urgência da redução do déficit desapareceu, as autoridades econômicas começaram a esquecer dos limites orçamentais anteriores com truques como "despesa de emergência" para itens previsíveis como o recenseamento estatístico decenal. Finalmente, em 2002 foi autorizado o fim dos limites orçamentais. Muitos economistas pensam que a regra do cabimento é um mecanismo útil para impor restrições orçamentais sobre o parlamento e houve propostas para reinstalá-la em 2009.

Regras monetárias para o Fed?

Na nossa análise do monetarismo, no Capítulo 24, deixamos de fora o caso das regras de política fixas. O argumento tradicional para regras fixas é que a economia privada é relativamente estável e que a aplicação ativa de políticas irá provavelmente desestabilizar a economia, ao invés de estabilizá-la. Além disso, na medida em que um banco central debaixo da alçada do governo possa ser tentado a expandir a economia antes de eleições e a criar um ciclo político-econômico, as regras fixas irão limitar a sua ação. Mais ainda, os macroeconomistas modernos apontam para o valor do compromisso de entrar em ação de imediato. Se o banco central for obrigado a seguir uma regra não inflacionária, as expectativas das pessoas irão adaptar-se a essa regra e as expectativas inflacionárias podem ser detidas.

Um dos novos desenvolvimentos mais importantes na última década é a tendência, em muitos países, para a fixação de uma meta inflacionária. Uma **meta inflacionária** é o anúncio de intervalos oficiais de variação para a taxa de inflação, juntamente com uma declaração explícita de que uma inflação reduzida e estável é o principal objetivo da política monetária. A meta inflacionária, nas variedades rígida e flexível, tem sido adotada nos últimos anos por muitos países industrializados, incluindo o Canadá, a Grã-Bretanha, a Austrália e a Nova Zelândia. Além disso, o tratado que autoriza a constituição do Banco Central Europeu obriga que a estabilidade dos preços seja o objetivo principal do BCE, embora não lhe seja formalmente exigido a fixação de uma meta inflacionária. Alguns economistas e legisladores defendem também essa abordagem para os Estados Unidos.

Uma meta inflacionária envolve o seguinte:

- O governo, ou o banco central, anunciam que a política monetária irá ser desenvolvida para manter a inflação próxima de uma meta numericamente especificada.
- A meta, normalmente, envolve um intervalo, como 1 a 3% ao ano, em vez da estabilidade literal de preços. Geralmente, o governo fixa uma meta para o núcleo de inflação, ou seja, como o IPC, excluindo os preços voláteis dos alimentos e da energia.

- A inflação é a principal, ou predominante, meta de política no médio e no longo prazos. Contudo, os países deixam sempre lugar para metas de estabilização de curto prazo, em especial no que diz respeito ao produto, ao desemprego, à estabilidade financeira e à taxa de câmbio. Essas metas de curto prazo reconhecem que os choques da oferta podem afetar o produto e o desemprego e que pode ser desejável ter afastamentos temporários da meta inflacionária para evitar desemprego excessivo, ou perdas de produto. Quem defende a meta inflacionária aponta para muitas vantagens. Se não existe *trade-off* no longo prazo, entre desemprego e inflação, um objetivo adequado para a inflação seria a taxa que maximiza a eficiência do sistema de preços. A nossa análise da inflação do Capítulo 30 sugeriu que uma taxa de inflação reduzida e estável promoveria a eficiência e minimizaria a desnecessária redistribuição da renda e da riqueza. Além disso, alguns economistas pensam que um compromisso forte e confiável de inflação reduzida e estável melhorará o *trade-off* inflação-desemprego no curto prazo. Finalmente, a fixação de uma meta explícita para a inflação aumentaria a transparência da política monetária.

A fixação de uma meta inflacionária é um compromisso entre as abordagens baseadas em regras e as de política puramente discricionária. A principal desvantagem ocorreria se o banco central começasse a basear-se muito rigidamente na regra da inflação e, ao mesmo tempo, permitisse um excessivo desemprego em períodos de graves choques da oferta. Os céticos temem que a economia seja complexa demais para ser governada por regras fixas. Argumentando por analogia, questionam se alguém defenderia uma velocidade fixa para os automóveis, ou um piloto automático para os aviões, para todos os tipos de tempo e de emergências.

Os críticos apontam a crise financeira de 2007-2009 como um exemplo do perigo de confiar em metas rígidas. O Fed baixou as taxas de juros e expandiu o crédito nesse período, embora os choques da oferta estivessem levando ao aumento da inflação para cima da "zona de conforto" do Fed. Caso se tivesse focado exclusivamente na inflação com uma abordagem de fixação de meta inflacionária, o Fed teria aumentado as taxas de juros, apertado o crédito e reforçado as tendências recessivas e de perturbação econômica nesse período. Em vez disso, o Fed concentrou-se em retirar a economia de uma profunda recessão e evitar falências disseminadas das instituições financeiras. (Ver discussão anterior sobre a Bears Stearns).

A política monetária não pode banir todas as recessões ou anular todos os surtos temporários de inflação. Contudo, trabalhando em conjunto com a política fiscal, pode reduzir as hipóteses da evolução em espiral das contrações econômicas ou da hiperinflação.

O debate sobre as regras *versus* ação autônoma é um dos mais antigos da economia política. Esse dilema reflete a dificuldade das sociedades democráticas em ultrapassar o *trade-off* entre políticas de curto prazo, destinadas a obter apoio político, e as políticas de longo prazo, destinadas a melhorar o bem-estar geral, quando da tomada de decisões. Não existe uma abordagem única ótima para todos os tempos e lugares. Em relação à política monetária, os Estados Unidos resolveram o dilema criando um banco central independente, responsável perante o poder legislativo, mas a quem é dado o poder discricionário de agir determinadamente quando surgem crises econômicas e financeiras.

D. CRESCIMENTO ECONÔMICO E BEM-ESTAR HUMANO

Chegamos ao fim da nossa pesquisa sobre a macroeconomia moderna. Vamos recuar um pouco e refletir sobre a mensagem a respeito do longo prazo, tal como foi expresso pelo economista-articulista Paul Krugman:

> A produtividade não é tudo, mas, no longo prazo, é quase tudo. A capacidade de um país para melhorar os seus padrões de vida ao longo do tempo depende quase inteiramente da sua capacidade para aumentar o seu produto por trabalhador.

O fomento de um padrão de vida elevado e crescente para os residentes do país é um dos objetivos fundamentais da política macroeconômica. Como o *nível* atual da renda real reflete a história do *crescimento* da produtividade, podemos medir o sucesso relativo do crescimento no passado pelo exame do PIB *per capita* dos diferentes países. Uma lista breve é apresentada na Tabela 31-4. Essa tabela compara as rendas usando as taxas de câmbio de *paridade poder de compra*, que quantificam o poder de compra das (ou a quantidade de bens e serviços que podem ser comprados pelas) moedas dos vários países. É evidente que os Estados Unidos têm sido bem-sucedidos no desempenho do seu crescimento no passado. Talvez a questão mais preocupante nos últimos anos seja a de que o crescimento dos padrões de vida não tenha sido amplamente compartilhado por todo o mundo.

Na análise das taxas de crescimento, os valores, com frequência, parecem minúsculos. Uma política bem-sucedida pode aumentar a taxa de crescimento de um país em apenas 1 ponto percentual por ano (recorde o impacto estimado do pacote de redução do déficit na última seção). Mas, em períodos de tempo longos, isso faz uma grande diferença. A Tabela 31-5 mostra como pequenos arbustos crescem até chegar a poderosos carvalhos, tal como pequenas diferenças das taxas de crescimento se acumulam como os juros compostos ao longo do tempo. Uma diferença de crescimento de 4% ao ano leva a uma diferença de 50 vezes nos níveis de renda ao fim de um século.

País	PIB *per capita*, 2006
Estados Unidos	44.070
Hong Kong	39.200
Reino Unido	33.650
Japão	32.840
Alemanha	32.680
Eslovênia	23.970
Coreia do Sul	22.990
Polônia	14.250
México	11.990
Botswana	11.730
Argentina	11.670
China	4.660
Nigéria	1.410
Congo	270

TABELA 31-4 As rendas do presente representam os efeitos do crescimento do passado.

Os países que cresceram mais rapidamente no passado atingiram os níveis mais elevados de PIB *per capita* no presente. *Fonte*: Banco Mundial.

Taxa de crescimento (% anual)	Renda real *per capita* (preços constantes)		
	2000	2050	2100
0	24.000	24.000	24.000
1	24.000	39.471	64.916
2	24.000	64.598	173.872
4	24.000	170.560	1.212.118

TABELA 31-5 Pequenas diferenças nas taxas de crescimento acumulam-se em grandes diferenciais de renda ao longo de décadas.

Como a política pública pode impulsionar o crescimento econômico? Como salientamos nos capítulos sobre o crescimento econômico, o crescimento do produto por trabalhador e dos padrões de vida depende da taxa de poupança do país e do seu progresso tecnológico. As questões que envolvem a poupança foram analisadas antes, neste capítulo. O progresso tecnológico inclui não apenas os novos produtos e processos, mas também melhorias na gestão e da iniciativa, e o espírito empresarial – e, por isso, concluímos a nossa análise com esse tópico.

ESPÍRITO EMPRESARIAL

Embora o investimento seja um determinante central no crescimento econômico, o progresso tecnológico é talvez ainda mais importante. Se tomássemos os trabalhadores de 1900 e duplicássemos ou triplicássemos o seu capital em mulas, selas, picaretas e trilhos para o gado, a sua produtividade não se podia aproximar da dos trabalhadores da atualidade que usam enormes tratores, super-rodovias e supercomputadores.

Fomento do progresso tecnológico

Embora seja fácil ver como o progresso tecnológico promove o crescimento da produtividade e dos níveis de vida, os governos não podem simplesmente obrigar as pessoas a pensar melhor, ou a serem mais espertas. Os países socialistas de planejamento central usavam o "chicote" para promover a ciência, a tecnologia e a inovação, mas os seus esforços falharam porque não existiam nem as instituições nem as "recompensas" para estimular tanto a inovação como a introdução de novas tecnologias. Muitas vezes, os governos promovem melhor um rápido progresso tecnológico quando estabelecem um enquadramento econômico e legal sólido, com fortes direitos de propriedade intelectual e permitem, em seguida, uma grande liberdade econômica dentro desse enquadramento. *Mercados livres de trabalho, capital, produtos e ideias têm provado ser o campo mais fértil para a inovação e o progresso tecnológico.*

No enquadramento dos mercados livres, os governos podem impulsionar um rápido progresso tecnológico tanto ao estimular novas ideias como ao assegurar que as tecnologias sejam usadas de modo eficaz. As políticas podem centrar-se tanto no lado da oferta como no lado da demanda.

Promoção da demanda por melhores tecnologias. O mundo está repleto de tecnologias avançadas que não são adotadas; de outro modo, como podemos explicar as enormes diferenças de produtividade apresentadas na Tabela 31-4? Portanto, ao equacionar as políticas tecnológicas, os governos têm de assegurar que as empresas e as indústrias se deslocam para a *fronteira tecnológica*, adotando a melhor prática tecnológica existente no mercado global.

A principal lição nesse caso é que "a necessidade aguça a criatividade". Por outras palavras, uma concorrência vigorosa entre as empresas e as indústrias é o que, em última instância, obriga à inovação. Tal como os atletas têm melhor desempenho quando tentam vencer os seus adversários, assim as empresas são forçadas a melhorar os seus produtos e processos, pois se os vencedores ganham fama e proveito, os vencidos podem ir à falência.

A concorrência vigorosa envolve tanto os concorrentes internos como os externos. Para os países grandes situados na fronteira tecnológica, a concorrência interna é necessária para fomentar a inovação. O movimento de desregulação nas três últimas décadas trouxe concorrência a linhas aéreas, energia, telecomunicações e finanças e o impacto positivo sobre a inovação tem sido espetacular. Para os países pequenos ou com atraso tecnológico, a concorrência de importação é fundamental para a adoção de tecnologias avançadas e para possibilitar a concorrência no mercado de produtos.

Promoção da oferta de novas tecnologias. O rápido crescimento econômico exige o deslocamento da fronteira tecnológica para o exterior por meio do acréscimo da oferta de invenções, bem como assegurar que há uma demanda adequada para as tecnologias avançadas existentes. Há três formas pelas quais os governos podem estimular a oferta de novas tecnologias.

Primeira, os governos podem assegurar que a ciência básica, a engenharia e a tecnologia são adequadamente apoiadas. A esse respeito, o líder mundial neste último meio século têm sido os Estados Unidos, que combinam o apoio das empresas na pesquisa aplicada com a pesquisa de base universitária de topo generosamente apoiada por fundos do governo. Têm sido especialmente notáveis os impressionantes melhoramentos na tecnologia biomédica, na forma de novos medicamentos e equipamento que beneficiam diretamente os consumidores na vida diária. O papel dos governos no apoio à pesquisa orientada pelo lucro é conseguido com um forte sistema de patentes, regulações previsíveis e eficazes nos custos e incentivos fiscais, como as atuais deduções fiscais para P&D.

Segunda, os governos podem desenvolver as tecnologias no país, por meio do estímulo ao investimento por empresas estrangeiras. À medida que alcançam e ultrapassam a fronteira tecnológica norte-americana, os países estrangeiros também podem contribuir para o *know--how* norte-americano ao desenvolverem atividades nos Estados Unidos. Nas duas últimas décadas, vários fabricantes de automóveis japoneses foram para os Estados Unidos, e as fábricas de propriedade de japoneses introduziram novas tecnologias e práticas de gestão para benefício tanto dos lucros dos acionistas japoneses como da produtividade dos trabalhadores norte-americanos.

Terceira, os governos podem estimular novas tecnologias ao aplicarem políticas macroeconômicas corretas. Nelas, incluem-se impostos reduzidos e estáveis sobre o rendimento do capital e um reduzido custo de capital para as empresas. De fato, a importância do custo do capital nos traz de volta, em um círculo completo, à questão da reduzida taxa de poupança e da elevada taxa de juros real. As empresas norte-americanas são acusadas, às vezes, de serem míopes e não estarem dispostas a investir no futuro. Pelo menos parte dessa miopia advém de serem confrontadas com elevadas taxas de juros reais – que *forçam* as empresas norte-americanas racionais a olhar para retornos rápidos dos seus investimentos. Uma alteração na política econômica que reduza as taxas de juros reais permitiria mudar os "óculos econômicos" que as empresas usam ao analisarem as suas políticas tecnológicas. Se as taxas de juros reais fossem menores, as empresas olhariam mais favoravelmente para os projetos de prazo mais longo e de maior risco, como em tecnologia, e o investimento acrescido em conhecimento levaria a melhorias mais rápidas na tecnologia e na produtividade.

Valorização final sobre o crescimento econômico

Na sequência da revolução keynesiana, os dirigentes das democracias de mercado pensaram que elas podiam florescer e crescer rapidamente. Usando as ferramentas da moderna ciência econômica, os países puderam moderar os extremos do desemprego e da inflação, da pobreza e da riqueza, do privilégio e da privação. De fato, muitos desses objetivos foram atingidos quando as economias de mercado passaram por um período de expansão do produto e de crescimento do emprego nunca visto antes.

Ao mesmo tempo, os marxistas agoravam que o capitalismo estava destinado a desembocar em uma depressão catastrófica; os ecologistas ameaçavam que as economias de mercado iriam se sufocar em sua própria fumaça; e os liberais temiam que o planejamento do governo estivesse nos levando a caminho da servidão. Mas os pessimistas esqueceram-se do espírito empresarial que foi alimentado por uma sociedade livre e por mercados livres e que levou a uma corrente contínua de melhoramentos tecnológicos.

A valorização de John Maynard Keynes, tão atual hoje quanto o foi no seu tempo, proporciona a nós uma síntese adequada do nosso estudo da ciência econômica moderna:

> É a Iniciativa Empresarial que constrói e melhora os haveres do mundo. Se a Iniciativa Empresarial estiver alerta, a riqueza se acumulará, aconteça o que acontecer à Parcimônia; mas se a Iniciativa Empresarial estiver adormecida, a riqueza diminui independentemente do que a Parcimônia possa estar fazendo.

RESUMO

A. As consequências econômicas da dívida pública

1. Os orçamentos são sistemas usados pelos governos e organizações para planejar e controlar as despesas e as receitas. Os orçamentos são superavitários (ou deficitários) quando o governo tem receitas maiores (ou menores) do que as suas despesas. A política macroeconômica depende da política fiscal, a qual engloba a posição global da despesa e dos impostos.

2. Os economistas dividem o orçamento efetivo nos seus componentes estrutural e cíclica. O orçamento estrutu-

ral quantifica quais seriam as receitas e as despesas do governo se a economia estivesse operando no produto potencial. O orçamento cíclico considera o impacto do ciclo econômico sobre as receitas dos impostos, as despesas e o déficit. Para avaliar a política fiscal, deveríamos prestar muita atenção ao déficit estrutural; as variações no déficit cíclico são o *resultado* de variações da economia, enquanto os déficits estruturais são a *causa*.

3. A dívida pública representa a dívida acumulada ao mercado. É a soma dos déficits do passado. Uma medida útil da grandeza da dívida é a razão dívida/PIB que, para os Estados Unidos, tem uma tendência de aumento durante os períodos de guerra e de diminuição durante os períodos de paz.

4. Para compreender o impacto dos déficits e da dívida do governo, é fundamental distinguir entre o curto e o longo prazos. Reveja o box da p. 564 e assegure-se que compreende por que um déficit maior pode aumentar o produto no curto prazo, enquanto diminui o produto no longo prazo.

5. Dependendo do grau em que nos endividemos no exterior, para consumo, e empenhemos o futuro para pagar os juros e reembolsar o montante desses empréstimos externos, os nossos descendentes serão, de fato, obrigados a sacrificar o consumo para cumprir o serviço dessa dívida. Se deixarmos às gerações futuras uma dívida interna sem qualquer alteração do estoque de capital, haverá vários efeitos internos. O processo de tributar o Manuel para pagar à Maria, ou tributar a Maria para pagar à Maria, pode envolver várias distorções microeconômicas da produtividade e da eficiência, mas não pode ser confundido com a dívida a outro país.

6. O crescimento econômico pode ser reduzido se a dívida pública remover capital. Essa situação ocorre quando as pessoas substituem capital ou ativos privados por dívida pública, reduzindo-se, assim, o estoque de capital privado da economia. No longo prazo, uma dívida pública maior pode retardar o crescimento do produto potencial e do consumo em decorrência dos custos do serviço de uma dívida externa, das ineficiências que derivam da tributação para pagamento dos juros da dívida e da redução da acumulação do capital que resulta da remoção do mesmo.

B. Avanços na macroeconomia moderna

7. Os economistas clássicos baseavam-se na Lei dos Mercados de Say, segundo a qual "a oferta cria a sua própria demanda". Na linguagem moderna, a abordagem clássica significa que os preços e os salários flexíveis eliminam rapidamente qualquer excesso de oferta ou de demanda ao mesmo tempo em que restabelecem o pleno emprego. Em um sistema clássico, a política macroeconômica não tem qualquer papel na estabilização da economia real, embora continue a determinar o ritmo dos preços.

8. A macroeconomia dos novos clássicos sustenta que as expectativas são racionais, os preços e os salários são flexíveis e o desemprego é, em larga medida, voluntário. Segundo o teorema da ineficácia da política, as políticas do governo que são previsíveis não podem afetar o produto real e o desemprego. A teoria dos ciclos econômicos reais indica as perturbações tecnológicas do lado da oferta e os deslocamentos no mercado de trabalho como a chave das flutuações do ciclo econômico.

9. Qual é a nossa avaliação sobre a contribuição da abordagem dos novos clássicos para a macroeconomia de curto prazo? A abordagem dos novos clássicos insiste apropriadamente que a economia é constituída por consumidores e investidores com visão para o futuro. Esses atores econômicos reagem, e muitas vezes se antecipam, à política e podem, assim, alterar o comportamento econômico. Essa lição é particularmente importante nos mercados financeiros em que as reações e as antecipações têm, muitas vezes, efeitos muito significativos.

C. Estabilização da economia

10. Os países enfrentam duas questões ao estabelecer a política monetária e fiscal: o nível apropriado da demanda agregada e a melhor combinação monetária-fiscal. A combinação da política fiscal e da monetária ajuda a determinar a composição do PIB. Uma estratégia de intenso investimento exigiria um superávit do orçamento juntamente com taxas de juros reais reduzidas.

11. Os governos devem seguir regras fixas ou agir com autonomia? A resposta envolve tanto a economia positiva como valores normativos. Os conservadores frequentemente expõem as regras, enquanto os liberais são, frequentemente, apologistas de uma política ativa de sintonia fina para atingir os objetivos econômicos. Ainda mais básica é a questão de saber se as políticas ativas e independentes estabilizam ou desestabilizam a economia. Com frequência, os economistas salientam a necessidade de políticas *confiáveis*, seja a credibilidade induzida por regras fixas ou por uma liderança clarividente. Uma tendência recente em vários países é a fixação de uma meta inflacionária para a política monetária que é um sistema baseado em regras flexíveis que fixam um objetivo para a inflação no médio prazo, embora permita uma flexibilidade de curto prazo, se os choques econômicos fizerem com que a manutenção rígida da inflação tenha custos muito elevados.

D. Crescimento econômico e bem-estar humano

12. Recorde a expressão "A produtividade não é tudo, mas, no longo prazo, é quase tudo". A capacidade de um país para melhorar os seus padrões de vida ao longo do tempo depende quase inteiramente da sua capacidade para melhorar as tecnologias e o capital usado pela população ativa.

13. A promoção do crescimento econômico exige o progresso tecnológico. O principal papel do governo é assegurar a existência de mercados livres, garantir firmemente direitos de propriedade intelectual, promover uma concorrência vigorosa e apoiar a ciência básica e a tecnologia.

CONCEITOS PARA REVISÃO

Economia da dívida e dos déficits
- orçamento do governo
- déficit, superávit e equilíbrio do orçamento
- orçamento:
  - efetivo
  - estrutural
  - cíclico
- impacto de curto prazo de G e de T sobre o produto
- impactos de longo prazo sobre o crescimento econômico:
  - dívida interna *versus* externa
  - distorções resultantes da tributação
  - remoção de capital

Avanços na macroeconomia moderna
- Lei de Say
- expectativas racionais (com visão para o futuro) e expectativas adaptativas (visão para o passado)
- teorema da ineficácia da política
- ciclo econômico real, salários de eficiência
- visão ricardiana da política fiscal

Estabilização
- gestão da demanda
- combinação fiscal–monetária
- regras fixas *versus* atuação com autonomia
- objetivo para a inflação

Crescimento de longo prazo e produtividade
- alcançar a fronteira tecnológica *versus* empurrá-la para fora
- espírito empresarial de Keynes

LEITURAS ADICIONAIS E SITES

Leituras adicionais

A citação de Krugman é de: Paul Krugman, *The Age of Diminished Expectations* (MIT Press, Cambridge, Mass., 1990), p. 9. Muitos dos fundamentos da economia dos novos clássicos foram desenvolvidos por Robert Lucas e publicados em *Studies in Business-Cycle Theory* (MIT Press, Cambridge, Mass., 1990). A teoria moderna dos salários eficientes está apresentada por Edmund Phelps, em *Structural Slumps*: The Modern Equilibrium Theory of Unemployment, Interest and Assets (Harvard University Press, Cambrige, Mass., 1994).

Uma revisão não técnica das várias escolas de macroeconomia é dada por Paul Krugman, em *Peddling Prosperity*: Economic Sense and Nonsense in the Age of Diminish Expectations (Norton, Nova York, 1994).

Sites

Questões e dados econômicos sobre política fiscal, orçamentos e dívida são regularmente fornecidos pelo não partidário *Congressional Budget Office*, no qual trabalha um quadro de economistas profissionais. Documentos recentes estão disponíveis em <http://www.cbo.gov>.

Uma resenha das questões que envolvem a fixação de uma meta inflacionária pode ser encontrada em um discurso de 2003 pelo presidente do Fed, Ben Bernanke, "A perspective of Inflation Targeting", em <http://www.federalreserve.gov/Boarddocs/speeches/2003/20030325/default.htm>. A teoria do ciclo econômico real tem o seu próprio site: <http://dge.repec.org/index.html>.

QUESTÕES PARA DISCUSSÃO

1. Há, em geral, uma confusão entre dívida e déficit. Explique cada uma das seguintes afirmações:
   a. Um déficit público leva ao aumento da dívida pública.
   b. A redução do déficit não reduz a dívida pública.
   c. A redução da dívida pública exige um superávit fiscal.
   d. Ainda que o déficit do governo tenha sido reduzido no período de 1993 a 1998, a dívida pública aumentou nesses anos.

2. É possível que as *promessas* do governo possam ter um efeito de deslocamento juntamente com a dívida pública? Assim, se o governo prometer grande aumento no futuro dos benefícios de previdência social aos trabalhadores, eles ficarão mais ricos? Como resultado, eles poderão reduzir a poupança? Poderá o estoque de capital diminuir? Ilustre usando a Figura 31-2.

3. Trace o impacto sobre a dívida pública, sobre o estoque de capital do país e sobre o produto real de um programa do governo que se endivida no exterior e gasta o dinheiro do seguinte modo:
   a. Capital para extrair petróleo, o qual é exportado (como fez o México nos anos 1970).
   b. Cereal para alimentar a sua população (como fez a Nigéria nos anos 2000).

4. Construa um gráfico como o da Figura 31-3, mostrando:
   a. O percurso do consumo e das exportações líquidas, com e sem uma dívida pública elevada.
   b. Os percursos do consumo com um orçamento equilibrado e com um superávit do orçamento do governo.

5. Reveja o debate entre os senadores na p. 564. Explique qual dos senadores estaria correto nas seguintes situações:
   a. O governo aumentou a despesa militar durante a Grande Depressão.
   b. O governo reduziu as taxas dos impostos durante o período de pleno emprego no início dos anos 1960.
   c. O governo recusou aumentar os impostos durante o período de pleno emprego da guerra do Vietnã.

6. Suponha que alguém defendesse que a política monetária deveria ter uma meta inflacionária anual precisa, por exemplo, 2% ao ano para o IPC. Quais são os vários argumentos a favor e contra essa proposta? Considere, especificamente, as dificuldades de atingir uma meta inflacionária rígida após um acentuado choque da oferta que desloque para cima a curva de Phillips. Compare uma meta inflacionária rígida com uma meta flexível em que esta seja atingida, em média, ao longo de um período de 5 anos.

7. Os candidatos políticos têm proposto as políticas relacionadas a seguir para aumentar o crescimento econômico nos últimos anos. Para cada uma, explique qualitativamente o impacto sobre o crescimento do produto potencial e sobre o crescimento do produto potencial *per capita*. Se possível, dê uma estimativa quantitativa do aumento do crescimento do produto potencial e do produto potencial *per capita* na próxima década.

   a. Corte do déficit do orçamento federal (ou aumento do superávit) em 2% do PIB, aumentando a razão investimento/PIB no mesmo grau.

   b. Aumento do subsídio federal para P&D em 1/2% do PIB, admitindo que esse subsídio aumente a P&D privada pelo mesmo montante e que a P&D tem uma taxa de rentabilidade social que é 4 vezes a do investimento privado.

   c. Diminuição da despesa com a defesa em 1% do PIB havendo pleno emprego.

   d. Redução do número de imigrantes, de modo que a população ativa diminua 5%.

   e. Aumento dos investimentos em capital humano (ou educação e formação profissional) em 1% do PIB.

8. J. M. Keynes escreveu que "Se o Tesouro quisesse encher garrafas usadas com notas de banco, enterrá-las em minas de carvão desativadas e deixar que a iniciativa privada as fosse desenterrar de novo, não haveria necessidade de mais desemprego e a renda real da comunidade seria provavelmente maior do que é na realidade". (*A Teoria Geral*) Explique por que a análise de Keynes poderia estar correta em relação à utilidade de um programa discricionário de obras públicas durante uma depressão. Como políticas fiscais, ou monetárias, bem concebidas poderiam ter o mesmo impacto sobre o emprego, embora com a produção de uma maior quantidade de bens e serviços úteis?

6. Quais seriam os impactos de cada um dos seguintes acontecimentos sobre a evolução dos preços, do produto e do emprego que seriam previstos pelos macroeconomistas keynesianos e pelos neoclássicos? (Em todos os casos, manter as taxas dos impostos e as taxas de juros constantes, a não ser que seja especificamente mencionado).

   a. Um grande corte nos impostos.

   b. Um grande corte nas taxas de juros.

   c. Uma onda de inovações que aumente o produto potencial em 10%.

   d. Uma expansão das exportações.

9. **Problema avançado sobre expectativas racionais:** Considere o efeito das expectativas racionais sobre o comportamento de consumo.

   a. Admita que o governo proponha uma redução temporária de US$ 20 bilhões nos impostos que irá durar um ano. Os consumidores com expectativas adaptativas admitem, consequentemente, que as suas rendas disponíveis seriam elevadas todos os anos mais US$ 20 bilhões. Qual seria o impacto sobre a despesa de consumo e sobre o PIB no modelo do multiplicador simples do Capítulo 22?

   b. Suponha, a seguir, que os consumidores tenham expectativas racionais. Eles preveem, racionalmente, que o corte nos impostos é apenas por um ano. Sendo consumidores que se comportam segundo o "ciclo de vida", reconhecem que as suas rendas médias do ciclo de vida aumentarão apenas US$ 2 bilhões por ano, e não US$ 20 bilhões. Qual seria a reação desses consumidores? Analise, depois, o impacto das expectativas racionais sobre a eficácia de cortes temporários nos impostos.

   c. Finalmente, suponha que os consumidores se comportem de acordo com a visão ricardiana. Qual seria o impacto do corte nos impostos sobre a poupança e o consumo? Explique a diferença entre os vários modelos discutidos em (a), (b) e (c).

GLOSSÁRIO[1]

A

Abordagem clássica. Ver *Economistas clássicos*.

Ações. O instrumento financeiro representativo da propriedade e, em geral, dos direitos de voto em uma sociedade anônima. As ações do estoque de capital de uma sociedade dão ao seu proprietário o direito à parcela correspondente de votos, de lucros líquidos e de ativos da empresa.

Alocação de recursos. O modo como uma economia distribui os seus recursos (os seus fatores de produção), entre as várias utilizações possíveis, a fim de produzir um conjunto determinado de bens finais.

Ampliação do capital. Uma taxa de crescimento do estoque de capital real igual à taxa de crescimento da população ativa (ou da população), de modo que a razão entre o capital e o trabalho totais não se altera (compare com aprofundamento do capital).

Análise do equilíbrio geral. A análise do estado de equilíbrio do conjunto da economia em que os mercados de todos os bens e serviços estão simultaneamente em equilíbrio. Em contrapartida, a análise do equilíbrio parcial diz respeito ao equilíbrio em um único mercado.

Apreciação (de uma moeda). Ver *Depreciação (de uma moeda)*.

Aprofundamento do capital. Na teoria do crescimento econômico, um aumento da razão entre o capital e o trabalho. Confronte com ampliação do capital.

Apropriável. Termo aplicado aos recursos dos quais o seu proprietário pode dispor da totalidade do seu valor econômico. Em um mercado competitivo funcionando corretamente, os recursos apropriáveis têm um preço e são alocados de maneira eficiente. Compare com inapropriável.

Arbitragem. A compra de bem ou ativo em um mercado para imediata revenda em outro mercado para lucrar com a diferença de preço. A arbitragem é uma força importante na eliminação de discrepâncias de preços, fazendo com que os mercados funcionem de maneira mais eficiente.

Área monetária ótima. Um grupo de regiões ou países que têm uma grande mobilidade de trabalho ou têm choques de demanda ou de oferta agregadas comuns ou simultâneos. Em tais circunstâncias, variações significativas nas taxas de câmbio não são necessárias para assegurar o ajuste macroeconômico rápido e os países podem ter taxas de câmbio fixas ou uma moeda comum.

Armadilhas de liquidez. Quando as taxas de juros nominais se aproximam de zero. Tal situação ocorreu na Grande Depressão dos anos 1930 e novamente em 2008-2009 nos Estados Unidos.

Ativo. Um bem físico ou um direito intangível que tenha valor econômico. São exemplos importantes: edifícios, equipamento, terra, patentes, direitos de autor e instrumentos financeiros como moeda ou títulos de dívida.

Ativos financeiros. Direitos ou obrigações de uma entidade relativa à outra entidade. Nos exemplos, contam-se os títulos de dívida, empréstimos hipotecários, empréstimos bancários e ações.

Ativos tangíveis. Os ativos físicos, como terra, bens de capital, computadores, edifícios e automóveis, que são usados para produzir outros bens e serviços.

Aversão ao risco. Uma pessoa tem aversão ao risco quando, confrontada com uma situação de incerteza, o desagrado associado à perda de um determinado rendimento é superior à satisfação resultante de ganhar esse mesmo rendimento.

B

Balança comercial. O componente do balanço de pagamentos de um país que regista as importações e exportações de *bens*, tais como petróleo, bens de capital e veículos. Quando se incluem os serviços e outros itens correntes é chamada de *saldo em transações correntes*. Na contabilidade da balança de pagamentos, a conta corrente é financiada pela *conta financeira*.

Balanço de pagamentos internacionais. Uma tabela que apresenta todas as transações de um país com o resto do mundo em um determinado período. Inclui as compras e as vendas de bens e serviços, os donativos, as transações governamentais e os movimentos de capitais.

Banco Central. Uma instituição pública (nos Estados Unidos, o Federal Reserve System ou, abreviadamente, Fed) responsável pelo controle da oferta de moeda do país, pelas condições de crédito, e a supervisão do sistema financeiro, em especial dos bancos comerciais e de outras instituições que aceitam depósitos.

Banco comercial. Um intermediário financeiro cuja característica mais relevante é a aceitação de depósitos à vista mobilizáveis por cheque (conta corrente). Todas as instituições financeiras que recebem poupanças e depósitos à vista são chamadas de instituições de depósito.

Barreira comercial. Qualquer das diversas formas de protecionismo pelas quais os países desestimulam as importações. As tarifas alfandegárias e as cotas de importações são as barreiras mais visíveis, mas nos últimos anos as barreiras não-tarifárias (BNT), tais como variadíssimos procedimentos regulamentares, têm substituído as medidas mais tradicionais.

---

[1] Os termos escritos em **negrito** nas definições aparecem como entradas separadas no Glossário. Para uma análise mais detalhada de alguns termos, o texto proporciona um útil ponto de partida. Análises mais completas podem ser encontradas em Douglas Greenwald, ed., *The McGraw-Hill Encyclopedia of Economics* (McGraw-Hill, New York, 1994) e David W. Pearce, *The MIT Dictionary of Modern Economics*, 4. ed. rev. (Macmillan, London, 1992); Para uma enciclopédia abrangente, ver Steven N. Durlauf e Lawrence E. Blume, *The New Palgrave*: A Dictionary of Economics, 8 vols. (Macmillan, London, 2008), 4 vols. Um dicionário online razoavelmente preciso pelo *The Economist* está em <http://www.economist.com/research/economics/>.

Barreiras à entrada. Fatores que restringem a entrada em um mercado e reduzem o grau de concorrência ou o número de produtores em um setor. As restrições legais, a regulação e a diferenciação do produto são exemplos importantes.

Base monetária. Os passivos monetários líquidos do governo que estão nas mãos do público. Nos Estados Unidos, a base monetária é igual à soma do papel-moeda em circulação e das reservas bancárias.

Bem econômico. Um bem que é escasso relativo à quantidade total da respectiva demanda. Deve, portanto, ser racionado, geralmente pela fixação de um preço positivo.

Bem final. Um bem que é produzido para uso final e não para revenda ou transformação posterior. (Compare com bens intermediários).

Bem inferior. Um bem cujo consumo diminui quando a renda aumenta.

Bem privado. Ver *Bem público*.

Bem público. Um bem cujos benefícios são usufruídos por toda a comunidade, de modo indivisível, independentemente de qualquer pessoa desejar ou não usufruir desse bem. Por exemplo, uma medida de saúde pública que erradicasse a poliomielite protegeria todos, e não apenas aqueles que sejam vacinados. O que contrasta com os *bens privados*, como o pão que, quando é consumido por uma pessoa, não pode ser consumido por outra.

Bens complementares. Dois bens que se apresentam indissociáveis aos olhos dos consumidores (por exemplo, calçados do pé esquerdo e do pé direito). Os bens são *substitutos* quando são concorrentes entre si. Por exemplo, os bonés e as viseiras.

Bens ilimitados. Os bens que não são bens econômicos. Como o ar e a água do mar, existem em tão grandes quantidades que não necessitam ser racionados entre os que desejam usufrui-los. Portanto, o respectivo preço de mercado é nulo.

Bens independentes. Bens cujas demandas são relativamente autônomas. Mais precisamente, os bens *A* e *B* são independentes quando uma variação no preço do bem *A* não tem qualquer efeito na quantidade demandada do bem *B*, mantendo-se tudo o mais constante.

Bens intermediários. Bens que já sofreram alguma transformação ou processamento, mas que ainda não atingiram o nível de produtos finais. Por exemplo, o aço e o fio de algodão são bens intermediários.

C

Capital (bens de capital, equipamento de capital). (1) Na teoria econômica, um dos três fatores produtivos (terra, trabalho e capital). O capital consiste nos bens produzidos duráveis que, por sua vez, são utilizados na produção. (2) Em contabilidade e finanças, "capital" significa o montante total de dinheiro subscrito pelos acionistas de uma sociedade anônima em troca do qual recebem ações do capital da sociedade.

Capital humano. O acervo de conhecimento e perícia tecnológicos incorporados na população ativa de um país, em resultado de investimentos na educação formal e na formação profissional.

Capitalismo. Um sistema econômico em que a maior parte da riqueza (terra e capital) é propriedade privada. Neste sistema, os principais veículos usados para a alocação de recursos e para a criação de rendas são os mercados privados.

Cartel. Uma organização de empresas independentes que produzem produtos semelhantes e se associam para elevar os preços e limitar a produção. Os cartéis são ilegais segundo a legislação de defesa da concorrência dos Estados Unidos.

Ceteris paribus. Ver *Manter tudo o mais constante*.

Choque na oferta. Em macroeconomia, uma variação repentina nos custos de produção, ou na produtividade, que tenha um impacto elevado e imprevisto sobre a oferta agregada. Como resultado do choque da oferta, o PIB real e o nível de preços variam inesperadamente.

Ciclo econômico real, teoria do (RBC, *Real Business Cycle*). Uma teoria que explica os ciclos econômicos exclusivamente como deslocamentos da oferta agregada devidos, principalmente, a perturbações tecnológicas, e que ignora as forças monetárias ou outras forças do lado da demanda.

Ciclos econômicos. Flutuações do produto, do rendimento e do emprego nacionais totais que perduram habitualmente por um período de 2 a 10 anos, caracterizadas pela sua difusão e simultânea expansão ou retração em muitos setores da economia.

Cobertura de risco (*hedging*). Uma técnica para evitar o risco por meio de uma transação neutralizadora. Por exemplo, se um agricultor produz cereal que irá ser colhido no outono, o risco de flutuação do preço pode ser eliminado, ou coberto, com a venda na primavera ou no verão da quantidade de cereal que será produzido.

Comércio livre. Uma política em que o governo não intervém no comércio entre os países com tarifas, cotas de importações ou por outros meios.

Comunismo. Um sistema econômico comunista (também chamado de *planejamento central ao estilo soviético*) é aquele em que o governo possui e controla os meios de produção, em especial do capital industrial. Essas economias são também caracterizadas por um planejamento central em grande escala e pela determinação pelo governo de muitos preços, de níveis de produção e de outras variáveis econômicas importantes.

Concorrência imperfeita. Refere-se a mercados nos quais não se verifica a concorrência perfeita, porque pelo menos um vendedor (ou comprador) é suficientemente forte para afetar o preço de mercado e, portanto, nos quais a curva da demanda (ou da oferta) apresenta uma inclinação negativa. A concorrência imperfeita refere-se a qualquer tipo de imperfeição – monopólio, oligopólio ou concorrência monopolística.

Concorrência monopolística. Uma estrutura de mercado em que existem muitos vendedores que oferecem bens que são substitutos próximos, mas não perfeitos. Em tal estrutura de mercado, cada empresa tem alguma influência sobre o preço do seu produto.

Concorrência perfeita. Refere-se a mercados em que nenhuma empresa ou consumidor é suficientemente forte para afetar os preços. Essa situação ocorre quando (1) o número de vendedores e compradores é muito grande e (2) os produtos oferecidos pelos vendedores são homogêneos (ou não diferenciáveis). Nessas condições, cada empresa se defronta com uma curva da demanda horizontal (ou perfeitamente elástica).

Concorrente imperfeito. Qualquer empresa que compra ou vende um bem em tão grandes quantidades que lhe possibilitam afetar o preço desse bem.

Conluio. Acordo entre empresas distintas para, de forma concertada, elevarem os preços, repartirem os mercados ou, de alguma maneira, limitarem a concorrência.

Consumo. Em macroeconomia, a despesa total, das pessoas ou do país, em bens de consumo durante certo período. A rigor, o consumo diz respeito unicamente aos bens totalmente usados, usufruídos ou gastos durante esse período. Na prática, as despesas de consumo incluem todos os bens de consumo adquiridos, muitos dos quais permanecem para além do período em questão, por exemplo, móveis, vestuário e automóveis.

Conta corrente. Ver *Balança comercial*.

Conta de lucros e prejuízos. Ver *Demonstração de resultados*.

Conta financeira. Ver *Balança comercial*.

Contabilidade do crescimento. Uma técnica para estimar a contribuição dos diferentes fatores de produção para o crescimento econômico. Utilizando a teoria da produtividade marginal, a contabilidade do crescimento decompõe o crescimento do produto em crescimento do trabalho, da terra, do capital, da educação, do conhecimento tecnológico e de outras fontes variadas.

Contabilidade nacional da renda e do produto. Um conjunto de contas que quantificam anual ou trimestralmente a despesa, a renda e a produção globais de um país.

Correlação. O grau em que duas variáveis estão associadas entre si de forma sistemática.

Cota de importação. Uma forma de protecionismo contra as importações por meio da limitação da quantidade total das importações de uma determinada mercadoria (por exemplo, açúcar ou automóveis) durante certo período.

Crédito. (1) Na teoria monetária, o uso de fundos de outra pessoa em troca da promessa do seu pagamento (habitualmente com juros) em uma data futura. Os exemplos principais são: os empréstimos de curto prazo obtidos em um banco, o crédito concedido pelos fornecedores e o título de dívida de empresas. (2) No balanço de pagamentos, um item, como as exportações, que tem como contrapartida moeda estrangeira.

Crescimento da produtividade. A taxa de crescimento da produtividade de um período para outro. Por exemplo, se um índice da produtividade do trabalho é 100 em 2004 e 101,7 em 2005, a taxa de crescimento da produtividade é de 1,7 por cento ao ano entre 2004 e 2005.

Crescimento econômico. Um aumento do produto total de um país ao longo do tempo. O crescimento econômico é usualmente quantificado pela taxa de aumento anual do PIB real de um país (ou do PIB potencial real).

Currency Board **(conselho da moeda).** Instituição monetária que funciona como um banco central para um país que emite apenas moeda e que seja totalmente sustentada por ativos denominados em uma moeda estrangeira importante, com frequência, o dólar.

Curtíssimo prazo. Um período de tempo tão curto, que nele a produção é considerada fixa.

Curto prazo. Um período em que nem todos os fatores de produção conseguem ajustar-se completamente. Em microeconomia, no curto prazo o estoque de capital e outros fatores "fixos" não podem ser ajustados, nem a entrada em um setor é livre. Em macroeconomia, os preços, os acordos salariais, as taxas de imposto e as expectativas podem não se ajustar completamente no curto prazo.

Curva da demanda (ou função demanda). Uma função ou curva que mostra a quantidade de um produto que os compradores adquirem para cada nível de preço, mantendo-se o restante igual. Normalmente, uma curva da demanda tem o preço no eixo vertical e a quantidade demandada no eixo horizontal. Ver também variação na demanda *versus* variação da quantidade demandada.

Curva da demanda de moeda. A relação entre a quantidade de moeda detida e as taxas de juros. À medida que as taxas de juros sobem, os títulos tornam-se mais atrativos, diminuindo a quantidade de moeda demandada. Ver também demanda de moeda.

Curva da oferta (ou função oferta). Uma função que mostra em um determinado mercado a quantidade de um bem que os produtores desejam oferecer para cada nível de preços, mantendo-se tudo o mais constante.

Curva de indiferença. Uma curva traçada em um gráfico cujos dois eixos se referem às quantidades consumidas de cada um dos bens. Cada ponto na curva (indicativo de diferentes combinações dos dois bens) representa exatamente o mesmo nível de satisfação para um dado consumidor.

Curva de isoquanta. Ver *Isoquanta*.

Curva de Lorenz. Um gráfico utilizado para mostrar a dimensão da desigualdade de renda ou de riqueza.

Curva de Phillips. Um gráfico, concebido originalmente por A. W. Phillips, que mostra o *trade-off* entre o desemprego e a inflação. Na corrente principal da macroeconomia moderna, geralmente considera-se que a curva de Phillips com inclinação negativa é válida apenas no curto prazo; no longo prazo, geralmente considera-se a curva de Phillips como vertical à taxa de desemprego não aceleradora de inflação (TDNAI).

Custo de oportunidade. O valor do melhor uso alternativo de um bem econômico. Assim, suponha que o melhor uso alternativo dos fatores de produção empregados para extrair uma tonelada de carvão fosse cultivar 350 quilos de trigo. O custo de oportunidade de uma tonelada de carvão é então de 350 quilos de trigo que *poderiam* ter sido produzidos, mas não foram. O custo de oportunidade é especialmente útil na avaliação dos bens não comercializáveis como as condições ambientais ou a segurança.

Custo fixo. O custo que uma empresa teria de arcar, mesmo que não produzisse no período em questão. O custo fixo total é composto por tipos de custos contratuais individuais como os pagamentos de juros, as prestações de empréstimos hipotecários e as remunerações das administrações.

Custo fixo médio. O custo fixo dividido pelo número de unidades produzidas.

Custo marginal. O custo adicional (ou o aumento no custo total) necessário para produzir 1 unidade adicional de produto (ou a redução do custo total pela produção de menos 1 unidade).

Custo médio. O custo total (veja custo total) dividido pelo número de unidades produzidas.

Custo médio de curto prazo, curva de. A representação gráfica do custo médio mínimo de produção de um bem para cada nível de produção, sendo dados o nível tecnológico, os preços dos fatores e as unidades produtivas existentes.

Custo médio de longo prazo, curva de. A representação gráfica do custo médio mínimo de produção de um bem para cada nível de produção, admitindo como dados a tecnologia e os preços dos fatores de produção, mas com o produtor tendo a liberdade de escolher a escala ótima das unidades de produção.

Custo mínimo. O menor custo possível por unidade (seja médio, variável ou marginal). Cada ponto em uma curva do custo médio é um mínimo no sentido de ser o melhor que a empresa pode conseguir no que diz respeito ao custo da produção que esse ponto representa. O custo médio mínimo é o ponto, ou pontos, mais baixo(s) dessa curva.

Custo total. O mínimo custo total possível dado um determinado nível tecnológico e o conjunto dos preços dos fatores. O *custo total de curto prazo* considera como dados a unidade produtiva e outros custos fixos existentes. O *custo total de longo prazo* é o custo que seria suportado se a empresa tivesse total flexibilidade no que diz respeito a todos os fatores de produção e decisões.

Custo variável. Um custo que varia de acordo com o nível da produção, como os custos das matérias-primas, do trabalho ou dos combustíveis. O custo variável é igual ao custo total menos o custo fixo.

Custo variável médio. Custo variável total (Ver *Custo variável*) dividido pelo número de unidades produzidas.

Custos implícitos, elementos de. Custos que não aparecem explicitamente como custos monetários, mas, todavia, devem ser tidos em conta (como o custo salarial do próprio empresário de uma pequena loja). Às vezes chamado de custo de oportunidade, embora o "custo de oportunidade" tenha um sentido mais amplo.

D

Débito. (1) Um termo contábil que significa um aumento dos ativos ou uma diminuição das dívidas. (2) Na contabilidade da balança de pagamentos, um débito é uma transação como as importações que reduz as reservas de moeda estrangeira do país.

Déficit fiscal. Para um governo, o excesso das despesas totais em relação às receitas totais, não incluindo nas receitas os empréstimos obtidos. Essa diferença (o déficit) é geralmente financiada por meio de empréstimos.

Deflação. Uma redução do nível geral de preços.

Deflacionar (dados econômicos). O processo de conversão de variáveis "nominais", ou seja, quantificadas em termos monetários correntes, em valores "reais". Para deflacionar, dividem-se os valores monetários correntes das variáveis por um índice de preços.

Deflator do PIB. O "preço" do PIB, isto é, o índice de preços que quantifica o preço médio dos componentes do PIB em relação a um ano base.

Demanda agregada. Despesa total planejada ou pretendida na economia durante um dado período. É determinada pelo nível geral dos preços e influenciada pelo investimento doméstico, pelas exportações líquidas, pela despesa pública, pela função de consumo e pela oferta de moeda.

Demanda agregada (AD), curva da. A curva que mostra a relação entre a quantidade de bens e serviços que as pessoas estão dispostas a comprar e o nível geral de preços, mantendo-se tudo o mais constante. Tal como com qualquer curva de demanda, a curva da demanda agregada assenta em variáveis fundamentais, por exemplo, a despesa pública, as exportações e a oferta de moeda.

Demanda com elasticidade unitária. A situação intermediária entre demanda elástica e inelástica em relação ao preço, em que a elasticidade-preço é exatamente igual a 1 em valores absolutos. Veja também elasticidade-preço da demanda.

Demanda de investimento (ou curva da demanda de investimento). A função que mostra a relação entre o nível de investimento e o custo do capital (ou, mais concretamente, a taxa de juros real); também, a representação gráfica dessa relação.

Demanda de moeda. Uma expressão sintética usada pelos economistas para explicar a razão pela qual os particulares e as empresas possuem dinheiro em carteira. As principais motivações para a posse de dinheiro são (1) a *demanda para transações*, que significa que as pessoas precisam dinheiro para comprar coisas, e (2) *demanda como ativo*, relacionada com o desejo de possuir um ativo com grande liquidez e sem risco.

Demanda de moeda para transações. Ver *Demanda de moeda*.

Demanda derivada. A demanda de um fator de produção que é induzida pela demanda de um bem final para o qual aquele contribui. Assim, a demanda de pneus é derivada da demanda de transporte rodoviário.

Demanda elástica em relação ao preço (ou demanda elástica). A situação em que a elasticidade-preço da demanda excede 1 em valor absoluto. Significa que a variação percentual na quantidade demandada é maior que a variação percentual no preço. Além disso, a demanda elástica implica que a receita total (o preço vezes a quantidade) aumenta quando o preço diminui, porque o aumento na quantidade demandada é superior (compare com demanda inelástica em relação ao preço).

Demanda inelástica em relação ao preço (ou demanda inelástica). A situação em que a elasticidade-preço da demanda é inferior a 1 em valor absoluto. Nesse caso, quando o preço desce, a receita total diminui, e quando o preço aumenta, a receita total sobe. Demanda perfeitamente inelástica significa que não há qualquer alteração na quantidade demandada quando o preço aumenta ou diminui (compare com demanda elástica em relação ao preço e demanda com elasticidade unitária).

Demografia. O estudo do comportamento de uma população.

Demonstração de resultados. Uma demonstração financeira das empresas referindo-se a um determinado período de tempo (geralmente um ano), que apresenta vendas ou receitas obtidas durante esse período, de todos os custos adequadamente imputados aos bens vendidos e ao lucro (resultado líquido) resultante, após a dedução desses custos. Também chamada de *conta de ganhos e perdas*.

Depósitos a prazo. Fundos colocados em um banco, que têm um prazo mínimo de saque; incluídos em quase moeda, mas não em M_1, porque não são aceitos como meio de pagamento. Similar a *depósitos de poupança*.

Depósitos à vista (ou moeda bancária) (conta corrente). Um depósito em um banco comercial ou em outro intermediário financeiro, sobre o qual podem ser sacados cheques, constituindo, portanto, moeda para transações (ou M_1). Os depósitos à vista são cerca de metade de M_1 nos Estados Unidos.

Depreciação (de um ativo). A redução do valor de um ativo. Tanto na contabilidade da empresa como na contabilidade nacional, a depreciação é a estimativa monetária da dimensão do "desgaste" a que o bem de capital foi sujeito no período em questão.

Depreciação (de uma moeda). Diz-se que a moeda de um país se deprecia quando o seu valor diminui em relação a outras moedas. Por exemplo, se a taxa de câmbio do dólar dos Estados Unidos cai de 200 para 100 ienes japoneses por dólar, o valor do dólar diminuiu, tendo assim sofrido uma depreciação. O oposto de uma depreciação é uma *valorização*, que ocorre quando aumenta a taxa de câmbio de uma moeda.

Depressão. Um período longo caracterizado por desemprego elevado, baixos níveis de produção e investimento, reduzida confiança empresarial, queda de preços e numerosas falências de empresas. Uma forma atenuada de redução da atividade econômica é uma recessão que tem muitas das características de uma depressão, embora em menor grau.

Desconto (de um rendimento futuro). O processo de conversão de um rendimento futuro em um valor equivalente no presente. Com esse processo, um montante de dinheiro disponível no futuro é reduzido por um fator de atualização que reflete a taxa de juros apropriada. Por exemplo, se alguém lhe promete pagar US$ 121 ao fim de 2 anos, e a taxa de juros apropriada ou taxa de desconto é 10% ao ano, então podemos calcular o valor presente de US$ 121 atualizando-os com o fator de atualização $(1.10)^2$. A taxa por meio da qual os rendimentos futuros são atualizados é chamada de taxa de desconto.

Deseconomias externas. Ver *Externalidades negativas*.

Desempregado. Pessoa que não está empregada, mas que está ativamente à procura de trabalho ou à espera de regressar ao emprego.

Desempregado involuntário. Ver *Desemprego*.

Desemprego. (1) Em termos econômicos, o *desemprego involuntário* ocorre se existem trabalhadores qualificados que desejariam trabalhar com o salário atual, mas que não encontram trabalho. (2) Na definição do *Bureau of Labor Statistics* dos Estados Unidos, um trabalhador está desempregado se (*a*) não está trabalhando e (*b*) está à espera de ver acabada a suspensão temporária de atividade (*layoff*) ou se empenhou para encontrar emprego nas últimas 4 semanas. Ver também *Desemprego friccional* e *Desemprego estrutural*.

Desemprego cíclico. Ver *Desemprego friccional*.

Desemprego de equilíbrio. O desemprego de equilíbrio ocorre quando as pessoas estão voluntariamente desempregadas, em vez de empregadas, em virtude de uma falha do mercado de trabalho. Um exemplo é o desemprego friccional, que ocorre quando as pessoas voluntariamente mudam de emprego ou entram e saem da população ativa.

Desemprego estrutural. O desemprego resultante da não coincidência entre a estrutura regional ou profissional dos postos de trabalho por ocupar e a estrutura da oferta de trabalho. Podem existir vagas, mas os trabalhadores desempregados não possuírem as qualificações necessárias; ou as vagas ocorrerem em regiões diferentes daquelas em que vivem os trabalhadores desempregados.

Desemprego friccional. Desemprego temporário causado por alterações em determinados mercados. Leva tempo, por exemplo, a escolha pelos novos trabalhadores de uma entre várias profissões possíveis; mesmo os trabalhadores com experiência permanecem, frequentemente, um período mínimo de tempo no desemprego ao mudarem de um emprego para outro. O desemprego friccional é, portanto, diferente do *desemprego cíclico*, o qual resulta de um baixo nível da demanda agregada em um contexto de salários e preços inelásticos.

Desequilíbrio. A situação de uma economia que não se encontra em equilíbrio. Pode ocorrer quando os choques (sobre a renda ou sobre os preços) fazem deslocar as curvas da demanda ou da oferta e ainda não se verificou o ajuste completo do preço (ou da quantidade) de mercado. Em macroeconomia, é frequente admitir-se que o desemprego resulta de um desequilíbrio de mercado.

Desinflação. O processo de redução de uma taxa de inflação elevada. Por exemplo, a profunda recessão de 1980-1983 levou a uma forte desinflação nesse período.

Desvalorização. Uma redução do preço oficial da moeda de um país, usualmente expressa nas moedas de outros países (como o dólar dos Estados Unidos) ou em termos de ouro (em um padrão-ouro). O oposto da desvalorização é uma *revalorização* que ocorre quando um país eleva a sua taxa oficial de câmbio relativa a outra moeda.

Diferenciação do produto. A existência de características que fazem que bens similares não sejam substitutos perfeitos. Assim, diferentes localizações dos postos de abastecimento de combustível fazem que tipos de gasolina similares vendidos em locais distintos sejam substitutos imperfeitos. As empresas que usufruem de um produto diferenciado se defrontam com uma curva de demanda com inclinação negativa em vez da curva de demanda horizontal de concorrência perfeita.

Diferenciais de compensação. Diferenças dos níveis salariais entre profissões que servem para compensar as diferenças não monetárias entre elas. Por exemplo, profissões desagradáveis que exigem o isolamento de muitos meses no Alasca têm salários muito maiores do que as profissões idênticas quando exercidas em zonas menos inóspitas.

Direitos da propriedade intelectual. Leis que regem as patentes, direitos autorais, segredos comerciais, dados eletrônicos e outros bens nos quais se inclui em primeiro lugar a informação. Essas leis permitem ao criador original o direito de controlar e ser recompensado pela reprodução do respectivo trabalho.

Direitos de propriedade. Os direitos que definem a capacidade que as pessoas ou empresas têm de possuir, comprar, vender e usar os bens de capital e outros ativos em uma economia de mercado.

Discriminação. Diferenças nas remunerações que ocorrem em virtude das características pessoais que não estão relacionadas com o desempenho da profissão, especialmente as relacionadas com o sexo, a raça, a etnia, a orientação sexual ou a religião.

Discriminação de preço. Uma situação em que o mesmo produto é vendido a diferentes consumidores por preços diferentes.

Discriminação estatística. Tratamento das pessoas com base no comportamento médio ou nas características dos membros do grupo a que pertencem. A discriminação estatística pode se perpetuar ao reduzir-se o incentivo para as pessoas ultrapassarem o estereótipo.

Dispersão do risco. O processo de assumir riscos elevados e difundi-los de modo a que se tornem riscos pequenos para um número elevado de pessoas. A forma principal de dispersão do risco são os seguros, que são uma espécie de aposta ao contrário.

Distribuição. Em economia, a forma como a produção e a renda total são distribuídas entre as pessoas ou entre os fatores de produção (por exemplo, a distribuição da renda entre trabalho e capital).

Dívida do governo. O mesmo que *Dívida pública*.

Dívida pública. O total das dívidas do governo na forma de títulos e empréstimos de curto prazo. A dívida pública, excluindo os títulos na posse de instituições quase governamentais, como o banco central.

Divisão do trabalho. Um método de organização da produção em que cada trabalhador se especializa em uma parte do processo produtivo. A especialização do trabalho permite uma maior produção total, porque o trabalho pode ganhar maior perícia em uma dada tarefa e porque pode ser introduzido maquinário especializado para desempenhar melhor certas subtarefas.

Duopólio. Uma estrutura de mercado em que existem somente dois vendedores. (Compare com *Oligopólio*).

E

Econometria. O ramo da economia que utiliza os métodos estatísticos para calcular e estimar relações econômicas quantitativas.

Economia aberta. Uma economia que participa no comércio internacional de bens e de capital com outros países (isto é, que importa e exporta). Uma *economia fechada* não importa nem exporta.

Economia/Ciência Econômica. O estudo de como as sociedades usam recursos escassos para produzir bens e serviços que possuem valor e os distribuem pelas pessoas.

Economia da informação. Análise de situações econômicas que envolvem a informação como um bem. Dado que a informação tem custos de produção elevados, mesmo sendo barato reproduzi-la, são comuns as falhas de mercado em mercados de bens e serviços de informação, tais como as invenções, a edição de livros e os softwares.

Economia de mercado. Uma economia em que as questões de *o quê, como* e *para quem* relativas à alocação de recursos são essencialmente determinadas pela oferta e pela demanda nos mercados. Nessa forma de organização econômica, as empresas, motivadas pelo objetivo de maximização dos lucros, compram insumos e produzem e vendem bens. As famílias, de posse das suas rendas dos fatores, dirigem-se aos mercados e determinam a demanda de bens. A interação da oferta das empresas e da demanda das famílias determina, então, os preços e as quantidades de bens.

Economia dirigida. Uma forma de organização econômica em que as funções econômicas fundamentais – *o quê, como* e *para quem* – são determinadas principalmente por decisões governamentais. Às vezes é chamada de *economia de planejamento central*.

Economia do bem-estar. A análise normativa dos sistemas econômicos, ou seja, o estudo do que está "certo" ou "errado" no funcionamento de economia.

Economia do lado da oferta (*supply side economics*). Uma visão que salienta as medidas de política que afetam a oferta agregada ou o produto potencial. Essa abordagem sustenta que taxas elevadas de imposto marginal incidindo sobre as rendas do trabalho e do capital reduzem o incentivo ao trabalho e à poupança.

Economia fechada. Ver *Economia aberta*.

Economia financeira. O ramo da economia que analisa como os investidores racionais devem investir os seus fundos para atingir os seus objetivos da melhor maneira possível.

Economia keynesiana. O corpo da análise macroeconômica desenvolvido por John Maynard Keynes que defende que uma economia de mercado não tende automaticamente para um equilíbrio de pleno emprego. Segundo Keynes, o equilíbrio com subemprego resultante poderia ser corrigido por meio de políticas fiscais ou monetárias que aumentassem a demanda agregada.

Economia mista. A forma dominante da organização econômica nos países não comunistas. As economias mistas assentam a sua organização econômica essencialmente no sistema de preços, mas utilizam uma variedade de intervenções estatais (por exemplo, impostos, gastos públicos e regulação) para gerir a instabilidade macroeconômica e as falhas do mercado.

Economia monetária. Uma economia em que o comércio é realizado por intermédio de um meio de troca de aceitação generalizada.

Economia normativa *versus* economia positiva. A *economia normativa* considera "o que deveria ser" – juízos de valor, ou objetivos, da política econômica. A *economia positiva*, pelo contrário, é a análise dos fatos e do comportamento de uma economia, ou "o modo como as coisas são".

Economia positiva. Ver *Economia normativa versus economia positiva*.

Economias de escala. Aumentos na produtividade, ou decréscimos no custo médio de produção, que resultam do aumento de todos os insumos produtivos na mesma proporção.

Economias externas. Ver *Externalidades positivas*.

Economistas clássicos. A escola de pensamento econômico que predominou até o aparecimento do trabalho de Keynes; fundada por Adam Smith em 1776. Outras personalidades de relevo foram David Ricardo, Thomas Malthus e John Stuart Mill. De uma forma genérica, essa escola entendia que as leis econômicas (em especial, o interesse individual e a concorrência) determinam os preços e a remuneração dos fatores e que o sistema de preços é o melhor mecanismo de alocação de recursos.

Efeito da oferta de moeda. A relação pela qual uma elevação de preços, quando há uma oferta de moeda nominal fixa, origina a contração monetária e reduz a despesa agregada.

Efeito renda (de uma variação de preço). A variação na quantidade demandada de um bem causada por uma modificação no seu preço tem o efeito de modificar a renda real de um consumidor. Complementa, assim, o efeito substituição de uma variação do preço.

Efeito substituição (de uma variação de preço). A tendência dos consumidores para consumir mais de um bem quando o seu preço relativo diminui ("substituição" em favor desse bem) e consumir menos de um bem quando o seu preço relativo aumenta ("substituição" desse bem por outros). Esse efeito substituição, resultante de uma alteração no preço, conduz a uma curva de demanda negativamente inclinada. (Comparar com efeito renda).

Eficiência. Ausência de desperdício, ou a utilização dos recursos econômicos que produz o nível máximo de satisfação possível, sendo dados os fatores de produção e a tecnologia. Uma expressão abreviada para eficiência de Pareto.

Eficiência alocativa. Ver *Eficiência de Pareto*.

Eficiência de Pareto (ou Ótimo de Pareto). Uma situação em que nenhuma reorganização ou troca pode aumentar a utilidade ou satisfação de uma pessoa sem que diminua a utilidade ou satisfação de outra pessoa. Sob certas e limitadas condições, a concorrência perfeita leva à eficiência alocativa. Também chamada de *eficiência alocativa*.

Eficiência econômica. Ver *Eficiência*.

Eficiência produtiva. Uma situação em que uma economia não pode produzir mais de um bem sem que produza menos de outro; isso implica que a economia está na sua fronteira de possibilidades de produção.

Elasticidade. Um termo largamente utilizado em economia para indicar a resposta de uma variável às variações de uma outra. Assim, a elasticidade de X relativa a Y significa a variação percentual de X por cada variação de 1% de Y. Para exemplos especialmente importantes, ver elasticidade-preço da demanda e elasticidade-preço da oferta.

Elasticidade cruzada da demanda. Uma medida da influência da variação do preço de um bem sobre a demanda de outro bem. Mais precisamente, a elasticidade cruzada da demanda é igual à variação percentual na demanda do bem A quando o preço do bem B varia 1%, admitindo como constantes as outras variáveis.

Elasticidade-preço da demanda. Uma medida da dimensão da variação das quantidades demandadas em relação a uma variação no preço. O coeficiente de elasticidade (elasticidade-preço da demanda Ep) é a divisão entre a variação percentual da quantidade demandada e a variação percentual do preço. Ao representar as percentagens, deve utilizar a média da quantidade anterior e da posterior no numerador e a média do preço anterior e posterior no denominador; ignorando o sinal negativo. Ver também demanda elástica em relação ao preço, demanda inelástica em relação ao preço, demanda com elasticidade unitária.

Elasticidade-preço da oferta. Conceitualmente idêntica à elasticidade-preço da demanda, só que mede a reação da oferta a uma variação do preço. Mais precisamente, a elasticidade-preço da oferta mede a variação percentual na quantidade ofertada, dividida pela variação percentual no preço. As elasticidades da oferta são principalmente úteis em concorrência perfeita.

Elasticidade-renda da demanda. A demanda de um bem qualquer é influenciada não só pelo seu preço como pela renda dos consumidores. A elasticidade-renda quantifica essa relação. A sua definição precisa é a razão entre a variação percentual na quantidade demandada e a variação percentual na renda (compare com a elasticidade-preço da demanda).

Empregado. De acordo com as definições oficiais nos Estados Unidos, uma pessoa está empregada se desempenha algum trabalho remunerado, ou se tem um emprego mas se encontra ausente devido a doença, greve ou férias.

Empresa. A unidade produtiva básica e privada de produção em uma economia. Contrata trabalhadores e arrenda ou possui capital e terra e compra outros fatores de produção com o objetivo de produzir e vender bens.

Empresa de propriedade individual. Uma empresa que pertence e é gerida por uma pessoa.

Equação da troca. Uma equação explicativa que estabelece que $MV \equiv PQ$, ou que o estoque de moeda vezes a velocidade da moeda é igual ao nível de preços vezes o produto. Essa equação constitui o cerne do monetarismo.

Equidade horizontal *versus* equidade vertical. A *equidade horizontal* refere-se à justiça ou equidade no tratamento de pessoas em situações similares; o princípio da equidade horizontal estabelece que aqueles que são iguais na essência devem receber tratamento igual. A *equidade vertical* refere-se ao tratamento equitativo de pessoas que se encontram em diferentes circunstâncias.

Equidade vertical. Ver *Equidade horizontal versus equidade vertical*.

Equilíbrio. Uma situação em que uma entidade econômica permanece em repouso ou em que as forças que se exercem sobre essa entidade se compensam de tal forma que não existe tendência para a mudança.

Equilíbrio (para o consumidor individual). A situação em que o consumidor maximiza a utilidade, ou seja, escolheu a variedade de bens que, dados o rendimento e os preços, melhor satisfaz as suas necessidades de consumo.

Equilíbrio (para uma empresa). Um estado ou nível de produção em que a empresa maximiza o respectivo lucro, sujeita às restrições com que se possa defrontar, não tendo, portanto, qualquer incentivo para modificar a sua produção ou o nível dos seus preços. Na teoria da empresa, isso significa que a empresa escolheu uma produção em que a receita marginal é exatamente igual ao custo marginal.

Equilíbrio competitivo. A igualdade entre a oferta e a demanda em um mercado, ou economia, caracterizado por concorrência perfeita. Como os vendedores e os compradores perfeitamente competitivos não têm poder para influenciar o mercado, o preço varia para o nível em que é igual tanto ao custo marginal como à utilidade marginal.

Equilíbrio cooperativo. Na teoria dos jogos, um *payoff* em que as partes agem coordenadamente para encontrar estratégias que otimizem os resultados do conjunto.

Equilíbrio de mercado. O mesmo que *Equilíbrio competitivo*.

Equilíbrio de Nash. Na teoria dos jogos, um conjunto de estratégias para os jogadores em que nenhum jogador pode melhorar o respectivo *payoff*, em função da estratégia do outro jogador. Ou seja, dada a estratégia do jogador A, o jogador B não pode fazer melhor, e em função da estratégia de B o A não pode melhorar. O equilíbrio de Nash é também, às vezes, chamado de *equilíbrio não cooperativo*.

Equilíbrio dominante. Ver *Estratégia dominante*.

Equilíbrio geral. Referente à *Análise do equilíbrio geral*.

Equilíbrio macroeconômico. O nível do PIB em que a demanda agregada planejada é igual à oferta agregada planejada. Em equilíbrio, o consumo (C), o consumo público (G), o investimento (I) e as exportações líquidas (X) planejados são exatamente iguais à quantidade que as empresas desejam vender ao nível corrente de preços.

Equilíbrio não cooperativo. Ver *Equilíbrio de Nash*.

Equilíbrio parcial, análise do. Análise centrada no efeito de alterações em um mercado específico, mantendo tudo o mais constante (por exemplo, ignorando alterações na renda).

Escassez. A característica própria de um bem econômico. O fato de ser escasso não significa que o bem seja raro, mas apenas que não está disponível sem restrições. Para alguém obter um bem desse tipo terá de produzi-lo ou oferecer outros bens econômicos em troca.

Escassez, lei da. O princípio de que a maioria das coisas que as pessoas desejam encontra-se disponível apenas em quantidades limitadas (os bens ilimitados são a exceção). Portanto, os bens são geralmente escassos e devem ser racionados de alguma forma, seja pelo preço ou por outros meios.

Escola de Chicago. Um grupo de economistas (entre os quais Henry Simons, F. A. von Hayek e Milton Friedman são os mais destacados) que entende que os mercados competitivos, livres da intervenção do governo, conduzem ao funcionamento mais eficiente da economia.

Escola keynesiana. Ver *Economia keynesiana*.

Escolha pública (também teoria da escolha pública). Ramo da economia e da ciência política que aborda a forma como os governos efetuam escolhas e dirigem a economia. Essa teoria difere da teoria dos mercados ao salientar a influência que a maximização do voto dos eleitores tem para os políticos, o que contrasta com a importância da maximização do lucro para as empresas.

Especulador. Alguém envolvido na especulação, ou seja, aquele que compra (ou vende) um bem ou um ativo financeiro com o objetivo de se beneficiar, no futuro, com a posterior venda (ou compra) desse bem por um preço superior (ou inferior).

Estabilizadores automáticos. A propriedade do sistema fiscal tributário e de gastos públicos de amortecer as variações do rendimento do setor privado. São exemplos o seguro-desemprego e os impostos progressivos sobre a renda.

Estado do bem-estar social (*welfare state*). Um conceito de economia mista que surgiu na Europa no final do século passado e foi introduzida nos Estados Unidos nos anos 1930. Na moderna concepção do estado do bem-estrar social, os mercados dirigem as atividades do dia a dia da vida econômica, enquanto os governos regulam as condições sociais e proporcionam aposentadorias, assistência médica e outros aspectos da rede de seguro social.

Estagflação. Um termo, criado no princípio dos anos 1970, para descrever a coexistência de desemprego elevado, ou *estagnação*, com *inflação* persistente. A sua explicação assenta basicamente no caráter de inércia do processo inflacionário.

Estoque *versus* fluxo. Ver *Fluxo versus estoque*.

Estratégia dominante. Na teoria dos jogos, uma situação em que um jogador tem a melhor estratégia, qualquer que seja a estratégia seguida pelos demais jogadores. Quando todos os jogadores têm uma estratégia dominante dizemos que o resultado é um *equilíbrio dominante*.

Excedente do consumidor. A diferença entre o montante que um consumidor estaria disposto a pagar por um bem e o montante que paga de fato. Essa diferença ocorre porque as utilidades marginais (em termos monetários) de todas as unidades, exceto da última, são maiores do que o preço. Sob certas condições, o valor monetário do excedente do consumidor pode ser quantificado (utilizando o gráfico de uma curva da demanda) pela área abaixo da curva da demanda, mas acima da reta do preço.

Excedente do produtor. A diferença entre as receitas das vendas do produtor e os seus custos. O excedente do produtor é geralmente medido como a área acima da curva da oferta, mas abaixo da linha de preço até à quantidade vendida.

Excedente econômico. Um termo que corresponde ao excesso da satisfação, ou da utilidade, total em relação aos custos de produção. É igual à soma do excedente do consumidor (o excesso da satisfação do consumidor sobre o valor total das compras) com o excedente do produtor (o excesso das receitas do produtor sobre os seus custos).

Excedente ou superávit fiscal. O excesso das receitas do governo em relação às suas despesas; o oposto de *déficit fiscal*.

Expectativas. Perspectivas ou convicções sobre variáveis incertas (tais como os valores futuros das taxas de juros, dos preços ou das taxas de imposto). As expectativas são consideradas *racionais* se não forem sistematicamente errôneas (ou "viesadas") e utilizam toda a informação disponível. As expectativas são consideradas *adaptativas* se são formadas na base do comportamento passado.

Expectativas adaptativas. Ver *Expectativas*.

Expectativas racionais. Ver *Expectativas*.

Exportações. Bens ou serviços que são produzidos em um país e vendidos a outro. Incluem o comércio de mercadorias (por exemplo, automóveis), de serviços (por exemplo, transportes) e juros de empréstimos ou de investimentos. *Importações* são os fluxos de sentido inverso – dirigidos a um país ou provenientes de outros países.

Exportações líquidas. Nas contas nacionais, o valor das exportações de bens e serviços menos o valor das importações dos mesmos.

Externalidades. Atividades que afetam positiva ou negativamente terceiros sem que estes tenham de pagar ou ser indenizados por essas atividades. Existem externalidades quando os custos ou benefícios privados não são iguais aos custos ou benefícios sociais. Os dois tipos mais importantes de externalidades são as externalidades positivas e as externalidades negativas.

Externalidades negativas. Situações em que a produção, ou o consumo, impõe custos a outros que não são compensados. As siderurgias que emitem fumaça e gases sulfurosos prejudicam as propriedades ao redor e a saúde pública, mas os prejudicados não são indenizados pelos danos sofridos. A poluição é uma externalidade negativa, ou deseconomia externa.

Externalidades positivas. Situações em que a produção ou o consumo geram benefícios a outros, sem que estes tenham de pagar por isso. Uma empresa que contrate um guarda para a sua segurança afasta os ladrões da vizinhança, fornecendo, assim, serviços de segurança ao exterior. As economias externas (ou externalidades positivas) em conjunto com as deseconomias externas (ou externalidades negativas) são frequentemente referidas como externalidades.

F

Falácia da composição. A falácia do pressuposto de que o que se verifica para as pessoas também se verifica para o grupo ou para a totalidade do sistema.

Falácia do *post hoc*. Do latim, *post hoc, ergo propter hoc*, que se traduz como "depois disto, então, por causa disto". Esse erro de raciocínio verifica-se quando se admite que, pelo fato de o acontecimento A preceder o fenômeno B, então, A será a *causa* de B.

Falha de mercado. Uma imperfeição em um sistema de preços que impede uma alocação eficiente dos recursos. Exemplos importantes são as externalidades e a concorrência imperfeita.

Fatores de produção. Elementos produtivos como o trabalho, a terra e o capital; os recursos necessários à produção de bens e serviços. Também chamados de insumos.

Federal Reserve System (às vezes chamado, abreviadamente, de Fed). O banco central dos Estados Unidos. É composto pelo Board of Governors e pelos 12 Federal Reserve Banks regionais.

Finanças. O processo pelo qual os agentes econômicos emprestam e recebem de empréstimo de outros agentes para poupar e consumir.

Fluxo de fundos. A conta que regista de que forma a moeda e outros instrumentos financeiros fluem pela economia.

Fluxo *versus* estoque. Uma variável de *fluxo* tem uma dimensão temporal ou flui ao longo do tempo (como o fluxo das águas de um rio). Uma *variável de estoque* representa uma quantidade em um ponto do tempo (como a água de um lago). A renda corresponde a dólares por ano e é, portanto, um fluxo. A riqueza em dezembro de 2005 é um estoque.

Fora da população ativa. Ver *Não pertence à população ativa*.

FPP. Ver *Fronteira de possibilidades de produção*.

Fronteira de possibilidades de produção (FPP). Um gráfico que representa o conjunto de bens que podem ser produzidos por uma economia. Em um caso frequentemente citado, a escolha é reduzida a dois bens, armas e manteiga. Os pontos fora da *FPP* (a nordeste dela) não podem ser alcançados. Os pontos no interior são ineficientes, porque os recursos não estão sendo completamente utilizados, ou por não estarem sendo usados adequadamente ou por serem utilizadas técnicas de produção obsoletas.

Função (da demanda, da oferta, da demanda agregada, da oferta agregada). Termo equivalente a "curva", como curva da demanda, curva da oferta etc.

Função C + I + G + X. Uma função que mostra os níveis planejados ou desejados da demanda agregada para cada nível de PIB, ou a representação gráfica da função. A função inclui o consumo (*C*), o investimento (*I*), a despesa pública em bens e serviços ou consumo público (*G*) e as exportações líquidas (*X*).

Função consumo. Uma função que relaciona o consumo total com o rendimento disponível pessoal. É frequente admitir-se que a riqueza total e outras variáveis também influenciam o consumo.

Função de produção. Uma relação (ou uma função matemática) que especifica o produto máximo que pode ser obtido sendo dados os fatores de produção para um dado nível tecnológico. Aplica-se a uma empresa ou, no caso da função de produção agregada, à economia como um todo.

Função poupança. A função que mostra o montante de poupança que as famílias ou um país realizarão para cada nível de renda.

Fundos monetários. A expressão abreviada para instrumentos financeiros de curto prazo de elevada liquidez cujas taxas de juros não estão reguladas. Os exemplos principais são os fundos mútuos do mercado monetário e as contas de depósito do mercado monetário nos bancos comerciais.

Fusão. A aquisição de uma empresa por outra, que ocorre habitualmente quando uma empresa compra as ações de outra. Exemplos importantes são (1) as fusões verticais, que ocorrem quando as duas empresas se situam em diferentes etapas do processo produtivo (por exemplo, mina de minério de ferro e siderurgia), (2) as fusões horizontais que ocorrem quando as duas empresas pertencem ao mesmo mercado (por exemplo, dois fabricantes de automóveis) e (3) as fusões de conglomerado que ocorrem quando as duas empresas operam em mercados não relacionados (por exemplo, produção de calçados e refino de petróleo).

Fusão vertical. Ver *Fusão*.

G

Ganhos de capital. A valorização de um ativo de capital, como um terreno ou ações de uma sociedade. O ganho de capital é a diferença entre o preço de venda e o preço de compra do ativo.

Ganhos do comércio. O aumento agregado da riqueza decorrente do comércio voluntário. Igual à soma do excedente do consumidor e dos ganhos em lucros do produtor.

H

Hiperinflação. Ver *Inflação*.

Hipótese das expectativas racionais. Essa hipótese sustenta que as pessoas fazem previsões não enviesadas e que, além disso, usam toda a informação disponível e a teoria econômica para elaborar tais previsões.

I

Importações. Ver *Exportações*.

Imposto de renda da pessoa física. Imposto que incide sobre a renda obtida pelas pessoas seja na forma de salários e ordenados, seja de rendimento da propriedade, tais como aluguéis, dividendos ou juros. Nos Estados Unidos, o imposto sobre a renda pessoal é progressivo, ou seja, as pessoas com rendas maiores pagam imposto com uma taxa média maior do que as pessoas com rendas menores.

Imposto de renda das empresas. Um imposto que incide sobre o resultado líquido anual de uma empresa.

Imposto proporcional. Ver *Impostos progressivos, proporcionais* e *regressivos*.

Imposto regressivo. Ver *Impostos progressivos, proporcionais* e *regressivos*.

Imposto sobre as vendas. Ver *Imposto específico versus imposto genérico sobre as vendas.*

Imposto sobre o valor adicionado (IVA). Um imposto que incide sobre uma empresa em percentagem do seu valor adicionado.

Imposto único, movimento a favor do. Um movimento do século XIX criado por Henry George que defende que a persistência da pobreza em uma situação de progresso econômico sustentado era devida à escassez de terra e às elevadas rendas (aluguéis) pagas aos proprietários. O "imposto único" deveria incidir sobre a renda econômica recebida pelos proprietários das terras.

Impostos diretos. Os impostos que incidem diretamente sobre pessoas ou empresas, incluindo os impostos sobre a renda do trabalho e sobre os lucros. Os impostos diretos distinguem-se dos *impostos indiretos* que incidem sobre os bens e serviços e, desse modo, só indiretamente sobre as pessoas, como os impostos sobre as vendas e os impostos sobre a propriedade, as bebidas alcoólicas, as importações e a gasolina.

Impostos indiretos. Ver *Impostos diretos.*

Impostos progressivos, proporcionais e regressivos. Um imposto progressivo é mais elevado para os ricos; com um imposto regressivo ocorre o contrário. Mais precisamente, um imposto é *progressivo* se a taxa média de imposto (ou seja, os impostos divididos pela renda) é maior para os que têm rendas mais elevadas; é um imposto *regressivo* se a taxa média de imposto se reduz para rendas superiores; é um imposto *proporcional* se a taxa média de imposto for igual para todos os níveis de renda.

Inapropriabilidade. Ver *Inapropriável.*

Inapropriável. Designa os recursos cujo custo individual de utilização é nulo, ou menor do que o custo social total. Esses recursos são caracterizados pela presença de externalidades e, portanto, os mercados alocam a respectiva utilização de forma ineficiente de um ponto de vista social.

Incidência do imposto. O ônus econômico final de um imposto sobre as rendas reais dos produtores ou dos consumidores (em oposição à exigência legal de pagamento). Assim, um imposto sobre as vendas pode ser pago por um varejista, mas, provavelmente, a incidência será sobre o consumidor. A incidência exata de um imposto depende da elasticidade-preço da oferta e da demanda.

Incidência fiscal. Ver *Incidência do imposto.*

Inclinação. Em um gráfico, é a mudança na variável representada no eixo vertical correspondente à mudança unitária na variável representada no eixo horizontal. As linhas que sobem da esquerda para a direita têm inclinação positiva, enquanto as que descem (como as curvas da demanda) têm inclinação negativa, e as linhas horizontais têm inclinação zero.

Indexação. Um mecanismo pelo qual os salários, os preços e os valores dos contratos são parcialmente ou totalmente ajustados para compensar as variações no nível geral de preços.

Índice de preços. Um número-índice que mostra como o preço médio de uma cesta básica de bens se altera durante um dado período de tempo. No cálculo da média, os preços dos diferentes bens são, geralmente, ponderados pela sua importância econômica (por exemplo, pela percentagem de cada bem nas despesas totais do consumidor no índice de preços no consumidor).

Índice de preços ao consumidor (IPC). Um índice de preços que quantifica o custo de uma cesta fixa de bens de consumo, em que o peso atribuído a cada bem é a parcela desse bem na despesa em um ano base.

Índice de preços do produtor. O índice de preços dos bens vendidos no nível do comércio atacadista (como o aço, o trigo ou o petróleo).

Índice Herfindahl-Hirschman (IHH). Uma medida do poder de mercado muitas vezes usada na análise de sua estrutura. É calculado pela soma dos quadrados das parcelas percentuais de todos os participantes em um mercado. A concorrência perfeita terá um IHH próximo de zero, enquanto um monopolista total tem um IHH de 10.

Indústria nascente. Na teoria do comércio internacional, uma indústria que ainda não tenha tido tempo suficiente para ganhar a experiência ou a capacidade tecnológica para explorar as economias de escala necessárias para competir com êxito com indústrias mais desenvolvidas que produzem os mesmos bens em outros países. Considera-se, frequentemente, que as indústrias nascentes, enquanto se desenvolvem, necessitam de protecionismo por meio de tarifas ou participações de importação.

Inflação (ou taxa de inflação). A taxa de inflação é a percentagem anual de aumento no nível geral de preços. *Hiperinflação* é uma inflação com taxas extremamente elevadas (por exemplo, 1 mil, 1 milhão ou, até mesmo, bilhões por cento ao ano). *Inflação galopante* é uma taxa anual de 50, 100 ou 200%. *Inflação moderada* é uma elevação no nível de preços que não distorce significativamente os preços ou os rendimentos relativos.

Inflação de demanda. Inflação dos preços causada por um excesso de demanda de bens, em geral resultante, por exemplo, de um aumento significativo da demanda agregada. Frequentemente colocada em contraste com a inflação de custos.

Inflação galopante. Ver *Inflação.*

Inflação por choque na oferta. Inflação originada no lado da oferta dos mercados por um aumento acentuado dos custos. No esquema da oferta e da demanda agregadas, o impulso pelos custos é ilustrado por um deslocamento para cima da curva *AS*. Também é chamada de *inflação pelos custos.*

Informação assimétrica. A situação em uma transação em que uma parte tem uma melhor informação do que a outra. Isso leva frequentemente a uma falha de mercado ou, até mesmo, à inexistência dele.

Infraestrutura social (*social overhead capital*). Os investimentos essenciais dos quais depende o desenvolvimento econômico, em especial o fornecimento de água e a rede sanitária, os transportes e as telecomunicações.

Inovação. Um termo associado especialmente a Joseph Schumpeter, que a entendia como (1) a entrada no mercado de um produto novo e significativamente diferente, (2) a introdução de uma nova técnica de produção ou (3) a abertura de um novo mercado (Comparar com *Invenção*).

Insumos. Ver *Fatores de produção.*

Integração horizontal. Ver *Integração vertical versus integração horizontal.*

Integração vertical. Ver *Integração vertical versus integração horizontal.*

Integração vertical *versus* integração horizontal. O processo de produção é constituído por etapas – por exemplo, o minério de ferro se transforma em lingotes de aço, os lingotes de aço se transformam em chapa de aço e a chapa de aço na carroceria de um automóvel. A *integração vertical* é a combinação em uma única empresa de duas ou mais etapas diferentes de produção (por exemplo, a extração do minério de ferro com a produção de lingotes de aço). A *integração horizontal* é a combinação em uma única empresa de diferentes unidades que operam na mesma etapa ou estágio de produção.

Interação estratégica. Uma situação nos mercados oligopolistas em que a estratégia do negócio de cada empresa depende dos planos das suas rivais. A teoria dos jogos oferece uma análise formal da interação estratégica.

Intermediários financeiros. Instituições que proveem serviços e produtos financeiros. Incluem instituições que recebem depósitos (como os bancos comerciais e de poupança) e instituições que não recebem depósitos (tais como fundos de investimento, corretoras, companhias de seguros ou fundos de pensões).

Intervenção. A venda ou a compra da sua moeda por um governo, no mercado de câmbio, com o objetivo de influenciar a taxa de câmbio da sua moeda.

Invenção. A criação de um novo produto ou a descoberta de uma nova técnica de produção. (Distingue-se de inovação).

Investimento. (1) Atividade econômica que sacrifica o consumo no presente com o objetivo de aumentar a produção no futuro. Inclui capital tangível como casas e investimentos intangíveis como educação. O *investimento líquido* é o valor do investimento total deduzido das amortizações. O *investimento bruto* corresponde ao investimento sem a dedução de amortizações. (2) Em termos financeiros, o "investimento" tem um significado um pouco diferente e significa a compra de títulos, como ações ou títulos de dívida.

Investimento externo líquido. A poupança líquida de um país no exterior, aproximadamente igual às exportações líquidas.

Investimento líquido. Investimento bruto menos as amortizações dos bens de capital.

Isoquanta. Em um gráfico, uma curva que representa as várias combinações possíveis dos insumos que originam uma dada quantidade de produto.

J

Juros. A remuneração paga a quem empresta dinheiro.

Juros compostos. Juros calculados sobre o total acumulado dos juros anteriores e do capital. Por exemplo, suponha que são depositados 100 dólares (o capital) em uma conta que rende 10% ao ano de juros compostos. No final do primeiro ano, os juros ganhos são de 10 dólares. No final do segundo ano, os juros ganhos seriam 11 dólares – 10 dólares pelo capital inicial e 1 dólar sobre os juros capitalizados –, e assim sucessivamente.

L

Laissez-faire. A perspectiva de que o governo deve interferir o menos possível na atividade econômica e deixar as decisões para o mercado. Tal como foi expressa por economistas clássicos como Adam Smith, essa visão sustentava que o papel do governo deveria ser limitado à manutenção da lei e da ordem, à defesa nacional e ao fornecimento de certos bens públicos que o setor privado não assumiria (por exemplo, a saúde pública e o saneamento básico).

Lei da demanda (negativamente inclinada). A observação quase universal de que quando o preço de um bem aumenta (mantendo-se tudo o mais constante) os consumidores compram menos desse bem. De modo similar, quando o preço cai, mantendo-se tudo o mais constante, a quantidade demandada aumenta.

Lei de Okun. A relação empírica, descoberta por Arthur Okun, entre os movimentos cíclicos do PIB e o desemprego. A lei estabelece que quando o PIB efetivo se reduz 2 por cento em relação ao PIB potencial, a taxa de desemprego aumenta cerca de 1 ponto percentual. (As primeiras estimativas situavam a razão em 3 para 1.)

Lei dos mercados de Say. A teoria segundo a qual "a oferta cria a sua própria demanda". J. B. Say defendeu, em 1803, que, como o poder de compra total era exatamente igual às remunerações e à produção totais, era impossível existir excesso de demanda ou de oferta. Keynes atacou a Lei de Say, salientando que uma unidade monetária adicional de renda não tem necessariamente de ser totalmente gasta (ou seja, a propensão marginal à despesa não é necessariamente igual a 1).

Libertarismo. Uma filosofia econômica que salienta a importância da liberdade individual nas questões econômicas e políticas. Às vezes também chamada de "liberalismo".

Longo prazo. Um termo usado para designar um período durante o qual pode ocorrer um ajuste completo às alterações ocorridas. Em microeconomia, designa o tempo para uma empresa poder entrar ou sair de um setor de atividade e em que o estoque de capital pode ser substituído. Em macroeconomia, é frequentemente usado para designar o período durante o qual todos os preços, contratos salariais, taxas de impostos e expectativas podem ajustar-se completamente.

Lucro. (1) Em contabilidade, as receitas totais menos os custos adequadamente atribuídos aos bens vendidos (ver *Demonstração de resultados*). (2) Na teoria econômica, a diferença entre a receita das vendas e o custo de oportunidade total dos recursos envolvidos na produção dos bens.

Lucro econômico nulo. Em um setor perfeitamente competitivo, haverá um lucro nulo no equilíbrio de longo prazo; esta definição relaciona todas as receitas menos todos os custos, incluindo os custos implícitos dos insumos que pertencem às empresas.

M

M_1. Ver *Oferta de moeda*.

Macroeconomia. Análise que trata o comportamento da economia no seu conjunto quanto ao produto, ao rendimento, ao nível de preços, ao comércio externo, ao desemprego e a outras variáveis econômicas agregadas. (Compare com microeconomia).

Macroeconomia das expectativas racionais. Uma escola que defende que os mercados se equilibram rapidamente e que as expectativas são racionais. Com base nesses e em outros pressupostos pode ser demonstrado que as políticas macroeconômicas previsíveis não têm efeito no produto real ou no desemprego. Às vezes, é chamada de nova macroeconomia clássica.

Macroeconomia keynesiana. Uma teoria da atividade macroeconômica usada para explicar os ciclos econômicos. Baseia-se em uma curva da oferta agregada com inclinação ascendente, de modo que as variações na demanda agregada podem afetar o produto e o emprego.

Macroeconomia neoclássica. Essa teoria sustenta que (1) os preços e os salários são flexíveis e (2) que as pessoas fazem previsões de acordo com a hipótese das expectativas racionais.

Macroeconomistas clássicos. Ver *Teorias clássicas*.

Manter tudo o mais constante. Uma frase (às vezes usada em latim, *ceteris paribus*) que significa que o determinante em análise é alterado enquanto todos os outros determinantes são mantidos iguais ou constantes. Por exemplo, uma curva de demanda com inclinação negativa mostra que a quantidade demandada diminuirá com o aumento do preço, desde que tudo o mais (como o rendimento) se mantenha constante.

Mão invisível. Um conceito introduzido por Adam Smith em 1776 para descrever o paradoxo de uma economia de mercado de *laissez-faire*. A doutrina da mão invisível sustenta que, mesmo que cada participante vise o seu próprio interesse, um sistema de mercado funciona para o benefício de todos, como se uma mão invisível benévola dirigisse todo o processo.

Mapa de indiferença. Um gráfico que mostra uma família de curvas de indiferença para um consumidor. Geralmente, as curvas que se situam mais afastadas da origem para nordeste representam níveis de satisfação mais elevados.

Marxismo. O conjunto de doutrinas sociais, políticas e econômicas desenvolvido por Karl Marx no século XIX. Como teoria econômica, o Marxismo previa que o capitalismo entraria em colapso como resultado de suas próprias contradições internas, especialmente a tendência para explorar as classes trabalhadoras.

Matriz ou Tabela de *payoff* (pagamentos, remunerações). Na teoria dos jogos, uma Tabela utilizada para descrever as estratégias e os *payoffs* de um jogo com dois ou mais jogadores. Os lucros ou utilidades dos diferentes jogadores são os *payoffs* (resultados).

Mecanismo de transmissão monetária. Em macroeconomia, o circuito por meio do qual as variações da oferta de moeda se traduzem em variações do produto, do desemprego, dos preços e da inflação.

Média. Em estatística, para os números 1, 3, 6, 10 e 20 a média é 8.

Mediana. Em estatística, o valor situado exatamente no meio das séries de números ordenados ou hierarquizados do menor para o maior (por exemplo, rendimentos ou classificações de exames). Assim, para os números 1, 3, 6, 10 e 20, a mediana é 6.

Mercado. Um sistema por meio do qual os compradores e os vendedores interagem para determinar os preços e as quantidades de uma mercadoria. Alguns mercados (como a bolsa de valores ou uma feira) ocorrem em locais concretos; outros mercados desenvolvem-se por telefone ou são organizados por computador; atualmente alguns mercados funcionam por meio da internet.

Mercado cambial. O mercado em que se negociam as moedas dos diferentes países.

Mercado competitivo. Ver *Concorrência perfeita*.

Mercado de ações (bolsa de valores mobiliários). Um mercado organizado em que são comercializadas as ações das empresas. Nos Estados Unidos, o maior mercado de ações é a Bolsa de Valores de Nova York (*New York Stock Exchange*), onde se encontram cotadas as maiores empresas norte-americanas.

Mercado de equilíbrio. Um mercado em que os preços são suficientemente flexíveis para equilibrar muito rapidamente a oferta e a demanda. Nos mercados de equilíbrio não existem racionamento, recursos subutilizados ou excessos de demanda ou de oferta. Na prática, foi concebido como podendo ser aplicado a muitos mercados de bens e serviços e financeiros, mas não ao mercado do trabalho ou de muitos produtos.

Mercado eficiente (também teoria do mercado eficiente). Um mercado em que toda a informação nova é rapidamente levada em conta pelos seus participantes e é imediatamente incorporada nos preços de mercado. Em economia, a teoria do mercado eficiente sustenta que toda a informação correntemente disponível já está incorporada no preço das ações (ou de outros ativos).

Mercado financeiro eficiente. Um mercado financeiro com as características de um mercado eficiente.

Mercado monetário. O conjunto de instituições que operam a compra e a venda de instrumentos de crédito de curto prazo, tais como os títulos do Tesouro e títulos de dívida de empresas de curto prazo.

Mercados de capitais (também mercados financeiros). Mercados em que são negociados os recursos financeiros (dinheiro, títulos de dívida, ações). Juntamente com os intermediários financeiros são as instituições por meio das quais a poupança na economia é transferida para os investidores.

Mercados financeiros. Mercados cujos bens e serviços consistem em instrumentos financeiros como ações e títulos de dívida.

Mercantilismo. Uma doutrina política que salienta a importância do saldo positivo da balança de pagamentos como uma forma para acumular ouro. Nesse sentido, os mercantilistas preconizavam um controle estatal apertado em relação às políticas econômicas, considerando que as políticas de *laissez-faire* poderiam conduzir a uma perda do ouro.

Meta de inflação. O anúncio de intervalos para a taxa de inflação como objetivo oficial juntamente com uma declaração explícita de que a inflação reduzida e estável é o principal objetivo da política monetária. A fixação de uma meta de inflação de forma mais ou menos rígida tem sido adotada nos últimos anos por muitos países industrializados.

Microeconomia. Análise que trata o comportamento dos elementos individuais em uma economia – tais como a determinação do preço de um único produto ou o comportamento de um único consumidor ou de uma única empresa. (Compare com *Macroeconomia*).

***Mix* de política fiscal e monetária.** A combinação de política fiscal com a monetária usada para influenciar a atividade macroeconômica. Uma política monetária restritiva combinada com uma política fiscal expansionista tende a incentivar o consumo e desestimular o investimento, enquanto uma política monetária expansionista combinada com uma política fiscal restritiva terá o efeito oposto.

Modelo. Um instrumento formal para representar os aspectos essenciais de um sistema complexo por meio de um número reduzido de relações fundamentais. Os modelos tomam a forma de gráficos, equações matemáticas e softwares.

Modelo do multiplicador. Em macroeconomia, uma teoria desenvolvida por J. M. Keynes que salienta a importância das variações nas despesas autônomas (especialmente o investimento, os gastos do governo e as exportações líquidas) na determinação das variações no produto e no emprego. Ver também *Multiplicador*.

Modelo neoclássico de crescimento. Uma teoria ou modelo usado para explicar as tendências de longo prazo do crescimento econômico das economias desenvolvidas. Esse modelo salienta a importância do aprofundamento tecnológico (ou seja, o aumento da razão capital/trabalho) e do progresso tecnológico na explicação do crescimento do PIB potencial real.

Moeda. Os meios de pagamento ou meio de troca. Para os componentes da moeda, ver *Oferta de moeda*.

Moeda bancária. Moeda criada pelos bancos, em especial os depósitos à vista (parte de M_1), que são criados a partir da expansão multiplicativa das reservas bancárias.

Moeda comum. Uma situação em que vários países formam uma união monetária com uma única moeda e um banco central unificado, por exemplo, a União Monetária Europeia (UME), que criou o Euro em 1999.

Moeda em sentido amplo (M_2). Uma medida da oferta de moeda que inclui a moeda para transações (ou M_1) e também contas de poupança em bancos e ativos similares que são substitutos muito próximos de moeda para transações.

Moeda estrangeira. Moeda (ou outros instrumentos financeiros) de países estrangeiros que permitem a um país liquidar dívidas com outros.

Moeda fiduciária. Dinheiro, tal como o atual papel-moeda, sem valor intrínseco, mas com curso legal decretado pelo governo. A moeda fiduciária é aceita somente enquanto houver confiança do público de que continue a ser aceita pelos outros.

Moeda legal. Dinheiro que, por lei, deve ser aceito como pagamento de dívidas. Todas as moedas e notas nos Estados Unidos são moeda legal, mas os cheques não são.

Moeda mercadoria. Moeda com valor intrínseco; também o uso de um bem (gado, cereais etc.) como moeda.

Moeda para transações (M_1). Uma medida da oferta de moeda que consiste nos itens que se destinam efetivamente a transações, também chamadas de papel-moeda e depósitos à vista.

Monetarismo. Uma escola de pensamento que sustenta que as variações na oferta de moeda são a causa principal das flutuações macroeconômicas.

Monopólio. Uma estrutura de mercado em que um bem é fornecido por uma única empresa. Ver também *Monopólio natural*.

Monopólio natural. Uma empresa ou setor de atividade cujo custo médio por unidade de produção se reduz acentuadamente em relação à totalidade do seu produto, como por exemplo, na distribuição local de eletricidade. Assim, uma única empresa, um monopólio, pode fornecer o produto desse setor de atividade de modo mais eficiente do que se fossem várias empresas a fazê-lo.

Monopsônio. O simétrico de monopólio: um mercado em que existe um único comprador; um "monopólio do comprador".

Multiplicador. Um termo em macroeconomia que designa a variação de uma variável endógena (tal como o PIB ou a oferta de moeda) por unidade de variação unitária de uma variável exógena (como a despesa pública ou as reservas bancárias). O *multiplicador da despesa* refere-se ao acréscimo no PIB, que resultaria de um acréscimo de 1 unidade monetária na despesa (por exemplo, no investimento).

Multiplicador da despesa. Ver *Multiplicador*.

Multiplicador da oferta de moeda. A razão entre o acréscimo da oferta de moeda (ou nos depósitos) e o aumento nas reservas bancárias. De um modo geral, o multiplicador da oferta de moeda é igual ao inverso da razão exigida das reservas bancárias. Por exemplo, se a razão de reservas exigida é de 0,125, então o multiplicador da oferta de moeda é 8.

Multiplicador das despesas públicas. O aumento do PIB resultante do aumento da despesa pública de uma unidade monetária desta.

Multiplicador de economia aberta. Análise do multiplicador aplicado a economias que têm comércio exterior. O multiplicador de economia aberta é menor do que o multiplicador de economia fechada porque há uma fuga de despesa para importações, bem como para a poupança.

N

Não pertence à população ativa. A parte da população adulta que não está empregada nem está à procura de emprego.

Negociação coletiva. O processo de negociações entre um grupo de trabalhadores (habitualmente um sindicato) e o seu empregador. Tais negociações levam a um acordo sobre os salários, as remunerações não salariais e as condições de trabalho.

Núcleo da inflação. A inflação após a remoção da influência dos elementos voláteis como os preços dos alimentos e da energia. Este conceito é muitas vezes usado pelos bancos centrais na fixação da inflação.

O

Oferta agregada. O valor total dos bens e serviços que as empresas estariam dispostas a produzir em um dado período de tempo. A oferta agregada é uma função dos fatores de produção disponíveis, da tecnologia e do nível de preços.

Oferta agregada (AS), curva da. A curva que mostra a relação entre a produção que as empresas estariam dispostas a oferecer e o nível geral de preços, mantendo-se tudo o mais constante. A curva *AS* tende a ser vertical ao nível do produto potencial no longo prazo, mas pode ser inclinada para cima no curto prazo.

Oferta agregada de curto prazo, função da. A função que mostra a relação entre a produção e os preços no curto prazo, em que as variações na demanda agregada podem afetar a produção; representada por uma curva *AS* com inclinação positiva ou horizontal.

Oferta agregada de longo prazo, função da. Uma função que mostra a relação entre a produção e o nível de preços depois de terem ocorrido todos os ajustes de preços e salários, sendo a curva AS, portanto, vertical.

Oferta de moeda. A oferta de moeda em sentido estrito (M_1), é constituída pelas moedas metálicas, notas e todos os depósitos à vista; essa é a moeda para transações. A oferta de moeda em sentido amplo (M_2) inclui todos os itens de M_1 mais determinados ativos líquidos, ou quase – moeda –, depósitos de poupança e similares.

Oferta de trabalho. O número de trabalhadores (ou, mais genericamente, o número de homens-hora) disponíveis em uma economia. Os determinantes principais da oferta de trabalho são a população, os salários reais e os hábitos sociais.

Oligopólio. Uma situação de concorrência imperfeita em que um setor é dominado por um reduzido número de empresas produtoras.

Operações de mercado aberto. A atividade de um banco central na aquisição ou venda de títulos de dívida do governo para influir sobre as reservas bancárias, a oferta de moeda e as taxas de juros. Se comprar títulos, o dinheiro despendido pelo banco central aumenta as reservas dos bancos comerciais e a oferta de moeda aumenta. Se vender títulos, a oferta de moeda se contrai.

O quê, como e para quem. Os três problemas fundamentais da organização econômica. *O quê* é o problema de qual a quantidade que será produzida de cada um dos bens e serviços possíveis, com a reserva limitada de recursos ou fatores de produção de que a sociedade dispõe. O *como* é a escolha da tecnologia específica com a qual cada bem ou serviço será produzido. O *para quem* se refere à distribuição dos bens de consumo entre os membros dessa sociedade.

Orçamento. Uma conta das despesas planejadas e das receitas previstas, geralmente para um ano. Para o governo, as receitas são as dos impostos. Ver também *Orçamento efetivo, cíclico* e *estrutural*.

Orçamento cíclico. Ver *Orçamento efetivo, cíclico e estrutural*.

Orçamento do governo. Um documento que regista em relação a um dado governo as despesas e receitas planejadas para um determinado período (normalmente um ano).

Orçamento efetivo, cíclico e estrutural. O déficit ou superávit do *orçamento efetivo* é o valor verificado em um dado ano. É composto pelo *orçamento estrutural*, que estima o valor das receitas, despesas e déficits públicos que ocorreriam se a economia estivesse funcionando ao nível do produto potencial, e pelo *orçamento cíclico* que quantifica o efeito do ciclo econômico sobre o orçamento.

Orçamento equilibrado. Um orçamento em que o total das despesas é igual ao total das receitas (com exclusão das receitas obtidas de empréstimos).

Orçamento estrutural. Ver *Orçamento efetivo, cíclico e estrutural*.

P

Padrão-ouro. Um sistema pelo qual um país (1) declara que a sua unidade monetária é equivalente a um determinado peso fixo de ouro, (2) detém reservas de ouro que servem de garantia à sua moeda e (3) aceita vender ou comprar ouro sem reservas ao preço assim estabelecido, e não coloca qualquer restrição à exportação ou importação de ouro.

País em desenvolvimento. Um país com uma renda *per capita* muito abaixo da dos países "desenvolvidos" (nestes, incluem-se geralmente a maioria dos países da América do Norte e da Europa Ocidental).

Papel-moeda. Moedas metálicas e notas de dinheiro.

Paradoxo da poupança. O princípio, proposto pela primeira vez por John Maynard Keynes, de que a tentativa de uma sociedade para aumentar a poupança pode resultar na redução do montante que efetivamente é poupado.

Paradoxo do valor. O paradoxo segundo o qual muitos bens vitais (por exemplo, a água) têm um valor de "mercado" baixo, enquanto muitos artigos de luxo (por exemplo, os diamantes) com um pequeno valor de "uso" têm um preço de mercado elevado. Explica-se pelo fato de um preço não refletir a utilidade total de um bem, mas a sua utilidade marginal.

Participação de mercado. A parcela da produção de um setor detida por uma empresa ou por um grupo de empresas.

Passivo. Em contabilidade, as dívidas ou passivos financeiros perante outras empresas ou pessoas.

Patente. Um direito de exclusividade assegurado a um inventor para controlar a utilização de uma invenção por um determinado período (nos Estados Unidos, de 20 anos). As patentes criam monopólios temporários como um meio de recompensar a atividade inventiva e, tal como outros direitos autorais, são o instrumento principal para estimular as invenções das pessoas ou das pequenas empresas.

Patrimônio líquido. Em contabilidade, o total do ativo menos o total do passivo.

Payoffs. Ver *Matriz ou tabela de payoffs*.

Peso morto. A perda de renda real ou no excedente do produtor ou do consumidor que ocorre como resultado da existência de monopólio, de tarifas e cotas de importação, de impostos ou de outras distorções. Por exemplo, quando um monopolista aumenta o seu preço, a perda de satisfação do consumidor é maior do que o ganho na renda do monopolista – a diferença é a perda do excedente da sociedade, causada pelo monopólio.

PIB nominal. Ver *Produto interno bruto nominal*.

PIB potencial. O PIB com um nível elevado de emprego; mais precisamente, o nível máximo de PIB que pode ser mantido, com uma dada tecnologia e uma dada população, sem aceleração da inflação. Atualmente, o PIB potencial é, em geral, tido como equivalente ao nível de produto correspondente à taxa de desemprego não aceleradora de inflação – TDNAI. O PIB potencial não é necessariamente o produto máximo.

PIB real. Ver *Produto interno bruto real*.

Pleno emprego. Uma expressão que é usada em muitos sentidos. Historicamente, foi tida como o nível de emprego em que não existe (ou é mínimo) o desemprego involuntário. Atualmente, os economistas baseiam-se no conceito de taxa de desemprego não aceleradora de inflação TDNAI para indicar o nível de emprego mais elevado sustentável no longo prazo.

PMC. Ver *Propensão marginal a consumir*.

PMP. Ver *Propensão marginal à poupar*.

PNB. Ver *Produto nacional bruto*.

Pobreza. Atualmente, o governo dos Estados Unidos define a "linha de pobreza" como o mínimo padrão de vida adequado.

Poder de mercado. O grau de domínio que uma empresa ou um grupo de empresas detêm sobre o preço e as decisões de produção em um setor de atividade. Em monopólio, a empresa tem um elevado grau de poder de mercado; as empresas de setores em concorrência perfeita não têm este poder. As *razões* de concentração são a medida de poder de mercado mais amplamente utilizadas.

Política fiscal. Um programa governamental referente (1) à compra de bens e serviços e à despesa com transferências para particulares e (2) ao montante e tipo de impostos.

Política monetária. Os objetivos do banco central ao exercer o seu controle sobre a moeda, as taxas de juros e as condições de crédito. Os instrumentos da política monetária são essencialmente operações de mercado aberto, a fixação de reservas obrigatórias e a taxa de desconto.

Política monetária restritiva. Uma política do banco central que restringe ou reduz a oferta de moeda e aumenta as taxas de juros. Essa política tem como consequência desacelerar o crescimento do PIB real, fazendo reduzir a taxa de inflação ou revalorizar a taxa de câmbio (comparar com política monetária expansionista).

Ponto de lucro zero. Para uma empresa, o nível de preço em que atinge o ponto limite, ao cobrir todos os custos, mas apurando um lucro nulo.

Ponto limite (em macroeconomia). O nível de renda de uma pessoa, família ou comunidade que é totalmente gasto em consumo (ou seja, o ponto em que a poupança é nula). A poupança positiva se verifica a partir de níveis de renda mais elevados.

População ativa. Nas estatísticas oficiais dos Estados Unidos, a população com idade igual ou superior a 16 anos que está empregada ou desempregada.

Poupança negativa. Despesa em bens de consumo superior à renda disponível em um dado período (a diferença será financiada por recurso a empréstimos ou por redução da poupança anterior).

Poupança pessoal. A parte da renda pessoal que não é consumida. Ou seja, a diferença entre a renda disponível e o consumo.

Preço. O custo monetário de um bem, serviço ou ativo. O preço é medido em unidades monetárias por unidade do bem (como 3 dólares por um hambúrguer).

Preço de ajuste de mercado. Ver *Preço de equilíbrio*.

Preço de encerramento (ou ponto, regra). Na teoria da empresa, o ponto de encerramento surge quando o preço de mercado é apenas suficiente para cobrir o custo variável médio. Por isso, os prejuízos da empresa nesse período são exatamente iguais aos seus custos fixos; a empresa deve, portanto, encerrar.

Preço de equilíbrio. O preço em um equilíbrio de oferta e demanda. Significa que todas as ordens de compra e venda foram satisfeitas com aquele preço, portanto, todas as transações voluntárias de compra e venda foram realizadas.

Preço do PIB. Ver *Deflator do PIB*.

Preços flexíveis. O comportamento dos preços em mercados de "leilão" (exemplo de muitos mercados de matérias-primas ou de ações), em que os preços reagem imediatamente a variações na demanda ou na oferta.

Previdência social. Seguro obrigatório proporcionado pelo governo para melhorar o bem-estar social, evitando os danos causados por falhas do mercado, como o risco moral e a seleção adversa.

Princípio da capacidade de pagamento, (em tributação). O princípio de que a carga fiscal de cada um deve depender da sua capacidade de pagamento, calculada pela renda ou pela riqueza. Esse princípio não determina *quanto mais* deveriam pagar aqueles que se encontram em situação melhor.

Princípio da exclusão. Um critério pelo qual os bens públicos são distinguidos dos bens privados. Quando um produtor vende um bem a pessoa A e pode facilmente excluir B, C, D etc. do benefício desse bem, verifica-se o princípio da exclusão e o bem é considerado um bem privado. Se, como na saúde pública, ou na defesa nacional, as pessoas não podem facilmente ser excluídas do benefício dos bens produzidos, então o bem têm as características de um bem público.

Princípio da igualdade marginal. Princípio para decidir a alocação da renda entre os diferentes bens de consumo. De acordo com esse princípio, a utilidade de um consumidor é maximizada pela escolha da cesta básica de consumo, de tal modo que a utilidade marginal por unidade monetária gasta seja igual para todos os bens.

Princípio do benefício (em tributação). O princípio de que as pessoas devem ser tributadas proporcionalmente aos benefícios que recebem das políticas desenvolvidas pelo governo.

Princípio marginalista. A noção básica de que as pessoas maximizarão as suas rendas ou lucros quando se igualarem os custos e os benefícios marginais das suas atividades.

Produtividade. Um termo que se refere à razão entre a produção e os fatores de produção (o produto total dividido pelo fator trabalho é a *produtividade do trabalho*). A produtividade aumenta se a mesma quantidade de fatores de produção dá origem a maior produção. A produtividade do trabalho aumenta como resultado de melhorias tecnológicas, da melhoria da qualificação do trabalho ou da intensificação capitalista.

Produtividade do trabalho. Ver *Produtividade*.

Produtividade líquida do capital. Ver *Taxa de retorno do capital*.

Produtividade total dos fatores. Um índice de produtividade que mede o produto total por unidade da totalidade dos fatores produtivos. O numerador do índice é o produto total (por exemplo, o PIB) enquanto o denominador é uma média ponderada dos fatores capital, trabalho e recursos naturais. O crescimento da produtividade total dos fatores é frequentemente considerada um índice da taxa de progresso tecnológico. Às vezes chamada de *produtividade multifatorial*.

Produto interno bruto nominal (ou PIB nominal). O valor do produto total a preços correntes de mercado gerado em um país durante um determinado ano.

Produto interno bruto real (ou PIB real). A quantidade de bens e serviços finais produzidos em um país durante um ano. O PIB real é o PIB nominal corrigido da inflação dos preços.

Produto interno líquido (PIL). O PIB menos a depreciação dos bens de capital.

Produto marginal (PMg). O produto adicional resultante da utilização adicional de uma unidade de um determinado fator produtivo, quando todos os outros fatores são mantidos constantes. Às vezes chamado de *produto marginal físico*.

Produto médio. Produto total dividido pela quantidade de um dos fatores de produção. Assim, o produto médio do trabalho é definido como o produto total dividido pela quantidade do fator trabalho, e similarmente para os outros fatores de produção.

Produto nacional bruto real (ou PNB real). PNB nominal corrigido da inflação, ou seja, o PNB real é igual ao PNB nominal dividido pelo deflator do PNB. Esse era o conceito central antigamente nos Estados Unidos, mas tem sido substituído pelo produto interno bruto.

Produto nacional líquido (PNL). PNB deduzido da depreciação dos bens de capital.

Produto potencial. O mesmo que PIB potencial.

Produto total. O montante total produzido de uma mercadoria, medido em unidades físicas, por exemplo, toneladas de trigo, toneladas de aço, ou número de cortes de cabelo.

Produtos. São os vários bens ou serviços úteis que ou são consumidos ou são utilizados em uma produção posterior.

Produtos diferenciados. Produtos que concorrem entre si e que são aproximadamente substitutos, mas que não são idênticos. As diferenças podem manifestar-se na sua utilidade, na aparência, na localização, na qualidade e em outros atributos.

Progresso tecnológico. Uma variação no processo de produção ou a introdução de novos produtos que origina uma produção maior ou melhor com base no mesmo conjunto de fatores de produção. Resulta em uma expansão da curva de possibilidades de produção.

Propensão marginal a consumir (PMC). O consumo adicional resultante do acréscimo de uma unidade monetária na renda disponível. Deve ser distinguida da *propensão média a consumir*, que é a razão entre o consumo total e a renda disponível total.

Propensão marginal a importar (PMi). Em macroeconomia, o aumento em termos monetários no valor das importações resultantes do acréscimo de uma unidade monetária no valor do PIB.

Propensão marginal a poupar (PMP). A parcela de uma unidade monetária adicional da renda disponível que é poupada. Note-se que, por definição, $PMC + PMP = 1$.

Protecionismo. Qualquer política adotada por um país para proteger as indústrias nacionais da concorrência das importações (geralmente tarifas ou participações de importações).

Q

Quantidade demandada. Ver *Variação na demanda versus variação da quantidade demandada*.

Quantidade ofertada. Ver *Variação na oferta versus variação da quantidade ofertada*.

R

Razão capital-produto. Na teoria do crescimento econômico, a razão entre o estoque total de capital e o PIB anual.

Razão de concentração. A percentagem da produção total de um ramo de atividade que diz respeito às maiores empresas. Uma medida comum é a razão de concentração das quatro empresas, que é a parcela da produção pertencente às quatro maiores empresas.

Razão de concentração das quatro empresas. Ver *Razão de concentração*.

Razão de reservas legais. Ver *Reservas bancárias*.

Razão do sacrifício. A razão do sacrifício é a perda acumulada de produto, medido em percentagem do PIB de um ano, associado à redução permanente de um ponto percentual na inflação.

Receita do produto marginal (RPMg) (de um fator de produção). A renda marginal multiplicada pelo produto marginal. É a renda adicional que poderia ser gerada se uma empresa comprasse uma unidade adicional de um fator de produção, a utilizasse, e vendesse o produto adicional produzido.

Receita média. A receita total dividida pelo número total de unidades vendidas, ou seja, a receita por unidade. A receita média é geralmente igual ao preço.

Receita total (RT). O preço vezes a quantidade, ou o total das vendas.

Recessão. Um período de redução significativa da produção, da renda e do emprego totais, que dura geralmente de 6 meses a um ano e é caracterizado pela retração disseminada em muitos setores da economia. Ver também *Depressão*.

Recursos não renováveis. Os recursos naturais, como petróleo e gás, cuja oferta é fundamentalmente fixa e cuja regeneração não é suficientemente rápida para ser relevante em termos econômicos.

Recursos renováveis. Recursos naturais (tais como terra arável), cuja disponibilidade se renova de forma contínua e que, se geridos adequadamente, podem ser utilizados indefinidamente.

Regra da substituição. Uma regra segundo a qual, se o preço de um fator diminui enquanto o de outros se mantêm, as empresas lucrarão ao substituir todos os outros fatores pelo fator que é mais barato. A regra é um corolário da regra do custo mínimo.

Regra do custo mínimo (de produção). A regra segundo a qual o custo de produção de uma determinada quantidade de produto é minimizado quando a razão entre a razão do produto marginal de cada fator e o preço desse fator é igual para todos os fatores de produção.

Regra dos 70. Uma técnica útil de aproximação aos juros compostos. Uma variável que aumenta r por cento ao ano duplica em cerca de $70/r$ anos.

Regra monetária. O postulado central da filosofia econômica monetarista é a regra monetária, que determina que a política monetária ótima deve estabelecer uma taxa fixa para o crescimento da oferta de moeda e mantenha-se fiel a essa taxa a todo custo.

Regulação. As leis ou regras governamentais que se destinam a controlar o comportamento das empresas. Os tipos principais de regulação são: a regulação econômica (que afeta os preços, a entrada ou o serviço em um dado setor, como o serviço telefônico) e a regulação social (que tenta corrigir as externalidades que se verificam em várias atividades, como a poluição do ar ou da água).

Regulação econômica. Ver *Regulação*.

Regulação social. Ver *Regulação*.

Renda. O fluxo de salários, juros, dividendos e outros proventos das pessoas ou de um país durante um dado período de tempo (geralmente um ano).

Renda disponível (RD). De um modo geral, "o que se leva para casa" ou a parte da renda nacional total que as famílias têm disponível para consumo ou poupança. Mais precisamente, é igual ao PIB menos o total de impostos, da poupança das empresas e das amortizações, e mais as transferências do Governo e o pagamento de juros da dívida pública.

Renda econômica (ou renda econômica pura). Essa expressão foi aplicada à renda da terra. A oferta total de terra disponível (com um mínimo de qualificações) é fixa e a remuneração paga ao proprietário da terra é o aluguel. A expressão, frequentemente, é aplicada também à remuneração paga a qualquer fator de produção cuja oferta seja fixa – ou seja, a qualquer fator de produção que tenha uma curva de oferta vertical ou perfeitamente inelástica.

Renda marginal (RMg). A renda adicional que uma empresa obteria se vendesse uma unidade adicional de produto. Em concorrência perfeita, a *RMg* é igual ao preço. Em concorrência imperfeita, *RMg* é menor do que o preço porque, a fim de vender a unidade adicional, o preço deve ser reduzido em todas as unidades vendidas anteriormente.

Renda pessoal. Uma medida da renda antes dos impostos terem sido deduzidos. Mais precisamente, é igual à renda pessoal disponível mais os impostos líquidos.

Renda pessoal disponível. Renda pessoal menos impostos e mais subsídios. O montante que as famílias têm para consumo e poupança.

Rendimentos decrescentes, lei dos. A lei segundo a qual, mantendo-se os demais insumos constantes, o produto adicional de aumentos sucessivos de um fator de produção acabará por diminuir a partir de certo ponto. Tecnicamente, esta lei é equivalente ao afirmar que, a partir de certo ponto, reduz-se o produto marginal do fator que está variando.

Reservas bancárias. A parcela dos depósitos recebidos que um banco põe de lado (reserva) sob a forma de papel-moeda, em cofre, ou de depósitos, no banco central, e que não rende juros. Nos Estados Unidos, é exigido aos bancos que detenham 10% dos depósitos à vista (ou contas para transações), sob a forma de reservas.

Reservas bancárias parciais. Uma regulação existente nos modernos sistemas bancários em que é legalmente exigido às instituições financeiras que mantenham uma determinada parcela dos depósitos recebidos sob a forma de depósitos no banco central (ou como dinheiro em cofre).

Reservas internacionais. Moeda estrangeira possuída por um país para estabilizar a sua taxa de câmbio ou proporcionar financiamento quando o país defronta dificuldades na balança de pagamentos. Atualmente, o grosso das reservas são dólares dos Estados Unidos, sendo os euros e os ienes japoneses as outras principais moedas.

Responsabilidade ilimitada. Ver *Responsabilidade limitada*.

Responsabilidade limitada. Limitação do prejuízo do proprietário de uma empresa ao montante de capital com que contribuiu para a sociedade. A responsabilidade limitada foi um fator importante no aparecimento das grandes sociedades anônimas. Por outro lado, os proprietários das sociedades em nome coletivo e os empresários em nome individual têm geralmente *responsabilidade ilimitada* em relação às dívidas das suas empresas.

Restrição orçamentária. Ver *Reta orçamentária*.

Reta de isocusto. Uma reta em um gráfico que mostra as várias combinações possíveis de fatores produtivos que podem ser adquiridos com uma dada quantidade de dinheiro.

Reta de possibilidades de consumo. Ver *Reta orçamentária*.

Reta orçamentária. A reta que indica a combinação de bens que um consumidor pode comprar com uma determinada renda e para um dado nível de preços. Às vezes também chamada de *restrição orçamentária*.

Retornos à escala. A taxa na qual cresce a produção quando todos os fatores de produção aumentam proporcionalmente. Por exemplo, se todos os fatores duplicam e a produção também duplica, diz-se que esse processo tem *rendimentos constantes à escala*. Se, no entanto, a produção aumenta menos do que 100% quando todos os fatores duplicam, o processo apresenta *rendimentos decrescentes à escala*; se o produto aumenta mais do que o dobro, o processo revela *rendimentos crescentes à escala*.

Retornos constantes à escala. Ver *Rendimentos à escala*.

Retornos crescentes à escala. Ver *Rendimentos à escala*.

Retornos decrescentes à escala. Ver *Retornos à escala*.

Revalorização. Um aumento da taxa de câmbio oficial de uma moeda. Ver também *Desvalorização*.

Riqueza. O valor líquido dos ativos tangíveis e financeiros detidos por um país ou por uma pessoa em um determinado momento. É igual a todos os ativos menos todos os passivos.

Risco. Em finanças, refere-se à variabilidade do retorno de um investimento.

Risco moral (moral hazard). Um tipo de falha de mercado em que a existência de seguro contra um risco aumenta a probabilidade de o evento com risco acontecer. Por exemplo, um dono de um automóvel com seguro contra roubo pode ser menos cuidadoso a fechar seu carro, pois a existência do seguro reduz o incentivo a prevenir o roubo.

S

Salários reais. O poder de compra do salário de um trabalhador em termos de bens e serviços. É medido pela razão entre o salário nominal e o índice de preços ao consumidor.

Saldo. Tabela demonstrativa da posição financeira de uma entidade (pessoa, empresa, governo) em uma determinada data em que se indicam os ativos em uma coluna e as dívidas (ou passivo) e o patrimônio líquido (situação líquida) em outra. Cada item está registrado pelo seu valor monetário efetivo ou estimado. Os totais das duas colunas têm de ser iguais porque o patrimônio líquido é definido como o ativo menos o passivo.

Saldo de conta corrente. Ver *Balança comercial*.

Seguro. Um sistema pelo qual as pessoas podem reduzir a sua exposição ao risco de sofrerem grandes prejuízos, dispersando os riscos por um elevado número de pessoas.

Seleção adversa. Um tipo de falha do mercado em que são as pessoas com maior risco que mais provavelmente procuram o seguro. Mais genericamente, a seleção adversa engloba as situações em que os vendedores e os compradores têm uma informação diferente sobre um produto, como, por exemplo, no mercado de carros usados.

Setor (ou ramo de atividade ou indústria). Um grupo de empresas que produzem bens idênticos ou similares.

Sistema cambial. O conjunto de regras, acordos e instituições que enquadram os pagamentos entre países. Historicamente, os sistemas de taxa de câmbio mais importantes têm sido o padrão-ouro, o sistema de Bretton Woods e o atual sistema de taxas de câmbio flexíveis.

Sistema financeiro. Os mercados, empresas e outras instituições que efetivam as decisões financeiras das famílias, das empresas, dos governos e do resto do mundo. São partes importantes do sistema financeiro: o mercado monetário; os mercados de títulos de juros fixos, como títulos de dívida e empréstimos hipotecários; os mercados de ações, relativos à propriedade de empresas; e os mercados cambiais que comercializam moedas de vários países.

Sistema monetário internacional (também sistema financeiro internacional). As instituições por meio das quais se efetuam os pagamentos pelas transações que cruzam as fronteiras nacionais. Uma questão política central diz respeito aos acordos para determinar de que modo as taxas de câmbio são estabelecidas e de que modo os governos podem influenciá-las.

Situação líquida. Ver *Patrimônio líquido*.

Socialismo. Uma teoria política que sustenta que todos (ou quase todos) os meios de produção, exceto o trabalho, devem ser propriedade da comunidade. Isso permitiria que a renda do capital fosse distribuída de modo mais igualitário que no capitalismo.

Sociedade anônima. A forma predominante de organização empresarial nas economias capitalistas modernas. Uma sociedade anônima é uma empresa que pertence a particulares ou a outras sociedades. Tem os mesmos direitos de uma pessoa para comprar, vender e assinar contratos. Está legalmente separada dos seus proprietários que têm responsabilidade limitada.

Sociedade em nome coletivo. Uma associação de duas ou mais pessoas para conduzir um negócio que não toma a forma de sociedade anônima e não se beneficia de responsabilidade limitada.

Subsídio. Um pagamento efetuado pelo governo a uma empresa ou família que fornece ou consome um bem. Por exemplo, o governo subsidia frequentemente a alimentação pagando parte das despesas alimentares das famílias de baixa renda.

Substitutos. Bens que são concorrentes entre si (por exemplo, os bonés e as viseiras). Pelo contrário, os bens que se apresentam aos olhos do consumidor como inseparáveis (tais como os sapatos do pé esquerdo e do direito) são *bens complementares*.

T

Tarifa. Um imposto de importação que incide sobre as unidades de uma mercadoria importada por um país.

Taxa de câmbio. A taxa, ou preço, pela qual a moeda de um país é trocada pela moeda de outro país. Por exemplo, se com um dólar americano pode-se comprar 10 pesos mexicanos, então a taxa de câmbio para o peso é de 10. Um país tem uma *taxa de câmbio fixa* se estabelece para a sua moeda uma dada taxa de câmbio e está disposto a defendê-la. As taxas de câmbio que são determinadas pela oferta e demanda do mercado são chamadas de taxas de câmbio flexíveis.

Taxa de câmbio administrada. O sistema de câmbio que predomina atualmente. Nesse sistema, um país às vezes intervém para estabilizar a sua moeda, embora não exista uma paridade fixa ou anunciada.

Taxa de câmbio fixa. Ver *Taxa de câmbio*.

Taxa de desconto. Taxa usada para calcular o valor presente de um ativo.

Taxa de desemprego. A percentagem da população ativa que está desempregada.

Taxa de desemprego não aceleradora de inflação (TDNAI). Uma taxa de desemprego que é consistente com uma taxa de inflação constante. Na TDNAI, as forças que forçam o aumento ou a redução da inflação dos preços e dos salários estão em equilíbrio, de modo que não há tendência para a variação da inflação. A TDNAI é a taxa de desemprego para a qual a curva de Philips de longo prazo é vertical.

Taxa de imposto efetiva. O total de impostos pagos em percentagem da renda total ou de outra base tributável. Também conhecida como *taxa média de imposto*.

Taxa de inflação. Ver *Inflação*.

Taxa de inflação esperada. Um processo de inflação estável que ocorre quando se espera que a inflação persista e a taxa de inflação corrente é incorporada nos contratos e nas expectativas das pessoas.

Taxa de juros. O preço pago pelo dinheiro recebido de empréstimo durante um determinado período de tempo, habitualmente indicado como uma percentagem do capital por ano. Assim, se a taxa de juros é de 10% ao ano, então terão de ser pagos US$ 100 por um empréstimo de US$ 1 mil por um ano.

Taxa de juros nominal (ou monetária). A taxa de juros paga em relação a diferentes ativos. Representa o rendimento anual monetário por unidade monetária investida. Compare com a taxa de juros real, que representa o rendimento anual em bens por unidade de bens investida.

Taxa de juros real. A taxa de juros medida em termos de bens e não em termos monetários. É, portanto, igual à taxa de juros monetária (ou nominal) menos a taxa de inflação.

Taxa de participação da população ativa. A razão entre a população ativa e o total da população com 16 ou mais anos de idade.

Taxa de poupança nacional. A poupança total, privada e pública, dividida pelo produto interno líquido.

Taxa de poupança pessoal. A razão, em percentagem, entre a poupança pessoal e a renda pessoal disponível.

Taxa de redesconto. A taxa de juros cobrada pelo *Federal Reserve Bank* (o banco central dos Estados Unidos) em um empréstimo que concede a um banco comercial.

Taxa de retorno. A remuneração monetária líquida anual para cada unidade monetária de capital investido. Por exemplo, se US$ 100 de investimento rende US$ 12 por ano, a taxa de rentabilidade do investimento é de 12% ao ano.

Taxa de retorno do capital. A remuneração de um investimento ou de um bem de capital. Um investimento que tenha custado US$ 100 e que rendeu US$ 12 anualmente, tem uma taxa de rentabilidade de 12% ao ano.

Taxa dos *fed funds*. A taxa de juros que os bancos pagam uns aos outros pelo uso de reservas bancárias.

Taxa marginal de imposto. Para um imposto sobre a renda, a percentagem da última unidade monetária da renda paga em impostos. Se o sistema fiscal é progressivo, a taxa marginal de imposto é maior que a taxa de imposto médio.

Taxa média de imposto. O total dos impostos dividido pelo total da renda; também conhecida como a *taxa efetiva de imposto*.

Taxa natural de desemprego. O mesmo que taxa de desemprego não aceleradora de inflação (TDNAI).

Taxas de câmbio flexíveis. Um regime cambial entre países em que as taxas de câmbio são determinadas principalmente pelas forças do mercado privadas (ou seja, pela oferta e pela demanda) sem a intervenção do governo na fixação ou na manutenção de um determinado nível de taxas de câmbio. Também chamadas de *taxas de câmbio flutuantes*. Quando o governo se abstém de qualquer intervenção nos mercados cambiais, o sistema é chamado de sistema de taxa de câmbio flexível puro.

Taxas de câmbio flutuantes. Ver *Taxas de câmbio flexíveis*.

TDNAI (NAIRU). Ver *Taxa de desemprego não aceleradora de inflação*.

Teorema da ineficácia da política. Um teorema que estabelece que, se existirem expectativas racionais e flexibilidade de preços e salários, uma política monetária ou fiscal, se for antecipada, não pode afetar o produto real ou o desemprego.

Teoria da carteira. Uma teoria econômica que descreve como os investidores racionais aplicam a sua riqueza em diferentes ativos financeiros, ou seja, como eles distribuem a sua riqueza em uma "carteira" (ou portfólio).

Teoria da distribuição. Uma teoria que explica o modo como a renda e a riqueza pessoais são distribuídas em uma sociedade.

Teoria da distribuição pelo produto marginal. Uma teoria da distribuição da renda proposta por John B. Clark, segundo a qual cada fator produtivo é remunerado segundo o respectivo produto marginal.

Teoria do passeio aleatório (dos preços no mercado de ações). Ver *Mercado eficiente*.

Teoria do salário de eficiência. De acordo com essa teoria, salários maiores levam a uma maior produtividade. Isso ocorre porque com maiores salários os trabalhadores gozam de melhor saúde, estão mais motivados e têm menor absentismo.

Teoria do valor pelo trabalho. A perspectiva, frequentemente associada a Karl Marx, de que o valor de qualquer mercadoria deveria ser calculado apenas de acordo com a quantidade de trabalho necessária à sua produção.

Teoria dos jogos. Uma análise das situações que envolvem dois ou mais participantes que tomam decisões e cujos interesses, pelo menos em parte, são antagônicos. Pode ser aplicada à interação nos mercados oligopolistas, bem como a situações de negociação, como greves, ou a conflitos, como jogos ou guerra.

Teoria malthusiana do crescimento da população. A hipótese, inicialmente expressa por Thomas Malthus, de que a tendência "natural" da população é para crescer mais rapidamente do que a oferta de alimentos. Portanto, a oferta de alimentos *per capita* se reduziria ao longo do tempo, constituindo um entrave ao crescimento da população. Em geral, uma visão de que a população tende a crescer mais rapidamente do que os rendimentos ou padrões de vida da população.

Teoria quantitativa da moeda e dos preços. Uma teoria da determinação do produto e do nível geral de preços que defende que os preços variam proporcionalmente à oferta de moeda. Uma abordagem mais prudente defendida pelos monetaristas sustenta que a oferta de moeda é o determinante principal das variações do PIB nominal (ver *Monetarismo*).

Teorias clássicas (em macroeconomia). Teorias que dão relevo às forças de autocorreção na economia. Na abordagem clássica, há geralmente pleno emprego e as políticas para estimular a demanda agregada não têm qualquer impacto sobre o produto.

Termos de troca (ou razão de troca, em comércio internacional). Os termos "reais" aos quais um país vende os produtos que exporta e compra os produtos que importa. É igual à razão entre um índice de preços de exportação e um índice de preços de importação.

Terra. Nas teorias clássica e neoclássica, é um dos três fatores de produção básicos (juntamente com o trabalho e o capital). De um modo mais geral, considera-se que a terra inclui as áreas usadas para fins agrícolas ou industriais, bem como os recursos naturais extraídos do solo ou do subsolo.

Título de dívida. Um título, emitido pelo governo, ou por uma empresa, que rende juros com o compromisso de reembolso posterior de uma determinada quantia em dinheiro (o capital) mais juros, em uma determinada data no futuro.

Títulos. Uma expressão usada para designar uma ampla variedade de ativos financeiros, tais como ações, dívidas, opções e dívidas de longo prazo; mais precisamente, os documentos usados para estabelecer a propriedade desses ativos.

Transferências do governo. Pagamentos feitos pela administração pública a pessoas, pelos quais as pessoas não fornecem nenhum serviço em contrapartida. São exemplos os pagamentos da previdência social e o seguro-desemprego.

Troca direta. A troca direta ou escambo de um bem por outro sem utilizar algo como o dinheiro ou como meio de troca.

U

União monetária. Um acordo em que vários países adotam uma moeda única como unidade de conta e meio de troca. A

União Monetária Europeia adotou o Euro como moeda única em 1999.

Usura. No empréstimo de dinheiro, a exigência de uma taxa de juros superior a um máximo legal.

Utilidade (também utilidade total). A satisfação total resultante do consumo de bens ou serviços. Confrontar com *utilidade marginal*, que é o acréscimo de utilidade resultante do consumo de uma unidade adicional de um bem.

Utilidade cardinal. Ver *Utilidade ordinal*.

Utilidade marginal (*UMg*). A satisfação adicional resultante do consumo de 1 unidade adicional de um bem, mantendo-se constantes as quantidades consumidas dos bens restantes.

Utilidade marginal decrescente, lei da. A lei segundo a qual à medida que o consumo de um bem aumenta, a respectiva utilidade marginal diminui.

Utilidade ordinal. Uma medida de utilidade não quantificada, usada na teoria da demanda. A utilidade ordinal permite estabelecer que *A* é preferível a *B*, mas não quantifica a medida entre *A* e *B*. Ou seja, quaisquer dois conjuntos de bens podem ser comparados, mas a diferença absoluta entre eles não pode ser medida. Contrasta com a *utilidade cardinal*, ou utilidade quantificável, que às vezes é usada na análise do comportamento em relação ao risco.

V

Valor adicionado. A diferença entre o valor dos bens produzidos e o custo das matérias-primas e serviços utilizados para produzi-los. Em um pão de US$ 1 que incorpora US$ 0,60 de custos em trigo e outras matérias-primas, o valor adicionado é US$ 0,40. O valor adicionado é constituído pelos salários, juros e lucros adicionados ao produto pela empresa ou setor de atividade.

Valor intrínseco (do dinheiro). O valor mercantil de uma moeda metálica (por exemplo, o valor de mercado da quantidade de cobre contida em uma moeda de cobre).

Valor presente (de um ativo). Valor presente de um ativo que produz um fluxo de rendimentos ao longo do tempo. A avaliação desse fluxo temporal de rendas exige o cálculo do valor presente de cada um dos componentes da renda, por meio da aplicação de uma taxa de atualização (ou taxa de juros) aos rendimentos futuros.

Vantagem absoluta (em comércio internacional). A capacidade do país *A* para produzir uma mercadoria de maneira mais eficiente (ou seja, com maior produto por unidade de insumo) do que o país *B*. Possuir essa vantagem absoluta não significa necessariamente que *A* possa exportar com êxito essa mercadoria para *B*. O país *B* pode ainda ter a vantagem comparativa.

Vantagem comparativa (em comércio internacional). A lei da vantagem comparativa estabelece que um país deve especializar-se na produção e exportação das mercadorias que pode produzir com custos *relativamente* inferiores, e que deve importar os bens que produz com custos *relativamente* superiores. É, portanto, uma vantagem comparativa, e não uma vantagem absoluta, que deve ditar a estrutura do comércio.

Variação na demanda *versus* variação da quantidade demandada. Uma variação da quantidade que os compradores querem comprar motivada por outras razões que não a da variação dos preços (por exemplo, aumento da renda, mudança de preferências etc.) é uma *variação na demanda*. Em termos gráficos, é um deslocamento da curva da demanda. Se, pelo contrário, a decisão de comprar mais (ou menos) é motivada por uma variação do preço do bem, então é uma *variação da quantidade demandada*. Em termos gráficos, uma variação na quantidade demandada é um movimento ao longo da curva de demanda que não se alterou.

Variação na oferta *versus* variação da quantidade ofertada. Essa distinção para a oferta é idêntica à da demanda, portanto, ver *Variação na demanda versus variação da quantidade demandada*.

Variáveis endógenas (ou induzidas). Ver *Variáveis exógenas versus variáveis endógenas*.

Variáveis exógenas *versus* variáveis endógenas (ou induzidas). As *variáveis exógenas* são determinadas pelas condições externas à economia. Contrastam com as *variáveis endógenas* (ou induzidas), que são determinadas pelo funcionamento interno do sistema econômico. As alterações meteorológicas são exógenas; as variações do consumo são, frequentemente, induzidas por variações da renda.

Variáveis externas. O mesmo que *Variáveis exógenas*.

Variáveis induzidas. Ver *Variáveis endógenas*.

Variável. Uma grandeza com interesse que pode ser definida e medida. Entre as variáveis importantes em economia, incluem-se os preços, as quantidades, as taxas de juros, as taxas de câmbio, a riqueza etc.

Velocidade da moeda. Ao exercer a função de meio de troca, o dinheiro circula do comprador para o vendedor, depois para um novo comprador, e assim por diante. A sua "velocidade" diz respeito à rapidez desse movimento.

Velocidade-renda da moeda. Ver *Velocidade da moeda*.

Visão ricardiana da política fiscal. Uma teoria desenvolvida por Robert Barro, de Harvard, que sustenta que as variações nas taxas dos impostos não têm qualquer impacto na despesa de consumo, porque as famílias anteveem que, por exemplo, os cortes de impostos no presente exigirão aumentos de impostos no futuro para financiar as necessidades financeiras do governo.

Índice

Nota: As páginas referidas em **bold** indicam termos do Glossário.

A

Abertura, 470-471
Abertura, estratégia de
   dos Estados Unidos, 481
   nacionais, comparações, 482
Abordagem da determinação
   do produto pelas despesas totais, 386-389
Abordagem do PIB, valor acrescentado, 345-347
Abordagens de controle de poluição
   direitos de propriedade, questão dos, 246
   leis de responsabilidade, 245-246
   negociação entre partes, 246
Abordagens teóricas, 4
Ação afirmativa, 232
Acelerador, princípio do, investimento, 395
Acionistas, 107
   capital dos, 123
   versus administradores, 108
Ações, 107, 123, 404
   anomalias de preço de, 415
   impacto de inflação, 544
   índice de fundos de, 416
   índices de preços de, 415
   opções de, 108-109
   prêmio pelo risco de, 264
Acordos, proibição contra, 182
Acordos de comércio livre regionais, 321
Açúcar, cotas de, 317
Administradores, 107
   mandante-mandatário, problema, 109
   versus acionistas, 108
Aeronáutica, indústria, 521
   preço, discriminação de, 60-61, 172
Afeganistão, guerra do, 125, 558
África, 465
Afro-americanos
   desemprego jovem, 533-534
   diferença salarial, 231
   discriminação contra, 230
Age of Turbulence (Greenspan), 439, 440
Agregação e divisão por fundos, 401
Agricultura
   coletivização da, 474
   declínio, longo prazo da, 63-64
   declínio no longo prazo, 63-65
   efeito da produção de etanol, 44
   lei dos rendimentos decrescentes, 97
   paradoxo da colheita extraordinária, 61
   restrições de colheitas, 65
   versus industrialização, 470
Água
   sistemas distribuição de, 178
Aid to Families with Dependent Children, 296
Airbus Industrie, 149, 155, 302
Akerlof, George A., 78, 87
Alcoa, 149
Alemanha
   desemprego na, 535
   hiperinflação de 1920, 332, 381, 541-542, 545
   leste *versus* oeste, 475
   política monetária após 1990, 488
   reunificação, 229, 514
   salários e remunerações complementares, 220
Álgebra
   da taxa de juros real, 290
   das elasticidades, 60
Alimentares, produtos, elasticidade da demanda, 61
Alimentos, senhas de, programa de, 296
Allen, Franklin, 375
Allen, R. G. D., 76
Alocativo, papel, da política fiscal, 389-390
Alteração climática
   alegadas causas, 246
   carbono, emissões de dióxido de, 246-247
   controvérsia, 247-248
   Protocolo de Kyoto, 247
Amazon.com, 123, 489
Ambiental, degradação, 239; ver também Externalidades; Poluição
   desperdício da, 12
   omitidas das contas nacionais, 356-357
Ambientalismo, 239
   e direitos de propriedade, 29
   e limites ao crescimento, 462
   perspectiva do crescimento econômico, 236
Ambiente global, proteção do, 273
América Latina
   dívida crises, 28
   inflação, 327
America Online, 374
American Airlines, 165
American Enterprise Institute, 340
American Tobacco, caso da, 181
Amortização, 404
   linear, 121
Analfabetismo, 465
Ano base, 346
Antidumping, 317
   análise gráfica, 314-315
   comércio livre *versus* sem comércio, 311-312
   comércio, barreiras ao, 112-314
   como barreira à entrada, 154-156
   comparações nacionais, 311
   custos de tarifas, 314-316
   custos econômicos, 314-316
   durante a Grande Depressão, 310
   e custos de transporte, 314
   e desemprego, 319
   efeito sobre preços e salários, 304
   efeitos econômicos, 312
   favorecimento de interesses especiais, 316-317
   importações, salvaguarda contra, 318
   justificações insensatas para
   mão de obra estrangeira barata, 317
   mercantilismo, 316
   na história dos Estados Unidos, 319-320
   não proibitivas, 312
   oferta e demanda, análise
   ótima, argumento da tarifa, 317-319
   principais efeitos do, 314
   proibitivas, 312
   retaliação, 318
   retaliação, direitos de, 317
   Smoot-Hawley, tarifa de 1930, 320
Anti-inflação, dilemas da política, 552-554
   credibilidade, 553
   custos de redução da inflação, 552-553
   definição de longo prazo, 552
   redução da TDNAI, 553-554

Anti-trust Law: an economic perspective (Posner), 183
Aperto fiscal – desaperto monetário, política de, 571
Aperto monetário
  e inflação nuclear, 552
  e valor do dólar, 502-504
  em Alemanha após 1990, 488
  nos Estados Unidos 1979-1982, 337-338, 434
Apple Computadores, 27, 149, 170
Aprofundamento do capital, 448-449
  cessação da, 450
  e inflexão da produtividade, 456
  no processo de crescimento econômico, 448-455
  produto per capita, 455
Aquecimento global, 462
Arbitragem, 187
Argentina, currency board, falha, 493
  argumento da segurança nacional, 316
Aritmética salário-preços, 549
Arrow, Kenneth, 147, 273
AS-AD, esquema
  comparado ao modelo do multiplicador, 389=390
  crescimento no século, 338
  curva de Phillips, 529-534
  espiral salário-preço, 547-548
  política monetária no, 431-432
  preços e inflação, 545-548
Ásia, crescimento econômico na, 327
Ásia Oriental
  crise financeira de 1998, 437
  inadimplência na dívida, 467
  políticas expansão para o exterior, 470-471
Asiática, abordagem, do mercado dirigido, 471
  dragões *versus* lagartos, 472-473
  fundamentais macroeconômicos, 473
  orientação para o exterior, 473
  surgimento da China, 473
  taxas de investimento, 473
Assistência médica, custo, 308
AT&T, 31, 105-106
Atividades ilegais, 180-181, 356
Ativos, **121-122**
  classes de, taxa de juros, 256
  correntes, 123
  das instituições financeiras, 402
  de mercado, reação à política monetária, 428
  demanda de moeda como, 407
  denominados em dólares, 404
  depreciação de, 120-121
  distribuição do, 205
  dos bancos, 409
  e intermediários financeiros, 401
  financeiros *versus* capital, 251
  fixos, 123
  liquidez dos, 255
  não monetário, 406
  no balanço, 121-122
  preços de, e taxa de juros, 254
  sem liquidez, 255
  tangíveis, 251-252
  totais, 122
  valor presente, análise do, 252-254
  valores dos, impacto sobre a demanda agregada dos, 383
Ativos financeiros, **403**
  das principais instituições financeiras, 402
  e taxa de juros, 253, 404-405
  especulação em, 189-190
  papel na economia, 252
  por unidade de PIB, 406
  principais tipos, 403-404
  risco e rentabilidade, 411-412
  taxa de rentabilidade de, 252
  versus capital, 252
Auburn Motors, 413
Aumento de imposto, 328
Austeridade, ciclo de, 552
Autoemprego, 107
Automóveis
  aumento da demanda de, 43
  cultura do, 103
  efeitos de deslocamentos da oferta, 45-46
  fatores que afetam a curva da demanda de, 42
Aversão à perda, princípio marginal, 161
Aversão ao risco, **189,** 411, 264

B

Bacon, Francis, 76
Baixo risco, países de, 511-512
Balança
  comercial, **491**
  de comércio favorável, 482
Balanço de conta corrente, 333, **483**, 485
Balanço, 121
  ativos, 121-122
  comparado à demonstração de resultados, 137
  contas a pagar, 123
  custos históricos, 123
  dos bancos, 409, 424-425
  dos Federal Reserve Banks, 478-479
  estoque de capital, 122
  identidade fundamental, 122
  medida da poupança, 371
  passivo, 122
  patrimônio líquido, 123
  títulos de dívida e outros títulos a pagar, 123
Balanço de pagamentos internacionais, 482
  balança comercial favorável, 483
  conta de capital, 483
  conta financeira, 483-484
  débitos e créditos, 482-484
  déficits da conta corrente, 562-563
  discrepância estatística, 484
  dos Estados Unidos em 2007, 483, 484
  e taxas de câmbio, 487-488
  elementos básicos, 482
  equilíbrio, 492
  equilíbrio da conta corrente, 483-485
  mecanismo de ajuste internacional, 490-492
  padrões de déficits/superávits, 484-485
  saldo final nulo, 483
Balde furado, experiência do, 293
Banco(s)
  ativos dos, 409
  balanço, 409
  contas de poupança, 404
  corrida aos, 420
  criação de moedas, pelos, 410-411
  desenvolvimento histórico, 409-411
  e oferta de moeda, 411-412
  elementos chave dos, 411-412
  equilíbrio final do sistema, 411
  falhas, 381, 421
  inerentemente instável, 425
  modernos, 411-412
  natureza das reservas, 426
  operação de redesconto (discount window lending), 425-426
  papel-moeda em cofre, 426
  passivos dos, 409
  patrimônio líquido dos, 409
  razão de reservas legal, 417
  reservas, 409
  reservas fracionárias, sistema de, 410-411, 426
  reservas legais, exigência, 426-427
  reservas, exigência de, política de, 423, 424-428
  resgate de, 420
  sistema de reservas a 100%, 410
Banco Central Europeu, 420, 514, 535, 546, 572

Banco central(s), 28, 420-423; ver também Federal Reserve Sistem
   Alemanha após 1990, 488
   coordenação de políticas, 272
   e deflação, 543
   em economia aberta, 436-437
   Europa *versus* Estados Unidos, 535
   história do, 421
   independência do, 422-423
   inflação, objetivo de, 572
   instituições macroeconômicas chave, 333
   ligações internacionais, 136
   mecanismo de transmissão monetário, 400, 428-429
   objetivos, 421-422
   União Europeia, 515
Banco da Inglaterra, 421-422
Banco de investimento, 290
   falhas, 381
Banco Mundial, 272, 323, 492-493
Bancos comerciais, 401
   balanço, 409, 424-425
Barreiras à entrada, 154
   à importação restrições, 175
   custo de entrada elevado, 155
   diferenciação de produto, 155
   fonte de concorrência imperfeita, 154-156, 169 Barro, Robert, 566
   inexistência de, 137
   marca, valor de, 155-156
   monopólios de franchise, 154
   patentes, 154
   publicidade, 155
   restrições à entrada, 154
Barreiras ao comércio
   ao comércio não tarifárias, 320
   cotas, 311, 312-314
   na Grande Depressão, 320
   não tarifárias, 320
   redução, 272, 320-321
   tarifas, 311-312
   transporte, custos de, 314
Baruch, Bernard, 416
Bastiat, Frederic, 301, 311
Batimento, médias de, 117
Baumol, William, 446, 458
Bear Stearns, tomada da, 570
Beautiful Mind (Nasar), 183
Becker, Gary S., 67, 230-231, 234
Bell Labs, 181, 276, 450
Bell, Alexander Graham, 181, 263
Benefício marginal
   privado, 241, 244
   social, 241-243

Benefício(s)
   princípio do, 276-277
   fiscais, 279
Bens
   de consumo, 342
   de demérito, 82
   de luxo, 364-365
   de mérito, 82
   duráveis, 9, 362
Bens de capital, 7
   amortização, 120-121
   e direitos de propriedade, 29
   e investimento, 372
   investimento em, 258
Bens e serviços
   características diferentes, 152
   complementares, 80-81
   consumo de, 343
   de luxo, 364-365
   de mercado, 462
   de quase-mercado, 356
   duráveis e não duráveis, 363
   e arbitragem, 187
   e de paridade poder de compra, 488-489
   e substituição, 12
   e vantagem comparativa, 308-309
   econômicos, 3
   elasticidades-preço, 57
   em comércio internacional de 2007, 302
   equilíbrio competitivo com muitos, 143-144
   finais, 205, 343, 345
   fontes de comércio, 302-303
   independentes, 80-81
   índice de preços do PIB, 358
   índice de preços no consumidor, 356-358
   intermédios, 345-347
   livre, 3
   mérito *versus* demérito, 82
   nos preços de mercado, 343
   novo e melhorado, 359
   ponderação em cadeia, 348-350
   preço completo do, 152
   privados, 240
   públicos, 31-32, 240
   quase mercado, 356
   substitutos, 80-81
Bens e serviços individuais, 40, 44
   elasticidades-preço, 81
   elasticidades-renda, 81
Bens econômicos, **3**
Bens finais, 205, 344, 346
Bens independentes, **80, 81**

Bens intermédios, 345
Bens livres, 3
Bens não duráveis, 363
Bens não rivais, 32
Bens privados, 11, **240**
   versus bens públicos, 239
Bens públicos, 11, **31, 240,** 271, 462
   atributos-chave, 32
   cuidados de saúde, 194
   de fiscalidade, 33
   e mecanismo de mercado, 32
   faróis, 32
   globais, 240, 275
   Global Positioning System GPS, 32
   global, 240, 275
   locais, 275
   nacionais, 275
   proporcionados pelos mercados, 32
   tecnologia, 450
   versus bens privados, 239
Bentham, Jeremy, 75-76, 87
Bergen, Mark E., 165
Berlem, Isaiah, 474
Bernanke, Ben, 421, 434, 572-573, 578
Bernoulli, Daniel, 75
Bethlehem Steel, 413
Beyond the Limits, 462
Bhagwati, Jagdish, 322
Bilmes, Linda J., 125-126
Bismarck, Otto von, 292
Blinder, Alan, 306, 323
Blockbuster, vídeo, 123
Blume, Lawrence E., 71
Board de Governors, 421-422
Boeing Company, 149, 155, 182, 187, 251, 303, 351
Bolha da nova economia, 381-382
Bolha do imobiliário, 381
Bolhas especulativas
   alta tecnologia, 381-382
   habitação, 382
South Sea Company, 412
   túlipas, mania das, 412
Borjas, George, 53, 234, 236
Boskin Commission, 358
Boskin, Michael, 358
Brasil
   hiperinflação, 332
   protecionismo no, 319-320
Brealey, Richard A., 376
Bretton Woods, sistema, 492-493, 503
   acabou em 1973, 493
British East India Company, 107

Brookings Institution, 284, 340
Brown, William G., 110
Bruno, Michael, 545
Buchanan, James, 274
Buffett, Warren, 225, 290
Bundesbank, 535
Bureau of Economic Analysis, 284, 360, 377, 398
Bureau of Labor Statistics, 234, 356, 357, 377
Burke, Edmund, 2
Burns, Arthur F., 398
Bush, administração (2ª) de, 125, 182
Bush, George W., 306, 559, 567
Byers, Eben, 145

C

Cabimento, regra de orçamento, 571
Cadeia, contratos em
    defesa da concorrência, interpretação, 180
    Lei Clayton em, 180
Cadeia, ponderação em
    bens e serviços, 348-349
    no índice de preços ao consumidor, 358
    no índice de preços do PIB, 307
Calculus of Consent (Buchanan & Tullock), 274
Cambão, 180
Cambial, mercado, **485**
    banco central, intervenção, 435-437
    curva da oferta da demanda, 485-494
    definição, 485
    intervenção do governo no, 493-494
    mercados organizados, 485
Camerer, Colem, 79
Caminhos de ferro, era da construção, 162
Canada
    e Nafta, 321
    recursos naturais, base de, 444
Capacidade de pagamento, princípio da, 276-277
Capacidade produtiva, 95
Capital, **28**
    alocação entre investimentos, 252-253
    análise gráfica dos rendimentos, 260-262
    aumentos líquidos no, 350-351
    categorias de, 251
    como fator de produção, 8, 28-29
    como insumo e produto, 282
    componentes de, 444-445
    crescimento do, 28-29
    custo de, 372
    dados empíricos, 264
    de perpetuidades, 254
    definição, 253
    determinantes da taxa de juros, 260
    determinantes do lucro, 262-264
    determinantes dos juros e da rentabilidade, 260
    e especialização de, 26
    e propriedade privada, 29
    equilíbrio de curto prazo, 261-262
    equilíbrio de longo prazo, 262
    estatísticas reportadas, 262
    Fisher, teoria de, 259-260
    físico, 190-191
    fórmula geral, 254-255
    infraestruturas, 445
    intangível, 251, 510
    maximização, 255
    mercados de; ver Financeiros mercados
    métodos indiretos de produção, 28
    mobilidade de, 504
    oferta de, 210
    perda, 411
    permanecer constante, 259
    preços e rendas do, 251-252
    produção indirecta, 258
    produto marginal, 260
    remoção de, 562-563
    rendimentos decrescentes e demanda para, 258-260
    taxa de rentabilidade, 254-256
    tributo sobre, 281
    versus ativos financeiros, 252
Capital (Marx), 474
Capital de infraestrutura, **445**
Capital físico, 190-191
Capital formação
    componente do PIB, 349-350
    e necessidade para o progresso tecnológico, 450-451
    no modelo neoclássico, 447-450
    para crescimento econômico, 444-445
    para o desenvolvimento econômico, 465-466
Capitalism and Freedom (Friedman), 38
Capitalism, Socialism, and Democracy (Schumpeter), 196, 274
Capitalismo, 21-22, 29, 251
    ciclos econômicos no, 34
    excessos do, 35
    expansões e recaídas especulativas, 381
    Marx sobre o, 474-475
    pânicos financeiros, 381
Capital-trabalho, razão, 448, 450
Carbono
    emissões de dióxido de, 246-247
    imposto sobre, 246-247
Card, David, 71
Cardoso de Mello, Zelia, 319
Carlson, Chester, 145
Carlton, Dennis W., 183
Carlyle, Thomas, 270, 447
Carnegie, Andrew, 161, 162
Carteira, diversificação da, 401, 415-416
Cartel tácito, 167
Cartel, 168
    obstáculos ao, 169
    tácito, 168
Carter, Jimmy, 550
Carter, Susan, 360
Cartões de crédito
    proliferação de, 371
    versus moeda, 406
Caterpillar, Inc., 229
Causalidade, inferência da, 4
Census Department, 299
Chernow, Ron, 163
Chicago Board of Trade, 22, 531
China
    custos da mão de obra, 303
    desenvolvimento econômico, 473
    e direitos de propriedade intelectual, 197
    economia de mercado na, 36
    empréstimo pela, 27
    guerra comercial com, 318
    importações de petróleo, 50
    produtor de iPods, 27
    salários e remunerações complementares, 220
    superávit comercial, 513
    taxas de câmbio fixas, 475-476
Choques tecnológicos, 565
Churchill, Winston, 77
Ciclo de pobreza vicioso, 468-469
Ciclo de recessão, 550
Ciclo de vida, hipótese
    de consumo, 367-369
    e previdência social, 547
    perspectiva ricardiana da política fiscal, 566-567
Ciclo econômico, teorias do
    abordagem keynesiana, 375
    do ciclo econômico real, 565, 566
    e crises financeiras, 381-382

e modelo do multiplicador, 397
exógenas, 381
tinternas, 381, 396
Ciclos econômicos, 3, 378-386, 379, 405; ver também políticas estabilização
   aspectos, 379-381
   consumo/poupança, comportamento, 367
   controle pela política monetária, 333-334
   definição temporal dos, 379-380
   definição, 34
   despesa-renda, interações, 362
   e a grande moderação, 385-386
   e crises financeiras, 381-382
   e demanda agregada, 384-385
   e desemprego, 524-535
   e gestão da demanda, 569-570
   e modelo do multiplicador, 395
   e políticas de estabilização, 272-273
   estágios dos, 379
   evitabilidade do, 385-386
   foco da macroeconomia, 326
   internacional, 498
   Keynes sobre, 378
   na macroeconomia clássica, 565
   nos Estados Unidos 1920-2009, 380
   papel da política econômica, 338-339
   PIB durante, 329
   produto *versus* desemprego nos, 527
   recentes, 378
   recessão de 2007-2008, 327-329
   taxa de desemprego, 331
Ciência
   lúgubre, 447
   papel governo na, 276
Ciência econômica ver também Economia
Científica
   abordagem, 4
Cintura enferrujada, 512
Cirurgiões, mercado para, 211
Civil Rights, Lei de 1964, 232
Clark, John Bates, 216
Clark, Robert, 202
Classes de rendas
   medida da desigualdade entre, 287-289
   quintis, 288
Clayton Lei anti-trust, 179, **180**, 227
Clientes; ver também Entradas de consumidor
   com elasticidades diferentes, 60-62
   e discriminação de preço, 61

Clima empresarial, 511-512
Clima macroeconômico estável, 511-512
Clinton, Bill, 277, 297, 571
   administração de, 341
Coase teorema, 246
Coase, Ronald, 106, 110, 246
Cobb-Douglas, 128, 459
   e curvas de custo, 117
   efeito do progresso tecnológico, 100-101
   função de produção Cobb-Douglas, 128, 459
   numérica, 128
Cobertura, **188**
Coca-Cola Company, 150, 155-156, 251
Cocaína, uso de, 82
Coeficiente de Gini, **289**
Cofre, papel-moeda em, 426
Colbert, Jean Baptiste, 277
Colheitas, programas de restrição de, 65
Comando, economia de, **7**
Comando e controle, regulações de, 243-244
Combinação fiscal-monetária, **570**, 570-572
   efeito de alterar, 571
   principais alternativas, 571-572
Comerciais, déficits, 334, 482, 499, 512
   de Estados Unidos, 484, 509, 513
   internacionais, padrões, 484-485
   parcela do PIB, 504
Comercial, excedente, 334, 482
   da China, 512
   internacionais, padrões, 484-485
Comércio bilateral, 309
Comércio de mercadorias, 482
Comércio eletrônico, 21
Comércio internacional, 3, 301-322
   abordagens regionais, 321
   avaliação, 321
   balança de conta corrente, 334
   balanço de pagamentos contas, 482-484
   benefícios do, 301, 480
   bilateral, 309
   capital em, 28-29
China-Estados Unidos, 472
   com taxas de câmbio flexíveis, 437
   considerações chave, 26-27
   considerações chave, 26-27
   declínio na Grande Depressão, 310
   desenvolvimento econômico pelo, 470-471
   determinantes do, 499

diferenças de custo, 303
diferenças nos gostos, 303
discriminação de preço em, 172
diversidade de recursos, 303
divisão do trabalho para, 26
dumping, 172
e política monetária, 437
e protecionismo, 310-320
e taxas de câmbio, 484-485, 487, 505
efeitos da política monetária, 504-506
em bens e serviços 2007, 302
especialização do, 26
exportações líquidas, 351
exportações líquidas e produto, 498-500, 502
fontes do, 302-303
ganhos para pequeno países, 306
General Agreement on Tariffs and Trade (GATT), 320
globalização, 26-28
impacto de curto prazo no PIB, 500-503
impacto nos salários, 292
intraindústria, 303
mecanismo ajuste internacional, 490-492
mecanismo de transmissão monetário, 504-506
moeda em, 28
natureza do, 301-303
negociação de comércio livre, 320
negociações multilaterais
oferta e demanda, análise, 311-316
Organização Mundial do Comércio, 320
pedir ao vizinho, política de, 319
possibilidades de consumo, curva, 307, 308
promoção da concorrência, 154-155
sob taxas de câmbio flexíveis, 503-504
tendências no, 302, 481-482
triangular ou multilateral, 309
vantagem comparativa, 303-310
versus comércio externo e interno, 302
Comércio intraindústria, 303
Comércio livre
   equilíbrio de, 307-308
   zonas de, 154-155
Comércio triangular, 310
Comércio ultilateral, 309
Comércios qualificados, 255
Compaq, computadores, 170
Compensação
   de executivos, 108-109

função de, 401
razões para diferenças, 290
Competitividade e produtividade, 512-513
Complementares, **80, 81**
e drogas ilegais, 84
Comportamento redatório, 114
Compras do governo
componente de PIB, 350-351
efeito sobre a produção, 390-392
na demanda agregada, 382
Compras em linha, 152
Computadores
declínio no preço dos, 42
demanda de, 42
e inflexão da produtividade, 456
indústria dos, no Brasil, 319-320
Computadores pessoais, vendas 42
Concorrência; ver também Teoria dos jogos
concentração, razãos de, 167
ênfase nacional, 513
incentivo à, 177
industrial, 152, 153
para garantir a inovação, 574
para monopolistas, 151
promovida pelo comércio internacional, 154-156
versus restrições de importações, 154-155
versus rivalidade, 151-152
Concorrência de preço, 23
Concorrência imperfeita, **27, 150;** ver também Teoria dos jogos; Mercado estrutura
barreiras à entrada, 154-156, 167
carteis, 168
como falha de mercado, 144-145
concorrência perfeita como caso extremo da, 160-161
custos, 153-154, 167
discriminação de preço, 171-172
e defesa da concorrência, leis, 179-182
e fronteira de possibilidades de produção, 30
efeito sobre preços, 30
estáticos custos, 176
estratégica interação, 167
exemplos, 149-150
fazedores de preço, 150-151
Herfindahl-Hirschman, índice, 166
intervenção do governo, 31
monopólio, comportamento de, 156-162
monopolística concorrência, 169-171

natureza do, 167
oligopólio de cartel, 168-169, 171
padrões do, 149-156
poder de mercado, medidas, 166-167
políticas públicas na, 177
preços inflacionados, 175-176
quatro empresas, razão de concentração das, 166
razões de concentração, 166-167
reduzido produto, 175-176
regulação da, 177-178
representação gráfica, 150-151
rivalidade entre poucos, 171
Schumpeter, defesa por, 195-196
sindicatos, 226
versus sem concorrência, 152-153
Concorrência internacioal e concentração razões, 166-167
Concorrência monopolística, **151, 169**
comparada à concorrência perfeita, 169
comportamento da, 165-167
crítica econômica da, 171
diferenciação de produto, 151-152
em estrutura de mercado, 152, 165
medidas do poder de mercado, 166-167
preços em, 171
Concorrência perfeita, **30, 133**
como caso extremo de concorrência imperfeita, 160-161
como mercado ideal, 149
comparada à concorrência monopolística, 169
comparada ao oligopólio, 153
curva da demanda da empresa, 150
custo e curva da demanda, 153-154
efeito de internet sobre, 197
em estrutura do mercado, 152, 157
oferta sob, 135
quebra do, 271
tomadores de preço, 133
Condição de lucro zero, 139
Confiança empresarial, 372
Congressional Budget Office, 340, 551
Congresso, restrições orçamentais sobre o, 571-573
Conselho de administração, 108
Consumidor; ver também Preferências
custo das cotas de açúcar, 317
custos das tarifas, 314-316
demanda para bens finais, 205-206
determinantes da produção, 23
e teoria da utilidade, 76
em mercados de rede, 101-103

equilíbrio competitivo com muitos, 143-144
escolhas, 73
expectativas racionais, 567
externalidades pela adoção, 101
imposto, incidência do, 66
maximização da utilidade, 121
no gráfico de fluxo circula, 24-25
renda média, 42, 43
reta orçamentária, 91
sinais de preço para, 23
Consumidor excedente, 84, 142
aplicações do, 85
e utilidade, 84-85
Consumidor, comportamento do,
aversão à perda, 161
com curvas de indiferença, 99-94
comportamento, na economia, 77-78
efeito substituição, 79
efeito-renda, 78-79
igualdade marginal, princípio, 76
utilidade, maximização da, 76
Consumidor, despesas do
em cigarro e álcool, 82
em drogas ilegais, 82-84
Consumidor, equilíbrio do, 76
efeito de variação de renda, 92-93
efeito de variações de preço, 93
geométrica, análise, 99-94
posição de tangência, 92
Consumidor, índice de preços, 330, 538
cálculo, 357
construção do, 356-357
e bens novos/melhorados, 357
e títulos do Tesouro, 258-259
enviesamento para cima, 357
nos Estados Unidos 1929-2008, 342
nos Estados Unidos 1950-2008, 541
números-índices, problema dos, 357-358
ponderação em cadeia, sistema de, 357
taxa de inflação, cálculo, 330-331
Consumo
atual *versus* futuro, 258-259, 349
com comércio, 307-309
componente de PIB, 349, 362-363
curva das possibilidades de, 306, 307
de bens de demérito, 82-84
definição, 362
despesas de, 349
determinantes do, 367-369
e demanda doméstica, 499
e propensão marginal a consumir, 367-366

e propensão marginal a poupar, 366-368
e renda, 364-365
e teoria da utilidade, 73-75
efeito dos tributos sobre, 65-67
elevado relativamente à renda, 362
empréstimos ao, taxa de juros nos, 256
evolução no século xx, 364-365
função da poupança, 365-367
função do consumo nacional, 370-372
função do consumo, 365-366
futuro *versus* atual, 11-12
hipótese do ciclo de vida, 367-368
medidas alternativas, 371
na demanda agregada, 334, 381-382
nacional, determinantes do comportamento do, 367-370
nominal *versus* real, 383
padrões de despesas orçamentais, 363-364
principais componentes, 363
reação a variações da taxa de juros, 428
ricardiana, na perspectiva, da política fiscal, 566-567
sacrificado, para crescimento do capital, 28-29
sem comércio, 306-307
subsidiado, 26
tributo sobre, 280
uniforme, 189
variações nos Estados Unidos 1970-2007, 369

Consumo nacional
determinantes e declínio na taxa de poupança, 370-371
renda disponível, 368
renda permanente, 368-369
riqueza, 369-370

Consumo nominal, 382
Conta, 345
Conta corrente
componentes, 482
déficit da, 482, 483, 561
e taxas de câmbio, 489
equilíbrio da, 336, 482, 484
Conta de capital, 484
Conta de ganhos e perdas; ver Demonstração de resultados
Conta financeira, 483-484
e taxas de câmbio, 489
Contabilidade
balanço, 121-123
convenções, 123
custos históricos, 123

da amortização, 120-121
demonstração de resultados, 120-121
do crescimento, **453**
escândalos de, 123-124
fraudulenta, 123-124
Contagem dupla, problema da, no PIB, 345-347
Contas à ordem, 123
Contas das empresas, derivação das contas nacionais das, 346
Contas nacionais
abordagem pela renda e produto, 346
adequação das, 358
ampliadas, 356-357
compras do governo, 350-351
conceitos chave, 352
consumo, 349
depreciação em, 350
derivadas das contas das empresas, 345
discrepância estatística, 352
e orçamento federal, 351
e PIB, 342
exportações líquidas, 351
formação de capital, 349-350
identidade de poupança e investimento, 355
imputações/derivada dados, 352
investimento, 349-350
medida da poupança, 371
omissão danos ambientais, 356-357
omitidas, atividades fora de mercado, 356
panorâmica, 346
PIB real *versus* nominal, 346-349
poupança e investimento, 355
renda disponível, 354-355
renda em, 352
Contingência, avaliação de, 242
Contra a pobreza,
apoio à renda, 296
batalha pela reforma, 296-298
crédito de imposto pela renda ganha, 297, 298
fugas, 293-295
gráficos dos programas, 293-294
objetivos, 293
perspectivas sobre a pobreza, 296
políticas custos de redistribuição
previdência social, reforma de 1996 da, 297-298
problemas de incentivos aos pobres, 296
programas e críticas, 295-298
renda suplementar, programas de, 297

soma das fugas, 295
surgimento do Estado social, 292
Contra-cíclica, política fiscal, 570
Contratos, abrangência incompleta dos, 106
Contrato social, 270
Contribution to the Theory de Economic Growth (Solow), 448
Controles de preço
e racionamento, 69-70
energia, 68-69
salário mínimo, 67-69
Convergência econômica, 470
Convexa em relação à origem, 99
Coolidge, Calvin, 95
Coreanos, imigrantes, 225-226
Coreia do Sul, salários e remunerações complementares, 220
Cornucopianos, 237
Corrida para o último lugar, 297-298
Cortes de impostos, 5, 285, 558, 567-569
Cotas, **311**
comparadas a tarifas, 312-314
no açúcar, 317
voluntárias, 320
Cotas de exportação voluntárias, 320
Council of Economic Advisers, 499
Credibilidade
da política de inflação, 554
na teoria dos jogos, 175
Crédito
crise de 2007-2008, 273, 425
definição, 482
instrumentos do mercado de, 404
na conta corrente, 482
na conta financeira, 483-484
Crédito de imposto por investimento, 333
Crescimento da população
alarme sobre, 462
Crescimento da produtividade, **103**
de economias de escala, 103-104
de economias de gama, 103-104
declínio, 462
e desenvolvimento econômico, 460-461
medida da dificuldade, 104-105
Crescimento de moeda, regra fixa de, **435**
Crescimento econômico, 329, **443**
abordagem da contabilidade do, 453-455
abrandamento da produtividade, 455-456

ambiente macroeconômico estável, 511
ambiente para investimento, 511-512
aumento do capital, 444-445
capital intangível, 510
cientistas sociais sobre, 469
comportamento consumo/poupança, 367
crescimento século, 338
declínio de longo prazo, 563-564
definição, 34
desacordos entre economistas, 446
dívida externa *versus* interna, 561-562
e Adam Smith, 26
e equidade, 33
e fronteira de possibilidades de produção, 9-11, 443
e inflação reduzida, 544
e produtividade, 444
em economia aberta, 506, 510-512, 514
em economia fechada, 506-508
em macroeconomia, 442
em países avançados 1870-2006, 443
espírito empresarial, 574-575
fatos do, 451
foco na macroeconomia, 326
fontes do, 453
função de produção agregada, 444
imigração/emigração, 510-511
impacto dos déficits do orçamento, 559-560
inflexão na produtividade, 456-457
instituições do mercado, 511
limites ao, 462
longo prazo, significado, 442-443
meios de aumentar, 503
modelo de Solow, 448
modelo neoclássico, 447-450
na China, 327
na economia clássica, 446-447
na Revolução Industrial, 443-444
no Japão, na China, e na Índia, 444
nova teoria, 451
padrões de vida, 442-443
papel do progresso tecnológico, 450-451
pelas técnicas das melhores práticas, 510
perdas de eficiência pelos impostos, 562
perspectiva dos otimistas tecnológicos, 237
perspectiva dos pessimistas ambientais, 263
perspectiva keynesiana, 575
PIB per capita, 573

políticas de comércio, 510
produtividade do trabalho, 455
produto por pessoa, 443
progresso tecnológico, 445-446
promoção avanço tecnológico, 574-575
recursos humanos, 444
recursos naturais, 444
regularidades, 452
relações das tendências com as teorias, 453
remoção de capital, 562-563
sete tendências básicas, 451-453
sustentável, 236
tendências básicas, 451-453
tendências históricas, 562
teorias do, 443-451
versus declínio, 443
Crescimento econômico (Solow), 48
Crescimento econômico (Weil), 458
Crescimento econômico a longo prazo
impacto de déficits do orçamento, 559
no modelo neoclássico, 450
Crescimento econômico sustentável, 236
Criação de empregos
falha na Europa, 320
nos Estados Unidos 1990-99, 320
Crise global de liquidez de 1998, 437
Crises financeiras, 27
Argentina 2001-2002, 436
bolha da nova economia, 381-382
bolha do imobiliário, 382
crise liquidez global de 1998, 436
crises de crédito de 2007-2008, 425
desde 1990, 480-481
hiperinflação, 381
hipotecas com risco (subprime) problema do, 78
mundial em 1990, 489
nos Estados Unidos 2007-2008, 327, 498
pânicos do capitalismo inicial, 381
pânicos, 415
Cruz Keynesiana, 386
Cuidados de saúde
aspectos econômicos especiais, 193-194
avanços tecnológicos, 193
como programa social, 194
de saúde, despesa, 365
despesas, 193
economia dos, 193-195
elasticidade-renda elevada, 193
inadequada, 194
mercado-governo, parceria, 193

problemas não resolvidos, 193
racionamento, 194-195
subsídio e escassez, 195
subsidização ampliada, 193-194
terceira parte, efeito de pagamento pela, 194
Cultura, impacto da despesa do Estado na, 276-276
Cupon de racionamento, 69-70
Currency board, **493**
Curso legal, 406
Curto prazo, **100**
curva de Phillips, 547-549
custos em, 118-119
em setores competitivos, 138
equilíbrio, 137
função oferta agregada, **521**
oferta agregada em, 522, 523-524
rentabilidade do capital, 261-262
Curto prazo, crescimento econômico de, impacto de déficits do orçamento, 559-560
Curto prazo, curva da oferta, 137
Curva da demanda, **40**, 56
com liberdade de comércio, 311
da gasolina, 66
de empresas sob concorrência imperfeita, 150-151
derivação da receita marginal da, 156-157
derivação da, 76-78
derivada das curvas indiferença, 92-93
deslocamentos da, 43
deslocamentos para a direita, 49
dimensão do mercado, 42, 43
e discriminação de preço, 172
e efeito renda, 41, 42, 78-79
e efeito substituição, 41, 42, 78-79
e excedente do consumidor, 84-85
efeito de variações de preço, 81
elasticidade-preço da, 59-69
em concorrência perfeita, 150-151
equilíbrio com, 47-52
fonte de demanda de mercado, 210-211
forças subjacentes
gostos e preferências, 42, 43
inclinação negativa, 41, 76-77, 79, 92, 141
influências especiais, 42, 43
linear, 60-61
macro *versus* micro, 385
mercado, 42
movimento ao longo *versus* deslocamento da, 43, 384-385
para concorrência monopolística, 169-171

para empresas competitivas, 133
para oligopólio, 168
preços dos bens relacionados, 42, 43
renda média, 42, 43
versus curva demanda agregada, 336
Curva da demanda agregada, 334-337
aviso sobre, 328
função da, 335
inclinação negativa, 382-384
níveis de preço e produto, 384
Curva da demanda de investimento, 372-373, **373**
deslocamentos da, 374-375
Curva da demanda de mercado, 42, 79, 209-210
Curva da demanda linear, 60-61
Curva da demanda macroeconômica, 385
Curva da demanda microeconômica, 385
Curva da demanda, inclinação negativa, 41, 50, 76-77, 93, 141
efeito renda, 78-80
efeito substituição, 78
Curva da oferta, **44,** 56
avanços tecnológicos, 45-46
com inclinação positiva, 44
com inflexão, 140
como curva de custo marginal crescente, 135
curto prazo, 137
deslocamentos da, 45-46
e ponto de encerramento, 135
equilíbrio com, 47-52
fatores de produção, preços dos, 45-46
inflexão para trás, 141
influências especiais, 45-46
movimento ao longo, 45-46
oferta de mercado derivada do, 136-137
para gasolina, 66
para terra, 238-239
política governamental, 45-46
preços de bens relacionados, 45-46
produção, custos de, 45-46
resposta do trabalho a impostos, 282
versus curva de oferta agregada, 336
Curva da oferta agregada, 334-337, **521**
aviso sobre, 328
com inclinação positiva, 524
vertical, 566
Curva de custo em forma de U, 118-119
Curva de custo total, 116
Curva de Lorenz, **287,** 288
Curva de Phillips, **547**
curto prazo, 547-549

custos de redução da inflação, 552-553
definição de longo prazo, 552
deslocamentos, 549-550
do curto prazo para o longo prazo, 549-550
dúvidas acerca da TDNAI, 552-552
e desinflação, 552
e TDNAI, 549
quantitativas, estimativas, 550
vertical longo prazo, 550
Curva do custo marginal, 135
Curvas
deslocamentos de, 18
linhas, 17
movimentos ao longo, 18
Curvas de custos
determinação das, 117-118
e leis da produção, 119
na forma de U, 118-119
Curvas de indiferença, **89**
deduzir da curva demanda das, 92-93
equilíbrio na posição de tangência, 91
Indiferença, mapa de, 89
Lei da substituição, 89
orçamentária reta/restrição, 91
variação de renda, 91-92
variações de preço, 92
versus utilidade marginal, 78-79
Curvas não lineares, 17
Custo
análise econômica do balanço, 121-123
constante, 140
convenções contábeis, 123
curto prazo, 118-119
da extensão de trabalhos públicos, 32
da guerra no Iraque, 125
das tarifas, 314-316
de cotas de açúcar, 317
de detenção de moeda, 407
de entrada 155
de preços inflacionados e produto reduzido, 175-176
de redução da inflação, 553-554
de redução da poluição a zero, 241
de vida, ajustes, 358
demonstração de resultados, 120-121
derivação do, 117
despesas de funcionamento, 120-121
determinante de investimento, 372
do capital, 372, 512

dos bens vendidos, 120
dos recursos, 124
escândalos financeiros, 123-124
fator no comércio internacional, 302
fixo médio,
fixo médio, 107, **114-115**
fixo, 112-113
fonte de concorrência imperfeita, 152-154, 167
históricos, 123
ligações à produção, 117-119
longo prazo, 118-119
marginal, 113-115
médio mínimo, 116
médio, 114-117
mínimo atingível, 113
na demonstração de resultados, 120-121
produto marginal e regra custo mínimo, 119
regra da substituição, 119-120
relação entre custo médio e marginal, 115-116
total, 112-114
unitário, 114
variável médio, 116
variável, 113
Custo irreversível, 113
ignorar, 161
Custo marginal, **113-114**
cálculo do, 113-114
curva do, 135
da distribuição de software, 113
de despoluição, 241, 242-243
e custo total, 114
e encerramento ponto, 135
e rendimentos decrescentes, 140
e utilidade marginal, 143
em equilíbrio competitivo, 142-143
em gráficos, 113-114
padrão de eficiência, 143
papel essencial do, 144
preço igual ao, 133-135
relação ao custo médio, 116-117
Custo médio, **114**
relação com o custo marginal, 115-117
Custo mínimo
condições de, 130
regra do, **119, 209**
tangência, 130-131
Custo mínimo, fator combinação
condições de, 131
igual-custo, linhas de, 130
igual-produto, curvas de, 129-130
tangência de, 130-131

Custo total, 113
  e condição de encerramento, 135-136
Custo unitário, 114
Custo variável médio, **115**, 135
Custo, curvas de
  determinação das, 117-118
  e leis da produção, 119
  na forma de U, 118-119
Custo, pressuposto da minimização, 119
Custo-benefício, análise
  da despoluição, 242-243
  da União Monetária Europeia, 515-516
  dos níveis de poluição, 241
  dos programas do governo, 85
  dos sistemas redistributivos, 34
Custos atingíveis mínimos, 113
Custos crescentes, 140
  rendimentos crescentes à escala, **99**, 103-104
Custos de transação, 246, 514
Custos de transporte, 314
Custos fixos, 112-**113**, 135, 138
  custos sociais, 242
  médio, 114-115
  propensão a importar, **502**
  propensão a poupar, **366**, 502
  Custos variáveis, **113**, 135
  e total custo, 114
  médios, 116

D

Danos pela poluição, 242
David, Paul, 457
David, Scott, 165
Débitos
  definição, 482
  na conta corrente, 483
  na conta financeira, 483-484
Debreu, Gerard, 147
Declaração de ganhos e perdas; ver Demonstração de resultados
Declínio econômico, 443
Dedrick, Jason, 38
Defesa da concorrência, leis, 31, 161, 177
  American Tobacco, caso da, 181
  AT&T, caso da, 181
  atitudes, alteração das, em relação a, 182
  Clayton, lei, 179-180
  conduta ilegal, 180-181
  dimensão, questão de, 181-182
  eficiência, 182

Federal Trade Commission, Lei da, 179-180
  ilegal em si mesmo, conceito de, 180
  isenção de união da, 227
  Microsoft, caso da, 181-182
  propósito, 179
  regra da razão, doutrina da, 181
  Sherman, Lei, 179-180, 271
  Standard Oil, caso da, 181
Defesa nacional, 240
Déficits comerciais, 334, 482, 499, 512
  de Estados Unidos, 484, 509, 513
  internacionais, padrões, 484-485
  parcela do PIB, 504
Déficits de orçamento, **558**
  aumento desde 2000, 558
  e combinação fiscal-monetária, 570
  efeito sobre as exportações líquidas, 509
  história fiscal, 558-559
  keynesiana, perspectiva, 559
  na perspectiva ricardiana da política fiscal, 567
  política fiscal e modelo do multiplicador, 559-560
  principais confusões sobre, 563
  versus dívida pública, 558
  versus longo prazo, 560
Deflação, 332, 347
  ciclo de, 553
  dilema da, 543
Degradantes, produtos, 172
Dell Inc., 149
Delta Air Lines, 171
Demanda
  função, **40**
  perfeitamente elástica, 59
  perfeitamente inelástica, 59
Demanda agregada, **334, 381**
  abordagem keynesiana, 375
  choques da, 384
  componentes, 334, 381-382
  deslocamentos da, 383-384
  determinação da produção, 336
  e ciclos econômicos, 384-386
  e desemprego clássico, 229
  e expansão em tempo de guerra, 337
  e exportações líquidas, 500
  e inflação, 545
  e política monetária, 431-432
  e preços, 334
  equilíbrio macroeconômico, 336-337
  fatores que influenciam, 382-383
  impacto da fiscalidade, 392-393
  interações das políticas monetária e fiscal, 569-572

keynesianos *versus* monetaristas, 433
  resposta da oferta agregada a deslocamentos da, 523-524
  variáveis macroeconômicas, 334-335
Demanda agregada, curva da, com inclinação negativa, 382-384, 385
Demanda de moeda para transações, 406
Demanda de moeda; ver Moeda
Demanda de trabalhadores, 219-221
  comparações nacionais, 220-221
  derivada, demanda, 205, 206
  desfaságens na, 528-529
  diferenças de produtividade marginal, 219-220
  e salário mínimo, 68-69
Demanda derivada, **205**-206
  de terra, 238
Demanda doméstica, 499
  componentes, 499-501
  crescimento após 1995, 504-505
Demanda elástica ao preço, **57**-59
  efeito de variações de preço, 61-62
Demanda elástica, 57
Demanda elasticidade unitária, **57**
  e receita marginal, 158
  efeito de variações de preço, 60-62
  para produtos alimentares, 61
Demanda em excesso, 549
Demanda individual, 79
Demanda inelástica de preço, **57**-59, 82
  para produtos agrícolas, 65
Demanda, gestão da
  eficácia da política monetária, 569
  nos ciclos econômicos, 568
  papel da política fiscal, 568-569
Demanda; ver também Demanda agregada; Demanda doméstica; Oferta e demanda
  aumento da, 43
  curto *versus* longo prazos, 100
  de substâncias viciantes, 82-83
  demandada, 43
  derivada, 239
  deslocamentos da, 43, 80
  e custos da produçãor, 143
  e Lei dos Mercados Say, 565
  e maximização da utilidade, 73
  e teoria da utilidade, 73-74
  e utilidade ordinal, 78
  efeito de tarifas, 313
  efeito renda, 79-80
  efeito substituição, 79
  efeitos de deslocamentos na, 48-50
  elástica em relação ao preço, 57-59
  elástica, 57

elasticidades, 56-63
elasticidade unitária, 57-59
em economia comportamental, 78-79
excesso, 549
fatores que afetam, 80
inclinação negativa, 50
individual *versus* mercado, 79-81
inelástica em relação ao preço, 57-59
inelástica, 57
interdependente, 205-206
lei da utilidade marginal decrescente, 74
mercado, demanda de, 42
no gráfico de fluxo circular, 24-25
para capital, 258-259
para computadores, 42
para dólares, 485
para tecnologias avançadas, 574
variações percentuais na, 57-59
Demonstração de resultados, **120**
categorias de custo, 120
depreciação, 120-121
despesas operacionais, 121
identidade fundamental, 120
medida dos fluxos, 122
Deng Xiaoping, 473
Department of Commerce, 317, 336
Department of Defense, 276, 316
Department of Labor, 455
Depósitos à ordem, 406
Depreciação (moeda), **487**, 502-504, 505-506
do peso mexicano, 495
Depreciação, **120, 350**
cálculo da, 120-121
na abordagem de fluxo de custos, 352-354
nas contas nacionais, 350, 352
Depressão, **379**; ver também Grande Depressão
evitar, 271-272
persistência do, 520
PIB durante, 329
Derivados, 404
Derivados financeiros, 404
Desempregado, **525**
Desemprego, 524-535
amostra aleatória da população, 525
analogia com admissões nas universidades, 529
apoio ao, Europa *versus* Estados Unidos, 535
cíclico, **529**
clássico, 229
dados para 1979-1987, 566

de desequilíbrio, 528-531
de equilíbrio, 528
de longo prazo na Europa, 531-532
de recessão de 2007-2008, 524
demografia do, 531-532
duração do desemprego, 531-532
e sindicatos, 229
e tarifas, 320
econômico, 526
efeito do salário mínimo sobre, 67-69
efetivo *versus* TDNAI, 551-552
entre os jovens, 68-69
estrutural, 528-529
fonte de falta de empregos, 532
friccional, 528
grupos por idade, 532
identidade do desempregado, 531
impacto econômico do, 526
ineficácia da política, teorema da, 568
keynesiano, 229
medida, 525
microeconômicos, fundamentos, 530
na "cintura enferrujada", 512
na Alemanha Oriental, 229
natural, taxa do, 549, 553
oferta e demanda, análise da, 528-531
periódico, 520
persistência do, 326-327
Phillips, e curva de, 547-552
políticas para reduzir, 553-554
questões sobre as causas do, 525
recessões *versus* expansões, 330
resultados de globalização, 27
salário de eficiência, teoria do, 567
seguro, 6, 192-193, 554
social, 526-527
tendências nos Estados Unidos *versus* Europa, 534-535
trabalho, questões do mercado de voluntário, 528
Desemprego de equilíbrio, **528** *versus* desemprego desequilíbrio, 522
Desemprego estrutural na, 528-529
na Europa, 535
orçamento, 559
Desemprego involuntário, 567
Desemprego keynesiano, 406
Desemprego pela idade, 533-534
Desemprego voluntário, 528
Desenvolvimento econômico, 6
aspectos dos países em desenvolvimento, 463-464
capital humano, 465

convergência do, 470
desenvolvimento humano, 464
e ciclo vicioso da pobreza, 468-469
e endividar-se no exterior, 466-467
e implosão da população, 462
e juros compostos, 461
economia de comando de estilo soviético, 471, 474-476
falhas em Malthus, 461-462
formação de capital, 465-466
governo *versus* mercado, 470
hipótese do atraso, 469-470
industrialização *versus* agricultura, 470
limites ao crescimento, tese, 462
mercados *versus* de comando, 471-472
na Ásia, mercado gerido pela abordagem, 471-473
na China, 473
neo-Malthusianismo, 462
orientação para o exterior, 470-471
papel do governo, 471
pela substituição de importações, 469
perspectiva malthusiana, 460-461
perspectivas dos cientistas sociais, 469
progresso tecnológico, 467-468
recursos humanos, 465-466
recursos naturais, 466
socialismo, 471, 473-474
Desequilíbrio, **378**-379
Desigualdade; ver também Renda desigualdade
absoluta, 288
ampliação dos diferenciais 1975-1980, 292
de riqueza, 288
decrescente 1929-1975, 289-292
efetiva e casos extremos de, 288
entre países, 289-290
fontes da, 286-292
papel do governo na redução, 271
tendências na, 289-292
tendências nos Estados Unidos 1929-2006, 291
variações de 1967 1980, 289
Desigualdade de rendimento
e consumo subsidiado, 34
e intervenção do governo, 42
entre classes, 287-289
entre países, 289-290
Gini, coeficiente de, 289
Lorenz, curva de, 288-289
reduzido pela fiscalidade, 33
reduzido pelas transferências, 33-34

Desincentivos ao trabalho, redução, 555
Desindustrialização dos Estados Unidos, 512-513
Deslocamento da curva da demanda, 385-386
Deslocamento da demanda, 43, 50
   e demanda de mercado, 80
   efeitos da, 48-50
Deslocamento da demanda agregada, 384-385, 522-524
Deslocamento da oferta, 45-46
   efeitos da, 48-50
   em mercados competitivos, 141-142
Deslocamentos da curva da demanda de investimento, 374-375
Deslocamentos de curvas, 18
Desperdício
   causados por monopólio, 176
   da degradação ambiental, 12
   do desemprego elevado, 526
   dos ciclos econômicos, 12
   gestão do, 123
Despesa; ver Consumo; Despesas públicas; Investimento
Despesa com a defesa, 395
Despesa de déficit, 545
Despesa pública
   como instrumento de política, 269
   componentes da, 270
   cultural/tecnológico impactos, 276
   defesa, despesa de, 395
   déficit, despesa de, 545
   dos Estados Unidos 1930-2008, 269
   duas formas da, 333
   estaduais e locais, despesas, 275-276
   federais, despesas, 275-276
   fiscal, federalismo
   na demanda agregada, 335
   percentagem do PIB, 270
   subsídios, programas de, 275
Despesas do consumidor
   em cigarro e álcool, 82
   em drogas ilegais, 82-84
Despesas do estado, 275-276
Despesas operacionais, 120-121
Despesas
   federais, 275-276; ver também Despesa pública
   orçamentais, padrões de, 363-365
Despesas; ver Consumo; Despesa pública; Investimento
Despoluição, 242, 245
   custo marginal, 242-244
   custo-benefício, análise, 242-243

Desregulação
   concorrência e, 574
   e declínio do poder dos sindicatos, 227
Desvalorização, **487**
Desvalorização deslizante, 495
Devolução de responsabilidade, 297
Dew-Becker, Ian, 292
Diamond District, Nova York, 21
Dickens, Charles, 218, 362
Diferenciação de produto
   como barreira à entrada, 155
   de rede, 103
   degradantes, 172
   e qualidade do produto, 152
   em concorrência monopolística, 151-152
   excedente do, 143
   homogêneos, 133
   importância da localização, 152
   indice de preços no, 357
   inovação de, 100-101
   lógica da, 171
   qualidade de, 152
Diferenciais de compensação, **228**
Diferenciais de salário
   compensação, 223
   diferenças nas pessoas, 223-224
   e discriminação, 229-232
   e educação, 224
   econômicas diferenças, 222
   em mercados segmentados, 225-226
   internacionais, comparações, 220-221
   investimento em humano capital, 224-225
   não competitivos, grupos, 225-226
   para minorias, 229-231
   para mulheres, 231
   perfeitamente competitivo, e mercado de trabalho, 223
   profissões, diferenças nas, 223
   razões para, 290
   setores, comparações nos, 222-223
   trabalho, qualidade do, 223-224
Diferencial salarial, universidade/ensino secundário, 225
Dinásticas, preferências, 566-567
Direitos autorais, leis de, 197
Direitos de propriedade, ver também Direitos de propriedade intelectual, **197**, 450
   e controle da poluição, 245-246
   e poluição, 29
   limites aos, 29
   efeito da internet, 197

Direitos de retaliação, 317
discriminação contra, 230-231
Discriminação de preços, **61,** 171
   defesa da concorrência, interpretação, 180
   efeitos econômicos da, 172
   na Lei Clayton, 180
   para aumentar lucros, 171-172
Discriminação econômica, 230; ver também Discriminação no mercado de trabalho
Discriminação inversa, 232
Discriminação no mercado de trabalho
   contra mulheres, 232
   definição, 229
   enigma respeitante, 229
   estatística, 231-232
   grupos não competitivos, 226
   minorias, 230-232
   pela exclusão, 229
   preferência na, 262
   redução, 232
Discriminação, **230;** ver também Discriminação no mercado de trabalho
   e pobreza, 290
   econômica, 230
   formas de, 229-230
Dispersão de risco, **190**
   em capital mercados, 190-191
   pelo seguro, 190
Dispersão, gráficos de, 19
Disraeli, Benjamin, 292
Distensão fiscal – aperto monetário, política de, 570-571
Distribuição da renda nos países socialistas, 294
Distribuição de rendas, 3, 272, 287-289
   balde furado, experiência do, 293
   controvérsia, 202-203
   dimensão das fugas, 294-295
   do imposto de taxa única, 280
   e ineficiência das taxa de imposto, 294-295
   e objetivos de economia mista, 293
   e problemas de incentivos, 296
   e vantagem comparativa, 310
   efeito sobre a eficiência, 294
   em economia de mercado, 33, 214
   em gráficos, 293-294
   em países socialistas, 294
   Estados Unidos, famílias dos, 205, 287
   Gini, coeficiente de, 289
   Lorenz, curva de, 288-289
   nível do topo, rendas do, 292

no socialismo, 473
pelas tarifas, 315
programas de segurança da renda, 296
reforma da previdência social, 296-298
teoria neoclássica, 212-214
Distribuição da riqueza
diferenças nacionais, 460
impacto da inflação, 543-544
Diversificação de investimentos, 401, 415-416
Dívida bruta, 558
Dívida crises; ver também Crises financeiras
América Latina, 28
de 1930 até ao presente, 480
e desenvolvimento econômico, 466-467
Dívida externa, 570
Dívida líquida, 558
Dívida pública, **558;** ver também Orçamento, Déficits do
consequências econômicas, 557-565
declínio no longo prazo, 563-564
dívida atual, estrutural, e cíclica, 559
dívida externa *versus* interna, 561-562
e crescimento econômico
história orçamentária, 558-559
interna, 570
na perspectiva ricardiana da política fiscal, 567
perdas eficiência pela fiscalidade, 562
principais funções, 558-559
razão dívida-PIB, 560, 562
remoção de capital, 562-563
tendências desde 1940, 558
tendências históricas, 561
versus déficits do orçamento, 558
Divisão do trabalho
e comércio, 26
e globalização, 27
em Adam Smith, 26
Dixit, Avinash K., 183-184
Doenças, controle de, 466
Doha Round, 320
Dólar
compensado, 259
e currency board, 493
e política de aperto monetário, 503-504
efeito de variações no comércio, 487-488
oferta e demanda, 485-489

sobre-valorizado nos 1980, 504
taxa de juros nominal, 255
valorização do, 512
Dolarização, 493, 495
Dominante,
equilíbrio, **174**
estratégia, **174**
Doutrina da regra da razão, 181
Dow Jones Industrial Average, 415
Downs, Anthony, 273
Drew, Daniel, 161, 181
Drogas ilegais, 82-84
Dumping, 172
Duopólio, **171**
jogo do preço do, **173**
Dupla tributação, 108, 281
Durlauf, Steven N., 71

E

Eadington, William R., 199
Easterly, William, 544
E-capital, 251
E-commerce, 21
Econometria, 4
Econometric Society, 196, 259
Economia, 3
ambiental, 239-248
áreas tratadas pela, 2-3
como ciência lúgubre, 447
comportamental, 77-78, 161
conceito de equilíbrio, 50-51
custo de oportunidade, 11
da agricultura, 63-65
da dívida e dos déficits, 559-562
da fiscalidade, 276-283
da inflação, 543-544
da informação, 195
da política, 273
debate sobre igualdade, 27
do protecionismo, 316-320
do risco e incerteza, 186-190
do seguro, 190-193
dos cuidados de saúde, 193-195
dos recursos naturais, 236-239
dos sindicatos, 226-229
escassez, 3
Escola Austríaca, 196
essência da, 3-4
fronteira de possibilidades de produção, 8-11
Keynes sobre, 12
lógica da, 4-5
normativa, 5
o quê, como e para quem, questões, 6-7

objetivo da, 5-6
positiva, 5
principais campos, 4
princípio marginal, 161
razões para estudar, 2
teoria da escolha pública, 273
Economia aberta, 333, **481**
avaliação da, 514
competitividade e produtividade, 512-513
crescimento econômico, 506
curto prazo, impacto de,
do comércio no PIB, 500-502
despesa, multiplicador da, 502
despesas *versus* produção, 499
e ciclos econômicos internacionais, 498
equilíbrio da, 500, 508-510
exportações líquidas e produto, 498-500, 504
macroeconomia da, 498
mecanismo de transmissão monetária, 437, 504-506
monetária, política, 435-437
multiplicador da, 502, **502**
poupança e investimento, 506-510
poupança-investimento, relação, 506-507
promoção do crescimento em, 510-512
sob taxas de câmbio flexíveis, 502-505
tendências no comércio, 481-482
União Monetária Europeia, 513-515
taxa de rentabilidade do capital, 260
Economia da informação, **196**
Economia de comando, **7**
Economia de comando estilo soviético, 474-476
Economia de Laissez-faire, **7**, 35
desigualdade econômica em, 271
e aumento de Estado social, 35
e controle pelo governo, 270-271
e renda distribuição, 33
Economia do ambiente, 239-248; ver também Externalidades
mudança climática, 246-248
Economia do comportamental, 77-78, 166
Economia do lado da oferta, **567**
imposto cortes, 567-568
versus economia keynesiana, 567
Economia do vício, 82-83
Economia fechada
poupança e investimento em pleno emprego, 506-508
poupança e investimento em, 506

Economia keynesiana
  ciclos econômicos, 375
  e Kennedy, 337
  e monetarismo, 433
  e perspectiva clássica das expectativas, 568
  e perspectiva ricardiana da política fiscal, 566-567
  e teoria do ciclo econômico real, 566
  Friedman, desafio de, 434
  gestão da demanda, 569-570
  política fiscal, 558
  versus economia do lado da oferta, 567
Economia mista, **7**, 21-22, 34; ver também Economia/Economias; Economia de mercado
  distribuição da renda como objetivo em, 293
  previdência social, 286
  situação atual, 36
Econômia neoclássica, distribuição da renda dos fatores, 212-214
Economia normativa, **5**
Economia positiva, **5**
Economia subterrânea, 356
Economias da especialização, 105
Economias de escala, **99**, 167
  fator no comércio internacional, 303
  nas empresas, 149
  no monopólio natural, 177
  produto necessário para, 154
Economias de gama ou economias de variedade, **103**
  no monopólio natural, 177
Economias de planejamento central
  balanço, 476
  desempenho comparativo, 476
  e desenvolvimento econômico, 472-473
  estilo Soviético
  funcionamento do, 475-476
  Marx, sobre, 474-475
  modelo falhado, 474-476
  raízes históricas, 475
  transição para os mercados, 475-476
  versus economia de mercado, 473
Economic Consequences of the Peace (Keynes), 451
Economic Report of the President, 317, 340
Economic Theory of Democracy (Downs), 273
Economics of Corporate Executive Pay (Shorter & Labonte), 110

Economides, Nicholas, 110
Economistas
  bens públicos *versus* privados, 11
  bens públicos, 31-33
  caos *versus* ordem, 21-23
  capital, 28-29
  categorização de recursos, 237-238
  comércio, 26-28
  concorrência perfeita, 30
  conservadores ou liberais, 298
  controle pelo governo do, 268-273
  crescimento e estabilidade, 34-35
  crítica do imposto sobre renda das empresas, 280
  desacordos sobre o crescimento econômico, 446
  desperdício em, 12
  divisão do trabalho, 26-28
  e concorrência imperfeita, 30-31
  efeitos de fiscalidade, 333
  eficiência e externalidades, 31
  equidade, 33-34
  equilíbrio de mercado, 23
  especialização, 26-28
  lucros, 23
  mão invisível, 24-25
  mecanismo de mercado, 21-26
  modelo do fluxo circular, 24-25
  moeda, 28
  natureza do, 21-22
  papel do governo, 29-30
  políticas de estabilização, 271-272
  possibilidades tecnológicas, 7-12
  preços, 23
  preferências e tecnologia, 24
  propriedade privada, 29
  sintonia fina, 432
  soberania do consumidor, 39
  sobre a liberdade de comércio, 310-311
  sobre a política da inflação, 553
  sobre as políticas para reduzir o desemprego, 553-554
  sobre o outsourcing, 305
  sobre o salário mínimo, 67
  sobre os recursos naturais, 237
  solução do problema econômico, 23-24
  tendências atuais, 36
  variações desde 1914, 480
Ecossistemas, 242
Edison, Thomas A., 451
Educação
  e diferenciais de salário, 224-225
  em países em desenvolvimento, 465
Efeito de estufa, 246-247
Efeito de pagamento pela terceira parte, 194

Efeito de substituição, **41**, 79, 81
  e drogas ilegais, 84
  e fiscalidade, 281
  e mercado curva da demanda, 42
  e trabalho oferta, 221
Efeito renda, **38**, 79, 81
  e curva da demanda de mercado, 42
  e demanda de automóveis, 43
  e fiscalidade, 281
  e oferta de trabalho, 221
Efeito riqueza, 369
Eficiência, **3**
  alocativa, 141
  bens públicos, 31-33
  conceito do, 141
  conclusões sobre, 145-146
  concorrência perfeita, 30
  custo marginal como padrão da, 144
  da distribuição da renda, 293
  da especulação, 188-189
  do equilíbrio competitivo, 141-143
  dos tributos sobre a terra, 239-240
  e concorrência imperfeita, 30-31
  e leis de defesa da concorrência, 182
  e maximização lucro, 131
  econômica *versus* de engenharia, 141
  efeito da distribuição da renda sobre, 294
  eficiência de engenharia, 141
  eficiência de Pareto, 141
  em sistema fiscal
  externalidades, 31
  impacto da globalização, 281-282
  impacto da inflação, 543
  mercados, 143-144
  no mercado dos seguros, 191
  perdas pelos impostos, 562
  regra do imposto de Ramsey, 282
  rendimento do capital, 281
  rendimento do trabalho, 281
  versus falhas de mercado, 144-145
  versus justiça, 282
Eficiência de Pareto, **141**
Eficiência econômica, **3**; ver também Eficiência
Eficiência produtiva, **11**, 143
  do custo marginal, 144
  e fronteira de possibilidades de produção, 11-12
  economias da especialização, 105
Ehrenberg, Ronald G., 234
Ehrlich, Ann H., 239, 242
Ehrlich, Paul R., 239, 249
Eisenhower, Dwight D., 7

Elasticidade da demanda alimentares, produtos, 61
Elasticidade da demanda de preços, **56-57**
  álgebra da, 60
  atalho para cálculo, 59-69
  cálculo, 57-59
  categorias do, 57-59
  curva da demanda linear, 61
  e discriminação de preço, 62, 172
  e impostos sobre cigarro, 62
  e receita marginal, 153
  e receita, 61
  estimativas empíricas, 81
  fórmula, 58
  graficamente, 58-59
  indústria da aviação, 61-62
  para drogas ilegais, 83-84
  paradoxo de colheita extraordinária, 62
  razões para variações em, 57
  versus inclinação, 60-61
Elasticidade da oferta, **62**
  determinantes, 63
  extremos da, 62-63
Elasticidade de rendas, **79**, 81
  cálculo, 79
  e cuidados de saúde, 193
  estimativas empíricas, 81
Elasticidade
  álgebra da, 60
  cálculo da, 57-60
  da oferta de fatores de produção, 209-210
  da oferta e da demanda, 56-63
  fórmula, 58
  renda, 78-79
  versus inclinação, 60-61
Emenda, 16, 278
Emigração e crescimento econômico, 510-511
Emprego
  autoemprego, 107
  diferenças em, 223
  efeito de deslocamentos da demanda agregada, 523-524
  efeito do salário mínimo sobre, 67-69
  escolha por imigrantes recentes, 225-226
  flutuações do, 327-328
  internet colocação via, 554
  Lei do de 1946, 327
  limitado pelos sindicatos, 228-229
  lugares vagos, taxas de, e desemprego, 529
  medida do sucesso econômico, 331

nas recessões, 380
razões para diferenças salariais, 290
tarifas para aumentar, 320
Empresariado
  ambiente para, 511
  em países em desenvolvimento, 467-468
Empresarial, espírito, 574-575
Empresários, 196, 263
Empresas; ver também Empresas Competitivas; Sociedades anônimas
  angariação de recursos, 105
  Coase teorema, 106
  coordenação da produção, 105
  decisões das, 124
  definição, 105
  demanda derivada para fatores de produção, 205, 206
  demanda, 150-151
  economias de especialização, 105
  encerramento condição, 135-136
  entrada e saída do, 137
  escândalos nas, 108
  escolha de fatores de produção, 119-120
  estratégias das, 103
  falhas das, 137
  imposto sobre a renda das, 280
  interdependência de demandas de, 205-206
  lucro econômico zero, 135
  lucros das, 264
  minimização de custo, pressuposto da, 119
  natureza e funções, 105-106
  número e dimensão do, 106
  organizações das, 105-109
  questão da dimensão, 181
  renda das, 262
  tipos de, 107-109
Empresas competitivas
  como tomadoras de preço, 133
  curva da demanda, 133
  custo total e regra de encerramento, 135-136
  maximização de lucro, 132-133
  oferta em que o preço iguala o custo marginal, 133-135
  oferta, comportamento de, 132-136
  oferta, decisões de, 134
  produtos homogêneos, 133
  valor do receita do produto marginal, 207
Emprestador de última instância, 425
Empréstimo
  pela janela de desconto, 422, 425-426
  prazo/maturidade, 255

Encerramento
  e condição de perdas crônicas, 139
  e custo total, 135-136
  livre, 137
  para o mercado de trabalho, 226
  regra, **135**
Endividamento, custo de, 373
Engel, Ernst, 363
Engel, Leis de, 363
Engenharia, eficiência de, 141
Enron Corporation, 108-109, 123-124
Entrada; ver também Barreiras à entrada
  concorrência monopolística antes e depois, 171
  custos elevados de, 154
  livre, 137
  para o mercado de trabalho, 226
  restrições à, 154
Enxofre, emissões de dióxido, 242
Equação de troca, **433**
Equação fundamental da contabilidade do crescimento, 453-455
Equidade
  e crescimento econômico, 33
  em cuidados médicos, 194
  promovida pelo governo, 33-34
Equilíbrio, **387**; ver também Equilíbrio
  competitivo no sistema bancário, 410
  com curva da oferta e da demanda, 48-52
  com impostos, 66
  comércio livre, 307-308
  conceito de, 50-51
  curto prazo, 137, 138
  do consumidor, 92-93
  dominante, 174
  efeitos de deslocamentos da oferta e demanda, 48-50
  em de rede mercados, 103
  longo prazo, 137-139
  lucro máximo, 167
  lucro zero, 139
  macroeconômico, 336-337
  na rentabilidade do capital, 260-262
  nível de produto de, 386-389
  oferta e demanda, 43-53, 495
  PIB de, 392, 395-396, 500
  posição de tangência de, 92
  preço de, 47-49
  preços relativos de, 306-309
  produto de, 500
  salário de, 213, 220
  sem comércio, 311-312

taxa de câmbio de, 486
taxa dos fed funds de, 426-427
Equilíbrio competitivo
   com muitos consumidores e mercados, 143-144
   eficiência, 141-143
   na agricultura, 64
Equilíbrio de consumidor, tangência, 92
Equilíbrio de mercado, **47**
   com curvas da oferta e da demanda, 47-52
   conceito de, 50-51
   definição, 24
   efeitos de deslocamentos de oferta e demanda, 48-50
   explicação do, 23-24
   para fatores de produção, 211
   terra e renda, 238-239
Equilíbrio de mercado, de oferta e demanda, **23**
Equilíbrio de Nash, 174-176, **175**
Equilíbrio do consumidor, 76
   efeito de variação de renda, 92-93
   efeito de variações de preço, 93
   geométrica, análise, 99
   posição de tangência, 92
Equilíbrio não cooperativo, **175**
Equilíbrio sem comércio, 311-312
Equilíbrio zero de longo prazo de lucro, 139
Equilíbrio, máximo lucro, 168
Escassez, **3**
   produção, 9
   definição, 48
   dos controles de preço, 69
   e custo de oportunidade, 11, 124-125
   e valor de substituição, 89
Escola Austríaca de Economia, 196
Escolha
   dos fatores de produção, 119-120
   e fronteira das possibilidades produção, 8-12
   e teoria da utilidade, 73-76
   pelos consumidores, 73
Especialização da economia, 105
   e comércio, 26
   e globalização, 27
   internacional, 303-304
   promovido pelo comércio, 301
Especialização internacional, 303-304
Espécie em transferências, 296
Especulação, **187**
   arbitragem, 187
   benefícios da, 187

comparada a jogo, 189-190
comportamento de preço no tempo, 187-188
e cobertura, 188
em ativos financeiros, 188-189
forças financeiras, 381
impactos econômicos, 188-189
mão invisível, princípio da, 188
padrões geográficos de preço, 187
Especulativos, ataques, sobre moedas, 493-495, 512
Espiral salário-preços, 229, 547-548
Essay on the Principle of Population (Malthus), 461, 477
Estabilidade de preços, 514, 544
   medida do sucesso econômico, 331-333
Estabilização econômica, 34-35
Estado
   falhas do, 274
   multiplicador das despesas do, **393**
   propriedade do, 472
Estado do bem-estar social, 35-36
Estado social, **35**, 271, 286, 292
   aumento do, 35, 292-293
   conservadores, regresso dos, 35-36
   menor desigualdade em, 289
   principais políticas, 292-293
Estado *versus* mercados, 470
Estado, funções do
   assegurar a concorrência, 272
   assegurar programas assistência, 273
   conclusões sobre, 298
   coordenação macro políticas, 273
   em economia de mercado, 30
   estabilização da economia, 272-273
   exigência de informação, 272
   internacional, política econômica, 273
   melhorar a eficiência econômica, 270-272
   proteger ambiente global, 273
   reduzir barreiras ao comércio, 273
   regulação da desigualdade econômica, 272
   tratar de externalidades, 272
Estado, intervenção do
   colheitas, programas de restrição de, 65
   e racionamento, 69-70
   em cambial mercados, 493-495
   energia, preços da, 68-69
   formas do, 34-35
   leis de defesa da concorrência, 31
   mínimo, salário, 67-68
   preço, controlos de

regulação de preços e lucros, 31
renda, controlos de, 67
Smith, oposição de, 26
Estados Unidos da América
16ª Emenda, 278
abertura crescente, 481
açúcar, cotas do, 317
alargamento dos diferenciais 1975-1980, 292
armadilha da liquidez em 2008, **430**, 543
ativos das instituições financeiras, 401
autossuficiente, economia, 484
balanço de pagamentos 2007, 482, 484
ciclos econômicos 1920-2009, 380
com comércio livre, 311
comerciais, guerras, 317
comercial, déficit, 498, 512
comercial, excedente ou déficit, 334
comércio internacional em 2007, 302
Constituição dos, 197
crescimento da produtividade do trabalho, 455
crescimento da taxa do PIB real, 329
crescimento econômico, 451-457
crises de crédito de 2007-2008, 425
crises de crédito, 272
declínio no sindicalismo, 229
decrescente 1929-1975, 290-292
déficits conta corrente, 560-561
definição de pobreza, 289
desemprego, tendências no, 534-535
despesa pública e impostos, 269
despesas, 275-276
devedor líquido, 492
devedor, principal, 27
devolução de responsabilidade aos, 297-298
distribuição de rendas monetárias, 287
economia capitalista, 251
elevada mobilidade de capital, 504
empregos, criação, 1990-1999, 320
estados, governos dos
estaduais e locais, despesas, 275-276
estagflação de 1970, 326
estoque de capital em 2008, 28, 251
exportações líquidas em 2007, 498-499
federais, despesas, 275-276
financeiras, crises de 2007-2009, 27
função do consumo, 370
grupos do topo, renda dos, 291
história das tarifas, 319-320

imigração, 221-222
impostos, 280-281
inflação e desemprego 1979-1987, 556
lato, interpretação em sentido, 271
macroeconomia em, 326
macroeconômicos, dados 1929-2008, 342
mecanismo de transmissão monetário, 505-506
número de falhas de empresas, 137
número e dimensão de empresas, 106
obras públicas iniciais, 32
poupança, taxa baixa, 445
preços consumidor 1776-2008, 539
principais taxa de juros, 256
produtividade, tendências, 445-447
razão dívida-PIB, 560-561
recessão 2007-2008, 326-327
recessão de 2000-2002, 381
renda suplementar, programas de, 297
salários e remunerações complementares, 220
salários em, 221
século do crescimento, 338
sem comércio, 305-306
tecnologia de imitação, 467
tendências em desigualdade, 291
tendências nos salários e lucros, 263
teoria quantitativa 1962-2007, 433
vantagem comparativa, 305-308
variações econômicas desde 1950, 557
variações no consumo/renda, 369
zona monetária ótima, 513
Estagflação, 326, 546
Estáticos
custos de monopólio, 176
Estatística, discrepância
balanço de pagamentos internacionais, 484n
contas nacionais, 352
Estatística, discriminação, **231**
áreas da, 232
ineficiência da, 231
natureza perniciosa da, 231-232
Estímulo econômico da despesa com a defesa, 395
Estrangeiro
endividar-se ao, 466-467
investimento direto, 513
investimento, 499
Estratégias financeiras pessoais, 415-416
Etanol, subsídio ao, 45

Ética protestante, 469
Euro, 321, 492, 495, 512-513
Europa
desemprego de longo prazo, 531-532
falha na criação de empregos, 320
Europa (leste)
revolução de 1989-1991, 443
transição para o mercado, 36, 475-476
Excedente, 48
econômico, **143**
perda, **176**
Excel, 155
Exclusão, discriminação por, 230
Exclusivo, negócio em, 180
Exógenas
despesas, 389
variáveis, 384-385, 386
Exógenos, teorias dos ciclos econômicos, 381
Expansionistas anti-inflação, políticas, 553
Expansões, 379
Expectativas; ver também Expectativas racionais
adaptativo, pressuposto, 568
da inflação, 547-548
determinante do investimento, 372
e curva da demanda de investimento, 374
visão para o futuro, 568
Experiência do balde furado, 293
Explosão populacional, 465-466
Exportações, 351, 328, **498**; ver também Exportações líquidas
determinantes do, 499
dos Estados Unidos 1945-2008, 481
na conta corrente, 482
variáveis que determinam, 500
Exportações líquidas, 333, **351**, 498-499
componente real das, 502, 505
contra-cíclico, 504-505
determinantes, 499
dos Estados Unidos 1945-2008, 499
e déficit orçamento, 509
e investimento estrangeiro líquido, 499
em aberta economia, 498-499
na demanda agregada, 334, 382, 500
nas contas nacionais, 351
nos Estados Unidos 1929-2008, 342
razão do PIB, 499-500
reação a variações da taxa de juros, 428

Externalidades positivas, 145, 239
bens públicos, 31-32
Externalidades, 101, 26, **31**, 145, 462
abordagens privadas, 245-246
análise da, 240-241
análise gráfica, 242-243
avaliação de danos, 242
bens públicos globais, 240
bens públicos *versus* privados, 240
como falha de mercado, 31
controle direto de, 243-244
e mudança climática, 246-248
e recursos naturais, 237
efeitos das, 239
ineficiência de mercado com internalização do custo das, 244
negativas, 31, 239
políticas para corrigir positivas, 31-32, 239
programas do governo, 243-245
regulação pelo governo, 271
socialmente eficiente, poluição, 241
Extremo Oriente, milagre, 472
Exxon Valdez, derrame de petróleo, 242

F

Falácia da agregação, **5**
Falhas bancárias, 381
Falta de empregos, recuperação, 380
Falta de empregos; ver Desemprego
Famílias
aumento em patrimônio líquido, 371
distribuição de rendas monetários, 287
efeitos da fiscalidade, 333
monoparentais, 290
padrões despesas orçamentais, 363-364
ponto crítico, 364-365
posse de riqueza, 288
renda disponível 364
renda mediana, 287
taxa de impostos marginal, 280
taxa poupança pessoal, 364
tendências na riqueza, 205
Faróis, 32
Fatores de produção variáveis, 100
Fatores de produção, **8**
abordagem da contabilidade do crescimento, 453-455
capital, 28-24, 251-264
combinação de custo mínimo dos fatores, 130-131
da empresa para demanda de mercado, 209-210

demanda interdependente, 205-206
derivada demanda para, 205, 239
distribuição de renda, 212-214
e natureza das empresas, 105-106
e receita do produto marginal, 209-210
e renda econômica, 141
e vantagem comparativa, 310
em oferta fixa, 238
empresas maximizadoras de lucro, 208-209
escasso, 138
implícito rentabilidades, 262
Lei do produto marginal decrescente, 128-130
Lei dos rendimentos decrescentes, 96-99
mercados de, 23
não competitivos, 225-226
no gráfico de fluxo circular, 24-25
oferta de fatores, 209-210
oferta do, 209-210
produto marginal, 205
razão capital-trabalho, 448, 450
razão de substituição, 130
recursos naturais, 236-239
regra da substituição, 209
regra do custo mínimo, 209
rendimentos à escala, 99-100
terra, 238-239
tipos do, 236
variável *versus* fixa, 100
Fatores de produção, **8**
combinação ótima, 130
contabilidade do crescimento, abordagem, 453-455
custo mínimo dos fatores, combinação, 129-130
custo mínimo, regra do, 119, 209
demanda de mercado de, 210-211
demanda derivada pelos, 205-206
demanda em mercados competitivos, 214
demanda interdependente, 205-206
elasticidade de oferta, 209-210
em função de produção, 95-96
escolha dos, 119-120
função de produção agregada, 104-105
lei dos rendimentos decrescentes, 96-99
preços dos, 45-46
produto marginal do, 206-207
regra da substituição, 119-120, 210
rendimentos à escala, 99-100
teoria da produtividade marginal, 214

Fatores de produção, preços de

e dedução de custos, 117
e oferta agregada, 521-523
Fatores, preços de, 24, 205
com muitos fatores de produção, 214
demanda derivada, 205
distribuição de renda nacional, 212-214
e aprofundamento do capital, 449-450
e mão invisível, 214
e oferta e demanda, 210-211
efeito do comércio livre, 310
empresas maximizadoras de lucro, 208-209
interdependência da demanda, 205-206
no PIB, 343-344
nos custos de produção, 117-118
oferta fatores, 209-210
para empresas competitivas, 207
receita do produto marginal, 207-209
regra do custo mínimo, 209
substituição regra, 209
teoria da produtividade marginal, 204-207

Federal Comerce Commission, Lei da, 179-**180**

Federal fiscalidade; ver Fiscalidade

Federal Open Market Committee, 440
membros, 421
operações de mercado aberto, 423-425
papel na política monetária, 422

Federal Reserve Bank de St. Louis, 360

Federal Reserve Banks, 409, 421
balanço, 423-424
reservas bancárias, 423

Federal Reserve Bulletin, 418

Federal Reserve System, 400, **421,** 487-488, 505-506
ataque à inflação, 1979-1982, 553
determinação taxa de fundos do Fed, 427-428
e bolha do imobiliário, 382
e política monetária, 333-334
e taxas de desemprego, 535
eficácia da política, 570
emprestador de última instância, 425-426
era de aperto monetário, 337-338
estrutura, 421
exigência de reservas, 426-427
funções, 422
história, 421
independência do, 422-423

mecanismo de transmissão monetário, 428-429
na recessão de 2007-2008, 420
objetivo de inflação, 421-422, 572
objetivos múltiplos, 421
operações alargadas em 2008, 423
operações de mercado aberto, 424-425
panorâmica operações, 423
papel internacional, 436
política de facilidade de desconto, 425
problema de estagflação, 546
regras monetárias para, 572-573
taxa de câmbio objetivo, 422
taxa de juros objetiva, 411
taxa dos fed funds, 423-424

Federal Reserve, Lei de 1913, 421-422

Federalismo fiscal, 274-276

Feldstein, Martin, 192, 199

Fila, racionamento pela, 69-70

Filipinas, salários e remunerações complementares, 220

Finanças internacionais, 302

Financiamento de obras públicas, 32

Fiscalidade
aspectos econômicos, 276-283
benefício, princípio do, 276
capacidade de pagamento, princípio da, 276
como instrumento de política, 269
comparações nacionais, 270
consumo, impostos sobre o, 280
crescimento 1930-2008, 269
da terra, 239-240
das sociedades anônimas, 108
diretos ou indiretos, impostos, 277-278
distorcida pela inflação, 543
dupla, 108, 281
e curva da demanda de investimento, 374
e decisão de investimento, 416
e receita do jogo, 190
efeito sobre a economia, 333
efeito sobre o investimento, 372
eficiência *versus* justiça, 282-283
eficiência, perdas de, pela, 562
empresas, imposto sobre a renda, 280
escapatórias, 279
estadual e local, 280-281
excluído do PIB, 351
federal, receitas em 2009, 278
fluxo de custos, abordagem do, 352-354
horizontal, equidade, 276-277

impacto da globalização, 281-282
impacto do PIB de equilíbrio, 395-396
impacto sobre a demanda agregada, 392-393
impacto sobre a função do consumo, 392
impacto sobre o preço e quantidade, 65-67
individual, imposto sobre a renda, 278-280
investimento, crédito imposto pelo, 333
Laffer, curva de, 267, 285
loteria, receita de, 281
lump-sum, taxa fixa, 282, 390
na perspectiva ricardiana da política fiscal, 566-567
no PIB, 204
nos Estados Unidos 1930-2008, 269
para bens públicos, 33
para desestimular o consumo, 65-66
para previdência social, 192
pecado, imposto sobre o, 282
poll (eleitor), imposto do, 282
pragmáticos, compromissos, 277-278
progressivos, 33, 292
progressivos, impostos, 277
proporcionais, impostos, 277
propriedade, imposto sobre a, 281
Ramsey, regra imposto de, 239, 282
regressivos, impostos, 277
renda ganha, crédito de imposto pelo, 297-298
rodovia, pedágios, 281
social, impostos da segurança, 280
tabaco, imposto sobre, e tabagismo, 61-62
taxa única, proposta de imposto, 279-280
tributos sobre a renda do capital, 281
tributos sobre a renda do trabalho, 281
único, movimento pelo imposto, 239
usuários, taxas sobre, 277
valor acrescentado, imposto sobre o, 280
vendas, imposto sobre, 281
verdes, impostos, 282-283
vertical, equidade, 277
Fischer, Stanley, 553, 555
Fisher, Irving, 260-261, 265, 433
Fitzgerald, F. Scott, 202
Fixação de preços
de penetração, 103

duopólio, jogo de preços de, 173
na teoria dos jogos, 173
fixação, 31, 180-181
patamares, 67-69
Florida faróis, 32
Flutuações econômicas; ver Ciclos econômicos
Flutuantes, taxas de câmbio, **494**-495; ver também Taxas de câmbio flexíveis
Fluxo de custos, abordagem ao PIB, 352-354
Fluxo de fundos, **402**
Fluxo de produto, abordagem ao PIB, 343, 347, 351-353
Fluxo variável, **122**
Fora de mercado, atividades, 356
Forbes, 202
Forbes 335, americanos mais ricos, 33
Ford Motor Company, 149, 467
Ford, Henry, 364
Formados, ganhos de renda, 224-225
Framework Convention on Climate Change, 247
Franchise, monopólios de, 154
Franklin, Benjamin, 461
Freeman, Richard, 234-235
Friccional, desemprego, 528
fontes do, 532
jovens, 531-532
Frick, Henry Clay, 161
Friedberg, Rachel M., 52
Friedman, Benjamin, 458
Friedman, Milton, 35, 37, 265, 376-377, 418, 434, 549
Fronteira de possibilidades de produção, 8-12, **9**
produção mundial, 307-308
e ciclos econômicos, 12
e preferências do consumidor, 24
e econômico crescimento, 443
e degradação ambiental, 12
gráfico, 9-11, 15-18
crescimento de capital, 28
com concorrência imperfeita, 30
e ineficiência, 12
e malthusianismo, 462
abertura ao comércio, 306-308
custos de oportunidade, 11
e uso do tempo, 11
sem comércio, 305-306
mundial, 307-308
em uma economia de dois produtos, 8-9
aplicada às escolhas da sociedade, 9-11

e eficiência, 11-12, 141
eficiência produtiva, 11-12
Frost, Robert, 11, 126, 498
Função da oferta, **44**
Função da oferta agregada, 335-336
Função da produção agregada, 104-105
e aprofundamento do capital, 449-450
e contabilidade do crescimento, 455
estimativas empíricas, 104-105
no modelo neoclássico, 448
Função de produção Cobb-Douglas, 128, 459
Função demanda de investimento, 374
Função do consumo nacional, 370
Função do consumo, **365**
e determinação da produção, 386-387
e função da poupança, 365
efeito dos impostos, 492
gráfico da, 365-367
gráfico de dispersão, 19
inclinação da, 366
para Estados Unidos 1970-2007, 370
ponto crítico, 365
Função do custo total, 116
Função poupança, **365**-366
e função do consumo, 365
Funcionário, **525**
Fundo Monetário Internacional, 323, 478
e dívida crises, 467
funções, 492
Fundos, 379
Fundos de índices, 416
Fundos de pensões, 404
Fundos, agregação e subdivisão, 401
Fusões
Bear Stearns e J. P. Morgan, 570
monopolística, 181
na Lei Clayton, 180
na Lei da Federal Trade Commission, 180

G

Galbraith, John Kenneth, 400, 418
Galopante, inflação, **539**
Ganhador fica com tudo, mercados de, 103
Ganhos do comércio, 304, 305, 306, 307
definição, 26
Garantias em bloco, 297
Gasolina
com controles de preço, 68-69

preços da, 39, 40, 50
racionamento de, 69-70
tributo sobre, 65-66
Gates, Bill, 151, 205, 225, 290, 487
GATT General Agreement on Tariffs and Commerce, 320, 492
General Electric, 155, 180
General Motors, 120, 138, 467
Genesove, David, 163
Geográficos, padrões de preço, 187
George, Henry, 240, 281, 282
Geridas mas flexível, taxas de câmbio, 495
Gerschenkron, Alexander, 469
Gestão do risco pelo sistema financeiro, 401
Gestão financeira internacional, 333
Gini, coeficiente de, **289**
Gladstone, William E., 292
Global Crossing, 123
Global Positioning System, 32
Global, crise de liquidez de 1998, 437
Globalização, 3, 480
ampliação de especialização, 27
definição, 26
e agentes políticos, 27-28
e crises financeiras, 27
e divisão do trabalho, 27
e macroeconomia, 333-335
e política monetária, 435-437
e produto nacionais, 26-27
em mercados financeiros, 27
impacto na política fiscal, 281-283
impacto nas leis de defesa da concorrência, 182
produção de iPods, 37
Golding, Claudel, 224
Goldman Sachs, 424
Goldsmiths e banca, 409-411
Google, Inc., 27
Gordon, Robert J., 292
Gostos, 24, 39
diversidade dos, 302
efeito sobre demanda, 41-42
Gould, Jay, 161-162
Governo
bens públicos, 31-32
continuação do debate acerca, 36
controle da oferta de moeda, 28
crescimento macroeconômico, 34-35
críticas do, 35-36
e concorrência imperfeita, 30-31
e concorrência perfeita, 30
e externalidades, 31
e teoria da escolha pública, 272-274

efeitos sobre a produção, 390-393
em economia mista, 36
equidade, 33-34
estabilidade econômica, 34-35
Estado social, 35-36
estímulo de monopólio, 197
fiscalidade, 33
funções principais, 30
infraestruturas, 445
lições da revolução keynesiana, 34
níveis do, 273-275
papel na renda, 204
papel nos cuidados de saúde, 193-195
política, instrumento de, 333
promoção da eficiência, 30-33
promoção do avanço tecnológico, 574-575
regulação preços e lucros, 31
tendências na dimensão do, 268-270
teoria normativa, 272
Gráfico de fluxo circular produtores,, 24-25
Gráfico do fluxo circular
da atividade macroeconômica, 345
da economia de mercado, 24-25
fluxo de fundos, 402
Gráficos
análise da poluição, 242-243
curva da demanda, 41
definição, 15
dispersão, 19
equilíbrio de mercado, 48
fronteira das possibilidades de produção, 9-11, 15-18
inclinações, 16-18
leitura, 15-19
linhas, 16-18
monopólio, equilíbrio do, 159-161
multicurvas, gráfico, 19
oferta e demanda, deslocamentos de, 49
rentabilidade do capital, 260-262
séries cronológicas, 18-19
taxa de juros, 256
vantagem comparativa, 306-307
variáveis, 16
Gráficos de dispersão, 19
Gráficos de séries cronológicas, 18-19
Gramm-Rudman, Lei de 1985, 571
Grande depressão, 4, 290, 415, 432
barreiras ao comércio, 320
declínio do comércio, 310
declínio do produto, 12
deflação, processo de, 342
lições para século XXI, 339
origens da macroeconomia, 326-327

produto efetivo *versus* potencial, 329
queda do PIB, 344
taxa de desemprego, 331, 524, 526
taxa de juros durante, 410-412
Grande moderação, 385-386
Grandeza, questão da, 182
Great Unraveling: Losing Our Way in the New Century (Krugman), 38
Greenspan, Alan, 421, 426, 436, 456, 572
Gregory, Paul R., 478
Greves, 229
Guerra de preços
produtores de petróleo, 135-136
quadro de resultados, 174
Guerra do Afeganistão, 125, 558
Guerra do Golfo Pérsico, 395
Guerra do Vietnã, 337
Guerra no Iraque, 29, 39, 558
custos da, 8, 125
Guerra, e pleno emprego, 395
Guerra, expansão em tempo de, 337
Guerras comerciais, 317

H

Habitação, colapso do mercado em 2007-2008, 27
Habitação, declínio preço, 161, 326, 370, 381
Hackett, Francis, 460
Hall, Brian, 110
Hall, Robert, 251, 279-280
Hamilton, Alexander, 319
Hard Times: An Oral History of the Great Depression in America (Terkel), 536
Hayek, Friedrich, 35-36
Heady, Earl O., 98
Healy, Paul M., 126
Heaven's Door: Immigration Policy and the American Economy (Borjas), 53
Heilbroner, Robert, 14
Hemingway, Ernest, 202
Herfindahl-Hirschman Índice, **166**
Heroína, uso de, 82
Híbrido, sistema monetário internacional, 495
Hicks, John R., 76, 147, 149
Hiperinflação, 28, 332, **541**
aspectos comuns do, 542
e ciclos econômicos, 381
em Confederação, 541
na Alemanha nos anos 1920, 381, 419, 541-542, 545

Hipótese do atraso, 469-470
História da Análise Econômica (Schumpeter), 196
Historical Statistics of the United States: Millennial Edition (eds. Carter et al.), 360
Históricos, custos, 123
Hobhouse, L. T., 85
Hobsbawm, E. J., 442
Holmes, Oliver Wendell, 276, 284
Homogêneos, produtos, 133
Honda Motors, 149
Honda, 78, 352
Hong Kong, falta de recursos naturais, 444
Horas de trabalho
 declínio 1890-2008, 219
 e trabalho, oferta, 220-221
Horizontal, equidade, **276**-277
Humano, capital, 209, **224**, 465
 e crescimento econômico, 510
 investimento em, 224-225
Humano, desenvolvimento, 464
Hume, David, 490-493
Hunt, Jennifer, 52

I

IBM, 97, 108, 155, 172
Idade do Ouro (Gilded Age), 161-162
Identidade de poupança e investimento, 355
Identidade fundamental,
 de demonstração de resultados, 120
 do balanço, 122
Identificação, 531
Igual pagamento, Lei de 1963, 232
Igualdade
 conceitos do, 293
 e economia, 34
Igualdade marginal, princípio, **76**
 e utilidade ordinal, 78
Igualitários, países, 295
Igual-produto ou isoquanta, curva de, 129-**130**
Imigração
 e crescimento econômico, 510-511
 e escolha de profissão, 225-226
 e oferta de trabalho, 221-222
 efeito sobre o mercado de trabalho, 51-52
Imigrantes ilegais, 221
Impacto social do desemprego, 526-527
Importações, 351, 382, **498**
 de Estados Unidos em 1945-2008, 481
 determinantes das, 565
 marginal propensão a importar, 502-503
 na conta corrente, 546
 restrições, 154-155; ver também Cotas; Tarifas
 substituição de, 469-470
 variáveis que determinam, 500
Importação, liberalização de, 317
Imposto de taxa única, proposta, 279-280
Imposto federal sobre vendas, 280
Imposto geral sobre as vendas, 281
Imposto sobre a renda
 empresas, 280
 individual, 278-280
 sociedades anônimas, 108
Imposto sobre o valor acrescentado, 280
Imposto sobre propriedade, 239, 281
Imposto sobre salários, 280
Imposto sobre vendas, 192, 351
Imposto único, 239
Imposto, aumentos de, 328
Imposto, crédito de, pela renda ganha, 297-298
Impostos fixos, lump-sum, 282, 390
Impostos indiretos, **277**-278, 351
Impostos locais, 280-281
Impostos regressivos, **277**, 278
Impostos sobre a renda proporcionais, **277**, 278
Impostos sobre o cigarro, 61-62
Impostos, repercuçãor de, 141
 para os consumidores, 66
 regras gerais sobre, 67
 sobre a terra, 238
Inapropriabilidade, **196**
Incerteza
 e especulação, 187-189
 e risco, 189-190
Incidência, **66**
Inclinação positiva, curva da oferta agregada com, 524
Inclinação, **16**
 como valor marginal, 18
 de indiferença, curva, 89, 92
 de isocusto, curvas, 130-131
 de isocusto, linhas, 130
 de linhas curvas, 17
 para linhas retas, 17
 pontos chave, 17
 versus elasticidade, 60-61
Índia, importações de petróleo, 50

Índices de preços, **331**, 357
 consumidor, índice de preços no, 356-357
 e inflação, 356-358
 produtor, índice de preços no, 357
Índice de preços no consumidor, ponderação, 357-358
Indústria aeronáutica, 521
 preço, discriminação de, 60-61, 172
Indústria de fabricação de aviões, 155
Industrial Market Structure and Economic Performance (Scherer & Ross), 163
Industrial
 concorrência, 153, 154
 organização, 167
 Revolução, 218-219
Industrialização *versus* agricultura, 472
Indústrias
 curto prazo/longo prazo, equilíbrio de, 137-139
 desregulação de, 227
 diferenciais de salário, 222-223
 entrada e saída de empresas, 137
 equilíbrio, 139
 intraindústria, comércio, 303
 longo prazo. oferta de, 137-138
 menos *versus* mais produtiva, 318
 poços de petróleo parados, 135-136
 regulação econômica, 271
 regulação social, 271
 salário de sindicalizados, aumento de, 227-228
 soma para a curva da oferta, 136-137
Ineficiência
 análise da, 240-241
 análise gráfica, 242-243
 avaliação dos danos da, 242
 concorrência imperfeita, 30-31
 de controles de preço, 68-69
 de externalidades, 31
 de tarifas, 314
 de taxa de impostos, 294-295
 do controle de poluição, 244
 e intervenção do estado, 35
 no uso de recursos, 12
 Inelástica, demanda, 57
 e imposto, 67
 para produtos alimentares, 61
Ineficiência do monopólio, perda pela, 176
Inelástica, oferta, 62-63
 de terra, 238-239
 e imposto, 67
Inflação antecipada, 542

Inflação aritmética, 547-549
Inflação esperada, 545
Inflação não antecipada, 542
Inflação por choque da oferta, **546**
Inflação puxada pela demanda, **545**-546
Inflação, **331**, 357 -554; ver também Taxa de inflação
  antecipada *versus* não antecipada, 542
  causas e controle da, 328
  choque oferta, inflação por, 546
  curto prazo, 547-549
  custos de redução da, 553-554
  da despesa do déficit, 545
  dados para 1979-1987, 556
  de menu, custos, 544
  definição, 538
  dilemas de políticas anti-inflação, 552-554
  do curto prazo para o longo prazo, 549-550
  dúvidas sobre a TDNAI, 551-552
  e crescimento nominal *versus* real do PIB, 349
  e de paridade poder de compra, 489
  e expectativas, 547-548
  e globalização, 538
  e sinais de preço, 544
  e taxa de juros real, 255-257
  e taxas de câmbio flexíveis, 490
  e TDNAI, 549
  e títulos do Tesouro, 257-258
  efeito de política monetária, 428
  em Estados Unidos 1960-1981, 337
  estagflação, 546
  estimativas quantitativas, 551
  guerra contra, em 1979-1984, 550
  hiperinflação, 541-542
  história da, 538-539
  impacto sobre impostos, 544
  impactos microeconômicos, 545
  inflação esperada, 545
  inflação galopante, 539-541
  inflação pelos custos, 546
  inflação puxada pela demanda, 545
  inflação reduzida, 539
  nível de preços, 548
  no esquema AS-AD
  reduzida nos Estados Unidos 1975-2008, 538
  sobre a distribuição da renda e da riqueza, 543-544
  sobre a eficiência, 544
  surtos de
  taxa de inflação ótima, 545
  teoria moderna, 545-552
  versus dilema da deflação, 543
  vertical de longo prazo, 551
  Volker, ataque de à, 434
Inflação-desemprego, conflito; ver curva de Phillips
Influências especiais
  efeito sobre a curva da oferta, 45-46
  sobre a curva da demanda, 41-42
Informação
  assimétrica, 194
  e inovação, 195-197
  economia da, 195
  exigências pelo governo, 272
  falha de, solução, 178
  imperfeita, 145
  informação assimétrica, 191-192
  mercado falhas em
  proporcionada pela internet, 197
  risco moral, 191
  seleção adversa, 191
  tecnologia da, 100, 114, 197, 445
Informação assimétrica, **191**, 194
Informação imperfeita, 271
  como falha de mercado, 143
Information Rules: a strategic guide to the network Economy (Shapiro & Varian), 110
Infraestrutura, 113, 465-466
Inovação, 167
  da concorrência, 574
  dilema da internet, 197
  direitos de propriedade intelectual, 197
  e crescimento econômico, 445-446
  e informação, 195-197
  economia da, 196-197
  em países em desenvolvimento, 467-468
  lucros como compensação pela, 263-264
  Schumpeter, perspectiva de, 195-196
Inovação de processo, 100-101
Instituições do mercado, 511
Insumos fixos, 100
Intangível, capital, 215, 510
Integração de im postos, 108
Integração econômica
  da globalização, 26-28
  de mercados financeiros, 27
  e crises financeiras, 27
  efeito sobre a produção interna, 27
  efeitos do, 509-510
  ganhos do comércio, 27
  na União Europeia, 515
  perigos do, 480-481
Integração financeira, 27
Intel Corporação, 155, 182, 302
Interação estratégica, **167**
  com poucos competidores, 171
  e oligopólio de conluio, 168
  quadro de resultados, 173
Interdependência de demandas, 205-206
Intermediação financeira, **401**
Intermediários financeiros
  bancos comerciais, 401
  companhias seguro, 401
  compradores de hipotecas, 401
  fundos mútuos, 401
Intermediate Microeconomy (Varian), 53
Internacionais, questões econômicas
  competitividade, 512-513
  produtividade, 512-513
União Europeia, 512-514
Internacional Flavors and Fragrances, 101
Internacional Herald Tribune, 340
Internacional, ajuste mecanismo, 490-493
Internal Revenue Service, 284
Internas,
  teorias do ciclo econômico, 380, 395
Internet
  colocação em empregos, 554
  como meio de informação, 197
  compras na, 152
  fornecedores de, 137
  origens do, 276
Interpretação econômica da história, 474
Interpretação econômica do desemprego, 527-530
Interstate Commerce Commission, 177, 271
Intervenção, **493**
Invenções
  em informação tecnologia, 444
  instituições promoção, 446
  social rentabilidade, 196
Investidores
  adivinhar a psicologia de mercado, 412
  aversão ao risco,, 264, 411
  estratégias pessoais, 415-416
  fundação da empresa, abordagem, 411
Investigação
  e desenvolvimento, 167
  papel do governo, 276
Investimento estrangeiro líquido, 350, 355, **499**

Investimento nacional, 355, 506-507
Investimento, **349**-350; ver também Sistema financeiro
  acelerador, princípio do, 396
  ajustado pelas taxas de câmbio, 509
  alocação de capital entre, 252-253
  ambiente para, 511
  aumento desde 1995, 457
  bruto, 350-351
  cobertura, 188
  com risco, 255
  componente de PIB, 349-350
  conhecimento de, 415
  custos, 372
  determinação do produto com poupança e, 389
  determinantes de lucros, 262-264
  determinantes, 382
  dispersão de risco, 191
  diversificação, 415-416
  doméstico, 509
  e aumento das taxas de juros mundiais, 509
  e demanda agregada, 335, 375, 383
  e política do governo, 295
  e risco, 411
  e taxa de juros, 506-507
  efeito dos impostos, 372
  efeito sobre o PIB, 389
  em ativos financeiros, 252
  em bens de capital, 259
  em contas nacionais, 355
  em economia aberta, 506-510
  em fechada economia, 506-508
  em recessões, 380
  em uma pequena economia aberta, 508
  equilíbrio de economia aberta, 508-510
  expectativas, 372
  expulsão de (crowded out), 560
  financeiro *versus* real, 371
  financeiro, 351, 372
  fundos de índice de ações, 416
  interno privado bruto, 355, 371-372
  líquido estrangeiro, 355, 499
  líquido *versus* bruto, 350
  minimizar despesas e impostos, 416
  mundiais mais seguros, 258-259
  nacional, 355, 506-507
  nos Estados Unidos por empresas estrangeiras, 575
  papel dual, 371
  papel na economia, 362
  para consumo futuro, 259-260
  preços e rendas em, 251-252
  preferências de risco, 416
  prémio de subscrição, 264
  privado interno bruto, 355, 371-372
  reação a variações da taxa de juros, 428
  real *versus* financeiro, 350
  receitas, 371-212
  rentabilidade e taxa de juros, 371, 374
  risco e rentabilidade, 411-412
  Schumpeter, perspective de, 262
  taxa de juros e demanda para, 428-430
  taxa de rentabilidade do capital, 449
  taxa de rentabilidade do, 252-253
  taxas na Ásia, 472
iPods, 27
Iraque, guerra no, 29, 39, 558
  custos da, 8, 125
Irrational Exuberance (Shiller), 265, 418
Isenção, 279
ISO-custo, retas de, **130**
Isoquanta, **130**
Itália, salários e remunerações complementares, 220

J

J. P. Morgan Company, 424, 570
Jackson, Thomas Penfield, 164, 181-182
Japão
  armadilha da liquidez, 407
  cotas exportação voluntárias, 320
  deflação no, 543
  dívida-PIB, razão, 561, 562
  elevada mobilidade de capital, 504
  empréstimo pelo, 27
  fabricantes de automóveis em Estados Unidos, 575
  falta de recursos naturais, 444
  ganhos do comércio, 26
  guerra comercial com, 318
  imitação de tecnologia, 467
  poupança e investimento no, 508, 509
  recaída econômica, 327
  salários e remunerações complementares, 220
Jevons, William Stanley, 76, 405
Jim Crow, legislação de, 230
Jogo da rivalidade, 175
Jogo, 189-191
Johnson, Lyndon B., 270, 337
Joint Center for Poverty Investigation, 299
Josephson, Matthew, 163
Journal of Economic Perspectives, 38, 266, 359, 418

K

Kahneman, Daniel, 78, 87, 163
Katz, Lawrence F., 224, 234-235
Kelvin, Lord (William Thompson), 343
Kennedy, John F., 337, 557
Kennedy, Robert F., 357, 360-361
Kennedy-Johnson, cortes de impostos de, 5, 285, 568
Keynes, John Maynard, 196, 326, 340, 398, 538, 565, 578
  fundador da macroeconomia, 3, 328, 412
  propostas econômicas, 328
  sobre ciclos econômicos, 34, 378
  sobre crescimento econômico, 575
  sobre economia, 12
  sobre inflação, 542
  sobre investidores, 404
  sobre investimentos, 372
Kilby, Jack, 263
Klitgaard, Robert, 468, 478
Knight, Frank, 112
Knowledge and the Wealth of Nations (Warsh), 458
Kohler, Heinz, 81
Kokkelenberg, Edward, 360
Kraemer, Kenneth L., 38
Krueger, Alan, 71
Krugman, Paul, 38, 496, 512, 517, 573, 577
Kydland, Finn, 566

L

Labonte, Marc, 110
Laffer, Arthur, 285, 567
Laffer, curva de, 285, 567
Lazer *versus* trabalho, 77
Lebergott, Stanley, 376
Lei Clayton, 180
Lei da demanda inclinação negativa, 41, 50
Lei da substituição, 89
Lei da utilidade marginal decrescente, 73-**74,** 75, 188-189
Lei das relações de trabalho nacional, 227
Lei de defesa da concorrência Sherman, **179**-181, 271
Lei de Okun, **527**
Lei do orçamento de 1993, 285, 571
Lei do preço único, 489
Lei do produto marginal decrescente, 128-130
Lei dos padrões justos de trabalho, 227

Lei dos rendimentos decrescentes, **96**-97, 96-99, 142, 207
  e crescimento da população, 461
  e curva da oferta, 44
  e custos crescentes, 140
  e demanda de capital, 258-259
  e produto marginal, 128-129
  e rentabilidade do capital, 261
Lei Wagner, 227
Leis de responsabilidade, 245-246
Leis dos alimentos e medicamentos, 271
Leis sobre a usura, 67
Lenin, V., 538
Leonardo da Vinci, 141
Levine, David, 183
Licenças negociáveis para emissões, 245
Limits to Growth, 462
Lincoln, Abraham, 240, 316
Lindeck, Assar, 147
Linden, Greg, 38
Linhas curvas, 17
Linhas tangentes, 17
Liquidez, 255
  armadilha da, 407, 430, 440, 543, 570
Livre comércio, 3
  abertura ao comércio, 312
  acordos multilaterais, 320
  acordos regionais, 321
  avaliação da, 321
  consumo, opções de, 307-308
  e fronteira de possibilidades de produção, 307-308
  e preços, 306-307
  economistas sobre, 310-311
  equilíbrio sem comércio, 311-312
  Estados Unidos com, 311
  impacto sobre preços de fatores, 310
  na União Europeia, 515
  negociação
  oponentes ao, 310
  preços e salários com, 304
  versus interesses especiais, 317
  versus restrições à concorrência, 154-155
  versus sem comércio
Livre entrada e saída, 137, 139
Loewenstein, George, 87
Longo prazo, **100**
  curva da oferta de, 140
  custos no, 118-119
  definição, 252
  função oferta agregada de, **521**

oferta agregada em, 520, 523-524
oferta do setor, 137-138
para setores competitivos, 138-139
política monetária no, 432
preço de, 139
Longo prazo, equilíbrio
  em setores competitivos, 137-139
  no modelo neoclássico de crescimento, 450
  rentabilidade do capital, 262
Loterias, 281
Lucas, Robert E., 566, 577
Lucro(s), **23**
  aumento pela discriminação de preço, 172
  como rendimento residual, 264
  como rentabilidade do capital, 262-264
  contábeis *versus* econômicos, 261-262
  de oligopólio, 167
  declínio na taxa de, antes de imposto, 264
  e custo médio, 114
  e expectativas, 372
  efeito da curva da oferta, 44
  em recessões, 381
  prêmio pela assunção de risco, 263
  prêmio pela inovação, 263-264
  que determinam, 120
  regulação pelo governo do, 31
  rentabilidades implícitas, 262
  schumpeterianos, 263, 290
  tendências nos Estados Unidos, 263
  tendências nos, 263
  zero, ponto de, 135
Lucro econômico zero, **139**
Lucro econômico, 120, 262
  e equilíbrio de longo prazo, 139
  zero, 135
Lucros schumpeterianos, 263, 290
Lucros supernormais, 167

M

M_1 oferta de moeda, 405-406
  velocidade renda, 435
MacKie-Mason, Jeffrey K., 199
Macroeconomia clássica, **523**, 565
  consequências de política, 565
  e distribuição da renda, 292
  economistas da, 565
  Lei dos Mercados de Say, 565
  sobre crescimento econômico, 446-447
  sobre vantagem comparativa, 309-310

Macroeconomia dos novos clássicos, 565-569, **566**
  ciclo econômico real, teoria do, 566
  conveniência de regras fixas, 568
  e monetarismo, 433
  expectativas racionais, 566
  ineficácia da política, teorema da, 568
  lado da oferta, economia do, 567-568
  nova síntese, 568-569
  origem, 565-566
  Ricardiana, perspectiva de política fiscal, 566-567
  salário de eficiência, teoria do, 567
Macroeconomia internacional, 481
Macroeconomia keynesiana, 390, **523**
Macroeconomia, 4, **326**; ver também entradas de Agregada: AS-AD esquema
  avanços na, 564-569
  clássica, 565
  conceitos chave, 326-335
  consequências da dívida pública, 557-564
  conta corrente em, 334
  desenvolvimento da, 326-327
  e mecanismo ajuste internacional, 492
  era do aperto monetário, 337-338
  expansão em tempo de guerra de 1960, 337
  função do consumo, 365
  internacional ligações, 334-335
  internacional, 481
  investimento papéis, 371
  Keynes, papel de, 328
  mecanismo de transmissão monetária, 400-401
  modelo do multiplicador, 406
  na agenda econômica dos Estados Unidos, 326
  nascimento da, 326-328
  nova síntese de teorias, 568-569
  novos clássico, 565-569
  objetivos e instrumentos, 328-334
  questões centrais, 326-327
  século de crescimento, 338
  teoria central da, 326
Macroeconômico
  agentes políticos, 420
  clima, 511-512
  crescimento, 34-35
  dados, Estados Unidos 1929-2008, 342
  equilíbrio, **336**, 336-337
  impacto da inflação, 544
  modelos, 568

Maddison, Angus, 443
Mais valia, 411
Mali, 303
Malkiel, Burton, 265, 414, 418
Malthus, Thomas R., 450, 465, 477
   e neo-malthusianismo, 462
   falhas na teoria, 461-462
   persistência de ideias, 448
   razões para erros do, 447
   sobre o crescimento econômico, 446-447
   teoria da população, 460-461
Manifesto Comunista, 474
Manipulações financeiras, 123-124
Mankiw, N. Gregory, 305, 323, 340
Mansfield, Edwin, 53
Mão de obra qualificada, 465
Mão de obra
   barata estrangeira, argumento, 317
   curva da oferta, 141
Mão de obra, oferta de; ver também Demanda de trabalhadores
   das horas trabalhadas, 220-221
   decisões acerca, 210
   definição, 220
   e desemprego clássico, 229
   e mínimo salário, 68-69
   e salários totais, 213-214
   efeito de imigração, 51-52
   efeito renda, 221
   efeito sobre salários, 290
   efeito substituição, 221
   imigração, 221-222
   padrões, 222
   participação na população ativa, 221
   pessoas talentosas, 225
Mão invisível, **25**
   como mecanismo de mercado, 24-26
   e concorrência perfeita, 30
   e especulação, 188
   limitações da, 26
   limitações do, 144-145
   limites da, 271-272
   para a renda, 214
Mao Tse-tung, 472
Mapa de indiferença, 89-91
Marcas
   nomes das, enquanto capital, 251
   primeiras dez, 155
   valor, 155-156
Marginal,
   conceito de, 74
   curva de utilidade, 74-75
   custo de despoluição, 244

Marginalista, princípio, **161**, 279
   e aversão à perda, 161
Marshall, Alfred, 14, 53, 163, 319, 433, 564
Marx, Karl, 293
   biografia, 473
   visões econômicas, 473-474
Matriz de resultados, **173**
   para guerra de preços, 174
Maurer, Harry, 536
Maximização da utilidade, 73, 76, 141
Maximização de lucro
   condições para monopólio, 158-161
   de empresas competitivas, 130-131
   demanda de fatores, 202-209
   e condição de encerramento, 135
   preço igual ao custo marginal, 134
   regra do custo mínimo, 209
Maximização de receita, 156
Mayer, Christopher, 163
McDonald's, 100, 149, 155
MCI Communications, 181
McMillan, John, 178
Meadows, Dennis L., 477
Meadows, Donell H., 477
Mecanismo de ajuste, 387
Mecanismos do mercado, 35
   características, 22-23
   gráfico de fluxo circular, 24-25
   conceito de eficiência, 141
   definição de mercado, 21
   eficiência de equilíbrio competitivo, 142-143
   equilíbrio de oferta e demanda, 23
   equilíbrio com muitos consumidores e mercados, 143-144
   funções do, 132
   mão invisível, 24-26
   custo marginal como padrão de eficiência, 144
   ordem *versus* caos, 22-23
   preço, 23
   e estabilidade de preços, 332
   e bens públicos, 32
   externalidades, 145
   concorrência imperfeita, 144-145
   informação imperfeita, 145
   racionamento pelos preços, 52-53
   solução para a organização econômica, 23-24
   preferências e tecnologia, 24
Mecanismo de transmissão monetária, 400-401, **428**
   e mercados de ativos, 429
   efeito sobre o produto e a inflação, 428-430

em economia aberta, 437
operações de mercado aberto, 428
taxa de juros, objetivo de, 427-428
taxa de juros, variações, 429
taxas de câmbio fixas, 504-506
taxas de câmbio flexíveis, 505-506
Medicaid, 274, 296
Medicare, 274, 296
   agregada, função de produção, 104-105
   alocativo, papel da política fiscal, 389-390
   análise de custos para, 112-120
   base, ano, 346
   com governo, 392
   com taxas de câmbio fixas, 492
   consumo, parcela do, 349
   contabilidade do crescimento, abordagem da, 453-455
   custo mínimo, combinação de fatores, 130-131
   custo mínimo, regra do, 119
   de monopólio, 156-159
   definição, 521
   determinação da AS/AD, 336
   determinantes com comércio estrangeiro, 500
   e aprofundamento do capital, 455
   e demanda agregada, 355
   e demanda agregada, curva da, 385
   e desemprego nos ciclos econômicos, 527
   e gestão da demanda, 568-570
   e oferta agregada, 521-523
   efeito da política fiscal, 390-392
   efeito da política monetária, 328-430
   efeito de compras pelo estado, 390-392
   efeito de deslocamentos da demanda agregada, 523-524
   efetivo *versus* potencial, 329
   em ciclo econômico real, teoria do, 563
   em concorrência perfeita, 30
   em economia aberta, 498-499
   em Estados Unidos 1900-2008, 451-452
   em função de produção, 95-96
   em produto interno líquido, 351-354
   em produto nacional bruto, 352
   em recessões, 381
   equilíbrio, nível de, 386-389
   flutuações na, 326-327
   fontes de crescimento em, 455
   impacto de inflação, 544
   lei dos rendimentos decrescentes, 96-99

lucro, maximizadoras de, 135
medida da sucesso econômico, 328-329
médio, 96-98
nacional bruto, **352**
não quantificados, avanços, 457
necessário para economias de escala, 154
nos Estados Unidos 1900-2008, 451-452
per capita, 327, 443
potencial, 355
principais componentes, 362
progresso tecnológico as, 450
reduzido, 175-176
rendimentos à escala, 99-100
restringido pelo monopólio, 176
total das despesas, abordagem, 386-389
total, médio, e produto marginal, 96-98
total, produtividade dos fatores, 455
versus produto máximo, 522

Meio de troca, 406
Melhores práticas, técnicas das, 510
Mellon, Andrew, 162
Menu, custos de
de ajuste de salários e preços, 530
de inflação, 543

Mercado(s), **21**
centralizados *versus* não centralizados, 21
com concorrência imperfeita, 30-31
com concorrência perfeita, 30
com livre comércio, 311
comum, 321
da terra, 239
de fatores de produção, 23
de leilão *versus* geridos, 530
de rede, 102-103
demanda e dimensão do, 42-43
determinação dos preços, 23
dispersão de risco em, 190-191
e custo de oportunidade, 125-126
equilíbrio competitivo com muitos, 143-144
imperfeitamente competitivo, 149-150
instituições do, 511
para substâncias viciantes, 82-84
proporcionar bens públicos, 32
risco e incerteza em, 186-190
Say, Lei de, 565

Mercado de ações, **410**
1920, anos agitados, 413
bolhas e colapsos, 411-413
colapso de 1929, 259-260, 370
colapso de out. 1987, 415
declínio em 2000, 381
irracional, exuberância, 415
mercado eficiente, teoria do, 413-415
mercados principais, 411
passeio aleatório, 415
psicologia de mercado, 412
risco e rentabilidade em, 411-412

Mercado de trabalho
comparações internacionais, 220-221
descobertas empíricas, 222
desemprego, questões do, 530-535
determinantes lado da oferta, 220-222
diferenças na produtividade marginal, 219-220
efeito da imigração, 51-52
efeito dos sindicatos, 226-229
efeitos da reforma da previdência social, 297
entrada e saída, 226
grupos não competitivos, 225-226
nível salarial geral, 218-219
oferta e demanda, equilíbrio de, 529-530
perfeitamente competitivos, 223
regulados, 530
segmentado, 225-226
serviços, 554

Mercado, estrutura
concorrência imperfeita, 30-31
concorrência monopolística, 151-152, 165
concorrência perfeita, 30, 149, 152, 165
duopólio, 171, 173
e dimensão mercado, 153-154
medidas de poder de mercado, 166-167
monopólio, 151-152, 156-162, 165
oligopólio, 151-152-153, 165

Mercado, falha de, 26
bens públicos globais, 240
concorrência imperfeita, 30-31, 144-145
e cuidados de saúde como seguro social, 194
e equidade, 33-34
e intervenção do governo, 34-35
e regressão tecnológica, 102
e seguro social, 192
em informação, 195, 197
em investigação, 450
externalidades, 31, 145
informação assimétrica, 191-192
informação imperfeita, 145
políticas para tratar as, 272
risco moral, 191
seleção adversa, 191

Mercado financeiro eficiente, **413**

Mercado. preços, 343
e condição de encerramento, 135
em concorrência perfeita, 133-135
em mercado eficiente teoria, 414

Mercado, demanda de, 42
derivação da, 79
e deslocamentos da demanda, 80
para fatores de produção, 210-211
para substitutos e complementares, 80-81
preço e elasticidades-renda, 81

Mercado, economia de, **7**, 21-22; ver também Economia/Economias; mista, economia
ciclos econômicos em, 34
direitos de propriedade, 29
distribuição da renda *versus* riqueza, 289
distribuição da renda, 33-34
e equidade, 33
e falhas de mercado, 26
e surgimento do Estado social, 35
em China, 36
empresas em nome individual, 107
entrada e saída de empresas, 137
limites de mão invisível, 271-272
mão invisível, 24-26
na Rússia e Europa de Leste, 36
necessidade do papel do governo, 268
persistência de recessão, 520
sociedades anônimas, 107-109
sociedades em nome coletivo, 107
versus comando economia, 472

Mercado, poder de, **166**
contenção do, 177-178
de sindicatos, 226-227
discriminação de preço, 171-172
e leis em defesa da concorrência, 179-182
medidas do, 166-167
políticas para combater, 175-178

Mercadoria inapropriável, **237**

Mercados competitivos
avaliação mecanismo de mercado, 142-144
com muitos bens, 143-144
conceito de eficiência, 142
conclusões sobre, 145-146
concorrência imperfeita, 144-145
curva da oferta com inflexão, 13
custo constante, 140
custo marginal como padrão para eficiência, 144

custos crescentes e rendas decrescentes, 140
demanda para factores de produção, 214
e deslocamentos da oferta, 141-142
eficiência do equilíbrio competitivo 142-143
equilíbrio com muitos consumidores e mercados, 143-144
externalidades, 145
integração da demanda e custos, 14
oferta fixa e renda econômica, 13
pequeno número de, 149
regra da demanda, 140
regra da oferta, 140
regras gerais, 139-142
renda e consumo em, 206

Mercados de ganhador fica com tudo, 103
Mercados de leilões, 530
Mercados de rede, 101-103
Mercados financeiros, 3, 291
e declínio em poupança, 371
e risco partilha, 189
globalização do, 27
imperfeições em, 371
papel do informação em, 178
reação to monetária política, 429, 562

Mercados livres
avanço tecnológico em, 574
ressurgimento, 515

Mercados segmentados, 225-226
Mercados
administrados, 530
centralizados, 21
descentralizados, 21

Mercantilismo, e tarifas, 316
Mercedes-Benz, 155
Métodos de produção indiretos, 28, 259
Metropolitan Museum of Art, 162
México
ataque ao peso, 494-495
pacote de ajuda de 1994-1995, 437

Microeconomia, **4,** 56, 326
desperdício, 526
fundamentos do desemprego, 530
políticas, 271

Microeconomy: Theory and Practice (Mansfield & Yohe), 53
Microsoft Corporação, 24, 31, 103, 114, 150, 155, 290, 450
caso da defesa da concorrência da, 181-182

Microsoft
Windows, 100, 103, 151, 182, 196
Microsoft Word, 155
Milionários, 33
Mill, John Stuart, 132, 292, 319, 480, 564-565
Minas, leis de segurança nas, 271
Miron, Jeffrey A., 87
Mitchell, Wesley Clair, 398
Mizner, Wilson, 520
Mobilidade do trabalho, convergência na União Europeia, 514
Modelo de crescimento econômico neoclássico, 448-447, **450**
análise geométrica, 449-450
aprofundamento do capital, 448-449
longo prazo, estado estático, 450
origem do, 448
pressupostos básicos, 448-449

Modelo do multiplicador, **386**-389
análise numérica, 387-389
com governo, 392
comparado ao modelo AS-AD, 389-390
e ciclos econômicos, 390
em macroeconomia, 396
mecanismo ajuste do, 387
omissões do, 396
política fiscal em, 389-396, 559-560
pressupostos chave, 386
produto determinação
total das despesas, abordagem, 386-389

Modigliani, Franco, 377
Moeda como meio de troca, 28
Moeda para transações, 405-406
Moeda
bancária, 406, 409-411
comum, **493**, 513-514
eletrônica, 406
forçada, 406
mercadoria, 406

Moeda, **28,** 377
apreciação, 487
como ativo, 407
confiança em, 539
curso forçado, 406
custos de posse, 406
demanda para
depreciação, 487
desvalorização/revalorização, 487
e troca direta, 404-405
eletrônica, 405
euro, 321, 513-514
funções, 406

intrínseco valor, 405
juros compostos, 461
ligada, 137
moeda mercadoria, 405
moderna, 405
na oferta de, 405-460
neutralidade do, 434
oferta e demanda de equilíbrio, 499
papel, 405
para transações, 406
principal responsabilidade do Fed, 423
sobrevalorizada, 504, 512
taxa de juros de, 255
teoria quantitativa da, 433-434
valor distorcido pela inflação, 543
velocidade da, 433
Whence It Came, Where It Went (Galbraith), 418

Mokyr, Joel, 446
Mona Lisa, 141
Monetário
gregado, 405-406
fundos do mercado, 404

Monetarismo, **433**
declínio do, 434-435
e neutralidade da moeda, 434
equação da troca, 433
experiência do final dos 1970, 434
moderno, 433
raízes do, 433
regra crescimento fixo de moeda, 434
teoria quantitativa da moeda e dos preços, 433-434
velocidade de moeda, 433

Monetarista, experiência, 435
Monetary History of the United States (Friedman & Schwartz), 265, 418
Monopólio bilateral, 228
Monopólio natural, **153-154**
economias de escala, 177
economias de gama, 177
exemplos, 154
minado pelos avanços tecnológicos, 154
regulação do, 177-178

Monopólio, 25, **151**
comparado a oligopólio de cartel, 167
condições maximizadoras de lucro, 159-161
criado pelo governo, 154
custos estáticos, 176
e leis da defesa da concorrência, 31
e preço, 156-158
e receita marginal

elasticidade-preço da demanda, 158-159
em estrutura de mercado, 165
estimulado pelo governo, 193
franchises, 154
na Idade do Ouro, 161-162
perda do excedente, 176
pontos-chave, 159
preço, quantidade, e receita total, 156, 158
princípio marginalista, 161
razões para persistência do, 151
restrição de produto, 175-176
Schumpeter, defesa de, 195-196
sindicatos como, 277
Monopólios de franchise, 154
Monopolista, 30-31
Monopolística fusões, 181
Monster.com, 529
Monthly Labor Review, 234
Moral Consequences of Economic Growth (Friedman), 458
Morgan, J. P., 161, 181
Morgenstern, Oscar, 183
Motley Fool, 418
Movimento ao longo a curva da demanda, 43, 50, 385-386
Movimento ao longo a curva da oferta, 45-46
Movimento pelo imposto único, 239
Movimentos ao longo de curvas, 18
Mulheres
  discriminação econômica contra, 232
  em profissões, 231
  família, diferencial pela, 232
  famílias encabeçadas por mulher, 290
  na pobreza, 289-290
  população ativa, participação na, 221
Mullis, Kary, 263
Multicurvas, gráfico, 19
Multiplicador de investimento, 394
Multiplicador dos impostos, 396
Multiplicador, **389-390**
  da despesa, **394**, 502
  economia aberta, 502
  ilustração do, 389-390
  tipos do, 394-395
Mundell, Robert, 514, 516
Murphy, Kevin, 110
Mútuos, fundos, 404
Myers, Stewart C., 376

N

Nafta, 321
  salários e remunerações complementares, 220
  salários em, 221
Nalebuff, Barry J., 172, 183
Não exclusividade, 32
Nasar, Silvia, 183
Nasdaq, 411
Nash, John, 175, 183
National Academy of Sciences, 289
National Bureau of Economic Research, 379, 398, 568
National Tax Association, 284
Nature of Capital e Income (Fisher), 259
Nature's Numbers (eds., Nordhaus & Kokkelenberg), 360
Negociação coletiva, **226**
  aumentos de salário, 227-228
  complicações da, 51
  condições de trabalho, 227
  custos da, 531
  e governo, 227
  indeterminação teórica, 228
  monopólio bilateral, 228
  pacote econômico, 226-227
Negociações de comércio multilaterais, 320-321
  acordos regionais, 321
  General Agreement on Tariffs and Trade, 320
  Organização Mundial de Comércio, 320
Negociações entre as partes, 246
Negro, John, 71
Neo-Malthusianism, 462
Neumann, John von, 172, 183
New Americans, The (National Academy of Sciences), 53
New Deal, 293
New Jersey, imposto do cigarro de, 62
New Society, programas da, 558
New York Mercantile Exchange, 21
New York Stock Exchange, 107, 411
Newport, Rhode Island, 162
Nike, Inc., 106
Nippon Steel, 100
Níveis de vida, 96
  e de paridade poder de compra, 489
  efeito do comércio nos, 26
  em países em desenvolvimento, 464
  em países pobres, 99
  melhorados pelo comércio, 301
  objetivo de políticas macro, 573
  razões para aumento da, 220-221
Nível de preços
  e curva da demanda agregada, 385
  e demanda agregada, 382-383
  e inflação, 541
  efeito da oferta agregada, 335
  longo prazo, efeito da monetária política de, 432
  movimentos do, 433-434
  na Inglaterra 1264-2007, 538
Nokia, 155
Nominal, PIB, **346**
  crescimento desde 2000, 348
  declínio na Grande Depressão, 348
  nos Estados Unidos 1929-2008, 342
  versus PIB real, 346-350
Nominal, taxa de juros, **255**
  a zero, 410-412
  reduzir limite do, 543
  versus taxa de juros real, 255-259
Nordhaus, William D., 360
North American Free Trade Agreement, 5, 512
  adoção do, 321
  oposição ao, 317
Northwest Arlines, 165
Noruega
  Consumidor, preferências do, 312
  recursos naturais base nos, 444
Not Working: An Oral History of the Unemployed (Maurer), 536
Nova economia, 374
Nove, Alec, 478

O

O que produzir, 6
  determinação do, 23
  efeito dos preços, 52-53
O'Neal, Shaquille, 225
Objetivo de inflação 420-422, **572**
Obrigações do tesouro, 258-259
Oferta
  de fatores de produção, 209-210
  de novas tecnologias, 574-575
  deslocamentos da, 141-142
  efeito de deslocamentos da, 45-46, 48-49
  efeito de tarifas, 312
  elástica, 62-63
  elasticidades da, 62-63
  em excesso, 549
  em gráfico de fluxo circular, 24-25
  em que o preço iguala o custo marginal, 133-135
  excesso, 549

fixa, 141
interpretação das variações em, 50
longo prazo, oferta setor de, 137-138
Oferta agregada curva vertical, 566
Oferta agregada, **334**, 521
   custos dos fatores, 521-523
   deslocamentos da, 522-524
   determinação da produção, 336
   e monetária, política, 431-432
   equilíbrio macroeconômico, 336-337
   fundamentos da, 520-524
   no curto e no longo prazo, 520, 523-524
   produto potencial, 500
   variáveis macroeconômicas, 299-300
Oferta comportamento
   de empresas competitivas, 132-136
   de setores competitivos, 136-139
Oferta de dólares, 485
Oferta e bancária de moeda, 409-412
   componentes depósitos à ordem, 406
   e teoria quantitativa de preços, 490-492
   governo, controle pelo, 28
   moeda, 405-406
   taxa fixa de crescimento de moeda, 434
   teoria quantitativa de moeda, 433-434
   transações moeda, 405-406
Oferta e demanda
   agricultura, 63-65
   automóveis, 42-43
   cambial, mercado, 485-486
   computadores pessoais, 41-42
   conceito de equilíbrio, 50-51
   de discriminação pela exclusão, 230
   de distribuição da renda, 211-212
   de imigração, 51-52
   determinação de preços dos fatores pela, 210-211
   do comércio e tarifas, 311-316
   do desemprego, 528-530
   e Lei do Mercados de Say, 565
   e microeconomia, 56
   elasticidades-preço, 56-63
   em mercados competitivos, 136-145
   equilíbrio da, 46-53
   equilíbrio de mercado, 23
   equilíbrio, 47-48, 495
   equilíbrio, chegar ao, 23-24
   flocos de cereais, mercado do, 48
   gasolina, preços da, 39-40, 50
   gráfico da, 19
   impostos, preços, e quantidade, 65-67

interferência com leis da, 67
pão, preços do, 48-50
para capital, 261-262
para economia competitiva, 141-143
para empresas competitivas, 132-136
para reservas bancárias, 428
para setores competitivos, 136-139
paradoxo de valor, 83-84
preço, controles de, 67-68
racionamento pelos preços, 52-53
teoria da, 39
variações do equilíbrio de mercado, 48-50
variações em preço e quantidade, 50
Office of Management and Budget, 284
Okun, Arthur M., 286, 293-295, 299-300, 358, 386, 398
Oligopólio de cartel, **168**-169
Oligopólio, **151;** ver também Teoria dos jogos
   cartéis, 167-169
   comparado a concorrência perfeita, 153
   comportamento do, 165-167
   cooperativo *versus* não cooperativo, 167
   exemplos de, 151
   medidas de poder mercado, 166-167
   obstáculos ao conluio, 169
   supranormais, lucros, 167
Oligopólios
   cooperativos, 168
   não cooperativos, 167
Olson, Mancur, 469
Opção de compra, 419
Opção de venda, 419
Opep, 169
Operações de mercado aberto, 422-**423,** 425-426
   mecanismo de transmissão monetária, 428
Oportunidade econômica, 293
Oportunidade, custo, **124**
   de decisões da empresa, 124
   de ir para a universidade, 123
   de posse de moeda, 406
   do capital investido, 262
   e escassez, 124-125
   e guerra no Iraque, 125
   e mercados, 125-126
   e rentabilidades implícitas, 262
   fora de mercados, 125-126
Orçamento
   cíclico, **559**
   e contas nacionais, 351

e crescimento dos déficits, 557-558
efetivo, **559**
efetivo, 560
equilibrado, **558**, 571
estrutural, 559
federal, **558**
governo, política do, 558-559
principais propósitos, 558
projetado para 2009, 275
regra de cabimento, 571
restrições pelo Congresso, 571-572
tendências desde 1940, 558
Organização do comércio, 320, 492
Organização dos Países Exportadores de Petróleo, 169
Organização econômica
   problemas para resolver, 6-7
   soluções para, 23-24
Organização Internacional do trabalho, 234
Organização para Cooperação e Desenvolvimento Econômico, 323, 478
Orientação para o exterior, 470-472, 512
Otimistas tecnológicos, 237
   ótimo de Pareto, 141
Ouro
   como mecanismo de ajuste, 490
   e oferta de moeda, 490-492
   Fluxo de mecanismo, 490-492
Outsourcing, 106, 305
Outsourcing, 305
Ozono, buraco do, 462

P

Pacote de estímulo, 570
Pacote econômico, 226-227
Padrão-ouro, 292, **490**-492
   padrões de, 244-245
Países
   baixo *versus* elevado, risco, 511
   concorrência, 512
   de paridade poder de compra e dimensão dos, 489-490
   demanda de mão de obra, comparações, 220-221
   desigualdade de renda entre, 288-289
   igualitários, 295
   impostos e PIB, 270
   ligações econômicas, 480-481
   para o exterior, orientação, 512
   salários e remunerações complementares, 220
   variações em abertura, 482

Países-riscos, 6
   assistência, programas de, 272
Países Baixos, 295
Países de risco elevado, 511-512
Países em desenvolvimento
   armadilha da pobreza, 468
   aspectos do, 462-464
   controle de doenças, 466
   crises da dívida, 466-467
   de paridade poder de compra, 463-464
   desenvolvimento humano, 464
   desigualdade nos, 289
   diversidade de, 464
   e ciclo vicioso da pobreza, 468-469
   educação e analfabetismo, 466
   esperança de vida e rendas, 465
   estratégias para o desenvolvimento, 470-471
   explosão da população, 465-466
   hostis aos mercados, 470
   infraestrutura, 465-466
   investimento nos, 466-467
   obstáculos perante, 460
   padrões de vida, 464
   promoção do empresariado, 467-468
   recursos naturais, 465
   regiões com, 464
   tecnologia de imitação, 467
   títulos de dívida de mercados emergentes, 466
   transição demográfica, 465-466
Países pobres; ver também Países em desenvolvimento
   armadilha da pobreza, 28
   ciclo vicioso de pobreza, 468-469
   corrupção insidiosa em, 467-468
   desigualdade econômica, 271
   falta de direitos de propriedade, 29
   rendimentos decrescentes em, 99
Países soberanos, 302
Palepu, Krishna G., 126
Panel Study on Income Dynamics, 216
Pânico de 1907, 421
Pânicos, 381, 415
Papel moeda, 123, 406
Paradoxo da colheita extraordinária, 61
Paradoxo de valor, 84-85
Pareto, Vilfredo, 76
Paridades, 490
Participação na população ativa, 221
   em países igualitários, 295
   negros *versus* brancos, jovens, 532
   por grupos de trabalhadores, 222

Passeio aleatório, **414**-415
Passivos, **122**
   contas a pagar, 123
   dos bancos, 409
   no balanço, 122
   títulos e obrigações pagar, 123
Pasteur, Louis, 225
Patentes, 154, **197**
   anual, número, 446
Patrimônio líquido
   dos bancos, 409
   pessoal, 287
Pearce, David W., 71
Peddling Prosperity (Krugman), 577
People, revista, 202
PepsiCo, 150, 155
Pequenas empresas, em setores competitivos, 133
Per capita,
PIB, comparações nacionais, 573
   renda real, 574
Per se ilegal, conceito de, 180
Percentuais variações
   em demanda, 57-59
   em preço e quantidade, 60-61
   em quantidade ofertada, 62-63
Perdas crônicas, 138-139
Perloff, Jeffrey M., 183
Perot, Ross, 317
Perpetuidades, 254
Pesca, 237
Pesek, John T., 98
Pessoas únicas, 225
Peterson Institute for International Economics, 323
Petition of the Candle Makers (Bastiat), 310
Petróleo
   derrame de, 242
   OPEP, 169
   poços de, parados, 135-136
   preços do, 46, 125
   setor do, 135-136
Phelps, Edmund, 549, 567, 577
PIB Real, 335, **346**
   efeito da inflação, 348
   elementos que contribuem to, 455
   expansão após 1945, 343
   nos Estados Unidos 1929-2008, 342
   taxa de crescimento nos Estados Unidos, 329
   versus PIB nominal, 346-349
PIB
   deflator do, **348**, 358, 538

   efetivo, 329
   índice de preços do, 357
Pigou, A. C., 14
Piketty, Thomas, 109-110, 291
Planejamento, 472-473
Pleno emprego
   da guerra, 395
   economia aberta, equilíbrio em, 508-510
   perspectiva clássica, 565
   poupança e investimento em economia fechada, 506-508
Pobre; ver também Renda, desigualdade; entradas de Pobreza
   definição, 289-290
   incentivo, problemas de, 296
Pobres
   incentivos, problemas de, para os, 296
Pobreza, 3; ver também Políticas
   armadilha da, 28, 468-469
   contra a pobreza
   alargamento dos diferenciais 1975-1980, 292
   ciclo vicioso da, 468-469
   como situação da renda relativo, 289
   conceito ilusório, 289
   decrescente 1929-1975, 290-292
   definição de pobre e rico, 289-290
   definida nos Estados Unidos, 289
   duas perspectivas da, 296
   e distribuição da renda, 295
   linha da, 289
   população, grupos da, 289
   raízes da, 295
   poder de compra, paridade, 573
   e dimensão de países, 489, 490
   e inflação, 489
   e lei do preço único, 489
   e países em desenvolvimento 462-464
   e taxas de câmbio, 488-489
Política de inflação zero, 544
Política fiscal discricionária, 570
Política fiscal, 333, 405, 559
   abordagem keynesiana, 390
Clinton, administração de, 341
   combinação fiscal-monetária, 570-572
   coordenação internacional, 273
   desfasamentos na, 569
   durante a guerra do Vietnã, 338
   e crescimento dos déficits, 558-559
   e despesas públicas, 333
   e fiscalidade, 333
   efeitos sobre a produção, 390-392

em países pequenos, 505
exemplo numérico, 393
gestão da demanda, 569-570
impacto de déficits orçamentais, 560-561
impacto de impostos, 395-396
impacto sobre a demanda agregada, 384
impacto sobre a demanda agregada, 392-393
incompreensões acerca, 564
instrumento de macroeconomia, 333
no teorema da ineficácia da política, 568
papel alocativo, 389-390
para a estabilização econômica, 273
para controlo dos ciclos econômicos, 34
para objetivos macroeconômicos, 559-560
para reduzir desemprego, 320
Reagan, administração de, 341
regras *versus* discrição na, 571-573
ricardiana, perspectiva, 566-567
tipos de multiplicadores, 394-395
Política monetária, **333**, 396, 404
aperto monetário, era do, 337-338
AS-AD, no enquadramento, 431-432
com regras *versus* discricionária em, 571-573
com taxas de câmbio flexíveis, 437
coordenação internacional, 272
credível, 554
de Banco Central Europeu, 514
desconto, taxa, 422, 425
e comércio internacional, 437
e demanda agregada, 437
e monetarismo, 432-433
e taxa de inflação nuclear, 545
e taxas de câmbio, 334, 494
efeito de variações no produto, 428-430
efeitos no comércio, 504-506
em economia aberta, 435-437
em países pequenos, 505
exigência de reservas, 426-427
facilidade de desconto, política de, 425-426
filosofias diferentes da, 432
fiscal-monetária, combinação, 570-571
gestão da demanda, 568-570
impacto sobre a demanda agregada, 384
inflação, objetivo de, 572
instrumento de macroeconomia, 333-334

interação com a política fiscal
ligações internacionais, 418-419
na Alemanha após 1990, 488
no longo prazo, 432
no teorema da ineficácia da política, 568
objetivos dos bancos centrais, 421-422
operações de mercado aberto, 422-425
para controlar ciclos econômicos, 34
para estabilização econômica, 272
para moderar os ciclos econômicos, 560
para reduzir desemprego, 320
prevenção de pânicos financeiros, 437
principais intervenientes, 422
reações de mercados financeiros, 562
reações dos mercados de ativos à, 428
taxa dos fed funds, 422, 423, 426-428
Política
comitês de ação, 361
de tarifas, 316
e sindicatos, 227-228
instrumento de, 335
teoria da escolha pública, 273
variáveis de, 384-385
Political Economy of Prosperity (Okun), 398
Políticas comerciais, 334
para promover o crescimento econômico, 510
Politicas de estabilização, 271-272
com regras *versus* autônoma
Federal Reserve, papel da, 570
fiscal-monetária, combinação, 569-571
gestão da demanda, 568-569
monetária regra, 572-573
restrições orçamentais sobre os legisladores, 571-572
sintonia fina, 432
Políticas do governo, 3; ver também Defesa da concorrência, leis; Política fiscal; Macroeconômicas, políticas; Monetária, política
afirmativa ação, 232
as barreira à entrada, 154-155
aspectos controversos, 286
colheitas, programas de restrição de, 65
conclusões sobre, 298
controle de economia, 268-274
controles diretos, 243-244
crescimento do, 270-271
de despesa, 269

debates sobre, 268
desincentivo à poupança e investimento, 295
e excedente do consumidor, 85
e negociação coletiva, 227
e princípio da utilidade, 76
e remuneração da gestão, 109
e vício, 82-83
efeito sobre curva da oferta, 44, 46
exemplos atuais, 35
gasolina, tributo sobre, 65-66
impacto sobre preço e quantidade, 65-66
impostos, 269
instrumentos da política de, 268-270
licenças para emissões negociáveis, 245
microeconômico lado, 270
para diminuir a desigualdade, 292
para estabilização econômica, 34
para reduzir o desemprego, 319
para tratar das falhas de mercado, 272
pobreza, políticas contra a, 292-298
programas de subsídios, 297
reação à globalização, 27-28
regulações de comando e controlo, 243-244
regulações, 269
seguro social, 286
seguro, 33-34
sobre concorrência imperfeita, 177
taxas por emissões, 243-245
Políticas macroeconômicas
abordagem keynesiana, 390
coordenação das, 272
credibilidade das, 553
desejo para regras fixas, 568
discricionárias, medidas, 568
e programas de assistência, 272
emprego, 330
Europa *versus* Estados Unidos, 535
falhas, 326
na Ásia, 442
objetivos centrais, 557
papel da política fiscal, 558-559
para controlar os ciclos econômicos, 34
para estabilização econômica, 271-272
para impulsionar crescimento econômico, 573-575
para reduzir desemprego, 553-554
política fiscal, 34
produto, 328-329
sintonia fina da economia, 432, 558

Político
   direitos, 293
   risco, 186
Poll, imposto, 283
Poluição
   avaliação dos danos, 242
   carbono, imposto sobre o, 246-247
   controlo da, 240
   custos de, 101
   e direitos de propriedade, 245-246
   governo, políticas do, 243-245
   imposto sobre, 282-283
   ineficiência do, 244
   marginal, benefício social, 241
   medida dos benefícios, 242
   privadas, abordagens, 245-246
Poluição e mudança climática, 246-248
   avaliação dos danos do, 242
   custo-benefício, análise, 241
   e direitos de propriedade, 29
   econômica, ineficiência, 240-241
   gráfica, análise, 242-243
   reduzido a zero, 241
   socialmente eficiente, 241
Poluição socialmente eficiente, 241
Ponto crítico, 366
   da renda e poupança, 364-365
   da renda, 388
   função do consumo, 365
Ponto de lucro zero, **135**, 139
   e encerramento ponto, 135
Pop Internacional (Krugman), 496
População
   descrição da, 460-461
   e crescimento econômico, 446-447
   falhas em, 461-462
   neo-Malthusianismo, 462
   situação na população ativa, 525
   teoria Malthusiana, 446-447
População ativa, **525**
   concorrência estrangeira barata, 317
   condições em 1800, 218
   diferenciais salariais, 222-226
   dos Estados Unidos, 220
   e crescimento econômico, 444
   mão de obra qualificada, 465
   situação, 525
   tendências em salários, 263
   trabalhadores não qualificados, 310
Posner, Richard, 182, 183
Post hoc, falácia, **4**
Postos de trabalho vagos
   encaixar empregos com, 554
   taxa de, 529

Potencial, PIB, **329-330,** 521; ver também Produto potencial, **521**
   condições para, 334
   durante recessões, 330
   e oferta agregada, 521-522
   versus produto máximo, 522
Poupança do governo, 335
Poupança nacional, 355, 509
   componentes, 371
Poupança privada, 355
Poupança taxa
   causas de declínio da, 370-371
   em Estados Unidos, 445
Poupança, 362-371
   ajustada pelas taxas de câmbio, 509
   alternativas, medidas, 371
   balanço, medida pelo, 371
   ciclo de vida, hipótese do, 369
   contas nacionais, medida, 371
   declínio taxa da, 370-371
   definição, 362
   e desempenho econômico, 362
   e política governamental, 295
   e renda disponível, 364
   efeito de remoção capital de, 563
   em contas nacionais, 355
   em economia aberta, 506-510
   em economia fechada, 506-508
   em pequena economia aberta, 508
   em pleno emprego
   equilíbrio de economia aberta, 508-510
   fuga para, 502
   marginal, propensão a poupar, 366-367
   nacional, 355
   papel na economia, 362
   pessoal, 364
   ponto crítico, 364-365
   privada, 355
   produto, determinação do, com investimento e, 389
   pública, 355
   renda, consumo, e, 364-367
Poupança, **364**
Poupança, depósito de, 404
Poupança-investimento, relação, 506-507
Prazo, de empréstimos, 255
Preço da energia, controle, 68-69
Preço do PIB, **348**-349
Preço(s), **23,** 49; ver também Equilíbrio, preço de; Inflação
   ano base, 346
   antes e após haver comércio, 304
   arbitragem, 187

   cobertura, 188
   com deflação, 543
   com híperinflação, 28
   como sinais, 27
   completo, 152
   comportamento do preço no tempo, 11-188
   curva da oferta, 44
   da gasolina, 39-40
   de bens relacionados, 42-43
   de computadores pessoais, 42-43
   de fatores de produção, 46-47
   dos fatores, 24
   dos produtos agrícolas, 64
   duas partes, 172
   e condição de encerramento, 135
   e curva da demanda de mercado, 42
   e curva da demanda, 40-43
   e custo médio, 114
   e demanda agregada, 334
   e efeito de substituição, 41
   e efeito renda, 41
   e especulação
   e ganhos do comércio, 304-305
   e inflação, 327
   e perda de competitividade, 512
   e ponto de lucro zero, 139
   e receita marginal, 156-158
   efeito de deslocamentos da demanda agregada, 523-524
   efeito de restrições de colheitas, 65
   efeitos de deslocamentos da oferta e demanda, 48-50
   efeitos de fiscalidade, 333
   elasticidade da oferta
   em concorrência imperfeita, 30-31, 150-151
   em concorrência monopolística, 171
   em concorrência perfeita, 30, 160-161
   em equilíbrio de mercado, 24
   em teoria da distribuição, 205
   equilíbrio de mercado, 47
   equilíbrio de valores, 336-337
   fazedores de, 150-151
   igual ao custo de oportunidade, 125
   igual ao custo marginal, 133-135
   impacto de impostos, 65-67
   impactos econômicos, 188-190
   inflacionados, 175-176
   interpretação de variações do, 50
   Lei do preço único, 489
   maximizadoras de lucro, 159-161
   medida da correção, 357-359
   menu, custos de ajuste de, 530
   no enquadramento AS-AD, 545-548
   no gráfico de fluxo circular, 24-25

no longo prazo, 139
ou bens relacionados, 45
padrões geográficos, 187
para maximização da receita, 156
para produtos homogêneos, 133
racionamento pelos, 52-53, 69-70
razão de equilíbrio, 306-308
regra da demanda, 140
regra da oferta, 140
regulação do governo, 31
relação à quantidade demandada, 40-41
rigidez, 524
ruinosamente baixo, 180
sob comércio livre, 221
teoria quantitativa dos, 433-434, 490-492
turbulência 2007-2008, 538
Preços da energia, 358
Preços e salários rígidos, 524
preços para penetração, 103
Preços, duas partes, 172
Preferências para discriminação, 231
Preferências
dinásticas, 566-567
efeito sobre a demanda, 42-43
fator no comércio internacional, 302
Prejuízos crônicos, 139
Premiere, cigarro sem fumaça, 24
Prescott, Edward C., 566
Presidentes da administração, 108
Previdência social, 275, 296
e declínio na poupança, 371
fundo de aplicações, 558
oposição inicial à, 270
salários, imposto sobre, 280
Princípio da utilidade, 76
Princípio da vantagem comparativa, 302-303
Princípio marginal, aversão à perda, 161
Principles of Corporate Finance (Brealey, Myers & Allen), 376-377
Principles of Economics (Marshall), 53, 163
Principles of Money, Banking, and Financial Markets (Ritter, Silber, & Udell), 265
Principles of Political Economy (Mill), 564
Problema de mandante/mandatário, em sociedades anônimas, 108-109
na União Soviética, 475
Produção total, 499

Produção
colheita, restrições à, 65
conceitos básicos
curto prazo, 99, 118-119
custo mínimo, combinação de fatores de, 129-130
e natureza das empresas, 105-109
efeito da curva da oferta, 44
efeitos de deslocamentos da oferta, 45-46
espera aí, problema do, 106
função de produção, 95-96
indireta, 259
indiretos, métodos, 28
lei dos rendimentos decrescentes, 96-99
ligada aos custos, 117-119
longo prazo, 99, 118-119
melhores práticas, técnicas das, 510
nas empresas ou mercado, 105-106
outsourcing, 106
papel do capital em, 28
produto total, médio, e marginal, 96-98
progresso tecnológico, 100-103
refeições rápidas, setor, 100-101
rendimentos à escala, 99-100
Produção, custos
aumento no século xx, 338
avanços tecnológicos, 45
curto prazo, inflexibilidade, 522
curva de custo constante, 140
custo marginal, 113-114
custo mínimo, combinação de fatores, 129-130
custo mínimo, condição de, 130
custo mínimo, regra do, 119
custos crescentes e rendimentos decrescentes, 140
custos fixos, 112-113
custos médios, 114-117
derivação dos, 117-119
determinação de
e contabilidade das empresas, 120-124
e custo de oportunidade, 124-126
e demanda, 143
e vantagem comparativa, 303-304
efeito de deslocamentos da oferta, 45-46
efeito sobre a curva da oferta, 45-46
efeitos de tarifas, 314
encerramento, condição de, 135-136
escolha de fatores de produção, 119-120
fator no comércio internacional, 302
fonte de concorrência imperfeita, 153-154

impacto sobre a oferta agregada, 522-523
influências sobre, 112
minimização de custo, pressuposto da, 119
minimização dos, pressuposto da, 120
na abordagem de fluxo de custos, 353-354
na demonstração de resultados, 120-121
preços de fatores de produção, 45
substituição, regra da, 119-120
total, custo, 112-114
variáveis, custos, 113
Produção, função de, **96**-97, 206-207; ver também Agregada, função de produção
agregada, 448-449, 455
Produção, para quem produzir, 7
determinação do, 23-24
e equidade, 33-34
efeito dos preços, 52-53
Produtividade, **103**, 444
abrandamento da, 455-456
crescimento da, 104
crescimento nos Estados Unidos 1945-2007, 455
definição, 34
desindustrialização nos Estados Unidos, 512-513
divisão do trabalho, 26
e salários e preços, 549
especialização, 26
função produção agregada, 104-105
inflexão da, 456-457
na agricultura, 64
Produtividade, **103**
promovido pelo comércio, 391
tendências em, 512
tendências recentes, 455-457
total dos fatores, **103**-104, **455**
Produtividade marginal
com muitos fatores de produção, 214
e demanda de trabalhadores, 219-220
e distribuição de renda nacional, 212-214
teoria dos preços dos fatores, 205-214
Produto
custo mínimo, regra do, 119
Estados Unidos versus México, 317
interno, 499
marginal da terra, 128
marginal decrescente, 128-129, 207
marginal do capital, 260

marginal do trabalho, 128, 205
marginal, **96**-98, 206-207
substituição, regra da, 119-120
Produto interno bruto, **328**-329; ver também Contas nacionais; PIB Nominal; PIB real
  adequação, 358
  ativos financeiros por unidade do, 406
  China, 473
  comércio em percentagem do, 481
  componentes, 391
  conceitos-chave, 352
  consumo, componente do, 362-363
  contagem dupla, problema, 345-346
  contas nacionais/contas das empresas, 345
  correção de defeitos do, 356-357
  declínio na Grande Depressão, 344
  deficiências em, 355-356
  déficit comercial em percentagem do, 504
  despesa pública em percentagem do, 270
  determinação com poupança e investimento, 389
  e despesas do governo, 333
  e produto nacional bruto, 351-352
  e produto nacional líquido, 351-354
  e renda disponível, 354-355, 391
  e renda nacional, 354
  efeito de investimento, 389
  efetivo *versus* potencial, 329
  equilíbrio, 500
  equivalência de abordagens, 344-345
  exclusão de impostos, 351
  exclusão de transferências, 350-351
  expansão após 1945, 344
  exportações líquidas em, 351
  fluxo de custo, abordagem, 352-354
  fluxo de produto, abordagem, 343, 347, 352-353
  fluxo de produto, abordagem, 351, 352-353
  medida da desempenho econômico, 343-344
  medida de multiplicador de economia aberta, 503
  nos ciclos econômicos, 379-380
  Okun, Lei de, 527
  per capita, 573
  percentagem da despesa de cuidados de saúde, 192
  perdas pelo desemprego, 526, 527
  ponderação em cadeia, 348-349
  potencial, 330-331
  propensão marginal a exportar e reta da despesa, 502-503
  razão entre a dívida do governo e o, 561, 562

receita fiscal em percentagem do, 179
  rendas/custo, abordagem, 343-344, 346
  tendências nos Estados Unidos 1900-2008, 451-452
  valor acrescentado abordagem, 347-347
Produto interno líquido, **351-352**
Produto maximizador de lucro, 159-161
  de empresas competitivas, 135
Produto máximo, 521
Produto nacional líquido
  e PIB, 351-354
  poupança e investimento, 507
Produto receita marginal, **207**
  concorrência imperfeita, 208
  concorrência perfeita, 208
  de terra, 208
  de trabalho, 208
  e demandas de fatores, 208-210
  na teoria distribuição, 207-208
  para empresas perfeitamente competitivas, 207
Produto total, **96**-98
Profissões, 225
  mulheres nas, 231
  remuneração elevada, 290
Programa de alimentos, senhas de, 296
Programas de ajuda estrangeiro, 272
Programas de formação profissional, 554
Programas de formação, 544
Programas de segurança de rendas, 296
Programas de subsídios, 275, 297
Progress and Poverty (George), 239
Project Braveheart, 123
Propensão ao consumo marginal, **366-368**
  como inclinação geométrica, 366-367
  e multiplicador, 389-390
Proposta de imposto de taxa única, 279-280
Propriedade privada e capital, 29
Proteção do ambiente global, 273
Protecionismo no setor têxtil, 314-316
Protecionismo, 310-320
  barreiras ao comércio, 312-313
  cláusula escapatória, 317
  comércio livre *versus* sem comércio, 311-312
  custos de tarifas, 314-315
  desemprego, problema do, 319
  e custos de transporte, 314
  economia do, 316-320
  em países soberanos, 302

justificações insensatas de tarifas, 316-317
  mão de obra estrangeira barata, 317
  no Brasil, 319-320
  objetivos não econômicos, 316
  oferta e demanda análise
  pedir ao vizinho, política de, 319
  ponto elevado do, 320
  segurança nacional, argumento de, 316
  setor têxtil, 314-316
  termos de troca, argumento de, 317-319
Protocolo de Kyoto, 247
Púbica, dívida; ver Dívida pública
Pública, teoria da escolha, 272-**273**
Publicidade, como barreira à entrada, 155
Pursuing Happiness: American Consumers in the Twentieth Century (Lebergott), 376

Q

Qualcomm, 123
Qualidade do trabalho, 223-225
Quantidade
  e receita marginal, 156-158
  equilíbrio, valores de, 336-337
  impacto de impostos, 65-67
  interpretação das variações na, 50
  sob comércio livre, 311
Quantidade demandada
  e efeito de substituição, 41
  e efeito renda, 41
  e elasticidade-preço, 57-59
  e elasticidade-renda, 78-79
  e excedente ou escassez, 48
  e preço de mercado, 40-41
  versus variação na demanda, 43
Quantidade ofertada
  curva da oferta, 44
  de automóveis, 46
  e elasticidade-preço, 62-63
  e excedente ou escassez, 48
  e renda econômica, 141
Quatro tempos, mecanismo de ajuste, 490-492
Quem ganha fica com tudo, 103
Quintis, 287
  da renda, variações em 1975-2006, 292
  de rendas das famílias, 288
QWERTY, teclado, 103
Qwest Communications, 123

R

Rabin, Matthew, 87
Rabushka, Alvin, 279-280
Racionais, expectativas, **566**

dos consumidores, 567
versus pressuposto adaptativo, 568
Racionais, expectativas, hipótese das, **566**
Racionamento
    de cuidados de saúde, 194-195
    não pelo preço, 195
    pelos preços, 52-53
    por fila, cupões, ou preço, 69-70
Radford, R. A., 38
Radithor, 145
Ramsey, Frank, 239
Ramsey, regra de imposto de, 239, 282
Randers, Jorgen, 477
Random Walk Down Wall Street (Malkiel), 265, 418
Ranis, Gustav, 464
Rao, Akshay R., 165
Razão capital-produto, Estados Unidos 1900-2008, 451-452
Razão de reservas legal, **426**
Razão de substituição, 89, 92, 130
Razão dívida-PIB, 19
    comparações nacionais, 561
    do Japão, 561-562
    Estados Unidos, 561-562
Razão sacrifício, **552**
Razão das quatro empresas, 166
    aviso sobre, 166-167
    versus Índice Herfindahl-Hirschman, 166
    razões de, 307-308
Reagan, administração de, 341, 395
Reagan, Ronald W., 229, 277, 550, 558, 567
Receita marginal, **156**
    derivada da curva da demanda, 156-158
    e maximização lucro, 182-183
    elasticidade-preço da demanda, 158-159
    para concorrência perfeita, 160-161
    preço de, 156-158
    preço, quantidade, e total receita, 156
Receita total, **60**-61, 156
    e maximização do lucro, 159-161
    e receita marginal, 156-158
Receita
    determinante do investimento, 371-372
    e elasticidade-preço da demanda, 61-62
    e paradoxo da colheita extraordinária, 61
    total, 61
Recessão, 12, **379**
    características habituais, 380-381

e Grande Moderação, 385-386
Guerra do Golfo Pérsico, 395
incapacidade para eliminar, 386
nos Estados Unidos 1980-1982, 434
nos Estados Unidos 2000-2001, 529
nos Estados Unidos 2000-2002, 381
nos Estados Unidos 2007-2008, 420
persistência do, 520
PIB durante, 329
Recursos de acesso livre, 29
Recursos humanos
    e crescimento econômico, 444
    e desenvolvimento econômico, 465-466
Recursos não renováveis, **237**-238
Recursos naturais, 8; ver também Recursos, categorias
    apropriável, 237
    diversidade em, 302
    e crescimento econômico, 444, 510
    economia dos, 236-239
    gestão eficiente dos, 238
    inapropriável, 237
    não renovável, 237-238
    para o desenvolvimento econômico, 465
    perspectiva ambientalista, 236
    principais tipos, 237
    provas de exaustão, 462
    renovável, 238
    tecnológicos, perspectiva dos otimistas, 237
    terra, 238-239
Recursos
    alocação de, 141-144
    categorias, 237-238
Recursos, custos de, 124
Recursos; ver também Recursos naturais
    acesso livre, 29
    e possibilidades tecnológicas, 7-12
    escassez de, 3
    governo, posse pelo, 472
    não eficiente, uso, 12
    para produção em larga escala, 105
    transferência no tempo, 401
    redução clandestina de, 169
Redução dos desincentivos ao trabalho, 554
Reforma da previdência social
    avaliação da, 297-298
    batalha sobre a, 296-298
    devolução de responsabilidade, 297
    e corrida para o último lugar, 297-298
    efeito sobre mercado de trabalho, 297
    legislação de 1996, 297-298
    perspectivas sobre pobreza, 296

programas suplemento da renda atuais, 297
renda ganho, crédito de imposto, 297, 298
Regra da demanda, 140
Regra de substituição, **119**-120, 210
Regra dos juros compostos, 60, 461
Regras em política macroeconômica, 568
Regras fixas, 568
Regras monetárias *versus* livre arbítrio, 572-573
Regras *versus* autônoma
    orçamento, restrições sobre os legisladores, 571-572
    cabimento, regra de, 571
    debate acerca, 571
    regras monetárias, 572-573
Regulação econômica, 271
Regulação social, 243-244, 271
Regulação; ver também Governo, intervenção do; Governo, políticas do
    analogia do desporto, 178
    comando e controlo, tipo, 243-244
    como instrumento de política, 269
    crescimento do, 270-271
    de externalidades, 31
    de gama, 177
    de mercados financeiros, 178
    de preços e lucros, 31
    de substâncias viciantes, 84
    econômica, 271
    ineficiência da, 244
    para conter o poder de mercado, 177-178
    para remediar falta de informação, 178
    razões para, 177
    reduzir o crescimento desde 1970, 271
    social, 243, 271
Reino Unido, imposto do eleitor, proposta de, 282
Remoção de capital, 562-563
Remuneração dos executivos, 108-109, 292
Remunerações complementares
    comparações nacionais, 219-220
    seguro saúde, 194
Renda, 203, **141**, 238
    ciclo de vida, hipótese do, 369
    com o ensino secundário, 224-225
    como fluxo, 204
    consumo elevado relativamente ao, 362
    consumo, poupança, e, 365-366
    cota da renda dos grupos de topo, 291
    da propriedade, 203-204, 290

de famílias nos Estados Unidos, 287
de pessoas únicas, 225
declínio para os agricultores, 64
determinação pela oferta e demanda, 210-211
disparidades no, 211-212
disponível, 287, 365
do capital, 281
do trabalho, 203, 281-282
dos fatores versus pessoal, 203-204
e curva da demanda, 42-43
e educação, 224-225
e níveis de preço, 374
e paradoxo da colheita extraordinária, 61
efeito de variações no, 92-93
efeito do salário mínimo no, 69
efeito sobre padrões de consumo, 364-365
em contas nacionais, 352
equilíbrio de mercado, 238-239
extremos do, 202
fonte de causas de desigualdade, 286-292
impacto da inflação, 543-544
mais elevado, 6
mão invisível para, 214
movimento pelo imposto único, 240
na teoria da distribuição, 204-205
papel do governo, 204
permanente, 367-369
pessoal, 286-287
ponto crítico, 365-366, 388
posição de renda relativa, 289
produtividade marginal do, 205-211
real versus monetário, 79-80
renda da terra, 213
rentabilidade de fatores fixos, 239
resultados de impostos sobre, 239-240
transferências, 204
utilidade marginal decrescente do, 189
utilidade marginal do, 76
variações no, 80
Renda bruta ajustada, 279
Renda da propriedade, 203-204, 290
Renda disponível pessoal, **287**
Renda disponível, **355**
determinante do consumo, 367
e função do consumo, 365-367
e PIB, 354-355, 391
e propensão marginal a poupar, 367
variações nos Estados Unidos 1970-2007, 369
Renda disponível, **364**
Renda do trabalho, 203
parcela na renda nacional, 204, 229, 292
tributos sobre, 281, 282

Renda econômica pura, **141,** 225, 238
base do movimento pelo imposto único, 239
resultados de impostos, 238-239
Renda econômica, 141
Renda média, 41-43
Renda mediana, 287
Renda nacional
cálculo, 343-354
distribuição do, 212-214
divisão do, 203
lucros das empresas em, 364
parcela de trabalho em, 204
trabalho, parcela do, 229, 292
Renda permanente, 368-369
Renda real, 79-80
per capita, 574
Renda suplementar, programas de, 297
Renda tributável, 279
Renda, teoria da distribuição, **205**
Rendimento de investimento na conta corrente, 482
Rendimento líquido, 120
Rendimento residual, 264
Rendimentos à escala constantes, 99, 103
função de produção, 128
Rendimentos à escala
e produção em estoque, 99-100
e tecnologia da informação, 100
tipos de, 99
Rendimentos decrescentes
e curva da oferta, 44
e curvas de custo em U, 118-119
e custos crescentes, 140
e demanda de capital, 258-259
lei do, 96-99, 207, 258-259, 261
na teoria malthusiana, 461
Rentabilidade de longo prazo, 139
Rentabilidade do capital
análise gráfica, 260-262
determinantes de taxa de juros, 260
em aprofundamento do capital, 449
equilíbrio de curto prazo, 260-262
equilíbrio de longo prazo, 262
Rentabilidade social da invenção, 196
Rentabilidades implícitas, 262
Report on Manufactures (Hamilton), 319
Reserva de valor, 406-407
Reservas bancária, **423**
Reservas
exigência de, 410
fixadas, razão, 426
legais, exigências, 426-427
natureza das, 426
oferta e demanda de, 428
pagamento juros sobre, 427

Reservas, política de exigência de definição, 422
determinação da taxa de fundos do Fed, 426-428
empréstimo pela facilidade de desconto, 425-426
fixado, razão de reservas, 426
legais, reservas, 426-427
natureza das reserves, 426
operações de mercado aberto, 423-425
Responsabilidade limitada, 107
Responsabilidade limitada, 107-108
Restrição do comércio, 179, 181, 271
Restrição orçamentária, 91
sobre o Congresso, 571-572
Resultados econômicos, 293
Resultados retidos, 123
Reta orçamentária, 91
efeito de variações da renda, 92-93
efeito de variações de preço, 93
Superávit fiscal, **558**
equilíbrio do consumidor, 92
nos Estados Unidos de 1929-2008, 342
perspectiva keynesiana, 559
Revalorização, **487**
Revoltas sobre impostos, 286
Revolução cultural na China, 472
Revolução keynesiana, 34
Ricardiana, perspectiva da política fiscal, **566**-567
Ricardo, David, 322-323, 565
sobre vantagem comparativa, 303-305
Riqueza das Nações (Smith), 4, 24, 26, 84, 446
Riqueza, **204, 287**
como reserva, 204-205
componentes, 19
declínio após 1929, 370
determinante do consumo, 369-370
diferenças na rentabilidade total do, 212
distribuição da, 287-289
durante a Idade do Ouro, 162
e níveis de preço, 374
e preços de fatores, 211-212
e remoção de capital, 562-563
em ativos não monetários, 406
extremos de, 202
herdada, 33
no papel, 371-372
nominal *versus* real, 384
renda da propriedade, 290
subjacente às forças mercado, 212
tendências na, 205
Risco de inadimplência, 263
Risco e rentabilidade em ativos diferentes, 411-412

Risco elevado (subprime), crises das hipotecas com, 78, 371, 381
Risco moral, **191**
  em navegação, 32
Risco sistemático, 263
Risco, **411**
  cobertura, 188
  de inadimplência, 263
  e incerteza, 189
  e previdência social, 192
  em empréstimos, 255
  medida do, 411
  partilha de, 189
  político, risco, 187
  preferência pelo, 416
  prêmio, 27
  -rentabilidade, gráfico de, 411-412
  sistemático, 263
  suportar, lucros como prêmio por, 263
Riscos seguráveis, 263
Ritter, Lawrence, 265
Rivalidade
  em fixação de preços, 175
  entre poucos, 173
  versus concorrência, 152-153
Road to Serfdom (Hayek), 38
Roaring Nineties, The (Stiglitz), 38
Rockefeller, John D., 161-162
Rodriguez, Alex, 238
Rogers, Will, 236, 420
Rome, Clube de, 462
Romer, Paul, 450
Ronda do Uruguai, 320
Roosevelt, Franklin D., 270, 292
Roosevelt, Theodore, 270, 288
Ross, David, 154, 163
Roth, Al, 183
Rothschild, família, 161
Rregra da oferta, 140
  com comércio livre, 311
  corolários do, 141-142
Ruinosos, preços baixos, 180
Rural, sociedade, 11
Rússia
  falha macroeconômica, 326
  hiperinflação, 327, 332
  inadimplência na dívida, 467
  inflação dos 1990, 545
  inflexão para os mercados, 36
  soviético, economia de comando estilo, 474-476
  transição para os mercados, 475-476

S

Sachs, Jeffrey, 476, 478
Saez, Emmanuel, 109-110, 291

Sahay, Ratna, 553, 555
Salários
  comparações internacionais, 220-221
  comparados à remuneração da gestão, 108-109
  custos de cardápio, de ajuste, 530
  da negociação coletiva, 226-228
  de trabalhadores sindicalizados versus não sindicalizados, 228
  descobertas empíricas, 222
  determinação do total, 213-214
  determinação dos, 218-226, 226
  determinantes, 221-222
  diferenças nas produtividades marginais, 219-220
  e concorrência estrangeira barata, 317
  e ganhos do comércio, 304-306
  e qualidade da população ativa, 220
  e taxa de postos de trabalho vagos, 529
  efeito da imigração, 51-52
  efeito da vantagem comparativa, 310
  efeito de deslocamentos da demanda agregada, 523-524
  efeito do progresso tecnológico, 292
  efeitos dos sindicatos nos, 228-229
  efeitos reforma de bem-estar, 297
  em mercado de trabalho sindicalizado, 530
  Estados Unidos versus México, 221
  geridos, 530
  horas trabalhadas, 220-222
  imigração, 221-222
  impacto de comércio sobre, 292
  inflexível, 530
  internacionais, ganhos, 218
  melhoria com declínio nas horas, 218-219
  mercado, nível de equilíbrio de, 529
  na China, 302
  nível geral de salário, 218-219
  nos Estados Unidos 1900-2008, 451-452
  nos países pobres, 141
  população ativa, participação na, 221
  razões para diferenças nos, 290
  rigidez na Europa, 513
  rígidos, 524
  salário de eficiência, teoria do, 567
  salário mínimo, 67-69
  salário real, 218
  sem e com comércio, 304
  tendências em, 263
Salário mínimo
  controvérsia do, 67-69
  e desemprego jovem, 68-69
Salário renda, **218**
  aumentado pelo sindicatos, 229

aumento em 1890-2008, 219
e ganhos do comércio, 304
em Inglaterra 1264-2007, 538
teoria do salário de eficiência, 567
variações 1948-2007, 456
Samuelson, Paul, 76
Sandburg, Carl, 11
Sargent, Thomas, 566
Saúde e nutrição, 465
Say, J. B., 565
Say, lei dos Mercados de, **565**
Scherer, F. M., 154, 163
Schlosser, Eric, 100n
Schumpeter, Joseph, 14, 35, 199-200, 262, 268, 273
  biografia de, 196
  sobre inovação, 195-196
Schwartz, Anna Jacobson, 265, 418
Securities and Exchange Commission, 178
Securitização financeira, 382
Securitização, 381
Segunda Guerra Mundial, 395
Segurança social, **192**
  cuidados de saúde, seguro, 194-195
  desemprego, seguro de, 192-193
  resultado de falha de mercado, 192
  versus seguro privado, 192
Segurança, 33-34, 286
Seguro, **190**
Seleção adversa, 191
  condições para eficiência, 191
  cuidados de saúde, 194
  dispersão de risco, 190
  risco moral, 191
  social, 192-193
Seleção adversa, **191**-192, 194
Sen, Amartya, 464
Separação entre posse e gestão, 108-109
Serviços, na conta corrente, 482
Setor das telecomunicações, 181
Setor de semicondutores, 316
Setores competitivos
  constituído por pequenas empresas, 133
  curto prazo, equilíbrio de, 137
  curva da oferta de mercado, 136-137
  longo prazo, equilíbrio de, 137-139
  oferta, comportamento de, 137-139
  preços no longo prazo, 139
Setores de rede, 154, 178
Setores perfeitamente competitivos; ver Setores competitivos.
Shakespeare, William, 73, 378
Shapiro, Carl, 110-111
Shiller, Robert, 265-266, 418

Shorter, Gary, 110
Silber, William L., 265
Simon, Julian, 237, 249
Sindicatos
  como conspiração, 227
  declínio dos, 292
  declínio nos Estados Unidos, 229
  greves pelos, 229
  membros, 226, 227
  monopólio legal, 227
  negociação coletiva pelos, 226-228
  no desemprego, 229
  no salário, 228-229
  poder de mercado, 226
  políticos objetivos, 227-228
  regras de trabalho, 227
  salários padrões de, 530
  salários, aumentos de, 227-228
Sintonia fina, 432, 559
Sistema financeiro internacional, 480
  sob taxas de câmbio flexíveis, 502-504
Sistema financeiro, 252, 400-**401**
  agregação e subdivisão de fundos, 402
  ativos financeiros em, 403-405
  ativos no, 402
  bancos, 409-411
  caso especiais da moeda, 405-408
  de compensação, 402
  estratégias financeiras pessoais, 415-416
  fluxo de fundos, 403
  gráfico de fluxo circular, 403
  instável, 405
  intermediários financeiros, 401
  mercado de ações, 410-415
  mercados financeiros, 401
  oferta moeda, 409-411
  papel na economia, 401
  recursos, transferências de, 402
  risco gestão, 402
Sistema fiscal, justiça, 282
Sistema monetário internacional, 273, 481, **489-490,** 491-495
  Banco Mundial, 492-493
  com padrão-ouro, 490-492
  com taxas de câmbio flexíveis, 494-495
  crises financeiras de 1990, 489
  emergente, 515
  Fundo Monetário Internacional, 492
  híbridos aspectos, 495
  importância do, 490
  instituições após a Segunda Guerra Mundial, sistema de Bretton Woods, 493
  intervenção, 493-494
  mecanismo de ajuste, 490-492
  vantagens/desvantagens, 495
Sistemas cambiais, 334
Sistemas de apoio de rendas, 371
Sistemas econômicos
  abordagem do mercado gerido, 471, 472-473
  de laissez-faire, 7
  economia de comando, 7, 471, 473-476
  economia de mercado, 7
  economia mista, 7
  socialismo, 471, 473-474
Sistemas redistributivo, 34
Smith, Adam, 14, 21, 30, 67, 75, 84, 310, 317, 323, 474
  e mão invisível, 24-26
  fundador da economia, 26
  fundador da microeconomia, 4
  sobre crescimento econômico, 446-447
Smith, Robert S., 234
Smith, Vernon L., 78, 87
Smoot-Hawley, tarifa de 1930, 320
Sobrevalorização da moeda, 504, 512
Social segurança, 286
Socialismo
  e desenvolvimento econômico, 472, 473-474
  e Estado social, 35
  filosofia do, 472-473
Sociedade sem moeda, 406
Sociedade urbana, 11
Sociedades anônimas, **107;** ver também Empresas
  acionistas, 107
  gestores e diretores, 107
  mandante-mandatário, problema do, 109
  propriedade das, 107
  remuneração dos executivos, 108-109
  responsabilidade limitada, 107
  risco dispersão, 191
  separação entre propriedade e controle, 108
  vantagens e desvantagens, 108
Sociedades de responsabilidade limitada, 107
Sociedades em nome coletivo, 107
Sócios; ver Acionistas
Software
  custos de distribuição de, 114
  indústria de, 155
  programas de, 103-104
Solomon, Robert, 490, 496
Solow, Robert, 448, 458
South Sea Company, bolha da, 415

Standard Oil Trust, 162
  defesa da concorrência, caso, 181
Stanley Steamer, 24
Stavins, Robert, 294
Stigler, George, 14, 273
Stiglitz, Joseph E., 38, 125-126, 567
Stolper-Samuelson, teorema, 317
Strutural Slumps (Phelps), 577
Stuart, Robert C., 478
Subsídios
  cuidados médicos, 193-195
  para estimular a produção, 66-67
  para o etanol, 45
Substituição, 12
Substitutos, **80-81**
  e demanda elástica, 57
Sucesso econômico, medida do, 228-333
Suécia, 295, 302
Survey of Current Business, 398

T

Talento, pessoas, 225
Tangência, equilíbrio de consumidor, 92
Tarifa ótima, argumento, 317-318
Tarifas antidumping, 317
Tarifas de retaliação, 317
Tarifas não proibitivas, 312
Tarifas para interesses especiais, 316-317
Tarifas proibitivas, 312
Tarifas, **311;** ver também Protecionismo
Taxa de atualização, 425
Taxa de câmbio reciploca, 486
Taxa de câmbio
  objetivo de, 422
  políticas de, 272
Taxa de câmbio, sistemas de taxa rígida, 493
Taxa de crescimento
  do PIB real, 329
  fórmula, 329
Taxa de desemprego, **330,** 532-534
  demografia do, 531
  em ciclos econômicos, 330, 531
  em Estados Unidos 1929-2008, 342
  jovens, 532-534
  minorias, 532-534
  na Grande Depressão, 330, 524, 526
  Okun, Lei de, 527
  tendências na Europa *versus* Estados Unidos, 534-535
Taxa de desemprego não aceleradora de inflação, 521, **549,** 566
  custos de redução da inflação, 552-553
  definição de longo prazo, 552
  dúvidas sobre, 551-552

e curva de Phillips, 549-552
ideia subjacente, 549
políticas para reduzir o desemprego, 553-554
quantitativas, estimativas, 551
redução, 554
versus taxa efetiva, 551-552
Taxa de desemprego natural, 549, 552
Taxa de imposto, **279**-280
Taxa de inflação, **331**-332, 357
América Latina, 28
cálculo da, 331-332
convergência na União Europeia, 513-514
e produtividade e salários, 549
esperada, 545
fórmula, 538
nos Estados Unidos 1929-2008, 342
nuclear, 545
ótima, 544
países socialistas, 28
Taxa de juros das títulos de dívida de empresas, 256
Taxa de juros real, 253, **255**
álgebra do, 257
e deflação, 543
negativa, 544
nos Estados Unidos 1900-2008, 451-452
versus taxa de juros nominal, 255-259
Taxa de juros zero, 543
Taxa de juros, **251**, 404-405
análise gráfica, 256
aumentos, 428
convergentes na União Europeia, 513-514
de fundos obtidos de empréstimo, 372
de zero, 410-411
definição, 253
determinantes do, 260
e ativos financeiros, 253
e déficit do orçamento, 509
e demanda para investimento, 428-430
e Federal Reserve System, 332
e inflação, 255-258
e investimento, 506-507
e liquidez de ativos, 255
e nível de investimento, 509
e preços de ativos, 254
e rentabilidade de investimento, 372-374
e rentabilidade do capital, 260-262
efeito da demanda de moeda, 406-407
efeito sobre taxas de câmbio, 487
elevadas, 504
em recessões, 380
Fisher, teoria de, 259-260

impacto da inflação, 543
nas principais classes de ativos, 256
nos empréstimos, 255
reações a variação em, 428
real versus nominal, 255-259
sem risco, 255
taxa dos fed funds, 422-424
valor presente, análise do, 253-255
objetivo de, 428
Taxa de rentabilidade marginal, sobre o custo, 259
Taxa de rentabilidade
definição, 411
do capital, 252-253, 259, 261-262
dos investimentos, 252-253
dos investimentos, 253
e aprofundamento do capital, 449
e taxa de juros, 252-253
exemplos de, 253
Taxa dos fed funds, **422**
determinação da, 424
Taxa marginal de substituição, 99
Taxa poupança, **364,** 370-371
Taxas de câmbio de mercado, 489
Taxas de câmbio fixas, 437, **490**-491, 495
ataque especulativo sobre, 493
com currency board, 493
com mecanismo de transmissão monetário, 504-505
com moeda comum, 493
contradição fundamental do, 513
e dolarização, 493
e intervenção, 493-494
e sistema de Bretton Woods, 493
fixo rígido, 493
mecanismo de ajuste internacional, 491-492
na China, 493-494
padrão-ouro, 490-491
Taxas de câmbio flexíveis, 437, **494**-495
com mecanismo de transmissão monetário, 505-506
comércio e finanças sob, 502-504
e inflação, 490
e monetária política, 435
europeia, crítica, 513-514
Taxas de câmbio ligadas, 437, 495, 505
Taxas de câmbio, 334, **484;** ver também Taxas de câmbio fixas; Taxas de câmbio flexíveis
ajuste da poupança e investimento, 509
de mercado *versus* de paridade poder de compra, 489
determinação de, 484-489
e balanço de pagamentos, 487-488
e currency board, 493
e de paridade poder de compra, 488-489
e política monetária, 493, 523

efeito variações de taxa de juros, 487-488
em comércio internacional, 484-485, 487, 505
equilíbrio, 486
geridas mas flexíveis, 495
ligada, 495, 505
medida do, 485
principais sistemas, 490
recíproca, 486
sob Bretton Woods, 493
sobrevalorização, 512
terminologia para, 487
Taxas de impostos, 279
principais ineficiências, 294-295
Taxas de nascimento, 465-466
Taxas por emissões, 244-245
Taxas sobre o usuário, 277
TDNAI; ver Não aceleradora de inflação, Taxa de desemprego
Técnicas de produção em estoque, 99-100
Tecnologia, 39
bem público, 451
bolha das ações da, 326, 374
determinante de produção, 24
difusão de, 445
efeito sobre padrões de consumo, 364-365
estagnação, 445
fonte de concorrência imperfeita, 153-154
fronteira, 574
imitação, 467
impacto de despesa do governo, 450-452
inferior, 101
para insumos e produtos, 8
regressão, 101
Tecnológicas, possibilidades
insumos e produtos, 8
e recursos limitados, 7-8
fronteira de possibilidades de produção, 8-12
Tecnológico avanço/progresso, 23, **445**-446
ajuda a pessoas talentosas, 225
como produto econômico, 451
crescimento de longo prazo sem, 450
derrubar o monopólio natural, 154
e desenvolvimento econômico, 467-468
e inovação, 445-446
efeito sobre a curva da oferta, 45-46
efeito sobre a função de produção, 101
efeito sobre os salários, 292
em cuidados de saúde, 193
exemplos, 100
foco sobre as fontes do, 451
impacto sobre a demanda agregada, 384

na agricultura, 64
na nova teoria do crescimento, 451
papel do crescimento econômico, 450-451
para o crescimento econômico, 450-451
processo versus produto, inovação de, 100-101
promoção da demanda para, 574
promoção da oferta de, 574-575
Temple, Jonathan, 458
Tempo de trabalho, 142
Tempo
dinásticas, preferências, 566-567
envolvida em produção, 99-100
gasto nas compras, 152
oportunidade, custo de, 124
ótima, alocação, 77
preço comportamento sobre, 187-188
use do, 11
atualização do, 259
Temporary Assistance for Needy Families, 297
Tendências econômicas, 6
Teoria da distribuição, **205**
demandas de fatores de produção, 205-206, 208-210
e receita do produto marginal, 207-208
oferta de fatores, 209-210
ponto fundamental da, 207
renda nacional, 212-213
Teoria da ineficácia da política, **568**
Teoria da moeda e preços, **433**
Teoria da oferta e da demanda, 39
Teoria das taxas de câmbio de poder de compra, paridade, 488-489
Teoria de capital, lucros e juros, 259-264
Teoria de demanda
e lei da utilidade marginal decrescente, 74
e utilidade ordinal, 78
e utilidade, 73-74
em economia comportamental, 77-78
Teoria de Fisher, 259-260
Teoria do ciclo econômico real, **566**
produto e choques tecnológicos, 565
Teoria do imposto eficiente, 239
Teoria do novo crescimento, 450
Teoria do valor econômico, 84
Teoria dos jogos, **172-176**
abrangência, 176
credibilidade em jogos, 176
e concorrência imperfeita, 172
e fixação de preço, 173
e jogo, 191
equilíbrio de Nash, 174-176
equilíbrio dominante, 174
estratégia dominante, 174

estratégias alternativas, 173-176
guerra de preço, 174
não cooperativo, equilíbrio, 175-176
preço de duopólio, jogo, 173
quadro de resultados, 173
resultado, 173
rivalidade, jogo da, 175
usos da, 172-173
Teoria geral do emprego, do juro e do dinheiro (Keynes), 4, 12, 328, 340, 398, 565
Teoria mercado eficiente
e passeio aleatório, 413-415
limitações do, 415
lógica da, 413
Teoria normativa de governo, 272
Teoria salário de eficiência, **567**
Teorias do ciclo econômico
abordagem keynesiana, 375
e crises financeiras, 381-382
e modelo do multiplicador, 397
teoria do ciclo econômico real, 565, 566
teorias exógenas, 381
teorias internas, 381, 396
Teorias dos ciclos econômicos exógenos, 381
Teórica da negociação coletiva, indeterminação, 228
Terkel, Studs, 536
Termos de comércio, **306**, 317
Termos de troca, argumento, 317-319
Terra
como fator de produção, 8
comparada a capital, 28
curva da oferta para, 238-239
curva de mercado da demanda para, 210
decisões sobre, 210
demanda derivada para, 239
especialização da, 26
imposto sobre a propriedade, 239
lei dos rendimentos decrescentes, 97-99
movimento pelo imposto único, 239
posse da, 238
posse em países em desenvolvimento, 465
produção da, 238n
produto marginal do, 128
receita do produto marginal, 208
renda da, 238-239
rendimento de aluguel, 213
tributação da, 239-324
Tese da expulsão, 561
Thatcher, Margaret, 282, 567
Theory of Economic Development (Schumpeter), 196
Theory of Games and Economic

Behaviour (Morgenstern), 183
Theory of Interest (Fisher), 259, 265
Theory of Price (Stigler), 14
Theory of the Consumption Function (Friedman), 376
Theory of the Leisure Class (Veblen), 162
Thinking Strategically (Dixit & Nalebuff), 183
Three Trillion Dollar War (Bilmes), 126
Tietenberg, Thomas H., 245, 249
Time Warner-AOL, fusão, 374
Titan (Chernow), 163
Títulos a pagar, 123
Títulos de dívida de mercado emergente, 466-467, 512
Títulos de dívida Indexados, 258-259
Títulos de dívida, 123
emergente, mercado, 512
indexados, 257-258
Títulos do governo, taxa de juros dos, 257
Títulos do tesouro protegidos da inflação, 258-259
Títulos negociáveis, 255
Títulos, 256, 404
de dívida do governo, 258-259
negociáveis, 255
valor nos Estados Unidos em 2008, 411
Tobin, James, 326, 390
Toyota Motor Corporation, 24, 149, 155, 446
Trabalhadores não qualificados, 310
Trabalho
as fator de produção, 8
demanda derivada de, 205-206
lei dos rendimentos decrescentes, 97-99
na função de produção, 95-96
produto marginal do, 128
produto marginal, total e médio, 96-98
receita do produto marginal 208
condições de, 228
legislação sobre, 227
leis de segurança no, 271
Transferências, 33-34, **204**, 269, 350-351
excluídas do PIB, 350-351
Transição demográfica, 465-466
Transístor, 276
Tributação social da segurança, 280
Tributos diretos, **278**
Tributos sobre vendas, 280
Tributos verdes, 282-283
Troca direta, 28, **405**-406
Trusts, 162
Tulipas, mania das, 412
Tullock, Gordon, 273
Tversky, Amos, 163

U

Udell, Gregory F., 265
União Europeia, 155
    crítica das taxas de câmbio flexíveis, 512-513
    desenvolvimento da, 321
    e TDNAI, 550-552
    elevada mobilidade de capital, 504
    moeda comum, 493
    tendências de desemprego, 534-535
União Monetária Europeia
    banco central, 513
    custos e benefícios, 514-515
    desenvolvimento da, 513-514
    instabilidade resultante, 513-514
    moeda comum, 514
    zona monetária ótima, 514
União Soviética, 7
    e contabilidade do crescimento, 455
    estagnação tecnológica, 445
    falha macroeconômica, 326
    revolução de 1989-1991, 443
Unidade de conta, 406
Unidades de não utilidade, 141
Universidade, admissões na, 530
Universidade/ensino secundário, diferencial salarial, 225
Urban Institute, 299
US Airways, 171
US Internacional Trade Commission, 317
US Lighthouse Service, 32
US Steel, caso da, 181
US Supreme Court, 181, 227
Úteis ou Utis (Utils), 141
Utilidade cardinal, 78
Utilidade marginal decrescente
    da renda, 189
    lei da, 73-75, 188
Utilidade marginal, 73-**74**
    da renda, 76
    e custo marginal, 143
    e inclinação da curva da demanda, 76-77
    e lei da substituição, 99
    e utilidade total, 74-75
    em equilíbrio competitivo, 142-143
    igualdade marginal, princípio, 76
    paradoxo de valor, 84
    valor, 17
    versus curvas de indiferença, 78-79
Utilidade ordinal, **78**
Utilidade total
    e consumo, 74-75
    e especulação, 189
    e excedente consumidor, 84-85
    e utilidade marginal, 74-75
    paradoxo do valor, 84
Utilidade, **73**
    cardinal, 78
    e especulação, 188-189
    e excedente consumidor, 84-85
    e paradoxo de valor, 84-85
    e teoria da demanda, 73-74
    em equilíbrio competitivo, 143
    exemplo numérico, 74-75
    ordinal, 78
    princípio da, 76
Utilidade, teoria
    abordagens alternativas, 78-80
    alocação de tempo, 77
    desenvolvimentos analíticos, 78
    e escolha, 73-76
    história da, 75-76
    igualdade marginal, princípio, 76, 78
    significado do, 73
Utilitarismo, 75-76

V

Valor
    custo histórico, 123
    de marcas, 155-156
    e custo de oportunidade, 125
    e excedente do consumidor, 84-85
    paradoxo do, 83-84
    teoria do, 84
Valor acrescentado, **347**
    abordagem do PIB, 345-347
    imposto sobre o, 280
Valor de mercado, da Coca-Cola Company, 155-156
Valor intrínseco, 406
Valor presente, **253**
    atualização future pagamentos, 254
    fórmula, 254
    geral fórmula, 254-255
    maximizadoras, 255
    para perpetuidades, 254
Valorização de moedas, 487, 503-504, 512
Vanderbilt, Cornelius, 161, 172
Vantagem absoluta, 302
Vantagem comparativa
    a muitos países, 309
    análise gráfica da abertura ao comércio, 306-308
    comércio triangular e multilateral, 309
    das empresas, 107
    distribuição da renda, 310
    e fronteira de possibilidades de produção 305-308
    e mão de obra estrangeira barata, 317
    equilíbrio, preços relativos de, 307-308
    Estados Unidos sem comércio, 305-306
    ganhos do comércio, 305-306
    muitos bens e serviços, 308-309
    oferta e demanda, análise, 311-316
    Outsourcing, 305
    pressupostos clássicos, 309-310
    Princípio da, 303-304
    Ricardo, análise de, 303-304
    sentido não comum da, 302
    termos de comércio, 316
Variações de regimes, 553
Varian, Hal R., 27, 38, 53, 110, 114, 199
Variáveis macroeconômicas, 335-336
Variáveis, **16**
    macroeconômicas, 335-336
    ordinais, 78
    que afetam a demanda agregada, 384-385
Veblen, Thorsteem, 162
Végh, Carlos A., 553, 555
Velocidade da moeda, **433**
    crescimento 1960-2007, 434-435
    fórmula, 433
    instabilidade 1979-1982, 435
Velocidade do rendimento da moeda, **433**, 435
Vertical, equidade, **277**
Volcker, Paul, 337, 434, 550, 572

W

Wagner, Lei, 227
Wall Street Journal, 255
Walmart, 180, 290
Walt Disney Company, 155
Walton, família, 290
Warner, Andrew, 476, 478
Warsh, David, 458
Weber, Max, 469
Weil, David, 458
Wendy's, 149
Western Electric, 181
Westinghouse Corporation, 180
Wilde, Oscar, 39, 218
Wilson, Edward O., 236, 249
Wilson, William Julius, 296
Wilson, Woodrow, 270
WorldCom, 108, 137

Y

Yahoo!, 123
Yellen, Janet, 567
Yohe, Gary, 53

Z

Zero, condição de lucro, 139
Zero, equilíbrio de longo prazo de lucro, 139
Zero, lucro econômico, **139**
Zero, política de inflação, 544
Zero, ponto de lucro, **135**, 139
    e encerramento ponto, 135
Zero, taxa de juros, 543
Zimbabué
    hiperinflação, 332
    zona monetária ótima, **513**
Zonas de comércio livre, 154-155
Zonas econômicas especiais na China, 472
Zweibel, Jeffrey, 87

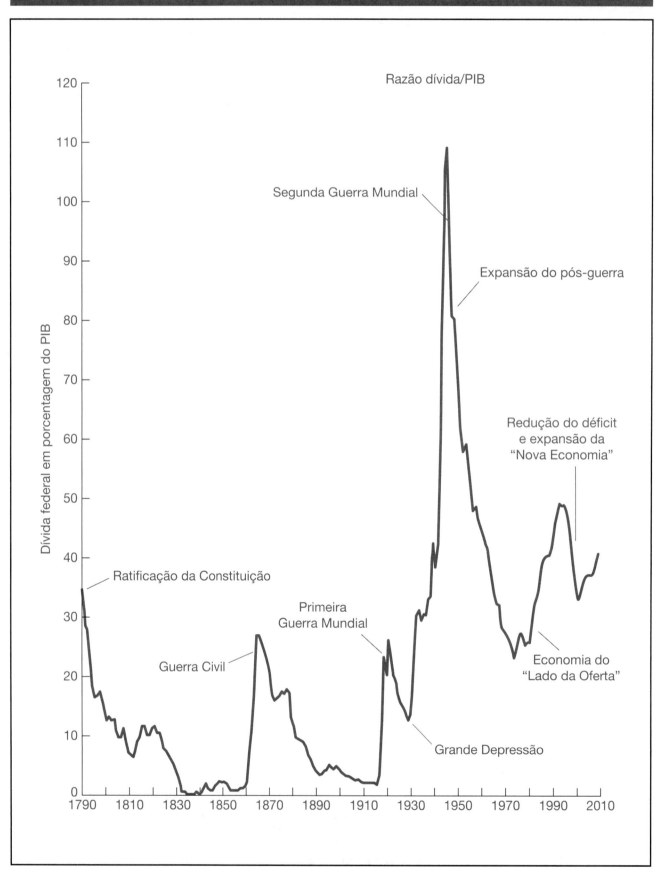

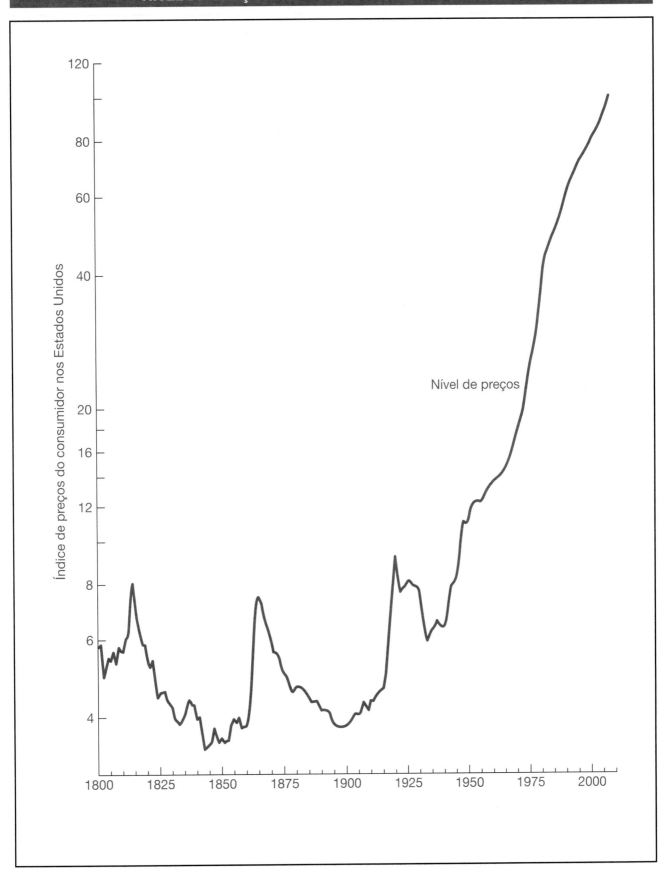

ÁRVORE GENEALÓGICA DA ECONOMIA

FISIOCRATAS

Quesnay, 1758

David Ricardo, 1817

SOCIALISTAS

K. Marx, 1867
V. Lenin, 1917

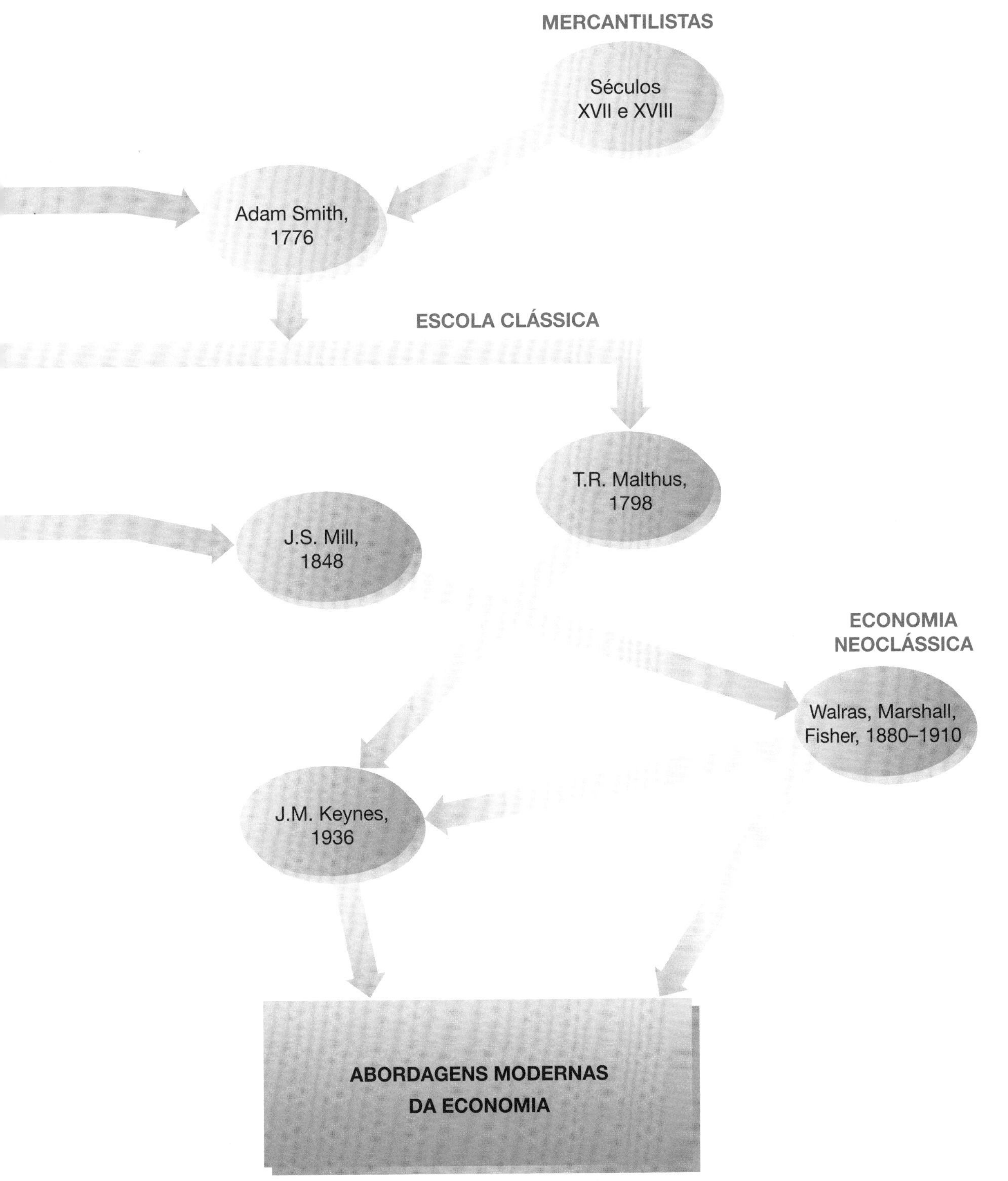

MERCANTILISTAS

Séculos XVII e XVIII

Adam Smith, 1776

ESCOLA CLÁSSICA

T.R. Malthus, 1798

J.S. Mill, 1848

ECONOMIA NEOCLÁSSICA

Walras, Marshall, Fisher, 1880–1910

J.M. Keynes, 1936

ABORDAGENS MODERNAS DA ECONOMIA

IMPRESSÃO:

Santa Maria - RS - Fone/Fax: (55) 3220.4500
www.pallotti.com.br